D1631478

JUSQU'AU MATIN

Du même auteur

aux Éditions internationales Alain Stanké

Lhassa, étoile-fleur

Le Premier Jour du Monde

Les cent fleurs

Ma maison a deux portes

Han Suyin

Jusqu'au matin

Traduit de l'anglais
par
Magali Berger

Publié sous le titre original de

TILL MORNING COMES

ÉDITION DU CLUB QUÉBEC LOISIRS INC.

ISBN 2-7604-0188-X

1

La ville qui s'éveillait arracha John Moore à cet état de torpeur qui, dans la chaleur suffocante de l'été à Chungking, tenait lieu de sommeil. En 1939, à son arrivée dans la cité assiégée, cette cacophonie matinale l'avait exaspéré. Il avait détesté cet étalement de maisons blessées, la stridence, l'odeur et les foules ; toutes ces foules qui, telle une lèpre, défiguraient l'abrupt promontoire rocheux érodé par ses deux rivières, le majestueux Yangtse et le beau Tchialing.

Mais on était en 1944, cinq ans plus tard, et John Moore aimait maintenant la ville mutilée par la guerre à cause précisément de cette agression constante qu'elle imposait à ses sens, symbole toujours renouvelé de l'héroïsme et de la trahison. La crasse, le bruit, l'inconfort des étés torrides et des hivers opaques de brouillard lui étaient des défis qui lui manquaient quand il était loin, comme si une partie de lui-même avait pris ses racines sur ce roc dénudé.

Cinq ans plus tôt, âgé de trente ans et plein de nobles certitudes sur le bien et le mal, il était arrivé en Chine, reporter en herbe. Il venait témoigner dans cette guerre farouche qui opposait le peuple chinois assiégé à l'envahisseur japonais.

Les villes, les provinces étaient tombées, les unes après les autres. Mais le peuple têtu ne cédait pas ; il refusait de capituler.

Nanking, Shanghai, Wuhan étaient tombées. Le gouvernement de Tchiang Kaishek s'était replié sur Chungking, dans la lointaine province de Szechuan. Puis, en mai 1939, les Japonais avaient bombardé et incendié la ville surpeuplée.

Ils n'avaient pourtant pu briser le courage des habitants qui, après avoir tant bien que mal réparé les dégâts, vivaient, s'activaient, riaient parmi les gravats et la cendre. La cité reconstruite avait été à nouveau bombardée, encore et encore... John Moore avait participé à cette renaissance, à cette résistance. Et il savait désormais pourquoi les

Américains résidant en Chine tombaient amoureux de la Chine. De son peuple.

Ses articles sur la guerre lui avaient valu une certaine renommée. En les écrivant, il avait acquis une solide connaissance du métier et une réputation de journaliste intègre. Mais, maintenant plus rien n'allait. L'héroïsme était toujours là mais côtoyait la désillusion et l'amertume. La rhétorique de la résistance rendait un son faux, presque moqueur.

C'est que le gouvernement de Tchiang Kaishek, très populaire en 1938 et 1939, à présent était haï. La corruption, le despotisme avaient détruit son image.

Chaque matin, en s'éveillant, John Moore se demandait comment faire pour informer ses lecteurs sur la véritable nature du gouvernement de Tchiang Kaishek sans, pour autant, les décourager et les amener à penser que le peuple chinois ne méritait plus qu'on l'aidât.

Il y avait maintenant plus de deux ans que ces incertitudes rongeaient insidieusement son esprit ; elles apparaissaient en filigrane dans l'objectivité scrupuleuse de ses articles, qui rendaient ses directeurs perplexes. Car eux aussi, comme le public américain, étaient imprégnés depuis des années d'une vision de la Chine — vision qu'il avait contribué à forger — comme symbole grandiose et radieux de l'héroïsme. La nuance de doute qu'il introduisait à présent les déconcertait et, en particulier, Lance Clark, le propriétaire du journal prestigieux pour lequel il écrivait, qui n'admettrait jamais la moindre imperfection, la moindre ternissure dans la présentation du personnage de Tchiang Kaishek.

Le soleil surgissait de la Grande Rivière et une nouvelle journée torride commençait. John se sentit réconforté par la gaieté braillarde des rues qui s'éveillaient. Il discernait dans la perpétuelle et vulgaire cacophonie cette énergie insensée, absurde, qui permet à l'humanité de poursuivre son chemin à travers la vie, de rire, d'aimer, de se réjouir, comme si elle avait affaire à l'éternité au lieu de ce gouffre sombre et ultime vers lequel elle se hâte et où cessent tout bruit, toute agitation.

Il retrouva une vision plus juste des choses ; le tohu-bohu allégeait son anxiété, son inquiétude à devoir dire à ses concitoyens qu'il pourrait bien se produire une crise politique grave en Chine et qu'elle impliquerait inéluctablement l'Amérique.

Allongé sous la moustiquaire, il écoutait. Il reconnut le cri nasillard des porteurs d'eau qui revenaient de la rivière, deux cent cinquante mètres plus bas et distante de presque deux kilomètres, en balançant leurs seaux en bois remplis d'un liquide ambré. Poussant des ahan et des grognements saccadés, ils gravissaient les marches tapissées de cailloux du sentier taillé en escalier qui escaladait la falaise et leurs « Attention, attention » se mêlaient aux facétieux « Place, place », de la file descendante des porteurs d'excréments. Ceux-ci transportaient sur leur dos des tonneaux de bois d'où s'écoulait une boue fluide, à l'odeur piquante, précieux engrais pour les rizières qui nourrissaient la cité surpeuplée. Et le liquide dont porteurs d'eau et porteurs d'excréments éclaboussaient les rues pavées et escarpées de la ville avait presque la même couleur.

John souleva la moustiquaire, posa les pieds sur le parquet déjà imprégné de chaleur humide et écouta les clairons sonner la diane dans la caserne voisine ; les soldats du Kuomintang campaient dans toute la ville ; des mitrailleuses ancrées dans des socles de ciment se dressaient aux carrefours. Non pas pour lutter contre les Japonais mais pour contenir le mécontentement des gens.

Quelques centaines de voix juvéniles entonnèrent l'hymne nationaliste. John alla jusqu'à la jarre de céramique posée dans un coin de la chambre et se versa sur le corps le peu d'eau qu'elle contenait ; l'eau glissa sur sa peau et lui procura une fraîcheur momentanée. Il écouta le chant. Jadis, cet hymne avait mouillé ses yeux de larmes et serré son cœur d'émotion, car il symbolisait la vaillance, le défi héroïque devant une adversité écrasante. Maintenant, il lui rappelait le camp de recrutement qu'il avait visité. Ces camps n'étaient pas ouverts aux visiteurs mais John Moore avait insisté. Car il avait vu, sur les routes autour de la ville, dans les champs, des soldats — ou plutôt des squelettes en uniforme — qui se traînaient pitoyablement, harcelés par des officiers armés de bâtons.

Tout à fait par hasard, à cause d'une erreur de date au ministère de l'Information, il était arrivé au camp une semaine plus tôt que prévu... et l'horreur de ce qu'il avait découvert ne l'avait plus quitté.

Il avait vu les paysans que les recruteurs avaient arrachés de force à leurs champs et ligotés pour les empêcher de s'enfuir, petits, maigres, certains même émaciés, et qui attendaient d'être détachés, assis dans leurs propres déjections. Certains groupes contenaient même un cadavre car l'un d'eux avait succombé en chemin et personne ne s'en était soucié. Depuis combien de temps attendaient-ils ? Depuis quand n'avaient-ils pas reçu de nourriture ? « Il meurt davantage de soldats dans les camps de recrutement, par manque de nourriture, que sur un hypothétique champ de bataille », avait écrit John Moore, à la grande colère des Autorités. Mais les régiments fantômes des morts continuaient à toucher leur paie et l'argent glissait dans les poches des officiers. Et rien n'avait changé.

L'eau coula le long de son corps et tomba dans le baquet en zinc. Il s'essuya, talqua les plaques d'échauffaison, au cou, à l'aine, aux aisselles. Il n'était pas encore six heures et déjà le soleil était un globe de feu aveuglant dans un ciel que la chaleur rendait opaque. Elle n'accordait aucun répit. Toute la journée, le soleil cuisait le rocher et les maisons ; la nuit, la chaleur exsudait du sol et des murs, visqueuse comme de la mélasse.

John enfila une chemise. Il entendit les borborygmes de la chasse d'eau dans le cabinet au bout du couloir. Terry Longworth et ses ennuis intestinaux. Chacun, à Chungking, avait des crises de diarrhée et la dysentrie, le choléra y étaient un danger toujours présent. En mai, Terry avait failli mourir d'une infection généralisée alors qu'il se trouvait en Birmanie du Nord, à la suite du général Joseph W. Stilwell, surnommé Joe Vinaigre, le commandant américain qui tentait de reprendre pour la Chine la Route de Birmanie. Il essayait aussi de réorganiser l'armée de Tchiang Kaishek et critiquait violemment ce dernier. Terry avait écrit des articles brillants sur Stilwell, sur les régiments chinois que Stilwell entraînait ; John Moore espérait que Terry obtiendrait le prix Pulitzer. Il le méritait. Et dans sa situation, ça l'aiderait beaucoup.

John entendit le rire de Stéphanie Ryder. Ce rire ressemblait à Stéphanie, frais et gai, et John fut soudain envahi par une onde de désir qui le précipita hors de sa chambre et en bas des escaliers.

Stéphanie, dont ni la chaleur ni le chagrin ne ternissaient l'éclat... Bien qu'Alan Kersh fût mort moins de trois mois plus tôt, Stéphanie rayonnait de jeunesse et du bonheur de la jeunesse.

Elle se tenait sur le seuil de la porte qui donnait sur la cour de l'Hôtel de la Presse, où résidaient les journalistes étrangers. Elle portait des sandales et une robe claire ; elle avait levé les bras pour accrocher en chignon ses cheveux bruns aux reflets mordorés, et se servait d'une barrette en écaille pour dégager sa nuque. Elle lui sourit, dit « Salut, John », puis répondit à Alistair Choate qui se dandinait près d'elle : « Bien sûr que je sais comment m'y rendre, Alistair. J'y suis allée hier mais je n'avais pas mon appareil-photo. Je veux prendre quelques photos. »

— Vous ne devriez pas y aller seule, Stéphanie. On ne peut pas faire entièrement confiance à ces gens. Ils sont capables de tout et essaieront de vous extorquer de l'argent. »

John sentit son visage se crisper comme chaque fois qu'Alistair exprimait son mépris pour les pauvres et les mendiants. C'était son sacré idéalisme, incurable. Seigneur, les gens souffraient assez sans que quelqu'un de bien nourri et de bien payé comme Alistair ne vienne pas, de surcroît, les accabler de son mépris.

Il y avait aussi une rivalité inexprimée entre les deux hommes à cause de Stéphanie. Pour les correspondants étrangers, la rareté des femmes constituait une des épreuves de la vie à Chungking et Stéphanie, arrivée la semaine précédente, avait suscité des remous de désir. A l'exception de Terry Longworth, qui avait Rosamund et souhaitait l'épouser, les hommes entouraient Stéphanie avec un empressement avide. Mais ses yeux les dévisageaient tous avec une gentillesse presque insultante. John s'était rendu compte que son sourire, ses mouvements de tête n'étaient pas une invitation mais l'expression d'une gaieté naturelle, d'un enjouement de jeune chiot qui n'avait rien à voir avec la provocation sexuelle. Elle est aussi innocente qu'un nuage, pensa John. Il avait envie de la protéger, de protéger sa candeur. Pourtant, Alan Kersh avait écrit à John, son meilleur ami : « Tu vas voir ma nouvelle petite amie... Stéphanie est délicieuse... elle est intelligente, ambitieuse... et au lit, c'est une affaire... »

Le souvenir de cette allusion vulgaire à Stéphanie irrita John — dans la mesure où l'on peut s'irriter contre un mort. Un don Juan sur le retour. John avait froissé la lettre puis l'avait jetée dans sa corbeille à papier.

La beauté de Stéphanie. Ses yeux étaient encore plus foncés que ses cheveux, avec les mêmes reflets mordorés. Son visage irradiait le rayonnement d'une jeunesse presque insultante de vie. Dans la même heure, elle semblait être plusieurs femmes à la fois : accessible et pourtant distante, chaleureuse, exubérante et soudain lointaine. D'apparence petite et fragile, sa minceur cachait une grande robustesse. Elle était à la fois docile et combative. Elle avait tout juste vingt et un ans. Et son regard doux et direct avait séduit John Moore, l'avait bouleversé de désir et d'amour.

« Il va faire *très* chaud, insistait Alistair. Les mendiants vont tourner autour de vous comme des mouches.

— Je pense que Stéphanie peut se débrouiller toute seule, dit John.

— Il y a une conférence de presse à dix heures, ajouta Alistair.

— Je serai de retour avant, dit Stéphanie. Chungking n'est pas plus chaud que Dallas, Alistair. Vous auriez dû y venir pendant la vague de chaleur, l'an dernier... » Elle agita gaiement la main et s'éloigna, son sourire et le regard de ses grands yeux d'enfant atténuant son impétuosité.

Les deux hommes la regardèrent descendre, de son pas léger, l'allée de bananiers et de lauriers-roses, franchir la porte où se tenaient les deux sentinelles armées et s'engager dans le chemin qui montait vers la grande route pleine de monde.

Ils se firent face, conscients du ressentiment brûlant et de la frustration que la présence de Stéphanie avait provoqués.

« J'ai appris le départ de Clarence Gauss. Dommage. J'aimais bien ses soirées poétiques, dit Alistair.

— Il connaît bien le pays, répondit John.

— Nous sommes tous victimes de cette illusion, au bout d'un certain temps. Nous pensons que nous connaissons la Chine parce que nous y avons vécu. Nous ne connaîtrons jamais les Chinois. Ils n'ont ni notre façon de penser ni nos réactions. Ils sont le canard dans la couvée de cygnes des nations et le resteront toujours. Ce n'est pas bon pour un ambassadeur comme Gauss — ou même pour nous autres, simples journalistes — de s'attacher *trop* à la Chine. »

Le venin de la remarque blessa John qui s'éloigna et gagna la salle à manger. Comme tous les jours, il arracha une feuille du calendrier accroché au mur. Sur chacune de ses pages, s'étalait la photo d'une jeune fille chinoise, souriante, aux cheveux permanentés. C'était une publicité pour un bordel de luxe qui se trouvait un peu plus loin sur la route. Le cuisinier et les serveurs de l'Hôtel de la Presse avaient dû s'assurer la promesse d'un pourcentage s'ils amenaient de vrais dollars américains au bordel. On était le 25 août 1944. La radio crachota, gronda, puis une voix parla de la libération de Paris, accomplie la veille. Le vieux Sung, le maître d'hôtel — que tout le monde appelait Boy malgré ses cheveux blancs, et qui avait travaillé quarante ans à l'hôtel Cathay de Shangai avant de gagner Chungking à pied, parce qu'il refusait de servir les vainqueurs japonais — posa devant John une assiette d'œufs au jambon ainsi que des toasts et du beurre. Le beurre commença à fondre. John sentit la sueur couler le long de son cou, de sa cage thoracique. Il découvrit avec étonnement que, tout le temps qu'il avait été près de Stéphanie, il avait totalement oublié la chaleur.

Le sentier conduisit Stéphanie à la grande route circulaire de Chungking où se pressait la foule matinale des hommes et des femmes aux vêtements usés, au visage blêmi par la chaleur. Ils se rendaient d'un pas vif mais sans précipitation à leur travail, agitant leur éventail. Dans des chaises en bambou appelées *huakan,* des porteurs en haillons emmenaient à leur destination des clients, hommes ou femmes. C'était là le seul mode de transport dans les rues escarpées de la cité, à part quelques rares autobus bondés dans les artères principales et les longues limousines des officiels, des puissants et des riches.

Stéphanie traversa la grande route à l'endroit où elle contournait une petite butte couverte de maisons en ruine, et s'engagea dans un sentier pestilentiel, aux relents d'urine, où un balcon de guingois offrait soudain au regard la tache flamboyante de dahlias en fleur. La saleté filtrait de chaque seuil béant et, dans l'obscurité, elle devinait des yeux, des yeux qui la regardaient passer.

Les gens, partout des gens... cette cohue, cet entassement. Nulle part, on ne pouvait être seul. Toujours ces visages, ces yeux, ces voix. Pas un morceau d'espace sans êtres humains. La cité était une immense fourmilière désordonnée dont les habitants s'agitaient en tous sens... Magnificence et crasse. Délicatesse et brutalité. Beauté et laideur sordide. Les extrêmes se côtoyaient. *Je n'aurais jamais imaginé que c'était ainsi.*

En l'espace d'une semaine, Stéphanie avait découvert combien la réalité était loin des illusions qui prévalaient encore en Amérique sur le gouvernement nationaliste réfugié à Chungking. Révoltée par ce qu'elle avait vu lors de sa première promenade dans les rues, elle était allée trouver John Moore « Je suis stupéfaite, choquée. C'est incroyable. »

John l'avait calmée. Il avait parlé du courage du peuple, de sa ténacité. « Ne jugez pas trop vite. Il y a aussi des choses admirables. Des étudiants et leurs professeurs, de tous les coins de la Chine, ont refusé de rester dans les zones conquises par les Japonais et sont venus, à pied, jusqu'ici. Des hommes et des femmes, jeunes ou vieux, ont tout abandonné pour servir leur pays. Le vieux Sung, notre serveur, a quitté son foyer pour parcourir cinq mille kilomètres jusqu'à Chungking. N'oubliez pas, c'est le peuple qui compte... Quant au gouvernement... » il haussa les épaules. « C'est une longue et bien triste histoire. »

L'incessant labeur humain. L'incessante dégradation du travail. Voilà ce qui épouvantait Stéphanie. Ici, le labeur n'était pas cette tâche ennoblissante qui donne à l'homme sa raison d'être. Ici, le travail enlaidissait non seulement les corps mais aussi les âmes. Les gens avaient des poitrines déformées, des cals épais comme des coussins sur les épaules et le dos, des blessures suppurantes et des ulcères entre les jambes et sur le visage. Les enfants ressemblaient à des vieillards nains avec leur ventre gonflé par la faim et les vers. Les grossesses épuisaient les femmes : leurs matrices pendaient, flasques entre leurs jambes, avant même leurs trente ans. Cette laideur hideuse engendrait une tout aussi horrible sauvagerie dans la lutte pour survivre. Ils donnaient des coups et en recevaient — pas de pitié pour les faibles — les bébés mouraient comme des mouches ou on les jetait dans les fosses à purin.

Stéphanie serra les dents, luttant contre la nausée qui montait et emplissait sa bouche d'amertume. *Maintenant que je suis ici, j'irai jusqu'au bout.* Elle témoignerait de l'immonde réalité ; car, à côté de l'horreur et du dégoût, un autre sentiment naissait en elle : la cristallisation de toute sa colère, de son indignation à l'idée que des êtres humains dussent supporter une telle existence, un désir de faire quelque chose pour y remédier. L'indifférence, voilà le crime impardonnable. Et Stéphanie ne pouvait pas rester indifférente...

Un jeune garçon traversait la route en se traînant sur les fesses, ses jambes inertes, déjetées, inutiles, ballottant derrière lui. La polio peut-être, ou un accident de voiture. Personne ne le regardait, personne ne l'aida quand il se hissa péniblement sur une borne. Il offrit à Stéphanie un sourire radieux. Elle fouilla dans son sac pour lui donner un peu d'argent. Puis, elle eut honte de cette aumône.

Stéphanie avait vingt ans et était en dernière année à Radcliffe où elle préparait une licence d'histoire avec l'Asie comme sujet principal, quand Alan Kersh vint faire une conférence sur la guerre sino-japonaise. Stéphanie y avait assisté et, à la fin, elle avait posé des questions. Alan avait répondu, tout en la dévisageant ouvertement ; il l'avait ensuite invitée à dîner. Stéphanie le trouva fascinant, se sentit troublée par ses attentions. Il persévéra. Elle finit par se croire un peu amoureuse de lui. Alan Kersh était beau, jovial et passait pour avoir beaucoup de succès auprès des femmes. Mais il avait quarante et un ans et une épouse. Stéphanie avait obstinément refusé de coucher avec lui. Au début.

Elle avait des principes moraux, qui lui venaient de son éducation. On ne couchait pas à droite et à gauche. Non plus avec des hommes mariés. De surcroît, elle n'était pas sûre de l'aimer. Il la troublait, la fascinait, mais... « Ne va pas jusqu'au bout tant que tu n'es pas sûre », lui avait conseillé Helen Wilkes, sa meilleure amie et son aînée d'un an. Mais comment avoir cette certitude ?

Alan lui déclara alors qu'il voulait divorcer et l'épouser. Il lui demanda aussi d'aller en Chine avec lui, pour qu'ils puissent être ensemble. Il fit jouer des relations pour la faire engager comme journaliste stagiaire à *Maintenant,* un magazine alors en plein essor. Il ne dit pas à Stéphanie que sa propre femme, Sybil, faisait partie du comité de rédaction. *Maintenant* proposa à Stéphanie de l'envoyer en Chine faire un reportage exclusif sur les femmes dans la guerre. Stéphanie accepta un contrat d'un an. Un an... *je saurai alors exactement ce que je veux faire.*

Et c'était arrivé.

Non pas dans une chambre d'hôtel ni dans l'appartement d'Alan mais sur le divan de la salle de séjour dans la maison de ses parents à Dallas. Alan, à qui il restait encore quelques semaines sur les quatre mois de congé qu'il passait en Amérique, était venu à Dallas. Il l'avait appelée ; lui avait proposé de voir un film ensemble. Il pleuvait. Ses parents et son frère Jimmy étaient sortis cet après-midi-là. Il commença à l'embrasser tendrement, puis avec passion. La pluie était comme un rideau qui les enveloppait ; elle les berçait de sa chanson insidieuse et troublante. Stéphanie céda, il la prit.

Ce ne fut ni douloureux ni agréable, simplement une sorte de formalité accomplie, une curiosité satisfaite. Plus tard, elle s'étonna de ne pas avoir éprouvé la joie fulgurante, l'extase prévues. Elle avait remarqué un début de calvitie dans l'épaisse chevelure d'Alan quand, après, il avait posé la tête sur sa poitrine.

« Nous serons ensemble en Chine », lui dit-il en la serrant contre lui. « Stéphanie, ce sera... le paradis. Je t'aime... »

Cinq jours plus tard, la voiture d'Alan heurta violemment une autre voiture au cours d'un orage. Et Alan mourut. Stéphanie pleura. Beaucoup. Elle conserva sa photo, les trois lettres qu'il lui avait écrites.

Moins d'un mois plus tard, son affectation en Chine était confirmée et elle partit. Par un vol direct jusqu'à Lisbonne puis, d'escale en escale, sur des avions américains jusqu'à Chungking.

« Là-bas, je verrai au moins l'Histoire en train de se faire, dit-elle à son père.

— Prends soin de toi et ouvre l'œil, bébé », avait répondu Heston Ryder.

Son père était super. Il ne s'était pas opposé à son départ pour la Chine. Il croyait à l'audace, à l'esprit d'aventure. Même chez une fille. Et surtout, il l'adorait car elle avait en commun avec lui une intrépidité, un mépris pour l'inconfort matériel, une vigueur physique et morale et la beauté qui l'accompagne. Pendant leurs vacances, il les avait emmenés, Jimmy et elle — son frère avait cinq ans de moins qu'elle — faire de grandes randonnées et camper des semaines entières dans les bois. « Une femme doit savoir se débrouiller », disait-il. Et cette vieille tradition des pionniers, qui vous fait affronter l'épreuve et la traiter comme un défi, formait un lien solide entre eux.

Quant à sa mère, Isabelle de Gersant, descendante d'une famille de l'aristocratie française, qui languissait dans l'atmosphère trop vivifiante pour elle du Texas, elle avait contemplé sa fille, l'avait embrassée, à sa façon froide et tellement correcte, avec cette perpétuelle courtoisie dans son regard qui dressait entre Stéphanie et elle une barrière impalpable, une frontière qu'elles respectaient toutes deux avec une politesse scrupuleuse. Sa mère lui recommanda d'être prudente, de boire toujours de l'eau bouillie et assura qu'elle prierait pour que tout se passe bien. « Mon oncle avait un serviteur originaire de Shanghai. Il s'appelait Wang, je crois. Je me demande si tu ne pourrais pas retrouver des membres de sa famille. »

Stéphanie arriva à Chungking. Le souvenir d'Alan n'alimenta pas très longtemps son chagrin. Les jours offraient des périodes de plus en plus longues où il était totalement absent de ses pensées. Il n'habitait pas ses rêves, et les heures étaient si pleines d'indignation, de dégoût et de sympathie croissante pour les malheureux qui enduraient de telles épreuves, qu'il ne lui restait plus de temps pour penser à lui. Alan se transforma peu à peu en une photo floue, une ombre imprimée et la mention de son nom ne provoquait chez Stéphanie nul serrement de cœur.

Stéphanie atteignit le bord de la falaise, là où le mur d'enceinte de la cité s'était effondré en un tas informe de pierres et de débris. Cent cinquante mètres plus bas, le Yangtse roulait le brocart de ses eaux ocres autour du promontoire en forme de cuillère sur lequel était bâtie la cité. Le fleuve, gonflé de la masse de neiges fondues qu'il avait arrachées à l'Himalaya, était monté de trente mètres cet été-là, balayant des milliers de taudis incrustés trop près de ses rives. Les jonques aux voiles en forme de chauves-souris semblaient autant d'insectes dansant à la surface d'un impétueux torrent de printemps. Les bateliers s'acharnaient à gouverner tout en lançant leurs lamentations et leurs chants de défi au Grand Fleuve.

Un sentier de chèvres s'ouvrait devant Stéphanie avec son grouillement de baraques. Des effluves de sueur, d'urine, d'excréments, puissants, enveloppants, lui parvinrent. Un quart des deux millions d'habitants de Chungking vivaient dans ces groupes de bicoques qui poussaient en dehors de la cité, sur les dépôts d'ordures, sur tout ce dont on ne voulait plus, dont on s'était débarrassé. Ils semblaient se nourrir de cette putréfaction et s'y multiplier tels des champignons. Comment se débrouillaient-ils pour la nourriture, pour l'eau ? Comment les enfants arrivaient-ils à survivre ? Voilà une histoire que Stéphanie voulait écrire. Elle serra son appareil-photo et retint son pied qui glissait sur les cailloux et les détritus. C'est alors qu'elle entendit les cris. Elle était arrivée au premier tas de cahutes.

A coups de crosse, ils faisaient sortir les gens de leurs taudis, abattaient les étais de léger bambou qui soutenaient les toits de carton et de toile goudronnés, renversaient les planches pourries tenues ensemble par des bouts de ficelle et les pitoyables constructions s'effondraient dans des nuages de poussière et de cendre. Des soldats, sales, dépenaillés, féroces. Ceux-là mêmes qui étaient battus par leurs officiers et qui, à leur tour, battaient les misérables. Des cruches de terre éventrées, l'eau s'infiltrait dans la poussière.

Les femmes criaient. Une plainte rythmée, presque une mélopée. Des enfants couraient avec agilité au milieu des soldats, évitant les coups de crosse, ramassant ici une bouteille, là une marmite ébréchée ou quelques haillons. Ils serraient ces trésors sauvés contre leurs corps fluets et s'enfuyaient vers la rivière, dégringolant presque jusqu'au bord de l'eau. *Pourquoi ? Pourquoi ?* L'esprit de Stéphanie évoqua les propos des journalistes. « La suppression des taudis — ils démolissent les cahutes sordides de ces misérables squatters, emmènent les hommes de force à ces camps de la mort que sont les centres de recrutement — ils appellent ça garder la ville propre... »

Elle leva son appareil-photo, appuya sur le déclic. Une fois, deux fois, trois fois. Les soldats ne l'avaient pas encore aperçue. Ils s'acharnaient maintenant sur les hommes, les assemblaient à coups de crosse, les liaient les uns aux autres avec des cordes. Les femmes se jetèrent soudain sur les soldats en hurlant de fureur, pour défendre leurs hommes, ces hommes qu'on emmenait comme du bétail. Certaines offrirent leurs propres corps aux coups de crosse des soldats.

Une jeune femme au ventre proéminent et à la respiration haletante émergea de la dernière cabane, soutenue par un jeune garçon. L'air sortait en sifflant de sa poitrine, la sueur des douleurs de l'accouchement mouillait son visage et ses cheveux. Elle se dirigea vers l'officier responsable. C'était un jeune homme aux vêtements élégants et immaculés. Entouré de deux soldats, baïonnette au canon, il se tenait un peu à l'écart et observait la scène. Il pressait un mouchoir contre son nez et sa bouche. La femme s'agenouilla devant lui, montra son ventre de la main, s'inclina sur le sol, puis releva la tête et montra à nouveau son ventre. Son fils s'agenouilla à son côté et se frappa le front contre le sol plusieurs fois.

L'officier abaissa son regard sur eux. Il mit son mouchoir dans sa poche, recula d'un pas, leva un pied chaussé de cuir et en donna un coup dans le ventre de la femme.

Alors, Stéphanie bondit sur lui, le poussant si fort qu'il trébucha, le poussant et criant « Salaud, espèce de salaud, comment pouvez-vous, comment osez-vous... »

Ses deux gardes du corps se jetèrent sur elle et lui tordirent les bras derrière le dos. L'officier hurlant la gifla et lui donna des coups de poing. Un flot de sang rouge jaillit de son nez et coula sur sa robe. « Aiyah » crièrent les soldats effrayés. Ils la lâchèrent. Du sang. Répandu, le sang faisait toujours naître la peur... le sang, cette matière vivante qui réclamait une vengeance divine. Du sang pour laver le sang répandu.

Haletant, l'officier s'arrêta, le visage livide de rage puis de peur. C'était une femme étrangère, presque certainement une Américaine... Du revers de la main, Stéphanie s'essuya le nez tout en continuant de crier : « Vous l'avez frappée... vous lui avez donné un coup de pied... assassin. » Elle pouvait lire sa haine, et sa panique, sur son visage. Il se détourna, aboya un ordre. Les soldats arrivèrent en courant, formèrent les rangs. Et soudain, ils s'éloignèrent, marchant au pas derrière leur officier, qui ne se retourna pas une seule fois.

« Mon Dieu, mon Dieu », s'exclama Stéphanie tremblante de colère. Elle renversa la tête en arrière pour tenter d'arrêter son saignement de nez. La sueur collait sa robe à son corps. Elle n'avait même pas de mouchoir. *Il ne faut pas que je vomisse. Il ne faut pas que je m'évanouisse.* Respirant profondément, elle serra les bras sur sa poitrine pour maîtriser son tremblement.

La femme gisait là où elle était tombée, le visage gris comme du mastic, les lèvres bleues. Accroupi à son côté, le petit garçon lui tenait la main et murmurait « Ma, Ma ». Le ventre gonflé semblait avoir sa vie propre ; il frémissait et bougeait. Cette vue galvanisa Stéphanie. *Il faut l'emmener à l'hôpital.*

« Docteur », cria-t-elle, de cette voix forte qu'on emploie avec les sourds. Elle regarda les pauvres gens massés autour d'elle, silencieux, pétrifiés, qui la dévisageaient. « Docteur », répéta-t-elle. « Docteur », reprit-elle avec désespoir. *Oh mon Dieu, comment dit-on docteur en chinois ?*

Le petit garçon sembla deviner. Il s'adressa aux autres d'une petite voix aiguë et flûtée et soudain tous s'animèrent ; les femmes soulevèrent le corps allongé, les hommes apportèrent une chaise en bambou disloquée que retenaient des lanières également en bambou. Des mains y installèrent la femme. Des voix s'étaient levées, qui discutaient, expliquaient. Les hommes placèrent les brancards sur leurs épaules, ces épaules où les longs bâtons avaient creusé comme une rigole, au fil des ans. Puis, tous se tournèrent vers Stéphanie d'un air interrogateur. Elle se mit en marche tout en essuyant de la main son visage et son nez qui continuait de saigner.

Jen Yong glissa sa main sous la tête de l'enfant. Le cou ne plia pas ; rigide comme une planche, le corps se souleva du matelas. Méningite tuberculeuse. L'enfant mourrait. On ne pouvait pas le guérir. Yong se lava les mains dans la cuvette remplie de désinfectant.

Il était fatigué. Il était debout depuis dix-huit heures et c'était le troisième cas de méningite tuberculeuse de la nuit. Mais l'été, la mort moissonnait à Chungking. Elle s'en donnait à cœur joie dans les rues et les ruelles écrasées de chaleur ; elle dévastait les taudis et les logements pauvres. Des bébés déshydratés par la dysenterie, des cas de gangrène, trois femmes atteintes de malaria dans le coma... un homme qui vomissait du sang, une péritonite, un mineur au dos fracturé... un cas de tétanos, plusieurs de béribéri... telle avait été sa nuit dans le service des urgences.

« Nous devons renvoyer l'enfant chez lui », dit Jen Yong d'une voix basse à l'infirmière Sha. Il connaissait la famille. On lui avait amené un autre enfant dans le même état l'année précédente. Le père avait d'énormes cavités dans les deux poumons et fumait l'opium. Il contaminait ses enfants, sa femme, ses collègues dans la petite banque où il était employé.

La tuberculose était banale, si répandue dans la cité surpeuplée... Et pas seulement parmi les pauvres. Elle touchait de plus en plus les enseignants, les professeurs d'université, les étudiants sous-alimentés. Avec l'inflation galopante, la plupart d'entre eux ne pourraient bientôt plus s'acheter assez à manger.

« Dites-le au père, infirmière Sha. » L'infirmière Sha, solide comme un bloc de béton, parla au père. Il fit semblant de ne pas l'entendre et cracha une énorme glaire sur le plancher. L'infirmière lui montra le crachoir. Il écrasa la glaire de son talon. Sa jeune femme, accroupie à côté de lui, allaitait son dernier bébé. Elle avait les grands yeux brillants et la peau superbe des filles de Szechuan. Il louait son corps régulièrement à d'autres hommes pour se procurer de l'opium.

« Vous devez emmener l'enfant chez vous. Nous ne pouvons rien faire, nous n'avons pas de lit », dit l'infirmière Sha de sa voix péremptoire, interdisant toute réplique. La femme eut un sourire radieux et leva les yeux vers son mari. Il cracha à nouveau, prétendant toujours ne pas comprendre.

L'infirmière Sha était une femme courtaude et flegmatique. Elle était venue, à pied, de la province de Shantung, dans le nord de la Chine. Avec deux cents camarades de classe, elle était partie de Tsinan quand les Japonais avaient pris la ville en 1938. A Chungking, elle avait fait des études d'infirmière et se trouvait maintenant responsable de plusieurs salles. D'un dévouement absolu, elle était infatigable et émergeait du flot quotidien de tragédies qui se déversait à l'hôpital avec un entrain, une gaieté, une absence totale d'émotion qui parfois donnaient à Jen Yong la chair de poule. Elle était totalement dépourvue d'imagination et extrêmement compétente. Elle était devenue indispensable à Jen Yong, car, trop sensible, il ne pouvait jamais refuser un malade sans éprouver du remords et quand il devait renvoyer quelqu'un mourir chez lui sans l'assister dans son agonie, il en restait longtemps bouleversé. Aussi en était-il venu à dépendre de l'infirmière Sha et de son insensibilité abrupte et efficace pour s'épargner beaucoup de soucis et de tourments. Elle ne se sentait jamais coupable de refuser un malade...

« Nous n'avons pas un lit de disponible », dit Jen Yong.

L'infirmière plaça d'une main ferme l'enfant dans les bras de son père. Celui-ci fit aussitôt glisser le corps sur les épaules de sa femme qui entreprit d'attacher son enfant mourant sur son dos car elle devait porter le bébé dans ses bras. Jen Yong s'échappa. Il se rendit dans la salle commune des médecins, enleva sa blouse blanche et, avec un soupir de fatigue, se versa une tasse d'eau chaude du thermos posée sur la table. Le thé était devenu trop cher même pour les médecins. Il but à petites gorgées, s'étira et bâilla. Il allait regagner le dortoir et dormir, dormir.

Par la porte ouverte, il vit passer Vieux Wang dans le couloir, un crachoir propre dans chaque main. Vieux Wang se courba et murmura « Docteur » et Jen Yong se contenta d'incliner la tête. On ne devait pas le surprendre en train de parler à Vieux Wang.

Ils se rencontraient une fois par semaine, la nuit, mais cela faisait partie de l'autre vie de Jen Yong.

Une autre vie, une autre Chine. Une Chine qui offrait l'espoir à son peuple. Tout avait commencé en 1935. Les Japonais, ayant déjà conquis la Mandchourie, avançaient irrésistiblement en Chine du Nord. Et à travers tout le pays, dans les universités et les écoles secondaires, de jeunes étudiants en colère réclamaient la résistance à l'ennemi, défilaient dans les rues, organisaient des manifestations.

Tchiang Kaishek les faisait disperser avec des lances à incendie, les faisait fusiller, emprisonner; Tchiang Kaishek qui ne voulait pas se battre contre les envahisseurs japonais, qui continuait à monter de ruineuses expéditions militaires dans sa guerre contre les communistes chinois...

Et puis, en 1936, les communistes avaient capturé Tchiang Kaishek. Le monde entier crut qu'il serait exécuté. Mais c'est alors qu'il sortit de captivité pour annoncer qu'il avait conclu une alliance avec les communistes — contre le Japon.

Jamais Tchiang n'avait été aussi populaire. Jen Yong, et des milliers de jeunes avec lui, avait été emporté par la grande vague de patriotisme et il avait cru que Tchiang Kaishek tiendrait sa promesse. De 1938 à 1941, Jen Yong avait cru et espéré.

Mais en 1941, lorsque Tchiang ordonna discrètement à ses armées d'arrêter la lutte contre le Japon pour laisser les communistes subir le plus dur des combats — tout en reprenant ses attaques contre eux, ses alliés — Jen Yong avait changé...

Et pas seulement lui mais des centaines, des milliers de membres de l'intelligentsia non communiste qui assistaient, désespérés, à la désintégration du Kuomintang par la corruption, à sa tyrannie, au poids toujours grandissant de sa police secrète.

Des centaines de jeunes gens — élèves des grandes écoles, étudiants, écrivains, enseignants — commencèrent à s'enfuir de Chungking jusqu'à Yenan, place forte des maquisards communistes. Parce que rien ne comptait que cet amour passionné, farouche pour la Chine — et les Rouges étaient des patriotes. Même parmi ceux qui, comme Yong, rejetaient le dogme communiste, le Parti avait acquis un très grand prestige depuis 1937. Et maintenant, à travers toute la Chine, derrière les lignes japonaises, en territoire occupé, et même à Chungking, fief de Tchiang Kaishek, des réseaux communistes clandestins se multipliaient.

Vieux Wang, avec son air abruti, qui ne savait dire que « Aye, aye, je viens » quand on l'appelait, était le responsable d'un de ces réseaux à l'intérieur de l'hôpital.

Le jour, il nettoyait les crachoirs et les bassins à uriner, traînant ses pieds à travers les salles pour ramasser les dégoûtants ustensiles. Il transportait deux seaux d'eau boueuse de la rivière, les plaçait près des latrines publiques dans la cour de l'hôpital. C'était là qu'il travaillait, récurant les récipients, vidant l'eau dans les latrines. On racontait qu'il vendait leur contenu, ce précieux engrais, aux porteurs de fumier humain qui allaient le répandre dans les champs autour de la ville.

Vieux Wang transmettait à Jen Yong les directives du Parti. Quand

Jen Yong avait demandé la permission de quitter Chungking pour aller servir sur les champs de bataille des maquisards, Vieux Wang en avait référé à ses supérieurs puis répondu : « Non, pas pour le moment, vous êtes plus utile à Chungking. Vous formez des gens, vous réunissez des médicaments pour nous... vous devez rester. »

Jen Yong était resté. Son dernier groupe d'élèves s'apprêtait à partir pour Yenan. « C'est pour dimanche », lui avait dit Vieux Wang. Dimanche était le jour du grand pique-nique annuel de l'hôpital. Deux cents personnes environ se retrouveraient au parc des Sources chaudes, des étudiants, des infirmières, les médecins et leurs familles. Ils seraient cinq de moins quand ils reviendraient à la ville. Cinq personnes qu'on aurait fait sortir clandestinement de Chungking et qui, sous des déguisements divers, équipés de faux laissez-passer, se rendraient jusqu'à Yenan. Cinq, formés par le docteur Jen Yong.

Jen Yong se dirigea vers la sortie annexe de l'hôpital. De là, partait un sentier qui grimpait sur une butte, où se dressaient plusieurs bâtiments de brique grise. L'un d'eux était le dortoir des médecins hospitaliers.

« Docteur Jen, docteur Jen. » L'infirmière Li, du service des urgences, l'appelait d'une voix anxieuse. « Il vient d'arriver un cas grave et le docteur Liu est occupé avec une hémorragie... pourriez-vous, s'il vous plaît... »

La première réaction de Jen fut une morne colère. J'ai été debout toute la nuit, s'apprêtait-il à dire mais déjà ses pas suivaient ceux de l'infirmière, parcourant le chemin en sens inverse jusqu'à la salle des urgences.

Il se fraya un passage dans la salle encombrée ; l'odeur le prit à la gorge et il se demanda comment la délicate infirmière Li pouvait supporter cette puanteur huit heures par jour. Il vit, allongée sur un brancard, une femme au ventre proéminent, au visage livide. Sa respiration était imperceptible. Près du brancard se tenait une jeune femme étrangère, à la robe tachée de sang, le visage zébré d'une marque rouge.

« Cette Américaine a amené la patiente », expliqua l'infirmière Li en chinois tout en fixant le tensiomètre autour du bras de la femme. « Docteur, je ne sens pas son pouls. » Les mains de Jen Yong palpaient le ventre ; son stéthoscope lui transmit les battements de cœur du bébé. Rapides et extrêmement distincts. « Que s'est-il passé ? demanda-t-il en anglais en se tournant vers Stéphanie.

— Un officier lui a donné un coup de pied dans le ventre... j'étais là », répondit-elle.

Il vit, serrés dans un coin, les trois porteurs de huakan et le petit garçon. Il émanait d'eux cette odeur écœurante qui est celle de l'extrême pauvreté.

« C'est grave, n'est-ce pas ? demanda Stéphanie.

— Rupture de l'utérus, je crains, dit Jen Yong. Infirmière Li, installez un goutte-à-goutte.

— Est-elle encore vivante ? questionna Stéphanie.

— Oui... » Il regarda la robe de Stéphanie puis son visage.

La fatigue lui donnait le vertige, brouillait sa vue ; il lui sourit. « Êtes-vous une missionnaire, madame ?

— Non, je suis journaliste », répondit Stéphanie.

Les brancardiers vinrent chercher la femme. Jen Yong dit : « Merci de l'avoir amenée, madame.

— Mademoiselle. Ryder. Stéphanie Ryder.

— Mon nom est Jen Yong. Peut-être aimeriez-vous téléphoner plus tard ? Pour prendre des nouvelles de la patiente.

— Certainement », dit Stéphanie. Il était maigre et semblait fatigué, très fatigué. Elle aimait ses mains ; elles s'étaient montrées si adroites et si douces quand il avait palpé la femme.

Il se redressa et, domptant sa fatigue, sortit de la pièce.

« Je vais vous donner une serviette chaude pour essuyer votre visage, dit l'infirmière Li. Oh, et votre robe...

— Ce n'est rien, dit Stéphanie. Ça partira avec de l'eau froide. »

Le visage de l'infirmière s'éclaira. Elle pensa : quelle sympathique étrangère... si simple. Elle donna une pommade à Stéphanie. « Mettez-en deux fois par jour sur votre visage. Vous pouvez appeler l'hôpital ce soir vers neuf heures. C'est le moment où le docteur Jen passe dans les salles.

— Entendu. Merci, madame », dit Stéphanie.

L'infirmière Li lui sourit. « C'est nous qui vous remercions... de votre sollicitude. »

Stéphanie sortit, suivie par tous les yeux — ces yeux impossibles à éviter, des gens massés là, fascinés par l'étrangère qui avait amené une habitante des taudis à l'hôpital. La foule s'écarta sur son passage mais Stéphanie ne perçut pas le respect exprimé par cet effacement ; elle était seulement consciente de la brûlure du soleil sur son visage douloureux, du désordre de sa tenue et de la perte de son appareil-photo. Qu'en avait-elle fait ? Où l'avait-elle laissé ?

Zut, ça aurait fait une photo sensationnelle. Elle descendit la route principale. Personne ne sembla remarquer le sang sur sa robe.

Jen Yong. Un nom facile à retenir. Sa beauté aurait été évidente n'importe où ; légèrement plus grand qu'elle, pas le genre costaud, super-viril. Mais un vrai homme. Rien d'hésitant ou de mou en lui. Une démarche assurée. Et cette chevelure d'un noir de jais, ces yeux aux sourcils arqués. Le nez mince. Il était bâti comme un instrument de précision ou comme une de ces statuettes de jade poli. Sa peau. « Pas mal », dit-elle à voix haute.

Elle arriva en vue du mur de briques jaunes qui entourait l'Hôtel de la Presse. Il comprenait deux bâtiments de deux étages, faits de briques en bas et de clayonnage et de plâtre pour la partie supérieure ; des volets verts. Une véranda courait le long de la façade, où les journalistes s'installaient le soir pour boire la forte eau-de-vie locale, le *maotai,* tout en écrasant les moustiques. Les sentinelles se tenaient au portail, leur fusil, baïonnette au canon, à l'épaule. Ils étaient censés protéger les étrangers contre les voleurs et les « mauvais éléments », avait-on dit aux journalistes. « Quelle blague ! C'est pour empêcher les gens de venir parler avec nous », avait expliqué John Moore à Stéphanie. Le gouvernement du Kuomintang ne voulait pas de contacts spontanés entre les étrangers et le peuple chinois.

Le hall était désert. Ses collègues devaient assister à la conférence de presse au ministère de l'Information, sur la petite colline en face de l'hôtel. Elle monta à sa chambre, se lava et changea de robe.

Le secrétaire Hung ouvrit la porte, claqua des talons et cria : « Votre Excellence, les journalistes étrangers sont là. »

Henry Wong, haut responsable de l'information au département des Affaires extérieures, repoussa son fauteuil d'un geste las mais digne. L'attitude « alerte et énergique » du secrétaire l'agaçait mais une nouvelle directive de Numéro Un Grand Vent (surnom fréquent de Tchiang Kaishek ; un autre, adopté joyeusement par Stilwell, était Vieille Cacahuète, à cause de sa calvitie) avait prescrit aux membres du gouvernement un comportement copié sur celui des nazis allemands et menaçait du peloton d'exécution quiconque « salirait le prestige de la nation en se dandinant ou en traînant les pieds ».

Henry Wong sortait d'une mauvaise nuit. Meena lui avait massé la nuque mais son mal de tête ne s'était pas dissipé. Il se laissa retomber sur sa chaise et essaya de se ressaisir avant d'affronter les journalistes.

Chaque fois qu'une conférence de presse devait avoir lieu, le mal de tête la précédait.

Avant la guerre sino-japonaise, être chinois n'était pas motif à fanfaronner. Pendant des décennies, presque un siècle, la Chine avait été malmenée, envahie, colonisée, méprisée, humiliée. L'Homme Malade de l'Asie, Henry se rappelait la pancarte à l'entrée du parc de son Shanghai natal : « Interdit aux chiens et aux Chinois ». Les érudits occidentaux admiraient l'ancienne civilisation de la Chine mais restaient insensibles à ses malheurs actuels.

Et puis, tout à coup, grâce à la guerre, la Chine ne fut plus servile, passive, méprisable, poltronne. Les Chinois résistaient. Il n'existait plus de fossé entre des intellectuels tels que Henry Wong, personnage officiel, éduqué en Amérique, et le reste de ses compatriotes. Jusqu'alors, Henry s'était senti à part ; il avait eu honte de la pauvreté de son pays, honte en secret d'être chinois. Mais la guerre avait rendu héroïque et glorieuse la pauvreté chinoise. Les haillons devenaient capes brodées d'étoiles, les souffrances endurées stoïquement sous les bombardements japonais, épreuves dignes de *L'Odyssée*. Partout dans le monde, les journaux parlaient avec chaleur de la Chine, du courage indomptable de son peuple. Peu importait qu'il fût pauvre. Il était courageux, il luttait pour la Liberté !

Au début, les correspondants étrangers avaient partagé avec une sorte d'ivresse ces rudes conditions de vie. Ils étaient impressionnés par la vaillance des gens et louaient, dans leurs articles, l'effort de guerre du Kuomintang.

En tant que haut responsable de l'information, Henry s'était fait de bons amis parmi les correspondants étrangers. Ses supérieurs l'avaient félicité pour sa façon de traiter l'information. Et, si quelques-unes des anecdotes émouvantes pieusement enchâssées dans maint livre américain se trouvaient quelque peu embellies, il n'en restait pas moins vrai que le moral du peuple était élevé et sa bravoure impressionnante.

Et voilà qu'en 1941, le délire de Tchiang Kaishek avait repris : prétextant un « manque de discipline », il avait ordonné le massacre de plusieurs unités de la Quatrième Armée communiste. Malheureusement, les gens exécutés étaient des médecins, des infirmières, et leurs malades — par milliers.

Les correspondants étrangers avaient mal réagi. Les diplomates assuraient qu'une reprise de la guerre civile en Chine serait désastreuse pour la cause de ses alliés ; car le combat que menait la Chine contre le Japon s'intégrait maintenant dans la Seconde Guerre mondiale. Chou Enlai, ce communiste astucieux et habile, se trouvait alors à Chungking. Bien que la police secrète de Tchiang le surveillât de près, il avait réussi à parler aux correspondants étrangers et avait produit sur eux une excellente impression. La population entière de la ville s'était rassemblée pour entendre Chou Enlai dire que, malgré les attaques, les communistes accompliraient leur devoir de patriotes et poursuivraient la lutte contre le Japon.

Les migraines de Henry Wong se déclenchèrent quand il comprit que Vieille Cacahuète aimait le pouvoir à la folie.

Les correspondants étrangers avaient fini par apprendre que seules les troupes communistes se battaient contre le Japon depuis cinq ans.

Tchiang Kaishek en avait tenu Henry Wong responsable. Il l'avait convoqué pour lui passer un savon. Le cœur de Henry s'affolait encore quand il pensait à la colère blanche de Tchiang. Il arrivait que quelques personnes ne reviennent jamais d'une telle rencontre. Ils étaient fusillés (Mme Tchiang, éduquée en Amérique, avait sauvé Henry en faisant remarquer à son mari que les Américains seraient bouleversés si un homme sorti de Harvard était exécuté sommairement).

Henry avait mis sur pied des équipes spéciales dans son département, baptisées Bureau de vérification. Leur travail consistait à inventer des anecdotes pour les journalistes.

Il avait organisé des visites imprévues dans les camps de recrutement. L'une d'elles s'était très mal passée, l'employé responsable (fusillé par la suite), originaire de Szechuan, avait confondu les mots *quatre* et *dix* — à la prononciation voisine. John Moore était donc arrivé au camp le 4 avril au lieu du 10.

D'autres visites avaient connu plus de réussite. Les rédacteurs en chef et les « huiles » de passage adoraient se rendre dans les camps militaires pour entrer en contact direct avec d'authentiques soldats chinois. Ils ne pouvaient pas savoir que des membres de la Ligue de la jeunesse du Kuomintang, triés sur le volet et choisis pour leur robustesse, étaient mis à la disposition du camp, tout comme les cuisiniers de la Police secrète, qui préparaient des repas dont les véritables soldats n'avaient même jamais rêvé.

La conférence de presse hebdomadaire était devenue un supplice. Mis en présence d'un déploiement impressionnant de cartes illustrant des campagnes mythiques contre les divisions japonaises (le bureau de vérification avait sué sang et eau pour les fabriquer !) Terry Longworth (qui écrivait cinq cents mots par jour) avait fait remarquer que les « défaites et retraites » de l'ennemi avaient abouti à une avancée japonaise de sept cent cinquante kilomètres ; et le petit envoyé discret de l'agence Reuter (deux mille mots par jour) avait ajouté que le total des Japonais prétendument tués pendant les six derniers mois dépassait celui de toutes les divisions japonaises stationnées en Chine.

Henry avait souri aux journalistes. Un sourire propitiatoire : vous savez, et je sais, que je mens. Mais il faut bien que je vive.

Comme si les Anglais et les Américains ne mentaient pas, pensa Henry avec amertume. Prenez Winston Churchill, qui ferme la Route de Birmanie, en plein milieu de 1942 en expliquant que c'était « nécessaire », parce qu'il veut que l'Amérique concentre son effort de guerre sur l'Europe... parce qu'il ne voulait pas que les Etats-Unis viennent mettre leur nez dans les colonies asiatiques de l'Angleterre et en Inde.

Les Américains espéraient contraindre Tchiang de continuer à se battre. Roosevelt le cajolait et le menaçait tour à tour ; il lui écrivait des lettres furieuses, lui envoyait le vice-président Wallace, Stilwell... Ils ne comprenaient pas Tchiang Kaishek. Et Tchiang ne comprenait qu'une chose : le Pouvoir. C'était ça le véritable enjeu pour lui. Rien d'autre ne comptait. Il en était d'ailleurs de même pour les communistes.

Mais maintenant, il y avait Yenan. Où les communistes s'étaient établis après la Longue Marche. Et à Yenan, un homme avait surgi :

Mao Tsetung. Secondé par Chou Enlai, ce lettré et ce révolutionnaire génial.

A Yenan, contre toute attente, les communistes avaient prospéré, grandi, et Roosevelt voulait maintenant en savoir plus sur eux.

Tchiang Kaishek avait dû accepter l'envoi d'une mission d'observateurs militaires à Yenan. Arrivée sur place le 22 juillet, elle envoyait des rapports favorables directement à Washington, passant par-dessus les censeurs de Tchiang Kaishek. Par surcroît de malchance, en mai 1944, les Japonais avaient lancé une grande offensive pour balayer les quelques douzaines de bases aériennes américaines installées au cours des trois dernières années sur le territoire non occupé de la Chine. Et Tchiang Kaishek avait ordonné à ses troupes de ne *pas* se battre contre les Japonais. De ne *pas* protéger les bases américaines. A la grande fureur des Américains, les Japonais s'étaient emparés de quelques-unes d'entre elles. Mais les communistes avaient astucieusement mobilisé les villageois et les paysans dans les régions concernées, pour secourir les aviateurs américains. Quelque cent pilotes, mécaniciens et autres employés, avaient été sauvés. Tout le monde était au courant.

Et tous se demandaient comment Henry Wong allait expliquer l'étrange aversion de Tchiang à lutter contre le Japon.

Les trois censeurs attendaient Henry Wong à la porte de la salle de presse. On entendait les journalistes bavarder à l'intérieur ; deux ventilateurs électriques bourdonnaient bruyamment au-dessus de leurs têtes.

Il aperçut John Moore, qui se leva pour l'accueillir. « Je suis content de vous voir », dit John en lui serrant la main. John savait que Henry allait être soumis à un feu roulant de questions désagréables. Cela tenait de la corrida et Henry était le paisible taureau qui faisait semblant d'aimer recevoir des banderilles.

Henry eut un pâle sourire à l'adresse de John Moore et dit : « Mon cher John, c'est moi qui suis heureux de vous voir » ; puis, il redressa les épaules, entra dans la salle et commença à mentir.

2

Une odeur fade de sang flottait dans la salle d'opération. Des caillots tremblotants giclaient sous les bottes en coton des médecins et des infirmières.

La femme souffrait d'une rupture de l'utérus. Elle était vivante mais le bébé était mort.

Tout en opérant avec des gestes précis et rapides, David Eanes marmonna quelque chose à propos d'un risque de choc post-opératoire.

« Combien lui en avons-nous donné, Claudia ? » L'infirmière chef Claudia Préaux, l'imposante Franco-Canadienne responsable de la banque du sang, se tenait dans un coin de la salle.

« Trois. Nous n'avons plus de flacon, docteur.

— Eh bien, soupira Eanes, il faudra qu'elle s'en contente. »

Il donnait régulièrement son sang, tout comme Jen Yong. Mais, avec la flambée des prix des aliments, les médecins étaient aussi sous-alimentés que le reste de la population et les dons se raréfiaient. En dehors de l'hôpital, il y avait très peu de donneurs. Les Chinois redoutaient la saignée. Claudia Préaux (qui, elle-même, en offrait le plus possible) relançait sans arrêt le corps diplomatique, les missionnaires, les journalistes étrangers et le personnel militaire américain. Parmi les officiels chinois, le maire, Henry Wong et sa femme Meena, étaient aussi des donneurs, ce qui était assez remarquable. Mais aucun des officiers, pourtant bien nourris, n'avait accepté.

L'opération s'achevait. Les deux chirurgiens, épuisés, ruisselaient de sueur ; leurs vêtements collaient à leur dos, à leurs jambes.

« Laissez, David, les malades vous attendent. Je la terminerai, dit Jen Yong.

— Mais vous êtes debout depuis hier après-midi, Yong, protesta David.

— Quelques minutes de plus ne changeront pas grand-chose », dit Yong en souriant derrière son masque. Il était trop épuisé pour sentir sa fatigue. C'était David Eanes qui avait fait le gros du boulot, Jen Yong se sentant seulement capable de le seconder.

Eanes arracha ses gants de caoutchouc et se dirigea vers la douche tout en commençant à se déshabiller. Yong planta le dernier point de suture, badigeonna la plaie de mercurochrome, fit le pansement et vérifia la pression artérielle. Il se sentait faible d'avoir trop transpiré. Il irait boire un peu d'eau et avaler une cuillerée de sel. Une ultime vérification et il se dirigea vers la douche. La fatigue commençait à le mettre dans un état d'hypnose. Il n'éprouvait plus rien, à part une vague courbature qui courait le long de ses muscles. Il avait l'impression que sa tête flottait, séparée du reste de son corps. Ses jambes flageolaient, le sol semblait monter vers lui.

« Docteur Jen Yong ? »

Devant la salle de repos des médecins se tenait un homme, mince et assez jeune. Il n'était pas en uniforme mais donnait l'impression d'en porter un. L'homme s'inclina ; il avait des manières parfaites.

« Mon humble nom est Tsing, du Deuxième Bureau. » Il prit une carte et la présenta à Jen Yong sur ses deux mains tendues. « Si je puis me permettre de solliciter quelques minutes de votre temps précieux... »

Jen sentit sa poitrine se crisper, sa gorge se serra. Un frisson parcourut sa main quand il prit la carte de visite. Le Deuxième Bureau. C'est-à-dire la Police secrète. La surveillance politique. Est-ce que quelqu'un avait été trop bavard ? Aurait-il le temps d'avertir Vieux Wang ?

« Certainement, colonel Tsing. »

Jen souleva un thermos, versa deux tasses d'eau chaude, indiqua à Tsing le sofa, place d'honneur. « Je vous en prie. » Pendant toutes ces formalités, il s'efforça de retrouver son calme.

Tsing prit la tasse entre ses deux mains. « Votre frère inférieur est trop honoré », dit-il, se servant de la formule traditionnelle de politesse. Il s'assit sur une chaise, but à petites gorgées en exprimant exactement la satisfaction requise, reposa la tasse et se racla la gorge.

« Docteur Jen, votre grande réputation a atteint nos oreilles. Nous savons que nous pouvons compter sur vous.

— Vous me faites trop d'honneur, colonel Tsing.

— Mes supérieurs vous tiennent en grande estime. En très grande estime. C'est pourquoi on m'a envoyé... c'est au sujet d'une affaire ridicule et sans importance... la malade amenée ce matin par l'étrangère. »

Jen se détendit. Tsing le remarqua comme il avait noté le tremblement des doigts de Jen quand il avait pris la carte. Il fit un petit bruit de succion en signe de respect.

« L'étrangère est intervenue alors qu'une unité de notre armée recrutait des hommes. Elle a agressé l'officier qui commandait l'unité, le major Hsu. Il est actuellement hospitalisé et souffre d'une blessure interne à la poitrine.

— Une blessure ? » dit Jen, l'incrédulité perçant sous le ton poli de sa voix. « Il m'est difficile de croire qu'une femme, même étrangère, ait pu blesser un officier de notre valeureuse armée. »

Les oreilles de Tsing perçurent le sarcasme, son regard se fixa sur Jen Yong. « Nos docteurs ont examiné le major Hsu et établi un rapport sur son état...

— La patiente amenée ici semblait avoir été sérieusement blessée, répliqua Jen Yong. Nous avons dû l'opérer d'urgence... » Tsing suça l'air entre ses dents. « Selon de nombreux témoins, la femme s'est blessée en tombant... »

C'était donc la version officielle.

« Le major Hsu a d'excellentes relations, bien qu'employé dans un poste relativement humble à présent, poursuivit Tsing. Il est jeune mais a de l'avenir... On lui fait... confiance. » Ce qui signifiait que Hsu était le protégé de quelqu'un haut placé dans la Police secrète et qu'il commencerait bientôt à en gravir les échelons. Tsing poursuivit : « Mlle Ryder — c'est le nom de l'Américaine — a commis une faute très grave en intervenant sans motif dans cette action de nettoiement des taudis. Nous ne souhaitons pas créer le moindre désagrément ; nous espérons que cette affaire se réglera... avec discrétion. »

Jen Yong reposa sa tasse. « En tant que simple membre du corps médical sans aucune influence, je peux seulement constater que l'état de la patiente était extrêmement grave.

— Personne n'a *vu* qu'on la frappait », répondit Tsing d'une voix doucereuse.

Sous la douceur, Jen Yong sentit la menace. Tout à coup, il revit le visage de Stéphanie Ryder, la marque rouge qui le zébrait, le sang sur la robe. Il se rappela son sourire, si inconscient du danger ! Si franc ! Soudain, elle fut devant lui et il contemplait ses yeux piquetés d'or, comme des étoiles dans une nuit de velours, comme...

Il s'ébroua, se frotta le visage. L'image de Stéphanie s'attardait en lui.

« Je me rappellerai ce que vous m'avez dit, colonel Tsing. »

Tsing se leva, murmura des excuses, suave, bien élevé, maître de la situation. Il s'inclina plusieurs fois devant Jen Yong, mais cette politesse exagérée contenait un peu de moquerie.

Jen Yong se rendit dans la salle des urgences. Il lui fallait rassurer l'infirmière Li. Tsing avait dû passer d'abord par les urgences et questionner le personnel pendant qu'il opérait.

L'infirmière Li remplissait une seringue et, au regard qu'elle lui jeta, il comprit qu'elle s'inquiétait. Il se tint près d'elle et dit à voix basse : « C'était à propos de la patiente amenée ce matin. Rien d'autre. » Elle inclina la tête. Inutile d'alerter l'Organisation.

Il sortit dans la lumière du soleil, dont l'éclat lui fit cligner les yeux et prit le sentier qui menait au dortoir des médecins. Ses yeux lui brûlaient et sous ses paupières mi-closes, il vit danser l'image de Stéphanie. Il entendit sa voix. J'ai une hallucination, pensa-t-il. Ryder. Stéphanie Ryder. Elle était belle. Il ne remarqua pas le petit garçon accroupi au bord du sentier, qui se leva et le suivit.

Stéphanie avait déroulé le store de bambou ; elle était dans la semi-obscurité, allongée sur son lit, sous le ronron du ventilateur électrique. Elle essayait de digérer l'histoire qu'elle venait de vivre. De la mettre en mots. Dans quelques instants, elle se jetterait sur sa machine à écrire portative et transcrirait son récit. Et l'indignation qui la brûlait.

Les journalistes étaient de retour de la conférence de presse. Alistair Choate s'arrêta devant sa porte et frappa. « Stéphanie, êtes-vous là ? Tout va bien.

— Oui, Alistair, mais je me repose. J'ai un léger mal de tête.

— Je vous avais mise en garde contre la chaleur. Voulez-vous que je vous apporte quelque chose ?

— Non merci. Je vais me lever dans un moment. »

Elle entendit ses pas qui s'éloignaient, le craquement des lattes disjointes.

Puis ce fut John Moore qui frappa et Stéphanie lui ouvrit. Elle se sentait en confiance avec John.

« Je pensais que vous assisteriez à la conférence de presse... Grand Dieu, Stéphanie, qu'est-il arrivé à votre visage ? » Elle eut un petit rire crispé, qui se voulait désinvolte. « J'ai eu quelques ennuis, John. » Elle lui raconta ce qui s'était passé. « Je vais l'écrire... c'était trop horrible... »

John l'écouta, impassible. Puis il s'assit sur une chaise et croisa les jambes.

« Ecoutez-moi, Stéphanie. Votre histoire ne franchirait pas le barrage des censeurs. Et même si elle y parvenait, je doute que vos lecteurs vous croient. C'est trop... mélodramatique. Ils ne sont pas prêts pour ce genre de récit. Pas encore, en tout cas. »

Stéphanie renversa la tête avec ce geste nerveux de pouliche qui lui était familier et dit d'une voix irritée : « Je dois faire quelque chose avec ça. Je ne peux pas simplement l'oublier.

— Stéphanie, je vous en prie, si vous voulez écrire cette histoire, faites-le, pour vous libérer. Mais ne l'envoyez pas encore. Rappelez-vous ; il ne s'agit pas seulement d'un homme qui a frappé une pauvre femme enceinte. Mais du système qui engendre une telle brutalité. Et ce système est très vieux ; il existe depuis deux mille ans, ou même davantage...

— Mais c'est monstrueux, répliqua Stéphanie, toujours en colère. Vous n'attendez sûrement pas de moi que j'excuse ce genre d'attitude.

— Je vais vous raconter une histoire, dit John. J'ai un ami — appelons-le Peter —, il est britannique. Il enseigne l'anglais ici, à l'université. Il est aussi un peu poète. Il avait l'habitude de se promener dans les collines. Un matin, il rencontra deux soldats qui transportaient quelque chose dans une corbeille, suspendue à une palanche posée sur leurs épaules. C'était un homme, un autre soldat, qui gémissait faiblement. Juste un gémissement. Peter s'arrêta pour les observer. Arrivés devant un coin de sol meuble, les deux soldats posèrent la corbeille sur le sol. Ils avaient aussi deux bêches suspendues à la palanche et ils se mirent à creuser. Ils creusèrent un trou et le soldat, dans la corbeille, continuait de gémir, une plainte monotone, raconte Peter. Quand ils eurent achevé le trou, les deux soldats prirent la corbeille, la renversèrent et l'homme tomba dans le trou. Alors, ils le comblèrent avec la terre, la tassèrent avec leurs pieds et s'en allèrent. Et Peter est resté tout ce temps immobile. Il n'a pas bougé. »

Stéphanie se couvrit le visage de ses mains. « Oh, mon Dieu, chuchota-t-elle, oh, mon Dieu.

— Peter est encore ici, dit John Moore. Il a encore un regard égaré quand il se rappelle...

— J'aurais déterré cet homme, dit Stéphanie. Même avec mes mains nues... je l'aurais sorti...

— Vous, Stéphanie. Mais pas Peter. Il ne pouvait pas, il était paralysé... paralysé par quelque chose dans l'air, quelque chose qui s'était emparé de lui... Tant d'entre nous, même les meilleurs, l'ont éprouvé... cette hébétude... Parce qu'on est tout simplement environné par trop de cruauté ; chaque jour, chaque heure, chaque seconde. De toute façon, votre récit serait censuré, aussi bien en Amérique qu'ici. En temps de guerre, ne l'oubliez pas, il y a des choses qu'on ne peut pas dire, car cela nuirait à nos alliés ou à nous-mêmes. Les guerres se gagnent grâce à des mythes qui alimentent l'espoir et l'esprit de sacrifice. Chez nous, les gens s'accrochent encore au mythe de Tchiang Kaishek. Même le grand reporter Theodore White [1], quand il a écrit ce qu'il avait vu, certaines de ses dépêches ont tellement été transformées par le journal qu'elles en étaient méconnaissables.

— Ce n'est pas étonnant que les gens rejoignent Yenan, dit

1. *A la recherche de l'Histoire.*

Stéphanie. Je ne comprenais pas comment le communisme pouvait les attirer. Mais après ce que j'ai vu aujourd'hui, je commence à comprendre...

— Notre mission, à nous, qui sommes ici, est de découvrir ce qu'ils sont vraiment, dit John. Moi non plus, je n'aime pas le communisme mais il y a eu de nombreux témoignages favorables sur Yenan — de la bouche des Américains et des Anglais qui sont allés là-bas. En plus, ce ne sont pas tous des communistes bon teint ; la plupart sont seulement d'ardents patriotes. »

Il lui confia ses doutes lancinants, son obsession de l'impartialité dans sa description de la Chine.

« Nous devons rester objectifs, Stéphanie, et ne pas nous laisser trop impressionner par un incident.

— Peut-être, mais je trouve l'incident d'aujourd'hui vraiment dur à avaler, John. Je ne vois pas comment je pourrai écrire un article " publiable " là-dessus. »

Henry Wong se rendit dans sa chambre pour sa sieste, selon une habitude que sept ans passés en Amérique n'avaient pu changer. Il se hissa avec effort sur son matelas Beautyrest. Le cousin au second degré de Meena, directeur-adjoint du Bureau des transports, l'avait transporté sur un camion par la Route de Birmanie au début de 1942. Il tapota ses oreillers et ferma les yeux. Le téléphone sonna. « La barbe, dit Henry Wong. *Wei* », hurla-t-il dans l'appareil. Son secrétaire, Hung, l'informa en bégayant de frayeur que le général Yee voulait le voir. Tout de suite.

Le général Yee. Le ministère de la Défense. Et peut-être cela voulait dire Tchiang Kaishek. A la pensée de comparaître de nouveau devant Tchiang Kaishek, Henry sentit ses jambes devenir molles.

Tout en s'habillant, il essaya de se remémorer la conférence de presse du matin. Avait-on rapporté ses propos de travers ? Serait-il fusillé ? Quelques mois plus tôt, Vieille Cacahuète avait fait exécuter, dix-sept jeunes officiers qu'il soupçonnait de comploter contre lui. *Qu'ai-je fait de mal ? Quelle erreur ai-je commise ?* Quand Terry Longworth, citant le général Stilwell (son idole), avait parlé des obstacles créés « non par l'ennemi japonais, mais par Chungking », Henry Wong avait répondu que le zèle et la compétence du général Stilwell étaient bien connus mais qu'il ne fallait pas oublier les difficultés immenses que traversait la Chine. Quand Dangforth, de l'A.P., avait demandé combien de dollars, sur les cent millions donnés à la Chine par Roosevelt, avaient tout simplement disparu dans les poches des officiers de Tchiang, Henry avait répondu que, dans tous les pays, les inventaires et les budgets n'étaient pas toujours accessibles à l'observation ordinaire, surtout en temps de guerre. John Moore, que

Henry considérait comme un bon ami, s'était lui aussi montré caustique. Mais Henry pardonnerait toujours à John, assuré qu'il ne le trahirait pas : un soir où l'alcool avait délié sa langue, il avait parlé à John de son cousin qui était à Yenan, avec les communistes. « Nous avons tous de la famille des deux côtés », avait-il ajouté en pensant à Mme Tchiang Kaishek, dont la sœur, Mme Sun Yatsen, célèbre pour sa beauté, se trouvait aussi avec les Rouges. Et il avait avoué que lui aussi, de temps en temps, était tenté de changer de monture...

La résidence du général Yee surplombait la rivière Tchialing ; les boues de l'été ne pénétraient pas dans ses eaux ; elle coulait, avec des reflets opalescents, entre des falaises gris pâle surmontées de bosquets de camphriers, de pins et de chênes argentés. Yee attendait Henry Wong dans la salle de séjour aux meubles en bois sculpté et incrusté de marbre de Tali, qui composait des paysages surréalistes. C'était un homme petit, à l'esprit agile, « rond dedans et dehors », capable de voir toutes les facettes d'un problème et de s'adapter à n'importe quelle situation. On le surnommait Le-gagnant-prend-tout car il avait une chance prodigieuse au mah-jong. Il faisait de la boxe chinoise pendant une heure tous les matins et pratiquait la calligraphie pendant une autre heure.

« Mettez-vous à l'aise, Henry. Enlevez votre veste. Par cette chaleur, on ne peut avoir l'esprit lucide que dans des vêtements confortables ! »

Yee versa le thé du Puits du Dragon, en provenance du lointain Hangchow. Guerre ou pas, il conservait sa collection de thés précieux. Et il gardait son admiration pour le Japon. L'année précédente, pendant une tournée d'inspection sur un « front » tout relatif, il avait rendu visite au commandant japonais. Ce geste de politesse entre gentlemen de même profession avait stupéfié et même indigné les journalistes occidentaux. Mais tuer ou se faire tuer regardait les humbles, ceux qu'on pouvait aisément sacrifier, dont les vies et les morts n'avaient pas la moindre importance pour l'avenir de la planète ou l'histoire de l'homme. Les généraux ne s'entre-tuaient pas. Ils se rencontraient, prenaient le thé, échangeaient des poèmes et organisaient les règles du jeu d'une guerre où d'autres hommes mouraient.

Yee en vint au fait. « Un incident désagréable, Henry. Une journaliste étrangère a essayé d'empêcher le nettoyage d'un quartier de taudis par une escouade de soldats. Elle a frappé au visage le jeune major responsable, devant ses hommes. Il a perdu la face, bien sûr. Or, il se trouve que son père et le père du général Tai Lee étaient comme des frères... »

Le général Tai Lee ? Le Scorpion, *l'éminence grise*[1], le chef de la

1. En français dans le texte. (*N.d.T.*)

Police secrète. Encore plus redoutable que Tchiang Kaishek.

Henry dit : « Je mènerai une enquête. » Mais Yee repoussa cette idée : « Toute publicité autour de cette histoire serait inopportune. Vous avez pour tâche d'empêcher les reportages irresponsables. Cette affaire n'a, à mon avis, aucune importance sauf si la jeune femme la raconte dans un article. A vous de la persuader de ne pas le faire.

— Je suis profondément incompétent », commença Henry. Cette attitude d'humilité forcée faisait partie du code de politesse.

Mais Yee l'interrompit à nouveau. « Les Américains sont très naïfs. Nous devons être patients et leur inculquer... euh... la sagesse. Je ne souhaite pas que la Police secrète fonce trop dans cette affaire. Ils manquent parfois — euh — de jugement. J'ai appris qu'ils faisaient circuler une note recommandant un traitement plus sévère pour ceux de nos intellectuels qui penchent vers la gauche. Ce *n*'est *pas* bon. Les intellectuels sont importants, on ne doit pas les maltraiter. Ce n'est pas sage. » Yee s'éventa et, dans le silence, seule la stridente mélopée des cigales accompagnait le bruissement feutré de son éventail. « La presse est puissante en Amérique... nous devons veiller à... euh... éviter toute publicité déplacée.

— Je comprends, mon général », dit Henry.

Il partit, plus heureux que quand il était arrivé. La Police secrète était toujours prête à lancer une chasse aux sorcières. Il inviterait la jeune femme chez lui. Stéphanie Ryder — Texas — Radcliffe. Il avait signé sa carte d'accréditation. Il la mettrait entre les mains de Meena. Ecoles, orphelinats, camps de réfugiés, une ou deux héroïnes de la résistance en plus... on lui fournirait plein d'histoires à raconter ; assez pour dissiper l'impression déplaisante et montrer qu'il s'agissait d'un incident isolé... Poursuivant sa réflexion, Henry se dit que Tai Lee, le chef de la Police secrète, devait lui aussi s'inquiéter. Car si Tchiang apprenait l'incident, il pourrait très bien hurler : « Fusillez le major Hsu. » S'il était dans un de ses moments d'humeur disciplinaire. Et pour prouver qu'il était démocrate.

Il fallait agir avec soin. Alerter les censeurs, établir une surveillance du courrier de Stéphanie. Henry Wong soupira. Pas de sieste aujourd'hui.

Jen Yong s'éveilla. Aussitôt, il retrouva la voix de Stéphanie, son visage. Un coup d'œil à sa montre lui apprit qu'il était sept heures du soir. Il avait manqué le dîner, qui avait lieu à six heures, mais le cuisinier lui avait gardé un peu de nourriture.

Jen Yong partageait un petit bungalow de briques avec neuf autres médecins. Quatre d'entre eux, dont Yong, étaient célibataires et vivaient ensemble dans une pièce. Les cinq autres avaient une femme et des enfants et chaque famille occupait une pièce. Ils partageaient les services d'un cuisinier, d'une femme de ménage et d'une laveuse. Comme on ne parvenait pas à juguler une inflation galopante, la moitié du salaire mensuel des médecins leur était payée en riz et le prix du picul[1] de riz était devenu l'unité monétaire de base. Il n'existait pas d'allocations familiales et les familles nombreuses manquaient souvent de nourriture. On mangeait de la viande une fois par semaine, parfois seulement une fois par mois. La situation des célibataires était, en principe, légèrement meilleure, mais trois des médecins non mariés faisaient vivre des membres de leur famille sur leur maigre traitement. Deux d'entre eux, fiancés depuis quatre ans, ne pouvaient pas se permettre de fonder un foyer. A leurs moments de liberté, ils essayaient d'avoir une clientèle privée ou de donner des leçons à des étudiants pour arrondir leurs revenus.

On trouvait Jen privilégié. Il n'avait pas à envoyer d'argent à des parents car sa famille, qui vivait à Shanghai occupée par les Japonais, était riche. Il partageait son riz avec ceux qui n'en n'avaient pas assez et achetait en plus des cacahuètes ou du sucre pour les donner aux enfants.

Jen Yong fit sa toilette dans la salle d'eau commune, puis mangea son repas du soir. Il entendait son voisin, le docteur Liu, qui donnait une leçon à ses deux enfants ; au-dessus, Mme Wan parlait avec son mari. Les murs étaient si minces que le moindre bruit les traversait sans peine. Les Wan avaient trois enfants et en attendaient un quatrième. Jen Yong avait offert de partager avec l'aîné des fils Wan l'espace exigu qui lui était imparti. Ils s'entassaient maintenant à cinq dans la chambre.

Le crépuscule était tombé ; Jen Yong retournait à l'hôpital pour sa ronde du soir ; il sentait la chaleur monter de chaque pierre. Comme il avait été idiot de ne pas lui dire à quel moment téléphoner ! Peut-être n'appellerait-elle pas, d'ailleurs. Peut-être... Comment la retrouverait-il ? Journaliste, avait-elle dit... Stéphanie Ryder... Les syllabes coulaient, fraîches et fruitées dans sa bouche.

Un petit garçon s'avança dans l'ombre épaisse quand Jen Yong atteignit l'extrémité du sentier. Un mendiant. Sa main se porta machinalement à sa poche mais l'enfant s'inclina et dit « *Taifu* », l'appelant par son titre de docteur et se tint devant lui dans une attitude d'humilité, les yeux baissés, prêt à s'agenouiller, à se frapper la tête contre le sol en signe de supplication. Il avait l'aspect caractéristique des Szechuanais : chétif, les os déformés par un travail trop dur et trop précoce, rachitique. Mais il avait de grands yeux brillants et des pommettes hautes et saillantes ; et il affichait ce petit air de crânerie et de débrouillardise typique des gens du Szechuan. Ils rebondissaient

1. Un picul : à peu près dix kilos. (*N.d.T.*)

toujours après chaque coup, chaque calamité... et ce garçon, qui connaissait la douleur et la souffrance, possédait aussi leur humour grinçant. Il y avait de la dignité dans son humilité.

Venant de Shanghai, la grande ville côtière, Jen Yong s'était épris de ces rudes et farouches Szechuanais. Il adorait entendre le flot exubérant et chantant de leur bavardage. Et quels conteurs ! Leurs récits, hauts en couleur, s'étiraient comme des dragons en ordre de bataille. Il s'était souvent assis sur le petit mur de pierre — au bord de la route qui longeait l'hôpital — pour les écouter car, dans cette partie de la Chine, même les mendiants étaient poètes. Et lui, l'homme de Shanghai, riche et raffiné, avait senti battre le pouls de son pays ici, dans cette ville ravagée et bruyante. Et c'étaient les roulements de tambour de l'espoir qu'il avait entendus, battant avec constance, rythmant le chant du futur.

« Que veux-tu, petit diable ? » Terme d'affection. Tout le monde l'utilisait. La résistance clandestine des communistes savait très bien recruter ce genre de garçons. Pendant la Longue Marche, des centaines d'entre deux avaient suivi les armées rouges. Ils avaient appris à lire, à écrire, à se battre ; certains commandaient maintenant des bataillons de maquisards. Oh, pensa Jen Yong, quelle richesse de talents dans mon peuple, que de médecins et de chercheurs potentiels parmi tous ces mendiants... Qui commencera à leur donner lcur patrimoine si des gens comme moi n'essaient pas ?

« Ma mère a été amenée chez le docteur ce matin par la dame étrangère. Je n'ai pas osé déranger le docteur... Puis-je lui demander comment va ma mère ? »

Mais oui, il y avait un garçon qui tenait la main de la patiente. Son fils.

« Je vais justement voir ta mère. Viens avec moi. » Il étendit la main, prêt à la poser sur l'épaule du garçon, mais celui-ci leva le bras pour se protéger le visage et recula comme s'il craignait d'être frappé. Il s'arrêta pourtant à mi-geste et eut un sourire profond, qui découvrit ses dents. La main de Jen se posa, légère, sur la chemise déchirée. Elle était raide de crasse. « Quel est ton nom ? Quel âge as-tu cette année ?

— Mon nom de famille est Liang ; mon prénom est Petit Etang. J'ai quinze ans. »

Il en paraît douze, pensa Jen Yong. Les Szechuanais ajoutaient toujours un an à leur âge, parfois deux. Il en avait probablement quatorze. Beaucoup de garçons de son âge avaient été arrachés aux champs où ils travaillaient à planter ou à moissonner le riz, pour être emmenés dans les camps de recrutement. Ils portaient des fusils trop lourds pour eux, crevaient de faim et mouraient très vite. Petit Etang boitait.

« Ta jambe est faible ? demanda Jen Yong.

— J'aidais mon père à tirer une carriole chargée de grosses pierres. Les pierres étaient destinées à notre propriétaire qui voulait un beau tombeau. » Son père avait trébuché, la carriole, en reculant, était passée sur la jambe de l'enfant. « Mais j'ai vite guéri, *Taifu.* Au printemps, l'armée est venue chercher mon père dans les champs de notre propriétaire. Alors, il nous a chassés, ma mère et moi, parce que nous ne pouvions pas cultiver ses terres... J'ai essayé de mon mieux mais je ne pouvais pas travailler autant que mon père. Alors, nous sommes venus à la ville. »

Jen Yong dit : « C'est une épreuve bien cruelle pour toi, si jeune. »

Petit Etang, imitant le langage des adultes, répliqua : « Avant que les gens de l'embouchure du fleuve arrivent, nous étions pauvres. Mais nous possédions deux choses : notre salive et notre merde. Maintenant, même cela nous a été enlevé. »

Jen Yong dit : « Ce n'est pas notre faute, nous sommes venus ici parce que les Japonais nous ont chassés de chez nous.

— Est-ce vrai ? » demanda Petit Etang. Puis : « J'ai dit une grande injustice, car vous venez de l'embouchure du fleuve et vous faites du bien à mon peuple. »

Ils étaient arrivés à l'hôpital ; Jen Yong fut pris d'appréhension. « Petit Etang, ta mère était très malade. Nous avons fait de notre mieux pour lui sauver la vie.

— Je sais », dit Petit Etang. Sa voix s'élevait, atone, dans cette chaleur épaisse et étouffante qui empâtait tout geste et même tout sentiment. « *Taifu* a donné du sang pour ma mère.

— Qui te l'a dit ?

— Je l'ai entendu. »

La gazette populaire ; murmures qui parcouraient les longues files des porteurs d'eau et d'excréments, des porteurs de chaises et des autres porteurs de fardeaux, tous accablés sous celui de la guerre et de la tyrannie. Ils faisaient naître une brise de mots, légère et furtive, qui traversait les murs des forteresses et des prisons et nourrissait l'âme de la ville.

« Je n'ai pas donné de sang pour ta mère. Celui qu'elle a reçu vient de beaucoup de gens, Chinois et étrangers... Le sang est le même partout, dans tout le monde... Le savais-tu ?

— Je l'ignorais », dit Petit Etang.

Ils se rendirent dans la salle où se trouvait Liang Ma. Elle vivait. Son visage était cireux, ses narines pincées, sa respiration presque imperceptible. Mais elle vivait. Jen Yong vérifia le flacon de glucose relié à une veine de son bras, puis la sonde vésicale. Il nota ses observations sur une feuille et ordonna une injection de vitamine B.

« Le bébé n'a pas survécu, Petit Etang.

— Etait-ce un mâle-enfant ou une fille esclave ? demanda Petit Etang de sa voix neutre.

— Un mâle-enfant.

— Cette dette de sang est écrite dans mon cœur, *Taifu* », dit Petit Etang.

Jen Yong demanda, « As-tu mangé ? » et il porta à nouveau la main à sa poche.

Petit Etang secoua la tête. « J'ai mangé, *Taifu* », mentit-il. Il savait que la question était une façon de le renvoyer. S'il n'avait pas été avec le docteur, on l'aurait jeté dehors. Parce qu'il était sale, parce qu'il sentait mauvais. Sa mère était étendue là, dans un lit propre, avec vingt autres femmes, dans cette grande pièce. Tout était si propre. Petit Etang avait l'impression de salir l'endroit par sa seule présence.

« Je m'en vais, maintenant, *Taifu*.

— Reviens demain soir voir ta mère », dit Jen Yong. Il dirait aux infirmières de laisser entrer l'enfant. Le règlement de l'hôpital était très strict. Impossible d'autoriser les visites, sauf en première classe. Les salles communes auraient été envahies par les gens qui auraient apporté leur vermine et leur saleté. Mais Jen Yong rédigea une note spéciale pour les infirmières Sha et Li afin qu'elles permettent à Petit Etang de voir sa mère quelques minutes chaque soir et remit le mot à l'enfant.

Vieux Wang était assis dans le sous-sol avec Prospérité Tang. Ce dernier était un homme corpulent, qui avait l'aspect d'un commerçant aisé. Il portait une longue robe de toile de Neichiang et des chaussons légers tissés à la main. Ses mains étaient très propres et il riait grassement comme il sied à un homme qui gagne beaucoup d'argent. En réalité, Prospérité Tang était le secrétaire du Parti, responsable du réseau clandestin de la région. Mais personne ne le savait. Depuis seize ans, il jouait le rôle d'un petit commerçant, uniquement occupé à s'enrichir.

Prospérité Tang venait à l'hôpital pour acheter les déchets et les choses mises au rebut : vieilles boîtes de carton ou de contre-plaqué déchirées, pansements en coton si sales qu'on ne pouvait plus les relaver et les stériliser pour les réutiliser, mais utiles pour raccommoder des vêtements d'hiver. Bouts de papier. Bouteilles sans goulot, tubes de caoutchouc usagés... tous objets de valeur, précieux même. Pour garnir une paillasse, rapiécer un vêtement, boucher un trou dans un toit ou un mur. La moitié de la population de Chungking achetait des déchets de toutes sortes et en faisait usage. Un simple clou rouillé, une bobine de fil, une cuillère bosselée... tout servait. Prospérité Tang, par contrat passé avec l'économe de l'hôpital, achetait tous les déchets de l'établissement. Il profitait de ses visites pour bavarder avec Vieux

Wang, qui vivait au sous-sol parmi les détritus. Wang informa Tang des progrès de l'infiltration du Parti parmi les professeurs et les étudiants de l'Ecole de médecine attachée à l'hôpital. Puis il rapporta à Tang la visite de Tsing, de la Police secrète, auprès du docteur Jen. « C'est à cause de cette femme amenée à l'hôpital par une Américaine. Quel dommage que l'attention ait été ainsi attirée sur le docteur Jen. »

Tang approuva de la tête. Les deux hommes savaient le danger de se faire remarquer, même par hasard. L'invisibilité constituait la protection parfaite et Jen Yong était jusqu'à présent inconnu de la Police secrète. Il n'avait jamais été mêlé à un rassemblement, à une manifestation ou à un groupe tenu pour suspect. Vieux Wang avait souligné combien il était important qu'il ne se fît pas repérer et Jen Yong s'était strictement consacré à la chirurgie. Au point que quelques étudiants progressistes l'avaient critiqué pour son manque d'intérêt aux « problèmes de la nation ». Il avait fait preuve de discipline et de discrétion. Tout dépendait maintenant de sa réaction devant Tsing et de la décision de ce dernier de poursuivre ou non cette affaire Il fallait espérer que Jen Yong ne s'était pas trahi par une trop grande nervosité ; qu'il n'avait manifesté que docilité et même servilité...

« Soyez prudent, surtout dimanche », recommanda Tang. C'était une occasion merveilleuse ; un autobus, protégé par la police car il transportait les subordonnés d'un certain seigneur de la guerre... une chance, à ne pas manquer, de faire passer clandestinement à Yenan cinq membres compétents du personnel médical.

Puis les deux hommes parlèrent de Stéphanie. « C'est une bonne chose qu'elle a faite là, insista Tang.

— Elle semble une femme courageuse. J'informerai l'échelon supérieur de l'incident. » Tang essaya de présenter à Wang le nouvel état d'esprit des chefs communistes à l'endroit des Américains. Ceux-ci, expliqua Tang, n'étaient pas tous des impérialistes. Les journalistes américains se montraient utiles en faisant des reportages favorables sur les victoires de l'armée communiste, sur Yenan, sur l'attitude bienveillante du Parti envers la paysannerie. « Il existe beaucoup de bons Américains et ils peuvent nous être d'une grande aide, dit Prospérité Tang. Le camarade Chu Deh, notre commandant en chef, a dit aux Américains que nous avons vingt divisions prêtes à se battre contre les Japonais. Si les Américains veulent bien nous donner les armes nécessaires, nous pouvons hâter la victoire et épargner ainsi la vie de soldats américains. Cette femme a fait une bonne action. Nous devons essayer de l'intéresser à notre cause. Dis-le au docteur Jen Yong. » Il hocha plusieurs fois la tête. « Ah, l'avoir vue frapper cet œuf de tortue pourri... quel plaisir j'aurais eu à contempler la scène ! »

Jen Yong avait fait le tour des salles de chirurgie et vérifié l'état de chaque malade. L'infirmière Sha n'était pas de service ce soir-là et l'infirmière Tsai l'avait assisté dans sa visite. Mince, pâle, avec un grain de peau si fin que son visage semblait toujours poudré, elle n'était pas affairée et bruyante comme l'infirmière Sha, que son zèle rendait parfois fatigante. L'infirmière Tsai était très discrète et Yong trouvait sa présence reposante. Il se demandait souvent si elle ne faisait pas partie de l'Organisation. Il émanait d'elle une impression curieuse, un mélange de calme concentration et de vigilance. L'Organisation enseignait à ses membres la discrétion et la maîtrise de soi. Chacun d'eux n'en connaissait que deux autres, jamais plus. Pour limiter les risques de trahison. Jen Yong connaissait Vieux Wang et l'infirmière Li. Les chaussons de coton de l'infirmière Tsai glissaient sans bruit sur le sol ciment. Elle exécutait toutes ses tâches avec une grande délicatesse et beaucoup de concentration. Quelques fils blancs striaient sa chevelure.

Sa tournée achevée, Yong s'attarda. Il relut la fiche de Mère Liang. Le nom de l'étrangère s'y trouvait. L'infirmière Li l'avait noté. Stéphanie Ryder. Elle téléphonerait, avait-elle dit.

Ce besoin impérieux d'entendre sa voix.

Il grandissait en lui. Entendre sa voix. Sa voix.

Il s'assit et regarda les dossiers sans les voir. A leur place, apparut son visage. Ses yeux. Les paillettes de lumière dans le marron velouté des iris. Oh, elle est si belle, si belle, gémissait son cœur. Et courageuse. Il l'imaginait se jetant sur cette brute pour le frapper et recevant des coups. Il vit sa robe, la grâce de ses gestes, insoucieuse de son apparence, du sang qui la tachait sa robe. Elle lui avait amené Mère Liang. Les gens des taudis l'avaient suivie. Ils avaient suivi une étrangère... Jamais pareille chose ne s'était produite. Si souvent on laissait mourir la victime ; personne n'osait intervenir ou aider ; mais cette fois-ci, il en avait été autrement.

Le téléphone accroché au mur fit entendre sa stridente sonnerie. L'infirmière Tsai alla répondre ; elle décrocha le tube du téléphone, écouta puis se tourna : « Docteur Jen, c'est pour vous. »

Mais Jen Yong était déjà à ses côtés, la main tendue. Il lut l'étonnement sur le visage de l'infirmière devant une hâte si incongrue. « *Wei, wei* », dit-il dans l'appareil, puis, craignant qu'elle ne comprenne pas et raccroche, il ajouta : « Jen Yong à l'appareil. »

La vivacité enjouée de sa voix, comme les mouvements de tête d'un enfant : « Ici Stéphanie Ryder, docteur Jen. Comment va notre malade ? »

Notre. Jen Yong chancela sous la félicité que contenait ce mot. « Elle vit, mademoiselle Ryder. Nous n'avons pas pu sauver le bébé. Mais la mère va bien.

— J'en suis heureuse. Elle s'arrêta. Puis-je être encore utile? A-t-elle besoin de quelque chose ?

— Non, je ne pense pas... » Ils n'eurent plus rien à dire. Paniqué, Jen Yong chercha désespérément une phrase, quelques mots, mais son esprit refusait de fonctionner. Pourtant, il fallait qu'il la garde au bout du fil. Il fallait qu'il entende sa voix ; il le fallait...

« Merci de vous être souvenue et d'avoir appelé...

— Mais non... je m'inquiétais. » Elle rit. Oh ce rire. Il emplissait son âme. Toute sa vie, il avait attendu la merveille de ce rire. « Comme vous le savez peut-être, docteur Jen, je suis journaliste et je ne suis en Chine que depuis une semaine. » Elle aussi s'attardait, prolongeait la conversation, lui livrant des renseignements sur elle, qu'il pouvait relever et exploiter.

« Vous êtes une femme très courageuse, mademoiselle Ryder. Bien peu de gens auraient été capables de ce que vous avez fait.

— Je suis surtout impulsive, docteur Jen. » A nouveau ce rire dans sa voix. Et la chute de la conversation.

Le cœur de Jen cognait ; il était haletant. Il aurait voulu dire « Je vous en prie, ne raccrochez pas... je veux continuer à vous parler » mais, à la place, il dit « Notre peuple vous en sera reconnaissant. Eternellement. »

Un silence, puis Stéphanie répondit d'une voix polie : « Je suis désolée de vous retenir. Vous devez être très occupé.

— Oh, non. Je n'ai rien à faire. Avez-vous... avez-vous mangé ? » (Bien sûr qu'elle avait mangé. Quelle question idiote !)

Stéphanie rit, d'un petit rire argentin. Il l'implora en silence... *S'il vous plaît, oh, s'il vous plaît, laissez-moi vous entendre rire, laissez-moi voir votre sourire.*

« Non, je n'ai pas encore dîné. Et vous ?

— Moi non plus... », mentit-il. Puis, éberlué par sa folle audace, il ajouta : « Peut-être, si vous n'êtes pas trop fatiguée, aimeriez-vous aller quelque part... manger quelque chose... » et soudain affolé, pensa, combien cela coûtera-t-il ? Il faut que je retourne chercher mon argent... il faut que j'en emprunte. Je n'en aurai peut-être pas assez... les bons restaurants sont si chers.

« Oui, dit Stéphanie, volontiers. J'aimerais beaucoup manger dans l'un de ces petits restaurants en plein air installés sur les trottoirs. Je suis souvent passée devant mais je n'ai trouvé personne pour m'y accompagner.

— Ils ne sont pas assez bons, dit Jen Yong, repris de panique. La nourriture est très épicée... et pas très propre. Vous n'y êtes pas habituée. Il vaut mieux aller dans un restaurant.

— Mais j'ai envie de manger là depuis mon arrivée à Chungking, docteur Jen. S'il vous plaît, emmenez-moi. »

Stéphanie attendait sur le chemin, après la guérite de la sentinelle. Quand elle aperçut Jen Yong, elle descendit spontanément vers lui. Cette rencontre lui semblait une bonne occasion de se faire un ami. Un ami chinois. Choisi par elle. Elle savait que les soldats de garde aux portes de l'Hôtel de la Presse ne le laisseraient pas entrer et, pour lui éviter cette humiliation — infligée par ses propres compatriotes — elle avait attendu dehors. Maintenant, souriante, elle s'avançait vers lui.

Elle ignorait que Jen Yong n'était jamais sorti seul avec une femme ; qu'il n'avait jamais eu d'aventure sentimentale. Situation tout à fait normale et banale dans son pays, dans son monde.

Elle pensa : il a l'air terriblement gentil. J'ai envie de parler avec lui. Et Jen Yong, le cœur battant, se dit qu'elle était l'être le plus merveilleux qu'il eût jamais vu, et il sut qu'il l'aimait.

« Bonsoir », dit-elle gaiement ; et elle lui tendit la main. Absorbé par sa contemplation, il fut incapable de répondre ; alors il lui sourit, serra la main tendue et ils se dirigèrent côte à côte vers la route.

Dans les nuits de Chungking, les rats sortaient des égouts, des fossés, pour venir, maîtres effrontés de la ville, en contempler les habitants. Fascinée, Stéphanie observa les ébats d'une famille de rats près du grand égout qui longeait à ciel ouvert le sentier menant à l'hôtel. Les ratons jouaient en couinant autour de leur mère repue et somnolente. « Sortent-ils toutes les nuits ?

— Oui... en été. Mais nous en verrons peu dans les rues principales », dit Jen Yong. Des lampes à huile en terre cuite, disposées en grappes tout le long des rues, trouaient l'obscurité de leur lueur fragile et déversaient une luminosité stellaire. Les boutiques restaient ouvertes presque jusqu'à l'aube car l'été, à Chungking, les gens ne pouvaient trouver le sommeil. Ils flânaient, dans la nuit, jusqu'à ce que l'épuisement les plongeât dans un état de torpeur auquel mettait fin le retour implacable du soleil tyrannique à l'aube, quand il jaillissait de la rivière pour darder ses rayons meurtriers sur la cité.

Le silence tomba sur Stéphanie et Yong, hésitante et légère ébauche de confiance. Stéphanie le rompit. « Je suis ici depuis seulement une semaine, docteur Jen, et tout le monde me dit que la cuisine szechuanaise est la plus délicieusement épicée de Chine. » Alors lui aussi trouva de menus propos à dire tandis qu'ils s'avançaient sous le ciel nocturne poudré de poussière d'étoiles. Il regarda le ciel puis le visage de Stéphanie. Oh, que je puisse garder à jamais le souvenir de cet instant de pur bonheur, pria-t-il. La beauté de son visage, l'odeur de son corps. Il aimait cette odeur ; elle l'émouvait ; des vers lui vinrent à l'esprit :

J'ai senti l'odeur de ses vêtements
Et j'ai retrouvé sa présence.
Alors j'ai pleuré.

Il frissonna et comprit alors combien cet amour allait le faire souffrir. Le piège de l'amour s'était refermé sur lui et il ne pouvait pas, ne voulait pas s'échapper...

Stéphanie disait : « Etes-vous déjà allé aux Etats-Unis ? »

Et il répondait : « Jamais... mais j'espère le faire un jour. Peut-être quand la guerre sera finie. L'Amérique possède beaucoup de savoir... Nous avons besoin de ce savoir, nous avons un si grand retard. » Puis il parla de chirurgie, d'opérations. « Nous manquons de beaucoup de choses nécessaires mais après la guerre... »

Oh, pensa-t-il, pourquoi dis-je des choses si lourdes, si pompeuses ? Je ne sais pas lui parler. « Pardonnez-moi, je ne sais pas comment parler à une femme. Vous savez, je ne suis jamais auparavant sorti seul avec une femme. Toujours il y avait quelqu'un — un, un...

— Chaperon », dit Stéphanie. Elle se tourna vers lui et ajouta avec gentillesse. « Je suis à Chungking depuis seulement une semaine. Non, cela fera dix jours aujourd'hui. J'ai remarqué que très peu d'entre nous ont des amis chinois. Sauf parmi les officiels, bien sûr. Je suis contente de vous avoir rencontré, vous pouvez m'apprendre tant de choses sur votre pays. En tant que journaliste, voyez-vous, je veux tirer de vous le maximum de renseignements. »

Jen Yong dit, d'un ton un peu solennel : « J'aimerais beaucoup être votre ami. Toujours. »

Puis elle parla du Texas. « L'endroit d'où je viens est tellement différent. Peu de gens, l'espace infini ; on peut aller à cheval pendant une demi-journée sans rencontrer personne... mais je suis contente d'être venue, même si tout est si étrange... »

Quand elle parlait, elle ne regardait ni à droite ni à gauche et ne calculait pas ses phrases. Il la guidait délicatement, sans la toucher ; il souhaitait tant la toucher ; et l'écouter pour se rappeler chaque mot.

Ils avaient maintenant atteint les rues où les restaurants de plein air étalaient leurs tréteaux et leurs longs bancs de bois sur les trottoirs. Des lampes-tempête se balançaient à des pieux ; la foule se pressait dans la rue, parmi le bruit et les cris. Jen Yong dit : « Si cela ne vous plaît pas, je vous en prie, dites-le-moi. Nous irons dans un restaurant. » Il avait sur lui une forte somme d'argent. Une grosse liasse de billets gonflait la poche de sa veste. Il avait emprunté, emprunté et même vendu sa ration de riz pour un mois.

Elle sourit. « C'est parfait. J'adore manger en plein air. »

Ils s'assirent à une échoppe et Stéphanie remarqua sans surprise qu'elle était la seule étrangère. Plein d'attentions, le gargotier disposa une table et un banc exprès pour eux. Le *maotoudze*, ce ragoût de tripes, de rognons, de foie et de cervelle de bœuf et de porc mijoté avec des aromates, remplissait la rue de son odeur piquante. Jen commanda leur plat et paya aussitôt de peur que les prix ne grimpent pendant qu'ils mangeaient. C'était ça, l'inflation : chaque soir, les prix étaient plus élevés que le matin.

Il s'était procuré la plus grande partie de son argent auprès de son meilleur ami, le docteur Liu. Liu, avec un sourire entendu, lui avait remis tout ce qu'il possédait. Lui-même était marié depuis quatorze ans — mariage d'enfants, décidé par les familles. Il n'avait pas vu sa femme depuis six ans car elle était restée en zone occupée pour prendre soin de ses vieux beaux-parents. Et maintenant qu'ils étaient séparés, Liu était tombé amoureux de cette épouse enfant qu'il avait prise, une nuit, mais n'avait jamais connue, bien qu'elle lui eût donné des fils jumeaux. « Quand la guerre sera terminée et que je retournerai là-bas, je dirai à ma femme que je l'aime. Je n'ai jamais prononcé ce mot avec elle. » Sa femme était devenue pour lui une raison de vivre, de lutter et de rêver.

« Amuse-toi bien, vieux Jen », dit Liu.

Jen Yong rougit : « Ce n'est pas... », commença-t-il puis il devint cramoisi. Liu se mit à rire et fredonna une chanson d'amour tandis que Jen sortait.

Le visage qui représentait l'amour et le bonheur suprême était maintenant devant lui dans la lueur vacillante des lanternes et Jen Yong contempla Stéphanie. Elle surprit son regard et porta la main à sa joue.

« Ça se voit ?

— Quoi ?

— La marque... vous savez. » Elle avait cru qu'il regardait la trace du coup.

Jen dit avec une violence contenue : « Je voudrais tuer l'homme qui vous a frappée...

— Mais c'est moi qui ai commencé, répliqua Stéphanie. Je l'ai poussé très fort. Mon seul regret est que j'ai apparemment perdu mon appareil-photo dans la bagarre. » Elle lui parla des photos qu'elle avait prises.

Jen Yong dit : « Vous êtes très courageuse.

— J'étais furieuse... Expliquez-moi, comment les gens peuvent-ils supporter ce genre de brutalité ?

— Cela ne durera pas toujours », dit-il paisiblement.

Le maotoudze arriva et Stéphanie s'y attaqua avec appétit. Elle s'étrangla, ses yeux se remplirent de larmes mais elle l'avala, ouvrant grand la bouche pour respirer entre deux bouchées. « Seigneur, c'est vraiment épicé ! »

Jen Yong commanda du thé. « Vous ne devez, à aucun prix, boire de l'eau froide quand vous mangez la cuisine épicée de Szechuan, mademoiselle Ryder. » Voilà qu'il redevenait guindé.

Elle avait encore les yeux pleins de larmes. « Au Texas, nous avons un ragoût, le hochepot, très épicé aussi, avec plein de piments rouges... C'est une recette mexicaine et c'est radical contre la gueule de bois.

— Qu'est-ce qu'une gueule de bois ? »

Elle lui expliqua. Alors, soudain prodigue, il commanda une bouteille de *maotai.* Sa langue se délia et il lui parla de son travail, de Chungking, de sa décision de quitter Shanghai, ses études terminées, six ans plus tôt, en compagnie d'autres étudiants et de ses professeurs pour fuir à pied l'occupation japonaise, même si, parfois, ils avaient la chance de trouver un autobus. Ils avaient traversé les fleuves sur des barques mais la plupart du temps, ils marchaient. Il leur avait fallu six mois. « Et puis nous sommes arrivés ici, nous avons organisé une école de médecine et j'ai commencé à travailler à l'hôpital. Il a été fondé par des médecins missionnaires américains. Nous retournerons chez nous quand la guerre sera terminée. »

Devant eux, sur la table, luisait le plat en cuivre. Le patron s'affairait, leur offrant encore de la viande, des légumes.

Stéphanie parla de son père, Heston Ryder, et de sa mère, d'origine noble, mi-hongroise, mi-française. « Sa famille était très collet monté, je suppose, mais elle est tombée amoureuse de papa. Elle a quitté l'Europe pour le suivre en Amérique. Papa est extra. C'est un Texan pur sang et pour lui c'est mieux que la royauté. Il construit des avions — il a mis au point un moteur. Et, ajouta-t-elle, d'une voix tendre, il m'a laissée venir ici toute seule parce qu'il estime que les femmes doivent être indépendantes.

— Peut-être pas toutes les femmes, reprit Jen Yong. Peut-être vous, sa fille, parce que vous lui ressemblez. »

Elle rougit. « Comme vous êtes perspicace. C'est vrai que ma mère est différente. Elle est... plus réservée. Cela vient de son éducation. Mais je suppose qu'elle aussi a eu du cran, à sa façon. Si elle a été capable de quitter sa famille, son milieu, par amour, pourquoi ne pourrais-je pas venir en Chine par... » elle s'interrompit, « par goût de l'aventure », acheva-t-elle, le visage soudain songeur à la pensée d'Alan Kersh.

Elle chassa aussitôt ce souvenir mais Jen Yong devait se rappeler cette pause, l'ombre qui avait traversé son visage. Plus tard ce souvenir le torturerait. Il ne pourrait jamais s'en débarrasser complètement. Mais il dit : « Moi aussi, j'ai aimé l'aventure quand j'étais plus jeune et, un jour, je suis parti avec deux camarades, comme les héros de nos légendes, pour parcourir notre pays et en apprendre l'immensité. Nous avons traversé sept provinces. »

Leur errance avait duré plus de cinq mois ; il avait dix-huit ans et ce fut à ce moment-là qu'il découvrit, horrifié, la terrible misère de son peuple.

« Avant cette randonnée, je n'avais jamais quitté Shanghai. Je n'avais jamais su combien mon pays était malheureux. Je voyais bien parfois des mendiants dans les rues ; hommes et femmes assis qui attendaient l'acheteur pour leur enfant, glissant un rameau d'aubépine dans les cheveux des petites filles offertes à la vente... mais je ne réfléchissais pas plus loin. Après ce voyage, j'ai commencé à lire, à me renseigner et j'ai compris qu'être médecin ne suffisait pas... Je devais penser au salut national de mon pays. »

Il vit le regard troublé de Stéphanie à ces mots de salut national. « Tous les jeunes gens de ma génération ont désiré ardemment sauver notre pays. C'est ancré en nous. A cause de notre histoire, de décennies de honte et d'humiliation. Depuis les années 30, partout dans les écoles et les universités, nous avons défilé et organisé des manifestations. Contre l'invasion étrangère, contre le pouvoir colonial, contre l'exploitation. Pour le salut national. Je ne peux pas me souvenir d'un temps où je n'étais pas engagé mais cela devint pour moi une certitude absolue après cette marche à travers mon pays. J'ai su alors que je devais me consacrer... à mon pays. »

Il lui raconta ensuite les années depuis sa naissance — les guerres et leurs ravages, tel un chapelet de souffrances. « Et maintenant ça continue. Regardez ce qui s'est passé hier. Ce que vous avez vu en est un exemple... mais les Chinois ne laisseront pas cette horreur durer toujours ! »

Stéphanie sentit la ferveur, la résolution, dans sa voix. C'était cela qui poussait tant de jeunes à quitter Chungking pour se rendre à Yenan. Ils croyaient que les communistes sauveraient la Chine et remettraient le pays d'aplomb... Mais était-ce vrai ? Yong était-il communiste ? Il fallait qu'elle lui demande... mais peut-être la question le gênerait-il ?

« Nous n'aimons pas le communisme en Amérique », commença-t-elle prudemment, « l'autoritarisme, le manque de liberté... » Il sourit, poli et neutre. Il n'expliqua ni ne justifia.

Ils quittèrent le restaurant. Les rues étaient pleines de gens qui ne parvenaient pas à dormir ; certains avaient tiré de minces paillasses jusque sur le trottoir ; d'autres avaient sorti des portes de leurs gonds et, allongés dessus, s'éventaient et tentaient de charmer le sommeil ; on en entendait qui se plaignaient tout haut de la chaleur cruelle. « Chungking est la seule ville que je connaisse où il fait plus chaud la nuit que le jour », dit Jen Yong. Ils se rendirent à la Porte qui Regarde le Ciel, où des marches de pierre conduisaient jusqu'au tronc puissant et noueux du Yangtse, aux quais et à l'embarcadère. On sentait vivre le fleuve ; même dans l'obscurité, on devinait ses eaux mouvantes, cette masse liquide qui rongeait le rocher. Sur l'étroit rivage se pressaient des gens accroupis, l'éventail à la main ; et la nuit s'étira devant eux, les maisons disparurent tandis qu'ils flânaient — ce jeune homme et cette jeune femme — silencieux maintenant mais dans un silence partagé.

La cité venait finir au bord de rizières et de bosquets de bambous où se tapissaient des chaumières ; plus loin s'étalaient les tombes blanches semi-circulaires d'un cimetière ; manifestement le cimetière privé d'une famille riche ; les pauvres ne pouvaient pas assurer le souvenir de leur existence par des monuments et des inscriptions.

Yong dit : « Je connais un poème. Il a été écrit, je crois, par quelqu'un qui, comme nous, se tenait un soir en dehors d'une ville.

Les tombes anciennes se dressent plus drues [que l'herbe et les nouvelles gagnent les sentiers battus.
Au-delà du mur de la cité il n'y a plus de terrain [et à l'intérieur les gens deviennent vite vieux...

C'est aussi vrai aujourd'hui qu'il y a mille ans. La terre de notre vie est une terre de cimetières ; vous en verrez partout dans les champs. Dans tout le nord de la Chine. Des monticules de terre ronds. Dans le sud, les gens mettent les restes de leurs morts dans des jarres d'argile... Il devrait y avoir plus de vie et moins de mort, je pense. »

Stéphanie dit : « Votre génération changera tout cela... La façon dont vous parlez du salut national, dont vous ressentez...

— Seulement si nous nous activons grandement. »

Comme il est à la fois cérémonieux et charmant, pensa Stéphanie. Son anglais était si châtié. Il ne connaissait pas les expressions américaines courantes. Il avait dû étudier la langue surtout dans les livres.

« Vous m'apprenez beaucoup de choses. Je me sens moins étrangère à présent. »

Jen Yong dit : « Nous ne pouvons pas changer la Chine sans aide. Nous avons besoin de l'Amérique. Seule l'Amérique peut nous aider à nous aider nous-mêmes. Mais l'Amérique doit nous comprendre, mademoiselle Ryder.

— S'il vous plaît, ne m'appelez pas mademoiselle Ryder. Mon nom est Stéphanie. Nous sommes peu formalistes dans mon pays.

— Stéphanie. » Il savoura les syllabes. « Votre nom est beau, comme vous. Il est beau dans ma bouche et à mes oreilles. » Il prononça ces mots d'un ton solennel, en remerciement pour son cadeau. Car, pour lui, il s'était agi d'un don. Elle lui avait confié son nom. « Le mien est Yong.

— Yong, dit-elle. Facile à retenir. »

Il aurait voulu ne jamais la quitter, marcher éternellement à ses côtés mais il devait protéger sa bien-aimée, veiller sur elle. Il se faisait tard ;

aussi la ramena-t-il à l'hôtel, lentement, redoutant qu'elle ne se lasse, craignant de détruire la perfection de ces instants, de l'ennuyer. Stéphanie, un peu mortifiée, pensa : ai-je fait quelque chose qui lui a déplu ? Pourquoi veut-il me quitter ? Mais peut-être qu'ici, c'est à l'homme de dire qu'il est temps de rentrer. Arrivés à l'entrée de l'hôtel, ils se serrèrent la main et Stéphanie dit : « J'ai passé une soirée très agréable. J'espère que vous me téléphonerez, Yong.

— Oui, dit Jen Yong, oui », puis d'une voix tendue il ajouta : « J'attendrai...

— Parfait », dit-elle sans très bien comprendre ce qu'il voulait dire et un peu surprise par le mot *attendre*.

« Bonne nuit, Yong.

— Bonne nuit, Stéphanie. »

Immobile, il contempla le mur de l'hôtel. Les soldats étaient dans la guérite. Il ne pouvait pas entrer. Il essaya d'apercevoir le bâtiment de l'hôtel par le portail mais ils l'écartèrent sans un mot. Bouleversé d'amour, chaviré par le tourbillon de ses émotions, il marcha, marcha, jusqu'à ce qu'il eût épuisé la nuit et que l'aube soudain le ramenât à son travail.

Après l'opération de nettoyage, les habitants des taudis se rendirent deux kilomètres plus loin le long de la rivière et recommencèrent à dresser leurs précaires baraquements sur une nouvelle pente de la colline. Celle-ci était un dépôt d'ordures nauséabond, envahi par les chiens galeux qui grattaient le sol couvert de débris répugnants. On envoya les enfants faire les poubelles de la ville pour ramener tout ce qui pouvait être utilisé. Le voisin de Petit Etang, Oncle Yu, le Borgne, qui les avait déjà aidés dans le passé, lui et sa mère, lui donna à nouveau un coup de main pour dresser un pieu de bambou destiné à soutenir un morceau usagé de toile goudronnée et former un appentis rudimentaire.

« Quand Grande Sœur Liang reviendra de l'hôpital, elle aura une protection contre la pluie, dit Yu le Borgne.

— Merci, Oncle Yu », répondit poliment Petit Etang. Il rembourserait un jour cette dette d'entraide. Oncle Yu était un mendiant professionnel. Avec d'autres mendiants, il faisait la queue à la porte de service des restaurants. Quand on jetait les déchets de nourriture, Oncle Yu se battait pour en récupérer une partie ; en général, il arrivait à avaler quelques bouchées avant d'aller se poster devant un autre restaurant.

Yu le Borgne était l'un des trois hommes qui avaient porté la chaise dans laquelle on avait conduit Mère Liang jusqu'à l'hôpital. Et il s'inquiétait car il avait l'appareil-photo de l'étrangère. Elle l'avait posé par terre, sans y penser, au moment où elle avait foncé... ils ne risquaient pas d'oublier la vigueur de son assaut ! Dès le lendemain, ils lui avaient trouvé un nom, cueilli avec amour dans le jardin de leurs légendes. Yi Niang, la Vaillante Pucelle, l'esprit audacieux qui affrontait et terrassait démons et fantômes. Peu importait qu'elle se fût dissimulée sous l'aspect d'une étrangère. Tout était possible aux esprits, avait dit Yu le Borgne.

Mais la boîte noire qui fait l'image pareille... Comment pouvait-on la lui restituer ? Personne n'osait aller la lui porter car si la police voyait un pauvre avec une boîte qui fait l'image pareille, elle l'accuserait aussitôt de l'avoir volée et le battrait comme plâtre et Vaillante Pucelle ne la récupérerait jamais.

« J'en parlerai avec Jen *Taifu*, dit Petit Etang d'un air important, il trouvera une solution. »

Petit Etang avait la grosse tête maintenant. Il parlait à tout le monde de sa mère, couchée dans un lit propre, sans un trou ou une déchirure nulle part et avec une couverture. Il parlait des flacons et du sang qui coulait dans son corps. Le sang qui sauvait la vie. Même les étrangers donnaient leur sang, ajoutait-il.

« *Aiyah,* le sang d'un étranger... il va transformer Sœur Liang en un démon étranger... Comment pourra-t-elle un jour redevenir comme nous ? » se lamentait Vieille Grand-Mère Wu, dont le pied ulcéreux puait atrocement. Ses paroles avaient du poids, bien qu'elle ne possédât pas de cercueil et envoyât ses petits enfants mendier de l'argent pour pouvoir s'en acheter un. Elle avait mis de côté une veste propre pour son enterrement et avait fait promettre à son fils de creuser une tombe profonde afin que personne ne déterre son cadavre et ne prenne la veste.

Petit Etang dit : « Vieille Grand-Mère, Jen *Taifu* dit que le sang est le même, partout... étranger ou chinois... Le docteur Jen a aussi donné du sang.

— Comment le sang des gens de l'embouchure du fleuve peut-il être le même que le nôtre ? » demandait Grand-Mère Wu. Et autour d'elle, les femmes hochaient la tête, un peu inquiètes que Sœur Liang ait du sang étranger dans son corps. Petit Etang admettait que peut-être, peut-être, sa mère serait changée mais il fermait vite les yeux et s'accrochait avec ferveur à la voix du docteur Jen, à ses paroles. Ma serait toujours Ma.

L'aube vint, porteuse de cette maigre fraîcheur qui ne durait guère plus que le temps de quelques soupirs, avant que le soleil n'écrase à nouveau la terre de son courroux. Petit Etang décida qu'il irait à l'hôpital pour attendre le docteur et lui parler de l'appareil-photo. Mais d'abord, il devrait fouiller dans les poubelles, ou voler, ou mendier... car il fallait bien qu'il mange. Un jour, il grandirait et deviendrait un homme comme son père. Il vengerait sa mère et son frère mort-né. Il s'endormit, bercé et réchauffé par cet amour et cette haine qui emplissaient son cœur.

Le colonel Tsing, de la Police secrète, fut informé que Jen Yong et Stéphanie avaient mangé ensemble dans un restaurant de rue et s'étaient ensuite promenés longuement. Le rapport ne faisait pas mention de contacts immoraux. Tsing éprouvait une curiosité croissante pour Jen Yong. Il n'avait pas oublié le léger tremblement de ses mains, la crispation soudaine de ses paupières... Il y a un démon caché quelque part, pensait Tsing. Jen Yong appartenait à une riche famille de Shanghai. Ses parents étaient restés là-bas mais le père de Jen ne collaborait pas avec l'ennemi japonais. On ne connaissait à Jen Yong lui-même aucune tendance extrémiste. Il avait pourtant mangé et s'était promené avec une étrangère, celle-là même qui avait frappé le major Hsu et, le soir de l'incident, ils avaient parlé avec beaucoup d'animation. L'étrangère était-elle curieuse de goûter la virilité chinoise ? Le docteur Jen était certes très séduisant. Il n'en était pas moins extrêmement rare qu'une étrangère sortît avec un Chinois... *Il y a un démon au cœur de cette affaire.*

Le colonel était un homme intelligent, qui sentait l'air avec des facultés perceptrices aussi fines que les antennes d'un insecte. Il jugeait les gens d'après les exhalaisons de leurs corps, l'odeur fade de la peur, celle, aigre, de la colère. Il avait le don de déceler les crypto-communistes car il en savait long sur leurs masques divers, sur leur patience, leur infiltration dans tous les services, dans tous les ministères. Quiconque était trop honnête, trop vertueux ou offrait la moindre singularité en n'importe quel domaine *pouvait* être un Rouge. Toutes antennes dehors, tel un insecte en vol de reconnaissance, il avait parcouru les couloirs de l'hôpital, avait remarqué le visage aigu et intelligent de l'infirmière Li. Mais cet hôpital avait des liens avec la Croix-Rouge américaine. Certains docteurs étaient étrangers. C'est le genre d'endroit que les Rouges pourraient choisir, pensa-t-il. Pour y cacher les leurs. Mais il faudrait procéder avec la plus grande prudence.

Dans une chambre de la clinique réservée au personnel de la Police secrète et à leurs familles, le major Hsu, dont le nom personnel était Nuage Elevé, en caleçon, un pansement en travers de la poitrine, mangeait une pastèque dont il crachait les graines par-dessus la balustrade de la véranda. La femme qui se tenait à ses côtés était courtaude, large de fesses et avait des cheveux frisés. Souriante, elle l'éventait d'un geste régulier. Le pansement attestait qu'il avait reçu des « blessures graves ».

Hsu Nuage Elevé était le filleul du numéro un de la Police secrète, le général Tai Lee. Bien qu'il eût été chargé d'une humble mission (le nettoyage des taudis) il savait que, si un poste plus important pouvait être créé, il y serait aussitôt promu. Et ce qui lui était arrivé était un coup de chance.

Une étrangère, une folle, s'était jetée sur lui et l'avait frappé. L'étrangère était américaine, il fallait agir avec doigté. Nuage Elevé serait dédommagé pour cet affront subi devant ses soldats. Mais il devait rester bouche cousue. Sinon — si les Américains faisaient des histoires — on le surnommerait Nuage Ecroulé...

La voix de la fille qui chantonnait lui agaça les oreilles. « Va me préparer un bain », ordonna-t-il. Docile, elle se leva et se dirigea en traînant les pieds vers la salle de bains. Il entendit le grincement des robinets et le gargouillis de l'eau.

La fille revint, toujours souriante, une serviette sur le bras « Laissez-moi vous masser, Grand Frère... »

Il était content. Quand il aurait une meilleure place, il pourrait s'offrir beaucoup de femmes, dociles, larges de fesses, aux pieds menus. Il se plongea dans son bain et rêva qu'il tailladait le visage de l'Américaine, à lents coups de canif.

Henry et Meena Wong donnaient un cocktail. Avec cette aisance et cette spontanéité que permet seule une minutieuse organisation, Meena circulait parmi ses invités. Petite, potelée, elle était populaire car elle ne médisait jamais de personne. « J'admire la façon dont vous supportez notre climat, dit-elle à Stéphanie. Regardez-vous... fraîche comme une rose. » Fine mouche, elle avait vite jaugé la jeune fille. Intelligente mais sans le moindre artifice, d'une candeur désarmante. Elle la guida vers Henry, tout en bavardant, avec son pur accent de Wellesley, sur leur nostalgie des Etats-Unis. « Nous y avons tous les deux passé quelques années, lui à Harvard et moi à Wellesley. » Elle parla de ses deux fils, actuellement à Yale et à Princeton, d'éventuels amis communs, cita des noms de professeurs, de journalistes... « Alan Kersh était un ami *si* cher », dit-elle, guettant la réaction de Stéphanie Mais celle-ci ne cilla pas.

« C'est lui qui m'a fait avoir mon poste ici », expliqua-t-elle.

Seigneur, pensa Meena. Alan amenait à peu près une nouvelle fille chaque année mais pour aucune d'entre elles, si belle fût-elle, il n'aurait quitté sa femme Sybil. Meena et Sybil avaient fait leurs études ensemble à Wellesley.

« Henry, appela-t-elle, voici Stéphanie Ryder. Tu mourais d'envie de bavarder avec elle.

— Bienvenue, bienvenue dans notre grande famille sino-américaine, s'exclama Henry. Voulez-vous un ginger ale-cognac ? Le bon cognac se fait rare mais, avant la fermeture de la Route de Birmanie en 1942, nous avions constitué une petite réserve, qui, grâce au ciel, n'a pas été bombardée. » Il se montra charmant mais pas mielleux. Y avait-il un sujet particulier que Stéphanie désirait étudier ? Puis, sans attendre sa réponse, il se lança dans un programme de visites. Orphelinats, écoles, cliniques, rencontres avec des femmes qui s'étaient battues contre les Japonais et, bien sûr, une interview de Mme Tchiang Kaishek si c'était possible. « Nous ferons tout ce que nous pourrons, dites-nous seulement de dont vous avez besoin pour vos articles... »

Stéphanie faisait passer le poids de son corps d'un pied sur l'autre. La gentillesse, la bonne volonté manifeste de Henry Wong la touchaient. Elle le trouvait sympathique. Ce n'était pas sa faute si le système était pourri. Elle posa sur lui ce regard direct et dénué de tout artifice qui désarçonnait certains hommes. « Je n'ai pas beaucoup aimé certaines des choses que j'ai vues depuis mon arrivée », commença-t-elle.

Henry soupira : « Ah, ma chère, croyez-vous que je les aime moi-même ? Nous avons vingt-cinq millions de réfugiés... C'est Theodore White, entre parenthèses, qui nous a fourni ce chiffre... ceux qui ont fui devant les Japonais. D'énormes problèmes se posent à nous... nous essayons d'enrayer la corruption... si vous voyez quelque chose qui ne vous plaît pas, *je vous en prie,* venez me le dire ou dites-le à Meena. Afin que nous puissions agir pour balayer tout ce mal. » Ici, Henry Wong fendit l'air d'un bras énergique. Stéphanie but une gorgée et Henry reprit : « Naturellement, la première réaction est de dénoncer les coupables. Je suis tout à fait pour qu'on révèle au grand jour ce qui ne va pas... mais il faut de la mesure... de l'objectivité... nous sommes engagés dans une guerre importante. Nous traversons une dure épreuve. Et... », il agita un doigt d'un geste solennel, « ... il n'y a pas que la menace extérieure des Japonais. Il existe un grave danger en notre sein même. Le communisme. Les Rouges sont partout, s'infiltrent partout et propagent l'agitation. Leur propagande est très efficace. Même certains de vos collègues, mademoiselle, s'y laissent prendre. »

Stéphanie dit : « Il faudrait peut-être nous donner la possibilité de juger par nous-mêmes.

— Et vous l'aurez, répliqua Henry Wong. Mais en ce moment, avec les Japonais qui lancent une dernière offensive désespérée — que nous contenons efficacement malgré le handicap du manque de matériel —, nous nous devons d'être encore plus prudents. » Il leva à nouveau la main avec solennité. « Et nous devons nous demander : est-ce que telle ou telle information ne va pas décourager notre effort ? affaiblir notre volonté de gagner la guerre ? Je dois sans cesse répondre à cette question », conclut-il d'un air grave.

Stéphanie sourit. « Je vois ce que vous voulez dire

— Parfait. » Il eut un grand sourire. « Vous êtes jeune, ma chère, ne vous précipitez pas.

— Je voudrais aussi aller à Yenan, l'interrompit Stéphanie.

— J'estime que c'est nécessaire. Pour acquérir cette mesure, cette objectivité. »

Henry s'était attendu à cet argument. Il riposta avec grâce : « Pourquoi pas ? De nombreux Américains y sont déjà. On les promène ici et là et on ne leur montre que ce dont les Rouges veulent qu'ils parlent... mais... », il haussa les épaules, « l'avenir le dira. »

Meena se rapprocha de Terry Longworth et d'Alistair Choate. Avec eux se trouvait Rosamond Chen, la femme que Terry aimait et voulait épouser. Rosamond avait une beauté exquise, une excellente éducation et était divorcée. Elle avait quinze ans de plus que Terry mais l'air d'une jeune fille avec son visage d'ivoire poli et ses cheveux noirs lisses comme de la laque. Terry voulait divorcer de sa femme américaine pour épouser Rosamond. Tout le monde était au courant.

Pour une Chinoise, Rosamond avait un franc-parler exceptionnel, au point d'être parfois caustique dans ses remarques, ce qui constituait un grave désavantage à Chungking. Elle travaillait comme officier de liaison dans un ministère et l'épouse d'un membre du gouvernement avait lancé une campagne contre elle, où on l'accusait d'être la maîtresse du ministre. L'affaire avait pris un tour odieux, chaque épouse de haut fonctionnaire devenant soudain un monument de vertueuse indignation. Pendant un certain temps, tout Chungking ne parla que de ça et Mme Tchiang avait ostensiblement négligé d'inviter Rosamond au goûter mensuel de l'Association féminine pour l'aide aux victimes de la guerre. Seule Meena continuait à la recevoir mais jamais, bien sûr, à des soirées où se trouvaient les officiels chinois et leurs femmes. Seulement avec des Occidentaux.

Rosamond souhaitait vivement épouser Terry et quitter Chungking. « Ici, je vis avec une lettre écarlate imprimée sur mon front, expliquait-elle. Il se passe les pires choses mais les gens du gouvernement font comme si tous les malheurs de la Chine étaient dus à ma prétendue immoralité. »

Elle s'efforçait d'avoir l'air indifférent mais souffrait beaucoup de cette histoire.

« Je trouve Stéphanie absolument adorable, dit Meena. Et vous, Rosamond ?

— Terry la trouve un peu pesante, lui ; il dit qu'elle est trop saine, répondit Rosamond, mais pour moi elle est sensationnelle... elle défend les gens des taudis, elle frappe l'officier qui avait donné un coup de pied à une femme enceinte, elle va au restaurant avec un médecin chinois. Tout le monde a les yeux braqués sur elle.

— Où avez-vous appris tout ça ? demanda Alistair.

— Mais toute la ville en parle, dit Rosamond, ou serais-je indiscrète ? »

Alistair regarda Stéphanie, à l'autre bout de la pièce. Sa beauté rayonnait comme si elle avait été stimulée par des émanations venues d'une autre planète. Et tout cela depuis sa visite des taudis trois jours plus tôt... Elle avait refusé son invitation à dîner en disant qu'elle n'était pas libre. Alistair avait soupçonné John Moore. « La garce, pensa-t-il, le cou raide de fureur — Stéphanie... et un Chinetoque. La garce, la garce... »

3

Il faisait une chaleur étouffante en ce dimanche. La ville était prise dans un étau brûlant. Le ciel d'un blanc livide vous enfonçait des aiguilles dans les yeux et tout le monde attendait la pluie.

Le grand pique-nique annuel de l'hôpital battait son plein. Une centaine de personnes, hommes, femmes, enfants, bébés et nourrissons, les familles du personnel, étaient venues, dans trois autocars brinquebalants qui hoquetaient en grimpant les côtes et les descendaient trop vite, mal retenus par leurs freins usés. Arrivés au Parc des Sources chaudes, ils s'étaient répandus parmi les étangs tapissés de lotus, les bosquets de bambous et les buttes artificielles couronnées de pavillons hexagonaux. Les adultes s'éventaient et mangeaient de grosses tranches de pastèque rouge dont ils gardaient avec soin les graines pour les rapporter à la maison ; les enfants, alanguis par la chaleur, jouaient mollement près de la cascade ou trempaient leurs mains et leurs pieds dans les étangs. De petits groupes de femmes s'étaient formés, les unes tenant leurs bébés dans leurs bras, les autres encombrées de leur gros ventre. Elles ne cessaient de s'éventer tout en bavardant et s'épongeaient le visage de temps en temps en soupirant à cause de la chaleur. Trois infirmiers et deux médecins, dont une femme, devaient quitter le parc incognito et se rendre à Sian, dans le nord. Il leur faudrait forcer le blocus de la Police secrète et des patrouilles routières tout le long du trajet. D'habitude, l'Organisation ne faisait partir qu'une ou deux personnes à la fois. Cinq était un nombre important. Mais sur la piste suivie par les fugitifs, aussi discrète que le sillage d'un vairon, la surveillance policière s'était relâchée depuis quelque temps. L'inflation aidait aussi. La corruption constituait un moyen légitime de survivre et l'Organisation n'hésitait pas à s'en servir.

Pourtant, aujourd'hui, un nombre inhabituel de policiers en civil arpentaient le parc. Leur démarche les trahissait ; ainsi que le fait qu'ils gardaient leur veste sur le dos pour dissimuler les pistolets à leur ceinture.

Selon le plan prévu, les cinq fugitifs se rendraient aux toilettes l'un après l'autre ; là, une porte, en apparence fermée, mais dont on s'était procuré la clef, donnait sur la cuisine du restaurant (le cuisinier était membre du Parti), où l'on viendrait les chercher pour commencer leur voyage. Mais l'allée dallée qui menait aux toilettes était maintenant bloquée par trois policiers et il y en avait deux autres dans le restaurant. Heureusement, ils n'avaient pas pensé à la cuisine.

Jen Yong se mit à la recherche de l'infirmière Li. Elle se trouvait dans un groupe de femmes. Il remarqua le pli mince entre ses sourcils. « Suivez le plan », dit-il presque sans bouger les lèvres, en passant près d'elle.

L'infirmière Li se dirigea d'un pas nonchalant vers un groupe de trois adultes et de sept enfants et commença à bavarder avec eux. Un homme se détacha du groupe et alla contempler l'étang de lotus et dire un mot à quelqu'un d'autre. Le réseau se mobilisa très vite. Pour le plan d'urgence. En cas de pépin.

« Excusez-moi, docteur Yong », dit une voix derrière lui. C'était l'infirmière Sha, rayonnante, les mains levées pour lui offrir une grappe de raisin. « Je les ai achetés au magasin Shapingpa, docteur Yong, en voulez-vous ? » Yong qui surveillait le déroulement de l'opération sourit d'un air absent, cueillit un grain et dit : « Merci, infirmière Sha. » Puis il s'éloigna, laissant l'infirmière Sha seule avec sa grappe de raisin, avec son offre d'amour.

Une petite troupe d'enfants bruyants s'était formée, comme pour un jeu ; ils hurlaient, riaient, se bousculaient sur les marches qui menaient aux toilettes et encerclaient maintenant les trois policiers en civil immobiles sur le sentier. Après eux, il y eut un branle-bas de parents apparemment pris d'une soudaine envie collective de vider leur vessie et leurs boyaux. Les toilettes et le restaurant voisin se trouvèrent donc isolés de l'allée principale du parc.

Soudain, des cris s'élevèrent du jardin de rocaille, des exclamations furieuses.

Les gens se regardèrent.

« Que se passe-t-il ?

— Peut-être un accident. »

Puis on entendit : « La police, appelez la police ! »

Les hommes en civil qui se trouvaient dans le parc, abandonnèrent la cuisine et les cabinets et se précipitèrent vers le jardin de rocaille, où un groupe d'infirmières tenaient à la main des tracts imprimés sur du papier grossier, semblables à ceux qu'on voyait placardés régulièrement sur les murs de Chungking et que la police s'empressait non moins régulièrement d'arracher. Un policier tendit la main pour les prendre mais l'infirmière Tsai (c'était à elle que l'Organisation avait confié cette tâche) les retint.

« Non, je vais les remettre au bureau de la Sécurité publique.

— Grande Sœur, dit le policier avec courtoisie, nous faisons partie du bureau de la Sécurité publique.

— Pourquoi vous croirais-je ? répliqua l'infirmière Tsai. C'est peut-être vous qui avez déposé ici cette propagande des bandits rouges et maintenant vous voulez la reprendre. »

Le policier sortit sa carte de sa poche. L'infirmière la scruta. « Officier de police Wu Hsingfa, lut-elle à haute voix.

— Mes amis aussi sont de la police », dit Wu. Les hommes en civil formaient un groupe menaçant, leurs revolvers visibles à leur ceinture. L'infirmière Tsai donna à Wu les deux tracts qu'elle tenait encore.

« Vous feriez mieux de fouiller tout le parc, officier ; il y a peut-être d'autres papiers de ce genre. »

Wu jeta un coup d'œil aux tracts. Comme d'habitude, ils offraient les caricatures de personnages officiels bouffis de graisse, en train de s'empiffrer et de boire du vin tandis que, sous eux, s'amoncelait un tas de crânes et d'os de squelettes.

Le calme revint. Les cinq fugitifs s'étaient enfuis. Le pique-nique se poursuivit mais Jen Yong partit tôt et fit une partie du trajet de retour jusqu'à l'hôpital en chaise huakan.

L'infirmière Sha remarqua son départ ; elle tenait toujours à la main sa grappe de raisin. Elle s'était montrée hardie, trop hardie, en les lui offrant devant tout le monde. Elle se précipita pour les proposer aux autres.

« Infirmière Li, infirmière Tsai, je vous en prie, prenez de ces raisins ; ils vous rafraîchiront après toute cette agitation. » Les deux infirmières goûtèrent aux raisins et assurèrent leur compagne qu'ils étaient excellents. Mais l'infirmière Sha avait vu Jen Yong quitter le pique-nique et maintenant, la journée pour elle n'était plus qu'une morne succession d'heures à attendre avant la prochaine visite des salles où elle le retrouverait.

A la fin de l'après-midi, les familles regagnèrent les autocars. L'infirmière Sha remarqua une absence.

« Docteur Liu, docteur Liu... Je ne vois nulle par le docteur Lao... elle était assise à côté de moi à l'aller.

— Elle est probablement dans un autre car », dit le docteur Liu.

L'infirmière Sha fronça les sourcils. Elle avait l'impression que quelque chose lui avait échappé.

« Avez-vous vu le docteur Lao ? demanda-t-elle à l'infirmière Tsai.

— Le docteur Lao... n'est-elle pas partie tôt ? Il me semble l'avoir vue quitter le parc... »

Les autocars démarraient. L'infirmière Sha monta dans le sien. Le jeune officier de la Sécurité publique posté à l'entrée du parc regarda les autocars s'éloigner poussivement. Il avait entendu la question de l'infirmière Sha à propos du docteur Lao. Il n'y avait prêté attention que parce que l'infirmière avait le même accent que lui : celui de la province de Shantung. Il n'y avait pas beaucoup de gens originaires de Shantung à Chungking.

Jen Yong passa le reste de la journée à travailler. Il compilait un livre de chirurgie, à partir d'articles extraits de revues médicales occidentales dont il traduisait l'essentiel en chinois. Les revues dataient de cinq ou six ans car rien de récent n'était parvenu jusqu'en Chine depuis 1939. Avec la guerre, la chirurgie faisait d'énormes progrès en Amérique et en Europe. On avait découvert de nouveaux remèdes Les antibiotiques. Jen Yong poursuivait sa recherche obstinée du nouveau savoir et le traduisait en chinois.

Dans la soirée, après s'être, comme d'habitude, lavé à l'eau froide et avoir pris son maigre repas, il se rendit à l'hôpital. L'infirmière Sha s'y trouvait déjà. C'était son tour de garde de nuit. Elle l'accompagna dans sa tournée des salles, les bras chargés de dossiers, présentant de sa voix forte et monocorde l'état de chaque malade. Mère Liang allait beaucoup mieux. Elle pouvait s'asseoir et sourire. Son taux d'hémoglobine était de 7,40 à présent.

« Son fils est-il venue la voir ?

— Une seule fois, docteur Jen. » L'infirmière Sha s'interrompit. La visite était terminée. « Docteur Jen, ces raisins, j'en avais acheté d'autres que j'avais laissés chez moi. Ne voulez-vous pas en prendre quelques-uns ? C'est bon pour la digestion, surtout quand il fait si chaud... les docteurs qui travaillent aussi dur que vous doivent prendre soin de leur santé. »

Jen éprouva un léger agacement. Quelle obstination ! Les raisins, encore ses raisins ; il n'aimait pas particulièrement ces petits globes gonflés de jus. Il ne vit pas la passion implorante dans les yeux de l'infirmière. « J'en prendrai quelques-uns. »

Heureuse, l'infirmière se dirigea vers sa table dans le corridor. Elle y avait déposé un petit panier de grappes vertes translucides, des muscats, les meilleurs, les plus chers.

« Voici, docteur Jen, prenez-les, prenez-les. » Elle lui mit le panier dans les mains. Il essaya de les repousser mais elle eut un rire aigu et s'écria ; « Non, non, il faut que vous les preniez... je les ai achetés pour vous...

— Merci, infirmière Sha. Vous êtes trop bonne. » Il craignait de lui faire de la peine mais se sentait gêné. Il prit le panier d'un geste gauche et sortit pour gagner la salle de repos des médecins. De là il descendit l'escalier qui conduisait au sous-sol. Le dimanche soir, il y avait très peu de monde et il pourrait peut-être voir Vieux Wang.

Vieux Wang était en train de manger son bol de riz semi-décortiqué, accompagné de quelques cornichons. C'était là tout son repas. Jen Yong plaça le panier de raisins devant lui. « Quelqu'un me les a offerts. Je vous en prie, prenez-les. » Puis il reprit : « Les cinq sont bien partis. Mais il y avait beaucoup de policiers en civil dans le parc... je me demande pourquoi ils nous soupçonnaient. » Vieux Wang répondit : « Le Scorpion, Tai Lee, a fait paraître une directive avant-hier. Tout rassemblement d'intellectuels doit être l'objet d'une surveillance accrue. Il y aura bientôt des descentes de police dans les universités. » Il s'arrêta un instant puis poursuivit : « A propos de cette journaliste américaine. Nous avons fait un rapport à la hiérarchie. Ils estiment qu'elle peut nous être utile. Nous devons cultiver les contacts avec ces gens-là. Cela fera partie de votre tâche de vous assurer qu'elle nous aide... »

Jen Yong sentit la colère monter et s'accumuler en lui. Il dit d'une voix tendue : « C'est une affaire personnelle. Je ne veux pas qu'elle soit mêlée à son insu au travail que nous accomplissons. C'est... une personne que j'admire et que je respecte. »

Le corps de Vieux Wang parut se ratatiner. Il rassembla les derniers grains de riz qui restaient dans son bol, mastiqua longuement, pour se donner du temps, éructa puis reposa le bol et laissa le silence monter, tel un mur, entre Jen Yong et lui. Et, dans ce silence massif et hostile, Jen Yong dit, sans se rendre compte qu'il parlait à haute voix : « Je ne profiterai pas d'elle. Je tiens à elle. Je l'aime. » Vieux Wang, prisonnier de son propre mutisme, entendit ces paroles scandaleuses, choquantes.

L'amour. Ce mot répugnant. Qu'on ne pouvait prononcer publiquement en Chine. Car c'était signe d'immoralité, de lubricité, de luxure. Dans les villages chinois, on ne parlait jamais d'amour. Personne ne prononçait ce mot. Et voici Jen Yong qui disait, je tiens à elle. Je l'aime. Il n'avait aucun sens des convenances, aucune pudeur. Bien sûr, après tout, c'était un rejeton de capitalistes, des gens mauvais qui possédaient de nombreuses femmes et violaient les filles dans les villages. Génération après génération, ils avaient écrasé des gens comme Vieux Wang. Il pensa : ta classe et ma classe... nous sommes ennemis... nous serons toujours des ennemis... nous ne nous tenons pas ensemble sous le même ciel. Même si, en ce moment, Jen rendait service à l'Organisation, il demeurait un intellectuel vacillant, douteux, à surveiller et à guider sans cesse... il pouvait même devenir un danger pour l'Organisation.

L'acte accompli dans l'obscurité de la nuit. Voilà ce dont Jen Yong était en train de parler, ouvertement, à voix haute... l'acte de l'homme et de la femme — quelle honte !

Dans le village de Vieux Wang, on devait battre la mariée pendant sa nuit de noces. C'était la coutume.

Quand Vieux Wang avait douze ans, il avait vu une scène terrible : une femme du village avait commis un adultère. On l'avait attachée à un cheval, nue, un gros pieu enfoncé entre ses jambes, et on l'avait promenée dans tout le village. Il se rappelait le sang rouge qui coulait sur les flancs du cheval... la longue chevelure noire dénouée de la femme ruisselant le long de la croupe, comme du sang.

Vieux Wang lui-même n'avait jamais eu les moyens de se marier. Sa vie sexuelle, à quarante ans, se résumait à des rêves tourmentés, dans lesquels revenait toujours la femme sur le cheval blanc, et il revoyait sa bouche ouverte, il entendait les rires, les ricanements. Et il mouillait sa paillasse.

Wang avait adhéré au Parti. Le Parti lui avait donné valeur et dignité ; lui avait appris à lire et à écrire, à organiser et à ruser. Et à obéir. Puis il lui avait donné l'autorité. Wang était devenu astucieux, patient ; il avait appris le silence et la ténacité. Il avait aussi découvert l'amour. Un amour passionné pour le Parti. Il était prêt à mourir pour le Parti. Joyeusement. Rien d'autre ne comptait. Aucune femme ne pourrait jamais remplacer le Parti...

Il s'éclaircit la gorge, voila ses yeux de placidité et regarda Jen Yong. Mais celui-ci l'avait oublié. Il rêvait, rêvait de cette femme, son désir crûment révélé par son expression.

Je l'aime... je l'aime. Elle compte plus pour moi que presque tout au monde, pensait Jen Yong. Il était lancé dans une découverte de lui-même. Il se sentait impuissant, aussi impuissant que les bateliers pris dans le courant du Grand Fleuve. Ballotté dans les rapides du fleuve Amour, sur quels rochers, dans quels tourbillons allait-il se briser ? *Ma vie entière est changée. Je ne pense qu'à la revoir. Je dois avoir le droit d'aimer...*

Vieux Wang toussa et Jen Yong dit : « Vieux Wang, je vous en prie, comprenez-moi. C'est la première fois... que je... que j'éprouve ce sentiment. »

Vieux Wang inclina la tête. « Je ne suis qu'un pauvre paysan, sans éducation. Beaucoup de choses m'échappent. Je ne suis pas un intellectuel. Mais le Parti protège les intellectuels. Nous devons comprendre. J'en rendrai compte à l'échelon supérieur. » Il pensait, pour moi, tu n'es plus digne de confiance. Une rage froide s'était emparée de lui. Il haïssait Jen Yong.. L'impudeur avec laquelle cet homme étalait son désir. Il se contenta de se lever pour rincer son bol et ses baguettes, et les rangea sur la petite étagère fixée au-dessus de sa paillasse. Placide. Presque stupide dans ses gestes. « Je tiendrai mes engagements vis-à-vis de l'Organisation, dit Jen Yong, mais elle... on ne doit pas se servir d'elle. »

Vieux Wang inclina la tête. « Je transmettrai votre point de vue à l'échelon supérieur. L'Organisation écoutera certainement vos opinions. »

Jen Yong se leva, dit : « Je m'en vais maintenant », et sortit. Il laissa le panier de raisins.

Vieux Wang alla faire quelques pas dans la cour de l'hôpital. Il tenait à la main le panier et détachait les grains un à un. Si quelqu'un lui posait une question, il dirait : « Un homme riche les a oubliés dans l'hôpital. » Il mangeait les raisins non pas parce qu'il les aimait mais parce qu'ils représentaient un luxe, inaccessible même en rêve. Et il pensait au docteur Jen, qui pouvait s'offrir une telle nourriture...

L'infirmière Sha, qui s'en retournait au bâtiment où logeaient les infirmières, aperçut Vieux Wang près de l'entrée de l'hôpital, en train de manger des raisins contenus dans un petit panier. Des muscats. *Ses* raisins.

Petit Etang arriva très tard le lundi soir pour voir sa mère. Il se glissa dans la salle des urgences où tout le monde le connaissait. Les infirmières de service lui donnaient souvent quelque chose à manger ; il disait toujours d'une voix polie : « J'ai mangé tout mon soûl. » Elles lui offraient une boulette de pâte cuite, mise de côté au repas de midi, un morceau de pâté de soja, un peu de riz. Petit Etang s'inclinait bien bas ; il refusait toujours trois fois avant d'accepter, bien que la faim lui tordît le ventre. Pour lui, les infirmières étaient des fées, elles sentaient si bon, si propre, elles étaient si belles oh, et ces robes blanches, blanches qu'elles portaient ! Il savait qu'il puait. Son pantalon, retenu par des bouts de ficelle, laissait presque voir ses fesses. Mais les infirmières ne le jetaient pas dehors. Sauf l'infirmière Sha qui grommelait : « Ne viens pas apporter ta vermine dans mes salles. »

Quand il était dans l'hôpital, il se sentait plus grand ; la gentillesse qu'on lui témoignait lui donnait l'impression qu'il ne boitait plus.

Comme il se dirigeait vers la salle où se trouvait sa mère, il vit s'avancer vers lui un étranger, d'une taille effrayante, avec des lunettes et un nez énorme. Qu'il était laid ! Mais il portait une blouse blanche de médecin et Petit Etang s'inclina. L'étranger lui dit alors, en excellent chinois : « Ah, tu veux voir ta mère. Elle va beaucoup mieux. Viens avec moi. »

Le grand étranger rebroussa chemin. Il emmenait Petit Etang auprès de sa mère. Il marchait à ses côtés, et n'était pas en colère après lui parce qu'il était pauvre et qu'il puait.

Une dame étrangère se tenait près du lit de sa mère. Oh merveille ! Son cœur se gonfla de bonheur, c'était la Vaillante Pucelle ! Elle tourna son visage et les vit, le docteur étranger et lui. Elle lui sourit et dit, en chinois « Tu es venu » ; puis les deux étrangers se mirent à parler dans leur langue, se serrèrent la main et le grand homme si laid donna une tape sur l'épaule de Petit Etang en disant : « Tout va bien. Ta mère sortira de l'hôpital dans deux ou trois semaines. »

Petit Etang dit à Vaillante Pucelle : « Je vous remercie... je souhaite pouvoir offrir ma vie pour vous. Le ciel peut se désintégrer et la terre se briser en milliers de fragments mais mon cœur ne changera pas. »

Stéphanie Ryder ne comprit pas tous les mots mais devina la gratitude contenue dans ses paroles ; elle tapota l'épaule de Petit Etang et dit d'abord en chinois puis en anglais : « Your mama. Good. *Very* good. *Hao.*

— Good. *Hao.* », dit Petit Etang, rayonnant.

Ce soir-là, Petit Etang apprit ainsi deux mots d'anglais.

« Mama good », répéta-t-il.

Stéphanie battit des mains et dit « Yes. »

Ce fut le troisième mot d'anglais de Petit Etang : « Yes. »

Mère Liang était adossée à un oreiller d'une blancheur immaculée et Petit Etang sentit sa peau lui gratter devant tant de propreté. Elle avait les yeux ouverts et souriait. Elle dit : « Fils, oh, fils... » Et parce qu'il remplaçait son père maintenant, qu'il était l'homme de la famille, il dit d'une voix qu'il s'efforça de rendre bourrue :

« Ma, je t'ai apporté quelques oranges. Tiens. Mange-les. » On parlait ainsi, avec rudesse, pour cacher son amour. Deux petites oranges. Toute la journée, il avait porté des paniers d'oranges de Neichiang depuis les bateaux de la rivière jusqu'aux étals des marchands. Vingt paniers et soixante-six marches d'escalier à chaque voyage. Son travail terminé, il avait reçu un demi-bol de riz, une paire d'espadrilles usagées et deux oranges. Il plaça les oranges dans la main de Ma, posée sur le drap. Elle sourit en sentant leur peau lisse sous ses doigts. Et son sourire contenait toute la douceur du monde pour son fils.

Vaillante Pucelle continua de prononcer des mots qui avaient un son agréable. Ma lui souriait comme si elle comprenait. Petit Etang, ravi, disait « yes, yes ». Alors, entra l'infirmière Sha, raide dans sa blouse blanche, habitée d'une tension qui rendait ses os cassants ; tout son corps craquait quand elle se déplaçait, Petit Etang en était sûr. « Je dois laver la malade, il est temps de partir », dit-elle. Péremptoire. Il s'inclina. Il s'inclinait toujours devant un geste brutal ou des manières insultantes. Cela faisait dévier le malheur. Jusqu'au jour où il pourrait se tenir droit, grand de cœur et de corps, il s'inclinerait, pour apaiser les furies.

La dame étrangère dit en anglais quelque chose qui sonnait comme une question. Il reconnut dans les mots le nom du docteur Jen.

L'infirmière Sha répondit en secouant la tête. L'étrangère alors sourit à sa mère et s'éloigna ; il la suivit jusqu'à la sortie de l'hôpital mais à distance. Il n'osait pas marcher à ses côtés. Il voulait lui dire : j'ai votre boîte qui prend l'image pareille. C'est moi qui la garde la nuit et Oncle Yu le Borgne s'en charge le jour. Mais nous ne pouvons pas vous l'apporter. Il faut que je demande au docteur Jen de venir là où j'habite et de vous la donner. Mais il ne pouvait pas lui dire tout ça. Il devait absolument voir Jen *Taifu* et lui parler.

Une fois sortie de l'hôpital, Vaillante Pucelle sembla hésiter, comme si elle ne savait pas très bien ce qu'elle allait faire. Puis elle se tourna vers lui, sourit, lui prit la main et plaça de l'argent dedans. Il secoua la tête. « Non, non. »

Mais elle dit : « Yes, please », seulement il ne comprenait pas « please ».

Puis elle s'éloigna sur la route, de cette démarche qui le fascinait. Si assurée, comme si la terre était un lieu sûr, où il n'y avait ni dangers, ni désastres, ni adversités et où l'on ne rencontrait pas des démons et des propriétaires brutaux à chaque pas.

Il s'accroupit à sa place habituelle au bord de la route pour attendre Jen Yong. Fermant les yeux, il pensa à sa mère et aussi à l'infirmière Sha. Il se demanda pourquoi elle détestait tant Vaillante Pucelle ; pourquoi l'infirmière Sha, qui avait assez à manger, était tout le temps en colère.

Stéphanie ne chôma pas. Meena Wong l'emmena voir des orphelinats. Les orphelins étaient des enfants tout enrubannés, bien habillés, éclatants de santé. Elle visita des camps de réfugiés modèles. Les grand-mères réfugiées tricotaient des pull-overs pour les soldats. Elles aussi étaient si bien habillées qu'à côté des citoyens ordinaires, elles avaient l'air prospères. Le cœur un peu serré, Stéphanie remarqua le côté artificiel de ces spectacles organisés. Mais John Moore lui avait conseillé d'observer sans rien dire. « Tout ce qui est important se dit par le silence, avait-il expliqué. Ils savent, comme nous, que tout ça est bidon, mais que voulez-vous qu'ils fassent ? Henry doit vous faire voir ces endroits. Ne lui créez pas d'ennuis, s'il vous plaît. C'est un brave type. »

Stéphanie écrivit un long article dans lequel elle opposait avec une légère ironie les conditions presque paradisiaques de ces centres gérés par le gouvernement du Kuomintang et destinés à un très, très petit nombre des millions d'épaves apportées par cette guerre, à la vie des citoyens ordinaires de Chungking. Elle mentionna aussi le nettoyage des taudis, la cruelle inutilité de l'opération. « Les habitants des taudis se contentent de rassembler tout ce que la brutalité gratuite des soldats a éparpillé et reconstruisent leurs misérables baraquements un peu plus loin. » Elle ne fit pas allusion à sa propre et sinistre expérience. Cela pouvait attendre... L'article passa. Personne à la censure ne lui demanda de le modifier.

Elle lisait des dépêches, mangeait avec ses collègues, buvait en leur compagnie et le soir, sur la véranda, passait de longues heures à discuter, à parler de la Chine. Car c'était quasiment le seul sujet de conversation ; le reste du monde s'était éloigné et la Chine était le centre de leurs préoccupations.

« Que cela nous plaise ou non, la Chine et son destin compteront beaucoup à l'échelle mondiale dans l'avenir », disait John Moore.

Mais Alistair Choate n'était pas d'accord. « Il existe une maladie contagieuse par ici, appelée l'amour de la Chine et des Chinois », dit-il, en prenant soin de ne pas regarder Stéphanie. « C'est la fascination pour le dinosaure. La Chine reste pré-historique, une sorte de phénomène d'avant le déluge, qui a toujours des réactions incompréhensibles pour nous. Les Chinois sont le peuple le plus raciste du monde. Rien ne compte pour eux que la Chine et ils se serviront de n'importe quoi et de n'importe qui pour lui redonner sa puissance. »

Stéphanie découvrit le breuvage à base d'écorce d'oranges et de sucre que Theodore White, dont chacun parlait avec vénération, avait inventé. Elle apprit à aimer le maotai, la boisson brûlante de Szechuan. Et toujours pas de nouvelles de Jen Yong. Vexée par son silence, elle eut envie de lui téléphoner puis y renonça. Il avait dit qu'il attendrait... attendrait quoi ? C'était un chirurgien, il était occupé.

Elle écrivit à Isabelle puis à son père. Elle s'attacha à le rassurer. « La chaleur ne me gêne pas du tout, c'est comme à Dallas. » Elle continuait avec des descriptions détaillées du splendide paysage et des conditions de vie sordides des gens. « Mais nous sommes privilégiés... nous avons toute la nourriture que nous voulons car nous payons en dollars américains. On nous dorlote. » Elle songeait à écrire un livre. Sur les Chinoises et leur contribution à la guerre. *Maintenant*, son magazine, voulait des anecdotes mettant des gens en scène, émouvantes et vivantes. Elle étudia les rapports de la mission militaire américaine à Yenan. Cette mission, envoyée à la demande du président Roosevelt, avait été surnommée « Dixie[1] ». « Parce qu'ils se trouvent en territoire rebelle », expliqua John Moore à Stéphanie. « Les bases communistes de la Chine du nord échappent à la juridiction du gouvernement du Kuomintang. »

Les rapports étaient unanimement favorables. Les Américains semblaient impressionnés par l'honnêteté, la justice sociale, l'enthousiasme manifeste des gens, la condition excellente des soldats de

1. Nom donné aux armées du Sud contre le Nord, lors de la guerre civile américaine sous le président Abraham Lincoln. (*N.d.T.*)

l'armée communiste. C'était ce qui ressortait des dépêches et Stéphanie avait de plus en plus envie d'aller voir par elle-même, de comprendre la promesse offerte au peuple chinois. Peut-être Yong avait-il raison quand il disait que tout devrait changer. Elle avait envie de le voir, de lui parler... *Maintenant* lui envoya un télégramme la félicitant pour ses deux premiers articles sur Chungking et la pressant d'aller visiter les « zones de maquis ». Un rapport important venait de paraître aux Etats-Unis sur les maquisards. Y avait-il des femmes parmi eux ? Elle répondit qu'elle essaierait de savoir.

Pendant ce temps, l'offensive japonaise tournait au désastre... pour les Chinois. Trente divisions menaçaient la province rizicole du Hunan. Si le Hunan était occupé, la situation alimentaire de Chungking deviendrait extrêmement précaire. Tchiang Kaishek fit fusiller quelques spéculateurs pour montrer qu'il agissait.

« Mais il ordonne à ses chefs militaires de ne pas se battre contre les Japonais, dit John à Stéphanie. De toujours reculer. Ils laissent les Japonais s'emparer de chaque camp, de chaque position stratégique.

— Mais pourquoi, pourquoi ? demanda Stéphanie.

— Pourquoi ? » John secoua la tête. « L'esprit tortueux de Cacahuète. Que les Américains se battent avec les Japonais, s'occupent du Japon... le seul ennemi contre lequel *lui* veut se battre est à Yenan... alors il accumule l'argent et les armes et il garde ses meilleures divisions éloignées des champs de bataille. »

Les messages de Roosevelt à Tchiang Kaishek se faisaient de plus en plus pressants, et Joseph Stilwell disait ouvertement que Vieille Cacahuète devrait démissionner. « Tant qu'il sera là, ce sera le merdier », déclarait Joe Vinaigre à qui voulait l'entendre.

Les jours s'écoulaient. Trois, puis quatre, puis cinq. Stéphanie s'était trouvé un professeur pour prendre des leçons de chinois, deux heures, le soir, trois fois par semaine : une certaine Mlle Soo, guindée, le nez chaussé de lunettes, aussi asexuée qu'une abeille ouvrière, une institutrice qui, dans son temps libre, donnait des leçons particulières pour ne pas mourir de faim avec son maigre salaire.

Cinq jours. Yong avait dit qu'il téléphonerait et Stéphanie devenait nerveuse. Elle pensait de plus en plus à lui. Mais elle ne savait pas que Yong n'avait plus d'argent et s'était endetté auprès de ses amis. Et que son orgueil lui interdisait d'inviter Stéphanie tant qu'il n'avait pas remboursé l'argent qu'il devait. Elle était allée voir Mère Liang à l'hôpital. Et avait rencontré son fils. Il sentait mauvais mais quel merveilleux visage avec ses grands yeux et ses hautes et larges pommettes, et ce sourire ! L'infirmière était arrivée et Stéphanie lui avait demandé si le docteur Jen devait venir. « Le docteur Jen a fini ses visites ; il est rentré chez lui », avait répondu l'infirmière. Stéphanie avait quitté l'hôpital, traîné un peu, comme si... comme si elle espérait le rencontrer. Puis, furieuse contre elle-même, elle avait regagné l'hôtel.

Maintenant, elle était étendue dans l'obscurité, sous le ronron du ventilateur. Elle avait l'impression d'être éclatée et incapable de se ressaisir ; comme si tout son être avait été fait de plusieurs morceaux qui ne parvenaient pas à s'assembler.

C'est la chaleur.

Reprends-toi, Stéphanie. Pense à ton travail. A ton prochain article qui doit être achevé le...

Elle revit les femmes élégantes que lui avait présentées Meena : le Comité pour l'aide aux réfugiés. Propos mondains pétillants, douceur satinée de la flatterie auquel se mêlaient les fils soyeux de la perfidie. Thé et petits gâteaux. Puis le mah-jong. Dames gracieuses, charitables qui apportaient leur modeste contribution à l'effort de guerre. Stéphanie ne jouait pas au mah-jong.

Jen Yong était vraiment impliqué, lui. Et agissait vraiment. Il disait les choses d'une manière si étonnante. Les mots qu'il utilisait étaient comme... comme des pétales de fleurs, précis, propres... Ils donnaient une impression de nouveauté. Il était inconscient de sa beauté. Ses mains. Son visage. Ce corps mince et nerveux si à l'aise dans ses vêtements. Elle se sentait différente, meilleure auprès de lui.

Pourquoi ne téléphonait-il pas ?

Elle alla à la fenêtre et plongea son regard dans l'obscurité animée de la rue. Ombres légères et fugitives, grappes de gens qui passaient, mouchetant la nuit de leurs gestes et du bourdonnement de leurs voix. Elle décida d'aller faire une promenade. De se joindre à cette foule qui dérivait lentement dans les rues, en quête de sommeil. Elle aurait dû demander à Petit Etang où il habitait maintenant. Stéphanie était retournée dans le quartier des taudis mais c'était devenu un désert de cendres et de détritus. Où donc étaient allés ces gens ? Oui, elle irait se promener.

Elle atteignit la route d'un pas léger. Il y eut un bref coup de tonnerre et une bourrasque soudaine souleva de molles vagues de poussière. La pluie, attendue depuis si longtemps, arrivait enfin, d'abord timide, en grosses gouttes tièdes et dispersées, puis, plus assurée, en joyeuses éclaboussures. Et soudain, il se mit à pleuvoir, pour de vrai. Alors de toute la ville monta un immense « aah » de soulagement et des visages avides se levèrent vers le ciel, qui envoyait enfin la fraîcheur.

Stéphanie allait sous la bruine, ce mot inconnu d'elle jusqu'à ce qu'un correspondant de Reuter l'eût prononcé quatre jours plus tôt. « Attendez de voir la première bruine », avait-il dit. Alan Kersh avait détesté l'eau venue du ciel alors qu'elle adorait marcher sous la pluie, la sentir sur son visage et ses bras, comme une bénédiction... Alan traînait toujours après lui un grand parapluie et elle en avait ri. « Je prends froid très facilement », avait-il dit, l'air un peu vexé.

Yong. Elle lui demanderait : « Aimez-vous marcher sous la pluie ? »

La pluie. Plus franche maintenant, empressée à tomber, affermissant son rythme ; la gaieté revenait, tous ces gens apathiques et parcheminés par la chaleur criaient soudain de peur simulée et de vrai plaisir et, ragaillardis par la bénédiction de l'eau, feignaient de courir se mettre à l'abri pour revenir vite la sentir sur leurs visages et leurs bras. Stéphanie atteignit le tournant de la route où quelques lampes à huile luisaient comme des étoiles jaunes parmi les boutiques qui la bordaient des deux côtés. Et elle le vit, qui marchait vers elle, qui marchait dans la pluie, sans parapluie, qui venait à elle, un paquet enveloppé de toile cirée jaune à la main. Il portait une chemise ample, fanée et usée par de trop nombreuses lessives, et des espadrilles. Il n'y eut soudain plus personne entre eux dans cette rue populeuse. Un nuage les enveloppait, dérobant tous les passants à leur vue.

« J'allais faire une petite promenade et vous voilà, Yong.

— Je venais vous voir. » Il lui tendit le paquet. « Votre appareil-photo. Les gens des taudis vous le rendent.

— Oh formidable ! Mes photos ! Je croyais qu'elles étaient perdues. Comment l'avez-vous trouvé ? »

Il lui raconta. Petit Etang était venu l'attendre puis l'avait emmené dans le nouveau quartier des taudis.

« Ils vous le gardaient. Ils le surveillaient à tour de rôle jusqu'à ce que je puisse venir le chercher. »

Ils se regardèrent et se sourirent. Alors Stéphanie sentit un frémissement parcourir son corps, son sang coula plus vif dans ses veines et elle ne vit plus la rue ni la pluie.

Seulement Yong.

« Marchons », dit-il.

Trois jours après sa première rencontre avec Stéphanie, Jen Yong était allé chez les Eanes. Le tumulte en lui ne s'était pas apaisé. Il se sentait déboussolé, désorienté. Il avait besoin d'un conseil, d'une voix en qui il puisse avoir confiance. Pas celle de son ami Liu, qui souriait d'un air entendu et chantait des poèmes d'amour, « Ah, la pâleur ivoirine de son visage ! » chaque fois qu'il voyait Yong. Il lui fallait un étranger, mais qui serait aussi un peu chinois.

David Eanes et sa femme, Jessica, étaient des médecins missionnaires. Eux aussi en étaient arrivés à croire en cette autre Chine au-delà des montagnes, dont Yenan était le phare. Mais c'était le christianisme qui les poussait vers Yenan.

David était fils et petit-fils de missionnaires. Depuis sa tendre enfance, il avait entendu raconter des souvenirs de la Chine — la prédication, l'enseignement, le travail accomplis dans ce pays qu'il connaissait mieux que tout autre, mieux que le Canada, son propre pays. C'était dans la maison de David Eanes que Jen Yong formait les étudiants en médecine. Ces séances avaient été baptisées « après-midi de discussion biblique ». Pourtant les Eanes savaient très bien que les discussions portaient sur les événements vus dans l'optique de Yenan.

Sous le gouvernement de Kuomintang, tout commentaire sur les « affaires sociales » était illégal mais les maisons des missionnaires étrangers jouissaient d'une certaine immunité et on trouvait là les ouvrages de gens tels que Jack Belden, Edgar Snow, Harrison Forman. Ils recevaient du reste du monde des journaux qui analysaient la situation en Chine.

Ce fut donc à David que Yong, avec maints détours, peignit l'état bouleversé de son âme. « J'ai rencontré une jeune dame d'une haute qualité morale et de grand courage », commença-t-il. Il poursuivit du même ton, intarissable, citant les classiques, pour atténuer l'impact de son aveu. Et David, connaissant la pruderie de la langue chinoise, sa façon de dissimuler la passion sous des expressions qui la dépréciaient et la minimisaient, comprit aussitôt que Jen Yong était amoureux, pour la première fois de sa vie et, sans doute, la dernière.

« J'espère devenir l'ami sincère de Mlle Ryder », déclara Jen Yong. Ce qui signifiait qu'il l'aimait passionnément, qu'il voulait l'épouser et la chérir jusqu'à sa mort.

Jessica dit : « Je suis très heureuse pour vous, Yong. Amenez-la-nous. Elle sera la bienvenue.

— Je ne désire pas la compromettre. Mon travail... »

Ils comprirent.

« Peut-être qu'elle aussi, en tant que journaliste, veut en savoir plus sur la Chine que ce qui se dit à Chungking, répondit David Eanes. Peut-être souhaite-t-elle discuter de ces problèmes avec vous.

— Vous devez avoir confiance », ajouta Jessica. Quand Yong se leva pour partir, après avoir emprunté cinq dollars américains (ce qui faisait de lui un homme riche) Jessica lui dit : « Yong, nous autres, Occidentaux, sommes maladroits en paroles. Souvent, nous ne savons pas comprendre les sentiments quand ils ne sont pas traduits en mots simples, dans un langage qui peut vous paraître grossier et vulgaire, à vous autres, Chinois. N'oubliez pas, elle est américaine. Elle s'attendra à ce que vous lui disiez vous-même ce que vous pensez, ce que vous éprouvez. Franchement. »

Jen Yong inclina la tête. « Merci, Jessica, de m'avoir expliqué cela. Je m'en souviendrai... » Mais il pensa que là résidait l'épreuve la plus dure. Comment disait-on à une étrangère qu'on était fou amoureux d'elle ? Et comment le disait-on franchement ?

La pluie avait rafraîchi la nuit et l'air, autour d'eux, était d'une délicieuse clarté. Inaccessibles à la fatigue, ils marchaient. Stéphanie devait se rappeler ce moment comme son entrée dans le temps d'une nouvelle authenticité. Plus tard, elle revivrait souvent ces heures au cours desquelles ils avaient marché ensemble dans Chungking, transportés, flottant presque au-dessus des mornes rues mouillées. Ils atteignirent les bosquets d'orangers du parc réservé, un peu plus haut que la cité. Il y avait des soldats aux grilles mais comme Stéphanie était étrangère, ils purent entrer sans encombre.

Et Yong parla.

« Je fais un travail que le gouvernement n'approuve pas. C'est un travail important mais il pourrait devenir dangereux.

— Vous voulez dire... que vous travaillez pour les Rouges ?

— Je forme du personnel médical pour les maquisards qui se battent contre le Japon, répondit-il. Je ne crois pas au communisme mais je crois au patriotisme. Et les communistes sont des patriotes. Ma génération est tellement aux abois qu'elle croirait au diable s'il faisait du bien à la Chine...

— Ce que j'ai vu ici m'a permis de comprendre l'attrait de Yenan, dit Stéphanie. Beaucoup de mes collègues, des hommes à la tête froide, sont aussi impressionnés. Mais le communisme représente un tel fanatisme... Il me semble que je devrais aller là-bas pour juger par moi-même. » Elle le regarda en face. « Pourquoi n'y allez-vous pas ? Pourquoi restez-vous ici ? »

Et parce qu'il ne pouvait pas lui révéler le rôle qu'il jouait ici, il répondit : « Peut-être est-ce mon destin. Je suis resté ici et nous nous sommes rencontrés.

— Vous devenez évasif, dit-elle.

— Je suis un patriote, répéta Yong avec obstination. Si vous allez à Yenan, j'en serai heureux ; vous vous y rendrez en tant qu'observatrice. Vous ne serez pas... concernée. Et je ne veux vous influencer d'aucune façon.

— Vous ne m'influencez pas. Vous m'aidez à y voir clair. C'est tout. »

Il se tourna alors vers elle ; son visage était lumineux dans l'obscurité ; il sentit son parfum et il eut soudain envie de la prendre dans ses bras. Une envie si forte... l'effort qu'il fit pour se maîtriser le tint immobile comme une goutte d'eau figée dans sa concentration sphérique. « Je n'ai pas de mots pour exprimer mes sentiments. Ils sont trop nouveaux, trop neufs pour moi », dit-il.

Cette façon qu'il avait de dire les choses simples.

« Alors, continuons de marcher. Les mots ne sont pas toujours nécessaires, n'est-ce pas ? »

Leurs épaules se frôlèrent. Et il sentit le choc, électrique, une brûlure qui le traversait.

Ils étaient maintenant revenus devant l'Hôtel de la Presse. Il lui tendit l'appareil-photo et sortit de sa poche un mince recueil de poèmes. « C'est un livre très ancien, Stéphanie. Peut-être le lirez-vous un jour.

— J'apprends le chinois, répondit-elle. Trois fois par semaine. »

Ils étaient debout face à face et le désir le submergea. Il aurait voulu la prendre dans ses bras mais il dit d'une voix incertaine. « Il est très tard...

— Bonne nuit, Yong. N'attendez pas trop longtemps avant de me téléphoner.

— Stéphanie...

— Oui ? » Elle le regarda avec un sourire interrogateur. Mais il ne pouvait plus suivre le conseil de Jessica. Il ne pouvait pas dire « je vous aime ». Pas encore. Il murmura « bonne nuit » d'une voix étranglée et resta immobile, dans son effort pour se maîtriser.

Elle se détourna alors et pénétra dans la cour de l'hôtel. Longtemps il resta à contempler le vide obscur qu'elle avait laissé.

Le professeur de Stéphanie, Mlle Soo, lui fit une proposition la semaine suivante. Stéphanie aimerait-elle visiter l'école où elle enseignait ?

« Je serais ravie de voir votre école, dit Stéphanie.

— Mais nous devrons prendre un moyen de transport, c'est trop loin », dit Mlle Soo. Stéphanie savait qu'elle ne pouvait s'offrir une chaise en bambou, un huakan, mais qu'elle voudrait absolument payer. Il lui faudrait trouver un moyen de contourner l'amour-propre et la fierté de son professeur.

Stéphanie était étendue dans le huakan — cette position mi-couchée mi-assise lui avait toujours paru inconfortable et très malcommode. Impossible de soulever la tête sans déséquilibrer les porteurs, sans leur faire mal aux épaules. Et quand on gravissait une pente, on avait les pieds plus haut que la tête, ce qui donnait un sentiment d'impuissance. Elle voyagea en compagnie de Mlle Soo à travers les champs de riz et de colza jusqu'à une molle petite colline parsemée de cabanes. En fait, c'étaient les bâtiments de l'école, faits de clayonnage enduit de plâtre, avec des toits tout gondolés, dont les tuiles étaient simplement posées de sorte que, pendant les bombardements, elles se détachaient de la charpente et on n'avait plus ensuite qu'à les ramasser et à les remettre en place. Incongru au milieu de ces fragiles constructions, se dressait un vieux temple de pierre et de bois aux parquets de brique, qui servait de principale salle de classe. Quatre cents fillettes, les cheveux nattés ou coupés à la Jeanne d'Arc, y psalmodiaient leurs leçons. Il y avait un terrain de basket-ball et un autre de volley et les dortoirs, avec leurs trois rangées de lits superposés, étaient très propres. Stéphanie serra les mains d'une douzaine de professeurs, toutes des femmes effacées, qui dégageaient la même impression ascétique et monacale que Mlle Soo. Celle-ci l'emmena ensuite dans sa propre chambre, une cellule avec trois lits de camp étroits, une étagère de livres et les traditionnelles cuvettes émaillées sur leur trépied de bois. Mlle Soo partageait la pièce avec deux autres professeurs mais, en cet instant, il n'y avait que Stéphanie et elle.

Mlle Soo versa l'habituelle tasse d'eau bouillante, et dit : « Je vous ai amenée ici pour vous parler, mademoiselle Ryder. » Soudain elle avait changé, était devenue précise, décidée, passionnée. « Nous savons que vous souhaitez écrire sur la situation véritable de la Chine. Nous avons décidé de vous faire confiance. Aimeriez-vous visiter quelques villages où vous verriez vraiment les gens libérés de l'exploitation ? »

Stéphanie fut étonnée sans l'être. Rien n'était surprenant dans ce pays surprenant ; les gens avaient des vies multiples. Tous, comme les personnages des contes de fées, étaient et n'étaient pas ce qu'ils paraissaient. Ils passaient sans effort d'une personnalité à une autre. Car la vie l'exigeait. Ainsi Yong, qui aidait les Rouges de Yenan et n'était pourtant pas un vrai communiste...

Mlle Soo, recommandée avec chaleur par un membre du Kuomintang, était probablement aussi une sympathisante communiste. Elle avait l'air d'une chaste célibataire mais peut-être avait-elle une vie amoureuse brûlante et volcanique.

« Comment peut-on l'organiser ? » demanda Stéphanie, circonspecte, en s'appliquant à donner à ses répliques un style chinois, c'est-à-dire à laisser toujours un élément de doute, une incertitude, une interrogation pour une éventuelle discussion. Car cela bloque une conversation de monopoliser toutes ses issues par une assurance arrogante.

« Vous ne seriez pas absente longtemps, un mois au plus », dit Mlle Soo, qui avait cette irritante manie chinoise de poursuivre sa propre pensée avant de répondre à une question. « Nos amis sont les bienvenus. Nous voulons qu'ils connaissent la vérité. Nous leur montrons la nature véritable de la situation. Pas de petits bouts de vitrine comme les autorités de Chungking.

— Je crois savoir qu'il faut une autorisation du gouvernement, hasarda Stéphanie.

— Bien sûr, pour visiter Yenan, il faut une autorisation du gouvernement. En tant que journaliste, vous pourriez y aller maintenant comme tant d'autres Américains. Mais notre proposition est différente. Il s'agit d'une région où aucun étranger n'est encore allé. Nous pensons que vous pourriez décrire honnêtement ce que vous verriez. »

Nous.

Qui était *nous ?* Stéphanie savait qu'elle ne devait pas le demander. C'était une occasion à ne pas manquer. Un vrai voyage, pas du tourisme organisé. Et ensuite, elle pourrait aller à Yenan.

« Il faudra que j'y réfléchisse. Bien sûr, je serais très heureuse de voir d'autres endroits que Chungking. Mais pourquoi m'avoir amenée ici pour me faire cette proposition ? N'auriez-vous pas pu m'en parler à l'hôtel ?

— Il y a des yeux et des oreilles inamicaux dans votre hôtel. Il n'y en a pas dans ma chambre », dit Mlle Soo. Elle sourit et eut soudain l'air d'un lutin espiègle. « Nous vous aimons bien », dit-elle.

« Peut-être que pour le moment nous devrions couper tous contacts avec le docteur Jen », dit Vieux Wang à Prospérité Tang, après lui avoir fait un compte rendu complet de la conduite scandaleuse de Jen Yong.

Tang secoua la tête. « Camarade Wang, nous devons comprendre ces intellectuels. La politique du Parti est d'être amis avec eux maintenant ; plus tard, nous remodèlerons leur façon de penser. Jen Yong a les défauts de sa classe mais il est très utile. Très. Il est bon qu'il y ait un lien entre la femme américaine et lui. Ils nous serviront beaucoup plus s'ils sont unis par des sentiments personnels. »

Néanmoins, cela exigeait du tact, de la diplomatie. Vieux Wang n'en était pas capable, c'était évident. Tang en référerait à l'échelon supérieur. Vieux Wang avait ses limites. Il était consciencieux, sûr, mais c'était un paysan. Il ne comprenait pas qu'un vrai communiste doit savoir travailler avec toutes sortes de gens, y compris des réactionnaires.

D'ailleurs, peut-être était-il temps que Jen Yong quittât Chungking pour Yenan. Là-bas, il pourrait enseigner, mettre sur pied des équipes médicales. Les choses changeaient très vite. L'échelon supérieur avait appelé à un accroissement des activités... Quant à la femme américaine, une camarade sûre s'en occupait. Tous les journalistes américains voulaient prendre contact, aller à Yenan, écrire des articles dessus. Mais comme Stéphanie travaillait pour un magazine de grande diffusion, l'échelon supérieur avait décidé de lui donner un traitement spécial.

Prospérité Tang, qui s'était pris d'une grande sympathie pour Stéphanie, bien qu'il ne l'eût jamais vue en chair et en os, décida d'accélérer les choses.

« J'ai l'impression d'avoir acquis de nouveaux yeux, papa », écrivit Stéphanie à son père, « ou plutôt un plus grand sentiment d'indignation devant la condition humaine que je rencontre ici. D'innombrables incidents obligent à ne pas rester un simple témoin et à prendre une part active. Nous sommes nombreux à réagir ainsi. J'ignore si c'est parce que nous sommes américains et que notre conscience puritaine nous pousse à essayer de rendre le monde meilleur — que nous comprenions ou non le sens de nos efforts. Mais il FAUT faire quelque chose pour les Chinois. Le Kuomintang est corrompu à un point inimaginable et l'on entend sans cesse parler de révoltes paysannes et de réquisitions de céréales. Comment est-il possible de changer tout cela, je l'ignore — mais il faut le faire », concluait-elle. Elle pensait à Jen Yong, engagé dans ce changement, mais ne parla pas de lui dans sa lettre.

Yong. Il ne laissait ni son corps ni son esprit en paix.

Cela s'était produit quand leurs épaules s'étaient touchées.

Elle l'avait senti, alors, dans tout son corps. Le désir.

Elle avait eu envie de lui. Elle comprit soudain ce que cela signifiait, *avoir envie* d'un homme.

Elle chancelait presque en retournant à l'hôtel ; il avait essayé de lui dire quelque chose. Quelque chose sur lui. Et sur elle.

« Stéphanie », avait-il commencé. Elle avait attendu. Mais la suite n'était pas venue. Alors, elle s'était détournée et était rentrée dans l'hôtel.

Il y avait ce recueil de poèmes qu'il lui avait donné.

Elle avait commencé à en lire un avec Mlle Soo.

La courge a conservé ses feuilles amères
Profond est le passage au gué
J'attends mon seigneur.

« J'attends mon seigneur, c'est beau, avait dit Stéphanie.

— C'est très féodal », avait répliqué Mlle Soo d'un ton pincé.

Etendue sous le ventilateur dans l'obscurité, elle aurait voulu que le téléphone sonne. Yong.

4

Le colonel Tsing, du Deuxième Bureau, était heureux.

Trois semaines s'étaient écoulées depuis sa première rencontre avec le docteur Jen. Et il venait de se passer quelque chose qui allait lui permettre non seulement d'arrêter le jeune chirurgien mais, beaucoup plus important, de détruire un réseau communiste clandestin.

Si Tsing n'avait pas fait circuler parmi ses subordonnés une note sèche leur demandant de recueillir tout renseignement, bruit ou commérage se rapportant à Jen Yong, un détail capital lui aurait peut-être échappé et serait resté enfoui dans les dossiers parmi des milliers d'autres détails non vérifiés.

Huit mois plus tôt, trois étudiants en médecine qui venaient de recevoir leur diplôme avaient quitté Chungking pour Yenan. L'un d'eux, une femme, avait été prise dans le blocus entretenu par le Kuomintang pour empêcher la fuite des cerveaux vers Yenan. Des camps de rééducation accueillaient ceux qui se faisaient ainsi attraper. Après quelques semaines d'interrogatoire intensif, quelques passages à tabac, quelques piments rouges introduits dans son vagin et son anus, des cure-dents glissés sous ses ongles, la jeune femme avait craqué. Elle avait désigné le docteur Jen comme le médecin qui l'avait formée. Elle avait aussi donné le nom de deux autres étudiants, élèves du docteur Jen.

Le lieutenant-colonel Hsu — Nuage Elevé — était assis sur une chaise à côté de Tsing, derrière le bureau massif. Lui aussi était heureux.

Il n'est pas de plaisir plus délectable, dans son intensité, sa dépravation et son parfum, que celui de la vengeance. Et maintenant, la vengeance approchait.

Tout en buvant du thé au chrysanthème, Tsing poursuivait son enquête. Devant lui, se tenaient les détectives qui avaient surveillé le pique-nique de l'hôpital dans le parc le dimanche précédent.

« Pourquoi les infirmières ont-elles fait tout ce remue-ménage à propos des tracts ? Il n'est pas dans la nature d'une femme de se conduire ainsi. Les femmes prétendent toujours qu'elles n'ont pas *vu* les choses désagréables. Vous êtes-vous posé la question, officier Wu ? »

L'officier Wu ne s'était pas posé cette question. « Puis-je faire mon rapport au colonel : les infirmières ont créé une agitation. Nous avons dû la calmer.

— Vous vous êtes donc tous rassemblés et avez entrepris une fouille pour trouver d'autres tracts idiots de ce genre. »

Tsing parlait d'une voix suave et cette suavité même était inquiétante. Il consulta les rapports étalés sur son bureau. « Autre chose de bizarre à propos de cette journée ? Vous aviez des hommes postés à l'entrée du parc. Ont-ils remarqué quelque chose ? »

Il surprit le geste bref d'un jeune détective debout au deuxième rang. « Oui... inspecteur Quo.

— Rapport au colonel : je ne sais pas si ce que je dis est utile... Colonel, ayez la bonté d'étendre votre clémence sur moi. » Quo avait un accent du nord atroce. Tsing trouvait les gens du nord lents et obtus : ils ne savaient qu'obéir ou mourir.

« Parlez », dit-il, son intérêt déjà retombé.

« Je me tenais près des autocars quand le groupe de l'hôpital est parti et j'ai entendu une infirmière dire : " Où est le docteur Lao ? " Quelqu'un a répondu " Je crois que le docteur Lao est parti tôt " mais la première femme a eu l'air perplexe. L'infirmière qui avait posé la question vient de ma province de Shantung ; c'est cela qui a attiré mon attention », ajouta Quo. Il rougit. Peut-être avait-il trop parlé. « Je n'ai pas pu déceler si le docteur Lao était un homme ou une femme. »

Tsing ferma les yeux. Il dit : « Trouvez ce docteur Lao et amenez-le ou la à mon bureau. »

L'infirmière Sha descendait d'un pas énergique le sentier qui conduisait du dortoir des infirmières à l'hôpital. C'était le petit matin mais elle mettait son point d'honneur à arriver dans les salles dix minutes plus tôt que tout le monde. Elle possédait une montre, à laquelle elle était très attachée parce que son tic-tac régulier allégeait sa solitude.

L'infirmière Sha ne se sentait pas bien. Sa pensée, telle une mouche obstinée, tournait autour de l'incident. Elle avait suivi Jen Yong le lendemain du jour où elle avait découvert que Vieux Wang mangeait *ses* raisins. Elle avait vu Jen Yong se diriger vers son dortoir et Petit

Etang venir à sa rencontre. Tous deux s'étaient alors éloignés ensemble et elle les avait suivis.

Jen Yong était allé au quartier des taudis et en était ressorti, un paquet enveloppé de toile cirée jaune sous le bras. La pluie, qui tombait, ne semblait pas le gêner. Elle l'avait suivi, tout en essuyant les gouttes sur son visage.

Et dans le tournant de la route, elle était apparue — la femme étrangère, dans sa robe pâle, avec ses bras nus et son casque de cheveux cuivrés — elle descendait la rue, une rue soudain différente à cause de sa présence.

L'infirmière Sha ne pouvait pas voir le visage du docteur Jen, seulement son dos et sa nuque. Mais c'était tout ce qu'elle apercevait de lui dans les salles quand elle allait derrière lui. Son dos, droit, mince de hanches. Et l'implantation de ses cheveux. Si nette. Et les oreilles fines. Ça lui coupait les jambes. Elle avait envie de hurler. Elle était tout humide entre les cuisses à le suivre ainsi autour de la salle en disant oui docteur, à prendre des notes... et à le regarder, le regarder en espérant qu'il tournerait la tête et lui sourirait. Ce soir-là, elle avait entendu la voix de Stéphanie. Un rat avait détalé devant elle. Elle avait alors tourné dans une allée obscure, assez... assez ! Cette femme étrangère. Un renard. Un diable peint. Et le docteur Jen qui allait avec elle — oh comment pouvait-il, comment pouvait-il être aussi insensé, aussi aveugle ? Elle ne lui amènerait que du mal...

« Grande Sœur Sha. »

Son visage pivota sur son cou, rébarbatif. Dans la lumière matinale, un jeune homme, proprement habillé, se tenait près du mur qui encerclait les terrains de l'hôpital.

« Qui êtes-vous ? »

— Grande Sœur Sha, j'ai un service à vous demander...

— Si vous voulez quelque chose, allez au service des urgences, aboya l'infirmière Sha. Je n'ai pas de temps...

— C'est à propos du docteur Jen Yong », dit le jeune homme.

L'infirmière Sha s'arrêta.

« Que voulez-vous au docteur Jen ?

— Je suis un de ses amis. Il est en danger. Les amis du docteur Jen devraient essayer de l'aider. »

Les narines de l'infirmière Sha frémirent. Son visage devint rouge brique. Elle dit « Hng » et s'élança en avant.

« Sincèrement, je suis un ami. Le docteur Jen a sauvé la vie de mon frère... mais si vous n'avez pas le temps maintenant, peut-être pourrons-nous parler plus tard dans la journée.

— Dites ce que vous avez à dire, mais vite. » Elle leva le bras et regarda sa montre.

« Mon nom est Quo, dit l'homme et je fais partie du Service de sécurité. » Il ajouta : « Vous et moi sommes du même village, Grande Sœur Sha. »

Vrai. Elle reconnaissait son accent.

L'infirmière Sha pensa aux longues journées passées sur la route, pour marcher jusqu'à Chungking, loin de la guerre et du désastre, loin de sa famille. Elle pensa à Jen Yong, aux raisins, et à l'horrible étrangère. Elle regarda Quo. Les yeux baissés, il semblait respectueux. Et il s'exprimait comme elle. « Parlez », dit l'infirmière Sha.

Stéphanie allait le long des ruelles étroites ; elle sentait les gouttes de sueur couler derrière ses genoux. Elle croisa un enterrement, conduit à la hâte. Un cercueil de bois mal équarri, aux planches disjointes, à peine recouvert d'un drap loué pour l'occasion, les porteurs qui se chamaillaient, la veuve et son fils vêtus de drap blanc grossier, qui s'éventaient et oubliaient de pleurer le défunt.

Rosamond Chen avait invité Stéphanie à déjeuner. Elle habitait dans le Jardin de la Famille Chang ; en fait ce n'était pas un jardin mais une rue en escalier qui descendait en pente raide jusqu'au fleuve. Une maison en brique se nichait là, à l'ombre d'un arbre rabougri.

Rosamond guettait Stéphanie depuis la fenêtre du dernier étage. « Je suis ravie que vous ayez pu venir », dit-elle en lui ouvrant la porte. Elles traversèrent la boutique qui occupait le rez-de-chaussée — une pharmacie — et gravirent l'escalier de bois.

La salle de séjour de Rosamond était d'une agréable simplicité, quelques meubles anciens, un tapis de jute écarlate, une grande fenêtre, un ventilateur électrique. Stéphanie aperçut, assise dans un fauteuil, une jeune fille vêtue d'une tunique d'étudiante d'un bleu fané, les pieds chaussés d'espadrilles noires sur des socquettes blanches. Elle tenait sur ses genoux un sac marqué d'une croix rouge. « Mon amie Yee Meiling, dit Rosamond. Nous sommes vaguement cousines. Mais nous autres, Chinois, semblons être tous parents les uns des autres. Nous conservons notre arbre généalogique de génération en génération et nous avons au moins seize degrés de cousinage dans notre système de parenté. »

Meiling et elle éclatèrent de rire, ce qui mit Stéphanie à l'aise. Yee Meiling avait un sourire plaisant, avec les deux dents de devant qui se chevauchaient légèrement. Après ses études universitaires, elle était allée en Angleterre apprendre la danse classique mais quand la guerre sino-japonaise avait éclaté, renonçant au ballet, elle était rentrée en Chine et était devenue une des responsables de la Croix-Rouge chinoise. Elle avait une bouche trop grande pour une Chinoise mais elle était menue et gracieuse ; Stéphanie n'eut aucune peine à bavarder avec elle.

Elles parlèrent comme des femmes que ne sépare aucune gêne, par petites phrases, ponctuées de descriptions et d'explications ; Stéphanie remarqua que Meiling l'écoutait avec attention et lui posait des questions. Dallas. Radcliffe. Pourquoi était-elle venue en Chine ? Meiling dit d'un air détaché : « J'ai vu votre magazine. J'ai trouvé que vous aviez écrit un article tout à fait adorable sur nos orphelinats... » Elle éclata de rire et posa son sac de la Croix-Rouge par terre.

Rosamond avait une excellente cuisinière, une grande femme maigre qui venait d'acheter une petite Szechuanaise et lui apprenait son art. « Je lui enseigne aussi à faire la cuisine occidentale », dit Rosamond.

Elles mangèrent, servies par la petite fille, qui avait un visage rond, des yeux magnifiques et s'appelait Grenade.

Stéphanie maniait les baguettes avec dextérité. Elle trouva la nourriture délicieuse. « Vous apprenez très vite, dit Rosamond. Peut-être parce que vous n'avez pas de préjugés. C'est difficile de ne pas en avoir. »

« Je vais vous raccompagner », dit Meiling quand Stéphanie se leva pour partir. Tandis qu'elles remontaient la rue abrupte, elle dit négligemment : « Avez-vous réfléchi à la proposition de Mlle Soo ? Nous aimerions beaucoup que vous visitiez nos villages libérés, afin que vous voyiez par vous-même la vraie Chine — celle que nous essayons de bâtir. »

Stéphanie sursauta. Mlle Soo, son professeur, Yee Meiling de la Croix-Rouge, Rosamond peut-être et Yong... tous, impliqués dans la gestation de cette *autre* Chine souterraine.

« Oui, bien sûr, dit-elle. J'aimerais écrire un article sur les maquisardes. Et je voudrais aussi aller à Yenan.

— Tout le monde y va passer quelques jours, écrire un article, dit Meiling. Il y a même une liaison aérienne hebdomadaire depuis que la mission américaine Dixie s'y trouve. Mais *nous* pensions que vous souhaiteriez quelque chose d'original pour votre magazine. »

Nous.

Dans le dortoir de Jen Yong, le téléphone se trouvait dans le couloir de l'entrée ; il y avait plein de parasites sur la ligne ce qui l'obligeait à crier : « Mademoiselle Ryder, la dame journaliste américaine.

— Mademoiselle Lighter, dit la voix râpeuse du réceptionniste.

— Et qui êtes-vous ? » Jen Yong le lui dit et dut répéter son nom trois fois. Mme Wan, qui habitait au premier, sortit de sa chambre et s'attarda à écouter sur le palier. Elle aimait faire prendre l'air à son ventre, épanoui dans la rondeur d'une grossesse avancée.

Il fallut beaucoup de temps à la voix pour revenir : « Elle n'est pas là.

— Puis-je vous demander d'avoir la bonté de lui dire... » Mais l'homme avait raccroché. Jen Yong jura : « Enfant de tortue. » Si ç'avait été un étranger qui appelait, la voix à l'autre bout du fil aurait été aimable, servile même.

Il voulait la voir. Parler avec elle. Il fallait qu'il lui parle, qu'il lui dise qu'il l'aimait et, bien sûr, qu'il voulait l'épouser. Mais serait-il possible pour elle de vivre en Chine ? N'était-il pas fou, n'était-il pas pour elle un simple importun ? *Je perds la raison, elle ne voudra jamais de ce genre de vie, jamais...* Il envisagea toutes les difficultés, à l'image des rochers du Yangtse qui surgissaient soudain pour heurter les fragiles jonques et les briser.

Pourtant, il existait de tels couples. A Shanghai, à Pékin. Il en avait rencontré. L'un de ses professeurs de faculté avait épousé une étrangère. Stéphanie possédait un tel bonheur de vivre qu'elle ne devait avoir que mépris pour les difficultés. Elle était trop intrépide pour essayer de prévoir l'imprévu. Elle ne faisait ni plans ni projets. Il lui suffisait, pour se façonner une vie, de vouloir quelque chose et d'aller le chercher. Mais n'était-ce pas malhonnête de chercher à profiter de ce trait de caractère ? Que pouvait-il lui apporter avec son amour, sinon des barreaux, une cage pour un aigle, et l'aigle mourrait ou se transformerait en un vulgaire corbeau. *Qu'ai-je à lui offrir ?* Une vie difficile, amère. Il l'aimait, il était emporté par ce grand battement d'ailes qui était l'amour mais Stéphanie, qu'y trouverait-elle ?

Tenait-elle à lui ou était-ce de la simple curiosité ? Il mourrait si elle se moquait de lui.

Passionnément il raisonnait, et la sagesse qui est au-dessus de la passion lui disait que c'était folie.

Le lendemain matin, à sept heures, il reprit le combat contre le réceptionniste de l'hôtel, à l'autre bout du fil. Enfin, au bout de vingt minutes, il eut Stéphanie.

« Stéphanie Ryder à l'appareil, dit-elle d'une petite voix nette.

— Bonjour Stéphanie... C'est Yong.

— Oh ! », s'exclama-t-elle, joyeuse puis elle se reprit et imitant sa politesse cérémonieuse, ajouta : « Bonjour Yong. »

Est-ce que ça va recommencer comme les autres fois, cette impossibilité de trouver les mots, les mots pour exprimer nos véritables sentiments... ?

« Je veux tellement vous voir, Stéphanie.

— Vraiment ? » demanda-t-elle. Et soudain, à travers le silence, elle perçut sa douleur, sa peine.

« Je me conduis sottement... moi aussi j'ai envie de vous voir. Très envie.

— Je dis toujours la chose qu'il ne faut pas. Soyez patiente avec moi, Stéphanie. »

Elle eut un petit rire. « Attendez que je commence à parler chinois. »

Oh cette voix, ce rire ! Il ne se lasserait jamais d'écouter leur musique. Il rit à son tour et une vague de soulagement les envahit et il lui murmura en chinois : « Oh, je suis à toi et cela me suffit, pleinement heureux dans ma souffrance. »

Elle demanda : « Qu'avez-vous dit ?

— Je vous ai dit dans ma langue quelque chose que je ne peux exprimer dans la vôtre, répondit Yong.

— Est-ce dans le recueil de poèmes que vous m'avez donné ? » Elle ne lui révélerait jamais qu'elle avait demandé à la prude Mlle Soo quel était le mot chinois pour amour. Et le professeur, soudain écarlate, avait répondu qu'il existait de nombreux mots selon qu'il s'agissait d'enfants, de parents, de... de...

« D'amant, avait dit Stéphanie sans détours.

— D'un monsieur avec lequel on est marié, avait corrigé Mlle Soo.

— Stéphanie, je crains tant de vous créer des... ennuis.

— Je n'avais pas vu les choses ainsi, Yong. Je n'arrive pas à croire que faire ce qui convient puisse blesser quelqu'un. »

Mme Wan descendait l'escalier avec ses enfants ; elle sourit à Jen Yong d'un air compréhensif et commença à fredonner... le même air que Liu... Jen Yong était furieux.

« Stéphanie, pourrions-nous nous rencontrer cet après-midi ? »

Il lui expliqua que David et Jessica Eanes les avaient invités tous les deux à prendre le thé. « Pouvez-vous venir ? Et après, nous traverserons le fleuve, dans le ferry, et, et...

— Et nous parlerons, dit Stéphanie. Oui, bien sûr, je viendrai. »

Elle lui dirait qu'elle allait visiter des villages libérés. Il en serait heureux. *Vous comprenez, Yong, je me sens impliquée.* Il n'y a qu'un seul péché mortel, l'indifférence. Elle lui montrerait ainsi qu'elle n'avait pas peur. Que le travail qu'il accomplissait ne pouvait être que juste si c'était pour le bien des gens. *Je suis contre le communisme, Yong, mais j'attendrai pour les juger d'avoir vu ce qu'ils sont vraiment.*

Elle alla chercher son courrier à la réception et y trouva un mot de Jessica Eanes l'invitant à prendre le thé dans l'après-midi.

La Police secrète fondit sur le dortoir des médecins tout de suite après le déjeuner de midi. Les policiers en civil entrèrent et demandèrent le concours des médecins pour éclaircir certains problèmes. Ils coupèrent le téléphone. Les docteurs Jen, Liu, Fan et Wan furent embarqués dans un fourgon.

La descente de la police toucha aussi le dortoir des infirmières. L'infirmière Li fut surprise dans son sommeil, car elle avait été de garde, la nuit précédente. Mais ils oublièrent l'infirmière Tsai. Le colonel Tsing se rendit en personne à l'hôpital pour arrêter Vieux Wang — mais celui-ci demeura introuvable. Les policiers en civil eurent beau fouiller la cave de fond en comble, ils ne trouvèrent rien, pas le moindre bout de papier. Seulement quelques vieux vêtements tout rapiécés, trois crachoirs et un bassin que Vieux Wang n'avait pas eu le temps de nettoyer.

David et Jessica Eanes se réjouissaient de recevoir Jen Yong et Stéphanie. David avait invité d'autres amis. Son bungalow se trouvait à un kilomètre de l'hôpital — il n'avait pas eu connaissance de la descente de police. Personne n'avait osé — ou pu — lui téléphoner.

A quatre heures, Stéphanie arriva au bungalow, situé sur un petit promontoire planté de camphriers et de lauriers-roses. Quand elle était passée devant l'entrée de l'hôpital, elle avait remarqué qu'il était anormalement vide. D'habitude, un grand nombre de malades traînaient dans la cour avec leurs familles. Elle décida d'aller voir Mère Liang, la mère de Petit Etang, dès qu'elle quitterait les Eanes. Elle avait le cœur léger et marchait d'un pas vif. Elle verrait Yong.

Le bungalow de briques grises ressemblait à tous les chalets de missionnaires — fonctionnel, un peu défraîchi mais confortablement meublé. David Eanes l'accueillit à la porte. « Ravi que vous ayez pu venir. » Il lui serra la main avec énergie. « Jessica, notre invitée est arrivée. »

Jessica, grande, pâle, les cheveux blonds et les yeux d'un bleu délavé, sourit affectueusement à Stéphanie. Comme David, elle était un rejeton de plusieurs générations de missionnaires en Chine et parlait la langue couramment. Elle avait connu Pearl Sydenstricker avant qu'elle ne devînt célèbre sous le nom de Pearl Buck. « Nous avons tant entendu parler de vous par notre ami Jen Yong, dit-elle, et la ville entière sait comment vous avez sauvé cette femme. Maintenant je voudrais vous présenter le professeur et Mme Chang Shou et Hsiao Lu, le poète. Il écrit en anglais *et* en chinois et il est en train de traduire *Macbeth.* »

Hsiao Lu avait un visage large et gai. Il riait beaucoup et racontait des histoires sarcastiques. Quand les Japonais étaient entrés dans Pékin, dit-il, il avait essayé de fuir mais il avait pris la mauvaise direction et avait marché droit sur un bataillon au grand complet, tanks compris. « Ils ont pensé que quelqu'un d'assez stupide pour aller à leur rencontre ne pouvait pas être un intellectuel et ils ne m'ont donc pas fusillé. Je leur ai dit que j'étais un marchand de soie. Ils m'ont frappé au visage et je les ai remerciés en m'inclinant bien bas ; cela les a ravis et ils m'ont laissé partir. »

Hsiao Lu ne pouvait pas vivre de sa poésie, les livres ne se vendaient pas, aussi faisait-il des travaux de traduction pour le ministère de la Culture et enseignait-il à l'université. « J'ai failli partir comme interprète à Yenan avec votre Mission Dixie, mais le ministre a estimé qu'un poète n'était pas quelqu'un de politiquement crédible... bien que mon père soit un gros bonnet — un seigneur de la guerre, pas moins. J'ai honte de lui et il a honte de moi. Il n'y a donc pas de tension entre nous quand nous nous voyons, chacun connaissant parfaitement les sentiments de l'autre. »

Un homme maigre, très grand, au visage pointu et aux verres si épais qu'ils lui donnaient un regard de hibou, vêtu d'une robe si usée qu'elle semblait ne tenir que par ses raccommodages, dit d'une belle voix chantante : « J'ai beaucoup entendu parler de vous par mes amis David et Jessica. » C'était le professeur Chang. La minuscule Mme Chang se contenta de lui serrer la main. « Ma femme ne parle pas anglais mais elle adore les réceptions », dit le professeur Chang. C'était un sociologue et un historien de quelque renom. Il dit à Stéphanie : « Vous devez être troublée par ce que vous voyez de la Chine maintenant, mademoiselle Ryder. Mais le changement arrive. Oh oui. Il ne peut pas ne pas se produire. Nous travaillons tous à l'avènement d'une Chine démocratique.

— Je suis heureuse de vous entendre dire ça, professeur », répondit-elle poliment.

Le téléphone sonna et David alla répondre. Il resta longtemps absent. Jessica faisait circuler les assiettes de gâteaux et les tasses de thé quand il revint, l'air visiblement soucieux.

« Je suis navré, Jen Yong ne pourra pas venir... il a été retenu », dit-il à Stéphanie tout en échangeant un coup d'œil avec sa femme.

Le professeur Chang leva brusquement les yeux et déplia sa longue silhouette. « Nous nous sommes trop attardés, je crains. Ma femme et moi *devons* rentrer. Nous sommes juste passés un moment pour faire votre connaissance, mademoiselle Ryder. Ç'a été un très grand honneur. Venez, Hsiao Lu, vous devez partir avec nous... »

Hsiao Lu regarda le visage de Chang et se leva docilement. Il fit un petit geste chinois d'hommage en direction de Jessica, poings serrés l'un contre l'autre. « Belle dame, je reviendrai la semaine prochaine vous ennuyer avec mon dernier poème », dit-il gaiement. Et à Stéphanie : « Mademoiselle Ryder, je suis en train de composer un poème en votre honneur. »

Stéphanie se leva aussi pour partir. Elle se sentait épuisée, vidée. Jen Yong ne viendrait pas. Jessica lui sourit mais il y avait comme une trace de lassitude aux coins de sa bouche. « Ma chère, nous avons été si *heureux* de vous voir, dommage que Yong ait été retenu...

— Je vais vous raccompagner jusqu'à l'Hôtel de la Presse, dit David.

— Je vous en prie, ne prenez pas cette peine. » Stéphanie s'efforça de paraître enjouée. « Je comptais passer à l'hôpital pour voir Mère Liang.

— Remettez votre visite à un jour prochain, répondit Eanes.

— Pourquoi ? Elle ne va pas bien ?

— Si, mais l'hôpital est très encombré aujourd'hui ; nous réorganisons les salles... »

— Est-ce pour cette raison qu'il y avait si peu de malades près de l'entrée ? demanda Stéphanie.

— Exactement, dit Eanes, exactement. » Il la conduisit avec autorité vers la route, loin de l'hôpital. « Laissez-moi vous montrer un coin pittoresque de la ville. J'y venais quand j'étais enfant, pour voir les deux fleuves se fondre ensemble, le bleu du Tchialing se mêlant aux eaux jaunes du Yangtse... » Tout le long du chemin jusqu'à l'hôtel, il ne la lâcha pas, égrenant ses souvenirs de jeunesse. Et quand il la quitta, il lui serra très fort la main. « Stéphanie, je vous téléphonerai. Très bientôt. »

Troublée, Stéphanie monta à sa chambre, se lava, songea à téléphoner puis, ne sachant que faire, descendit dans le salon. Alistair s'y trouvait.

« Stéphanie, vous avez sans doute appris la nouvelle... il y a eu une descente de police à l'hôpital et aussi à l'université. On a arrêté un grand nombre de suspects communistes. »

Stéphanie pâlit. Même ses lèvres devinrent exsangues. Yong. Voilà pourquoi il n'était pas venu. « En êtes-vous sûr, Alistair ?

— Sûr et certain, ma chère. Le tour de vis était inévitable. Mais je me demande... »

Stéphanie n'écoutait plus. Elle avait quitté l'hôtel, descendait le sentier, puis la route, et se rendait à l'hôpital. Elle marchait d'un pas rapide, sans se soucier des gens qui se retournaient sur son passage. Les grilles n'étaient pas fermées et pourtant même la salle des urgences était vide. Seule, une infirmière, pâle, les traits tirés, était assise derrière un bureau.

Stéphanie entra dans la salle de chirurgie. Une nouvelle malade occupait le lit de Mère Liang. Les autres ne la regardèrent pas.

« Liang Ma, où est Liang Ma ? » demanda-t-elle en chinois.

Personne ne lui répondit. Les malades détournaient les yeux, ou les tenaient fermés.

Elle entendit un grincement de roues dans le couloir. Une jeune infirmière poussait un chariot chargé de pansements. Stéphanie s'avança à sa rencontre. L'infirmière leva les yeux et recula en un geste de peur.

Stéphanie dit d'une voix hésitante : « Le docteur Jen Yong.

— Non, pas savoir », dit l'infirmière. Puis elle répéta en chinois « je ne sais pas », et elle poussa son chariot à l'autre bout de la salle.

Stéphanie revint dans la salle des urgences. L'infirmière pâle pansait la main d'un enfant en pleurs. Stéphanie attendit qu'elle eût fini et dit : « Le docteur Jen Yong... où puis-je le trouver ? » L'infirmière Tsai (car c'était elle) regarda Stéphanie. Un long, long regard, puis elle secoua la tête.

« Je ne comprends pas l'anglais », dit-elle en chinois.

Stéphanie sentit une vague brûlante de colère l'envahir. Seigneur Dieu, tous ces gens sont terrorisés. Elle serra les poings. « Jen *Taifu,* où est-il ? » demanda-t-elle lentement en chinois. « Je veux Jen *Taifu.* »

L'infirmière Tsai ne répondit pas et poursuivit son travail comme si Stéphanie n'avait pas existé.

Stéphanie sortit de l'hôpital. Elle regarda des deux côtés de la route — Yong. Yong. Il allait peut-être soudain apparaître. Dans l'obscurité, elle aperçut quelqu'un qui lui ressemblait. Elle se précipita ; oui, peut-être... mais ce n'était pas lui.

De retour à l'Hôtel de la Presse, elle demanda s'il n'y avait pas de message pour elle. Pas de message. Elle frappa à la porte de John Moore.

« Entrez, cria John.

— Stéphanie ! » Il parut surpris. Il était assis devant sa machine à écrire, le ventilateur tournait, bruyant. Il se leva. « Stéphanie, quelle agréable surprise !

— John, je crois que mon ami, le chirurgien chinois dont je vous ai parlé, le docteur Jen, je crois qu'il a été arrêté. »

John Moore alla au placard et sortit une bouteille de cognac et deux verres. « Prenons d'abord un petit remontant », dit-il. Stéphanie refusa de la tête mais il lui tendit le verre. « Vous découvrirez que, dans notre profession, c'est parfois la seule façon d'affronter sans flancher la canonnade. Une circulaire concernant les activités communistes à Chungking a paru. Tai Lee, le chef de la Police secrète, a décidé de frapper un grand coup. Votre ami risque fort d'avoir des ennuis.

— Mais John, c'est absurde. Vous m'avez dit vous-même qu'il était censé y avoir un front uni. Et des Américains se trouvent en ce moment à Yenan. »

John la regarda. Il avait envie de dire : Stéphanie... vous êtes folle. Quelle idée de tomber amoureuse d'un Chinois. Toute la ville savait que Stéphanie Ryder s'était trouvé un médecin chinois. Qu'elle était déjà sortie deux fois avec lui. Or, ça ne se faisait pas. Les femmes occidentales ne sortaient *pas* avec des Chinois. Mais tout en pensant ainsi, il *savait :* Stéphanie n'était pas comme les autres femmes. Il y avait... quelque chose de si spontané en elle. Aussi directe qu'une flèche.

Il eut un instant d'égarement pendant lequel il fut content que Jen Yong eût été arrêté, mais il vit le visage de Stéphanie, ses pupilles dilatées de peur pour Jen Yong. Quel salaud je suis, pensa-t-il. Il l'entoura de son bras. « Stéphanie, ne le prenez pas trop au tragique. La direction de l'hôpital protestera et le gouvernement de Tchiang ne peut pas se permettre de faire vraiment mal à un intellectuel, cela créerait un trop grand scandale...

— On a déjà fusillé des poètes, des écrivains, des étudiants, dit Stéphanie. C'est vous-même qui m'avez raconté qu'on avait versé du poivre rouge dans les narines d'une jeune étudiante et, et... »

John détourna la tête. « J'appellerai Henry Wong demain. Il pourra peut-être faire quelque chose...

— Henry ! Il ne sera d'aucun secours ! Mais nous ? Ne pouvons-nous rien faire ? » Elle sentait l'hystérie la gagner.

« Stéphanie, dit John doucement, du calme, du calme. »

Elle enfouit son visage entre ses maina. « Pardon, John... Je...

— Je vous promets que je ferai tout mon possible, mais officiellement les médecins ne sont *pas* arrêtés... ils sont seulement gardés pour interrogatoire. »

Stéphanie se leva et esquissa un sourire tremblant. « Je vous suis reconnaissante, John. Pardon d'avoir... craqué. Je m'en vais maintenant. Merci encore.

— Stéphanie, je comprends. Il hésita. Je n'ai jamais rencontré votre ami... je suppose qu'il était... impliqué ; tant d'entre eux le sont. »

Mais Stéphanie inclina seulement la tête, sourit et s'en alla, lui laissant ce petit sourire d'enfant désespéré.

Depuis plusieurs jours, Mère Liang allait assez bien pour pouvoir se déplacer, quoique avec lenteur. Son ventre était toujours étroitement bandé car la plaie refusait de cicatriser. On avait enlevé les points de suture mais la blessure s'était rouverte. Un jeune médecin l'avait recousue et maintenant elle vaquait ici et là, désireuse d'être utile ; elle aidait les autres malades, les nourrissait, leur lavait le visage et les mains. Elle aidait aussi pour les bassins.

Un jour, il faudrait qu'elle parte. Mais elle espérait qu'en se rendant utile, quelqu'un parmi les médecins et les infirmières dirait : que Mère Liang reste travailler ici. Elle avait observé les femmes de service qui frottaient les parquets, Vieux Wang qui nettoyait les crachoirs et les bassins. Elle ne manquait jamais de l'appeler Wang Ta Yeh — Grand-Père Wang. Travailler dans cet hôpital — ah, ce serait monter au plus haut paradis du bonheur. Et puis elle était une femme énergique, dure à l'ouvrage, pas une souillon...

Mais les hommes au visage de renard et aux yeux durs étaient venus et la terreur qu'ils répandaient avait pénétré dans son cerveau ; elle s'était souvenue des soldats et quelque chose avait craqué en elle.

Ils avaient fait sortir les infirmières, chassé les malades de leurs lits, fouillé partout. Ils avaient des revolvers, pas des fusils. Mais ils étaient brutaux.

Et Mère Liang savait que tout cela était sa faute. C'était son destin, un destin cruel qui s'acharnerait sur elle toute sa vie, et sur ceux qui l'aidaient. Le monstre l'avait suivie, jusque dans l'hôpital.

« Un destin bien maigre ; c'est un enfant qui apportera le malheur. » Ainsi avait parlé l'astrologue à sa naissance. Quand elle eut sept ans et fut en âge de travailler, sa mère la vendit au rabais, comme future épouse. Le fiancé avait cinq ans de moins qu'elle. Elle l'avait porté sur son dos pendant quelques mois, souffre-douleur de la famille qui l'avait achetée et quand il mourut de la scarlatine, ce fut, bien sûr, sa faute. Vêtue de grossière toile blanche, elle avait poussé des lamentations à son enterrement et, au retour du cimetière, une inconnue lui avait pris la main et l'avait emmenée. On l'avait vendue avant qu'elle eût pu entrer dans la maison et apporter de nouveaux malheurs à la famille.

Elle avait travaillé, reçu des coups et, à dix-sept ans, on l'avait à nouveau vendue, à un pauvre paysan. Il ne la battit pas trop, bien qu'elle fût restée stérile de nombreuses années. Et puis le bonheur était arrivé. Petit Etang était né. Elle sentit que sa mauvaise chance avait tourné. L'astrologue, quand il établit son horoscope, dit que l'enfant aurait un destin puissant. Il deviendrait... un seigneur des batailles, un chef prestigieux. Alors, pendant quelques années, ce fut vraiment comme si le démon de la malchance l'avait oubliée. Petit Etang avait treize ans quand elle conçut de nouveau. Ce printemps-là, les soldats avaient emmené son homme, et Petit Etang et elle, devenus des vagabonds, étaient venus à la ville pour mendier.

Et maintenant, ils étaient revenus, les hommes effrayants qui battaient et donnaient des coups de pied selon leur bon plaisir. Ils avaient emmené Jen *Taifu.* C'était sa faute. Ses péchés étaient aussi lourds que le mont Tai ; comment pourrait-elle jamais expier ?

« Liang Ma. »

Depuis le coin où elle se tenait accroupie, de peur d'infecter d'autres personnes avec sa malchance, elle leva la tête. L'infirmière Sha se dressait devant elle, les sourcils froncés en une barre au-dessus de son nez, le visage sombre de haine. « Tu as apporté la malchance avec toi, Liang Ma. Tu es une femme mauvaise. »

Mère Liang courba la tête. C'était vrai. Elle avait apporté la calamité à Jen *Taifu,* à l'hôpital. L'infirmière Sha s'éloigna de son ordinaire pas martial et Mère Liang se leva et se rendit aux latrines. Elle s'aperçut qu'elle tenait à la main une ceinture de robe de chambre. Le peignoir appartenait à une autre malade, qui avait toujours peur d'attraper froid même par temps de canicule, et le portait par-dessus son pyjama d'hôpital. La ceinture était venue toute seule dans la main de Mère Liang.

C'était un cabinet à la chinoise, où l'on s'accroupissait ; il y avait une chasse d'eau, avec une tige métallique d'où pendait une chaîne. Les infirmières avaient appris à Mère Liang à tirer la chaîne ; une cascade d'eau jaillissait alors pour nettoyer le cabinet, ce qui représentait un gaspillage incroyable alors qu'on aurait pu utiliser ce bon fumier à fertiliser les champs. Mais à présent, la tige allait avoir un autre usage. Après avoir fait un nœud coulant pour son cou, Mère Liang y accrocha la ceinture. Puis elle monta sur un tabouret de bambou qui servait d'appui aux malades plus âgées pendant qu'ils déféquaient. Elle soupira, pensa à Petit Etang. « Fils », dit-elle. « Fils. » Petit Etang avait un bon et puissant destin. Elle ne devait pas le contrarier. Elle glissa dans le néant.

L'infirmière Sha se retourna sur sa natte. Elle fixa le plafond et un visage démoniaque lui fit des grimaces dans l'obscurité. Elle était toute moite de transpiration.

« La malchance... elle nous a porté la malchance », marmonna-t-elle.

Qu'avait-elle dit ? Rien, vraiment rien du tout. Le détective Quo, qui venait de la même province qu'elle, lui avait posé quelques questions. Elle avait dit à Quo combien le docteur Jen était merveilleux. Il donnait des leçons à des étudiants dans son temps libre ; il partageait l'espace dont il disposait pour dormir, dans sa chambre, avec le fils d'un autre docteur. « Il plaît aux femmes étrangères », avait insinué Quo. Etrange que le docteur Jen ne soit pas encore marié. Il avait besoin d'une collaboratrice, d'une femme posée et chaste. Les étrangères étaient lascives et dissolues. Les Chinoises étaient vertueuses et ne cherchaient pas à cueillir les fleurs du plaisir au-delà du mur.

C'est vrai, avait dit l'infirmière Sha. Elle avait failli éclater en sanglots en revoyant le visage de Stéphanie et Jen Yong qui allait à sa rencontre.

Quo avait témoigné beaucoup de respect et d'admiration à l'égard de l'infirmière Sha. Puis ils avaient parlé de l'absence du docteur Lao à la fin du pique-nique.

L'infirmière Sha expliqua qu'elle était allée rendre visite à ses parents. « C'est ce qu'on dit à l'hôpital. » Oui, le docteur Lao était une femme.

Quo, en partant, l'avait remerciée. « Cela aidera beaucoup le docteur Jen », avait-il affirmé.

L'infirmière Sha gémit. Pas elle. Ce n'était pas elle qui avait fait du mal à Jen Yong. C'était l'Américaine à la toison de renard, avec son visage, ses cheveux.

Le professeur Soo avait toujours la même apparence, comme si on l'avait soigneusement rangée sur une étagère entre les leçons qu'elle donnait à Stéphanie. Un jouet bien propre qui n'avait pas besoin d'être épousseté ou lavé, car elle ne semblait même pas transpirer. Son visage fané était toujours net, tout comme sa robe bleue ; ses cheveux ne poussaient pas et n'étaient jamais raccourcis. Elle était sans âge, sans odeur, intemporelle.

« Mademoiselle Ryder, aujourd'hui est notre sixième leçon. Ecrire et recevoir des lettres, télégrammes, etc. sera l'objet de notre étude. Répétez après moi je vous prie : “ Cher ami facteur, y a-t-il une lettre pour moi ? ” »

Stéphanie répéta et Soo corrigea gentiment ses intonations.

« Oui, il y a une lettre pour vous. » Stéphanie, docile, reprit la phrase.

« Je l'attendais...

— L'ami facteur s'enquiert : “ Que vous écrit votre ami ? ” »

Stéphanie continuait à répéter.

« Il écrit que je ne dois pas m'inquiéter. Je dois faire mon travail. Je dois croire que tout se passera bien. »

Stéphanie écarquilla les yeux. « Professeur, je... »

Mlle Soo lui mit un doigt sur les lèvres.

« Maintenant, nous écrivons », dit le professeur Soo.

Elle écrivit. « Tout est organisé pour que vous vous rendiez dans les villages. Il vaut mieux que vous quittiez Chungking en ce moment. Ce sera plus facile pour votre ami si vous êtes en sécurité parmi nous.

— S'il vous plaît, recopiez ces caractères », dit le professeur Soo.

Stéphanie lut. Elle leva les yeux. Mlle Soo l'observait. Elle avança une petite main sèche et étreignit celle de Stéphanie.

Et Stéphanie comprit. C'était un message de Yong.

Rosamond apparut le lendemain et emmena Stéphanie faire une petite promenade.

« Vous devriez partir, Stéphanie. Rester à Chungking risque de lui faire du mal. Ils pourraient essayer de se servir de vous pour faire pression sur lui... lui faire avouer certaines choses.

— Mais le saura-t-il ? »

Rosamond se mit à rire. « Je ne suis pas... des leurs. On m'a seulement demandé d'aider dans ce cas précis parce que je fréquente beaucoup les étrangers. Vous comprenez ? » Stéphanie prépara un sac ; elle serait absente deux semaines, peut-être trois, avait dit Meiling. Meiling qui viendrait la chercher.

Ce soir-là, elle écrivit à ses parents pour leur dire qu'elle serait absente deux ou trois semaines... « Ne vous inquiétez pas... j'ai une occasion fantastique de voir la vraie Chine... et sans guide officiel. »

Elle laissa un message pour John Moore, qui était absent.

« Cher John,
« Gardez cela pour vous. Je vais visiter des villages.
J'ai eu des nouvelles de Yong. Je sens que je dois croire ce qu'on me dit. »

Elle avait confié à John son rouleau de pellicule, les photos qu'elle avait prises dans les taudis. « Il vaut mieux le faire développer en Amérique, avait dit John. J'ai un ami à l'ambassade. Nous le récupérerons dans un mois. »

Le garçon d'étage frappa à la porte et lui tendit quelques lettres. Le courrier était arrivé.

Il y en avait une de son père.

« D'après les journaux, les Japonais semblent gagner du terrain. J'espère qu'ils n'arriveront pas jusqu'à Chungking. J'ai repéré Chungking sur la carte — tous ces noms chinois sont difficiles à lire... J'ai aussi acheté un livre ; ça parle des gorges du Yangtse... un fleuve comme ça, c'est un problème. Mais si on arrive à supprimer l'envasement, ça pourrait fournir une grande quantité d'électricité... »

Quelques lignes de sa mère, de son écriture nette, si différente des grands jambages de son père. « Nous avons lu tes lettres fascinantes avec beaucoup d'intérêt. Les Asiatiques sont habitués à la pauvreté. Je suis sûre qu'ils peuvent être heureux avec beaucoup moins que ce qui nous est indispensable à nous. »

Et de Jimmy, dont la façon d'écrire rappelait déjà tant celle de son père. « Sœurette, tâche de nous revenir entière. Et j'aimerais bien quelques-uns de ces timbres chinois... »

La nostalgie la submergea. Oh, que faisait-elle ici ? Dans ce pays qui, tel un monstrueux marécage, l'aspirait dans ses entrailles ?

Elle revit la cour carrée si fraîche de Radcliffe, le charme paisible des vertes pelouses et des petites rues pavées de Cambridge. Elle revit les amples ondulations des plaines du Texas, la majesté de ses horizons illimités... Et elle était là, en train de s'enfoncer peut-être sans retour dans cette fondrière grouillante de gens... elle se tourmentait pour un Chinois qui était en prison, un jeune homme chinois du nom de Yong. Elle n'était sortie que deux fois avec lui mais il lui suffisait de penser à lui pour sentir des picotements dans tout son corps et ses mains devenir moites. *Je suis en train de tomber amoureuse...*

On frappa à la porte. C'était Meiling.

Stéphanie suspendit son appareil-photo à son épaule. Meiling portait son sac de la Croix-Rouge comme un macaron. Il indiquait ce qu'elle était et les gardes la saluaient. Ils l'avaient laissée entrer, elle. La fille du général Yee.

« Vous devez être une huile, dit Stéphanie.

— Pas moi, expliqua Meiling. Mon père. Et il n'aime pas la Police secrète. »

Elle remarqua le visage tendu, indécis, de Stéphanie. La lenteur inusitée avec laquelle elle prenait son sac.

« Qu'y a-t-il ?

— C'est... Ecoutez, je pars de Chungking, comme si je m'enfuyais et Yong est en prison. Je...

— Stéphanie. » Meiling posa sa main sur son épaule, en un geste de confiance. « Je vous en prie, croyez que nous nous soucions de lui. C'est beaucoup mieux qu'il n'ait pas à s'inquiéter pour vous pendant qu'il est en prison...

— Comment saura-t-il ?

— Nous avons nos méthodes. »

A nouveau ce *nous*. Omniprésent et tentaculaire. Stéphanie ramassa son sac et suivit Meiling. Elle annonça au réceptionniste qu'elle serait absente une semaine, peut-être dix jours.

5

Le huakan se balançait le long du chemin pierreux qui escaladait la falaise jusqu'au temple bouddhique qui la couronnait. Autour du temple poussaient des bosquets de chênes, de camphriers et de lauriers-roses, avec de petits autels d'argile à leur pied. Les gorges du fleuve adoucies par la brume, les vallées avec leur alternance de crêtes boisées, de champs et de ruisseaux scintillants, formaient un spectacle enchanteur.

« Cet endroit s'appelle A-mi-chemin-du-pic-céleste, dit Meiling.

— Nous nous reposerons ici cette nuit. Mon père y vient souvent pour méditer. »

Meiling pénétra dans la cour au sol uni et gris du temple. Un acolyte en robe noire les attendait ; il les conduisit à la pièce spacieuse qu'elles allaient occuper. « Les temples bouddhiques ont toujours des chambres pour les voyageurs fatigués », expliqua Meiling. Ici, loin au-dessus de la ville étouffante et grouillante, tout n'était qu'ordre, silence et fraîcheur, rehaussé par la mélodie vespérale d'un loriot.

La nuit tomba d'un seul coup. A la lumière de petites lampes de terre cuite disposées sur la table, Stéphanie et Meiling mangèrent un repas végétarien ; l'habileté du cuisinier était si grande que le pâté de soja paraissait fait de viande et de poulet et en avait le goût. Il y avait la chambre, propre, avec les deux lits. Elles firent leur toilette puis s'allongèrent dans l'obscurité. La nuit avait une coloration pré-automnale. L'air, où flottait une légère odeur d'encens, leur apportait l'écho assourdi d'une psalmodie. « Les moines sont en train de prier », dit Meiling. Ils évitaient leur présence parce qu'elles étaient des femmes. Seul l'acolyte au crâne rasé qui avait été désigné pour les servir pouvait les approcher. Mais il gardait les yeux baissés et évitait de les regarder.

« J'ai souvent eu envie de rester ici, d'oublier tout et de rester, dit

Meiling. Malheureusement, c'est impossible. » Elle poussa un léger soupir et s'endormit d'un seul coup. Stéphanie se sentit aussi envahie d'une langueur délicieuse. Ses membres étaient détendus, son esprit apaisé. Yong était en prison mais ici, dans ce temple bouddhique, la vie avait une texture d'immortalité. Même la prison semblait drapée dans les plis du manteau de Bouddha le Miséricordieux, pour qui toute souffrance était un chemin vers la béatitude.

Le lever du soleil fut splendide. Elles prirent leur petit déjeuner, du gruau de riz, des petits pains chauds et du thé. Stéphanie comprit que le café allait beaucoup lui manquer au cours de cette expédition. Elle avait oublié d'emporter une boîte de café soluble, que seuls les étrangers pouvaient se procurer à Chungking.

« Meiling, vous ne m'avez pas dit grand-chose. Où vais-je exactement ?

— Dans une zone libérée. Des villages qui sont sur la frontière entre Yenan et Chungking.

— Ça a l'air tout à fait fascinant, dit Stéphanie. Nous pensons toujours en termes d'absolu et vous, vous vivez côte à côte avec votre ennemi...

— Beaucoup plus que côte à côte. Nous sommes des ennemis intimes. Il n'y a pas d'ennemi absolu, Stéphanie. L'ami d'aujourd'hui peut-être l'adversaire de demain... »

— Meiling, je pensais... Pourrais-je envoyer un message, juste quelques mots, à Yong ? »

Meiling fronça légèrement les sourcils. « Les messages écrits sont toujours dangereux. Nous transmettons tout oralement.

— Pourquoi ?

— Stéphanie, le Kuomintang n'est pas stupide... Ils fouillent les corbeilles à papier, ouvrent tout le courrier à la vapeur... Nous ferons passer un message oral, c'est aussi bien. »

Stéphanie avait commencé l'apprentissage d'une sagesse qui allait au-delà des gestes conventionnels de la raison dans son propre pays.

La nuit précédente, Meiling lui avait dit : « A Chungking, vous êtes vulnérable. Yong s'inquiétera pour vous. Rappelez-vous, tout a commencé quand vous avez frappé un homme de la Police secrète. Ils pourraient essayer de se venger. Yong tient à vous... »

Meiling se fit soudain pratique.

« Je voudrais vous accompagner jusqu'au bout, Stéphanie, mais c'est impossible. Des gens sûrs s'occuperont de vous. Vous ne courrez aucun danger et ce sera une expérience passionnante. Inoubliable. Vous la raconterez dans vos articles. »

Elles descendirent le sentier pavé, le cœur léger dans la lumière du matin, et gagnèrent une route où attendait un petit groupe de gens avec leurs bagages. Il était composé d'hommes et de femmes mais il n'y avait pas d'enfants, ce qui était déjà étrange.

« Mon père a visé les vingt-sept permis dont vous aurez besoin, avait dit Meiling. Vous ne connaissez pas mon père. Tchiang Kaishek le déteste mais ne peut rien lui faire. Père sait comment se protéger. »

Au bout de quelques minutes, un autocar arriva, un vieux tacot tout de guingois ; la moitié de ses amortisseurs étaient morts, il penchait du côté droit, mais cahin-caha, il roulait.

Du car sortit une jeune fille qui serra la main de Meiling. « Stéphanie, voici Yuyu ; elle s'occupera de vous pendant tout votre voyage. » Yuyu avait avec elle une autre femme pour l'aider, Panpan. Panpan prit le sac de Stéphanie et le rangea au fond du car. Stéphanie monta et fit au revoir de la main à Meiling.

Le voyage en car dura dix jours au lieu de quatre comme l'avait annoncé Meiling. Stéphanie portait maintenant un pantalon et une veste chinois en coton bleu. Yuyu les lui avait donnés à la fin de la première journée. « Vous porter », avait-elle dit, laconique, car elle traduisait directement du chinois, qui ne possède ni temps, ni genre, ni singulier, ni pluriel.

Stéphanie apprit ce que c'était de voyager en Chine quand on était chinois.

Les routes, défoncées, n'étaient que nids de poule et poussière. Aucune n'était empierrée. On faisait des arrêts fréquents pour laisser refroidir le moteur. Dès le premier après-midi, une fuite se produisit et le moteur cala. Tout le monde attendit. Le soir arriva, dans une grande éclaboussure de rose et d'or, isolant le car et ses occupants, tandis que le chauffeur et ses deux aides tantôt donnaient de grands coups de clefs anglaises au moteur, tantôt allaient au ruisseau voisin chercher de l'eau dans un seau.

Les efforts pour réparer le moteur ayant échoué, tout le monde se prépara à passer la nuit dans le véhicule. Stéphanie aurait voulu demander « que se passe-t-il ? » mais s'abstint. Elle se rappela à temps que Yuyu était responsable d'elle qui, assise impassible à son côté, telle un petit Bouddha, ne jetait pas un regard ni au chauffeur ni à ses aides. Poser la question aurait révélé un esprit inquiet, récriminateur, un manque de confiance, de l'impolitesse.

La nuit s'installa dans une douceur violette. Alors arrivèrent des paysans porteurs de lanternes et les voyageurs se rendirent à un village. Mystérieusement, des villageois avaient été recrutés, des négociations conclues et des abris trouvés.

Stéphanie, Yuyu et Panpan partagèrent une pièce composée d'un simple toit posé sur trois murs de clayonnage et de boue, et meublée d'une couchette. On donna la couchette à Stéphanie et Yuyu et Panpan se serrèrent sur une natte à même le sol de terre. La couchette consistait en une planche posée sur quatre pieds et, en l'espace de dix minutes, les punaises étaient sorties du bois et festoyaient sur Stéphanie.

Pique. Pique. Elle sentait la brûlure et frappait. Mais il y en avait sans cesse de nouvelles. « Yuyu, dit-elle, il y a des bêtes. » Yuyu se leva, alluma la mèche dans la coupe de terre cuite. L'odeur âcre de l'allumette soufrée emplit l'air. Elle s'approcha du lit de Stéphanie ; la lumière révéla les marques sur ses bras et ses jambes.

« Seigneur, s'exclama-t-elle.

— Punaises, dit Yuyu, sur le ton de la constatation.

— Je sais que ce sont des punaises. Pour l'amour du ciel, faisons quelque chose pour les supprimer.

— Partout punaises », dit Yuyu, comme si la présence des punaises était un fait qu'il était inutile de critiquer.

« Je ne peux pas dormir avec ces horribles bestioles qui me courent sur tout le corps, dit Stéphanie. Ne pouvez-vous rien faire ? »

Yuyu et Panpan se regardèrent puis regardèrent la couchette. Un bataillon de punaises montait maintenant ouvertement à l'attaque en direction de Stéphanie. Panpan dit quelque chose puis sortit. Elle revint avec une boîte en métal.

« D.D.T. », dit Yuyu. Elles saupoudrèrent le lit et Stéphanie s'endormit, enveloppée de vapeurs de D.D.T. Le lendemain matin, elle remarqua que Panpan rangeait la boîte dans son paquetage.

Il allait en être chaque fois ainsi. Dans les auberges sordides où elles s'arrêtaient, le soir, Yuyu et Panpan aspergeaient la literie de Stéphanie d'eau bouillante et vaporisaient du D.D.T. sur les matelas. « Maintenant, peut-être dormir », disait Yuyu résignée à cohabiter avec quelqu'un qui attirait les punaises comme un paratonnerre la foudre.

En plus des nuits infestées de punaises, Stéphanie connut l'épreuve sans cesse renouvelée des latrines. Jamais se disait-elle, je n'avais pensé autant, et aussi souvent, jusqu'à l'obsession, aux fonctions excrétoires de mon corps. Jamais elles ne s'étaient exercées dans des conditions aussi épouvantables.

Les latrines consistaient en un trou, ou une rangée de trous, encadré de pierres glissantes d'urine et au-dessus desquels on s'accroupissait sans pouvoir se retenir au moindre support. Le trou aboutissait à l'égout collectif et Stéphanie contemplait avec une horreur fascinée la masse grouillante d'asticots dorés et argentés. Elle y gagna une sérieuse constipation et passa des heures, assise dans l'autocar poussif, avec un ventre ballonné et douloureux. Puis des accès de diarrhée remplacèrent la constipation et elle dut subir une honte supplémentaire, celle de devoir faire arrêter le car au bord de la route afin qu'elle pût se soulager dans les champs, où Yuyu et Panpan s'efforçaient de la dissimuler à la vue de tous ceux qui venaient la lorgner pour voir si c'était vrai que les étrangères avaient une queue de renard entre leurs cuisses.

Ainsi obnubilée par les fonctions élémentaires de son corps : le sommeil, l'alimentation, l'excrétion, elle passait de longues périodes de la journée plongée dans une demi-stupeur, temps perdu à jamais car son esprit se fermait complètement, mais réaction nécessaire pour supporter l'inconfort de ce voyage ; elle ne sortait de sa léthargie qu'à l'occasion de rares moments de grâce, quand le sang d'un coucher de soleil inondait l'horizon ou quand, à la grisaille de l'aube, succédait un grand flot de lumière qui plongeait le monde dans un bain rafraîchissant de vie toute neuve après cette mort temporaire qu'est le sommeil.

Il y avait les barrages de police. Presque chaque jour, parfois deux ou trois fois par jour, l'autocar butait sur des contrôles. Un officier en uniforme montait dans le véhicule, accompagné de trois soldats le fusil à la main. Yuyu et Panpan transportaient des lettres, des documents couverts de cachets impressionnants. L'officier dévisageait Stéphanie, discutait, examinait son passeport. Yuyu lui tendait une lettre marquée de trois cachets. L'officier allait alors prendre l'avis de quelqu'un pendant que tout l'autobus attendait. Aucun des autres voyageurs n'adressait la parole à Stéphanie mais, le troisième jour, une femme, qui venait d'acheter quelques pommes à un étal, lui en mit une dans la main.

« Mangez, mangez, bon à manger », dit-elle en souriant. Les voyageurs se renouvelaient ; presque chaque jour, certains descendaient et d'autres montaient. Ils se parlaient peu, juste quelques mots. Dans l'ensemble, ils semblaient s'ignorer les uns les autres.

Chacun transportait avec lui une cuvette émaillée pour sa toilette. Yuyu se démenait pour fournir assez d'eau chaude à Stéphanie, qui paraissait avoir besoin de grands lavages quotidiens. « Je vous donne bain quand nous arriver là-bas, dit Yuyu.

— Mais cela fait cinq jours que nous roulons, Yuyu. *Quand* arriverons-nous ?

— Peut-être demain.

— Mais on m'avait dit trois, quatre jours au plus.

— Demain », répéta Yuyu d'un ton péremptoire.

Les punaises étaient moins nombreuses à présent et Yuyu le remarqua.

« Sang étranger, goût différent, mais maintenant vous manger nourriture chinoise, votre odeur changer, dit-elle.

— Elles ne nous piquent pas », ajouta Panpan.

Et, en effet, leur peau lisse ne portait aucune marque.

Panpan portait les paquets, faisait les courses, apportait à Stéphanie la nourriture et l'eau et parlait chinois avec elle. « Vous apprenez vite. » Pendant que Yuyu essayait d'obtenir la meilleure chambre pour Stéphanie à l'auberge ou composait un menu pour ses intestins délicats, elle bavardait. « Nous vous aimons bien », lui dit-elle un jour en lui pressant la main. « Moi, votre petite sœur, j'apprends beaucoup de choses de vous. Vous avez grosse vésicule biliaire. » Ce qui voulait dire du courage, la vésicule en étant le siège. Stéphanie fut touchée par le compliment.

Partout, tout le temps, des gens. La présence constante des yeux, des visages, des corps, de la bousculade, du bruit, des odeurs. Des gens qui vous dévisageaient, se pressaient, s'entassaient, se poussaient. Et l'odeur des excréments, tout le temps aussi, qui imprégnait chaque chose. Et ces femmes enceintes, avec leur gros ventre !

Le sixième jour, tout alla de travers ; le car était tombé en panne, heureusement non loin d'une petite ville. L'auberge était plus sordide que jamais et le cabinet un bourbier où fouillaient des cochons noirs. Stéphanie, prise de nausée, avait vomi. Yuyu, impassible, avait dit : « Vous attendre. » Et bientôt une espèce de sorcière portant une grande jarre entra dans la pièce. Elle était presque entièrement chauve à part quelques cheveux qui retenaient un chignon postiche sur la nuque. Elle posa la jarre au milieu de la pièce et fit signe à Stéphanie d'enlever son pantalon. Stéphanie se soulagea donc dans le récipient, qui était vide et propre, bien que l'odeur y restât attachée. Mais en levant soudain les yeux, elle vit que le papier de la fenêtre était perforé de multiples petits trous et que chaque trou était occupé par un œil. C'en était trop. Elle se mit à crier.

« Espèces d'enfants de putains, salauds », hurla-t-elle tout en remontant son pantalon à la hâte.

Yuyu revint et demanda : « Quoi vous dire ? »

Des larmes de rage coulaient sur les joues de Stéphanie tandis qu'elle montrait la fenêtre du doigt. « Ces salauds, merde, je voudrais leur casser la gueule.

— Vous fatiguée, vaut mieux reposer », dit Yuyu. Le mot *repos* était la solution de repli de Yuyu pour chaque situation. « Nous, reposer », disait-elle quand l'autocar tombait en panne.

« Désolée, Yuyu, j'ai perdu mon sang-froid. Vous vous occupez de moi, vous veillez sur moi. Je suis désolée d'avoir perdu mon sang-froid.

— Vous, sang chaud, dit Yuyu. Tous les étrangers grande colère. Toujours en colère. Inutile. Vous perdre sang-froid bien. » Et Stéphanie comprit que Yuyu ne connaissait pas le sens du mot perdre.

La colère. Le *ch'i,* c'est-à-dire l'essence, la respiration de la peau, ainsi nommaît-on la colère en chinois. Stéphanie s'allongea et soudain la scène lui apparut comme une farce grotesque.

Elle se mit à rire, à rire d'elle-même. *Oh Yong, Yong, je voudrais que tu sois ici avec moi... Yong toujours patient, toujours serein.*

Il lui manquait, terriblement. Yong, je commence à connaître *ton pays, à comprendre combien il y a de choses à changer. Je sais mieux ce que tu éprouves. Je sais que je t'aime...*

Son cœur se serra. Il était en prison... Serait-il sorti quand elle reviendrait ? Meiling semblait le croire.

Le huitième soir, ils firent halte dans une autre petite ville ; il avait plu, une violente averse. La rue de terre battue était un bourbier dans lequel l'autocar avança en dérapant avant de s'arrêter devant une auberge. La chambre était plus propre que d'habitude et les draps d'une blancheur étonnante. Elle se trouvait au premier étage, il n'y avait donc pas d'yeux inquisiteurs. Panpan et Yuyu partagèrent un des deux lits, et Stéphanie s'allongea sur l'autre. « Nous dormir bien ce soir », déclara Panpan.

Les gémissements s'élevèrent. Ils venaient de la chambre voisine, séparée par une mince cloison de plâtre. Ils alternaient avec de petits cris. Ailleurs se déroulait une partie de mah-jong, dans le fracas des jetons et les exclamations de triomphe ou de déception. Au bout d'une demi-heure, Stéphanie dit à voix basse :

« Yuyu.

— Oui. » Yuyu s'éveillait dès que quelqu'un prononçait son nom.

« Il y a quelqu'un qui souffre dans la pièce voisine.

— Nous ne connaissons pas cette personne, vous reposez, dit Yuyu sans bouger.

— Mais cela m'inquiète. »

Panpan se leva et se rendit dans la pièce à côté. Il y eut des chuchotements. Des voix protestèrent. Au bout de quelques minutes, Panpan revint.

« Une femme avoir bébé. Vous reposer. »

Les gémissements étaient étouffés maintenant ; comme s'ils traversaient une épaisse serviette. Et Stéphanie comprit alors : Panpan avait dû expliquer à la femme qu'il y avait une étrangère à côté, que ses gémissements dérangeaient. Pendant ce temps, le jeu de mah-jong avait atteint un crescendo de passion ; une dispute violente éclata et tomba aussi vite ; quelqu'un se mit à chanter un air d'opéra chinois d'une voix aigre.

Les gémissements et les cris étouffés reprirent, puis des voix, puis des pleurs. Stéphanie s'endormit et rêva de sa mère, qui tenait ouvert un grand sac noir et lui disait : « Tu dois entrer dans ce sac, Stéphanie. » Dans le sac, souriante, la mère de Petit Etang était accroupie, une serviette enroulée autour de la tête.

« Maintenant, nous partons. » Yuyu lui secouait l'épaule.

Stéphanie avait fini par s'endormir.

« Est-ce que la femme a eu son bébé ? demanda Stéphanie.

— Ne pas savoir », répondit Yuyu.

Panpan, toujours soumise aux caprices d'étrangère de Stéphanie, dont l'un était une curiosité tout à fait gratuite, quitta un moment la pièce. « Bébé mort », annonça-t-elle en revenant.

L'aube enveloppait encore la petite ville d'une légère brume bleutée et estompait le paysage. L'autobus démarra. Ils grimpaient maintenant une route de montagne sinueuse, parmi un enchevêtrement de petites collines usées par les millénaires, avec, ici et là, une pagode, telle une tour de garde, et les toits de chaume des villages étalés dans les vallées. Mais eux aussi avaient changé d'aspect ; leurs murs étaient faits d'argile ocre. Les champs n'étaient plus aussi verts et les bosquets de bambous se raréfiaient. Des arêtes de calcaire marbré striaient les pentes des promontoires arrondis qui gardaient les vallées le long desquelles l'autocar roulait maintenant. L'état de la route s'était soudain amélioré.

Le lendemain, ils franchirent les crêtes usées et débouchèrent dans une immense plaine — une étendue floue d'ocre pâle, sèche et presque sans arbres. Les hauts champs de seigle se serraient autour des rares villages, dont les maisons aux murs d'argile jaune et aux toits de chaume, se distinguaient à peine de la terre sur laquelle elles s'élevaient. L'air était sec, le ciel bleu et très haut, moucheté de nuages floconneux. C'était le nord dans toute la splendeur de son unique belle saison, l'automne. L'automne était suspendu sur la plaine, avec une odeur légère de fumée et le rougeoiement des feuilles sur les arbres.

Les compagnons de voyage de Stéphanie se détendirent. Deux femmes d'âge mûr, qui étaient restées assises à côté d'elle sans prononcer un mot depuis trois jours, se mirent à lui parler en anglais. Elles ressemblaient toutes deux à Mlle Soo, avec cette même réserve paisible, ces cheveux bien coiffés, ce visage lisse où chaque trait semblait tracé avec la plus grande économie de moyens.

« Nous approchons de notre destination ; s'y trouvent la démocratie et l'amitié », dit l'une dans un anglais cérémonieux mais sans faute.

« Ce fut un plaisir pour nous de vous avoir eue comme compagne de voyage, mademoiselle Ryder, dit l'autre.

— Nous savons tous que l'Amérique est un pays véritablement démocratique.

— C'est un souvenir que nous chérirons toute notre vie », reprirent-elles en chœur.

Stéphanie, étourdie de fatigue, hébétée d'épuisement, leur adressa un sourire frémissant et dit : « Merci ». Elles ne se présentèrent pas et quittèrent l'autocar peu après. Il devait s'écouler des années avant que Stéphanie les revît.

Par un soir de pâle améthyste qui n'en finissait pas de tomber, l'autobus s'arrêta et Yuyu dit : « Arrivées. » Un garçon de treize ou quatorze ans, vêtu d'un pantalon noir et d'une courte veste noire, les attendait. Il portait aux pieds une paire de chaussons en coton cousus à la main, au rebord de semelle très blanc, ce qui indiquait qu'ils étaient neufs. Quand l'autocar s'éloigna, Stéphanie fit au revoir de la main aux autres voyageurs, qui lui rendirent son salut.

Suivant le garçon à la file indienne, les trois femmes s'éloignèrent dans l'obscurité grandissante le long d'un sentier d'un blanc crémeux, bordé de hautes tiges de seigle. Moins d'une demi-heure plus tard, ils arrivèrent à un village. Aucune lumière n'était visible. Aucun bruit sinon celui de leurs pieds froissant les tiges sèches sur le sol.

Le garçon frappa quelques coups légers à une porte, puis dit quelques mots. Elle s'ouvrit. Quand ils furent entrés, Stéphanie entendit le bruit de la porte qui se refermait et le grattement feutré d'une allumette. Une femme en uniforme gris de soldat, une casquette militaire sur la tête, en guêtres et espadrilles de paille, approcha l'allumette d'une petite lampe. La pièce, nette, contenait une table et quatre chaises alignées le long d'un mur. Le sol était fait de brique damée. Une longue table étroite, appuyée à un autre mur, supportait une vitrine contenant une rangée de tablettes en bois. L'autel des ancêtres, les tablettes des âmes des ancêtres. Plus loin se devinait une autre pièce, fermée par un morceau d'étoffe bleue. La femme-soldat fit signe à Stéphanie d'y entrer. Panpan suivit avec une lampe et le sac de Stéphanie. Une plate-forme de brique et d'argile occupait la moitié de la pièce ; c'était le *kang*, le lit-poêle de la Chine du Nord. L'intérieur creux de la plate-forme formait une sorte de four. Pendant les rudes hivers, on y allumait un petit feu pour chauffer le kang.

« Cette pièce pour vous, dit Yuyu. Etait maison du propriétaire, propriétaire enfui. Voudriez-vous bain ?

— Un bain ? Ce serait merveilleux, Yuyu. »

Tout était propre, net. La couverture ouatée était immaculée.

« Yuyu, je n'ai pas entendu de chiens aboyer dans ce village. »

A chaque halte le long de la route, il y avait eu des chiens, de redoutables bâtards, galeux, squelettiques, qui hurlaient après les visiteurs, hurlaient à la nuit.

« Nous tuer tous les chiens, dit Yuyu.

— Pourquoi ?

— Chiens mauvais. Font bruit quand combattants arrivent. Nous tuer tous les chiens. Chiens du propriétaire, chiens qui rampent, chiens des Japonais... » Yuyu éclata soudain d'un rire gai ; son visage d'habitude flegmatique, s'éclaira de joie tandis qu'elle poursuivait. « Tuer les chiens, les punaises, les traîtres, les Japonais. »

La femme-soldat déplia l'édredon et le fit gonfler avec de petites tapes.

« Voici la camarade Heng. Elle tuer diables japonais, très bon », dit

Yuyu, en désignant la femme de la tête. « Elle bon combattant. Elle s'occupe de vous comme sœur. »

Stéphanie s'éveilla : ô merveille, ô bonheur. Elle était propre, propre. Une propreté extraordinaire, qui la comblait d'un sentiment de bien-être, de jouissance presque indécent. La veille et pour la première fois en neuf jours, on lui avait présenté la nourriture sur une table propre. Pas de mouches. Elle avait eu du pain complet à la saveur de noisette, deux œufs à la coque et du chou. Délicieux. La camarade Heng l'avait servie. Elle était adroite et calme malgré le long pistolet à poignée de bois qui pendait à sa ceinture. Elle avait souri en entendant Stéphanie dire :

« La nourriture est délicieuse. Merci camarade Heng.

— Nous sommes toutes sœurs. » Elle avait une voix grave de contralto.

Quand Stéphanie eut fini de manger, Heng, Yuyu et Panpan avaient apporté un grand baquet de bois et s'étaient relayées pour y verser des casseroles d'eau bouillante. Stéphanie avait alors pris son premier bain en neuf jours et découvert le ravissement de sentir son propre corps, sa chair et ses os sous le satin de sa peau. Elle s'était lavé les cheveux et Heng, debout à côté du baquet, avait continué à verser de l'eau sans se lasser puis lui avait massé les muscles du cou, et ceux de la nuque entre les omoplates. Et Stéphanie s'était abandonnée aux mains puissantes et douces de Heng. Ce massage, divin...

Le soleil entrait à flots par le papier de la fenêtre au-dessus du kang. Pelotonnée dans la couverture ouatée, elle avait dormi, d'un profond et merveilleux sommeil, sans rêves. En se levant, elle vit, posés sur une chaise, disposés à son intention, une veste matelassée et un pantalon bleu, qui avaient la raideur exemplaire du coton neuf. Et des chaussures de tissu aux semelles blanches. Tant de soins et d'attentions, et tant de *frais,* dans un pays où l'eau pure était si rare, où une veste neuve était un sujet de conversation pendant au moins un an à l'avance... Elle sortit de la maison, à la recherche des latrines et, dans la rue inondée de soleil, trouva Heng qui l'attendait. Sœur Heng lui sourit, révélant des dents magnifiques. Elle lui montra l'appentis au toit en chaume. Le trou avait été creusé de frais : deux briques, sèches et propres, pour ses pieds de chaque côté — personne ne l'avait encore utilisé. A l'abri des regards indiscrets. De la poche de sa veste, sœur Heng sortit le papier jaune habituel. (Ce papier jaune, au grain grossier, qu'on trouvait absolument partout. On le fabriquait avec de la paille qu'on faisait macérer et bouillir avant de la broyer et de l'étirer en rouleaux de feuilles qu'on accrochait aux murs des maisons pour qu'il sèche.) Heng en offrit quelques feuilles à Stéphanie qui accepta le don en se disant qu'elle se trouvait enfin dans un monde amical, dépouillé de son hostilité.

Un monde amical. Une autre Chine. Un village propre. Personne n'épiait. Il y avait des femmes habillées de bleu, des garçons et des filles, qui allaient et venaient, qui balayaient, qui portaient des choux et du riz dans des paniers accrochés à des palanches. Ils marchaient d'un pas vif et ne dévisageaient pas Stéphanie.

C'est un village libéré. Meiling me l'a dit. Qui n'est plus soumis au Kuomintang. Gouverné par Yenan. Yong, c'est à ça que tu travailles... Elle eut mal qu'il ne fût pas à ses côtés pour partager sa joie devant cette découverte.

De retour dans la maison, elle trouva une cuvette pleine d'eau chaude pour la toilette de ses mains et de son visage. Sur la table, dans la pièce principale, l'attendaient un grand bol de gruau de millet chaud, quelques petits pains blancs cuits à la vapeur, et une assiette de chou mariné. Yuyu apparut alors, frémissante d'énergie toute neuve.

« S'il vous plaît, manger petit déjeuner, gens vous attendent, dit-elle.

— Pourquoi moi ? » demanda Stéphanie, la bouche pleine de gruau.

« Réunion de bienvenue », répondit Yuyu dans son style concis, et elle s'assit sur un banc pour regarder manger Stéphanie. Elle portait maintenant un pantalon et une vareuse militaires gris et des espadrilles de paille, comme Sœur Heng.

Elles descendirent ensemble la rue du village. Elle était déserte ; seul le soleil répandait sa bénédiction sur les maisons tapies contre le sol et les bataillons de seigle violet. Elles arrivèrent à l'aire du village, dont la terre, piétinée par des générations de pieds, avait acquis la dureté de la pierre ; elles traversèrent ensuite un petit pont de pierre bossu qui enjambait le lit desséché d'un ruisseau, et gagnèrent un groupe de vieux arbres, qui abritaient le toit incurvé d'un modeste temple de briques.

« Temple du village, maintenant école, dit Yuyu.

— Quel est le nom de ce village, Yuyu ?

— Fourche de la Rivière. Il y avait grande rivière ici, maintenant sèche.

— Mais il y a de l'eau ?

— Oui, eau dans puits. »

Devant le petit temple, regroupée comme les tablettes des ancêtres en une hiérarchie selon l'âge, était rangée la population du village : au premier rang, une vingtaine d'enfants, de cinq à quatorze ans ; derrière eux, une trentaine de femmes, certaines en tenue de soldat comme Sœur Heng, d'autres vêtues de vestes et de pantalons d'un bleu fané ; et au dernier rang, quelques vieillards, la tête drapée de serviettes blanches. Deux d'entre eux avaient de fines barbiches blanches. Tous agitaient de petits drapeaux bleus, blancs et rouges et criaient à l'unisson : « Bienvenue, bienvenue, amie américaine. »

Et, derrière la population au garde-à-vous, nonchalamment appuyés contre les piliers noirs du parvis de pierre, se tenaient deux hommes en treillis verts. Des Américains.

« Non, dit Stéphanie, incrédule, oh, non.

— Oh, si », dit l'un d'eux comme ils venaient au-devant d'elle, l'un très grand et l'autre petit mais tous les deux souriants. « Salut, bienvenue au village de la Fourche de la Rivière. » Ils l'embrassèrent. « Quel accueil, quelle merveilleuse réception, dit-elle.

— On nous avait dit que vous deviez arriver tard hier soir. Mais les gens voulaient vous offrir une belle réception alors nous avons dû attendre ce matin que vous soyez réveillée. Je m'appelle Bill Haynes et voici Dick Steiner.

— Stéphanie Ryder, dit Stéphanie.

— Attention, s'il vous plaît », cria Yuyu en frappant dans ses mains pour les interrompre. Dociles, les Américains se tinrent immobiles tandis que les enfants entonnaient, avec des voix criardes, *For he's a jolly good fellow*[1]...

« C'est moi qui le leur ai appris. J'ai enseigné aux gosses plein de trucs depuis trois semaines que nous sommes ici », dit Bill Haynes avec fierté.

Sœur Heng s'avança alors d'un pas décidé et fit un discours en chinois que tout le monde applaudit. Puis les enfants se dispersèrent en poussant des exclamations ravies ; les femmes retournèrent à leurs maisons d'un pas décidé, laissant seulement les vieillards qui s'installèrent sur les deux bancs de pierre devant le temple ou restèrent debout au soleil à tirer sur de petites pipes droites au bout en écume et à observer les trois Américains.

Bill Haynes était grand, avec des yeux bleus dans un visage tout en menton et pomme d'Adam. Il faisait tinter des pièces de monnaie dans ses poches, ses pieds battaient la mesure et il chantonnait, souriait, se balançait sur ses pieds, toujours en mouvement, tout en tirant sur sa casquette. Dick Steiner était juif, mat de peau et volubile. Tous deux étaient des aviateurs rescapés d'une des bases américaines de l'est de la Chine.

« Nous savions que les Japonais fonçaient sur nous, expliqua Bill Haynes à Stéphanie. Notre radio parlait sans cesse de l'avance de colonnes japonaises. Mais le commandant du Kuomintang nous a dit que nous ne risquions rien. C'était un gros type jovial et nous l'avons cru. Puis, un jour, il a rassemblé ses hommes et ils sont partis au pas cadencé. Nous avons reçu l'ordre d'attaquer l'ennemi, nous a-t-il

1. Chanson d'accueil. (*N.d.T.*)

expliqué. Vous ne risquez rien. Demain d'autres troupes viendront s'occuper de vous. Il nous a serré la main. Nous étions environ quarante Américains dans la base et, cette nuit-là, les avions japonais ont attaqué ; ils nous ont pilonnés, mitraillés, ils ont fait sauter les réservoirs d'essence — on se serait presque cru à Pearl Harbor.

— Bill et moi avons eu de la chance, dit Dick Steiner. Nous sommes sortis en courant et nous avons réussi à rejoindre un avion dont les réservoirs étaient pleins. Ne me demandez pas comment nous avons fait mais nous avons décollé. Notre radio était complètement brouillée, impossible de recevoir le moindre message. Nous espérions que d'autres avions avaient pu s'échapper. Nous avons foncé droit devant nous et ils ne nous ont pas pris en chasse... peut-être étaient-ils trop occupés à pilonner les avions au sol. Quel gâchis ! »

Puis ils étaient tombés à court de carburant.

« Nous avons sauté en parachute et nous sommes restés cachés dans les champs toute la journée. Mais par ici, les villages sont proches les uns des autres, il n'y a pas beaucoup de terres incultes et on est tout le temps à découvert. En plus, les villageois nous cherchaient, ils ratissaient les champs, appelaient, balançaient leurs lanternes. Nous avons d'abord pensé qu'ils étaient pro-japonais mais ils criaient : “ *Meikuo pongyou, meikuo pongyou* ” ami américain, ami américain, et nous avons décidé de leur faire confiance. De toute façon, nous ne pouvions pas nous cacher éternellement, nous n'avions rien mangé ni bu depuis deux jours ; alors Bill leur a crié : “ Venez nous chercher. ”

— Ils ont été magnifiques, enchaîna Bill, le jour ils nous nourrissaient et nous cachaient quand il y avait des patrouilles du Kuomintang. La nuit, ils nous faisaient déplacer d'un village à un autre. Ils nous ont même conservé nos uniformes. Nous les portons aujourd'hui en votre honneur. A mon avis, ils veulent nous envoyer à Yenan. Ils disent qu'il y a beaucoup d'aviateurs américains rescapés là-bas. Et puis hier soir, la fille qui parle anglais nous a dit qu'une journaliste américaine allait arriver. Nous avons été drôlement contents.

— Ils veulent que vous fassiez un article sur nous, je suppose, dit Dick Steiner en souriant. C'est peut-être la raison pour laquelle ils vous ont amenée ici...

— Peut-être, dit Stéphanie. Oui, bien sûr. Ça devait être ça, le plan des mystérieux *Nous*.

— C'est une histoire superbe et je la raconterai dans un article », dit-elle.

Ils étaient assis tous les trois dans la douce chaleur du soleil et personne ne les dérangeait. Même les veillards étaient partis, à l'exception d'un seul qui, de temps en temps, poussait une petite incursion dans leur direction puis retournait en clopinant à son perchoir, comme un moineau curieux mais prudent.

Bill Haynes avait remarqué des tas de choses dans le village libéré. « Il n'y a pas de viande ici, aucun bétail sur pied, juste des poules pour les œufs. » Il n'y avait pas de thé non plus, ni de café, ni de sucre. Bill s'était enflammé du désir typiquement américain d'améliorer toutes choses. « Ils pourraient augmenter leur rendement, planter du maïs. » Il était né à la campagne, son père possédait mille hectares de terre. « Ce sont de sacrés bons fermiers, ils ont seulement besoin de meilleures semences et de machines. Mais que leurs champs sont donc minuscules ! »

Il était allé dans les champs, avait pris un peu de terre dans sa main et l'avait sentie, tâtée, réfléchissant à des moyens d'enrichir le sol. Il s'était rendu jusqu'à la petite rivière qui coulait sept cents mètres plus loin et, par des gestes, avait lancé parmi les villageois l'idée d'un canal pour amener l'eau à Fourche de la Rivière, qui ne possédait plus que le lit sec et encombré de pierres d'un ruisseau disparu.

« Ce qui me tracasse, dit Dick, c'est qu'il n'y a pas d'hommes ici. » Aucun homme au-dessus de quinze ans et en dessous de cinquante. Seulement les quelques vieillards qui se chauffaient au soleil et n'accomplissaient aucun travail sauf la surveillance des enfants. « Le gamin le plus jeune a quatre ans. Et il n'y a qu'une seule femme enceinte dans tout le lot.

— Je pense que c'est un village de maquisards, dit Bill. Les femmes font tout — elles plantent, elles récoltent ; elles s'entraînent aussi, elles constituent la milice du village. Leurs hommes se battent contre les Japonais, je suppose… »

Stéphanie était heureuse. Elle avait eu raison de faire confiance. A Meiling. A Yong.

Yong. Ces villageois étaient des gens selon son cœur. Des hommes et des femmes fiers d'eux-mêmes, qui avaient retrouvé leur dignité. *Oh Yong, je comprends maintenant ta ferveur. Tu veux construire un monde meilleur pour ton peuple. Et peut-être ici, suis-je en train d'en voir le début…*

Les miliciennes de Fourche de la Rivière s'entraînaient tous les matins sur l'aire au son strident d'un sifflet. Elles se courbaient, s'étiraient, faisaient des moulinets avec leurs bras. Elles piétinaient le sol, couraient, criaient : un, deux, trois, quatre. Elles faisaient glisser leur fusil dans leur main puis le replaçaient sur leur épaule.

A la fin de l'exercice, ce matin-là, Sœur Heng fit un discours en consultant un bout de papier. Puis, ôtant leur casquette de leurs cheveux coupés court, les miliciennes chantèrent *L'Internationale.*Elles s'assirent ensuite à des bancs d'écoliers dans la grande salle du temple, chacune avec son crayon et un petit carnet. D'autres allèrent monter la garde autour du village.

Dudu, la seule femme enceinte de la communauté, était dispensée d'exercice. Elle était assise à son banc, son ventre, couvert d'une camisole de coton blanc, débordant de sa veste de soldat. Quand la classe fut finie, elle ne se joignit pas aux autres mais se dirigea vers Bill qui se promenait avec Stéphanie. Dudu avait un visage rond et luisant, ses joues étaient d'un rouge vif et un sourire étirait sa bouche. Bill l'entoura de son bras.

« Stéphanie, je vous présente ma grande amie Dudu.

— Bienvenue, dit Dudu.

— C'est moi qui le lui ai appris », dit Bill. Il fit quelques pas en sa compagnie, lui parlant anglais et elle chinois et aucun ne comprenait ce que disait l'autre, mais ils s'arrêtaient de temps en temps pour rire ensemble. Dudu riait parce qu'elle était le fier réceptacle d'une future vie, ce qui l'entourait d'une telle aura qu'elle pouvait poser sa main sur l'épaule d'un homme, même d'un étranger comme Bill, sans que personne s'en offusquât.

« Nous n'étions pas brillants quand nous sommes arrivés ici... nous avions l'inévitable dysenterie et nous étions tous les deux couverts de vermine, dit Bill ; c'est Dudu qui s'est occupée de nous. Elle nous a rasé le crâne et le menton, a lavé nos vêtements... elle est experte à manier le rasoir. » L'air soucieux, il montra le ventre de Dudu.

« Tout est O.K. ? » demanda-t-il.

Dudu leva le pouce pour faire le geste universel.

« O.K., dit-elle.

— Je lui ai aussi appris ça », dit Bill. Elle s'éloigna, en se dandinant un peu.

« Le bébé va naître d'un jour à l'autre. »

Après la sieste traditionnelle — toute la Chine des villages dort après le repas de midi — Bill emmena Stéphanie à la meule à grains du village — deux grosses pierres rondes posées l'une au-dessus de l'autre, équipées d'un bras avec un harnais pour une mule. Mais il n'y avait pas de mule et Bill s'était proposé pour la remplacer et faire tourner la meule, tandis que Sœur Heng et Dudu l'alimentaient en grains.

Les femmes, assises sur le pas de leur porte, cousaient des chaussures de tissu. Leurs longues aiguilles traversaient sans relâche les multiples épaisseurs de coton blanc qui formaient les semelles. Mille points par semelle. « Ces chaussures sont destinées aux maquisards, dit Dick Steiner. Dans chaque village que nous avons traversé, les femmes en fabriquaient. »

Quand les sacs de grains furent vides, Bill ôta son harnais et redevint le grand Américain dégingandé et timide de l'Iowa. « Ça m'a plu de faire ça », dit-il. Ils revinrent en flânant au village. Les garçons aiguisaient des faux au long manche de bois.

« Demain, nous moissonnons », dit-il. Plissant les yeux, il contempla les champs. « Il va falloir se dépêcher de rentrer la récolte avant que le froid arrive. »

La nuit tomba, mais bien qu'ils eussent sommeil, ils n'avaient pas envie de se séparer. Ils parlèrent du pays, là-bas, et de ce village.

« Savez-vous *quand* ils ont l'intention de vous envoyer à Yenan ? demanda Stéphanie.

— Ils ne nous disent rien tant qu'ils n'ont pas arrangé tout comme ils le souhaitent, dit Bill.

— C'est ça qui m'agace. Je n'aime pas être manipulé et ne rien savoir », grogna Bill.

Moi aussi j'ai cette impression, parfois... d'être quelque peu manipulée, pensa Stéphanie. Mais ils *doivent* organiser les choses pour nous. Ils sont responsables de nous. Elle s'allongea et s'enroula dans son édredon. Quel délice d'être ainsi étendue. Et de penser à Yong. Yong. Etait-il encore en prison ? Je veux le revoir. J'ai soif de sa présence. Maintenant que je commence à connaître son univers... sa Chine.

Demain elle le dirait fermement à Yuyu : Je veux rentrer à Chungking maintenant — ç'a été un voyage merveilleux, unique — j'ai assez de matière pour six grands articles et je veux rentrer. Alors elle sentit le désir envahir tout son corps. Elle avait envie de lui, oui... elle avait envie que Yong lui fasse l'amour.

Le lendemain matin, la moisson commença. Sœur Heng souffla à petits coups secs dans le sifflet accroché à sa ceinture. Les miliciennes s'alignèrent comme pour une parade, une au début de chaque sillon, faux en main. Sœur Heng siffla à nouveau et elles entreprirent de faucher les tiges. Elles se balançaient toutes au même rythme.

Un vieil homme au visage si ridé qu'il ressemblait aux griffonnages d'un enfant, s'approcha avec deux faux et les tendit à Bill et à Dick.

Bill devient un autre homme, héritier de cinq millénaires d'agriculture. D'un geste économe, il coupait net et droit, couchait les gerbes sur sa gauche, en balançant la faux d'un mouvement équilibré et régulier. Il insufflait un rythme inconnu au champ, une pulsation nouvelle, hommage à la munificence du soleil, à la vie, à la croissance de la vie.

Dick vint rejoindre Stéphanie. Devant la futilité de ses efforts, comparés à ceux de Bill, il renonçait.

« Avez-vous pensé quelle histoire superbe ça ferait... Bill fauchant le seigle dans un village chinois ? »

Stéphanie dit : « Je vais prendre une photo », et elle courut au village chercher son appareil. Elle le dirigea vers le champ et, tout à coup, toutes les femmes se sauvèrent en poussant de petits cris de frayeur et en se couvrant le visage. Sœur Heng s'approcha de Stéphanie et agita les mains devant son visage avec violence.

« Ils ne veulent pas qu'on les photographie », dit Dick.

Pendant le trajet, Yuyu n'avait jamais permis à Stéphanie de se servir de son appareil. « Gens ici pas bons », avait-elle dit. Mais Stéphanie devinait maintenant qu'il s'agissait surtout de superstition — tout comme les « gens simples » de Pennsylvanie qui détestaient avoir leur image fixée sur la pellicule. Elle prit donc une photo de Bill et de Dick debout au milieu du seigle et pour dissiper la gêne et la peur suscitées parmi les femmes par la vue de l'appareil, ils firent les clowns. Dick s'orna de tiges coupées pour imiter la coiffure des Indiens. Ils photographièrent Stéphanie une faucille à la main. Les femmes restaient sur le côté le plus éloigné du champ et les observaient.

Mais Yuyu arriva bientôt d'un pas raide, l'air vertueux d'une maîtresse d'école. « Heure votre nourriture, dit-elle d'un ton pincé.

— Déjà ? Il n'est pas encore dix heures, dit Stéphanie en consultant sa montre.

— Heure manger », répéta Yuyu. C'était un ordre.

« Je n'ai pas vu Dudu de la matinée, dit Bill pour masquer la gêne.

— Avoir bébé, dit Yuyu.

— C'est son premier... est-ce qu'il y a un docteur auprès d'elle ? » demanda Bill.

Yuyu se retourna vers lui : « Pourquoi vous demander ?

— Parce que je m'inquiète, voilà tout. Il se trouve que j'ai beaucoup d'amitié pour Dudu et j'espère qu'il y a un docteur, au cas où...

— Camarade Dudu bonne camarade, forte », interrompit Yuyu. Puis elle s'adressa à Stéphanie d'un ton sévère : « Devez pas prendre photos de gens. Je vous donne deuxième avertissement.

— Oh zut, dit Stéphanie agacée. Quel mal y a-t-il à photographier des gens en train de moissonner ? »

Yuyu ne répondit pas ; elle arborait maintenant son air habituel de vertueuse patience ; ils la suivirent tous les trois jusqu'à la maison où les attendaient des bols et des baguettes. Du riz, du chou, du millet. Stéphanie était furieuse. *Yuyu doit cesser de me commander ainsi.*

Bill semblait mouché. Une de ses grandes mains pendait entre ses genoux, l'autre faisait tinter des pièces de monnaie dans sa poche (des sous américains, dit Dick). Bill était heureux parmi les choses de la terre, il éprouvait autant de joie à marcher dans les champs chinois que quand il travaillait la terre de son Iowa natal.

« J'aimerais vraiment revenir ici et m'occuper avec ces gens quand cette foutue guerre sera finie », disait-il. Pour le moment il arpentait la pièce avec agitation, parce que Dudu était en train d'accoucher.

« Arrête, Bill, ce n'est pas toi le père, lança Dick.

— Cette Yuyu, elle ferait un sacré bon gardien à Sing-Sing, dit Bill.

— Ses intentions sont bonnes mais son anglais est plutôt limité », expliqua Dick.

La sieste. Et Yong. Le soleil commença à se dissoudre dans le ciel safran et violet et Stéphanie fondit aussi, dans un rêve où les mains si douces de Yong la caressaient, où son corps compact et mince la possédait, comme il avait déjà possédé son âme.

Le froid descendit soudain sur la plaine iridescente. Stéphanie enfila la veste doublée de fourrure qu'elle avait apportée. Bill et Dick, qui étaient retournés aux champs, revinrent. Bill s'enquit à nouveau de l'état de Dudu auprès de Sœur Heng et s'entendit répondre « Bébé vient ». Ils étaient assis, attendant le repas du soir quand il y eut soudain comme un bruit de pétards. Stéphanie dit : « Serait-ce une autre célébration... ».

Mais Dick avait bondi : « Des mitrailleuses. » Un crépitement obstiné comme celui d'un téléscripteur et une clameur assourdie telle la lointaine rumeur de la mer. « Nous sommes attaqués... »

Ils se précipitèrent dehors et virent Yuyu qui arrivait en courant.

« Venir. » Elle saisit avec force la main de Stéphanie. « Ennemi. Vite.

— Attendez une seconde. Et Dudu ? » demanda Bill en lui courant après.

Yuyu tira Stéphanie. « Dois vous sauver. » Dick et Bill les suivirent ; on entendait maintenant des coups de feu successifs et des cris. Yuyu et Stéphanie atteignirent le puits du village — avec son treuil, sa corde, son seau et sa margelle de pierre ronde. Le niveau de l'eau se trouvait à trois mètres. « Entrez », dit Yuyu en sautant dans le puits. L'eau lui arrivait à la taille. « Sautez », dit-elle.

Stéphanie se retourna et vit que seul Dick se tenait à ses côtés.

« Vous feriez mieux de sauter, Stéphanie », dit-il.

Elle enjamba la margelle. Le remous de l'eau quand elle toucha le fond la fit chanceler. Dick se pencha pour la regarder, agita la main et disparut.

« Dick, Dick », cria Stéphanie mais la main de Yuyu se plaqua contre sa bouche.

« Suivre moi. » Yuyu s'accroupit sous la surface de l'eau et s'éloigna sans lâcher la main de Stéphanie. Stéphanie, par force, dut plonger sous l'eau à sa suite, en se bouchant les narines. Sa tête racla le bord du mur intérieur puis elle émergea dans une poche d'obscurité et d'air.

Yuyu se hissa sur une banquette de terre et de pierre ; elle chercha à tâtons et trouva une lampe électrique. « Ici », dit-elle en éclairant la lampe afin que Stéphanie pût voir comment grimper sur la banquette. Devant elles s'ouvrait le goulot noir d'un étroit tunnel. Yuyu s'y enfonça à quatre pattes et Stéphanie la suivit. Après un temps qui dura probablement une demi-heure mais qui lui parut beaucoup plus long, Stéphanic sentit de l'air frais sur son visage ; la terre devint plus sèche sous ses mains, un peu de sable mélangé à du gravier glissa même sous ses doigts et elles débouchèrent dans une grotte artificielle, manifestement creusée par des mains d'homme — car, dans l'éclair qui jaillit une seconde de la lampe de Yuyu, elle aperçut une pioche encore enfoncée dans le sol.

La grotte était ronde et petite et en face d'elles se trouvait une ouverture qui donnait sur la nuit, dissimulée par des buissons. Yuyu écarta les branches et regarda dehors. « Village brûle », annonça-t-elle.

On distinguait au loin la lueur rouge d'un feu qui léchait la nuit et Stéphanie songea aux gerbes moissonnées couchées sur l'aire. Réduites en cendres maintenant. Elle était mouillée, de la boue s'était collée contre ses mains et son pantalon. Elle frissonna, ôta sa veste, la tordit pour en exprimer l'eau et la remit. La grotte était encore tiède de la chaleur du jour mais le froid arrivait vite.

L'attente et l'obscurité les enveloppèrent et elles restèrent assises, tantôt éveillées, tantôt assoupies. Pendant ces heures interminables, Yuyu parla, toujours avec ces phrases courtes et péremptoires qui la caractérisaient. Elle raconta sa propre histoire.

« Ma famille vivre dans base rouge. Une des premières. Tous les gens vouloir révolution. Puis les armées du Kuomintang venir. Papa, tué à coups de pioche... on pouvait pas reconnaître son visage. Maman, tous les soldats sur elle puis ils enfoncent baïonnettes entre ses jambes. » Yuyu elle-même leur avait échappé, cachée dans un trou aménagé sous le plancher par son père. Même à cette époque-là, les paysans du nord de la Chine creusaient des trous et des tunnels dans la terre jaune et molle pour échapper à la soldatesque comme ils devaient le faire plus tard avec les Japonais. Puis les soldats étaient partis et elle avait été recueillie par des gens d'un autre village, qui avaient pu s'enfuir à temps. « Puis j'entre Parti quand j'ai dix-neuf ans. Je fais ce que Parti dit, parce que Parti grand, glorieux et correct. Le Parti forme moi. J'apprends culture. Si pas Parti moi morte ou mendiante. » Stéphanie frissonna.

« Comment se fait-il que les Japonais sont venus ici, Yuyu ? Si le Parti était si bien organisé, les gens auraient dû être prévenus. »

Les lèvres de Yuyu se serrèrent ; elle dit d'une voix sifflante : « Pas Japonais. Troupes du Kuomintang nous attaquent. Kuomintang aide Japonais nous tuer. Traîtres. Chiens qui rampent, chiens serviles... ».

Vers le milieu de la matinée, Stéphanie, qui somnolait, sentit une étrange réaction dans son corps. Elle devint brûlante, puis glacée ; des images fantastiques traversaient son esprit. Ses mains étaient moites, son front en feu. Sa gorge lui faisait très mal. Elle sombra dans un sommeil agité, rêva que Jen Yong était avec elle. Mais le rêve se brisait sans cesse et elle ne parvenait pas à en rassembler les morceaux. Chacun de ses os était douloureux ; la souffrance irradiait dans tout son corps ; elle avait l'impression que son crâne allait éclater.

Dehors, quelqu'un appelait doucement. Yuyu alla à l'ouverture et jeta un coup d'œil. Une voix, une main qui écartait les branches. Elle revint vers Stéphanie. « Nous retourner maintenant. » Chancelante, serrant les dents pour lutter contre la fièvre qui la secouait, Stéphanie suivit Yuyu par le même chemin qu'à l'aller.

Une petite brise venue de nulle part soulevait mollement les cendres. Le village entier sentait le brûlé. Dans la rue, figés dans des postures crispés, gisaient deux ou trois cadavres dans l'uniforme kaki des « troupes fantoches » japonaises — les Chinois à la solde du Japon.

Sœur Heng et d'autres femmes transportaient des brancards où s'empilaient des corps. Ceux des villageois morts. Elles les portaient dans les champs. Dick Steiner sortit d'une maison dont la porte cassée battait dans le vide. Il avait les bras nus et son visage était gris de cendre et de fatigue.

« Stéphanie, dit-il, vous êtes O.K. ? Dieu soit loué.

— Dick, Dick, où est Bill ?

— Plus tard », répondit-il et il rejoignit rapidement les brancards.

Yuyu conduisit Stéphanie à sa chambre. Les tablettes des ancêtres jonchaient le sol. Le sac et l'appareil-photo de Stéphanie avaient disparu, de même que la belle couverture matelassée. Stéphanie s'étendit sur le kang. Elle claquait des dents. Une douleur atroce cisaillait sa tête, sa mâchoire.

« Je crois que je ne suis pas bien », dit-elle à Yuyu.

Yuyu posa une main sur son front. « Fièvre », dit-elle ; elle sortit puis revint avec une vieille couverture sale et déchirée. Elle déshabilla Stéphanie et la roula dedans. Plus tard, Sœur Heng vint et de ses mains adroites et robustes frictionna et martela tout le corps de Stéphanie, avant de lui faire boire une boisson brûlante, forte et épaisse, à l'odeur et au goût âcres, qui évoquait la cannelle et les clous de girofle. Stéphanie s'enfonça dans un sommeil qui se transforma en un voyage dans un paysage fantastique plein d'épouvante et de cris silencieux.

La nuit vint mais le village ne s'endormit pas. Les gens travaillaient ; on entendait des gémissements dans certaines maisons. Stéphanie se leva en titubant et s'habilla. Ses vêtements avaient séché, suspendus à une corde au-dessus d'un petit poêle. Elle sortit et vit des femmes aller et venir, affairées. Quand elles l'aperçurent, elles secouèrent la tête et la repoussèrent dans la maison avec gentillesse. « De l'eau. Boire », croassa Stéphanie. Des frissons violents la secouaient. Elle s'enroula de nouveau dans la couverture, se sentit devenir de glace, se releva et vomit, ce qui lui fit très mal car elle n'avait rien mangé depuis vingt heures. « Ma tête, ma tête. » Sa tête la faisait tellement souffrir qu'elle ne pouvait plus la tenir droite.

Puis ce fut le jour et elle se sentit un peu mieux. Dick Steiner se tenait à côté du kang.

« Vous êtes brûlante, Stéphanie. C'est la fièvre.

— Qu'est-il arrivé à Bill, Dick ? Vous devez me le dire. »

Dick s'assit au bord du kang. « Je vais vous le dire. Nous avons été attaqués par une cinquantaine de soldats. Pas des Japonais. Des Chinois. Ils sont entrés dans chaque maison pour tuer ; les femmes ont essayé de résister — elles s'embusquaient pour tirer puis s'enfuyaient Bill et moi on a pris des fusils et on a commencé à tirailler aussi.

« Bill a réussi à aller jusqu'à Dudu. Elle était dans une chambre, elle venait d'avoir son bébé, il était encore lié à elle mais ils étaient à quatre pour la percer de coups de baïonnette ainsi que le bébé — Bill s'est jeté sur eux — il s'est jeté en plein au milieu... J'étais juste derrière lui, je ne pouvais pas tirer mais j'ai frappé l'un d'eux. Alors un autre a allumé une lampe de poche et il a crié « Américain », cela a eu l'air de les épouvanter et ils sont partis en courant... Mais ils avaient transpercé Bill, Stéphanie, il s'était jeté sur Dudu et le bébé... il était encore lié à sa mère...

Le cauchemar la submergea, arc-en-ciel de terreur éblouissant. Elle hurlait, couverte de sueur ; alors Sœur Heng revint et la frictionna, la pinça au cou et aux épaules et lui fit de nouveau boire ce brouet de cannelle, épais comme de la boue, pour chasser la fièvre.

Le lendemain matin, la fièvre était tombée. Yuyu arriva avec un bol de gruau chaud et de l'eau chaude pour la laver. Stéphanie se leva en titubant et s'habilla. Sa gorge était douloureuse et elle ne put avaler que quelques gorgées.

« Vous mieux, énonça Yuyu.

— Oui, dit Stéphanie.

— Maintenant, nous avons réunion, au temple, poursuivit Yuyu. Pour héros américain, Bill Haynes. Notre Parti apprend attaque. Envoyer nous frères soldats. »

Ils regardèrent l'arrivée des maquisards. Des hommes en tenue grise froissée, qui se déplaçaient souplement, à leur rythme ; ils entrèrent dans le village en file indienne, leur fusil en travers de l'épaule. Une vingtaine, environ. D'où venaient-ils ? Comment avaient-ils été prévenus ? Yuyu s'approcha de Stéphanie et de Dick en compagnie de celui qui paraissait être le chef. Un jeune homme au visage rond et lisse. Il serra la main de Dick puis de Stéphanie.

Le corps de Bill Haynes était exposé dans la salle intérieure du temple. La statue de Kuanyin, bouddha de la compassion — et donc femme — le contemplait. Les maquisards franchirent le seuil l'un derrière l'autre et défilèrent devant Bill en saluant. Dick et Stéphanie s'avancèrent à leur tour et les blessés — étendus sur des lits de fortune dans la salle de classe — regardaient à travers la cour, participant eux aussi à la cérémonie. On allait creuser une tombe — profonde, pour Bill qui avait tant aimé cette terre, qui aspirait à la rendre féconde. Il reposerait à jamais dans le village.

Yuyu dit : « Camarades faire maintenant cercueil pour courageux Américain.

— Où est Panpan ? demanda Stéphanie d'une voix rauque.

— Panpan est sacrifice », répondit Yuyu, ce qui signifiait qu'elle avait été tuée.

Quatre maquisards soulevèrent la porte de bois sur laquelle reposait Bill. Les femmes avaient fait sa toilette et l'avaient revêtu de sa veste kaki mais lui avaient mis un pantalon chinois et des chaussures en tissu — neuves, les semelles blanches n'avaient jamais foulé le sol.

On avait creusé une fosse derrière le bouquet d'arbres qui ombrageait le temple. Avec les portes épargnées par le feu, on avait fabriqué un cercueil lié par des cordes faites de tiges de seigle tressées. Le chef s'approcha du cercueil et commença à parler. Yuyu traduisait : « Le camarade combattant, il dit que Bill Haynes ami véritable du peuple chinois... Haynes donna vie dans service du peuple contre impérialisme. Lui sacrifice pour révolution. Peuple chinois jamais oublier... » Solennel, le chef des maquisards s'avança, les deux mains tendues, il serra une nouvelle fois les mains de Dick et de Stéphanie. « Camarade dit, célèbre dame journaliste américaine doit écrire vérité, comment Kuomintang trahir parole, attaquer peuple. Mais victoire finale pour le peuple. »

Il y eut alors une pause. Tout le monde attendait et regardait Dick et Stéphanie. Stéphanie pouvait à peine chuchoter maintenant, tant sa gorge était douloureuse et cet horrible mal de tête avait repris. Dick s'éclaircit la voix, cherchant désespérément ses mots — que dire ? Ceux qui lui vinrent furent ceux du kaddish juif pour les morts ; conviendraient-ils au chrétien Bill Haynes ?

> *Que soit magnifié et sanctifié Son grand nom dans le monde qu'Il a créé selon sa volonté, et qu'Il établisse son règne de votre vivant et de vos jours, et du vivant de toute la maison d'Israël, bientôt et dans un temps proche, et dites Amen.*

Yuyu dit : « Je ne comprends ce que vous parlez. Qu'est-ce ?

— Cela signifie pas peur de la mort », expliqua Dick, utilisant sans s'en rendre compte l'anglais de Yuyu.

« Bill, adieu, Bill », dit Stéphanie et elle fit le signe de la croix. Quatre maquisards descendirent le cercueil dans la fosse.

Le village se rassembla à nouveau mais sur l'aire cette fois. Sept miliciennes traînèrent une femme en bleu, les mains liées derrière le dos, le visage strié de larmes et de poussière. « Traître », expliqua Yuyu à Dick et Stéphanie. « Elle amène bandits ici. » Elles poussèrent la femme, qui tomba à genoux. Une pancarte portant l'inscription « Traître, chien qui rampe, espion » pendait à son cou. Les vieillards et les enfants commencèrent à crier, les maquisards se tenaient immobiles en cercle et leur chef, tel un juge, écouta les femmes qui s'avançaient l'une après l'autre pour désigner la femme d'un doigt agressif en prononçant des phrases avec des voix suraiguës.

« Assemblée d'accusation », dit Yuyu. Puis, toutes ensemble, les femmes se mirent à crier des slogans, à hurler des imprécations contre la femme : « Mort au traître... mort... tuez le chien qui rampe ! » La tension montait de plus en plus dans la foule.

« Six enfants, cinq camarades femmes, tous morts, dit Yuyu, aussi ami américain », et elle aussi se mit à crier « A mort, à mort. »

« Quelle preuve avez-vous ? » demanda Dick à Yuyu. Il soutenait Stéphanie qui chancelait.

Yuyu lui jeta un regard furieux. « Que voulez-vous dire ? Preuve ? Nous savons. » Elle se tourna vers Stéphanie : « Vous avez fièvre de nouveau ? »

Brusquement tout le monde bougea. Les miliciennes s'avancèrent et commencèrent à battre le corps agenouillé avec la crosse de leur fusil ; elles le levaient haut au-dessus de leur tête et l'abaissaient sur son dos. Les autres femmes du village s'approchèrent à leur tour, certaines avec des bâtons, d'autres avec des houes. Yuyu criait, ses yeux brillaient d'excitation. « Battez, battez, battez à mort le chien qui rampe. » Elle se tourna joyeusement vers Stéphanie, hurla « Je bats » et se précipita en brandissant une lampe électrique ; elle se fraya un passage jusqu'au centre du groupe et abattit la lampe, encore et encore.

« C'est pour Panpan. Elle portait toujours une lampe électrique sur elle », pensa vaguement Stéphanie.

On ne distinguait plus la femme maintenant, on ne voyait que les dos penchés et les têtes. On entendait à peine un gémissement étouffé comme par un bâillon et que couvraient presque les hurlements et les bruits des coups. « Partons », dit Dick d'une voix sombre. Ils retournèrent à la maison, Dick étendit Stéphanie sur le kang, la recouvrit de la couverture puis s'assit sur le bord, les mains posées dessus et se mit à pleurer.

Yuyu revint et les vit.

« Vous pas regarder, dit-elle à Dick d'un ton de reproche.

— Elle est très malade », répondit-il.

Yuyu toucha le front de Stéphanie. Il était brûlant de fièvre. Pour la première fois, Yuyu sembla perdre son assurance.

La même porte qui avait servi de brancard pour porter Bill Haynes au temple, devait aussi emporter Stéphanie, roulée dans un édredon, loin du village de Fourche de la Rivière. Les maquisards se relayèrent. Ils couraient, agiles et rapides et Yuyu courait aussi à côté du brancard, avec Dick. Stéphanie délirait. Yuyu lui faisait absorber de l'eau, essuyait son visage, la nettoyait. Ils s'arrêtaient de temps en temps. Sans prononcer un mot. Pour consacrer toutes leurs forces à cette course. Ils portèrent aussi Dick quand il tomba d'épuisement le lendemain. Ainsi, en deux jours, ils parcoururent la distance qui les séparait du camion qui venait de Yenan.

Mais Stéphanie ne le saurait pas. Elle ne connaîtrait jamais cette course pour atteindre les médecins dans le camion ; et elle ignorerait également que la base de Yenan ne possédant qu'un unique petit camion, qui servait aussi d'ambulance, Dick et elle seraient transportés dedans et que le personnel médical d'urgence destiné à Fourche de la Rivière terminerait son voyage à grandes marches forcées...

Un jour elle s'éveilla, l'esprit clair, mais si faible que ce fut presque un exploit pour elle de soulever la tête pour regarder la lumière douce qui filtrait à travers la fenêtre. Une fenêtre grillagée, arrondie à sa partie supérieure.

Elle se trouvait à nouveau dans une grotte, dans le ventre de la terre. Mais celle-ci était chaude et un plâtre blanc enduisait ses murs étayés de briques. Le sol était pavé de briques. Elle était à nouveau allongée sur un kang chaud mais en plus il y avait un matelas. La pièce contenait une table, une chaise, un poêle en métal dont le tuyau sortait par un trou soigneusement découpé... Où était-elle ? Au-dessus de sa tête, le plafond formait une voûte. Elle toucha son visage, en une entreprise de redécouverte de son corps. Elle examina sa main. Quelle chose extraordinaire qu'une main ! Et les doigts, quelle merveille ! Et voici que Meiling se penchait au-dessus d'elle, ou peut-être n'était-ce pas Meiling mais quelqu'un qui lui ressemblait beaucoup, et qui lui souriait.

« Meiling », dit Stéphanie. Mais la personne-semblable-à-Meiling secoua la tête et dit en chinois :

« Je ne suis pas Meiling. Je suis Loumei. »

Puis apparut un homme trapu, au teint basané, qui dit dans le plus pur accent sudiste qu'elle eût jamais entendu :

« Eh bien, Stéphanie Ryder, j'ai l'impression que vous vous en êtes tirée. »

Stéphanie ferma les yeux. Elle devait être de retour en Amérique au Texas, malgré la grotte ronde, malgré... « Yong », dit-elle. L'épaisseur, la saveur, l'appel de ce nom. « Yong. »

« Vous allez le voir bientôt, il va bien. Vous allez aussi retrouver plein de vieux amis par ici. »

Stéphanie garda les yeux fermés, pour prolonger cet interlude de bonheur.

« Où suis-je ?

— Vous êtes à Yenan, petite sœur. Et moi je suis Lionel Shaggin, de Spartanburg, Caroline du Sud. Vous avez été très malade, Texas, mais maintenant vous allez bien. » La main forte et fraîche de l'homme se posa sur sa joue. « Dormez maintenant. On aura tout le temps de parler. Demain. » Elle sentit un sourire se dessiner sur son nouveau visage. Son corps, son esprit lui semblaient neufs. Elle venait de renaître. Dans un monde nouveau. Elle s'endormit.

6

Ils dormaient sur des planches pourries, auxquelles adhéraient des lambeaux de nattes, collés par les exsudats de tant de corps avant eux. La prison était un ancien abri antiaérien, creusé profond dans les falaises de la rive sud de Chungking et divisé en six cachots par des murs de ciment.

Le brouillard de l'automne s'infiltrait par chaque trou, chaque crevasse. Il faisait toujours humide dans la prison ; l'eau dégoulinait de chaque fente, le sol de boue grouillait d'insectes. On faisait sortir les prisonniers deux fois par jour — le matin pour se laver à l'un des dix robinets installés au-dessus d'auges de ciment ; et le soir pour une promenade d'une heure dans la cour, pendant laquelle ils avaient le droit de se déplacer à leur guise et de se parler.

Ils étaient environ deux cents dans cette prison, réservée aux prisonniers politiques de toutes les régions de la Chine tenue par le Kuomintang.

Jen Yong s'habitua aux poux, à l'inconfort de dormir pressé entre d'autres corps, tous alignés sur une rangée de planches. Ils étaient cinquante-deux dans son cachot, le numéro 3, vingt-six de chaque côté. Tous étaient des intellectuels — deux poètes, trois journalistes, plusieurs professeurs de faculté, beaucoup de professeurs de lycée. Et un musicien qui avait apporté avec lui un petit harmonica sur lequel il jouait quelques airs tous les matins en guise d'aubade pour ses compagnons. Parfois, il leur offrait *L'Internationale.*

Le cachot avait sa hiérarchie. D'abord le professeur Tseng, emprisonné depuis un an déjà pour avoir répandu « une doctrine étrangère » parmi ses étudiants. Il se mourait de tuberculose, dépistée deux ans plus tôt par la radiographie. La nuit, il essayait d'étouffer sa toux en enfonçant des chiffons dans sa bouche. Les autres prisonniers avaient demandé qu'il fût transféré dans un hôpital. Et un jour, tous les pensionnaires des quatre cachots avaient commencé une grève de la faim pour lui. Le professeur Tseng avait été transporté à l'hôpital mais en était revenu une semaine plus tard avec une bouteille contenant un sirop noirâtre. Il n'avait rien, lui avait-on dit, rien sauf une « légère faiblesse des poumons ».

L'Organisation était aussi présente dans la prison par le biais du représentant du Parti. Mais personne ne savait qui il était, à l'exception des autres membres. Et personne ne savait qui ils étaient. Le Parti ne distribuait pas de carte. C'eût été signer la sentence de mort du porteur. Tout s'effectuait verbalement. Les agents de liaison du Parti ne transportaient pas de documents. Ils gravaient tout dans leur mémoire.

La discipline, la prudence, et même les sanctions qui marquaient l'atmosphère de la prison étaient l'œuvre du Parti. Cela créait une solidarité, une chaude camaraderie, qui subsistait pendant des années après la libération.

C'est cette fraternité que trouva Jen Yong quand il arriva au cachot n° 3. Après une période de mise à l'épreuve, comme pour tout nouvel arrivant, confirmation avait dû parvenir de l'Organisation qu'on pouvait lui faire confiance. Mais aussi qu'il n'était pas membre du Parti. Ce qui signifiait qu'il ne devait pas être mis dans le secret des décisions majeures, celles qui concernaient la ligne de conduite du Parti.

Jen Yong subit son premier interrogatoire quatre semaines après son arrestation. Cet après-midi-là, on avait ramené dans le cachot un jeune étudiant qui saignait après un passage à tabac qui lui avait écorché le dos.

Les autres prisonniers le placèrent tout près de la lourde porte de bois, dans le coin le plus recherché, celui qui recevait le plus d'air frais par l'ouverture grillagée. Jen Yong l'examina et estima qu'il devait avoir une côte cassée, peut-être deux. On n'avait rien pour mettre sur ses blessures. Bientôt les poux et autres vermines, qui les tourmentaient tous, partirent à l'assaut du corps meurtri et inerte. Ses compagnons se relayèrent pour l'en protéger. Quand le sang eut séché, ils lui remirent sa veste, le plus délicatement possible. Ils lui donnèrent des cuillerées de riz et de l'eau bouillie.

Ce fut le courtois colonel Tsing qui reçut Jen Yong dans une pièce aérée, située dans un bâtiment qui couronnait la falaise au-dessus de la prison. Des fenêtres, Jen aperçut la ville-forteresse de Chungking, pâle et fantomatique, vidée de toute couleur. La rivière était une masse d'eau marbrée, à demi confondue avec le ciel, aussi atone que lui.

Tsing accueillit Jen Yong avec une exquise politesse, en s'excusant de l' « indigne état » de la prison. Il dit d'une voix forte « Servez le thé » et un subalterne vêtu de noir plaça devant eux un thé dont le parfum était un délice pour les narines. Tsing s'exprimait avec beaucoup d'urbanité. « Docteur Jen, je suis venu ici moi-même pour vous épargner le trajet jusqu'à la ville, qui est très pénible car c'est la coutume d'enchaîner ceux que nous transportons d'un lieu à un autre. Je suis extrêmement chagriné par le traitement que vous avez reçu... Je vais me permettre, au nom de notre amitié, de vous offrir un bain chaud... Préparez un bain ! » cria-t-il et un serviteur invisible répondit « *Aye* ». Jen Yong entendit l'eau couler dans la baignoire.

Un bain... du thé... un répit aux démangeaisons, à la saleté, au dégoût de ses propres odeurs, offerts avec tant de courtoisie. « Colonel Tsing, je vous remercie... », alors il vit le sourire sur le visage du colonel s'élargir imperceptiblement, il vit son expression de patiente expectative... et il se rappela l'étudiant battu. Il se raidit. Il lui faudrait ensuite retourner au cachot, et les autres, en le voyant revenir propre, qu'allaient-ils penser ? « Je vous remercie... mais je n'ai pas soif. Et je ne veux pas de bain.

— Docteur Jen, cela m'attriste... Peut-être devrais-je vous rendre mon cœur plus transparent. Nous savons que vous n'êtes pas membre du Parti ; que vous êtes un idéaliste. Je voudrais faire quelque chose pour vous car j'admire votre droiture. »

Jen Yong resta impassible. Le parfum du thé emplit ses narines et fit lever en lui des souvenirs du passé, de plaisirs raffinés qui lui poignirent le cœur. Le thé... son père et son grand-père avaient été de grands connaisseurs. Et lui-même aimait passionnément sa fragrance et cet univers d'art, de beauté et d'élégance qu'il suscitait.

« Je voudrais vous demander une faveur, colonel. Le professeur Tseng, qui se trouve dans notre cachot, se meurt de tuberculose. Il devrait être à l'hôpital. Les bacilles contaminent les autres prisonniers. Il y a aussi ce jeune homme qui a été roué de coups. Je crois qu'il a une côte cassée. Lui aussi devrait être transporté à l'hôpital. L'état sanitaire des cachots est épouvantable. Il faudrait les nettoyer et les désinfecter.

— Je m'en occupe immédiatement, docteur Jen. » Tsing bondit de son siège et se mit à donner des ordres d'une voix théâtrale. « Nettoyez les cachots avec du désinfectant ! Téléphonez à l'hôpital pour qu'on envoie une ambulance... Vous viendrez me faire votre rapport ici. »

Des voix crièrent « Oui, oui, tout de suite », il y eut des bruits de bottes précipités. Tsing, tel Napoléon, revint à son bureau, soupira et offrit une cigarette à Jen d'un air machinal.

Jen la refusa poliment. « Je ne fume pas.

— Il faut que je m'occupe de tout, dit le colonel Tsing, de tout... Mes subalternes sont des gens grossiers, incultes. Hélas, c'est regrettable que le secteur de la détention ne dépende pas de moi. Les conditions seraient bien différentes.

— Si je puis vous importuner encore, colonel, reprit Jen Yong, nous avons besoin de vitamines B. Nous ne pouvons pas survivre avec seulement du riz et un peu de chou. Certains de mes compagnons sont atteints de béribéri... »

Le colonel Tsing inclina la tête. « Je vais m'en occuper. Pouvez-vous me dire autre chose sur les prisonniers? Sur leurs besoins, leurs familles? Reçoivent-ils de leurs nouvelles?... »

Jen Yong évita le piège. « Je ne sais rien de leurs familles », dit-il

Le colonel Tsing s'inclina avec courtoisie. « Il faudra que nous ayons bientôt une autre conversation, docteur Jen... En attendant, je veillerai à ce que vos désirs soient satisfaits. »

On ramena Jen Yong au cachot. Et, chose incroyable, en moins d'une heure, les pilules de vitamine B étaient apportées et on emmenait le jeune homme à l'hôpital. Mais il réapparut le lendemain, un pansement propre sur la poitrine ; trois jours plus tard, il partit pour un nouvel interrogatoire, dont il ne revint pas.

La semaine suivante eut lieu une séance de désinfection. On fit sortir les prisonniers dans la cour pendant qu'on vaporisait du D.D.T. dans les cachots. « Vous avez certainement un ami influent quelque part », dit le vieux professeur Tseng en souriant. On l'avait une nouvelle fois transporté à l'hôpital après qu'il eut vomi du sang en abondance et ramené à nouveau.

« Ils jouent au chat et à la souris avec nous », dit le musicien, tout en soufflant dans son harmonica. Il composait un chant pour les prisonniers, chant de colère, de défi, de tristesse où se glissaient quelques thèmes nostalgiques. Car la nostalgie constituait un élément important des conversations de prison.

Pendant cette semaine-là, pourtant, l'attitude des prisonniers à l'égard de Jen Yong changea. Cela commença avec le journaliste et le poète qui dormaient de chaque côté de lui ; maintenant, quand ils s'allongeaient, ils lui tournaient le dos. Soudain, plus personne ne lui adressa la parole directement, ne l'intégra à une conversation. Ils l'avaient rejeté. Mis à l'écart. La promenade du soir était le moment le plus pénible. Il marchait seul, sans personne à ses côtés.

Qu'avait-il fait, ou pas fait? C'était une épreuve plus cruelle que la vermine, ce bannissement imposé par des frères, cette suspicion. *Je ne les ai pas trahis. Quelqu'un a dû inventer une calomnie...*

C'est dur de rester totalement silencieux ; de marcher, de manger, de dormir avec cinquante et une personnes sans échanger un seul mot. Stéphanie, sa voix, son visage, le soutenaient. Stéphanie... elle devait maintenant savoir qu'on l'avait arrêté. Il était angoissé pour elle... Pouvaient-ils lui faire mal? Elle était si vulnérable.

Sans cesse, comme on compte un trésor, il la revoyait qui s'avançait vers lui sous la pluie, il entendait sa voix gaie et rêvait qu'il lui faisait l'amour. Sa semence s'écoulait et il grinçait des dents en silence. Oh, elle lui était la vague de la mer, porteuse inlassable de tourment et de bonheur. Savoir qu'elle existait avait changé la nature même de sa chair.

On l'amena une seconde fois devant Tsing, juste avant le repas du soir. Dans la pièce élégante, la table était mise. Une nappe blanche. Des baguettes et de la porcelaine la plus fine de Chine. Venue de la cuisine, l'odeur de la nourriture flottait dans la pièce. « Mon cuisinier est un des meilleurs qu'on puisse trouver », dit Tsing avec entrain. Il suggéra un canard et quelques champignons de la province de Yunnan, justement réputée pour ses champignons.

Yong dit : « Je n'ai pas faim... » Il avala la salive qui emplissait sa bouche.

Il revint au cachot et s'assit sans parler sur sa couchette. Personne ne lui adressa la parole. Il s'allongea. Puis le professeur Tseng rompit le silence. « Avez-vous mangé, vieux Jen ? » demanda-t-il d'une voix rauque, car son larynx était maintenant couvert d'ulcères.

« Non », dit Jen Yong. Le cachot reçut sa réponse sans réagir. Deux jours plus tard, un des journalistes s'approcha de lui dans la cour. « Ami, vos étudiants ont atteint leur destination. Ils vous envoient leurs amitiés. Votre amie Stéphanie aussi est en sécurité. Entre de bonnes mains. »

Ce fut la fin de l'épreuve ; il était réintégré. Mais quelle avait été la cause de cette soudaine suspicion ? Il ne le saurait jamais car cela se passait toujours ainsi — le plus petit incident suscitait une paranoïa de suspicion.

Il participa au réseau de renseignements. L'un des gardiens, qui proférait à longueur de journée des insultes et des jurons orduriers à l'adresse des prisonniers, était en réalité un agent clandestin du Parti.

Des nouvelles leur parvinrent. Le Kuomintang avait décidé une opération de propagande. La libération de quelques prisonniers politiques pour impressionner les Américains, car la presse, aux Etats-Unis, avait révélé les conditions de vie atroce dans les prisons et les camps de rééducation du Kuomintang.

Mais la libération n'eut pas lieu tout de suite et d'autres jours s'écoulèrent. Le professeur Tseng agonisait. Il ne pouvait plus parler. Ses compagnons de cachot se relayaient pour le nourrir et le nettoyer. Les gardes leur permettaient d'apporter de l'eau des robinets afin qu'ils puissent le laver. Le troisième jour, il mourut. Il fut secoué par des hoquets pendant quelques heures, vomit, devint incontinent ; puis un flot de sang jaillit de sa bouche et ce fut la fin.

Ce soir-là, la nourriture des prisonniers fut meilleure qu'elle ne l'avait été depuis longtemps. En plus du riz et des fragments de chou qu'ils recevaient deux fois par jour, ils eurent droit chacun à trois petits morceaux de porc, l'équivalent de vingt grammes, et à un petit pain cuit à la vapeur. « C'est la nuit de la Fête de la Lune », expliqua le geôlier.

La Fête de la Lune. Dans le calendrier occidental, on était le 12 octobre. Les détenus éclatèrent de rire. Comment avaient-ils pu oublier la Fête de la Lune ! C'était à cause du professeur Tseng.

Cette nuit-là, une atmosphère presque gaie se répandit dans le cachot. Les prisonniers voulurent contempler la lune et les gardiens leur permirent de sortir dix minutes dans la cour. Mais une brume recouvrait le ciel et en cachait l'éclat. Cela ne les empêcha pas de lui déclamer des poèmes, de se livrer à toutes les plaisanteries traditionnelles des intellectuels et d'oublier ainsi, quelques instants, leur condition.

Les détenus avaient voté, à l'unanimité, le refus de leur libération si tous les cachots n'étaient pas vidés en même temps. « Tchiang, cet œuf de tortue pourri, veut impressionner les Américains en relâchant seulement quelques-uns d'entre nous, pour créer la confusion... » Tel était le message qui circulait. Ce soir-là, ils renouvelèrent leur serment. Tous ou aucun.

Environ une heure plus tard, Jen Yong fut à nouveau appelé. Une autre entrevue avec Tsing.

Par les fenêtres ouvertes du salon de Tsing, la lune brillait, haute et pleine maintenant, merveilleusement ronde. Yong pensa à Stéphanie et son cœur cogna dans sa poitrine. La lune le rendait sentimental. Il vit son visage, sa peau, ses yeux qui scintillaient dans la lumière opale de ce ciel nocturne. Il fut envahi par une émotion si forte qu'il oublia d'être prudent, face au rusé Tsing. Oh, être auprès de Stéphanie par une nuit pareille !

« Ah, docteur Jen, vous contemplez la lune... Ce soir est le moment où la plénitude de la moisson de l'année emplit notre cœur de joie, et notre âme se tourne vers la poésie, vers l'amour. » Sur une table étaient disposés du vin, parfumé, et des gâteaux de lune, ronds et blancs ; de la rue montait le murmure plaisant des gens qui flânaient au clair de lune. « Je vous en prie, prenez un peu de ce vin, le pressa Tsing. Vous allez être bientôt relâché, docteur Jen. Les communistes sont déjà au courant et vous aussi, j'en suis sûr. Nous savons qu'ils ont un réseau de renseignements très efficace. Notre chef magnanime a décidé une amnistie pour les prisonniers politiques. Et donc, vous pouvez goûter ce vin et manger un morceau de gâteau de lune sans avoir l'impression de trahir vos compagnons. Je vais leur faire porter du vin et des gâteaux à tous. »

Il cria, d'une voix théâtrale : « Qu'on apporte du vin et des gâteaux de lune à tous nos hôtes. » Et, à nouveau, il y eut les voix invisibles, les bruits de pas précipités pour exécuter ses ordres. Jen Yong accepta alors un morceau de gâteau et s'efforça de ne pas l'engloutir trop vite.

Il but le vin et son palais en retrouva le goût délicieux. Il avait presque oublié la saveur du vin. Stéphanie. Il regarda la lune et acheva son vin. Son verre fut aussitôt rempli.

« Frère aîné Jen, je vois que votre âme est celle d'un poète, que vos mains savent guérir les hommes... Votre cœur comprend toute la gamme des sentiments humains. Buvons aussi à l'amour, parlons de l'amour. L'amour. Nous autres, Chinois, en avons une profonde compréhension. Pas comme les Occidentaux qui y mêlent la vulgarité et l'obscénité. Ils n'ont pas de morale. Leurs femmes ne sont que trop disposées à se laisser séduire... » Il fouilla négligemment dans un tiroir de son bureau, en sortit une lettre écrite en anglais, la regarda en souriant puis la tendit à Jen Yong. « Frère Aîné, vous lisez leur langue... regardez ce qu'ils écrivent... »

Et parce qu'il était ivre et sans défense, Jen Yong lut :

« Cher John,

« Je me demandais combien de temps il te faudrait pour te rallier à mon point de vue mais ta dernière lettre semble indiquer un changement d'opinion. J'ai le plaisir de t'annoncer que je m'apprête à revenir, en juin j'espère. Et pas seul. Tu vas connaître ma nouvelle petite amie, Stéphanie Ryder. Stéphanie est délicieuse. Elle est intelligente, ambitieuse et au lit c'est une affaire...

Jen Yong ne lut pas plus loin. Il resta assis, comme pétrifié, sentant le sang se retirer de ses lèvres, de son visage, de ses membres et cogner avec fracas dans ses oreilles. Tsing lui tournait le dos mais l'observait dans un grand miroir qu'il avait disposé à cet effet à l'autre bout de la pièce. S'il avait regardé Yong en face, celui-ci aurait été capable de le frapper. « Ah », dit Tsing, comme pour lui-même, quand Yong s'arrêta de lire ; il voyait son visage dans le miroir, et sa main qui, après avoir replacé la lettre sur la table, était demeurée en l'air, comme frappée de paralysie. « Cela concerne la personne qui nous a permis de faire connaissance. Cette impétueuse jeune Américaine. Frère Aîné, je vous souhaite le bonheur... mais les juments sauvages retournent toujours à leur sauvagerie... »

Yong se leva. Il allait tuer Tsing. Il s'avança vers lui en chancelant mais au prix d'un effort qui le fit trembler, parvint à se maîtriser. « Vile créature, dit-il, l'or pur traverse le feu sans être altéré. Que je ne te revoie jamais. La terre n'est pas assez vaste pour nous contenir tous les deux. »

Il retourna au cachot, s'allongea et dit à ses compagnons qu'il avait bu du vin. « Peut-être ai-je eu tort.

— Non, dit le journaliste. Nous aussi en avons bu, avec nos gardiens. »

Stéphanie... son sourire, sa démarche, sa chevelure... il se rappelait chaque détail de chaque minute passée auprès d'elle. Les vibrations de sa voix, tandis qu'elle mangeait le maotoudze épicé et que les larmes ruisselaient le long de ses joues : « Oh, mais à Dallas nous avons, nous, le *chili,* le *chili con carne,* c'est un plat mexicain, réputé souverain contre la gueule de bois. »

Stéphanie, oh Stéphanie... « une affaire au lit ». Un autre homme. Ou bien d'autres hommes ? Combien ? Le poète posa la main sur son épaule. « Ami, que s'est-il passé ?

— Rien. J'ai bu du vin... je n'en ai pas l'habitude. » Il avait eu envie de la prendre dans ses bras, de la serrer fort contre lui. Il ne l'avait pas fait. Parce qu'il l'aimait tant. Chacun de ses pas. Sa façon de tourner la tête. Elle n'avait que vingt et un ans. Ses mâchoires étaient tellement serrées qu'elles lui faisaient mal. Il ne devait pas pleurer, il ne devait pas crier sa colère, sa douleur.

« Ami, dit le poète, quoi que ces démons disent pour nous blesser, nous ne devons pas les croire. Aie foi. »

Sa main serra la main posée sur son épaule. « Ce n'est rien, ce n'est rien. »

Il resta toute la nuit, allongé, immobile, tandis que la souffrance grandissait en lui, énorme. Il comprenait maintenant ce qu'avait voulu dire Jessica. Pourquoi sa dernière rencontre avec Stéphanie avait semblé moins parfaite. Elle avait attendu de lui plus d'agressivité. Il avait vu en elle une jeune fille vierge, qu'il devait approcher avec une extrême tendresse, en supprimant son propre désir. Il grinça des dents, enfouit sa tête dans le creux de ses bras, replia les jambes, et se recroquevilla sur lui-même, tel un fœtus mort-né.

Les détenus furent tous relâchés — même si l'on arrêta certains d'entre eux à nouveau, quelques jours plus tard.

Le coiffeur de la prison leur coupa les cheveux et Jen Yong retourna donc à son dortoir en ayant l'air de revenir de son travail, ou d'une petite promenade, sauf qu'il était beaucoup plus maigre qu'avant et chancelait un peu en marchant. Il passa devant le portier ensommeillé, qui le salua comme s'il l'avait vu la veille et se rendit à sa chambre. Le docteur Liu et le docteur Fan se levèrent de leur lit et l'accueillirent avec de grandes expressions de joie tandis que le petit garçon qui partageait son espace de sommeil bondissait en criant « Oncle, vous êtes de retour », et courait prévenir ses parents. Le docteur Liu alla téléphoner à David Eanes, pour l'informer que Jen Yong était revenu. Quelques instants plus tard, David Eanes arrivait à grandes enjambées et la nouvelle se répandait à travers tout l'hôpital. Le cuisinier lui apporta son petit déjeuner en souriant d'un air ravi et le pressa de manger. Il avait fait des boulettes de viande spécialement pour lui, après avoir envoyé sa femme au marché supplier le boucher de lui en vendre un peu.

Le docteur Liu et le docteur Fan n'avaient été détenus que quelques jours et seulement dans les locaux de la police, ainsi que le docteur Wan. Ce qui n'avait rien de surprenant puisque aucun d'entre eux ne faisait partie de l'Organisation. Quant à l'infirmière Li, la femme de la police qui l'avait interrogée était une ancienne camarade de classe ; on l'avait laissée partir au bout de quinze jours.

Ils s'étaient tous montrés coopératifs. Avaient aidé quand cela leur était possible. Pas assez pour être accusés de collaboration, juste assez pour s'en tirer, au cas...

Au cas où les communistes prendraient le pouvoir. Jen Yong comprenait très bien cette réaction. Il y avait les convaincus, engagés à fond, et autour d'eux, en cercles toujours plus larges, les demi-convaincus, les sympathisants, et puis la masse immense (à la périphérie) de tous ceux qui voulaient seulement être du côté des vainqueurs, quoi qu'il arrivât. Et c'était là un comportement humain, normal, prévisible.

Jen Yong se força à manger, dit sa joie que l'hôpital n'eût pas été trop sévèrement touché. David Eanes annonça : « J'ai des nouvelles pour vous, Yong. Les Croix-Rouges américaine et chinoise ont décidé d'envoyer une équipe médicale commune à Yenan pendant six mois. C'est une des choses positives qui ont lieu en ce moment. Nous avons tous été d'accord pour vous inscrire sur la liste. Nous pensions que ça pourrait vous faire sortir de prison plus tôt. »

Tout le monde rit de l'ironie de la situation. Après des années de blocus, et l'arrestation de Yong accusé d'avoir formé du personnel pour le front nord, voilà que les Américains organisaient un convoi de matériel médical, de médicaments et de personnel à destination de Yenan ! Un vol hebdomadaire régulier reliait maintenant Chungking et Yenan — simple voyage de cinq heures. Et tout ça parce que la mission d'observation américaine continuait à envoyer à Washington des rapports favorables sur Yenan. Des officiers américains avaient visité les véritables fronts, ceux sur lesquels on se battait. Pas de fausses cartes, pas de statistiques bidon. La Huitième Armée de Route était bien entraînée, ses soldats bien traités. On sentait une grande cohésion entre eux.

Les correspondants étrangers allaient et venaient en toute liberté maintenant. Et la quasi-totalité de leurs comptes rendus sur la base communiste étaient favorables. Ils parlaient d'honnêteté, d'intégrité, de travail acharné, de souci sincère pour les gens — et du soutien de la population.

« C'est bon, très bon », dit Jen Yong à ces nouvelles. Mais il restait apathique et il y avait en lui une morosité qui surprit David.

Peut-être est-il épuisé, pensa David. J'espère qu'il n'a pas attrapé la tuberculose, il est si maigre. « Vous êtes fatigué, Yong. Reposez-vous quelques jours, reprenez du poids... L'équipe ne partira pas avant deux ou trois semaines, nous attendons l'expert américain qui doit vous accompagner. » Il aurait voulu lui parler de Stéphanie mais il y avait trop de gens et il connaissait la pudeur de Yong. « Je reviendrai vous voir demain », dit-il en se levant pour partir.

Jen Yong dormit, se leva pour manger, pour accueillir les visiteurs, les étudiants.

A la nuit, il quitta sa chambre pour marcher, marcher dans la ville. Arpenter ses rues sinueuses. Contempler le fleuve emmailloté de brume. Il allait, fantôme dans un monde de spectres car le brouillard effaçait toute couleur et toute forme et même les bruits étaient étouffés. Seules les sirènes aiguës des bacs semblaient parvenir à déchirer l'épaisseur du brouillard. Yong aperçut un garçon accroupi dans l'ombre blanche du chemin et crut que c'était Petit Etang. « Petit Etang », dit-il à voix haute en s'approchant. Mais c'était un petit mendiant qui avait deux pierres blanches à la place des yeux. Yong déposa un peu d'argent dans la main tendue.

Et puis, soudain, il retrouva son état normal. Tout se remit en place. Que lui était-il arrivé ? Comment lui, Jen Yong, avait-il pu s'enliser dans un tel apitoiement sur lui-même ? Comment pouvait-il manifester une complaisance aussi odieuse ? Stéphanie. S'il l'aimait, quel droit avait-il de monopoliser son *être ?* Un brouillard rouge descendait sur son esprit quand il l'imaginait avec un autre homme ; il repoussa la vision et la revit telle qu'elle lui était apparue, debout près du brancard où gisait Mère Liang, dans la salle des urgences, avec la marque rouge qui zébrait son visage. La Valeureuse Pucelle, plus intrépide qu'il ne saurait la concevoir. Or pur qui ne craint ni l'acide ni le feu. Il avait maintenant retourné sa colère contre lui-même. Tomber dans le piège tendu par Tsing et tout ça à cause d'une lettre, de la lune, de quelques vers et d'une coupe de vin ! Qui savait si la lettre n'était pas un faux, d'ailleurs ? Stéphanie. « Votre amie est entre de bonnes mains », disait le message oral qu'on lui avait fait passer en prison. Il avait aussitôt conclu qu'il s'agissait de Stéphanie. Cela signifiait qu'on la protégeait... mais où était-elle ? Elle lui avait dit son intention d'aller à Yenan, pour se rendre compte par elle-même...

Inutile de téléphoner à l'Hôtel de la Presse. Il irait attendre à l'entrée, il l'attendrait — combien de fois, pendant ses promenades nocturnes, avait-il longé le mur qui entourait l'hôtel, jusqu'à l'aube... Ou alors, demander à David et à Jessica d'appeler l'hôtel. Ils étaient des étrangers et s'ils demandaient à parler à Stéphanie, même à cette heure indue du petit matin, le directeur ne leur raccrocherait pas au nez.

Il y avait aussi Vieux Wang. Il avait été si hébété, si enfoncé dans sa torpeur et sa souffrance, qu'il n'avait même pas essayé de voir Vieux Wang...

Et l'infirmière Li. Tsing avait insinué qu'elle avait parlé, qu'elle l'avait trahi... il ne le croyait pas.

Envahi de remords et de culpabilité, il courut presque jusque chez les Eanes.

David et Jessica furent surpris que Jen Yong leur rendît visite avant le petit déjeuner. Ils le bourrèrent de biscuits et des restes du gâteau au chocolat que Jessica avait confectionné quatre jours plus tôt pour leur anniversaire de mariage. Elle avait utilisé la dernière tablette de chocolat qu'elle avait reçue d'Amérique en 1942.

« Stéphanie Ryder, dit Jen Yong de but en blanc, l'avez-vous vue ?

— Elle est à Yenan. Je pensais que vous saviez, Yong. »

Alors David lui raconta comment Stéphanie était partie pour visiter des villages libérés. « Nous avons eu de ses nouvelles par John Moore qui revient de Yenan. Elle se trouvait dans un village libéré situé dans le no man's land qui sépare les territoires des communistes et du Kuomintang. Elle y avait retrouvé deux aviateurs américains qui avaient été sauvés par les villageois. Peu après, des troupes de Kuomintang déguisées en soldats fantoches des Japonais ont attaqué le village. L'un des aviateurs a été tué mais Stéphanie a été transportée à Yenan. Elle a été malade, Yong, mais maintenant elle est guérie. »

Jessica se tourna vers David. « Pourquoi n'essayons-nous pas de joindre John Moore, David ? Il pourrait lui-même raconter tout ça à Yong.

— Bonne idée », dit David.

Mais Yong l'interrompit : « Non, non, ne vous dérangez pas, je vous prie. Je dois m'en aller maintenant », et il prit abruptement congé des Eanes.

Jessica avait regardé son visage. Il avait changé à la mention de John Moore, un voile sombre semblait s'être posé dessus, effaçant la joie qui le baignait tandis qu'il écoutait David lui raconter l'arrivée de Stéphanie à Yenan.

Yong se précipita dans la rue, luttant de toutes ses forces pour dominer sa douleur, sa jalousie, et il marcha, marcha, se heurtant à d'autres corps, sans même s'en apercevoir jusqu'au moment où des insultes furieuses lui faisaient marmonner « Excusez-moi... » John Moore, l'homme à qui avait été écrite la lettre sur Stéphanie. Il avait vu Stéphanie ; à Yenan.

Il lui fallut une heure pour se calmer. Il se sentit alors épuisé, vidé. *Quoi qu'elle fasse, je l'aimerai toujours. Je dois commencer à apprendre à l'aimer.* Oh c'était difficile et douloureux mais il y parviendrait. *Même s'il me faut changer jusqu'à mes os, je continuerai à l'aimer.*

Il allait bientôt partir pour Yenan. Alors tout serait clair. A Yenan, loin de la pestiférée et sordide Chungking, tout redeviendrait clair et propre, propre comme Stéphanie...

Le docteur Nee avait remplacé Jen Yong dans les salles de chirurgie. « Je ne serai pas capable de faire un aussi bon travail que vous, docteur Jen », dit-il avec chaleur puis il se lança dans une discussion sur les conditions dans lesquelles il fallait opérer, sur la pénurie aiguë de matériel, qui s'aggravait, au lieu de diminuer, malgré la réouverture de la Route de Birmanie. « Et c'est même pire à Yenan, là où vous allez. Pas de gants, pas de catgut, pas d'aiguilles ni de compresses, pas même de mercurochrome... On m'a dit qu'ils essayaient de fabriquer des seringues et des aiguilles et qu'ils réparaient eux-mêmes leurs éprouvettes. »

L'infirmière Sha se tenait derrière le docteur Nee, comme elle s'était tenue naguère derrière Jen Yong.

« Infirmière Sha, merci pour l'aide précieuse que vous m'avez apportée, toutes ces années, dit Jen Yong.

— *Aiyah,* docteur Jen, n'allez pas à Yenan ; il y a assez de travail ici pour deux chirurgiens », dit-elle. Elle avait l'air hagard. Son visage s'était creusé de rides et Jen Yong fut frappé par la discordance qui l'habitait, faisant saillir les tendons de son cou et rendant sa voix criarde. Quand elle parlait, il avait l'impression d'entendre de la vaisselle brisée.

Quelque part, il y avait quelque chose qui n'allait pas chez l'infirmière Sha et Yong, avec la nouvelle lucidité que lui avaient donnée l'amour et la prison, comprit maintenant qu'il l'avait blessée, d'une certaine manière. Mais comment ? Pas intentionnellement. Mais il ne l'avait pas considérée comme un autre être humain, comme une femme. Elle avait été pour lui une présence, dévouée, soumise, qui le servait, le protégeait, et il s'était servi d'elle.

Il dit avec douceur : « J'ai appris que Liang Ma s'était donné la mort. Vous l'avez bien soignée, infirmière Sha. J'ai l'intention d'essayer de retrouver Petit Etang, son fils, avant de partir. »

Elle répondit : « Liang Ma a eu une vie amère, une vie sans chance. C'était la volonté du Ciel, docteur. Vous ne devriez pas vous donner cette peine. Son fils est venu et on lui a dit que sa mère était morte et qu'il apporte un cercueil ou qu'il la prenne pour l'enterrer mais il n'est jamais revenu. Ce n'est pas un bon fils. »

Jen Yong eut envie de dire : Mais il est si pauvre... Il se tut de peur de la blesser. Il lui serra la main. Elle avait des mains petites, potelées, à la peau souple. Elle devrait se marier... Il partit et l'infirmière Sha regarda son dos, le regarda jusqu'à ce qu'il n'y eût plus que le couloir vide dans ses yeux.

Au clair de lune, les taudis formaient une excroissance noire. C'était là que l'avait conduit Petit Etang pour récupérer l'appareil-photo de Stéphanie.

Malgré la nuit froide et humide, Yong transpirait. Le quartier entier était une bête noire qui l'épiait. Il appela : « *Wei,* Liang Petit Etang, Petit Etang. » Il s'avança dans l'étroite venelle entre les baraques puantes. Un homme fut soudain là, dans le brouillard.

« Qui cherchez-vous ?

— Oncle, je cherche un jeune garçon. Son nom de famille est Liang, son propre nom Petit Etang.

— Il n'y a personne de ce nom ici », dit l'homme. Il était juste une vague silhouette, sans contours précis, dans le brouillard. Il ne s'éloigna pas. Il resta là, immobile. Alors, Jen Yong sentit d'autres créatures prendre forme dans l'obscurité, et l'entourer. Epais fantômes, toujours plus nombreux, qui l'enserraient.

Peut-être allaient-ils le tuer pour ses vêtements, pour l'argent qu'il avait sur lui... peut-être. Mais il ne devait montrer aucune peur. Alors il parla de Mère Liang, comment elle s'était tuée parce que la police était venue à l'hôpital et qu'elle avait eu peur, et maintenant, il cherchait son fils Petit Etang ; quand il eut fini l'homme parla à nouveau. « Il est parti. Nous ne savons pas où il est. »

Ils ne lui faisaient pas confiance. Comment auraient-ils pu ? Mère Liang était morte. Il n'avait pas été capable de la protéger. Est-ce que sa visite allait leur créer des ennuis ? Voilà comment ils raisonnaient. Et maintenant, ils murmuraient et s'avançaient, toujours plus près, l'éloignant lentement de l'entrée de la ruelle.

« Docteur, j'ai de très mauvais yeux — pouvez-vous me donner un remède ?

— Docteur, mon fils ne peut pas bouger ses jambes...

— Docteur... »

Ils le pressaient, l'étouffaient de leur horrible odeur, de leurs escarres, du simple poids de leurs corps souffrants, agrandis par le brouillard, qui semblait accroître leur substance.

Il n'était pas né dans un taudis. Il venait d'une classe privilégiée, il le savait et eux le savaient. Tout en lui était différent, son odeur, sa façon de parler, ses os... ses entrailles même ne réagissaient pas comme les leurs.

Les mots, les esprits pouvaient mentir. Seul le corps ne mentait pas. Et leurs corps à eux s'avançaient sur lui, le sachant étranger, telles des cellules prêtes à dévorer son corps à lui étranger. Bientôt, ils étendraient les mains, déchireraient ses vêtements, sa chair...

L'homme qui avait parlé vint à son secours. « Si Petit Etang revient, nous le lui dirons, *Taifu.* » Les autres cessèrent de geindre et le rempart compact et impénétrable de leurs corps, dont chaque tête formait un créneau, céda. Ils le laissaient aller. Il sortit tout l'argent qu'il avait dans sa poche. Que pouvaient-ils en faire ? Une liasse suffisait à peine à acheter une cigarette.

« Oncle, je vous en prie, prenez ceci, c'est tout ce que j'ai. »

Une verrue, d'où pendait un long poil, ornait le menton de Tsui Dragon de Mer. Sa femme Chaste Sagesse louchait de l'œil gauche. La laideur du couple était rassurante. Ils étaient tous les deux des taupes, tapies dans les réseaux clandestins des communistes.

Car, si les communistes s'insinuaient dans tous les échelons du Kuomintang, la Police secrète de Tchiang insérait aussi ses agents dans les anneaux concentriques qui gravitaient autour du parti communiste.

L'entreprise avait été difficile tant que Chou Enlai avait dirigé le Bureau de liaison entre les communistes et le Kuomintang — créé en 1938 pour coordonner l'effort de guerre contre le Japon. Chou Enlai était très compétent, à la fois audacieux et prudent, d'une intelligence si fine qu'il avait déjà vu le revers d'une situation avant même qu'on en eût décrit l'avers. C'était lui qui avait organisé le réseau communiste clandestin dans tout le sud-ouest de la Chine. Il maintenait une discipline stricte et il eût été difficile d'insérer une aiguille, une goutte d'eau, dans l'édifice. Il charmait aussi les Occidentaux par sa culture et son allure aristocratique.

Le couple Tsai-Bo étaient d'excellents espions. Tous deux professeurs de collège — couverture idéale car c'était parmi les professeurs d'enseignement secondaire et les étudiants que la propagande communiste avait le plus de succès. Les Tsai-Bo partaient pour Yenan. Ils allaient être isolés pendant des mois, des années, sans pouvoir dire qui était avec eux ou contre eux sauf par langage corporel — la façon de boutonner une veste, de tendre une tasse de thé, de commencer une conversation...

Le lieutenant-colonel Hsu Nuage Elevé, devenu l'adjoint du colonel Tsing, était assis en face d'eux dans le restaurant et les pressait de manger tout leur saoul. « Mangez bien, ceci est votre dernier bon repas, vous n'aurez bientôt plus que le millet bouilli des bandits rouges. » Ils rirent. Il poursuivit : « Il y a là-bas une journaliste américaine. Elle écrit sur nous des articles perfides dans la presse de son pays. » Les communistes avaient des égards particuliers pour Stéphanie Ryder, expliqua-t-il. Ils l'avaient fait sortir clandestinement de Chungking parce qu'ils espéraient qu'elle pourrait beaucoup les aider. Ils avaient aussi ordonné à un jeune médecin, Jen Yong, qui faisait partie de leur organisation, de devenir son amant. « Vous pourriez parler à certaines personnes de la vie dissolue qu'elle mène, suggéra Nuage Elevé. En ce moment, les bandits rouges utilisent n'importe quoi, n'importe qui. Ils fournissent même des femmes aux Américains qui se trouvent à Yenan.

— Nous comprenons », dit le couple. La réputation. Il était toujours possible de démolir quelqu'un par des allusions à la licence sexuelle — que ce fût à Chungking ou à Yenan.

Ils quittèrent le restaurant avec des rots de satisfaction et descendirent la rue nappée de brouillard. Chaste Sagesse s'arrêta dans une boutique pour acheter de la viande de bœuf séchée. « Prends-en très peu, recommanda son mari, nous ne devons pas paraître riches. »

Un jeune mendiant les vit passer. Il remarqua qu'ils avaient l'air satisfaits et qu'un des hommes avait une verrue au menton. Mais le garçon accroupi dans les détritus vit surtout Hsu. Il s'aplatit dans le brouillard, courba son corps, se mit à fouiller dans le tas de balayures. C'était l'homme qui avait tué sa mère...

Petit Etang était allé voir Liang Ma le soir de la descente de police. Pas d'attroupement dans la cour de l'entrée. Pas de bruit. Pas de cris. Personne aux urgences, sauf une jeune infirmière assise qui, à la lumière de la lampe, paraissait menue et effrayée. Il s'inclina devant elle. Elle le regarda sans réagir.

« Tante, je viens voir ma mère. »

La jeune infirmière n'était pas au courant. Petit Etang expliqua, montra la lettre de Yong.

Elle dit : « Les visiteurs ne sont pas admis.

— Le docteur Jen a dit que je pourrais venir le soir », implora-t-il.

L'infirmière s'efforçait de paraître sévère mais elle n'était que tendresse, avec sa chair douce et blanche dans son uniforme. « Attends ici », dit-elle. Elle fut absente un long moment. Personne ne vint. Personne ne traversa la pièce. Les externes de garde bavardaient à voix basse dans un coin. N'y a-t-il pas d'accident, de mort, de maladie, ce soir ? pensa Petit Etang.

L'infirmière revint, accompagnée d'un nouveau docteur, corpulent, qui dit : « Ta mère... il lui est arrivé quelque chose. La police est venue et ta mère, elle... elle...

— Ils l'ont emmenée ?

— Non... tu ferais mieux de venir avec moi. »

L'infirmière Sha, masse de chair crispée et rigide, était là. « Infirmière Sha, dit le médecin, voici le fils de la malade Liang Ma. Faites le nécessaire, je vous en prie. » Et il s'éloigna rapidement. La salle était silencieuse. Personne ne gémissait. Les malades contemplaient Petit Etang. Dans le lit de Mère Liang était couchée une autre femme.

L'infirmière Sha parla à voix haute, pour que toute la salle entende. « *Aiyah,* ta mère est malchanceuse. C'était sa destinée. Elle s'est pendue parce qu'elle avait peur de la police. De quoi avait-elle peur ?

De rien. Pas de crime, pas de peur. Mais peut-être avait-elle fait des choses mauvaises et elle était inquiète...

— Ma... s'il vous plaît de demander au *Taifu*... le docteur Jen... il guérira Ma...

— Ah ! toi et ta Ma. C'est à cause de vous que la police est venue et a emmené le docteur Jen. Maintenant, viens la voir, ta Ma. »

Elle était là, dans une petite pièce, sur un lit de briques et de ciment. Son visage était caché sous un morceau de papier de paille grossier. « Ma ». Il saisit sa main : elle était froide, terriblement froide.

« Ne regarde pas son visage, il y a un démon dessus, dit l'infirmière Sha. Tu dois acheter un cercueil et l'emmener, nous ne pouvons pas la garder. »

Petit Etang retourna au quartier des taudis. Il dit à Oncle Yu que Ma était morte. La police était venue à l'hôpital et avait emmené Jen *Taifu*. Il n'y avait pas de cercueil pour enterrer Ma.

Oncle Yu dit qu'il était impossible d'acheter un cercueil. L'âme de Ma errerait donc et reviendrait chercher Petit Etang parce qu'il s'était montré un mauvais fils, incapable d'enterrer sa mère décemment, dans un bon cercueil, et d'observer les rites du deuil, avec de l'argent en papier.

Oncle Yu resta un long moment silencieux tandis que Petit Etang pleurait sans bruit, debout, droit, en homme. Oncle Yu s'éloigna enfin en disant : « Que pouvons-nous contre le destin ? C'était le triste destin de Liang Ma... » Et Petit Etang sut que les habitants des taudis ne voulaient plus de lui. Le fantôme de Mère Liang, privé d'enterrement, reviendrait le chercher. Et les tourmenterait tous.

Il fit un paquet de ses maigres biens : la veste déchirée qui avait appartenu à Pa, que Pa n'avait pas eu le temps d'enfiler quand les soldats étaient venus le prendre dans les champs ; une cuillère en fer-blanc ; une petite boîte de conserve bosselée ; la paire d'espadrilles qu'il avait gagnées en travaillant, qu'il gardait pour Ma ; une casquette en feutre qui avait appartenu à Pa, que celui-ci portait en hiver. Il s'éloigna et personne ne lui demanda où il allait.

Et maintenant, deux lunes après la mort de Ma, il revoyait l'homme qui lui avait donné un coup de pied, qui avait tué son frère dans le ventre de Ma.

Alors il suivit l'homme.

Le fleuve avait son étiage de novembre et s'était retiré de l'île allongée qui servait d'aérodrome à Chunking en hiver, jusqu'à ce que la fonte des neiges de mai le gonfle à nouveau et recouvre l'île d'eau. Des avions en décollaient : pour Kunming, la capitale du Yunnan, pour Mitkyna, en Birmanie du Nord, par-delà la bosse de l'Himalaya, haute de plus de cinq mille mètres, et de là pour Calcutta, Le Caire,

Lisbonne... et de l'autre côté de l'Atlantique jusqu'en Amérique, via Ténérife et les Açores... L'îlot sur la rivière était le lien avec le monde.

Des officiels se pressaient dans le petit bâtiment de bois qui servait de salle d'attente. Ils étaient venus accompagner un célèbre directeur de journal américain. Il avait eu de longs entretiens avec le généralissime Tchiang Kaishek et Mme Tchiang et repartait, convaincu qu'après la guerre, Tchiang formerait un gouvernement démocratique. « Vous avez de la chance d'avoir un chef d'Etat aussi éclairé », dit-il à Henry Wong. Henry eut un sourire radieux. Le chef du protocole, le vice-ministre des Affaires étrangères et le secrétaire aux Finances reformèrent leur cercle respectueux autour du Grand Directeur. Il venait de passer quatre jours pleins à Chungking.

Terry Longworth et Rosamond Chen se serraient l'un contre l'autre, loin du groupe des officiels. Terry partait en congé. Il souffrait encore de crises de dysenterie qui le laissaient épuisé et décharné et il avait des ennuis avec son directeur de journal, à propos de l'article sur Joseph Stilwell, qui venait d'être rappelé.

C'était à présent Pat Hurley, l'envoyé personnel de Roosevelt, un homme que les Chinois appelaient Grand Vent Numéro deux (parmi d'autres surnoms encore moins respectueux) qui définissait la politique chinoise des Etats-Unis. Hurley aimait Tchiang Kaishek. Hurley s'était débarrassé du général Stilwell...

Terry ricana en entendant le pompier itinérant, comme il appelait le Grand Directeur, proclamer que la Chine était une grande démocratie « Rosamond, ou bien cet homme est un crétin ou bien...

— Chut, mon amour, dit Rosamond. Chut. » Il se calma.

« Je serai de retour en février, Rosamond... j'obtiendrai le divorce de Blanche... »

Rosamond eut un léger sourire et dit d'un ton d'évidence : « Tu vas passer Noël avec tes enfants, Terry chéri. »

Il protesta : « Rosamond, aie confiance en moi, je...

— Oh, en toi j'ai confiance », dit-elle avec une intonation riche de significations.

Hsu Nuage Elevé était là. Il adorait les aérodromes. Il adorait regarder les machines ailées s'élever en grondant dans le ciel. Dans les aéroports on avait aussi la chance d'apercevoir parfois des étrangères.

Il observait avec intérêt Rosamond et Terry. Mais toujours, juste derrière sa rétine, il y avait le même visage, le même corps. Un visage encadré de cheveux cuivrés, un visage qu'il détestait et aurait voulu détruire.

John Moore, le visage tanné par le vent de Yenan, se trouvait aussi à l'aéroport. Il était rentré de Yenan quelques jours plus tôt et avait eu, pendant une heure, la nuit précédente, une discussion véhémente avec le Grand Directeur.

« Ne venez pas me dire ce que je dois penser. Je *sais* ce que j'ai vu », avait crié celui-ci.

John était venu assister à son départ. Il observait le solide barrage que formaient autour de lui les officiels, soyeux, onctueux, flatteurs. Les Chinois seraient capables d'arracher la patte arrière d'un âne sans qu'il s'en aperçoive, pensa John. Leur flatterie était si subtile, si caressante ; ils vous séduisaient par la nourriture, par des sourires et oh, leur art du mensonge !

John avait vu Stéphanie à Yenan. Avec d'autres correspondants il était venu en avion de Chungking et lui avait apporté une liasse de lettres, une brosse à dents, du savon, du café et du sucre. Bien qu'encore très faible et toujours alitée, Stéphanie semblait être bien soignée. Elle s'assit sur son lit pour l'accueillir et lui sourit. « Vous nous avez manqué, dit-il en déposant un léger baiser sur sa joue. Son ventre se contracta de désir. Comme il l'aimait, comme il avait envie d'elle ! Sa beauté, sa fragilité le bouleversaient. « Votre histoire a fait les gros titres, Stéphanie — vous devriez rentrer au pays et raconter aux Américains ce qui se passe vraiment, ils vous croiront vous, vous êtes une héroïne.

— Pas moi, dit-elle. Bill Haynes et Dick Steiner. Et les maquisardes. Moi je suis seulement tombée malade à attendre toute une nuit dans mes vêtements mouillés. Je n'ai même pas abattu un de ces assassins, bon Dieu ! »

Ils avaient bavardé et elle avait prononcé le nom de Jen Yong. « Il va venir ici », avait-elle dit, les joues roses, les yeux brillant de bonheur. Elle était manifestement amoureuse, ou croyait l'être, du médecin chinois.

Avec bien des hésitations, il avait essayé de la raisonner. « Je ne veux pas me mêler de ce qui ne me regarde pas, Stéphanie, mais ce n'est pas facile, vous savez, je veux dire...

— Vous voulez dire le fait que je sois amoureuse d'un Chinois », avait-elle répliqué, en lui adressant son regard direct d'enfant candide, puis elle avait souri et secoué la tête : « Je prends le risque. »

Elle avait pris sa décision, c'était évident, décidée à passer outre aux difficultés, aux dangers... Son sourire montrait combien elle soupçonnait peu l'amour de John. Il n'était qu'un bon copain, ce bon vieux John...

Elle lui avait confié des lettres pour Chungking, une pour Jen Yong, une pour les Eanes et une, très longue, pour ses parents. De retour à Chungking, il avait glissé la lettre pour Yong dans la boîte de l'hôtel, remis aux Eanes celle qui leur était destinée et gardé par-devers lui celle qu'elle envoyait à ses parents, puisqu'il devait rentrer bientôt aux Etats-Unis.

La lettre pour Yong fut retirée de la boîte et versée au dossier que la Police secrète constituait sur le docteur Jen Yong.

7

« Tu viens à la soirée, Dallas ?

— Et comment, Spartanburg ! »

Humour facile mais nostalgie de l'Amérique. Comme le nom donné au groupe militaire d'observation à Yenan : la Mission Dixie.

Stéphanie se leva de sur le kang chaud, enfila son manteau doublé de fourrure de chèvre et prit le bonnet de fourrure accroché au mur. Elle ouvrit la porte en bois de la grotte et le vent glacé projeta une poignée de sable gelé sur son visage.

« Brrr. »

Lionel et Loumei Shaggin l'attendaient. Loumei prit son bras car Stéphanie n'était pas encore très solide sur ses jambes. « Vous êtes sûre que ça ira ? demanda Lionel.

— Je me sens très bien », dit Stéphanie. Elle s'essuya le visage.

« Vous voulez encore de la lanoline ? J'en ai un pot. Du suif de mouton véritable et purifié. La meilleure crème au monde pour le visage. »

Stéphanie imagina combien la délicate Isabelle, sa mère, souffrirait de voir sa fille aller à une soirée, accoutrée d'une énorme veste matelassée et d'un pantalon de gros drap rustique gris, le visage luisant de graisse de mouton.

Ils descendirent tous les trois lentement le sentier qui conduisait des grottes au fond de la vallée. Là se dressait un bâtiment qui servait de grande salle de conférences, de théâtre et, le samedi soir, de salle de bal pour les hôtes honorés de Yenan.

Ceux-ci étaient surtout des Américains : non seulement la mission d'observation mais des journalistes de passage et quelques résidents étrangers permanents. Ils avaient droit à la catégorie luxe dans les grottes : terriers de première classe, aux murs proprement crépis, aux parquets de briques, avec des poêles en fonte pour le chauffage, une épaisse porte de bois et une fenêtre aux carreaux de verre au lieu du papier habituel.

Shaggin éclairait leur chemin avec sa lampe électrique. Sur toute la paroi de la falaise, des dizaines de lumières pareilles à des lucioles dansaient dans la nuit, à mesure que les gens sortaient de leurs grottes pour se rendre à la salle de bal.

Yenan, Longue Paix. Cité vieille de quatre mille ans, presque entièrement rasée par les bombardements japonais de 1940. Elle abritait à présent quarante mille personnes dans ses terriers, creusés dans les falaises de loess qui bordaient le fleuve Yen.

C'est ici qu'avaient échoué les survivants décharnés des armées communistes après la Longue Marche. Ils avaient évidé des grottes dans les parois des falaises, en rangées superposées, régulières comme les alvéoles d'une ruche. Un style d'architecture économe en matériel de construction, chaud l'hiver, frais l'été.

« Vous êtes vraiment un cas dans l'histoire médicale », avait dit Shaggin à Stéphanie dès qu'elle avait pu se tenir assise. « Double pneumonie *et* accès de malaria pernicieux. Le docteur Mehta a diagnostiqué votre paludisme. Il est du Bengale, alors il s'y connaît. Vous avez reçu la dernière de nos injections d'atabrine et vous vous êtes sortie toute seule de votre double pneumonie ». Il y avait cinq médecins indiens à Yenan, un Allemand, deux Japonais et un Russe.

Mais Stéphanie souffrait encore d'une anémie tenace ; elle était aussi épuisée par des règles très longues et très abondantes. Comme on ne disposait pas à Yenan d'assez de coton hydrophile ou de chiffons pour les besoins menstruels des femmes, il lui fallait utiliser l'universel et grossier papier de paille jaune.

La femme de Shaggin, Loumei, qui avait soigné Stéphanie jusqu'à sa guérison, ne parlait pas un mot d'anglais. C'était une chanteuse très douée, née dans une riche famille conservatrice. Comme tant de jeunes gens, elle s'était enfuie vers Yenan, vers la révolution. Là, elle avait rencontré et épousé Lionel Shaggin, l'un de ces Occidentaux qui avaient combattu le fascisme à la fin des années 20 et, dans les années 30, fait la guerre d'Espagne puis la Chine. Le plus célèbre d'entre eux avait été le médecin canadien Norman Bethune qui avait trouvé la mort alors qu'il opérait des maquisards blessés.

Dans les longues heures de convalescence qu'elle passa, allongée sur son lit, Stéphanie parla de Jen Yong à Loumei et à Lionel. « Nous avons un trait d'union, sœur, lui avait dit Loumei. Nous avons toutes les deux franchi les barrières érigées par les nations, pour ouvrir grandes les portes de la compréhension. »

Dès qu'elle put rester assise sur le kang chaud, on fournit à Stéphanie une petite table qu'elle posait par-dessus ses jambes et elle commença à écrire l'histoire de son voyage jusqu'au village de Fourche de la Rivière, sa rencontre avec les deux aviateurs américains, et la vie à Yenan. Elle était heureuse de recommencer à travailler.

C'était la Mission Dixie qui donnait cette soirée. Dans l'austère Yenan, les Américains renouaient avec leur tradition de fournir eux-mêmes leurs distractions.

Le samedi soir était consacré à la danse. C'était devenu une règle. Par décision des chefs supérieurs du Parti. Pour obliger les dignes hôtes américains.

Ces derniers, après quelques mois de Yenan, s'étaient poliment plaints du manque cruel de compagnie féminine et de vie mondaine.

On avait établi une liste de jeunes filles, charmantes et sûres. Des étudiantes de l'Académie des arts. Bien sûr, il n'était pas question de rapports sexuels. Le sexe était interdit. Mais les Américains auraient des cavalières pour danser, qui leur souriraient et bavarderaient avec eux, puisque c'était ce qu'ils voulaient. Tout cela resterait très correct.

Le colonel David Barrett, le chef corpulent et érudit de la mission militaire, était l'âme de ces soirées. Il parlait un chinois parfait et très savant. Il pouvait même faire des jeux de mots, ce que n'avait pas beaucoup aimé le jeune et hautain colonel du Kuomintang auquel il avait eu affaire à Chungking, et qui l'avait traité comme un barbare inférieur. « Le colonel Tang me donnait chaque fois le plus petit tabouret qu'il pouvait trouver, sachant que je ne pourrais pas y loger la moitié d'une fesse. Or rien n'est plus déséquilibrant pour un homme engagé dans des négociations sérieuses à propos de canons et de défense antiaérienne qu'une telle instabilité du fondement. »

Stéphanie et les Shaggin arrivèrent à la salle de bal. Leur haleine s'élevait dans l'air glacé et Stéphanie haletait quand ils entrèrent. « Vous sentez-vous bien, sœurette ? Peut-être ne devriez-vous pas essayer d'en faire tant. » Shaggin était inquiet. Stéphanie était si pâle, si essoufflée.

« Je vais m'asseoir un instant. » Elle se dirigea vers un des tabourets rangés contre le mur et Loumei l'aida à se débarrasser de son lourd manteau et de son bonnet de fourrure.

Des lampes à kérosène éclairaient la salle et projetaient des taches lumineuses sur le petit orchestre de cinq musiciens installé sur une estrade. Deux violons, un trombone, une batterie et un piano désaccordé. Une quarantaine de couples martelaient avec énergie le sol en béton. Leurs vêtements matelassés les faisaient ressembler à des ours en peluche rondelets ; même les étreintes les plus tendres ne pouvaient qu'écraser quelques centimètres de capitonnage sans aboutir à une plus grande proximité.

« Bonsoir, mademoiselle Ryder. Mademoiselle Ryder... je vous souhaite le bonsoir. » Exubérant, agile, le docteur Mehta, du Bengale, serra la main de Stéphanie. Ses yeux aux longs cils brillaient de l'éclat de l'ébène, tous les muscles de son visage maigre bougeaient. Mehta avait donné du sang quand Stéphanie avait eu besoin d'une transfusion. « Dites-moi... vous êtes très belle. Un tout petit peu maigre (il pressa en riant l'épais matelassage) mais plus belle que jamais... »

Mehta avait eu des activités révolutionnaires en Inde et les Anglais avaient mis sa tête à prix sous l'accusation de terrorisme. Il entraîna Stéphanie dans un paisible fox-trot de son invention, sans cesser de parler. « J'ai passé deux heures extraordinaires avec les camarades chinois... Dieu les bénisse, ils sont si sincères, si honnêtes, mais ils prennent tout à la lettre, *littéralement !* Je plaisantais en disant qu'après l'indépendance de l'Inde, nous continuerions à apprendre l'anglais et que Nehru était autant un aristocrate anglais qu'un brahmane du Cachemire. Ils m'ont réprimandé, oh, avec gentillesse bien sûr, mais cela leur a pris si longtemps, ils m'ont fait un véritable cours sur mon manque de sérieux quand j'aborde la politique... »

Ces soirées étaient l'occasion de conversations variées, stimulantes, où les esprits essayaient de voir clair dans un avenir qui paraissait alors utopique. La diversité des invités était impressionnante.

Il y avait deux membres du Département d'Etat américain — le grand et dégingandé John Service et le bouillant John Paton Davies. Tous deux descendants de missionnaires américains, de cette génération qui avait produit John Hersey et Pearl Buck et pour laquelle la Chine était une autre mère patrie, inséparable, dans leur cœur, de leur patrie d'origine, l'Amérique.

Service et Davies avaient une conception du rôle de l'Amérique en Chine qui faisait écho à celle que Stéphanie avait entendue de la bouche de Yong. Dans leurs rapports, ils pressaient leur gouvernement de considérer sérieusement Yenan comme une alternative au régime pourrissant de Tchiang Kaishek.

> Les communistes... ont le peuple chinois avec eux. Ils exercent une autorité qui nous répugne peut-être à cause de son manque de liberté au sens américain du terme ; mais il est certain que quatre-vingt-dix pour cent des gens dans les zones occupées par eux ont trouvé la justice sociale, l'égalité et le commencement d'un système social honnête...

La Mission Dixie s'inquiétait de l'attitude de Pat Hurley, le représentant personnel de Roosevelt. Hurley avait fait une visite éclair, et impromptue, à Yenan en octobre et en était reparti triomphalement, porteur d'une lettre de Mao Tsetung à Roosevelt.

« Mon cher président Roosevelt, écrivait Mao, je suis très honoré de recevoir votre représentant personnel, le général Patrick Hurley...

Nous avons amicalement discuté de tous les problèmes portant sur l'union de tous les Chinois et de toutes les forces militaires pour la défaite du Japon et la reconstruction de la Chine. Pour cela, j'ai proposé un accord...

« Une tradition d'amitié profondément ancrée lie le peuple de Chine et le peuple des Etats-Unis. J'espère... que ces deux grandes nations continueront à marcher ensemble pour... établir une paix mondiale durable et pour reconstruire une Chine démocratique. »

Hurley avait approuvé un accord en cinq points. Mais, de retour à Chungking, il avait changé d'opinion. « Mme Tchiang l'a pris en main et il est devenu aussi mou que du mastic », dit Service. Hurley était revenu sur tout ce qu'il avait promis à Yenan.

Les observateurs militaires américains avaient recommandé à leur gouvernement que les Etats-Unis donnent aux communistes pour vingt millions de dollars en armes afin de les aider à équiper leurs vingt divisions dans la lutte contre le Japon.

« Mais Hurley estime que l'ensemble de l'aide américaine devrait aller au seul Tchiang Kaishek. Et, dans ce cas, la guerre civile est inévitable », conclut Service. Davies, qui se tenait tout près, approuva.

« Mao, Chou Enlai et les autres chefs chinois sont prêts à s'envoler à tout moment pour les Etats-Unis, dit Davies. Ce ne sont *pas* des communistes au sens russe du terme. Ils l'ont prouvé. Mao a sorti son parti du Komintern dès 1937 et Staline ne le lui a jamais pardonné.

— Les communistes chinois sont maintenant si forts qu'ils peuvent envisager dès aujourd'hui la domination d'au moins toute la Chine du Nord après la guerre, ajouta Davies d'un ton convaincu.

— Vous le croyez vraiment ? demanda Stéphanie. Pensez-vous que Tchiang Kaishek n'a aucune chance ? » Elle préparait dans sa tête un article « équilibré » pour *Maintenant.*

Service répondit : « A mon avis, il en a une, s'il chasse sa Police secrète. S'il fait entrer les libéraux dans son gouvernement — et ils sont nombreux — alors, il a une chance. »

Malgré sa faiblesse, Stéphanie adorait ces réceptions. Elle goûtait la conversation, l'ambiance américaine, le sentiment d'être presque dans son pays à Yenan. En écoutant ses compatriotes parler, elle comprenait enfin l'engagement passionné de Yong.

Et, dans son esprit et dans son corps, elle sentait croître son amour mais aussi le respect. Et l'admiration. Elle avait un immense désir de lui, maintenant. Il allait venir. Lionel le lui avait dit. Elle l'attendrait ici. Et elle lui dirait qu'elle l'aimait, qu'elle le comprenait et qu'elle aussi se sentait engagée.

Ici, lui semblait-il, existait une réplique du christianisme primitif, frugal et sobre, acharné à la tâche, intrépide, animé d'une foi capable de déplacer des montagnes. Et, par-dessus tout, ici existait le contact, l'échange avec les gens ordinaires de ce pays.

Ici, elle se sentait proche de Yong. Elle pensait maintenant à lui avec bonheur. L'amour lui vint donc, un amour qui n'était pas seulement une réalité physique mais aussi cette emprise, la plus merveilleuse de toutes, une conjonction des esprits. Car l'amour qui se nourrit du seul amour se change bientôt en néant. Son amour lui semblait maintenant soudé par une cause commune, cause ô combien noble — et cette alliance subsisterait quand la passion s'éteindrait et elle ranimerait la passion même quand tout le reste serait épuisé.

Ce n'était pas l'aspect politique du système de Yenan qui avait donné à Stéphanie cette conviction mais sa dimension humaniste.

Le mariage de Loumei avec Lionel Shaggin, et d'autres mariages interraciaux lui apparaissaient ici naturels. Elle attendait Yong. Jamais, lui semblait-il, n'avait-elle été aussi véritablement heureuse comme pendant ces jours d'attente...

Un roulement de tambour éclata, réverbéré par les murs de la salle et le contingent japonais fit son entrée sous les applaudissements. Il y avait à Yenan une soixantaine de Japonais, dont certains étaient des prisonniers de guerre qui avaient rejoint les rangs de l'armée rouge chinoise. Alors que personne parmi les Alliés ne pouvait se vanter d'avoir converti des Japonais, les communistes de Yenan y étaient parvenus. Environ quatre cents prisonniers de guerre japonais coopéraient maintenant avec les maquisards de Yenan sur plusieurs fronts. Ils travaillaient à la radio, essayant de persuader leurs propres armées d'arrêter la guerre. Il y avait aussi deux médecins.

Les Japonais avaient teint en ocre et en bleu leurs grossières tuniques et noué des écharpes rouges autour de leur tête pour le défilé. Ils maniaient des bâtons avec enthousiasme dans un simulacre de combat, poussaient des cris stridents, bondissaient d'un air féroce et tapaient avec entrain sur deux grands tambours tendus de peaux d'âne. C'était dément, merveilleux et tout le monde applaudit et cria « Bis ».

Stéphanie sentit une main agripper son épaule « Ça vous plaît, Stéphanie ? Parfait. C'est très bon. Les nouvelles sont excellentes, n'est-ce pas ? Nous nous réjouissons tous. Que diriez-vous d'une petite danse, eh ? Pour nous réchauffer. » C'était Herbert Luger, le chef des programmes en langue anglaise à la radio.

Herbert Luger et sa femme Alicia étaient des communistes américains ; ils étaient venus aider la révolution chinoise. Enthousiaste, plein de vertueuse certitude, Herbert Luger, dont la conversation se réduisait à une guirlande de slogans, s'était donné pour tâche l'éducation politique de Stéphanie. Il y mettait une ardeur de croisé et rappelait à Stéphanie le personnage du missionnaire dans la nouvelle de Somerset Maugham, *Rain :* obstiné, collant, avec une tendance marquée à promener ses mains sur les épaules et la taille de Stéphanie.

« Je vais m'asseoir un peu, je suis fatiguée », dit-elle en souriant.

Mais Herb vit une invitation dans le sourire de Stéphanie et s'assit à son côté.

« Il paraît que vous écrivez une série d'articles sur la vie à Yenan... c'est bon, c'est excellent. Nous avons besoin de faire passer l'information, c'est essentiel. Mais je ne crois pas que vous donniez la vision politique correcte. Vous n'arriverez jamais à dépeindre ces événements historiques capitaux sans une perspective politique correcte. Or, le point de vue matérialiste...

— Je juge par moi-même, Herbert », coupa Stéphanie.

Mais il ne renonçait pas. « Stéphanie, votre résistance mentale est naturelle ; c'est l'effet de la lutte des classes. Votre classe refuse de penser correctement parce qu'elle souhaite continuer à écraser le prolétariat. Vous ne *voulez* pas remodeler votre façon de penser afin d'acquérir une vision du monde scientifiquement exacte... Mais, que se passe-t-il ? »

Stéphanie s'était raidie. Brusquement. Il la vit se précipiter vers l'entrée, dissimulée par un lourd rideau matelassé pour empêcher le froid de pénétrer. Un homme venait de le franchir, vêtu d'un manteau léger, d'un cache-nez et d'une casquette ; il tapait des pieds pour secouer ses minces chaussures tout en parcourant la salle des yeux. Elle courut vers lui, courut, et cria son nom, sans se soucier des regards surpris, des têtes qui pivotaient dans sa direction.

Jen Yong la vit et sa bouche dit « Stéphanie ». Il lui tendit les bras et elle se jeta dedans et l'étreignit ; il referma les bras sur elle et malgré l'épaisse veste, elle sentit tout son corps fondre et fusionner avec celui de Yong.

« Yong, dit-elle. Yong, je savais que tu viendrais.

— Stéphanie, mon cher amour, mon tendre amour.

— Je t'aime, Yong. Je t'ai attendu.

— Excusez-moi », intervint une voix froide. Tout près de Yong, comme s'il lui appartenait, se tenait une femme au visage ovale. Elle dévisageait Stéphanie avec une animosité non dissimulée. Jen Yong relâcha imperceptiblement son étreinte et dit : « Stéphanie, voici ma Quatrième Tante, Jen Ping. »

Jen Ping dit : « C'est extraordinaire, nous vivons toutes les deux ici et nous nous rencontrons seulement ce soir, grâce à mon neveu. »

Puis Shaggin arriva avec Loumei et Jen Ping se chargea des présentations. « Docteur Shaggin, voici le docteur Jen Yong, de l'équipe de la Croix-Rouge. »

Shaggin lui serra la main. « Ravi de vous voir arriver, docteur Jen

On m'a beaucoup parlé de l'excellent travail que vous faites... Où est le reste de l'équipe ?

— Je suis venu avant, dit Yong, un camion militaire... Les autres seront là demain. »

C'est pour moi, pensa Stéphanie, pour arriver plus tôt.

« Mon neveu n'a pas changé de vêtements et n'a pas pris de nourriture, dit Jen Ping d'un ton accusateur. Je pense qu'il a besoin de se reposer. »

Jen Yong dit : « Je voulais d'abord voir Stéphanie. »

Les yeux de Jen Ping flamboyèrent. « Vous allez attraper une pneumonie dans ces vêtements légers. »

D'autres personnes se pressaient autour d'eux maintenant car tout nouvel arrivant suscitait une grande curiosité. Herbert Luger fendit la foule. « Comment va, camarade ? Mon nom est Herbert Luger, je travaille à la station de radio. J'annoncerai votre arrivée si j'arrive à vous interviewer. Comment vous appelez-vous ? » Il plaça un bras autour de Stéphanie. « Eh bien, Stéphanie, vous n'avez pas voulu danser avec moi... mais c'était pour une bonne raison, je vois, une très bonne raison... »

Le visage de Yong s'assombrit et se figea. Pris d'une soudaine colère, il dit : « Je vous prie d'enlever votre bras de sur Mlle Ryder. » Herbert, stupéfait, s'exécuta.

« Oh, Yong, je languissais tellement de te voir », dit Stéphanie.

Jen Ping interrompit à nouveau : « Je suis la personne responsable du logement du personnel médical. Je crains que nous ne devions partir. »

Shaggin intervint d'un ton sérieux : « Stéphanie, il est temps, je pense, que nous rentrions tous. Elle a été très malade, dit-il à Yong. Malaria pernicieuse et pneumonie, son taux d'hémoglobine est encore seulement de 7,50. Vous pourrez tous bavarder demain.

— A demain donc », dit Stéphanie. Elle se sentait au bord des larmes, à la fois de bonheur et de désarroi car elle lisait maintenant dans les yeux de Yong de la colère et du tourment.

Il inclina la tête. « Bonne nuit, Stéphanie », dit-il d'une voix brusque, le regard chargé d'une douloureuse angoisse ; et il partit dans la nuit glaciale, suivi par sa Quatrième Tante, Jen Ping.

Au diable Herb Luger, pensait Stéphanie, allongée sur le kang. Elle était épuisée de fatigue mais n'arrivait pas à trouver le sommeil. Yong. Yong était à Yenan mais ne pouvait pas être avec elle. Il lui manquait tellement que c'en était douloureux.

Herb Luger. Ce type sans tact, fort en gueule, et toujours en train de vous tripoter ; cette manie de toucher les gens. Quand il parlait à quelqu'un, il ne pouvait pas s'empêcher de poser la main sur son genou ; la malheureuse victime se tortillait vainement, soumise en plus à ses postillons et au flot intarissable de son jargon. Le Centipède. C'était son surnom chinois.

Ce n'est pas possible, pensait Stéphanie, que Yong ait pris le geste de Herb Luger au sérieux. Il était trop intelligent... Mais ce voile sombre sur son visage...

Elle se leva dans l'aube pâle, remplit une grande bouilloire de cuivre avec l'eau contenue dans une jarre de céramique brune posée dans un coin et la posa sur le petit poêle qu'elle avait regarni de boulets de charbon. Quand l'eau fut chaude, elle la versa dans sa cuvette et fit sa toilette, en se tenant le plus près possible de la chaleur du poêle. Puis elle retourna s'allonger sur le lit, déjà fatiguée et prise de vertige.

Stéphanie était privilégiée en ce sens qu'elle disposait d'une bouilloire et d'eau chaude en permanence grâce au petit poêle en fonte, dont le tuyau sortait par la fenêtre. Même les chefs n'avaient que des braseros de charbon de bois, qui dégageaient des fumées toxiques et devaient être éteints la nuit. Et dans beaucoup de grottes, la seule source de chaleur était constituée par les occupants eux-mêmes. Tous les deux jours, Wei Pousse de Bambou, la jeune paysanne qui s'occupait d'elle, transportait deux seaux d'eau de la rivière pour remplir la jarre de Stéphanie. Et comme Stéphanie n'était pas assez solide pour affronter les latrines en plein air, Pousse de Bambou vidait tous les jours un pot en céramique bleu dans lequel Stéphanie se soulageait et qu'elle dissimulait derrière un paravent en lattes de bois.

Les latrines dont disposaient les habitants des grottes étaient formées soit de planches creusées de trous, soit de simples briques posées de part et d'autre d'une tranchée. Une avancée de toit les abritait contre la pluie et la neige mais elles restaient ouvertes à tous les vents, à part un petit mur bas qui vous protégeait des regards. En hiver, les matières gelaient dès qu'elles tombaient et une colonne luisante s'élevait presque jusqu'aux fesses de la personne accroupie. Chaque latrine possédait donc à cet effet un crochet ou un pic suspendu au mur et qui servait à briser la colonne quand elle montait trop haut. Au printemps, au moment du dégel, on vidait la tranchée, dont le contenu servirait plus tard d'engrais dans les champs.

Stéphanie lava et peigna ses cheveux puis se mit à attendre Yong. Il viendra après le petit déjeuner. Après le repas de midi. Mais l'après-midi s'étira, la nuit tomba et Yong ne vint pas.

Peut-être a-t-il été retardé ; il doit être à l'hôpital. Elle attendit le retour de Lionel Shaggin. Il lui apporterait des nouvelles de Yong. Mais Shaggin se contenta de dire qu'il y avait une réception le lendemain pour accueillir l'équipe de la Croix-Rouge et que les Américains étaient invités, y compris Stéphanie, bien sûr. « Si tu te sens assez solide. » Elle était trop fière pour demander des nouvelles de Yong... La nuit vint, puis le matin. Une pénombre glacée et sinistre qu'on ne pouvait affronter que par un effort de tout l'être. Stéphanie et Loumei descendirent dans la vallée. La réception avait lieu dans la salle où se tenaient les bals.

Le personnel soignant de l'hôpital surgit dans un grand pépiement de rires. C'étaient surtout des jeunes infirmiers, équipés de leur petit tabouret, qui allèrent s'assoir au fond de la salle, contre le mur. Mais il y avait aussi quelques jeunes filles et quelques femmes. Les médecins, reconnaissables à leur cache-nez et à leurs manteaux de peau de chèvre, arrivèrent en groupe, d'un pas posé. Yong était avec eux, ainsi que sa Quatrième Tante, la camarade Jen Ping, qui se tenait près de lui comme si elle le gardait. Yong se dirigea vers Stéphanie. Il était si pâle que même ses lèvres étaient décolorées. Elle sentit à nouveau cette meurtrissure dans sa poitrine quand il prononça son nom « Stéphanie » avec gravité. Mais elle lui sourit avec des yeux remplis de ferveur. « Stéphanie, je t'en prie, attends-moi quelques jours. J'ai... quelques problèmes à régler. Je t'en prie, aie confiance en moi.

— Bien sûr, Yong. J'attendrai, je t'aime.

— Et moi je t'adore », dit Yong avant de s'éloigner.

Le secrétaire du Parti pour l'hôpital, le camarade Pu, monta sur l'estrade et parla longuement. Le représentant américain, le corpulent docteur Hagen, fit un bref discours, puis tout le monde se leva et Stéphanie vit que le secrétaire du Parti Pu la cherchait du regard et la dévisageait ; puis Jen Ping lui parla et il inclina la tête tout en continuant à la regarder. Yong fut alors entouré, assiégé par une foule de gens, un rempart de vestes matelassées. Et tous ces gens avaient des yeux hostiles — non, elle avait une hallucination, ce n'était pas vrai — ils formaient un mur pour empêcher Yong de la rejoindre, parce qu'il la regardait, qu'il cherchait à aller vers elle, mais chacun lui barrait le chemin, lui parlait, lui souriait et le camarade Pu aussi lui parlait et se tenait de telle façon que Yong devait tourner le dos à Stéphanie.

Loumei lui saisit alors le bras et dit : « Rentrons Stéphanie. Vous devez vous reposer ».

Quand elle fut dehors, Stéphanie se mit à pleurer sans bruit et dans l'air froid les larmes lui brûlaient les joues.

De retour dans sa grotte, Loumei l'aida à s'étendre sur le kang et lui prit la main. « Chère sœur, ne torturez pas votre cœur. Il y a des gens méchants qui prennent plaisir à blesser des êtres comme vous. Mais vous êtes tous les deux sincères et innocents. Tout ira bien.

— Mais pourquoi, pourquoi, Loumei ? Qu'avons-nous fait de mal ? Pourquoi Yong ne peut-il pas venir me voir ? Il m'aime, et je l'aime.

— Vous êtes tous les deux jeunes et beaux. Et vous, Stéphanie, vous êtes impétueuse, vous ne dissimulez jamais rien. Tous, nous dissimulons... nous le faisons depuis des siècles. Parce qu'il y a des gens qui haïssent ce qui est beau. Ils veulent causer de la souffrance. C'est l'héritage du passé. Les Chinois sont un peuple encore médiéval, Stéphanie, très puritain, surtout dans le domaine sexuel. Et une cabale est en train de se monter. Sur la conduite de Yong. Sur vous. Yong se bat, pour vous deux. Il ne veut pas que les gens médisent de vous ; il vous honore trop ; il veut que les autres vous honorent aussi... Comprenez-vous ?

— Non, dit Stéphanie d'une voix lasse et irritée. C'est notre vie privée. Personne n'a le droit de s'en mêler... »

Loumei secoua la tête. « Ça, c'est la conception américaine. La vie privée. Les sentiments privés. Mais ici, nous sommes en guerre et dans une guerre, il doit y avoir une discipline collective. Yong est venu spécialement au bal pour vous voir. Il n'avait pas la permission d'y assister. Il s'est fait transporter par un camion militaire... tout ça pour venir vous voir. Il n'a pas respecté la discipline.

— Et moi j'ai tout gâché », dit Stéphanie. Soudain, elle voyait tout clairement : elle s'était jetée dans les bras de Yong devant tout le monde et oh, cette sensation merveilleuse quand il l'avait serrée contre lui... « Ayez confiance », dit Loumei. « Tout ira bien. »

L'histoire avait mis Yenan en émoi. Stéphanie pouvait presque sentir vibrer la cité troglodyte du frisson du scandale. Partout des bouches qui chuchotaient, des oreilles avides. D'une grotte à l'autre. La nuit. Derrière les visages impassibles, les sourires amicaux, se cachait ce courant de malveillance. Toutes ces rumeurs, sur Yong, sur elle.

Le matin, devant sa grotte, elle trouvait des gens. Quand elle en sortait, tous les jours, pour se rendre chez les Shaggin, ils s'éloignaient d'un pas tranquille, en tournant la tête pour la suivre des yeux. Cela ne s'était jamais produit auparavant.

Pousse de Bambou venait comme d'habitude remplir son thermos d'eau chaude et vider son pot. En regardant son visage rond, ses joues rouges, sa peau irritée par le vent (pas de lanoline pour elle) Stéphanie se demandait si elle aussi participait aux racontars. Si elle parlait de ses habitudes, de ses règles si abondantes qu'il fallait une quantité énorme de papier, de ce grossier papier jaune, pour étancher le sang.

Les femmes. Qui l'épiaient.

« Je me sens écorchée par leur curiosité », écrivait Stéphanie dans le journal intime qu'elle tenait de façon irrégulière. « Une curiosité qui s'estime légitime dans cette société où les affaires de chacun sont celles de tous. »

Un sentiment proche de la culpabilité s'emparait d'elle. Sa fière innocence se muait en honte furtive. « Qu'y avait-il de mal à cette étreinte ? écrivait-elle. Ce n'est même pas comme si nous nous étions embrassés... je sais que les Chinois ont horreur des baisers en public... Pour eux, c'est une indignité. Mais nous... il m'a simplement serrée dans ses bras. » Puis elle s'en voulut de s'excuser pour ce geste joyeux, aussi pur que la foudre. Allongée sur son kang, elle se sentait lasse jusqu'aux os, de cette lassitude que donne l'amertume. Elle revoyait Yong tel qu'il lui était apparu la dernière fois, entouré par d'autres hommes, protégé et encerclé par le mur épais, d'un gris uniforme, que formaient les dos aux vestes épaisses de tous ces hommes. Tous semblables, tous appliqués à lui parler afin qu'il ne puisse pas l'atteindre, elle.

Un autre jour passa lentement et se fondit dans une nouvelle nuit. Le docteur Mehta et le docteur Obuso, le médecin japonais, vinrent dîner chez les Shaggin ; en leur honneur, Loumei servit de petits morceaux de mouton ; et elle avait puisé dans une réserve de miel recueillie dans les ruches l'été précédent, pour confectionner de petits gâteaux ronds à la farine de maïs et aux graines de sésame. Il y avait aussi des tranches de plaquemine séchée et, bien sûr, dans des cruches en grès, l'alcool de la vallée du Yen, entêtant, râpeux et fort. La conversation porta sur de nombreux sujets, comment éviter les engelures, le nombre de bébés nouveau-nés, la guerre, la guerre encore, et la reprise du blocus que le Kuomintang rendait encore plus hermétique, après l'avoir allégé un temps. Alors les groupes de femmes qui venaient la dévisager parurent futiles à Stéphanie.

Sois fort, mon cœur. Et crois.

Quand elle partit, Lionel lui dit : « Ne vous inquiétez pas, petite sœur, tout se passera bien. »

Stéphanie se réveillait et s'endormait ; elle se lavait, mangeait, marchait un peu et écrivait. Elle rédigeait les articles qu'elle avait promis à *Maintenant.* Elle arrangeait ses notes. Elle se rendit au magasin de la coopérative, dans la vallée, pour acheter le papier à écrire fait à la main et réservé à ceux qui avaient des tickets — car tout était rationné. On pouvait voir se fabriquer le papier à l'arrière du magasin : les cuves fumantes, la pâte brassée par des hommes à l'aide de longues louches de bois, puis pressée entre deux rouleaux, les ouvriers pédalant pour actionner la machine qui l'étirait en feuilles, dans la salle de séchage, les jeunes filles aux joues rondes qui la découpaient avec des ciseaux et d'autres qui cousaient les feuilles ensemble pour en faire des cahiers, des blocs-notes, des carnets.

Finalement, le cinquième jour, le camarade Pu, secrétaire du Parti, ventru, jovial et un peu essoufflé par l'air coupant de l'hiver, vint la voir, flanqué de deux hommes plus jeunes, vêtus de gris et coiffés de casquettes en tissu. Pu déclara à Stéphanie que les articles qu'elle avait publiés en Amérique étaient « très corrects » et « beaucoup appréciés ». Elle aurait bientôt une rencontre avec l'un des chefs, comme elle l'avait demandé. Il la supplia de prendre soin de sa santé, de lui faire savoir si elle avait besoin de quoi que ce fût puis passa au sujet important. Il se mit à lui poser des questions. Sur sa famille, sur les raisons pour lesquelles elle était venue en Chine. Les deux jeunes gens prenaient des notes.

Stéphanie répondit. Son père avait travaillé comme « gardien de vaches » (elle ne précisa pas que le ranch était à lui). Maintenant il construisait des avions.

« Ah, un ouvrier, dit le camarade Pu d'un ton respectueux.

— Non, enfin, il est ingénieur et l'usine lui appartient », dit Stéphanie. Le camarade Pu inclina la tête. Les deux jeunes gens écrivaient avec application. Elle avait un frère. Non, ils n'employaient pas beaucoup de domestiques.

« Combien de *mus* de champs votre père possède-t-il ?

— Ce n'est pas un propriétaire terrien », répondit Stéphanie sans mentir ; puis elle ajouta « mais il possède un champ de pétrole ». Et comme être propriétaire terrien était immoral et répugnant mais que personne en Chine n'avait de champ de pétrole, le camarade Pu ne sut comment interpréter ce renseignement.

Et Stéphanie, comprenant que cet interrogatoire faisait partie de la bataille pour gagner la respectabilité que Yong avait engagée, se montra très prudente dans ses réponses. Non, elle n'était pas elle-même propriétaire. Oui, elle travaillait pour gagner sa vie. Oui, son père travaillait aussi pour gagner sa vie.

Le secrétaire Pu se retira avec force exhortations pour qu'elle ménage sa précieuse santé et ne sorte pas trop. « Il fait très froid dehors », répéta-t-il plusieurs fois.

Le lendemain, Sa Fei, accompagnée de son mari Liu Ming, vint frapper sans cérémonie à sa porte.

Sa Fei était un écrivain célèbre, brillante, très cultivée, militante communiste à Shanghai dans les années 30, qui avait revendiqué la libération de la femme et l'amour libre. L'union libre entre les sexes était alors devenu *le* modèle révolutionnaire ; le mariage était considéré comme bourgeois.

Mais, quand le noyau du Parti avait quitté Shanghai et rejoint les bases rurales organisées par Mao Tsetung, ils avaient découvert que le puritanisme paysan y prédominait ; ici, les mœurs et les idées de la grande ville paraissaient monstrueusement débauchées. Sa Fei avait dû mettre un frein à sa campagne pour l'amour libre.

Liu Ming, le mari de Sa Fei, était un homme petit, de six ans son cadet. Il venait d'une pauvre famille de paysans mais il avait commencé à composer des poèmes et à les réciter dans son village avant de savoir lire ou écrire. Quand il eut neuf ans, les gens du village se cotisèrent pour lui payer un professeur. A dix-neuf ans, il avait écrit une saga de la vie villageoise qui, merveille des merveilles, était parvenue jusqu'à Shanghai et avait été publiée.

A cette époque-là, le Parti cherchait quelqu'un qui pût écrire sur les villages de Chine et la révolution dans les campagnes. Il y avait une telle *épaisseur* dans la colère des paysans, dans leur désespoir, dans leurs espérances... quelque chose que les citadins ne savaient pas exprimer à travers des mots. Aucun des écrivains nés et élevés en ville n'en semblait capable. Les histoires de Liu Ming apportaient un élément neuf, passionnant et révolutionnaire. C'était aussi superbement écrit. Il devint célèbre.

Sa Fei avait lu son livre en prison. Quand elle fut libérée, elle partit à sa recherche, jusqu'au hameau minuscule où il vivait et travaillait et balaya toutes les conventions en lui déclarant : « Je suis venue pour vivre à vos côtés. Voulez-vous de moi ?

— Et depuis, nous ne nous sommes plus quittés », dit Sa Fei à Stéphanie. Elle prit la main de Stéphanie dans les siennes et, la fixant de ses yeux noirs brillants, dit : « Nous sommes venus vous dire de ne pas être abattue ; nous sympathisons avec vous. Beaucoup d'entre nous ont eu des expériences plus ou moins semblables. »

Stéphanie se sentit plus légère ; moins seule, moins isolée.

« Vous êtes bons d'être venus me le dire. »

Sa Fei revint souvent voir Stéphanie. Elle parlait longuement de la vie villageoise. « Quand vous irez mieux, je vous emmènerai dans des villages autour de Yenan. » Les mariages d'enfants, la vente des petites filles, la prostitution étaient maintenant interdits dans le territoire occupé par les communistes, même si les paysans s'accrochaient encore à quelques vieilles coutumes. Sa Fei parlait avec amertume du fétichisme de la virginité, encore si fort. « Nos hommes chinois, même les révolutionnaires, tiennent encore beaucoup à la virginité de leurs épouses. Il y a eu tant de tragédies parce que cette petite tache de sang n'était pas présente sur le drap le lendemain... » Dans le passé on battait les femmes à mort, on les écartelait, on les empalait sur des pieux, pour cause d' « impudicité ».

Un après-midi, Sa Fei arriva montée sur un poney et suivie d'un autre. C'étaient les poneys typiques du nord, à peine plus grands que des ânes, au pelage hivernal rêche et épais, à la tête large, aux jambes grosses et comiques. Ces poneys n'allaient jamais l'amble ni ne galopaient, ils pouvaient seulement trotter, un trot nerveux, infatigable. Sa Fei et Stéphanie traversèrent donc au trot le pont de pierre qui enjambait la rivière Yen et se rendirent à l'Académie des arts. C'était une ancienne église catholique, avec une flèche, de style provincial français, construite par la mission lazariste. Les prêtres en étaient partis depuis de nombreuses années. Les étudiants de l'Académie — musiciens, chanteurs, acteurs — étaient logés dans la falaise qui, plus creusée de grottes qu'un gruyère, se dressait près de l'église. Huit cents étudiants vivaient dans cette paroi, à raison de six ou huit par grotte car même dans ce style d'architecture, la pénurie de logement existait.

« Même les couples mariés ne vivent pas toujours ensemble, expliqua Sa Fei à Stéphanie. Seuls les chefs de l'échelon supérieur, les chefs militaires et quelques écrivains très célèbres ont le droit de partager leur grotte avec leur femme. » On disait aux jeunes gens qui voulaient se marier d'attendre, d'attendre la fin de la guerre.

Il existait des grottes d'accueil pour les couples mariés. A tour de rôle, une fois par mois environ, ils étaient autorisés à passer là une nuit d'intimité. Ainsi Sa Fei et Liu Ming cohabitaient-ils une fois toutes les quatre semaines. « En Amérique aussi, beaucoup de jeunes filles doivent attendre, attendre leur bien-aimé et beaucoup de femmes leur mari, dit l'éloquente Sa Fei, les yeux humides. Stéphanie, écrivez aux femmes américaines, dites-leur que nous voulons la fin de cette guerre afin que leurs hommes puissent rentrer dans leurs foyers... »

Après avoir vu tout cela, Stéphanie eut honte de son confort relatif. Une grotte pour elle seule. De l'eau chaude pour sa toilette, un poêle. Et Yong, Yong qui l'aimait.

Alicia, la femme de Herbert Luger, du ton condescendant qu'elle utilisait avec les gens qui n'étaient pas « du Parti », dit à Stéphanie : « Les camarades chinois nous ont interrogés, Herb et moi, à votre sujet.

— Pourquoi ? » Stéphanie s'efforça de ne pas trop montrer sa contrariété.

« Ils nous demandent toujours notre opinion sur les autres étrangers. Cela prouve la confiance que nous témoignent les chefs.

— J'en suis ravie pour vous », dit Stéphanie. Mais que pouvait bien dire Alicia sur elle ?

Cette bataille de silences et de regards, d'allusions et de chuchotements, cette bataille que Yong avait engagée pour elle, combien de temps allait-elle durer ? Quand Yong lui reviendrait-il ? Elle s'habitua à rester éveillée dans son lit, les yeux grands ouverts, à fixer l'obscurité et à guetter le premier soupçon de gris à la fenêtre, annonce d'un nouveau matin. *Je ne capitulerai pas. Et Yong non plus.* Peut-être cette mise à l'épreuve était-elle un rite initiatique, tribal en un sens, mais nécessaire. Pour voir si Yong et elle ne s'engageaient pas à la légère...

La camarade responsable du bureau d'enregistrement des mariages, la camarade Lo, était une femme corpulente et joviale, qui avait eu sept enfants, dont quatre encore vivants. Deux servaient dans l'Armée de la Huitième Route et les deux autres, des filles, étaient étudiantes à l'Académie des arts de Yenan.

Une fois par mois, la camarade Lo dormait avec son mari soldat, le camarade Meng, qui était stationné à une vingtaine de kilomètres et ne revenait pour sa « visite familiale » que toutes les quatre semaines. Tous les deux s'estimaient chanceux et leur amour était épanoui et profond.

La camarade Lo avait beaucoup entendu parler de Stéphanie et du docteur Jen Yong. Elle devait participer à une réunion spontanée où le « cas » serait discuté ; cette réunion avait été proposée par la camarade Bo Chaste Sagesse, récemment arrivée de Chungking.

Il se faisait un grand remue-ménage autour de l'honorable invitée américaine et du docteur Jen. Personne ne savait comment cela avait commencé mais la camarade Bo Chaste Sagesse était maintenant en train de parler. Elle parlait d'une conduite qui était un *danger* pour la morale socialiste.

Une Américaine qui n'appartenait à aucune organisation progressiste, qui était venue à Yenan, qui s'était publiquement jetée dans les bras d'un médecin chinois, membre de l'équipe de la Croix-Rouge... Ils s'étaient étreints en public ! Quelqu'un les avait même entendus dire « Je t'aime ». En public !

Cette Américaine était bien connue pour avoir eu plusieurs liaisons à Chungking, disait Chaste Sagesse. Et elle avait déjà eu plusieurs rencontres avec le docteur Jen Yong.

Comment pouvait-on tolérer une telle conduite ? Des membres de l'équipe de la Croix-Rouge, qui étaient venus avec le docteur Jen, rapportaient qu'il avait quitté le groupe pour emprunter un camion de l'armée jusqu'à Yenan et qu'il s'était précipité dans la salle de bal. « Et c'est là qu'ils se sont enlacés, en public », répétait Chaste Sagesse d'une voix choquée.

La camarade Lo, mal à l'aise, avait demandé des éclaircissements. Elle se demandait vaguement pourquoi elles devaient tenir une réunion sur ce sujet. Le docteur Jen n'était même pas membre du Parti... Si seulement son Vieux Compagnon de route, son mari, avait été là ! Mais il ne devait venir que la semaine suivante.

La camarade Yuyu aussi était présente au meeting. Elle dit avoir trouvé Dick Steiner sur le même kang que Stéphanie. « Mais elle était très malade et il était à l'extérieur de la couverture. Il n'y avait eu aucun contact inconvenant.

— Ah mais cela aurait *pu* se produire, si la camarade Yuyu n'était pas intervenue », s'écria Chaste Sagesse.

Jamais, sauf pour le président Mao lui-même, quand il avait divorcé pour épouser une jeune actrice de Shanghai, une telle émotion n'avait déferlé à Yenan.

L'histoire de Jen Yong et de Stéphanie suscitait maintenant des rêves, des rêves d'ensorcellement par la beauté. Chacun savait combien la beauté et l'amour étaient troublants. La beauté bouleversait les cellules du corps, remplissait la bouche de salive, donnait à tous, vieux et jeunes, un regard vitreux — c'était le nuage solitaire dans le ciel pur, la musique du vent dans les pins. La beauté éloignait l'esprit du devoir révolutionnaire.

L'excitation serrait la gorge de la quarantaine de femmes présentes, la plupart des institutrices ou des infirmières. Elles s'enquéraient du plus petit détail pour prolonger ces moments délicieusement choquants. « La couverture était-elle mince ou épaisse ? » demandait-on à Yuyu. « Le contact mâle-femelle était-il possible, même avec une couverture interposée ? »

On se sépara sans qu'aucune décision eût été prise mais la réunion avait été passionnante. La camarade Lo en parla à son mari, Meng, quand il vint pour sa visite mensuelle. Meng fronça les sourcils et dit : « Mais vous n'auriez jamais dû tenir cette réunion. Aucune d'entre vous n'avait le droit de critiquer — ce n'est pas un problème politique. » Et la camarade Lo se sentit très confuse.

8

« Neveu, dit Jen Ping, qui est cette Américaine ?

— Vous avez entendu, Quatrième Tante. C'est une journaliste. Elle s'appelle Stéphanie Ryder. Je l'ai rencontrée à Chungking. Je veux l'épouser.

— Avez-vous pensé à vos parents ? à la Famille ? Vous proposez-vous d'y faire entrer le sang étranger des barbares ? Elle s'est donnée en spectacle, en se jetant à votre cou. Et des bruits courent sur elle. On m'a dit qu'elle n'était plus vierge... qu'elle n'avait aucune retenue... »

Yong tressaillit. Le coup l'avait atteint physiquement ; mais il répondit d'un ton uni : « Elle a la franchise de son peuple. J'ai l'intention de l'épouser. De tels préjugés, Quatrième Tante, ne sont pas... progressistes. »

Jen Ping eut un petit rire, pour adoucir quelque peu la suite de ses remarques désagréables. « Je suis membre du Parti et je n'ai pas de préjugés. Mais... nous avons un devoir envers la Famille, envers les générations qui nous ont précédés et qui nous suivront. Vous êtes le seul fils de votre père. Vous devez en tenir compte. Vous ne pouvez pas introduire des marchandises avariées dans la famille Jen.

— C'est une personne que j'honore et que je révère et je n'épouserai jamais quelqu'un d'autre, Quatrième Tante. »

Jen Ping se leva. « Neveu, comment servirez-vous la révolution, votre pays, votre peuple, avec une épouse étrangère ? »

Il regardait l'obscurité emplir la grotte voûtée, se couler le long des murs, s'épaissir sur le parquet de briques qui entourait le kang. Jen Ping lui avait donné sa propre grotte, qu'elle partageait avec quatre autres femmes. Toutes les cinq étaient allées s'installer chez des amies, sur d'autres kangs, dans d'autres grottes.

Demain il retrouverait la vie du dortoir, l'espace partagé, l'odeur, le bruit, la présence d'autres corps. Mais ce soir, l'obscurité lui était un cocon de soie, de grandes ailes soyeuses qui le ramenaient vers son enfance. Il flottait dans la grotte une légère odeur féminine, qui le faisait penser à sa mère...

La douceur arquée de ses sourcils, la pâleur de sa peau, qu'avivait le rose le plus tendre... Elle n'était que beauté, que grâce harmonieuse. Sa mère... il se rappelait sa voix mélodieuse, aussi pure que le chant d'un oiseau... et il sut pourquoi la voix de Stéphanie l'avait ému. Elle avait cette même qualité harmonieuse, cette même résonance frémissante.

Mère. Son enjouement, sa colère, sa noblesse. La beauté de sa colère. Mais elle ne possédait pas cette joie qui jaillissait, spontanée et irrépressible, et qui faisait la splendeur de Stéphanie.

Il était le seul fils. La colère de Mère n'était jamais dirigée contre lui. Elle se portait sur les autres, sur ses sœurs, sur son père. Quand Mère était en colère, les servantes perdaient la vivacité de leurs gestes et devenaient soudain maladroites ; Père s'asseyait dans son bureau et, le pinceau à la main, essayait d'écrire puis il déchirait la feuille car ses doigts n'avaient plus leur habileté. Yong venait auprès de lui et Père lui montrait des rouleaux, discourait sur les peintres mais son cœur n'y était pas ; son regard s'égarait, il remplissait de mots le vide de l'air, attendant que Mère lui rendît la vie. Il était éperdument amoureux de sa femme et tout le monde le savait.

Mère. Elle s'occupait de chacun dans la Grande Famille ; mais elle se tournait vers Yong et lui disait : « Mais toi tu es un homme, mon fils », et il connaissait ainsi le besoin qu'elle avait d'être protégée, entourée. Il assuma donc facilement, sans crainte, l'adolescence puis l'âge d'homme. Il n'aurait jamais besoin d'élever la voix. Il apprit à se maîtriser comme un homme doit le faire. La tradition familiale lui enseigna comment se comporter, sa mère lui apprit l'honneur.

Mère descendait d'une lignée d'érudits, dont certains avaient été des réformistes — intellectuels élevés dans la vieille tradition des mandarins mais qui avaient rompu avec elle et avaient voulu changer la Chine et faire qu'elle entre dans les temps modernes. Et qui avaient payé de leur vie. Mère n'avait jamais eu les pieds bandés, elle avait étudié dans une des premières écoles ouvertes aux filles. Elle lisait beaucoup, tout ce qui lui tombait sous la main. La lecture semblait nourrir cette étrange et étincelante fureur qui l'habitait, une rage de vivre, à laquelle elle ne donnait pourtant jamais libre cours ; car elle avait été mariée à seize ans (malgré la réputation de modernisme de sa famille), à Père qui en avait alors dix-neuf — un mariage arrangé. Et à partir de ce moment, elle s'était occupée de la Famille et avait étouffé tous ses rêves personnels.

Car elle avait sûrement rêvé de faire autre chose, d'étudier, de forger son propre destin. Peut-être s'était-elle montrée trop fougueuse et sa famille l'avait domptée en la mariant. Peut-être.

Père était tombé amoureux d'elle et l'était resté. Toujours, quand il devait prendre une décision, il disait : « Il faut que je réfléchisse. » Ce qui signifiait qu'il allait en discuter avec Mère. Et, un jour, il avait dit à son fils : « Elle était ma destinée. Je n'en veux pas d'autre. »

Yong se rappelait son père repliant la manche de soie blanche de sa robe bleue et jouant avec les crayons à sourcils et les onguents qui encombraient la coiffeuse de Mère ; il la regardait se maquiller devant le miroir à trois faces, les yeux éperdus d'adoration. « Voilà », disait-il avec une feinte rudesse en lui tendant quelque cosmétique qu'elle cherchait et qu'il avait déjà trouvé, lui. Alors elle le remerciait d'un sourire et il était heureux car son sourire montrait qu'elle n'était pas irritée.

Il n'y avait aucune colère en Père. Elle avait été extirpée de son caractère par son propre père, dont la violence était notoire. Seule la bonté était restée, ainsi qu'une gentillesse distraite, une peur de blesser les gens et toutes les choses vivantes. Il n'en était pas moins un homme d'affaires prospère.

Grand-père avait régenté la Famille. Jusqu'à ce que Mère vînt et lui prît le pouvoir, renversant l'ordre patriarcal. Elle gouvernait de façon plus subtile mais aussi plus absolue. Quand Grand-Père se mettait en fureur, brisait la porcelaine, hurlait, battait tout le monde autour de lui, ses deux concubines étaient impuissantes. On faisait appel à Mère. Grave et attentive, respectueuse mais sans servilité, elle souriait et rendait magiquement au vieil homme sa bonne humeur ; on ramassait les débris ; les pleureuses séchaient leurs larmes, Grand-Père retrouvait son calme. Et dans la Grande Famille tout était à nouveau grâce et harmonie.

Il y avait tant de parents qui allaient et venaient dans cette immense maison. Les frères de Père, ses sœurs, ses cousins, leurs enfants. Qui tous apportaient leurs vies, leurs peines, leurs chuchotements et leurs joies. A Mère.

Sixième Tante, Jen Jen (Jen signifiant patience), la plus jeune sœur de Père, s'était trouvée veuve avant même son mariage, par la mort de son fiancé. « Elle devrait se marier à nouveau », avait dit Mère. Mais Grand-Père ne le permit pas car ce n'était pas vertueux pour une veuve de se remarier. Maintenant son surnom était Veuve. Et elle le resterait à jamais.

Quatrième Tante, Jen Ping, était, elle, la sœur aînée de Père. D'un caractère volontaire et ardent, elle s'était enfuie de la Famille et était devenue communiste, comme tant de jeunes gens de familles riches. La Famille ne prononçait plus son nom. Par prudence. Mais elle pourrait toujours compter sur eux.

En 1940, chaque famille chinoise de quelque fortune ou d'un certain rang avait au moins un de ses membres dans le camp communiste ou proche d'eux.

Jen Ping avait été choquée de voir Stéphanie se jeter dans les bras de Yong.

Pourtant, pour lui, ç'avait été le moment le plus heureux de sa vie. Stéphanie. Qui était venue à lui à travers la foule des danseurs, qui s'était placée dans ses bras si naturellement, si totalement. Il frissonna de bonheur, d'amour, de désir. Peu lui importait qu'elle eût couché avec d'autres hommes. Il serait son mari et l'aimerait, la chérirait de tout son être. Et Mère comprendrait, approuverait.

L'équipe de la Croix-Rouge fut logée dans des grottes proches de l'hôpital, qui lui-même consistait en plusieurs rangées de grottes superposées et reliées les unes aux autres, chacune contenant huit à dix patients.

On assigna à Yong un emploi du temps d'enseignement l'après-midi et d'opérations le matin. « C'est de chirurgiens dont nous avons le plus besoin », lui avait dit le docteur Mehta avec sa franchise habituelle ; « aucun d'entre nous n'a une vraie formation ; aussi vous allez être très occupé, docteur Jen. »

Mehta s'était tout de suite pris de sympathie pour Jen Yong et applaudissait à l'aveu d'amour public de Stéphanie. Comme il le disait à Shaggin : « Un beau spectacle, Lionel. C'est un grand roman d'amour et ils forment un couple splendide.

— Certaines personnes ont eu une réaction quelque peu différente », dit Shaggin. Il détestait la désapprobation violente, bien que silencieuse, que le geste de Stéphanie avait suscitée. Il n'ignorait pas qu'une campagne de malveillance tenace était menée contre Stéphanie et Yong.

« Neveu, dit ce soir-là Jen Ping, le secrétaire du Parti voudrait vous parler. »

Le siège du Parti, où officiait le camarade Pu, se trouvait dans une maison de la vallée près du vieux rempart de la ville — seuls vestiges de la cité rasée et incendiée par les bombardements japonais de 1940. Après quelques questions de politesse sur la santé de Yong et la façon dont il était logé, le camarade Pu s'éclaircit la gorge et en vint au fait. « Docteur Jen, il semble y avoir eu un incident, qui mérite d'être clarifié. »

Jen Yong dit : « Secrétaire du Parti Pu, voici les circonstances. » Il relata comment il avait rencontré Stéphanie à Chungking et ce qu'elle avait fait pour les habitants des taudis. Il prit son temps, raconta l'histoire avec minutie, sans rien omettre. Sachant qu'ils reviendraient inlassablement sur son récit, à la recherche de failles, de contradictions.

Yong parla avec réticence de son expérience en prison et de la provocation du colonel Tsing à propos de Stéphanie. « Je considère qu'il s'agissait là de provocation délibérée du Kuomintang pour me troubler, pour troubler notre peuple, pour lui faire suspecter ses amis.

» Nos relations sont correctes, Secrétaire du Parti Pu. Je n'ai jamais formé d'attachement auparavant. Ni, que je sache, Mlle Ryder. Elle est jeune, elle n'a que vingt et un ans. Elle est impulsive et innocente et possède les manières franches de son pays. Comme vous le savez, en Amérique, les amis s'étreignent en public. Elle m'a serré dans ses bras comme un ami. Elle était heureuse de me voir. Peut-on appeler cela de l'immoralité ?

— C'est compliqué, très, très compliqué... commença Pu. En fait, c'est une situation pleine de contradictions. » Il déplaça quelques papiers sur son bureau et les lissa de la main. « Comme vous le savez, nous sommes à un important moment historique. L'amitié et les bonnes relations avec les amis internationaux sont capitales ; mais notre œuvre révolutionnaire compte aussi beaucoup. Se laisser dévier par un attachement personnel de la tâche importante qui est la vôtre ... euh, bien sûr, se hâta-t-il d'ajouter, nous ne pouvons que vous *conseiller.*

— J'ai l'intention de demander à Mlle Ryder si elle veut m'épouser, répondit Yong. Je suis persuadé que nous pouvons travailler ensemble, Secrétaire du Parti Pu, et contribuer tous les deux aux efforts pour une Chine nouvelle.

— Nous ne sommes pas contre l'amitié internationale — et Mlle Ryder est notre hôte honoré, dit Pu. A cause de sa grave maladie, nous avons mis une grotte entière à sa disposition. Mais, naturellement, vous ne pourriez pas la partager... les règles concernant le logement... »

Yong comprit qu'il ne serait pas autorisé à cohabiter avec Stéphanie dans la grotte car cela risquerait de rompre l'égalitarisme de l'ordre social. Le Secrétaire Pu cherchait refuge dans le règlement. L'important, ce n'était pas l'amour mais le système d'attribution des grottes.

« Je n'ai aucunement l'intention de demander des privilèges », dit Yong. Mais il savait que la question n'était pas résolue.

Il ne pouvait pas aller voir Stéphanie. Il ne devait pas être aperçu près de sa grotte. Qu'on le voie une seule fois lui parler devant sa porte et elle serait cataloguée à jamais comme une femme lascive et sans frein... Mais Stéphanie comprendrait-elle ? Rien dans sa culture ne l'avait préparée à cette absence étrange et délibérée de contacts. Comment pouvait-il lui dire : Je dois prouver que je t'aime en ne venant *pas* te voir ?

Ce que Yong devait accomplir était plus ancien que n'importe quel parti ; cela remontait à toutes les traditions de l'amour romantique, du désir de l'aimée, des rêves et de la maîtrise de soi. Il terrasserait, par sa force d'âme, le dragon de la malveillance et sortirait vainqueur du combat pour la réclamer comme sienne, l'Immaculée des rêves de tous les hommes.

Pendant les trois semaines suivantes, presque un soir sur deux, après une épuisante journée passée à opérer et à enseigner, Yong participa à des réunions. Des groupes s'organisaient pour discuter avec lui, pour « étudier la situation sanitaire ». Il exposait des techniques chirurgicales devant le personnel médical. On ne faisait jamais allusion à Stéphanie mais toutes les pensées se lovaient autour d'elle, autour de leur couple.

Au cours de ses exposés, il percevait chez ses étudiants un frémissement de curiosité fasciné : il sentait sur lui la brûlure d'une centaine de regards inquisiteurs et railleurs, qui le sondaient, cherchant la faille en lui.

Et toujours il y avait Jen Ping. Elle attendait qu'il eût terminé une opération et qu'il enlevât sa blouse stérile. Elle disait alors avec gravité : « Neveu... les gens continuent de jaser, nous devons décider de ce qu'il convient de faire... »

Et Yong répondait avec un rien de mépris : « Quatrième Tante, n'ayez pas d'inquiétude. Quand la lune se lève, les chiens aboient. »

Yong opérait souvent du lever jusqu'au coucher du soleil. Il n'y avait pas de lumière électrique. Comme le reste du personnel médical, il accomplissait aussi des tâches manuelles. Il descendait à la rivière chercher des seaux d'eau pour l'hôpital. A l'aide d'un pic, il brisait la glace et en chargeait ses seaux. Puis il les accrochait au long bâton posé en travers de ses épaules et remontait pas à pas jusqu'à l'hôpital, en haut de la falaise. Il déposait des blocs de glace dans de grandes bassines placées sur les longs poêles, pour les faire fondre. Précieuse eau chaude. Eau bouillante pour les instruments chirurgicaux. Du kérosène leur parvenait, transporté à dos de chameau de l'arrière-pays au nord-ouest. Plus tard, ils disposeraient d'une dynamo — celle dont se servait la Mission américaine Dixie pour sa radio et qui, après le départ de la Mission, serait transformée pour alimenter l'hôpital en électricité...

Yong partageait une grotte avec quatre autres hommes. Il prenait un bain tous les dix jours dans l'établissement public. Il paraissait serein. Il n'avait pas une once de graisse sur le corps, il n'était que longs muscles déliés mais son aspect fragile cachait une prodigieuse endurance. Il trouvait toujours en lui assez de réserve pour un effort, une heure de travail supplémentaire. La seule chose qui le soutenait était de savoir que Stéphanie n'était pas partie. Elle était là, elle l'attendait et le cours des événements était en train de changer...

Beaucoup de gens prenaient parti pour Yong et Stéphanie.

« C'est un bon docteur...

— Que peut-on lui reprocher ? Il a vingt-huit ans, il n'est pas marié, ils s'aiment...

— Ça ne regarde personne, après tout. Ils ne sont pas membres du Parti. La discipline du Parti ne s'applique pas...

— C'est une jolie étrangère, et elle est très polie... ils forment un beau couple... »

Tout le monde a de la sympathie pour les amoureux : « Pourquoi toute cette agitation? L'étrangère a écrit de bonnes choses sur nous... »

Un chœur de voix s'élevait peu à peu contre ceux qui répandaient les commérages et les insinuations.

Yong avait une envie dévorante d'apercevoir Stéphanie. « Oh, laissez-moi seulement la voir marcher de son pas confiant et radieux », implorait-il un dieu inexistant. Il vaquait à ses occupations mais en lui brûlait le feu du désir. Il savait où elle habitait... à côté des Shaggin, une crête et trois rangées de grottes plus bas. Ne pas aller dans cette direction, ne pas essayer de la voir... était un supplice qui lui desséchait et lui nouait la gorge.

Un soir, l'assistant de Pu, le secrétaire du Parti, vint le trouver. « Le camarade secrétaire voudrait vous parler. » Il souriait. « Vous avez gagné », disait ce sourire.

Comme certains des endroits où il devait se rendre dans le cadre de ses activités médicales étaient à cinq, six ou même huit kilomètres de l'hôpital, on avait attribué à Yong un petit poney de Mongolie.

Au trot de son poney, Yong descendit dans la vallée, jusqu'au bureau de Pu.

Pu s'efforça d'avoir l'air joyeux. « Docteur Jen, votre cas a été soumis à l'échelon supérieur. La direction du Parti a déféré à votre demande. Votre projet d'union avec Mlle Ryder semble fondé sur un esprit d'internationalisme véritable. Vous êtes autorisé à suivre la procédure appropriée.

— Je vous remercie des efforts que vous avez déployés en ma faveur, Secrétaire Pu, répondit Yong.

— Vous avez établi de bons contacts avec les masses », dit Pu d'un ton acide. Ce qui signifiait que Yong était populaire.

Yong sortit du bureau. Pu le suivit des yeux en soupirant. Certains avaient toutes les chances.

Yong éperonna rageusement son poney jusqu'à la crête de la falaise, plus vite, encore plus vite. Il sauta à terre, confia l'animal au garçon d'écurie et s'engagea dans le sentier qui menait à la vallée, trois étages de grottes plus bas, d'un pas ailé. Comme ce soir d'été à Chungking, sous la pluie, quand il était allé à sa rencontre, à la rencontre de son amour.

Le furieux vent de sable s'était éloigné et, dans la nuit sereine et sans lune brillaient mille étoiles.

Une nuit trop belle pour dormir, pensa Stéphanie. Elle était rentrée du dîner avec les Shaggin ; Lionel s'était inquiété à plusieurs reprises de son amaigrissement. « Qu'est-ce qui ne va pas, Texas ? Vous ne reprenez pas de poids.

— Je me sens très bien, Lionel. » Pas question qu'elle partît. Elle pensa à ces femmes de l'époque victorienne, qui, amoureuses déçues, s'étiolaient de langueur. Non, elle ne s'affaiblissait pas. Elle attendait, fortifiée par la certitude que Yong se battait, en une bataille dont elle ne cernait pas bien les contours, qui lui paraissait floue et irrationnelle mais lourde de sens pour lui et les siens.

Beauté de la nuit, dont les étoiles piquetaient de leurs myosotis l'eau profonde et sombre du ciel. Renonçant à prendre une lampe électrique, elle sortit ; ses pieds, dans leurs chaudes bottes de feutre, sentirent le contact de la terre. Elle se mouvait avec aisance dans la nuit étoilée, nageuse que porte la mer protectrice.

Le sentier descendait dans la vallée mais il contournait aussi la courbe de la falaise pour desservir une rangée supérieure de grottes. Désireuse d'éprouver la résistance de son corps, elle choisit le chemin montant.

Quelqu'un le descendait, d'un pas rapide et sûr. Stéphanie connaissait ce pas. D'abord incrédule, elle s'arrêta. Puis elle sut — et le vit. Alors, tout son être s'emplit de joie, d'une immense allégresse, avant même qu'il l'eût rejointe.

C'était lui.

Ils se tenaient l'un devant l'autre craignant presque de se toucher... comme la première fois, quand toutes choses étaient simples et que tout avait commencé. Mais la nuit les enveloppait d'un manteau d'étoiles et ils s'unirent, s'étreignirent, en silence.

Elle se dégagea et dit : « Yong, tu as gagné, n'est-ce pas ?

— *Nous* avons gagné, Stéphanie.

— Tu me raconteras comment ça s'est passé. Tu me diras pourquoi... mais pas maintenant, pas ce soir.

— Oui, je te le raconterai un jour, mais pas ce soir. Ce soir, je suis venu à toi et je veux te dire une seule chose... te dire que je t'aime. »

Ils s'en revinrent à pas lents, étroitement enlacés, pour ne plus jamais se séparer. Ils passèrent devant la grotte qu'habitaient Shaggin et Loumei. Loumei attendait un bébé ; Stéphanie l'avait vue coudre de petits chaussons.

« Stéphanie, tu m'as donné la force de lutter... Tu as traversé la salle de bal pour venir jusqu'à moi. Si peu de femmes l'auraient fait. Aucune Chinoise n'aurait été aussi... courageuse. Je me suis senti immortel.

— Je n'ai pas imaginé une seconde que cela allait créer toute une histoire », dit Stéphanie.

Il s'arrêta et lui fit face. Tendu, sérieux, solennel.

« Stéphanie, Stéphanie, marions-nous. Je veux être avec toi dans cette vie, et aussi dans toutes les autres, si elles existent... Je ne serai jamais rassasié de toi, jamais... »

Stéphanie fut bouleversée par cette passion. *Il le pense vraiment... il veut vraiment dire pour l'éternité.* C'était une idée romanesque, si démodée mais si vraie aussi. L'immortalité de l'amour. « Je ne sais rien d'autres vies, Yong, mais celle-ci me suffit si je suis avec toi. Oh oui, je veux t'épouser. Je t'aime, j'aime tout de toi, même les aspects que je ne comprends pas toujours. »

Ils étaient arrivés à sa grotte. Il lui prit la clef des mains et ouvrit la porte. La boîte d'allumettes était posée sur la table, près de l'entrée ; elle gratta une allumette et alluma la lampe à pétrole. L'odeur sulfureuse piqua ses narines, et elle revit Sœur Heng, au village de la Fourche de la Rivière, en train d'allumer la lampe. Fourche de la Rivière l'avait changée, avait transformé sa vie. Elle contempla Yong dans la lumière ambrée. Moi non plus, je n'aurai pas assez d'une vie pour le regarder, pensa-t-elle.

Alors, elle dit : « Reste avec moi cette nuit, Yong. »

Yong surprit les premiers signes de réveil des grottes bien avant que la lueur grise de l'aube touchât la fenêtre — le bruit de pas qui se hâtaient vers la place poussiéreuse où se déroulait l'exercice militaire ; les voix comptant à l'unisson : un, deux, trois, quatre. Puis les chants de marche des maquisards.

Ensuite, il entendit tinter les clochettes des caravanes de chameaux et d'ânes chargés de charbon et de coton, de kérosène et de bois pour le feu, qui faisaient leur entrée dans Yenan.

Stéphanie était allongée dans ses bras, légère dans sa pâle nudité ; et il s'émerveillait du miracle de son corps, sa tendresse, sa délicieuse chaleur, le satin de sa peau. Il connut à nouveau cette houle douloureuse qui déferlait dans ses entrailles et dressait son sexe contre le dos de Stéphanie. Mais il ne la réveillerait pas car elle dormait profondément, plongée dans son sommeil comme un enfant.

Leurs corps s'étaient rencontrés dans un abandon, une inexpérience absolus. Graves, ils s'étaient étendus sur le lit comme s'il s'était agi d'un acte magique, d'un rite offert par Dieu dans sa bonté. L'amour leur avait donné l'art, la tendresse et l'habileté. La passion leur avait évité l'incertitude. Ils n'avaient pas tâtonné avec maladresse. Il n'y avait pas eu de gêne entre eux, seulement l'adoration d'un homme qui se laissait guider par ses doigts, ses yeux, sa bouche et une femme dont l'ardeur s'était déployée, impétueuse et confiante. Stéphanie l'avait conduit à son corps naturellement, sans hâte, et ils avaient atteint ensemble l'acmé de leur passion. Et cela leur avait semblé juste, une chose qui devait être, une chose normale, attendue, la confirmation de leur choix. Puis ils avaient reposé, apaisés, dans les bras l'un de l'autre, et elle s'était endormie la première.

Il sourit en pensant à la merveille de leur couple. Elle était sienne pour qu'il la protège, qu'il la chérisse. Et il la protégerait... il prendrait soin d'elle. Mais il savait aussi qu'elle était faible, qu'elle perdait trop de sang, que l'anémie la pâlissait. Lionel Shaggin lui avait dit combien il se faisait de souci pour elle. Elle devait quitter Yenan parce qu'ici, elle ne guérirait pas bien. A cause du blocus du Kuomintang, on ne disposait plus des médicaments dont elle avait besoin.

« Non », avait dit Stéphanie en s'accrochant à lui. « Non, Yong, donne-moi encore un mois. Quand le printemps viendra, j'irai mieux. Je suis heureuse ici avec toi ... j'écris un livre. » En se servant d'une petite machine à écrire empruntée à un membre de la Mission Dixie, elle avait entrepris d'écrire un livre sur Yenan.

« Enseigne-moi tes poèmes, Yong », avait-elle dit. Elle parlait maintenant chinois couramment mais elle était animée d'un grand désir de parfaire sa maîtrise de la langue. Tous les Américains qu'elle avait rencontrés à Yenan parlaient un chinois parfait.

« Enseigne-moi », lui avait-elle dit.

Il lui récita de mémoire les poèmes d'amour du *Livre des Odes* et les écrivit pour elle. Car le livre, ainsi que son appareil-photo, ses notes, avait disparu dans l'attaque de Fourche sur la Rivière.

Seul l'amour rend immortelles les choses périssables — il ne tenait pas seulement dans ses bras le corps d'une femme, mais une petite éternité de bonheur. « Ah, il n'y aura pas d'autre paradis pour moi, ni dans cette vie ni dans aucune autre à venir, que toi », dit-il à l'endormie.

Stéphanie bougea un peu, elle frissonna dans son sommeil. Il posa la main légèrement sur ses cheveux comme on calme un enfant. Elle était si mince, il lisait sur ses traits les traces de sa longue maladie, une pâleur cireuse au lieu de l'éclat rosé de la santé. Il s'inquiéta.

Le lendemain matin, Yong fit une demande d'enregistrement de mariage.

L'échelon supérieur était d'accord. On racontait même que Chou Enlai aurait dit : « Qu'y a-t-il de mal à épouser une étrangère ? »

La camarade Lo était soulagée. La réunion de discussion sur

Stéphanie et Jen Yong l'avait mise mal à l'aise. Surtout quand Meng, son mari, avait grommelé : « Ça n'a rien à voir avec la politique. »

A mesure que la nouvelle se répandait dans Yenan, la camarade Lo disait aux femmes qui venaient la voir : « J'ai *toujours* été pour le docteur Jen et la femme américaine. Ils forment un si beau couple. Une vraie paire de canards mandarins. » Les canards mandarins restent fidèles jusqu'à la mort, symboles de l'amour éternel.

La cabale contre Jen Yong et Stéphanie, tempête née d'une bouffée d'air, tomba ainsi que le vent quand il meurt à l'aube sans un soupir.

Et la camarade Lo rayonna de joie quand ils vinrent enregistrer leur projet d'union. Elle dit : « Voilà du véritable internationalisme » et leur serra la main.

Le mariage eut lieu deux jours après Noël. Lionel Shaggin et Loumei, Yuyu et Pousse de Bambou, Sa Fei et Liu Ming, l'équipe de la Croix-Rouge, la Mission Dixie au grand complet, tous vinrent à la cérémonie. Vint aussi le Secrétaire du Parti Pu, avec sa femme aux pieds bandés. Ils applaudirent quand Stéphanie et Yong apposèrent leur signature sur le registre et reçurent des certificats de mariage marqués d'un gros cachet rouge. Yong et Stéphanie portaient des fleurs en ruban de satin rouge fixées à leurs vestes matelassées.

Après la cérémonie, il y eut une réception dans la grotte des Shaggin. Pu serra les mains de tout le monde et fit modestement comprendre que tout cela était son œuvre.

« Madame Jen, votre mariage est un acte de foi dans l'avenir », dit un haut responsable chinois, dont la femme était autrichienne. Sa présence apportait la caution officielle à cette union.

Stéphanie avait raconté à Yong son aventure avec Alan Kersh. Sans l'épargner. Il avait écouté, attentif. Puis il avait demandé : « Qui est John Moore ? »

Le visage de Stéphanie s'était illuminé et elle avait dit : « Oh ! John est un type adorable. Un ami véritable — c'est à lui que j'avais confié ma lettre pour toi. Il est venu ici une semaine et m'avait rendu visite.

— Je n'ai jamais reçu cette lettre », dit Yong. Il était soulagé. John Moore n'était pas, n'avait jamais été un amant. Il ne parlerait jamais à Stéphanie de la lettre d'Alan Kersh. « Il connaissait Alan Kersh, oui ?

— Oui. Alan m'avait dit qu'ils étaient très amis. »

A part un incident technique, une « bavure », il était le premier homme qu'elle avait aimé. Il en fut heureux. Pourtant il en voulait à cet Alan, qui était mort, d'avoir écrit cette lettre, d'avoir fait aussi peu de cas de la réputation de Stéphanie. Et ce John Moore assez stupide, assez imprudent pour jeter la lettre et ne pas la détruire ! Si bien que la Police secrète, en faisant les corbeilles à papier, avait pu la récupérer. Stéphanie ne devait pas savoir. « M. Kersh était certainement un homme intelligent », dit-il avec gravité, presque hypocritement, à

Stéphanie, en retombant dans son anglais guindé. « Sinon, tu n'aurais pas eu d'affection pour lui. »

Et Stéphanie n'entendit pas la rage, le dégoût, le mépris pour Alan qu'il avait mis dans ce mot « intelligent ».

« Ça ne t'ennuie pas, vraiment, que je ne sois plus vierge, Yong ? On m'avait dit que les hommes chinois attachaient une grande importance à ça. Mais, tu sais, beaucoup d'hommes américains aussi.

— Pour moi, tu es vierge, Stéphanie. Même maintenant tu le restes. Ton âme est incapable d'impureté. Tu ne pourras jamais faire une chose laide ou vile. » Elle était de l'or pur, incorruptible. Et la garder ainsi était la seule chose qui comptait pour lui. Plus que tout ce qu'on pouvait dire sur lui et son honneur masculin qui exigeait que sa femme ne soit pas une « marchandise avariée ». Elle serait toujours Stéphanie. « Je vais te donner un nom chinois, ma chère femme, dit-il. Ton nom sera Neige de Printemps. » Parce qu'au printemps, la neige arrivait soudain, tombait sur les fleurs de pommier et ne les détruisait pas.

Il y avait deux célébrations du Nouvel An à Yenan : l'une correspondait au 1er janvier du calendrier solaire, l'autre était le Nouvel An du calendrier lunaire traditionnel, appelé Fête du Printemps. Elle avait lieu quelques semaines plus tard.

Les paysannes mêlaient des fils rouges aux nattes des petites filles. Elles découpaient dans du papier rouge des motifs symboles de chance et de bonheur et les collaient sur les carreaux des fenêtres. L'écrivain public du village s'activait à tracer des vœux de bonheur sur des rouleaux qu'on accrochait aux portes des maisons.

Les étudiants de l'Académie des arts de Yenan présentaient de nouvelles pièces, des satires, des chants. Les paysans venaient des villages environnants pour assister aux représentations, entassés dans de vastes tentes de nattes. Tous les spectacles contenaient un message politique mais cela n'empêchait pas les villageois sevrés de distraction d'y prendre beaucoup de plaisir. Il y avait des chants populaires et on dansait le *yangko,* cette danse de la fertilité et des semailles, que les communistes avaient adoptée.

A présent, le soleil brillait et Yenan étincelait. Bientôt il ferait plus chaud, il n'y aurait plus que quelques rares bourrasques de neige. Les paysans habillaient leurs enfants de vêtements aux couleurs vives et chantaient les chants farouches des déserts et des plaines.

Le dimanche, Jen Yong avait une demi-journée de liberté. Stéphanie et lui allaient voir des amis ou les recevaient dans leur grotte. Yong s'entendait très bien avec les Américains. Au bout de quelques jours, il récitait des poèmes chinois à David Barrett tandis que celui-ci traduisait des limericks[1] en chinois.

Ils s'étaient fait des amis : Sa Fei et son mari Liu Ming, Lionel Shaggin et Loumei, qui formaient le centre du cercle enchanté dans lequel ils vivaient. Stéphanie se disait que le monde entier devrait être ainsi, un mélange de races, chacune apportant son propre trésor de connaissance et d'amour à un creuset commun.

La nuit, étendue dans les bras de Yong, elle savourait son bonheur. Comme ils étaient ridicules, ceux qui prédisaient l'échec des mariages mixtes ! Au contraire, c'était une source supplémentaire d'enrichissement.

Jen Yong se chargea d'une partie du travail de Pousse de Bambou ; il portait, de la rivière, l'eau pour le bain de Stéphanie. La palanche faisait une meurtrissure sombre et le début d'un cal sur son épaule. Stéphanie protesta et Jen Yong rit.

« Dans quelque temps, le cal sera formé et je pourrai en porter deux fois plus. »

Mais qu'il acceptât ainsi de ternir la beauté de son corps — même si peu — faisait mal à Stéphanie. « Tu n'as pas à faire ce travail, Yong.

— Pourquoi pas, ma bien-aimée ? » Il lui prenait les mains et la regardait avec tant d'adoration, avcc un don de soi si total que parfois l'intensité de cet amour effrayait Stéphanie ; il était si vulnérable. « Je t'aime. Je veux te servir. Tu as besoin de soins, tu es encore faible. Et je veux qu'on t'accepte comme ma partenaire autant que comme ma femme... comprends-tu ?

— Je vois, mon chéri, mais cela implique-t-il que tu doives charrier des seaux d'eau ?

— Ça et tout le reste. Je veux montrer à ces gens ce que c'est qu'être amoureux. J'apprends l'art du ménage auprès de la camarade Pousse de Bambou, ajouta-t-il en lui caressant les cheveux. « Je m'émerveillerai toujours devant tes cheveux, leur couleur. Tu portes le soleil dans ta chevelure. »

Le dimanche, il nettoyait la grotte. Il vidait le poêle de ses cendres, portait les boulets de charbon. Il se levait même très tôt pour aller, discrètement, vider le pot de chambre de Stéphanie dans les latrines publiques.

Un jour, il revint avec deux poules caquetantes. Aidé de Pousse de Bambou, il évida une petite cavité dans la paroi de la falaise juste à côté de la grotte. Il tapissa le sol de paille et fabriqua une étagère à l'intérieur. « C'est ainsi que font les paysans, dit-il. Maintenant tu auras tes œufs à domicile pour ton petit déjeuner. »

1. Poème anglais en cinq vers, absurde ou comique, aux rimes a, a, b, b, a.

A la mi-février, Shaggin fit une nouvelle prise de sang à Stéphanie et son inquiétude s'accrut.

L'espoir d'un relâchement du blocus avait été vain. Il était même plus pesant que jamais. En conséquence, la nourriture était pauvre, surtout en hiver. Du millet, des patates douces cuites dans les cendres chaudes, de la viande de chèvre quelquefois, très rarement du porc, des œufs. Bientôt, il ne resterait plus de médicaments. On n'en recevait plus.

Herb Luger demanda à Stéphanie de lancer un appel sur Radio-Yenan, dans son émission en langue anglaise, pour réclamer l'envoi de médicaments. Ce qu'elle fit. « La petite quantité reçue il y a deux mois a été utilisée et bien utilisée. Pas une pilule, pas une goutte n'ont été gaspillées. On manque de remèdes, de sulfamides en particulier, car les cas de pneumonie sont fréquents chez les bébés. » Stéphanie ignorait le peu de puissance de Radio-Yenan, et qu'elle ne pouvait pas être entendue aux Etats-Unis. Mais elle parvenait jusqu'à Chungking et le message fut dûment enregistré par l'ambassade américaine.

Après un nouvel examen de Stéphanie, Lionel Shaggin convoqua Mehta et Yong pour une consultation.

« Je crains que l'état de Stéphanie ne s'améliore pas si elle reste ici, dit-il d'un ton grave. Vous savez ce que ça signifie, Yong. »

Yong savait. Lui aussi s'inquiétait. Mais il s'était bouché les yeux, il s'était dit qu'avec de l'amour, des soins... « Il faut qu'elle retourne en Amérique, dit-il en regardant Lionel et Mehta. Je pense que c'est le mieux. »

Ce soir-là, il rentra à la grotte avec un peu de retard. Stéphanie était heureuse, l'animation rosissait ses joues ; elle avait reçu une lettre de Jimmy, à qui elle avait écrit pour lui annoncer son mariage avec Yong. « Bravo, sœurette, il a l'air sensationnel », avait répondu Jimmy. Elle n'avait pas encore eu de lettre de ses parents.

« Stéphanie, mon amour, pourquoi ne m'as-tu pas dit que tu t'étais évanouie lors de ta promenade avec Sa Fei, l'autre jour ?

— Mais Yong, ce n'était rien. J'étais un peu fatiguée et j'ai eu un malaise.

— Tu as des malaises, tu t'essouffles, ta numération globulaire est basse. » Il était grave. « Ma chérie, écoute-moi. J'ai parlé avec Shaggin et Mehta. En tant que médecin, et non comme mari, je me rends compte que j'ai été insouciant et égoïste. J'aurais dû insister pour que tu rentres dans ton pays, en Amérique, quand ta guérison n'a pas fait de progrès.

— Yong, je ne serais pas partie. Yong, je t'aime, je veux rester avec toi. » Elle s'accrocha à lui, si belle, si fragile aussi. Elle se mit à pleurer doucement — larmes de faiblesse et d'amour.

« Je suis un crétin égoïste, dit-il d'un ton furieux. J'avais tellement envie de toi, de t'avoir avec moi, que je me suis persuadé que tu irais mieux... mais il n'y a pas d'autre solution.

— Non, Yong, je ne veux pas partir. Pas encore. La guerre sera bientôt finie. Je me reposerai beaucoup et nous irons tous les deux en Amérique, ensemble... »

Les comprimés de fer qu'elle prenait depuis quatre mois ne lui avaient fait aucun bien. Son corps ne fixait pas le fer. Et l'hôpital de Yenan n'avait plus de comprimés.

« Stéphanie, je serai bientôt obligé de te quitter pour aller faire une tournée d'inspection des unités qui se battent. Je serai absent au moins seize semaines. Je dois y aller... et qui s'occupera de toi pendant ce temps-là ? » Il ne dit pas : « Et si tu tombes enceinte, dans ton état. » Mais il le pensait et elle le savait.

Cette nuit-là, ils restèrent allongés l'un près de l'autre, proches mais tendus ; Stéphanie pleura un peu ; elle était fatiguée, c'était vrai ; et oui, parfois, elle avait la nostalgie de son pays. « Mais je t'aime tant, Yong. Comment puis-je te quitter ?

— Ma chérie, ce ne sera que pour peu de temps. Deux, trois mois... » D'ailleurs, ne lui avait-elle pas dit que son directeur voulait qu'elle rentre pour discuter d'un projet de livre ? Elle reprendrait très vite des forces en Amérique. « J'ai épousé une femme célèbre, dit-il gaiement. Après la guerre, tu parcourras le monde et tu écriras des articles pour de grands journaux ; on verra ton nom partout et moi je resterai à la maison pour m'occuper des enfants et t'attendre et t'aimer. » Alors Stéphanie éclata d'un rire heureux qui se changea bientôt en toux.

« Je suis allée tellement mieux quand tu m'as fait l'amour, mon chéri... S'il te plaît, fais-moi l'amour. »

Il la prit mais avec douceur, en maîtrisant son propre désir, afin de lui donner du plaisir sans la fatiguer. Et parce qu'il tenait tant à elle, qu'il l'aimait tant, il découvrit toutes les subtilités de l'amour.

Tout se régla très vite. Trop vite, pensa Stéphanie quand elle se trouva confrontée à un départ imminent. Tant d'amis vinrent la voir pour lui souhaiter un bon voyage. Jen Ping vint aussi, le front serein, un après-midi. « Je suis navrée que nous ne nous soyons pas vues davantage, dit-elle. Je suis venue vous souhaiter un heureux voyage pour aller rendre visite à vos parents. » Elle se tint rigide sur sa chaise, buvant à petites gorgées la tasse d'eau bouillante que lui avait offerte Stéphanie et grignotant un gâteau rond et dur confectionné par Yong.

Finalement, par un froid matin, vers la fin février, l'avion fut là, immobile, tandis que le ciel blafard répandait une lumière incertaine sur les falaises criblées de trous et le rude paysage de sable jaune.

« Tu reviendras, Stéphanie, murmura Yong, forte et guérie et nous serons de nouveau ensemble, pour toujours. » Stéphanie essuya les larmes qui brouillaient ses yeux et la porte du Dakota se referma dans un bruit sec.

L'avion devint un point gris dans le ciel. Yong le fixait, refusant de quitter le ciel des yeux. Herb Luger passa un bras autour de ses épaules, le tira pour l'entraîner loin du terrain et commença à l'asperger de salive et de slogans.

« J'espère que vous avez dit à Stéphanie de parler aux masses américaines. Je lui ai donné les noms de quelques-uns de mes amis. »

Yong inclina la tête mais n'entendit pas un seul mot.

9

Ils se tenaient côte à côte, les yeux fixés sur la Forteresse volante qui, encore revêtue de son camouflage de combat, s'arrêtait sur la piste inondée de soleil, dans le tournoiement de plus en plus lent de ses hélices. « Un des nôtres », dit Heston Ryder. C'étaient par centaines que sortaient des usines, chaque semaine, les avions de transport et de combat destinés à la guerre du Pacifique et la Ryder Aircraft Corporation construisait des moteurs pour les équiper.

Tandis qu'il guettait l'apparition de sa fille sur la passerelle, Heston songeait aux magnifiques machines qui allaient dominer le monde. La guerre se gagnerait dans les airs, il n'y avait aucun doute. C'était la suprématie aérienne des alliés qui écrasait les nazis. Elle allait achever les Japonais. Elle ferait des Etats-Unis la plus grande puissance que le monde ait jamais vue.

Il remarqua qu'Isabelle avait pris son air absent et la colère l'envahit.

Cette attitude de princesse lointaine, qu'il avait jadis tant admirée, lui donnait maintenant envie de dire des obscénités. Il s'était écarté d'elle, s'était plongé dans son monde d'homme, un monde d'action énergique, de massive puissance, de miracle technique, qui avait fait de Dallas, la Belle au bois dormant, une métropole industrielle, et du Texas, l'Etat à l'Etoile solitaire, la centrale électrique des Etats-Unis.

« Elle entre au port, maman », dit Jimmy, qui dévorait les livres sur la marine. En ce moment, il était fou de bateaux. D'ailleurs il était fou d'un tas de choses. Il flottait dans un nuage d'enthousiasmes multiples et successifs. Il avait seize ans.

L'avion avait libéré ses passagers et c'était bien elle. Heston Ryder se mit à courir. Il traversa le terrain d'atterrissage sans se soucier des cris des hommes en uniforme, des armes brandies : il savait que personne n'oserait l'arrêter pour cette infraction aux règlements. « C'est Heston Ryder... », les entendit-il dire, tout en continuant sa course. Et Stéphanie voyant son père, se mit à courir elle aussi, le corps déjeté par le poids de sa valise.

« Papa... oh papa...

— Stéphanie. » Il la souleva dans ses bras comme il le faisait quand elle était petite et la fit tournoyer. « Mon trésor... tu m'as manqué... laisse-moi te regarder... il va falloir te remplumer un peu, Steph... quelle épreuve ça a dû être...

— Mais non, papa, ce n'était pas si affreux, c'était même merveilleux. » Mais il avait déjà saisi sa valise et l'entraînait vers Isabelle et Jimmy. Jimmy aurait voulu courir lui aussi mais sa mère l'avait retenu. Isabelle embrassa sa fille et dit, de sa voix unie : « Ma très chère, c'est merveilleux que tu sois de retour. » Puis ce fut le tour de Jimmy. Il avait gardé son visage de petit garçon mais il était plus grand qu'elle maintenant. Il la serra dans ses bras. « Salut, sœurette... dis donc, tu as eu un succès fou auprès de mes copains. Ils lisaient tous les articles de journaux où on parlait de toi. »

Puis il y eut les amis ; les Ives, les Rayburn, les Stirling, les Crockers. Ils se pressèrent autour d'elle et manifestèrent leur affection par des cris, des gesticulations, des embrassades. Comme c'est étrange, pensa Stéphanie devant leurs visages animés, de voir des sentiments s'étaler ainsi à nu sur des visages ; et elle s'appliqua à rendre le sien expressif, tout en leur rendant leurs baisers et leurs étreintes.

Les photographes de presse et les journalistes se bousculaient pour l'approcher et lui poser des questions mais Heston Ryder se montra inflexible. « Ma fille est revenue de Chine pour subir des examens médicaux complets et se reposer. Elle vient de vivre des moments difficiles... Vous avez tous pu le lire dans les journaux... Non, pas d'interviews... pas maintenant... dès qu'elle sera rétablie... »

Une femme lança d'une voix aiguë : « On raconte que vous avez épousé un médecin chinois, mademoiselle Ryder... »

Heston : « Par pitié, madame, elle est épuisée. Nous organiserons une conférence de presse spéciale pour les femmes dès qu'elle sera reposée. »

Il leur adressa un sourire chaleureux. « Elle est crevée, cette gosse... après un tel voyage... »

Il entraîna Stéphanie vers la Lincoln étincelante qui attendait parmi d'autres voitures semblables, puissantes, souples et dociles, leurs chauffeurs noirs en uniforme debout près de la portière.

« Horace, Mlle Stéphanie est de retour », dit Heston Ryder.

Horace porta la main à sa casquette et Stéphanie lui serra la main. « Eh bien, ça fait plaisir de vous voir, mademoiselle Stéphanie. Le Seigneur sait combien vous nous avez manqué. »

Stéphanie, qui avait gardé les manières de Yenan, ne lâcha pas sa main tout de suite. « Je suis très heureuse de vous revoir, Horace.

Comment allez-vous ? » dit-elle, oubliant que c'était un serviteur, un Noir, et lui parlant sans cette légère sécheresse de la voix qui interdit la familiarité.

« Bon, tâche de conduire prudemment pour nous ramener à la maison », dit Heston pour remettre Horace à sa place. Puis il se tourna vers Stéphanie, l'air soucieux. « Comment te sens-tu, ma chérie ? Tu as l'air épuisé.

— J'ai quitté Lisbonne depuis vingt-six heures, papa. Ça fait dix jours que je suis partie. »

Sa mère intervint. « Tu vas pouvoir dormir. Dans ta propre chambre. »

Comme tout était propre, large, imposant ! Une immensité d'air, de soleil ; un ciel bleu infini au-dessus de la vaste terre. « Nous avons trouvé d'autres puits de pétrole, Steph, dit son père. Près d'Abilene. Regarde, là-bas... » Il montra un coin de l'horizon hérissé de derricks. Par les vitres ouvertes de la voiture, on entendait le ronron des bulldozers. « Notre modeste petit Etat est en train de construire tous les avions et toutes les armes imaginables. »

Stéphanie remarqua tout de suite les bâtiments neufs de la ville ; en pleine expansion, elle devenait tous les jours plus puissante et plus belle. Ici était le cœur des choses, ici se forgeait la victoire. « Eh oui, bébé, c'est ici que nous gagnons la guerre », dit Heston Ryder.

Papa et le Texas. Pleins d'énergie, de force, d'une vitalité si grande qu'elle s'emparait du monde entier et le transformait. C'était ça que son père lui avait transmis, cet acharnement à changer les choses. Ce besoin d'aller de l'avant, de foncer, qui l'avait conduite en Chine, aux grottes de Yenan... et à Jen Yong. Elle sourit à son père dans le rétroviseur.

Ils approchaient de la maison. Le calme des pelouses vertes, des maisons blanches, des magnolias en fleur.

« C'est toujours la vieille baraque, Steph, mais nous allons en avoir une nouvelle. Tu verras... c'est quelque chose.

— Elle a quarante pièces, deux piscines, trente hectares de parc et trois patios », dit Jimmy. Stéphanie remarqua que sa voix se cassait, il serait bientôt un homme. Jimmy languissait de raconter à sa sœur qu'il apprenait à piloter et que papa lui avait promis qu'il aurait son propre petit avion. Il y avait tant de choses qu'il lui tardait de confier à Stéphanie... par exemple, qu'il n'aimait pas beaucoup la guerre...

Pour accueillir Stéphanie, trois nouveaux serviteurs, Carlotta, Lucy et Adam, se tenaient sur le perron de pierre à côté d'Abel, de Minnie et de Mignonette.

Isabelle traversa le salon de sa démarche souple à l'élégance parfaite. Le mobilier de la pièce était français — cadeau d'Isabelle à ce Nouveau Monde qu'elle avait épousé. Des teintes pâles. Une richesse sans ostentation. Stéphanie lança un coup d'œil au canapé. Etait-ce vraiment là qu'avait eu lieu ce bref mélange de leurs corps, à Alan et à elle, cette étreinte qui avait déterminé son voyage en Chine ? Ce n'était même plus un souvenir gênant. Yong l'avait rendu totalement neutre.

« Veux-tu manger quelque chose, Stéphanie, as-tu faim ? » Isabelle dans son personnage de mère au foyer... Et toujours ce ton distingué et las. Stéphanie fit signe que non et sa mère la conduisit à sa chambre, au premier étage. Les stores étaient baissés, le lit accueillant avec ses draps de satin rose pâle. Elle soupira et se débarrassa de ses chaussures ; sa mère l'observait, comme elle l'avait fait plusieurs fois pendant le trajet en voiture ; un regard pénétrant, qui semblait redécouvrir le visage de Stéphanie.

Stéphanie sourit ; le genre de sourire qu'elle avait l'habitude d'offrir à sa mère pour lui montrer que tout allait bien, qu'elle ne lui en voulait pas, même s'il soulignait en même temps la réticence toujours présente, le mur de verre qui les séparait.

« Je suis absolument épuisée, maman. »

Isabelle inclina la tête. « Tu n'as qu'à sonner si tu as besoin de quelque chose, ma chérie. Lucy s'occupera de toi. J'attendrai ton réveil. » Elle se pencha pour effleurer de ses lèvres la joue de Stéphanie et sortit.

Stéphanie dormit tout l'après-midi et toute la nuit, ne s'éveillant, à demi, que pour se rendre à la salle de bains ; la première fois, elle dut chercher à tâtons l'interrupteur car elle ne se souvenait plus de l'emplacement de la porte. A un moment, elle perçut des voix étouffées, des pas légers autour de son lit. Elle avait toujours très bien dormi. Elle tombait tout de suite dans un sommeil profond et sans rêves, enfant aux rythmes biologiques précis que ne dérègle aucune peur. Elle s'éveilla avec la même rapidité et s'aperçut qu'elle avait très faim. Elle avait dormi presque vingt heures.

Elle sonna. Lucy apparut. Elle apportait, comme par magie, du jus d'orange, des œufs au bacon, des rôties et du café...

C'était le café qui lui avait le plus manqué en Chine. Le café. Elle trouva à cette première tasse un goût amer mais c'était comme une drogue — une fois qu'on commençait, on ne pouvait plus s'arrêter d'en boire.

Lucy fit couler un bain et Stéphanie se plongea avec délice dans l'eau chaude et parfumée. Elle se lava les cheveux et retrouva le plaisir de sentir son corps, de le connaître, approche, connaissance sensuelles de ce corps, que la vieillesse viendrait bien trop vite désemparer. C'était un corps trop maigre à présent, trop vite fatigué. La balance de la salle de bains lui révéla qu'elle pesait sept kilos de moins que son poids habituel. Son visage n'avait pas beaucoup changé mais les os de ses hanches saillaient sous la peau et ses côtes se dessinaient avec netteté.

Ses cheveux courts, mal coupés, avaient perdu leur éclat. Yong disait qu'elle captait la lumière du soleil dans sa chevelure ! Jen Yong... les syllabes coulaient comme des galets polis dans sa bouche. Elle avait envie de ses bras autour d'elle...

Quand elle sortit de la salle de bains, drapée dans un peignoir en tissu éponge blanc, elle trouva Isabelle et Lucy qui l'attendaient. Les stores relevés laissaient entrer le gai soleil de l'après-midi, l'odeur de l'herbe coupée et du chèvrefeuille. Tout était propre, sentait bon, respirait le luxe ; les grands miroirs reflétaient les trois femmes, leurs gestes sans précipitation. Isabelle lui tendit un déshabillé orné de dentelle au col et aux poignets. A Dallas, tout cela était banal, allait de soi. Tandis que Lucy lui séchait les cheveux, les brossait et les bouclait, Stéphanie se rappela Pousse de Bambou qui apportait les seaux d'eau, qui les vidait dans la grande jarre de céramique brune placée dans un coin de la grotte... Pousse de Bambou aux pommettes aiguës, qui faisait tout ce travail volontairement, car elle n'était pas payée pour son service auprès de Stéphanie. Et Jen Yong qui vidait le poêle, ses mains de chirurgien grises de cendre.

Isabelle dit : « Tu penses à la Chine, Stéphanie ?

— Oui, comment as-tu deviné ?...

— Peut-être parce que je pensais moi-même à la France », répondit-elle, et elle ajouta cette phrase mystérieuse : « Les Sauveurs font toujours des dégâts, n'est-ce pas ?... »

Puis elle changea brusquement, d'humeur, de sujet, de voix.

« Ton père a demandé à des médecins de t'examiner. Nous nous faisons tous les deux du souci pour ta santé. Nous pourrions leur téléphoner si tu es prête à les voir aujourd'hui... ou demain, comme tu préfères. »

Stéphanie sourit. « J'étais sûre que papa aurait au moins trois spécialistes alignés au garde-à-vous et attendant mon arrivée.

— Ton père adore exercer son nouveau pouvoir... » dit Isabelle de cette voix neutre qui ne révélait rien de ses sentiments. « La guerre a été une bonne chose pour lui, pour le Texas... »

Lucy nettoyait la salle de bains. Stéphanie entendait l'eau qui jaillissait des robinets et s'écoulait en gargouillant dans le tuyau de vidange. Tant d'eau. Elle revit Jen Yong charrier les seaux pleins de blocs de glace suspendus à une palanche, les hisser depuis la rivière, en bas, jusqu'à la grotte. *Je ne me laisserai pas corrompre par ce luxe.*

« Je pense souvent, dit Isabelle, qu'ils ont de la chance, en Amérique. La guerre leur a apporté la prospérité. » Elle disait *ils* avec un détachement mordant. Elle n'en faisait pas partie.

Toujours cette amertume, pensa Stéphanie, cette aigreur, qui jaillissaient. Pourquoi ? Une surabondance de luxe avait éloigné Isabelle de son mari, de son environnement. Elle n'avait pas d'appétit de jouissance, elle n'était pas affamée de succès. Pour se protéger, elle avait élevé une cloison entre elle et son mari, et aussi entre elle et Stéphanie, si semblable à son père. Mais la richesse était-elle un crime? Etait-ce mal de posséder et d'exercer le pouvoir? Heston Ryder construisait des avions. Etait-il mauvais, cet homme qui était devenu riche parce qu'il savait faire de bons avions?

Stéphanie écarta ces pensées qui fusaient dans son esprit. Elle ouvrit la penderie pour choisir une robe. Ses robes, qui l'attendaient — les soies merveilleuses de douceur, les tricots, et les coloris...

« Tu es trop maigre, dit sa mère. Il faudra que nous allions t'acheter d'autres vêtements. Tu ne peux pas porter ceux-ci. »

Stéphanie se tourna vers elle, dans l'espoir de lui parler, de supprimer la barrière qui les séparait. « Je crois que je ne saurai même plus me maquiller — j'ai presque oublié, dit-elle. Là-bas, nous enduisions notre visage de lanoline, l'hiver... » Mais Isabelle n'écoutait plus ; elle était retournée dans son propre univers et avait repris son air de distante courtoisie.

« Si tu es prête, il vaudrait mieux téléphoner aux médecins. Ils attendent de te voir. »

Le docteur Baxter, le docteur Daniels et le docteur Rozinski étaient chargés du bilan de santé de Stéphanie. Heston Ryder avait fait appel aux meilleurs spécialistes. Baxter et Rozinski étaient venus de New York en avion. Pendant deux jours, ils examinèrent Stéphanie, la radiographièrent, firent des analyses de sang selon les méthodes les plus modernes. Elle fut déclarée en bonne santé, malgré une légère infection intestinale et une anémie assez forte due à la destruction de nombreux globules pendant sa crise de paludisme. Il s'agissait donc de reconstituer son hémoglobine, de lui redonner le fer qui lui manquait. Son corps n'avait pas pu fixer celui que contenaient les pilules qu'on lui avait fait absorber à Yenan. Selon les médecins, les pilules étaient peut-être inertes, le fer ayant subi une transformation qui le rendait inopérant.

Heston écouta les conclusions des médecins d'un air soucieux. « Maintenant, il va falloir t'engraisser, Stéphanie, te faire reprendre des forces. Tu as besoin de manger plein de bonne viande. Merde, ils n'ont pas dû te nourrir correctement là-bas.

— Mais papa, je te l'ai écrit, c'était presque impossible de se procurer de la viande. On me donnait le meilleur de ce qu'il y avait... »

Heston l'interrompit : « Nous allons partir pour le ranch et tu seras rétablie en rien de temps. Dieu merci, tu es revenue », ajouta-t-il.

Au ranch, Stéphanie se vit soumise à un régime de pilules, de piqûres, de soleil et d'air pur. Le domaine s'étendait sur deux cents hectares de campagne vallonnée et occupait la moitié d'une petite vallée, ombragée de pins et de chênes verts. C'était la dernière acquisition d'Heston Ryder. La maison elle-même, blanche et élégante, s'ornait d'un portique à colonnade. « Tout ça t'appartient, Stéphanie », dit-il en désignant le paysage d'un geste large. « De mes deux enfants, c'est toi qui me ressembles, trésor. Tu montes mieux à cheval que n'importe quelle autre fille du pays. » Ils étaient là, cinq chevaux magnifiques, tenus par des cow-boys mexicains. « Nos garçons sont tous partis se battre, Steph. J'essaie de former ces bons à rien de Mexicains, ils sont paresseux comme des mules — faut être sans arrêt sur leur dos. »

Il y avait le soleil, et le grand vent impétueux de la plaine, qui faisait courir des friselis dans l'herbe. Et les amies, qui venaient, dans leurs belles voitures, lui rendre visite. Elle n'avait rien à faire car il y avait au moins six paires de mains — mains noires, mains brunes — prêtes à ouvrir l'eau du bain, à boucler ses cheveux, à préparer ses vêtements. Deux infirmières à demeure simplement pour s'assurer qu'elle prenait bien ses pilules et ne sautait aucune piqûre. Elle dormait, s'éveillait, mangeait, et toutes les amies de sa jeunesse venaient la voir.

« Chérie, c'est absolument fabuleux. J'ai tout lu sur ton aventure.

— Tu as vraiment vécu dans une grotte, dans un trou creusé dans la colline ? »

Oui, répondait-elle en pensant à sa grotte avec nostalgie, oui. Alors elles disaient : « Comme c'est fascinant. »

« Stéphanie, je suis si fière, si *impressionnée* d'être ici, avec toi ! ». C'était Christine Ponsonby, sa meilleure amie de Dallas. Christine s'était mariée à dix-sept ans et avait déjà deux enfants. Son mari l'avait accompagnée. David Ponsonby participait à la préparation de nouveaux plans militaires ultra-secrets et portait l'uniforme.

La plupart des jeunes gens, ses anciens flirts du lycée, étaient soldats et se battaient. Les journaux de Dallas étaient remplis de leurs exploits. « On croirait que c'est le Texas à lui tout seul qui est en train de gagner la guerre », remarqua Stéphanie au bout de quelques jours.

« En tout cas, nous avons plus de garçons là-bas dans le Pacifique que tout le foutu reste de l'Amérique », dit Heston. Et il le croyait.

Très vite, Stéphanie s'aperçut qu'il y avait un sujet dont elle ne pourrait jamais discuter avec son père. Yong. Son mari.

Chaque fois que quelqu'un disait : « Tu es de retour, Dieu merci », et qu'elle répondait : « Mais j'ai l'intention de retourner en Chine. Tu comprends, je suis... » son père l'interrompait avec habileté : « Trésor, tu n'es pas encore solide... tu dois récupérer tes forces », et il faisait revenir la conversation sur le Texas — l'agriculture texane, les bœufs texans, le pétrole texan — et la guerre.

« C'est nous qui nourrissons l'Europe entière, disait-il. Il ne faut pas l'oublier. » Il évoquait le bétail que l'Amérique engraissait pour l'Europe affamée, les bateaux du Prêt-Bail qui sillonnaient l'Atlantique en un constant va-et-vient pour apporter au vieux continent les fournitures dont il manquait. Il disait la générosité de l'Amérique, déployant ses ailes d'or sur l'Europe. « Bon Dieu, je suis fier d'être américain. »

Chaque fois que Stéphanie commençait à décrire Yenan, les grottes, la Chine, son père l'interrompait et revenait au développement du Texas, aux anciens combattants qui commençaient à rentrer. « Nous sommes rudement fiers de nos garçons, Stéphanie, oh oui rudement fiers. Nous allons leur trouver des emplois à tous quand ils reviendront... c'est nous qui avons le fond d'aide aux anciens combattants le plus important. Nous allons tous les aider à faire des études... pas un seul garçon du Texas ne sera oublié. »

C'était comme une petite conspiration autour d'elle, faite de sourires, d'affection, de plaisanteries, de chaleur. Tous ces cœurs d'or, qui répandaient avec tant de prodigalité les cadeaux, les gâteries, à travers le monde, rejetaient la Chine, l'excluaient. Excluaient Jen Yong et ses semblables, leurs vies pauvres et misérables mais leur âme rayonnante d'espoir.

Et Stéphanie, bercée par la langueur de mars finissant, dans la splendeur des magnolias qui jonchaient la pelouse de leurs pétales éclatants et se couvraient déjà de feuilles, Stéphanie s'aperçut qu'elle reculait devant la perspective de retourner à l'inconfort — de retrouver les latrines en plein air, le papier hygiénique râpeux, le manque d'eau... les poux...

Mais elle se sentait aussi nerveuse, troublée. Bien qu'elle eût pris deux kilos et demi en deux semaines et que son taux d'hémoglobine eût augmenté, elle avait un sentiment de vide en elle, elle s'éveillait en sursaut la nuit dans la belle chambre lambrissée, avec l'impression d'avoir perdu une partie d'elle-même. Ici, dans ce luxe omniprésent, elle se promenait, montait une superbe jument appelée Tara, le vent jouait avec ses cheveux — et son cœur angoissé criait :

« Yong, Yong, je suis en train de me perdre... et de te perdre. »

Elle écrivit à son éditeur, Vance Marston, de Marston House. Quand l'histoire de Fourche de la Rivière avait fait les gros titres des journaux, il lui avait envoyé là-bas un télégramme pour lui proposer un contrat pour un livre. Depuis qu'elle était de retour, il lui avait téléphoné, lui suggérant de venir à New York dès qu'elle le pourrait. « Nous trouvons votre manuscrit excellent et nous aimerions le publier à l'automne », avait-il dit. Quant au magazine *Maintenant*, ils voulaient discuter un nouveau contrat avec elle. « Vous êtes un de nos reporters vedettes », lui avaient-ils écrit.

Puis arriva une lettre de John Moore : « Stéphanie, je suis à New

York pour deux mois. Il y a des tas de choses dont je voudrais parler avec vous mais le Texas est un peu loin pour moi. »

John croit vraiment que nous vivons au fin fond de la cambrousse, pensa Stéphanie agacée et retrouvant soudain ses réflexes texans. L'université Radcliffe lui demandait d'aller faire une conférence sur ses aventures en Chine. « Nous sommes très fiers de vous », écrivait le professeur Moslyn, chef du département d'histoire.

Mais Stéphanie voulait d'abord parler à son père. Elle avait besoin de lui parler d'elle, et de Jen Yong. Jen Yong qui s'effaçait peu à peu, ce qui la terrifiait. Par son refus d'écouter, son père le faisait se volatiliser et perdre toute réalité.

« Stéphanie, dit Isabelle, parle-moi de ton mari. » Elle prononça ces mots de sa voix lasse, décolorée, exsangue. De nous deux, c'est elle qui paraît le plus anémique, pensa méchamment Stéphanie.

Isabelle avait un goût parfait. Elle portait des couleurs assourdies, des mauves, des roses pâles, des gris perle subtils ; mais cette discrétion lui allait à merveille et, avec ses yeux noirs et sa peau blanche, elle ressemblait à un pastel de Marie Laurencin.

Pour le teint plus éclatant de Stéphanie, Isabelle suggéra des blancs coquille d'œuf, des tons dorés ou du jade clair. Le grand magasin Neiman-Marcus proposait une nouvelle collection de vêtements pour le printemps et Stéphanie acheta trois robes et un tailleur caramel qui mettait en valeur sa peau et ses yeux ; achat qui lui parut ensuite aberrant car elle se demanda comment elle pourrait bien les porter à Yenan, ou même à Chungking.

Isabelle en avait voulu à Stéphanie dès sa naissance. L'accouchement avait été long et douloureux, un supplice ; mais Stéphanie était sortie en hurlant du corps épuisé d'Isabelle et Heston s'était pris d'un amour passionné pour cette petite boule de vie furieuse et bruyante. « C'est un sacré bout de femme », avait-il déclaré, avec tout juste un regard pour sa femme, déjà oublieux de sa souffrance et tout à sa joie de découvrir cet enfant qui était le sien.

A présent, Stéphanie était une femme, et une femme amoureuse. L'amour avait ajouté à son visage, à son corps, quelque chose d'indescriptible. Une qualité de beauté inoubliable. Mais son père ne veut pas le voir... il est jaloux, pensait Isabelle, ravie.

Le temps était peut-être venu de faire de sa fille une amie. Une alliée, même, contre la vitalité destructive de Heston. Isabelle avait aimé Heston mais il s'était toujours montré trop puissant, trop autoritaire avec elle...

Isabelle de Quincy de Gersant descendait d'une vieille famille aristocratique française à bout de souffle, qui possédait d'excellentes manières et une façon exquise de se tenir à l'écart du monde nouveau, vigoureux et brutal, qui l'entourait. Pourtant, c'était ce monde nouveau qu'Isabelle avait épousé, sans savoir qu'il la tuerait presque.

Isabelle, à présent, venait vers Stéphanie, pour lui parler comme une femme à une autre femme.

« Comment est ton mari, Stéphanie ? Dis-moi, je t'en prie. J'aimerais savoir. »

Les yeux de Stéphanie se posèrent sur sa mère. Cherchant ses mots, elle dit : « Yong... je ne peux pas vraiment le décrire, maman, parce que tout ici est tellement différent. » Parfois, ici, Yong devenait une ombre noire et blanche, comme si son existence même n'était pas réelle.

« Je le trouve... remarquable... il est bon, noble, il aime sa patrie... je ne peux pas expliquer. » Elle pensait, je l'aime, je l'aime. Mais parler de lui en fait un personnage de livre, pas cet homme que j'ai connu, avec qui j'ai fait l'amour, qui me manque terriblement...

Isabelle inclina la tête. « L'amour ne peut jamais expliquer l'être aimé, ma chère. C'est l'essence de la déraison la plus folle.

— Maman, quand tu as épousé papa, est-ce que ç'a été aussi quelque chose de plus fort que toi ? »

Isabelle eut un mince sourire et, d'une voix nette qui écartait la question et la faisait paraître impertinente, elle dit : « Tu dois savoir que ton père trouve difficile d'accepter ton mariage. Avec un Chinois. Il trouve toujours difficile d'accepter ce qu'il n'a pas lui-même prévu pour ceux qu'il aime. Il ne peut pas imaginer qu'ils puissent avoir des désirs différents des siens.

— Si papa connaissait Yong, il l'aimerait.

— Peut-être t'es-tu un peu éloignée de ce monde qui est le nôtre. Ton père pense que ton mari ne pourra pas s'intégrer dans son univers, celui qu'il est en train de bâtir...

— Papa n'a pas encore accepté l'idée que je puisse me marier, c'est tout. Il s'y fera. »

Isabelle changea de sujet. « Cela ne sera pas facile pour toi de vivre en Chine. Peut-être Yong viendra-t-il en Amérique, pour vivre ici...

— Non. Jamais. Je veux dire pour toujours. Il aime son pays, il veut aider son peuple. » Et soudain Yong fut à côté d'elle et elle ne douta plus, de lui, d'elle-même. « Moi aussi j'ai changé. Je sais que je ne serai jamais satisfaite tant que je ne partagerai pas un peu de ce rêve qui anime Yong et d'autres comme lui... Apporter un peu de bien à son peuple... »

Isabelle regarda sa fille d'un air grave. « Stéphanie, tu es dans un état de grâce en ce moment, puisses-tu y rester longtemps. Car tu as choisi quelque chose qui en vaut infiniment la peine ou qui te détruira... mais tu n'as pas choisi la médiocrité, la petitesse... »

Et pour la première fois de leur vie, il y eut de la compréhension et même de l'amour, entre elles, sans aucune gêne.

Depuis janvier 1945, les armées américaines avaient changé partout le cours de la guerre, en Europe comme en Asie.

En Europe, la victoire était proche. L'aviation achevait de détruire les dernières villes ennemies encore intactes ainsi que les industries. Hitler attendait la fin dans un bunker. Nuit après nuit, les bombardiers décollaient pour aller déverser un déluge de feu et de mort sur l'Allemagne.

Dans le Pacifique, les marines déferlaient sur toutes les îles, les Etats-Unis se rapprochaient inexorablement du Japon et le nom de Douglas MacArthur, le héros de cette magnifique épopée, était sur toutes les lèvres.

Le développement des forces militaires aériennes avait rendu inutile une mobilisation massive de l'infanterie. On pouvait bombarder le Japon à partir des îles du Pacifique, avec beaucoup plus d'efficacité que des bases aériennes chinoises.

Les Etats-Unis n'avaient plus un besoin aussi urgent des armées chinoises.

A présent, Roosevelt se préoccupait moins de pousser la Chine à se battre que de s'entendre avec la Russie pour organiser le monde de l'après-guerre.

Des généraux chamarrés de décorations venaient à Dallas. Ils rencontraient Heston Ryder. Heston, en chemise à carreaux, les pieds chaussés de bottes cousues main, un immense chapeau de cow-boy sur la tête, les emmenait au ranch. Ils mangeaient des biftecks dans le patio et les employés mexicains leur jouaient la sérénade sur leurs guitares.

Ils parlaient affaires.

Il fallait reconstruire l'Europe. L'Europe manquait de tout. Seule l'Amérique pouvait l'aider.

Les généraux en voulaient à Roosevelt à cause de Yalta — où, sous le regard de Churchill, Staline et lui s'étaient partagé le monde. Ils étaient furieux. Ils murmuraient que Roosevelt avait beaucoup trop donné à Staline. Il avait arrêté l'avance des Américains en Allemagne et fait cadeau de la Pologne à la Russie...

Quelque part à Washington, il y avait des gens qui donnaient de mauvais conseils au président.

Ainsi naquit la rumeur d'un complot rouge contre l'Amérique. Et, au Texas, beaucoup allaient y croire.

Cela faisait un mois maintenant que Stéphanie était de retour. Elle avait pris cinq kilos. Un nouveau médicament contenant un composé ferreux plus actif, des vitamines en pilules et une cure supplémentaire de remèdes contre le paludisme pour écarter toute nouvelle crise avaient fait des miracles. Les médecins américains, amenés à soigner les nombreuses maladies nouvelles que les G.I.'s ramenaient du vaste théâtre de la guerre, disposaient de la panoplie de remèdes la plus riche et la meilleure du monde.

Elle reçut un courrier de Lionel Shaggin, qui enfermait une lettre de Yong. « Nos amis, ici, poursuivent leurs efforts pour expliquer la situation chinoise à Washington, écrivait Lionel. Peut-être pourrez-vous présenter les faits sous leur vrai jour — mais il semble que les pires conseils aient prévalu. »

Yong écrivait :

« Neige de Printemps,

« Aussi soudain et ravissant qu'une averse de pétales, le temps est un oiseau dont la voix égrène ton nom tout au long de la journée. Il fait froid ici mais dans le silence j'entends ton rire et j'ai chaud. Je ne peux rien te dire sur ce que je fais ni sur l'endroit où je me trouve. Le courrier attend, il ne reviendra pas avant six semaines. Ainsi je t'écris et la distance est abolie. Ma lettre est un coquillage qui chuchote l'écho marin de ton nom : Stéphanie. Neige de Printemps. Stéphanie le flux mélodieux.

« Tout homme doit prendre la mesure de sa vie selon un critère qui le dépasse ; certains la mesurent par le nombre d'années qui passent, comme s'il s'agissait pour eux d'atteindre le point d'où ils apercevront leur dissolution. D'autres érigent des bornes, sur lesquelles ils inscrivent les actions d'autres hommes et les leurs propres. Moi je mesure la mienne à ta présence, que ton absence ne m'enlève pas. Savoir que tu existes m'est une grâce constante, aussi éclatante que le premier matin. Et je suis satisfait à jamais. »

Et Yong fut de nouveau là, auprès d'elle, et revint le temps béni de la certitude. Une force, un déploiement de puissance qui dépassaient tous les royaumes de la terre.

Elle irait à New York. Elle ne pouvait plus rester à la maison. La maison, merveilleuse et précieuse, à laquelle elle voudrait toujours revenir. Mais, d'abord, il lui fallait en partir. Parce que son père ne voulait pas accepter Yong.

« Je l'obligerai. »

Ce soir-là, deux hommes d'affaires vinrent dîner : en uniforme ; ils étaient colonels honoraires de l'armée américaine. Ce qui leur permettait d'utiliser gratuitement les Dakotas qui faisaient la navette entre l'Europe et l'Amérique. L'Europe était un immense chantier, où résonnait déjà la clameur joyeuse des futures usines américaines.

L'Europe connaîtrait une renaissance prodigieuse, grâce à l'aide américaine. Grâce au Plan Marshall.

Les colonels honoraires ratissaient la France et l'Italie, à la recherche de trésors, d'antiquités, de tableaux.

« C'est le bon moment, Heston. Tu devrais y aller toi aussi.

— Vous avez raison, je suppose », dit Heston en évitant de regarder Isabelle, assise au bout de la longue table. « Ma femme et moi projetons de nous rendre bientôt à Paris.

— Le plus intéressant, c'est l'Angleterre, reprit l'un d'eux. Toutes ces grandes familles ne peuvent plus s'accrocher à leurs trucs, elles les laissent sortir des châteaux. A cause des impôts, tu comprends. Mais faut savoir où aller... ».

L'architecte qui avait construit la nouvelle maison de Heston était aussi présent au dîner. Il avait suggéré à Heston d'acquérir des boiseries du XVIIe siècle provenant d'un manoir du sud de la France. « J'ai déjà traité des affaires avec eux. C'est une famille qui a soutenu Pétain... ils voudraient bien filer en Suisse le plus vite possible avant que de Gaulle les fasse fusiller. »

Isabelle, impassible, ressemblait à une statue de cristal. Seul son visage se crispa légèrement tandis qu'elle portait son verre d'eau à ses lèvres. Elle ne buvait plus que de l'eau depuis que Heston servait des vins français (qui coûtaient une fortune).

Toute la famille d'Isabelle avait pris le parti de Pétain. Ce qui n'avait rien d'extraordinaire. Tant de Français en avaient fait autant, même s'ils essayaient maintenant de s'accrocher au train de la Résistance. Un de ses aristocratiques cousins avait été arrêté et exécuté avant qu'il eût pu s'enfuir en Espagne.

« Stéphanie, tu n'as pas envie de venir en Europe avec nous ? Tu nous aiderais à choisir des trucs pour la nouvelle maison..., dit Heston à sa fille.

— Je crains bien de ne pas pouvoir, papa. J'ai l'intention d'aller très bientôt à New York. Et le journal me demandera de retourner en Chine, je suppose. » Elle se tourna vers le colonel assis à sa droite et sur le ton de la conversation, ajouta : « Mon mari est un chirurgien chinois. En ce moment, il se trouve sur un des fronts, dans le nord de la Chine...

— Un chirurgien ? Mais c'est magnifique, splendide », dit l'homme avec chaleur. Il regarda la main nue de Stéphanie.

« On ne porte pas d'alliance dans les mariages chinois », dit-elle en rougissant comme si elle avait fait une gaffe.

L'épouse du colonel se tourna aussitôt vers Heston.

« Avez-vous lu ce qu'on dit du nouvel hôpital qui se construit dans le centre de la ville ? Il y aura une aile spéciale pour les anciens combattants handicapés... »

Personne ne fit plus allusion à la Chine. Mais on parla de Roosevelt et de ses amis de gauche, tous « gâteux devant le communisme ».

« Je suppose que les dames en ont assez d'entendre parler de la politique de Washington », dit Heston ; Isabelle, s'ingéniant à avoir l'air d'une martyre, se leva et conduisit les femmes au salon. Stéphanie les suivit. Elles bavardèrent avec entrain de soirées prévues, de Pâques, qui était si tôt cette année, la semaine suivante, des cadeaux de Pâques à acheter pour les G.I.'s hospitalisés.

Les invités se retirèrent. Heston, debout dans l'entrée, salua de la main les voitures qui s'éloignaient.

« Papa, il faut que je te parle.

— Bien sûr, Steph, vas-y. » Heston alla au bar, versa du cognac dans un verre ballon et l'offrit à Isabelle, qui refusa. Il garda le verre et se tourna vers Stéphanie. « Tu veux un cognac, Stéphanie ? Du Napoléon, le meilleur... Bon, maintenant dis-moi ce que tu as dans la tête.

— Je vais retourner en Chine, papa. Je retourne auprès de mon mari.

— Le docteur Baxter pense qu'il te faudrait encore trois mois.

— J'avale plein de pilules et je peux voir les médecins à New York, je ne veux plus traîner ainsi à ne rien faire, papa.

— A ne rien faire, dit Heston. Il y a sacrément de choses à faire ici, trésor. Comment, mais on est au cœur de tout, ici, à Dallas...

— Papa, Dallas est une ville formidable et je vous aime tous mais je suis mariée à un homme qui vit en Chine. Tu sembles refuser de le savoir... et tout le monde se bouche les oreilles dès que j'en parle...

— Ma chérie, tu *crois* avoir épousé un type là-bas. Un Chinois. D'accord, d'accord. Je n'ai rien contre personne, c'est peut-être un type bien, très bien même, mais ce n'est pas un vrai mariage. Tu étais très faible, Stéphanie, tu sortais d'une longue période d'inconscience et on t'a peut-être influencée. Tu devrais te donner un délai supplémentaire... achève de te rétablir et puis tu prendras une décision.

— Papa, il y avait au moins trente Américains à Yenan, une mission militaire, des gens du Département d'Etat, des médecins américains. On ne m'a *pas* influencée. Il a même été très difficile d'obtenir la licence de mariage. Je *voulais* épouser Yong. Parce que je l'aime.

— Je ne dis pas le contraire, Steph. » Heston se montrait raisonnable, détendu. L'air pensif, il faisait tourner le cognac dans son verre, comme Isabelle le lui avait appris quand ils étaient tous les deux à Paris vingt-trois ans plus tôt et qu'elle avait été pour lui la clef qui lui donnait accès à tout le merveilleux raffinement français, au bon goût, au chic, à la courtoisie.

Comme il avait vite appris ! A présent, il se servait avec sa fille de cette science acquise, de cette politesse, de cette force persuasive. Bon

Dieu, elle n'avait pas épousé n'importe quel Chinois. Il le savait bien. Mais c'était tout de même une espèce de compagnon de route, un sympathisant, puisqu'il travaillait avec les Rouges, là-bas, à Yenan... Oh Steph, mon bébé, pensait-il, je mettrais le monde entier à tes pieds et tu veux aller en Chine !

« Il y a quelque chose dans cette histoire qui me tracasse, je l'avoue, trésor. Je vis ici, à Dallas. C'est encore une petite ville et moi je suis un homme simple, ordinaire. Dallas n'est pas une grande cité comme New York — ce n'est pas une métropole — pas encore en tout cas, mais j'ai des amis à Washington, de bons amis, qui sont au courant de ce qui se passe. Ils m'ont parlé. Ils sont venus tout exprès ici pour me parler. En fait, je crains fort que certains des types auxquels tu faisais allusion, ces Américains qui sont là-bas en Chine, t'aient bourré le crâne... et pas seulement toi. Ils ont aussi dupé des tas de gens. Des gens au gouvernement, y compris Roosevelt, ce toqué des Rouges.

— De quoi parles-tu, papa ? Je ne comprends pas.

— Je parle du complot des Rouges, du communisme international, dit Heston. Voilà de quoi je parle, Stéphanie. Theodore White, Gunther Stein, Harrison Forman, et tous ces autres imbéciles, qui écrivent des livres ou des articles à la louange des cocos. Et toi là au milieu, qui te fais enjôler pour entrer dans la conspiration. Trésor, ils se servent des gens, de gens innocents comme toi. Ils leur lavent le cerveau. Ils ont même quelques-uns de nos meilleurs savants qui travaillent pour eux. Et je n'aime pas du tout l'idée que ma petite fille se trouve au milieu de tout ça et qu'on se sert d'elle... Ces gens sont habiles, ils savaient qui tu étais.

— Papa, ce n'est pas vrai, ça n'est absolument pas comme ça. Tu ne les connais pas. Si tu étais allé là-bas, si tu les avais vus, tu serais de leur côté, toi aussi. Ecoute, ce sont les seuls qui essaient de sauver la Chine... les seuls qui se battent contre le Japon. Ils sont sincères, papa...

— Ils sont très, très habiles », dit Heston.

Il finit son verre, le reposa doucement. Ne nous énervons pas, pensa-t-il. Oh Steph, ma chérie. Ton papa ne va pas capituler comme ça et renoncer à protéger sa petite fille. « Je ne suis pas contre le fait que tu épouses quelqu'un que tu aimes vraiment, mon trésor. J'accueillerais volontiers le type, s'il est gentil avec ma fille... Mais il doit d'abord me prouver qu'il n'est pas communiste. Je ne permettrai pas que ma fille épouse un Rouge...

— Papa, écoute-moi. Yong n'est *pas* communiste. Il aime son pays. Les chefs communistes chinois veulent l'amitié des Etats-Unis. Ils ont *besoin* des Etats-Unis. Ils me l'ont dit, ils nous l'ont dit à tous. Leurs deux dirigeants ont proposé de se rendre à Washington en avion pour avoir des discussions avec le président... Je le sais ; ils ne sont pas contre nous et ont besoin de nous.

— Mais oui, pour que nous leur donnions des armes qu'ils retourneraient contre nous, dit Heston d'un ton sarcastique. Crois-moi, maintenant que nous avons battu les Boches, il va nous falloir nettoyer un merdier bien plus grand. Les Russes ? Mais si nous n'avions pas été là, Staline se serait retrouvé au fin fond de la Sibérie... et parfois je me dis qu'on aurait dû laisser les Boches l'écraser. »

Isabelle contempla d'un air satisfait sa jupe de soie dont elle arrangeait les plis de la main. « Heston, dit-elle, ta fille Stéphanie est amoureuse et elle est *mariée.* » Mais ni Heston ni Stéphanie ne semblèrent prêter attention à l'énoncé de cette évidence.

Stéphanie se leva. « Je pars demain pour New York, papa, dit-elle. Et je vais demander au magazine de me renvoyer en Chine le plus vite possible.

— Trésor, tu dois faire ce que tu crois être juste », dit Heston, s'inclinant à regret devant cette obstination qu'il avait lui-même transmise à sa fille. Il posa gentiment le bras sur les épaules de Stéphanie mais cette douceur elle-même était plus accablante qu'une manifestation d'autorité. « N'oublie pas, Steph, tu es une Ryder. Reviens quand tu voudras, ici c'est chez toi, tu m'entends ? »

Heston était allongé dans le grand lit à côté d'Isabelle. Il entendait sa respiration légère et savait qu'elle était aussi éveillée que lui mais il avait peur de rompre la trêve fragile mais durable qu'ils observaient tous les deux. Car c'était grâce à cette complicité dans le silence que leur mariage durait.

Isabelle. 1921. L'été à Paris ; la pluie lustrait les toits gris et laquait les trottoirs. Des jeunes filles pressées, plus jolies que jamais, avec leur teint de pêche sous leurs ombrelles fleuries. Il avait vingt et un ans et flânait le long des librairies, près du jardin du Luxembourg, quand Isabelle lui était soudain apparue, encombrée d'un sac volumineux et d'un parapluie, des livres sous le bras et les jambes empêtrées dans la laisse d'un petit caniche bruyant qui tentait de mordre un vieux monsieur brandissant une canne. Il l'avait aidée à se dégager et ils avaient marché ensemble sous le soleil revenu qui mettait des arcs-en-ciel dans chaque flaque. Il était tombé amoureux.

Heston avait acheté un atlas et lui avait montré où se trouvaient le Texas, Dallas. Il lui avait dit — mais avec réticence car déjà il n'était pas homme à fanfaronner pour obtenir ce qu'il voulait, il attendait que les autres prennent la mesure de sa valeur — qu'il s'était engagé, alors qu'il n'avait pas encore dix-sept ans, dans l'Escadrille La Fayette pour venir se battre en France. Dans cette Première Guerre qui devait mettre fin à toutes les guerres.

Isabelle l'avait amené dans la maison où elle vivait avec sa mère. A Reims, à l'ombre de la grande cathédrale. Il avait alors découvert la France, dans toute son ampleur paradoxale : ses manières et ses maniérismes, son rayonnement extraordinaire et sa mesquinerie. Son amour de la liberté et son profond autoritarisme. La passion des Français pour les disputes, les querelles, les discussions, leur attachement à une ordonnance logique des idées même au prix d'une coupure d'avec la réalité. La suprême arrogance de leur logique avait aiguisé son intelligence. Il avait visité des musées paisibles, des théâtres où la poésie jaillissait à flot continu. Mais il connut son plus grand étonnement le jour où Isabelle arriva tout de noir vêtue. Chapeau noir, manteau, robe, bas, chaussures, sac noirs, le visage caché par un voile noir, presque pas de maquillage. « Chérie, qu'est-il arrivé ? » Une mort dans la famille, c'était évident, un chagrin profond, proclamait le visage pâle.

Et Isabelle avait dit : « C'est l'anniversaire de la décapitation de Sa Majesté Marie-Antoinette. »

Oh, merde, la mort d'une reine française en 1793 — et on était en 1921...

La mère d'Isabelle, la comtesse de Quincy de Gersant, interrogea longuement Heston quand il demanda Isabelle en mariage.

La conclusion fut un refus poli. Il n'était pas catholique ; or, il se trouvait qu'un des oncles d'Isabelle était chanoine, qu'un autre, le duc de Quincy-Lombelle, possédait un château et un nom fort anciens et qu'aucun des deux ne donnerait son consentement à ce mariage...

« Je vous aimerai toujours », avait dit Isabelle. Mais déjà il lisait la résignation sur son beau visage, cette langueur d'un sang trop pauvre, ce côté fin de race, cette mollesse de l'âme. La résignation. Elle l'aimerait toujours mais elle épouserait son cousin catholique.

Heston l'avait alors enlevée. Littéralement. Il était venu la chercher un après-midi, pour une promenade d'adieux très officielle et elle n'était jamais revenue chez elle car il avait déjà les billets de train pour Paris. Quand elle avait dit : « Mais mes vêtements... ma mère » (dans cet ordre), il avait répondu « Je me charge de tout. » Il avait serré contre lui son corps à l'ossature si fragile (il s'émerveillait de la finesse de ses os et du satiné de sa peau. Elle n'avait pas un duvet sur les bras et les jambes, une peau comme de la soie, héritage d'un ancêtre hongrois), puis l'avait installée dans le train. Ensuite l'hôtel. Une chambre pour elle.

Elle lui avait cédé. Après, elle l'avait regardé et avait dit d'une voix grave : « J'ai commis un péché mortel par amour. »

Il l'avait épousée. A Paris. Il avait trouvé un pasteur baptiste qui avait accepté de les unir. Elle avait dit alors : « Mais c'est une hérésie... ma mère... » Il l'avait emmenée en Amérique. Elle semblait gaie, heureuse. Puis Stéphanie était née.

Il commença alors à gagner de l'argent. Il avait acheté de la terre, cinq mille hectares près de Houston, à une époque où personne ne recherchait la terre car on était en pleine Crise. Il se révéla que c'étaient des champs pétrolifères. Le pétrole.

Isabelle paraissait heureuse bien qu'elle montrât parfois une tristesse inexplicable et que son comportement sexuel eût changé. Heston attribuait ça au refus de sa mère, jusque sur son lit de mort, de revoir sa fille renégate. Isabelle n'avait pas hérité de la fortune, elle avait seulement eu les meubles. Heston les avait fait venir de France par bateau, pour qu'elle ait moins la nostalgie de son pays.

Ce n'est qu'en 1937, quand Stéphanie eut quatorze ans, qu'Heston commença à comprendre à quel point les choses allaient mal. C'était à cause de Stéphanie... cela n'avait rien à voir avec Stéphanie. Une mère aime son enfant, voyons! Mais la vitalité de Stéphanie, son éclat semblaient épuiser sa mère. Quand elle observait Stéphanie, Isabelle se sentait vieillir.

Alors, c'est vers Stéphanie que Heston revenait, le soir, quand le crépuscule embrasait soudain toutes les couleurs du ciel et de la terre. C'était Stéphanie qui aimait faire de longues marches avec lui, qui parcourait avec lui les bois et les montagnes, qui explorait cette immense terre américaine. Isabelle refusait de camper, de vivre à la dure. Elle se fanait, c'était visible, dans son âme sinon dans sa chair, quand ils étaient tous les trois ensemble. Elle les punissait par son indifférence. Une indifférence pire que tout ce qu'il avait connu.

Elle n'était pas malade. Elle ne maigrissait pas. Elle était comme évanescente. Il avait tout essayé, lui avait tout donné, tout. Il s'acharnait sur son corps, pensant qu'elle voulait davantage d'amour physique. Puis il guettait anxieusement son visage. Où n'apparaissait qu'une tristesse résignée et distinguée. Il se rappelait : « Mais c'est un péché mortel... »

Il avait vraiment fait tout ce qu'il pouvait. Il avait mis de grosses sommes d'argent à son nom. Des actions. Il lui avait acheté un appartement à New York, des biens à Houston... Elle pouvait faire ses achats comme une princesse, sans même s'enquérir du prix... mais tout se transformait en cendres quand ça l'atteignait.

Puis il y avait eu mai 1940 et la débâcle française. Et soudain Isabelle avait annoncé qu'elle devait partir, rejoindre les Forces Françaises Libres à Londres... elle devait s'engager...

C'était de la folie. « Belle, tu aides à gagner la guerre en étant ici, chérie. Auprès de moi. Nous allons construire les avions qui écraseront les Allemands. Et il y a Jimmy. As-tu pensé à Jimmy ? » Jimmy était un enfant rêveur, distrait. Il détestait les rodéos, les chevaux, les combats de coqs. Mais il adorait les bateaux et Heston lui payait des leçons de pilotage... Le garçon s'en sortirait peut-être, après tout, si sa mère ne lui bourrait pas le crâne de bêtises...

Isabelle était devenue très pieuse. Elle allait tous les jours à l'église. « Tes rotules vont finir par s'user », disait Heston pour la taquiner. Mais elle le regardait d'un air grave. « Dieu est miséricordieux aux pécheurs qui prient, *mon ami.* »

Les pécheurs ! Cette épouse obéissante et soumise... Merde, ça pousserait un homme à boire, à aller voir les putains.

Ce n'était pas sa faute si, quand ils avaient des invités, ses amis décrivaient comment les Français avaient foutu le camp en mai 1940 « et ce sont nos petits gars qui sont allés faire le boulot à leur place ». Isabelle, très droite sur sa chaise, l'air outrageusement supérieur, buvait de l'eau et disait de sa voix exquise, plus coupante qu'une lame de rasoir : « Le temps est devenu très orageux, ne trouvez-vous pas ? »

Quand Paris fut libéré, en août 1944, Heston laissa Isabelle retourner en France pour voir ce qu'était devenue sa famille.

Deux mois plus tard, elle était de retour. Elle dit d'une voix blanche : « Mes deux oncles, mon cousin Paul — c'était le type qu'elle aurait dû épouser — ont été fusillés comme collaborateurs. »

Elle vivait, se déplaçait, fantôme paisible, dans sa maison à lui. Et voilà qu'à présent, elle encourageait Stéphanie dans sa folie. Elle la poussait à retourner en Chine. Pour l'abattre, lui.

Mais il ne la laisserait pas abîmer Stéphanie. Il l'en empêcherait. Il serra les poings. Il se battrait pour son trésor. Steph, oh Steph, ma petite fille chérie...

Ils étaient assis dans la salle à manger de l'hôtel Algonquin, aux murs lambrissés, baignés d'une douce lumière rosée, et ils s'amusaient à évoquer l'immense inconfort de Chungking :

« Vous rappelez-vous comment nous arrivions à nous laver dans une petite cuvette émaillée ?

— Et ce gin que Theodore White avait fabriqué avec des écorces d'oranges et du sucre de canne fermenté ? »

John Moore était venu de Washington pour rencontrer Stéphanie à New York. Ils parlaient et cette expérience d'événements partagés, cette amitié confiante entre eux leur apportaient un sentiment de bien-être. John allait bientôt repartir pour Chungking. « Hurley persiste à dire que c'est Tchiang qui incarne le gouvernement nationaliste et que nous devons le soutenir.

— C'est parce que les chefs de Yenan sont communistes, répondit Stéphanie. A Dallas, le mot seul rend les gens hystériques. Ils croient que nous avons tous subi un lavage de cerveau, que nous faisons partie du complot communiste international dès que nous disons la moindre petite chose en faveur des Rouges.

— Seuls des gens complètement hors du coup peuvent penser ainsi, dit John Moore.

— Je ne dirais pas de mon père qu'il est hors du coup... », répondit Stéphanie et ils éclatèrent de rire.

Ils descendirent, en flânant, la Quarante-Quatrième Rue jusqu'à la Cinquième Avenue et se mêlèrent à la foule de Pâques, nonchalante et joyeuse. Le printemps était dans l'air, on sentait l'odeur du lilas. Les grands magasins étalaient les cadeaux de Pâques, les boutiques des fleuristes dressaient de hautes branches de forsythia jusque sur les trottoirs. Le ciel offrait cette nuance spéciale de bleu qu'on ne trouve qu'à New York. Une lumière cobalt rebondissait sur les flèches et les tours de Manhattan. Les rues, ces canyons où se presse la foule innombrable, avaient pris des allures de chemins vers le bonheur, dans cette fin d'après-midi printanière ; partout on voyait des femmes avec de ravissants chapeaux neufs, ornés de voilettes et de bouquets de fleurs. Et Stéphanie se dit que John Moore était le compagnon idéal pour flâner dans New York. A part Yong.

Pendant quelques instants, Stéphanie rêva d'une rencontre entre Yong et son père, mais pas à Dallas, ici, à New York. Son père était trop fort à Dallas ; la terre sous ses pieds lui insufflait une vitalité qui écraserait Yong, qui le viderait de sa substance. Ici, au contraire, dans cette ville gigantesque, Yong garderait toute sa stature devant son père. Alors celui-ci l'aimerait et ne verrait plus un Rouge en lui. New York était le point de ralliement pour les correspondants de journaux de tous les coins du monde, davantage même que Washington. Ils venaient à New York pour se rencontrer, parler, discuter, se régénérer mutuellement avec le récit de leurs « coups », et se nourrir de faits et de mythes.

Les « vieux de Chine » étaient encore plus enclins que les autres à se retrouver pour échanger leurs impressions et apaiser leur nostalgie. Ils sentaient que leur expérience de la guerre était unique. La Chine leur avait offert une telle variété de difficultés et de défis à affronter ; elle avait soumis leurs esprits et leurs corps à une alternance douloureuse de colère et de bonheur, elle les avait déroutés et horrifiés, sa crasse omniprésente les avait dégoûtés mais ils avaient aussi subi son charme insidieux. Beaucoup ne guériraient jamais de la Chine. Ils resteraient pendant de nombreuses années des personnes déplacées, obsédées par des souvenirs brûlants et habitées par une rage de vivre jamais assouvie.

Isabelle avait tenu à ce que Stéphanie descendît dans son appartement, au croisement de la Soixante-Huitième Rue et de Park Avenue, mais c'était dans celui de John Moore (tenu de façon impeccable par une tante, vieille fille maniaque de propreté et totalement sourde, qui vivait dans l'angoisse permanente de voir les sous-marins japonais envahir le port de New York — pendant des années elle était allée chaque après-midi monter la garde au bord de l'Hudson, et guetter l'apparition des périscopes à la surface de l'eau plombée) que les « vieux de Chine » se retrouvaient.

Terry Longworth, qui avait des ennuis à la fois avec son rédacteur en chef et avec sa femme Blanche, se montrait véhément dans les discussions et noyait son cafard dans le whisky et les mots. Quand John Moore annonça que Jack Service, le représentant du Département d'Etat dans la Mission Dixie, venait de rentrer à Washington — il avait eu une dernière rencontre avec Mao Tsetung, le 1er avril — Terry dit d'un ton amer : « C'est un poisson d'avril. Washington a déjà prononcé la condamnation de Yenan... »

Il descendit un autre bourbon. « Vous savez pas ? On me donne une nouvelle affectation. Mon patron dit que je m'implique trop dans les événements chinois... " Tu perds ton objectivité ", qu'il dit. On m'envoie à Dublin, en Irlande. L'Irlande ! » Cela signifiait la fin de sa carrière et il le savait. « Et Blanche qui refuse le divorce. Elle dit que c'est une simple toquade.

— Terry, je suis navrée... » Stéphanie se sentait impuissante devant le désarroi de Terry.

Terry avait un air sinistre. « Je ne suis pas une compagnie bien gaie, ce soir, Stéphanie... » Il envisageait de démissionner, de travailler en indépendant, d'écrire un livre. « J'ai un ami à Paris. Je pourrais peut-être faire venir Rosamond en France.

— Si je puis faire quoi que ce soit, Terry... je projette de retourner à Chungking en juillet... je verrai certainement Rosamond. »

Les yeux de Terry se brouillèrent de larmes. D'un geste rageur, il se versa un autre verre. « Je ne laisserai pas tomber Rosamond, Stéphanie, jamais.

— Terry, dit Michael Anstruther, vous ne devrez pas attendre de *gratitude* d'aucune bureaucratie. »

Michael Anstruther représentait un grand journal anglais et venait de temps en temps à New York, où il connaissait tout le monde. Il était à Singapour quand l'île était tombée aux mains des Japonais et s'en était échappé presque par miracle. Sa minceur lui donnait un air fragile mais cachait une grande résistance. Il y avait d'autres choses qu'il dissimulait, par exemple son homosexualité. Mais il se comportait avec une telle dignité et une telle discrétion que personne n'y faisait jamais allusion. Il aimait la compagnie des jolies filles et sortait quelques-unes des plus belles femmes de Washington. « Stéphanie, dit-il, si je peux faire quelque chose pour vous, demandez-le-moi. » Il lui sourit, un sourire à la fois timide et assuré, qui la défiait de comprendre.

« Merci, Michael, je n'hésiterai pas. » Stéphanie lui rendit son sourire.

Vance Marston, le directeur littéraire de Marston House, était enchanté par le manuscrit de Stéphanie. Il l'invita à dîner au Club 21 et l'observa avec surprise. Elle n'était pas la femme décidée à faire carrière, accrocheuse, et le contraire d'une oie blanche, à laquelle il s'attendait, espèce qu'il emmenait souvent au restaurant et devant laquelle il déployait son charme mais en ayant soin de ne pas aller trop loin. C'était une jeune fille vulnérable et confiante, dont la joie de vivre évidente l'émouvait. « Une des qualités de votre récit est qu'il donne une excellente image de la façon dont les gens vivent en Chine, et surtout des problèmes quotidiens de femmes », dit-il. Elle avait su rendre le morne inconfort mais aussi la vaillance, ce petit courage quotidien des femmes qui se lèvent à l'aube pour refaire indéfiniment la même tâche — allumer le feu, faire bouillir l'eau, s'occuper des bébés, laver le linge, cuisiner... toutes choses renouvelées et défaites chaque jour. L'appel cuivré des clairons dans l'air du matin qui arrachait les jeunes filles ensommeillées à leur kang et les faisait sortir trébuchantes pour se rendre à l'entraînement ; ces filles qui maniaient des fusils trop lourds et s'exerçaient à tirer sans rien perdre de leur féminité. Rien ne venait diminuer l'obsédante répétition de ces tâches quotidiennes, que n'allégeait aucun ustensile ménager.

Stéphanie avait su montrer combien cette épreuve morale était génératrice de force.

« Stéphanie, choisissez vous-même votre prochain poste... » Les cheveux lustrés, les manières suaves, Halway Mandel, le directeur adjoint de *Maintenant,* l'accueillit chaleureusement.

« La Chine, dit-elle. Je suis mariée là-bas, Hal, souvenez-vous. »

Mandel, qui était très fier de son flair et de sa réussite, se frotta les mains avec une jubilation évidente. « Nous comptons sur vous pour nous envoyer plein de récits passionnants sur la vie d'une femme de chirurgien dans la Chine en guerre. »

Les lectrices de *Maintenant* avaient très bien accueilli les articles de Stéphanie ; de nombreux clubs féminins la réclamaient pour des conférences, la presse féminine demandait l'autorisation de reproduire ses textes et Mandel était ravi. « C'est à cause de l'élément sentimental, expliqua-t-il à Stéphanie. Vous êtes une femme adorable et de surcroît amoureuse. Dans un de vos articles, vous parlez d'une femme chinoise écrivain et vous racontez comment les couples mariés ne se retrouvent que le samedi soir... mais ce n'est pas suffisant, il nous faudrait autre chose pour montrer que la guerre ne rend *pas* les femmes masculines. Que la seule chose qu'elles veulent c'est une vie de famille heureuse et normale. Maintenant que la guerre est presque finie, nous allons lancer des articles pour renvoyer les femmes à leur vraie place, la maison. Les hommes vont rentrer de tous les coins du monde et nous voulons leur faire comprendre que malgré tout ce qui est arrivé, la jeune fille américaine a attendu, elle attendait un mari, des enfants et...

— La cuisine, la lessive, le ménage », suggéra Stéphanie rêveuse ; elle revit soudain Yong accroupi devant le poêle, puis en train de pétrir la farine de millet pour lui préparer des boulettes...

« Exactement », dit Mandel, un peu surpris. Comme elle pouvait être cassante.

Stéphanie alla à Radcliffe faire la conférence qu'elle avait promise. Elle retrouva les vieux bâtiments élégants entourés de pelouses veloutées et d'arbres respectables. Quelques-unes de ses anciennes camarades de promotion vinrent assister à la conférence et une petite soirée fut organisée en son honneur.

L'histoire de Fourche de la Rivière faisait maintenant partie du programme de sciences sociales. Et le mariage de Stéphanie avec un chirurgien chinois suscitait l'admiration et même un brin d'envie.

« C'est formidable, elle a eu le cran de foncer et d'aller jusqu'au bout », disaient ses camarades et elles la couvraient de compliments.

« Stéphanie a un air superbe, elle ressemble un peu à la Victoire de Samothrace, mais avec la tête en plus », dit Camilla Waring, sa meilleure amie de Radcliffe, qui militait alors pour l'ouverture d'écoles pour enfants noirs à Boston.

La nouvelle de la mort de Roosevelt, le 12 avril, précipita Stéphanie au téléphone : elle voulait joindre John Moore. « C'est la fin d'une époque, dit John. Roosevelt a donné à notre pays un idéal, une vocation, de la grandeur. »

Stéphanie appela son père. « C'est un coup dur, papa, Roosevelt était un grand homme.

— Eh bien, vois-tu, dit Heston, je pense qu'il était devenu sérieusement gâteux, mon trésor. »

Papa a l'air plutôt content, pensa Stéphanie. « Et toi, comment vas-tu ? Sois raisonnable, n'en fais pas trop. Le docteur Baxter dit que ton hémoglobine est remontée à 9,90. Est-ce qu'on va te voir bientôt ? »

Il était prévenant, affectueux, et ils n'avaient rien à se dire.

Le 8 mai, Fête de la Victoire en Europe ; New York en mai, Manhattan éclatant de gaieté sous un ciel pommelé ; les foules se pressaient dans les rues, on s'étreignait, on s'embrassait. Les jeunes filles vêtues de robes légères, les bras nus, portaient des brassées de roses qu'elles épinglaient sur la veste de tous les hommes en uniforme qu'elles voyaient.

L'Amérique avait gagné la guerre. Les cinémas montraient l'accueil des foules européennes aux G.I's ; les gens les serraient dans leurs bras, les embrassaient, jetaient des fleurs sur leurs tanks.

Isabelle vint à New York, belle et éteinte dans son élégant tailleur d'un gris doux. La beauté choisit parfois la désolation pour demeure et Isabelle avait choisi.

« Je vais en France, Stéphanie. Ton père veut acheter des antiquités. » Le mot dans sa bouche crépitait de mépris. « C'est toujours une tentation irrésistible pour les gens qui n'ont pas de passé d'essayer d'acheter celui des autres. »

Stéphanie retint la réplique mordante qui lui venait aux lèvres. C'était injuste à l'égard de son père. Il savait reconnaître les belles choses et il n'aimait pas que le passé. Il s'enthousiasmait aussi pour l'avenir, passionnant et beau qui était en train de naître. Oui, c'était vrai, il adorait acheter de beaux objets.

« Papa a très bon goût », répondit-elle d'un ton uni.

La bouche d'Isabelle se crispa légèrement. « Cela est évident », dit-elle.

Elle rajusta son chapeau, qui n'en avait nul besoin. « Je me rendrai à Reims, bien sûr, mais j'irai aussi voir mon cousin, qui a une propriété en Auvergne. Ne veux-tu pas m'accompagner pendant quelques jours, Stéphanie ? Cela pourrait être intéressant pour toi.

» Mon neveu, le marquis de Quincy, remet son domaine en état. Il essaie de se marier... mais c'est difficile, soupira Isabelle. Difficile de trouver une épouse à la fois noble et riche. Il lui faudra chercher ailleurs... » Et les deux femmes pensèrent, mais ne le dirent pas : peut-être une riche Américaine.

« J'adorerais aller en France avec toi, maman, mais je m'apprête à retourner très bientôt en Chine. »

Isabelle partit et Stéphanie commença à faire des achats. Pour Jen Yong, pour Shaggin et Loumei, pour Sa Fei et son mari Liu Ming, pour le professeur et Mme Chang, pour David et Jessica Eanes, pour Pousse de Bambou et même pour le Secrétaire du Parti Pu, et la camarade Lo qui avait manifesté une telle affection lors de la cérémonie du mariage. Elle acheta des lainages et des chaussettes, des chaussures et des chemises, des sous-vêtements et un trousseau pour le bébé de Loumei.

Après qu'elle lui eut décrit la pénurie de médicaments à Yenan, le docteur Baxter avait rédigé une longue ordonnance de sulfamides et de pénicilline, les nouveaux remèdes miracle, qu'elle emporterait avec elle. Elle ne retournerait pas les mains vides ou chargée de cadeaux frivoles.

Michael Anstruther lui téléphona. « Stéphanie, j'ai essayé de vous joindre. Puis-je passer vous voir ?

— Bien sûr, Michael, je serai ravie. »

Michael entra, posa un léger baiser sur le nez de Stéphanie et dit : « Comme vous êtes belle, ma chère. Tout à fait rétablie, je suppose. Puis-je avoir un Bloody Mary ?

— Tout de suite. »

Il s'installa confortablement sur le tapis, les jambes en tailleur. « Ma chère, gardez votre sang-froid. Le F.B.I. a arrêté Jack Service.

— Pourquoi ?

— Vous saviez qu'il était de retour de Yenan ? » Elle inclina la tête et il poursuivit. « Il ne cessait de faire entendre son sentiment — qui est celui de nous tous, spécialistes de la Chine, je suppose — à savoir que Tchiang Kaishek est cuit. Que l'avenir est chez les types de Yenan. On l'accuse maintenant d'avoir communiqué des secrets diplomatiques et des copies de documents confidentiels à un magazine appelé *Amerasia*. C'est une publication d'extrême gauche. Le rédacteur en chef et son équipe sont allés à Yenan en 1937...

— Michael, je n'arrive pas à croire que Jack puisse faire quelque chose de préjudiciable pour l'Amérique... il en est incapable. »

Michael alluma son éternel cigare de Birmanie.

« Ma chère, Roosevelt a trop concédé à Staline à Yalta, une réaction est inévitable. Le Pentagone, l'état-major des armées de l'air et des tas de gens très ordinaires s'inquiètent beaucoup à propos de la Russie. Et qui dit Russie, dit communisme. Une vague de terreur des Rouges envahit le pays et personne ne s'arrête une seconde pour réfléchir et pour dire : “ Mais tous les communistes ne sont pas identiques... les Chinois de Yenan sont d'une autre espèce que Staline... ” Personne ne fait plus aucune distinction.

— Vous avez probablement remarqué certains signes. La Commission sénatoriale des activités antiaméricaines a commencé à faire la chasse aux gens qui ont un penchant pour le communisme. Des membres du Congrès, républicains ou démocrates, inondent Washington d'appels destinés à provoquer un affrontement avec la Russie. “ Nous en avons assez de ces libéraux yankees ”, voilà ce qu'on clame dans tout le Sud — y compris dans votre Texas bien-aimé...

— Stéphanie, votre pays va désormais soutenir Tchiang Kaishek à fond. Et on dit que Staline a promis de ne pas aider Mao Tsetung. C'est évident. Staline déteste Mao. Il lui préfère de beaucoup l'incertain Tchiang Kaishek... »

Cela veut dire la guerre, pensa Stéphanie. La guerre civile en Chine. C'est presque inévitable, à présent.

« Je ferais mieux de retourner là-bas le plus vite possible », dit-elle.

10

En cet été de 1945, les Dakotas et les Constellations qui traversaient l'Atlantique étaient bourrés de diplomates, d'officiels de toutes sortes et de toutes nationalités, d'officiers d'état-major aux uniformes empesés qui avaient tous un droit de priorité aux places et refoulaient les voyageurs moins importants.

L'avion de Stéphanie se posa à Tenerife, dans les Canaries, avec un de ses moteurs grillé. Les pièces de rechange seraient envoyées par air depuis Le Caire ou Miami mais cela prendrait une dizaine de jours. En attendant, les passagers avaient tout loisir de visiter l'île, baignée par la brise océane et un soleil étincelant, et de flâner sous ses pins courbés par le vent. Les troupeaux de chèvres et leurs gardiens sur les dunes arides, les villages blancs et austères, formaient un paysage enchanteur qui rappelait la Grèce.

De tels délais n'avaient rien de rare, comme l'expliqua à Stéphanie un diplomate à cheveux blancs, délégué à la toute jeune O.N.U. Ensemble ils faisaient de longues randonnées sur les falaises dénudées. Le diplomate dirigeait une mission chargée de recenser les personnes déplacées en Europe.

« Quinze millions, quinze millions dans la seule Europe, ma chère, qui d'une façon ou d'une autre, ont perdu soit leur foyer, soit leur famille… »

Un procès des criminels de guerre devait se tenir à Nuremberg.

« J'espère qu'on les pendra tous, dit-il. Ce sont des monstres, et non des êtres humains, ces nazis. »

Cinq jours à Lisbonne, à l'hôtel Quasimodo dont la façade ocre aux volets verts donnait sur une place magnifique ombragée d'eucalyptus odorants. Là se retrouvaient des militaires et des représentants de toutes les nations d'Europe ; les plus bruyants parmi eux étaient les Polonais, qui exigeaient la priorité absolue pour leurs problèmes.

Echevelés, éloquents, prompts à s'emporter mais stimulants dans les discussions, les Polonais fulminaient sans arrêt. Alliés difficiles, ennemis implacables, ils se déchaînaient contre l'accord de Yalta qui avait, sans consultation de ses habitants, abandonné sans réserve la Pologne à l'U.R.S.S. L'hôtel résonnait de leurs imprécations contre les Etats-Unis.

Encore quatre jours puis arrivée au Caire où recommença la guerre d'usure pour les places d'avion. Cette fois-ci, c'étaient des officiels britanniques qui occupaient les avions ; ils se rendaient en Inde où avait lieu un remaniement du Service d'administration du pays.

Stéphanie atterrit enfin à Calcutta. La chaleur l'agressa tout de suite, lui rappelant que c'était le pire moment de l'année pour gagner Chungking.

Calcutta grouillait de soldats, pour la plupart australiens, et Stéphanie dut repousser les assauts de quelques-uns de ces guerriers intrépides et énamourés.

Les jeunes filles anglo-indiennes qui acceptaient de sortir avec eux étaient rares et il leur était absolument impossible de coucher avec des Indiennes, à l'exception des prostituées. Une importante épidémie de maladies vénériennes sévissait parmi les G.I's américains stationnés dans les Philippines et beaucoup devaient être évacués sur les hôpitaux de Calcutta pour y être soignés.

Dans les rues de la ville, la faim décimait la population. Des enfants au ventre ballonné mouraient sans bruit dans les ruelles étroites. Quand le matin trouble jetait sa brume sur l'immense troupeau des miséreux, on voyait de grandes inscriptions tracées sur les murs : Britanniques, allez-vous-en !

Stéphanie eut l'impression d'être bloquée à jamais à Calcutta car l'avion hebdomadaire pour la Chine était toujours bondé : de valises, de caisses en bois pleines de billets de banque et de voyageurs chinois, surtout de délégations officielles du Kuomintang qui revenaient de missions à l'étranger, chargées de marchandises de luxe — bijoux, montres, appareils à photos, meubles, chaussures en cuir — achetées avec des dollars américains affectés, dans le cadre de l'accord Prêt-Bail, à des fournitures militaires.

Cet été-là, quatre-vingt-six mille tonnes de marchandises franchirent par avion la bosse de l'Himalaya, de Calcutta à Chungking.

Calcutta était écrasée de chaleur. C'était une ville à la fois violente et maussade et Stéphanie, un jour, vit une procession serrée d'Indiens vêtus de blanc et chantant d'une voix monotone, qui serpentait le long de Chowringhee Road ; sur leurs banderoles on lisait « Britanniques, hors de l'Inde ».

« Niaiseries que tout cela... des têtes brûlées... Si nous partions, ils s'entre-tueraient en rien de temps. » Les propos que tenaient les hommes d'affaires britanniques, dans le confort et la propreté de l'hôtel, dataient d'une époque révolue.

Les Américains parlaient un autre langage. « Ça n'a pas de sens de mener cette guerre et de ne pas donner leur indépendance à ces pays », disaient les officiers américains que Stéphanie rencontrait (ils étaient très accessibles) dans le salon ou dans la salle à manger du Great Eastern Hotel.

D'immenses V de victoire avaient été peints sur les murs le long des artères principales mais, dans les petites ruelles où les musulmans faisaient griller des tétines de vache sur des braseros, on pouvait lire d'autres inscriptions, grossièrement tracées à la craie rouge : longue vie à Subhas Chandra Bhose.

« Bhose ? C'est ce wallah bengalais qui a rejoint le camp japonais. Il voulait que l'Inde se batte à *leur* côté contre *nous.* » Le colonel britannique moustachu, qui déjeuna un jour avec elle chez Firpo, était formel. Firpo était le restaurant le plus prospère, le plus fréquenté, de Chowringhee Road. Tous les officiers, britanniques, américains, australiens s'y retrouvaient car les boissons y étaient excellentes. Avant que la guerre éclatât, le patron du Firpo avait constitué une importante réserve du meilleur whisky écossais et, en habile commerçant, il le servait à présent à des prix exorbitants.

Le colonel raconta à Stéphanie ce qu'il appelait une « bien bonne ». « J'étais en Allemagne, ce printemps, et un Américain, responsable d'un régiment de troupes d'occupation, m'appelle au téléphone. Il me raconte qu'une vingtaine de types à la peau très foncée, à moitié morts de faim, qui prétendent être des Indiens échappés d'un camp de prisonniers allemand, sont venus le trouver. Que doit-il en faire ? Je lui réponds que je suis très occupé et que je passerai dans quelques jours pour jeter un coup d'œil sur eux. Et pendant une semaine, ces types ont été logés et nourris. L'Américain avait vidé les occupants d'une maison, toute une famille allemande, pour les y installer. Je vérifie dans les dossiers du quartier général : pas trace d'un contingent indien dans le bataillon auquel ils affirment appartenir. Alors je saute dans une jeep avec deux sous-lieutenants et j'y vais. Mais je connais la musique, je vois tout de suite que j'ai affaire à des Bengalis. On ne peut jamais faire confiance à un type du Bengale. Nous savons ça, nous. Il y a assez longtemps que nous sommes ici. Plus de deux cents ans. Parlez-moi d'un Rajput ou d'un Punjabi — de sacrés guerriers — des types de Madras, roublards mais intelligents. Mais les Bengalis... tous des menteurs, tous... Ça m'a flanqué la trouille. J'ai rien dit, j'ai fait semblant de croire leur histoire. Puis j'ai dit à l'Américain de faire encercler la maison par ses troupes et de n'en laisser sortir aucun ; nous allions revenir les chercher.

« Et alors ? » demanda Stéphanie tandis que le colonel se penchait sur son assiette de poulet tandoori.

« Oh, nous les avons tous fusillés, c'étaient des traîtres, dit le colonel. Un bataillon de partisans de Bhose, qui se battait contre nous aux côtés des Allemands. » Il avala un autre morceau de poulet.

Un jour, sur Chowringhee Road, un « babu » courtois raconta à Stéphanie, dans l'anglais chantant des employés de bureau de Calcutta, la grande famine de 1941.

« Ce sont les Britanniques, madame, qui l'ont provoquée, pour briser notre courage. Ils ont emporté le riz *paddi,* l'ont fait transporter dans leurs propres cantonnements... Beaucoup de gens ont été exterminés de cette manière odieuse. Presque un million de gens sont morts de faim au Bengale. »

Calcutta. Est-ce qu'à *Maintenant,* on accepterait son article sur cette ville de cauchemar ? « Je sens l'odeur du meurtre qui rôde. » Et le carnage, l'horreur du carnage, allait être le lot de la cité deux ans plus tard quand l'indépendance viendrait enfin.

Le soir, Stéphanie fermait sa porte à double tour et y appuyait le meuble le plus lourd de la chambre, une commode victorienne. Des Australiens, prêts à sauter comme des taureaux en rut sur toute femme qui se présentait, lançaient pendant toute la nuit des bouteilles de bière vides contre sa porte. Le lendemain, dans la chaleur moite du matin, les yeux troubles, trébuchant comme des chevaux atteints d'éparvin, ils lui présentaient leurs excuses.

A force de passer des heures au consulat américain, Stéphanie réussit à obtenir une place sur un Dakota qui, par-delà l'Himalaya, se rendait à Kunming. Les avions n'étaient pas pressurisés et, tout comme cinq mois plus tôt, Stéphanie eut d'horribles nausées. Par les minuscules hublots, les passagers admiraient les grands pics étincelants qui déchiraient le ciel ; entre les sommets majestueux, se creusaient des abîmes bleu nuit dans lesquels le Dakota s'enfonçait avant de remonter péniblement jusqu'à un nouveau sommet. Même le voyageur le plus endurci arrivait à Kunming vert et flageolant.

A l'aéroport, Stéphanie retrouva Michael Anstruther, plus anglais que jamais dans une saharienne immaculée en khadi, ce tissu en coton indien filé à la main et, à son côté, vêtue d'une robe d'un bleu fané, en espadrilles et socquettes blanches d'écolière, Yee Meiling. Dès que Stéphanie apparut sur la passerelle, ils lui firent de grands gestes et quelques minutes plus tard, Meiling la serrait dans ses bras en disant : « Oh Stéphanie, vous êtes superbe. Je suis arrivée juste avant vous et Michael m'a dit que vous étiez dans cet avion. »

Meiling était venue à Kunming régler des problèmes de la Croix-Rouge. Depuis la réouverture de la Route de Birmanie, les différentes organisations de la Croix-Rouge et les quakers essayaient d'envoyer des secours médicaux aux hôpitaux chinois.

« Mais nous ne parvenons pas à en envoyer à Yenan, bien que la Croix-Rouge soit censée aider les deux camps et répartir les médicaments de façon équitable, dit Meiling. Je suis venue m'assurer que le Kuomintang ne confisque pas tout pour le revendre au marché noir. » Meiling avait maigri mais son visage était radieux.

« Comment puis-je me rendre à Yenan ? demanda Stéphanie.

— Les correspondants de journaux peuvent y aller, je crois, répondit Meiling, mais la situation est certainement un peu plus difficile qu'il y a quelques mois. Même mon père a des problèmes. Et vous connaissez son art de les régler... »

En entendant Meiling parler d'un ton si léger, en la voyant affronter une situation aussi dramatique avec tant de nonchalance, comme s'il s'agissait d'un fait quotidien banal, Stéphanie sut qu'elle était de retour en Chine. La Chine, de tous les paradoxes le plus déroutant, le plus fascinant et le plus enrichissant. La Chine, inoubliable à cause de son peuple. Les gens. Admirables et exaspérants, menteurs et loyaux. Tendres et sans merci. Esthètes délicats, mais capables de survivre à des épreuves qui auraient détruit ou rendu fou n'importe qui d'autre.

Yong.

La voix de Meiling la ramenait à l'autre Stéphanie, celle qui était tombée amoureuse de Yong. A son insu, ses gestes se transformaient mais ce changement n'était qu'une autre affirmation de sa personne. L'autre Stéphanie reprenait possession d'elle, apportant avec elle non pas le vide mais l'abondance, comme si sa vie avait été une substance en suspension dans l'air et absorbée par osmose. Une vie plus riche et plus magnifique dans sa magnanimité et dans sa terreur. Ou bien était-ce un rythme différent. D'autres perceptions. Tel le cœur qui s'agrandit pour accueillir le bien-aimé naguère un étranger, Stéphanie redevenait Neige de Printemps, ce nom que lui avait donné Yong. Yong qui retrouvait toute son épaisseur charnelle pour Stéphanie. Elle aspirait à sa présence et c'étaient des vers de vieux poèmes chinois qui lui venaient aux lèvres.

Sous la neige de printemps toutes les femmes sont belles...
Mon cœur est vide, le flux de la mer le pénètre...

A Kunming, la capitale de la province de Yunnan, l'hôtel des Américains était un bâtiment en brique de trois étages. Ici, sur ce plateau, à près de mille huit cents mètres d'altitude, régnait un climat tempéré constant. Kunming ne connaissait ni le gel ni la chaleur torride de Chungking. On y rencontrait presque le luxe car, par-delà l'Himalaya, parvenaient tous les produits nécessaires à la grande base américaine installée près de la ville et dont une partie s'insinuait jusque parmi les Chinois...

Le soleil brillait sur les temples, au bord du lac, et sur le grand rempart qui entourait la cité de ses tours rondes pareilles à de l'agate ciselée, rosées dans le soleil couchant, nacrées sous celui du midi. Et partout les robes aux couleurs vives des différentes ethnies. Car la région était un réservoir de gens d'une étonnante diversité par leur langue et leurs coutumes. « Nous avons dix-neuf groupes ethniques différents dans la seule province de Yunnan », dit Meiling.

Les Paï, les Miaos, les Yis, et tant d'autres ; les femmes athlétiques, enturbannées et parées de larges colliers en argent, turquoise et corail ; les hommes, beaux et nonchalants, uniquement préoccupés de leur beauté et laissant aux femmes les soucis de ce monde.

Dans la race Paï, jadis royaume puissant, les hommes étaient d'une beauté extravagante. Grands et minces, ils se balançaient mollement sur les petits poneys aux yeux brillants et à la tête fine qui escaladaient et descendaient les pentes d'un pas alerte, l'air tout fier de promener d'aussi splendides cavaliers dans leurs vêtements bleus ou écarlates serrés par de grandes ceintures de turquoises. Les hommes Paï étaient des artistes et des chanteurs renommés. Leurs femmes, au visage large et basané, riaient bruyamment et portaient tout, et en particulier leurs maris (dont elles étaient très fières) sur leur dos.

Stéphanie, qui grimpait l'escalier abrupt de la falaise pour atteindre les célèbres temples creusés dans la paroi, s'immobilisa bouche bée devant une femme Paï̈, la tête ornée d'un superbe turban décoré de glands et de filigrane d'argent, de lourds bracelets de cheville en argent autour des jambes, qui portait un homme sur le dos. « C'est la coutume chez les Paï̈, dit Michael. Les femmes font tout le travail et sont donc les propriétaires de la terre, des champs — et de leurs maris. Un mari, pour elles, est un *objet* sexuel, beau, précieux et chéri. »

La province de Yunnan, avec son mélange de peuples, avait fourni à toute l'Asie du Sud-Est ses nombreuses populations. C'était du Yunnan qu'étaient venus les Malais de Malaisie, les Chans de Birmanie, les Thaïs de Thaïlande et bien d'autres races baptisées « indigènes » par les historiens occidentaux.

Les Yis arpentaient fièrement les rues, vêtus de grandes capes noires plissées — ou s'avançaient d'un pas hésitant, ivres d'opium. Leur territoire venait en tête pour la production d'opium en Chine.

Au printemps les fleurs roses des pavots couvraient les collines de Yunnan et, la récolte venue, les officiers de Tchiang Kaishek s'abattaient sur la province comme un grand vol de sauterelles ; leurs bataillons étaient chargés de veiller, le fusil à la main, sur la récolte d'opium afin d'empêcher les bureaucrates civils de voler une partie de l'or brun. Le trafic d'opium rapportait des bénéfices fabuleux...

Accompagnée de Michael et de Meiling, Stéphanie alla voir les professeurs de l'Université unie de la Chine de l'Ouest, née de la fusion de six universités des provinces côtières dont le corps enseignant et les étudiants s'étaient réfugiés au Yunnan quand les Japonais avaient envahi la Chine.

Kunming, reculée et barbare (aux yeux de l'intelligentsia raffinée de la côte est) était donc devenue un grand centre de culture. Et, par conséquent, d'agitation contre Tchiang Kaishek.

Michael Anstruther se mouvait parmi les étudiants, attentif, souriant de ce sourire engageant qui lui gagnait la confiance des gens. Il chaperonna Stéphanie dans l'enceinte de l'université et la présenta aux professeurs comme la femme du docteur Jen Yong.

Les professeurs furent ravis de faire sa connaissance. « Je connais la famille de votre mari... Votre mari... il est jeune mais il a déjà accompli de grandes choses. » Puis ils l'assaillirent de questions sur les intentions des Etats-Unis, sur la Russie... Stéphanie répondit du mieux qu'elle put.

Ils la traitèrent comme une collègue, une amie, et Stéphanie fut ravie et charmée. A travers eux, elle retrouvait Yong. Un jour, il serait semblable à ce vieux professeur au beau visage ciselé qui, de sa voix douce, citait Tu Fu, le poète szechuanais du VIIe siècle après Jésus-Christ.

La nuit dernière, la brise printanière a porté
l'odeur fétide du sang à mes narines.

C'est à Kunming que Stéphanie comprit la différence entre l'érudit-fonctionnaire chinois et l'intellectuel occidental. La conception occidentale d'une élite intellectuelle, uniquement occupée d'idées et d'idéaux et *indépendante* du monde où s'exerçait le pouvoir, ne s'appliquait pas aux membres de l'intelligentsia chinoise qui, depuis bientôt deux millénaires, étaient des fonctionnaires du pouvoir. Ils étaient les dépositaires, les conservateurs, de la culture chinoise, mission à eux confiée par le ciel pour assurer la permanence de la Chine. Tout gouvernement qui souhaitait durer devait les protéger et les chérir.

De Kunming, Stéphanie envoya des télégrammes à Jen Yong et à Lionel Shaggin à Yenan, à David et Jessica Eanes à Chungking. Elle était nerveuse et des rêves érotiques traversaient ses nuits. C'était là l'effet de Kunming, de son altitude, de l'abondance des rayons ultra-violets et de la douceur insidieuse du printemps. Elle se retournait dans son lit, entendait heure après heure le clac-clac sonore du bambou qui annonçait le passage du veilleur de nuit ; parfois lui parvenait le son d'un violon, l'éclat d'une dispute soudaine... et, à l'aube, les oiseaux ivres de joie dans le ruissellement de la lumière.

Le 6 août, Stéphanie monta à bord d'un Dakota pour se rendre à Chungking. Trois heures plus tard, elle aperçut en bas la ville blanche, fichée dans sa chaleur moite. Elle sentit l'odeur du fumier ; des aigrettes blanches poussaient leurs cris rauques dans les rizières vertes.

Henry Wong avait envoyé son secrétaire Hung pour l'accueillir à l'aéroport. Il y avait aussi Rosamond Chen et Jessica Eanes. Elles l'embrassèrent et s'exclamèrent sur sa bonne mine. « Vous nous avez beaucoup manqué », dit Rosamond.

Au fond de son cœur, Stéphanie avait espéré que Yong serait aussi à l'aéroport. Mais, bien sûr, c'était impossible. Il se trouvait encore à Yenan.

Le secrétaire Hung était venu la chercher dans une voiture officielle. Il lui remit une invitation de Henry et Meena pour un cocktail. Tandis qu'ils fonçaient vers Chungking, Hung se retourna vers les trois femmes et dit sur le ton de la conversation : « Il faut que je vous apprenne que les Américains ont bombardé aujourd'hui Hiroshima. Une bombe atomique. Toute la ville a été détruite.

— Une bombe atomique ? dit Rosamond.

— Un million de fois plus puissante qu'une bombe ordinaire. Il ne reste plus rien d'Hiroshima », expliqua Hung.

Jessica dit : « Oh, mon Dieu. »

Rosamond demanda : « Alors la guerre est finie ?

— Les Japonais avaient déjà fait des offres de paix secrètes il y a trois semaines », dit Hung.

Stéphanie pensa : Des femmes, des enfants, des bébés... Le massacre de Fourche de la Rivière multiplié par un million... Une nausée lui serra la gorge.

Jessica lui pressa la main. « J'ai peur... quelle chose terrible avons-nous commencée là ? » chuchota-t-elle.

Rosamond, elle, était ravie. « La guerre est terminée. » Ses yeux brillaient. Elle pense à Terry, se dit Stéphanie ; elle s'aperçut que le visage de Rosamond, naguère semblable à du jade poli, avait perdu son aspect lisse ; un fin réseau de rides striait le coin externe de ses yeux. Et Stéphanie, sachant ce qu'elle savait — sur la femme de Terry, sur sa nomination à Dublin — eut pitié de Rosamond. Son esprit alla vers Yong. Je suis revenue pour être avec toi, Yong... maintenant que la guerre est finie, nous pourrons vivre ensemble.

La capitulation du Japon eut lieu le 15 août. Des cérémonies officielles se déroulèrent à Chungking pour célébrer l'événement.

Tant de gens vinrent au cocktail des Wong qu'il était presque impossible de se glisser dans le salon. Tout le monde était là, tous les diplomates des différentes ambassades, y compris les Russes, qui écrasaient tous les autres par leur nombre. « C'est merveilleux, c'est formidable », se répétait-on.

La radio, poussée à fond, hurlait les dernières nouvelles, les présentateurs tour à tour enthousiastes ou solennels.

Chaque ministre du gouvernement de Chungking fit une apparition. Tous étaient rayonnants ; ils levaient leur verre et criaient : « *Kampei.* » Henry Wong dit à Stéphanie : « Nous serons de retour à Nanking le mois prochain. Meena a commencé à emballer nos affaires. »

Toutes les épouses des membres du gouvernement préparaient leur retour à Nanking, la capitale de Tchiang Kaishek. La course aux places dans les avions américains battait son plein.

Par dizaines, par vingtaines, les Forteresses volantes, les Dakotas, les Constellations, une véritable armada aérienne, s'envolaient pour tous les coins de la Chine, transportant les troupes du Kuomintang dans les villes pour recevoir la capitulation des garnisons japonaises et les remplacer.

Stéphanie essayait de se réjouir. Elle savait qu'elle aurait dû être fière. Mais elle n'y arrivait pas. Les conséquences sinistres d'Hiroshima lui donnaient un sentiment étrange de perte, de défaite. *J'ai l'impression que quelque chose a disparu à jamais...*

Alistair Choate accueillit chaleureusement Stéphanie. « Chère amie, vous êtes superbe ! » Il avait renoncé à son personnage de séducteur et se montra loquace, plein d'anecdotes sur la guerre. Stéphanie décida d'oublier combien son attitude avait pu être déplaisante. Ils dansèrent et Alistair lui révéla qu'il allait peut-être se marier. « Elle est minuscule, avec de petites mains fines, elle peint. Et elle a un grand sens de l'humour. » Puis il ajouta avec mélancolie : « Vous savez, Stéphanie, j'étais fou de vous, à une époque...

— Cela ne se voyait que trop », répondit-elle. Ils éclatèrent de rire, un rire fraternel, qui effaçait tout ressentiment.

Quelques jours plus tard, éclata la nouvelle que Mao Tsetung, le président du parti communiste chinois, allait venir à Chungking. Un congrès très important du parti communiste s'était tenu à Yenan en avril et Mao en était sorti le chef incontesté, tandis que les hommes de Staline dans le parti chinois s'étaient vu reléguer à des postes mineurs dans le Comité central.

Un après-midi d'août étouffant, les derniers jours de canicule de l'été. Les journalistes étaient sagement alignés derrière les grillages qui clôturaient l'aéroport. Des gardes armés patrouillaient ; le comité d'accueil se composait de membres du Kuomintang et des hommes du bureau de liaison communiste.

Un peu plus loin, en retrait, une petite foule avec d'immenses banderoles.

SOUTENEZ LE FRONT UNI !
POUR UN GOUVERNEMENT
DE COALITION DÉMOCRATIQUE !

La visite de Mao à Chungking était un événement capital. Si elle se révélait un succès, si un gouvernement de coalition se constituait, il y avait un espoir de paix. Pat Hurley, l'ambassadeur américain, s'était à nouveau rendu à Yenan pour convaincre Mao de venir à Chungking discuter avec Tchiang Kaishek.

« Les voilà ! » Une tache minuscule dans le ciel, la silhouette d'un Dakota qui grandit, tourne, atterrit. La porte de l'avion s'ouvrit et Hurley apparut, la moustache en avant, chasseur ramenant sa proie. Derrière lui Mao, coiffé d'un absurde casque colonial. Où l'avait-il trouvé ? Qui le lui avait donné ? Pourquoi le portait-il ? Il était vêtu d'une veste matelassée dans laquelle il devait suer à grosses gouttes. Pâle, le visage lisse, il avait l'impassibilité d'une montagne de granit ; avec son calme massif, c'était toute la paysannerie chinoise qu'il incarnait. Tout le long de la route qui menait de l'aéroport à la ville, les gens, massés, contenus par des soldats en armes, attendaient son passage.

On donna à Mao une résidence agréable, au milieu d'un petit jardin et, pendant les quatre semaines suivantes, il allait recevoir là un très grand nombre de gens.

Trois jours après l'arrivée de Mao, Stéphanie sortit de l'Hôtel de la Presse en compagnie d'Alistair ; ils se rendaient à une conférence de presse. Et Yong fut soudain là, à dix mètres de la grille, au tournant du sentier ; assis sur son havresac. Il attendait. Peut-être depuis des heures, peut-être depuis quelques minutes.

« Yong. » Son cœur bondit mais elle resta immobile.

« Stéphanie. » Il se leva. Au-delà d'elle, ses yeux s'arrêtèrent sur Alistair.

Elle dit : « Alistair, voici mon mari, le docteur Jen Yong. Yong, je te présente Alistair Choate.

— Enchanté », dit Alistair avec naturel.

Jen Yong lui serra la main en disant : « Je suis heureux de faire votre connaissance.

— Bon eh bien je file, Stéphanie. » Soudain très anglais, Alistair se dégagea avec élégance. « Je leur dirai que vous n'êtes pas libre.

— C'est ça », dit Stéphanie d'une voix distraite, les yeux fixés sur le visage de Yong qui s'assombrissait une nouvelle fois.

Elle dit : « Tu m'as tellement manqué. »

Le visage de Yong s'éclaira. « Neige de Printemps », dit-il. Alors la magie entre eux jaillit à nouveau, dans leurs yeux, dans leur bouche, dans leurs mains qui s'étreignaient.

Le sentiment de dessèchement qui habitait Stéphanie disparut. Yong était revenu, ils se mouvaient ensemble, le flux de l'amour les inondait et ils ne formaient plus qu'un seul être. « Viens, dit-elle. Entrons. »

Stéphanie passa devant les sentinelles mais l'un des soldats s'avança avec rapidité et plaça son fusil en travers de la poitrine de Yong. « Il faut une permission spéciale.

— Je suis un médecin de l'hôpital ; invité par cette dame américaine, répondit Jen Yong.

— Dis-leur que nous sommes mariés, lança Stéphanie agacée.

— Je vous en prie, ayez la bonté de demander au directeur de l'hôtel de venir. Je suis désolé de vous déranger », continua Yong de sa voix douce et mesurée.

« Je vais le chercher, dit Stéphanie.

— Non, Stéphanie, laisse le soldat y aller, sinon il perdra la face », expliqua Yong en anglais.

Ils attendirent côte à côte près de la grille, tandis que le soldat, le visage sévère mais intérieurement adouci par le ton courtois de Yong, entrait dans l'hôtel.

Le directeur arriva, accompagné de Vieux Sung, le serveur, qui fut tout sourire en voyant Stéphanie et Yong ensemble.

« Docteur Jen, dit le directeur en s'inclinant, veuillez excuser l'impolitesse de ces rustres...

— Les gardes ne font que leur devoir ; ils en ont une haute idée », dit Yong.

Mais le directeur, que Stéphanie voyait pour la première fois, tenait à montrer son autorité. « Par ici, par ici », dit-il en agitant la main en direction de l'hôtel.

« Docteur Jen, maintes fois j'ai entendu prononcer votre nom illustre. Et voici que votre lumière daigne nous apparaître et nous honorer de sa présence. Vieux Sung, apporte du thé, cria-t-il bien que le serveur fût juste derrière lui. S'il vous plaît de vous reposer un moment dans la salle à manger, docteur Jen. »

Il disparut avec force courbettes. Vieux Sung réapparut, avec une théière et deux tasses. Du thé vert chinois qu'il ne servait jamais aux clients étrangers de l'hôtel. D'un geste cérémonieux il plaça les tasses devant Yong et Stéphanie. Son comportement avait changé ; sous l'apparence d'un vieux serviteur classique, il se montrait aussi un égal, un ami. Jen et lui échangèrent quelques paroles à voix basse dans le dialecte sibilant de Shanghai. Quand il se fut retiré, Yong dit « Le fils aîné de Vieux Sung travaille comme journaliste dans l'Armée rouge. Je l'ai rencontré quand j'ai visité la base de son unité.

— Tu es le premier Chinois à entrer dans l'hôtel, Yong — à part les censeurs et les officiels du ministère de l'Information », dit Stéphanie.

Yong eut un léger sourire. « Parce que le président Mao est arrivé, le directeur pense que je suis peut-être un personnage important.

— Comment le saurait-il ? »

Yong rit. Il lui montra son havresac : *Comité de la Croix-Rouge — Yenan.* « Ses yeux sont agiles, Stéphanie. »

Yong était là. Il était là et le monde retrouvait sa fraîcheur, tous relents disparus. Elle entendit croasser les corneilles de l'après-midi, en quête d'un perchoir. Et le temps, ô merveille, le temps avait ralenti, il coulait paisiblement, sans hâte. Ce n'était plus cette griffure impatiente dans le tissu de la vie. Il y avait un temps pour tout. Les horloges avaient perdu leur sens. Le temps était rythmé par les battements de son pouls.

Ils buvaient à petites gorgées et parlaient avec des temps de silence : Stéphanie de l'Amérique, du printemps à New York. De l'escale à Tenerife, de Calcutta. Bulles légères de paroles. Les mots n'étaient pas importants. Tel le pépiement des oiseaux, les mots n'étaient que simple acquiescement au moment lumineux et pur qui unissait leurs âmes. Les mots leur donnaient le temps d'écouter leur propre cœur.

Yong raconta ces mois de marche où ils allaient de village en village, en file indienne, chargés de tout ce qu'ils pouvaient porter. Partout il avait rencontré les étudiants formés par lui à Chungking et il avait pu constater qu'il avait fait du bon travail.

Mais sa vie était ici... Stéphanie. Neige de Printemps.

« Je t'ai écrit de nombreuses lettres — chaque jour — mais je ne pouvais pas te les envoyer. Je les ai apportées avec moi.

— Moi aussi. »

Première pulsation d'une mer inconnue, dont le murmure effleurait leur corps marin. Alors, tous ces mois de séparation ne furent plus qu'un assoupissement léger, un petit sommeil triste. Le flux montait en eux ; son chant atteignit leurs oreilles, et leurs bouches connurent sa saveur et ils se fondirent dans la substance de leur amour.

Yong écoutait la voix d'arc-en-ciel de Stéphanie, il sentait en lui son cœur battre d'un rythme plus ample, plus assuré. Non, il ne s'était pas inquiété, il savait qu'elle se rétablirait aux Etats-Unis. Oui, il y avait eu quelques batailles et il avait opéré, sans remèdes, sans anesthésie — oh mais arrêtons ce caquetage de mots vides et laissons-nous emporter par le flux dont la musique est celle de la création... Le moment parfait vint et ils se levèrent et allèrent ensemble dans la chambre de Stéphanie, sans parler, et ils s'unirent, lavés de toute lassitude, de toute anxiété, de toute leur attente. Ils n'avaient plus besoin que d'eux-mêmes.

« Neige de Printemps, nous allons voir ma Famille, à Shangai. »

Après leur amour, ils avaient dormi et le drap était humide de leur transpiration. Au-dessus d'eux, le ventilateur bourdonnait comme un essaim de guêpes.

« Quand ?

— Dans quelques jours. Dès que possible. »

Stéphanie ne saurait jamais quelles difficultés il avait dû surmonter pour se dégager de ses obligations, de ses devoirs. Pour elle. Rien que pour elle.

« Nous sommes mariés mais aucune union n'est vraiment reconnue si la Famille ne donne pas son assentiment. Je veux que nous nous mariions à nouveau dans la maison de mon père ; sinon il y aura toujours un parent qui ne sera pas content. Je veux que toute la Chine sache que tu es mon épouse respectée.

— Et nous aurons aussi un mariage à l'américaine, Yong. Sinon, c'est vis-à-vis de *ma* famille que nous ne serons pas mariés. Et il faudra que tu m'achètes une alliance. Sans alliance, en Amérique, les gens ne croient pas que la cérémonie a bien eu lieu.

— C'est merveilleux, dit Yong en la prenant dans ses bras. Je vais passer mon temps à t'épouser. Essayons de trouver d'autres cérémonies... un mariage bouddhiste pour faire plaisir à mon Troisième Grand-Oncle...

— Une cérémonie baptiste pour mon père, et catholique pour ma mère... »

Yong se renversa sur le lit, en riant de l'absurdité des institutions érigées par les hommes autour de l'acte d'amour.

« Nous nous marierons à nouveau chaque année. Pourras-tu te libérer pour partir dans... disons quelques jours ? Moins de deux semaines ?

— Je me débrouillerai, dit Stéphanie. En ce moment, je travaille à un article sur les chances de paix qu'a fait naître la rencontre de Mao Tsetung et de Tchiang Kaishek. J'aimerais que John Moore soit ici, ajouta-t-elle. Je pomperais des trucs auprès de lui. Alistair ne m'est d'aucune aide. Il prétend que tout ce qui se passe est bidon.

— Il a peut-être raison », dit Yong. Il avait tressailli au nom de John Moore. Mais il était stupide. Stéphanie ne devait jamais savoir... Stéphanie se leva, mince et blanche, et alla derrière un rideau faire couler de l'eau sur son corps pour se laver.

« Yong, ton visage change quand tu me vois avec un autre homme ou quand je parle d'un de mes collègues. Je sens un grondement en toi, tu es comme un ciel où monte un orage. »

Il contempla le rideau qui la cachait. « Oui, c'est vrai, je suis un homme jaloux. C'est mon éducation... mais je t'en prie, ne me cède jamais sur ce point... »

Il vint à elle, prit la serviette de ses mains et commença à lui essuyer le dos, avec des gestes précis et attentifs.

« Si tu me cèdes, tu me renvoies dans ma tradition, qui est odieusement possessive à l'endroit des femmes. Nous dénions à la femme tout droit sur son corps ; nous, les hommes, avons tous les droits, sur les nôtres et sur les leurs. Mais la révolution va changer tout ça. Il le faut. Je veux cette nouvelle égalité entre nous... Je t'aime, Stéphanie, et je veux t'aimer comme une égale. Et t'aimant, je dois accepter que tu fasses tes propres choix.

— Yong. » Il lui donnait la liberté... parce qu'il l'aimait, il lui faisait le don de son orgueil féodal, de son honneur médiéval.

« Je suis le plus heureux des hommes, dit-il. J'ai le privilège de t'aimer.

— Je n'oublierai jamais, Yong. » Elle lui entoura le visage de ses mains et ils s'embrassèrent, à nouveau envahis par le désir. Elle avait redouté la fragilité du souvenir, qui altère les temps et les lieux. Mais ici, dans cette chambre étouffante, serrée dans les bras de Yong, elle se sentait invulnérable, invincible. Rien ne pouvait supprimer cet instant. Rien.

Elle termina son article pour *Maintenant* le lendemain et le rédigea dans le style familier, décontracté du magazine. Parlant de la force tranquille qui se dégageait de Mao Tsetung, elle écrivit : « Il a l'air sincère dans son désir de rechercher une solution pacifique aux tragiques problèmes qui assaillent la Chine. »

Alistair n'était pas du même avis. « Si vous aviez interviewé Tchiang Kaishek, vous auriez été tout autant impressionnée par son désir de paix, par une certaine noblesse dans son comportement.

— Mais tous les intellectuels non communistes rejoignent Mao, Alistair.

— Pauvres types, ils le regretteront. »

Yong approuva quand Stéphanie lui rapporta la conviction d'Alistair et de Michael sur l'imminence de la guerre. « Moi aussi j'entends le bruit des couteaux qu'on aiguise », dit-il tristement.

C'était la raison pour laquelle il était revenu de Yenan, pour être auprès de Stéphanie.

Il avait vu les préparatifs. Les nouvelles recrues, les premiers convois de troupes ; au grand complet, avec leurs équipes d'écrivains et de musiciens chargés de la propagande, ils étaient partis pour la Mandchourie en juin, deux mois avant la capitulation du Japon, les hommes à pied et le matériel transporté à dos de mulet.

Le foyer de la future guerre civile serait forcément la Mandchourie, avec ses arsenaux, ses mines de charbon et ses usines hydroélectriques.

« Qui cueillera les pêches de la victoire ? Nous, qui nous sommes battus contre les Japonais, ou Tchiang Kaishek ? »

Mao Tsetung avait publiquement abordé le problème. Un certain nombre de garnisons japonaises se trouvaient encore sur le territoire chinois et une course s'était engagée entre les communistes et le Kuomintang dès le jour de la capitulation pour obtenir leur reddition. Mais, à partir du 16 août, des centaines d'avions américains avaient transporté les corps d'élite du Kuomintang vers les villes pour qu'ils puissent s'en emparer avant les communistes, qui, eux, progressaient péniblement à pied.

« Les Américains offrent à Tchiang Kaishek les pêches de la victoire. » Une grande amertume habitait les communistes car ils avaient espéré jusqu'au bout que les Américains s'apercevraient que l'avenir de la Chine était né à Yenan. Au lieu de cela, ce furent les Russes qui arrivèrent.

En ce même mois d'août, cent mille soldats soviétiques pénétrèrent en Mandchourie, dans le cadre de l'accord de Yalta, et s'enfoncèrent dans la Corée du Nord jusqu'au 38ᵉ parallèle. Comme il en avait été convenu entre la Russie et l'Amérique, le 38ᵉ parallèle devint la ligne de démarcation, en Corée, entre les deux puissances. Tout se mettait en place pour que la guerre civile se déclenchât.

Après tous ces mois passés à Yenan, Yong se sentait uni, soudé à ces gens qui étaient les siens. Il avait partagé leur vie et avait eu la tentation de rester avec eux, de les suivre.

Mais il y avait Stéphanie. Il avait toujours su que Stéphanie reviendrait. Et il voulait être avec elle. Avec son amour. Il voulait avoir quelques mois, quelques années avec elle, car il savait que chacun des moments qu'ils vivraient ensemble serait menacé...

Il n'avait donc pas demandé à rester à Yenan. Loumei avait donné naissance à un fils le jour d'Hiroshima. « Nous appellerons notre fils Guerrier de Chine », dit Lionel Shaggin.

Lionel avait choisi de rester à Yenan. Il avait serré la main de Yong et dit : « Transmettez notre affection à Stéphanie et bonne chance à tous les deux. » Arrivé à Chunking par camion, Yong s'était rendu à l'Hôtel de la Presse et avait attendu Stéphanie dans le sentier.

Et, à présent, bien que des « négociations » se poursuivissent entre Mao Tsetung et Tchiang Kaishek et que les chances de paix parussent grandes, Yong savait que la guerre aurait lieu.

Yong et Stéphanie étaient encore trop grisés par le vin capiteux de l'amour pour s'inquiéter outre mesure ; tout se qui se passait en dehors de l'univers formé par leurs deux corps leur paraissait légèrement irréel. Aussi firent-ils leurs adieux avec gaieté quand, grâce à Meiling, ils obtinrent deux places dans un avion à destination de Shanghai rempli de membres de la Croix-Rouge et de matériel médical.

Le fait que Stéphanie était américaine empêcha que le cousin du ministre des Finances réquisitionnât l'avion pour transporter son piano à queue, deux grands divans, sa femme, ses enfants et ses concubines.

La Maison se dressait au bout de l'allée des Huit bijoux, pavée de pierres qui dataient du siècle précédent. Un mur l'entourait, décoré dans le style de la Chine centrale, où les cheminées s'ornent de briques sculptées et où les tuiles des toits sont assemblées en queue d'aronde pour représenter des fleurs et des oiseaux.

Le portail, en bois massif, était laqué de noir et possédait un heurtoir de bronze. Trois marches y conduisaient. Debout au pied des marches se tenaient le portier et un jeune apprenti qui levait une lanterne de cocher en cuivre et en verre.

Stéphanie et Yong descendirent chacun de leur pousse-pousse. Un troisième transportait leurs bagages. Le portier scruta l'obscurité et reconnut Yong. « Jeune maître aîné, bienvenue, bienvenue... » Il se tourna vers le garçon à son côté :

« Vite, va dans la maison, dis au vieux maître et à la vieille maîtresse que le jeune maître aîné est arrivé.

— Vieux Fu, je suis heureux de voir que tu es vigoureux et en bonne santé, dit Yong.

— Jeune maître aîné, nous nous réjouissons tous que vous ayez ramené la lumière de votre présence parmi nous.

— Voici où nous demeurons, Stéphanie. La Maison s'appelle le Jardin du Bassin au Saule. »

Ils traversèrent une cour plantée de sycomores et bordée de pièces sobres d'aspect où habitaient les domestiques, puis une deuxième, avant de franchir un portail arrondi qui ouvrait sur le jardin proprement dit. Une galerie couverte pour protéger des intempéries zigzaguait jusqu'au pavillon principal qui constituait le salon de réception, avec son toit à angles retroussés, dont l'avancée dressait vers le ciel tout un peuple d'oiseaux et de petits animaux. Les dimensions intérieures du pavillon étaient dissimulées par le fait que les murs formaient des angles obliques et qu'il était peint d'une laque marron sombre. Comme toutes les autres constructions qui se dressaient dans le jardin, il était érigé sur une plate-forme de pierre précédée de trois marches. Au pied des marches se tenaient deux jeunes filles et deux hommes, portant aussi des lanternes. Sur les marches attendait la Famille : les parents de Yong, puis ses oncles et ses tantes, ses sœurs, ses cousins et une vingtaine d'autres parents.

Yong s'avança d'un pas rapide et s'inclina devant son père et sa mère en disant : « Père, Mère, nous sommes venus. »

Alors Père fit un pas et dit « Mon fils ».

Et Mère fit deux pas, serra Yong dans ses bras et dit : « Fils, te voici. »

Les retrouvailles ainsi établies, tous perdirent leur solennité, commencèrent à s'interpeller par le nom de parenté approprié tandis que Yong se tournait vers Stéphanie. « Mère, je vous présente mon aimée, Laï Neige de Printemps. »

Un silence stupéfait s'établit soudain. *Aimée.* Un frisson parcourut les cousins, les oncles et les tantes jusqu'aux troisième et quatrième degrés de parenté. Une jeune nièce un peu sotte gloussa. *Aimé.* Le terme inventé par les communistes pour désigner une femme ou un mari. Avant Yenan, le mot *amour* lui-même faisait partie du vocabulaire secret, qu'on n'employait jamais en public...

Mais, d'un geste vif, Mère posa les mains sur les épaules de Stéphanie, attira la jeune fille contre elle et dit « Bienvenue, soyez la très bienvenue, Neige de Printemps. »

Père s'approcha. Il lui serra la main et dit, dans cet anglais châtié et un peu guindé qui était celui de Yong : « Nous sommes honorés de vous accueillir dans notre maison, mademoiselle Ryder. »

Laï Neige de Printemps. Laï pour Ryder. Le « r » n'existe pas en chinois. Voilà pourquoi Yuyu l'appelait toujours Mlle Lighter... Et Stéphanie comprit que leur affection était sincère et leur donna son cœur. En cet instant, elle entra dans la famille Jen : « Ta parenté sera la mienne... »

La Parenté, la Famille... Stéphanie avait soigneusement étudié les règles de politesse. Elle s'inclina et, dans un chinois parfait, répondit : « Mon indigne personne est honorée d'être reçue dans votre maison. »

Ils entrèrent dans le salon de réception pour boire le thé de bienvenue. Des ampoules électriques enfermées dans des lanternes en soie pendaient du plafond, au centre de la pièce et dans les angles. Stéphanie était émerveillée : c'était une pièce magnifique, dégagée, avec quelques beaux meubles sculptés dans le style de la Chine du Sud et des vases de porcelaine contenant des pivoines et des fuchsias posés sur des socles élevés. Les fenêtres, dépourvues de rideaux, offraient au regard un grillage de bois laqué. Les vitres centrales étaient des vitraux représentant des paysages. La lumière du soleil pouvait entrer mais il était impossible de voir de l'extérieur.

Il y avait aussi deux canapés de style européen, recouverts de brocart gris pâle. Mère conduisit Stéphanie à la place d'honneur sur l'un d'eux mais Stéphanie avait appris l'étiquette concernant les places (même dans Yenan la rouge, il y avait des places nobles et des places basses) et dit : **« Je n'ose pas, je n'ose pas », avec toute la modestie qui** convenait.

Mère jeta un regard ravi à son fils et dit : « Ah fils, en vérité, tu nous as amené un phénix d'une grande vertu. »

Père rit et dit à ses filles jumelles, Ling et Hu, Chardon et Corail : « Vous devrez apprendre les bonnes manières auprès de cette dame distinguée. » Les servantes arrivèrent en procession et remplirent les tasses à thé mais Père se tourna à nouveau vers ses filles : « Vite, apportez du thé à notre très honorée invitée. »

Yong s'était levé et, en fils aimant, avait offert une tasse à son père et à sa mère. Comme dans un ballet, mais sans raideur, avec des gestes naturels, les tasses de thé furent ainsi distribuées et Stéphanie n'oublia pas de recevoir la sienne avec ses deux mains.

Mère s'assit à côté de Stéphanie ; celle-ci, tout en buvant son thé à petites gorgées, s'efforça de ne pas la dévisager. Mère était belle, semblable à du jade blanc. Elle avait les yeux de Yong, son nez, et la même fine texture de peau, comme si elle n'avait pas eu de pores. Mère dit : « Mon fils est jeune et maladroit. Il faut que vous soyez indulgente, notre éducation a été bien insuffisante. »

L'esprit de Stéphanie s'embrouilla ; elle avait essayé de s'exercer aux formules d'autodénigrement si essentielles à la politesse chinoise mais cela la laissait sans voix. Comme elle avait l'air un peu déconcertée, Chardon et Corail se précipitèrent pour remplir sa tasse en disant : « Ayez la bonté de goûter notre indigne thé », et Père ajouta avec sollicitude, « Notre thé n'est pas très bon, en voulez-vous un autre ?

— Non, oh non, il est excellent », répondit Stéphanie ; elle ignorait que le matin même Père était allé acheter du thé indien, au goût si fort, et avait même rapporté du lait d'une crémerie européenne (bien que l'odeur seule lui répugnât, comme à tout vrai Chinois) pour le cas où Stéphanie n'aimerait pas le thé chinois.

Le moment de gêne passa donc. « Et maintenant, faisons venir le photographe », dit Père en frappant des mains avec une gaieté juvénile. Les cheveux tout noirs, agile de corps, comme Yong, il avait les mêmes sourcils étirés en un trait fin vers les tempes. En le voyant, Stéphanie imagina Yong tel qu'il serait dans vingt, trente ans.

Trois hommes habillés de noir entrèrent, suivis de deux serviteurs qui installèrent le trépied sur lequel reposait l'appareil voilé de noir. Dans la plus grande gaieté, Père et tout le reste de la famille se mirent à s'agiter, à se déplacer d'un air affairé, donnant à ce moment un air de joyeuse comédie, grâce à cette étiquette subtile qui hisse au niveau d'un art la feinte étourderie, et l'appréciation d'un instant ou d'une personne par des allusions, des signes indirects, une vibration de l'air, aussi légère qu'un fil de la vierge, de sorte que des événements prévus depuis longtemps semblent être l'effet du hasard et que des réunions importantes et graves prennent des allures de réjouissance spontanée.

Mère prit la main de Stéphanie dans les siennes et dit : « Je sens que j'ai une autre fille, toute de beauté et de bonté. » Père plaça Stéphanie à la droite de Mère. Yong se tint à gauche de son père et le reste de la famille s'ordonna selon une stricte hiérarchie parentale mais dans la plus grande confusion apparente.

Le photographe dit d'un air important : « Smile, yes? » et commença à presser la poire de son appareil.

Les photos. La preuve que Stéphanie était acceptée au sein de la Famille Jen.

Beaucoup de photos. Le photographe savait l'importance de cet événement. Il se courbait, se relevait, un peu nerveux, réglait des détails, déplaçait les vases de pivoines, de fuchsias et de jasmin. Après mille cinq cents ans d'existence, la Famille Jen se préparait à accueillir une étrangère dans sa descendance. Pouvait-on trouver occasion plus digne pour faire des images pareilles à la réalité immortelles ? D'autres familles se rendraient chez lui pour entendre cette histoire. Le photographe y gagnerait un grand prestige, d'autant plus que, en retouchant le produit de son travail, il s'assurerait que tous les visages étaient sans le moindre défaut.

La séance terminée, il y eut une soudaine éclipse de gens. En quelques minutes, la grande pièce fut presque vide. Mère se leva alors, en un mouvement si fluide qu'elle semblait ne pas avoir d'articulations. Elle portait une robe de soie bleu foncé et, aux poignets, de larges bracelets de jade vert pomme. Elle dit sur le ton de la conversation : « Saviez-vous que le nom de mon fils est En Yong, Grâce Abondante ? Mais il ne se sert que de Yong ; c'est la mode parmi les jeunes d'aujourd'hui d'abréger leur nom. » Puis, sans s'interrompre, elle ajouta : « Mais vous devez être très fatiguée. Je vais vous montrer votre appartement. » Elle entraîna Stéphanie dehors, lui fit traverser le jardin puis, contournant une rocaille qui, telle un écran, le divisait en plusieurs plus petits, la mena à un élégant pavillon encadré par un bosquet de bambou et un saule au pied duquel était creusé un bassin. Deux servantes, Pétunia et Pivoine, et le cuisinier Maître Lee, attendaient.

Le pavillon avait des fenêtres avec des vitraux encastrés dans un grillage en bois semblables à celles du bâtiment principal. Il comportait quatre pièces et une salle de bains. La cuisine était à l'écart, derrière, près des logements de service. L'une des pièces contenait un énorme lit surmonté d'un baldaquin sculpté drapé d'une moustiquaire de soie arachnéenne. La salle de bains, pavée de marbre, avait une baignoire, des toilettes modernes et un robinet pour l'eau froide. On apportait l'eau chaude depuis la cuisine, expliqua Mère. La salle de séjour avait un mobilier Ming, aux chaises laquées en rouge. Le canapé était recouvert de soie crème. Des rouleaux peints étaient accrochés aux murs, l'un d'eux avait plus de mille ans, ainsi que l'apprit plus tard Stéphanie. Il y avait aussi une salle à manger et un bureau aux murs couverts de livres.

« Reposez-vous bien, vous avez rempli notre maison de joie », dit Mère.

Eblouie par toute cette perfection sereine qui l'entourait, Stéphanie se laissa conduire par Pétunia jusqu'au bain chaud et parfumé que celle-ci lui avait préparé. Quand elle sortit, un peignoir de soie brodée l'attendait.

Enfin Yong apparut, souriant, gai. « Stéphanie, est-ce que tout est satisfaisant ?

— Oh Yong, Yong. Quelle belle maison... Quels gens merveilleux ! Tu ne me l'avais jamais dit. Je n'avais jamais soupçonné... »

Avant de se retirer dans leur chambre, Yong lui montra la pierre Elle était placée au milieu du bassin où jouaient les poissons rouges, pierre unique, vieille de trois siècles, trouvée par un ancêtre après maintes expéditions difficiles à la recherche de belles pierres. « Nous aimons les pierres. Ce sont les os de la terre et à travers elles, c'est l'histoire des siècles qui nous est contée. Nous recherchons celles sur lesquelles pousse la mousse car la mousse s'accroche à la pierre avec la ténacité de l'amour. »

Comme moi à toi, Yong, pensa Stéphanie. Et Yong le lui dit avec ses bras et avec sa bouche.

Le jour favorable pour la cérémonie du mariage arriva.

A l'heure propice (déterminée par Père après qu'il eut consulté un almanach des moments propices et néfastes de la journée, et deux astrologues) on vêtit Stéphanie d'une jupe et d'une veste vermillon rebrodées de fleurs de cerisier rose pâle. Mère avait personnellement surveillé l'exécution de la broderie. On renonça au voile rouge sur la tête. « A temps nouveaux, nouvelles coutumes », dit Père. Après tout, Yong avait commencé en se servant du terme « aimée ».

Stéphanie fut conduite au pavillon des ancêtres. Il était retiré et protégé : on ne pouvait y accéder qu'en traversant toute la longueur du jardin dans le bruissement des saules, des sycomores, des chênes argentés et des cassiers, parmi les treillages de glycine et de jasmin. Il se dressait sur une plate-forme de pierre et avait des piliers de laque brune ; le sol était couvert de carreaux noirs. L'autel était très simple. Pas de dieu, pas de divinités. Les ancêtres. Non pas leurs corps mais les tablettes de leurs âmes, symboles de l'esprit impérissable. De simples plaquettes de bois, arrangées selon le rang, et sur chacune le nom de l'ancêtre, avec un point en haut, rouge pour les hommes, noir pour les femmes.

Stéphanie se plaça devant l'autel ; elle avait relevé ses cheveux en un chignon sobre, que retenaient des épingles en jade et en plumes de martin-pêcheur. Près d'elle, Yong, en robe bleue. Ils s'inclinèrent pour saluer le Ciel, la Terre et les ancêtres ; ils s'inclinèrent devant Père et Mère, et devant la Famille. Et ils s'inclinèrent l'un devant l'autre et burent du vin dans la même coupe. Alors Neige de Printemps devint Première Bru de la Maison Jen.

Stéphanie alluma un bâton d'encens puis versa le thé d'une théière déjà préparée et présenta les tasses à Père et à Mère en disant : « Père, Mère, s'il vous plaît de boire. »

Ils prirent la tasse et Père dit : « Bru Aînée », mais Mère dit : « Ma très chère fille. »

Ensuite, ce ne furent plus que rires et cris de joie, tandis que trois cents personnes s'asseyaient autour de trente tables rondes dans la cour devant le pavillon des ancêtres, afin que ceux-ci se réjouissent d'entendre leurs descendants et bénissent les générations à venir. On disposa la part du festin destinée aux ancêtres dans des plats sur une longue table devant l'autel et Mère appela leurs noms et les pressa de manger, avant qu'aucun des vivants ne touchât une baguette.

« Qui ne connaît pas ses ancêtres ne connaît pas sa postérité. » Cette phrase était écrite sur une tablette de bois laqué fixée sur un côté du pavillon. Sur l'autre côté était écrit « Celui qui ne respecte pas les forces de la Nature ne peut voyager loin dans le temps. »

Le lendemain de son mariage, Stéphanie se leva tôt pour apporter une tasse de thé à Père et à Mère. Mère la serra dans ses bras et dit : « Fille, ceci est trop démodé ; de nos jours, on n'exige plus de la nouvelle épousée qu'elle accomplisse cette formalité. »

Stéphanie sourit : « Mère, je ne pourrai pas le faire tous les jours, seulement quand je serai matinale. »

Les deux femmes éclatèrent de rire et s'embrassèrent. « Je suis enchantée, mon fils a fait un bon choix », dit Mère.

Mère régnait sur la Maison, souveraine dont l'autorité se dissimulait sous une indifférence apparente. Mais il ne se passait rien dans la Maison qu'elle ne le sût, qu'elle ne l'eût suggéré ou approuvé. Stéphanie remarqua aussi l'immense amour que lui portait Père : il la regardait sans cesse, la contemplait comme si ses yeux ne pouvaient jamais en être rassasiés.

Trois jours après le mariage, Mère offrit à Stéphanie un pendentif : du jade sculpté représentant des phénix en train de s'ébattre parmi des massifs de pivoines ; c'était une sculpture qui avait dû demander des mois de travail. Tout au long de la chaîne en or de vingt-quatre carats étaient fixés de petits porte-bonheur en jade. « Je vous donne ce bijou, chère fille, comme il m'a été donné jadis — il est dans la famille Jen depuis beaucoup d'années...

— Yong, tes parents me gâtent, tu me gâtes. Je n'ai jamais été aussi chouchoutée. Trois servantes, rien que pour nous deux... Je ne peux même pas ramasser mes chaussures... ou laver un mouchoir...

— Jouissons-en encore un peu, mon amour, dit Yong. Nous ne savons pas combien de temps ça durera... mais chaque instant de bonheur crée sa propre immortalité. »

Le bonheur, le paradis mais sans serpent.

Mère donna des réceptions en l'honneur de Stéphanie.

« La première bru est une personne très importante », dit-elle. Stéphanie était stupéfaite de voir le nombre de réceptions que Mère arrivait à caser dans une semaine. Et d'une telle variété. A l'occidentale, avec les couples assis côte à côte, à la façon traditionnelle chinoise, avec les femmes autour d'une table et les hommes à une autre.

C'est pire qu'à Dallas, songeait-elle tout en changeant une nouvelle fois de toilette.

Mère avait un tailleur génial qui créa pour Stéphanie des robes chinoises, longues, étroites, avec un col montant. Aidé de ses onze apprentis, il les acheva toutes en un jour et chacune était d'un fini parfait.

« Vous avez des os menus, dit Mère. Et pas de système pileux sur vos bras et vos jambes.

— C'est mon ancêtre hongrois », expliqua Stéphanie en riant. Elle savait combien une peau poilue répugnait aux Chinois et elle se félicitait de n'avoir jamais eu besoin de s'épiler les jambes.

Il ne se passait pas de jour que Stéphanie ne découvrît un aspect nouveau, et parfois surprenant, de la Famille — si traditionnelle, et pourtant si moderne. Père, par exemple, aimait la musique et les danses occidentales ; il possédait toute une collection des disques américains les plus récents ; mais il aimait aussi Brahms et Mozart et jouait de la flûte chinoise.

Il emmena Stéphanie jouer au tennis ; il paraissait jeune et mince sur le court et lançait des clins d'œil malicieux à Stéphanie quand il réussissait à placer une balle hors de sa portée.

Quant à Yong, il révéla soudain un talent pour toutes sortes de jeux : le tennis et le volley-ball, le mah-jong et le bridge. Et comme son père, il adorait les chrysanthèmes.

Stéphanie l'apercevait, penché sur les massifs, le sécateur à la main. (Le vieux jardinier, qui avait été élevé avec Grand-Père et vivait toujours, était dûment consulté, bien sûr.)

Yong avait aussi une passion pour les poissons rouges. « Comme tous les garçons chinois », expliqua-t-il. Un après-midi, il était revenu de l'hôpital, après son travail, en portant précautionneusement entre ses mains un grand bol de verre dans lequel frétillaient de minuscules échantillons de vie aquatique. A présent, les poissons argentés, dorés et carmin, à la queue plus longue que leur corps, glissaient paresseusement dans le bassin autour de la pierre ancienne.

Et puis un jour Père donna à Stéphanie un paysage dans une coupe. Stéphanie prit dans sa main le pot qui contenait un poirier miniature. Il mesurait douze centimètres de haut et il avait fallu six générations de jardiniers dans la Famille Jen pour le faire pousser.

11

Les étudiants défilaient sur la route. Un cortège mince mais décidé qui sinuait entre les pousse-pousse et les voitures. Leur marche obstinée les conduirait jusqu'à l'université, jusqu'aux villas de l'ex-concession française, construites par un architecte espagnol. Ils portaient des banderoles où se lisait en chinois et en anglais : GI'S AMERICAINS, GO HOME. C'était l'été de 1947. Stéphanie, accompagnée de Chardon et Corail, les sœurs jumelles de Yong, regardait passer la manifestation.

Les jumelles étaient très agitées ces temps-ci. Elles s'étaient prises d'un intérêt passionné pour la politique et détestaient Tchiang, comme tous les jeunes.

« L'Amérique ne doit pas aider Tchiang Kaishek.

— Tchiang massacre les étudiants et les professeurs. » Il y avait eu des exécutions. La Police secrète avait enlevé quelques étudiants et les avait enterrés vivants. A Kunming, on avait abattu un professeur renommé et son fils sur les marches de l'université.

Les jumelles étaient fières de Stéphanie. Elles disaient à leurs camarades de classe que leur belle-sœur américaine critiquait elle aussi la politique de son gouvernement. « Je pense que nous autres, Américains, nous sommes engagés dans une sale affaire et que nous le regretterons un jour », disait-elle.

Un jeune homme ardent, au visage rose et aux yeux brillants, se détacha du cortège et s'approcha des trois femmes.

« Est-elle américaine ? » demanda-t-il en chinois en montrant Stéphanie du doigt.

« Je suis américaine, répondit-elle en chinois.

— Nous ne sommes pas contre le peuple américain, déclara l'étudiant d'une voix vibrante. Je vous en prie, lisez ceci. » Il lui tendit un tract et rejoignit ses camarades qui, le poing tendu, scandaient « Soldats américains, hors de la Chine. »

Malgré la chaleur, Stéphanie frissonna. Entendre des gens — les compatriotes de Yong — crier des slogans contre son pays la blessait encore... même si cette même Amérique ne cessait de faire du mal à la Chine depuis deux ans...

Depuis août 1945, l'aide américaine aux armées de Tchiang avait atteint la somme de neuf cents millions de dollars. Tchiang avait aussi reçu six cent cinquante-huit millions de dollars de l'U.N.R.R.A (l'Administration des Nations unies pour le Secours et la Reconstruction). Plus de trois cent mille tonnes de marchandises, en vivres, médicaments, etc.

A Yenan, les communistes avaient seulement reçu de l'U.N.R.R.A. une aide médicale et des biens d'équipement pour une valeur totale d'un million de dollars.

Au cours de 1946 et d'une partie de 1947, la politique américaine était devenue de plus en plus équivoque. Les Etats-Unis affirmaient que la paix était nécessaire mais fournissaient à Tchiang les armes pour mener la guerre. Cinquante-trois mille marines se trouvaient en Chine pour occuper, en alliés de Tchiang, les villes et les ports stratégiques.

Quand le président Truman avait nommé le général George Marshall son représentant personnel en Chine, Stéphanie et ses collègues journalistes avaient repris espoir.

« En envoyant un homme tel que Marshall, l'Amérique semble manifester un désir sincère d'apporter la paix à la Chine », écrivit Stéphanie pour *Maintenant*. « Mais si l'aide militaire à Tchiang se poursuit, cela encouragera la guerre civile. » Marshall essayait d'endiguer cette aide mais en vain.

Il s'acharna pendant un an : les Etats-Unis voulaient réunifier la Chine grâce à un gouvernement de coalition. On convoqua une conférence et les communistes acceptèrent de n'avoir que dix divisions, contre cinquante pour le Kuomintang, dans une armée chinoise réorganisée et unique. Mais l'aide américaine à Tchiang se poursuivait.

« La mission de Marshall semble vouée à l'échec », écrivait Stéphanie, tandis que les affrontements locaux se multipliaient. Elle reçut une lettre de son rédacteur en chef : « Vous paraissez trop engagée dans la politique intérieure du pays... vos lecteurs attendent de vous des récits émouvants, de l'humour et de la chaleur ; des histoires sur des gens réels. »

« Ecoute ça, Yong. Je suis trop engagée. Bien sûr que *Je suis engagée* et *concernée*... cela *concerne* mon pays, l'Amérique... mes compatriotes, et les tiens. »

Yong continua de peler les poires juteuses qu'un malade reconnaissant lui avait données, et qu'on ne trouvait nulle part à Shanghai. Elles venaient de Loyang, dans le nord et là-bas on les appelait la tentation du Bouddha. Il en coupa une en quartiers et tendit l'assiette à Stéphanie ; puis il la regarda manger, heureux au seul spectacle de son plaisir.

« Mmm, elles sont bonnes... elles fondent dans la bouche... » Elle acheva sa poire et Yong se mit à en peler une autre. Stéphanie secoua la tête avec ce geste de jeune pouliche que Yong trouvait bouleversant Il avait chaque fois envie de lui faire l'amour...

« Yong, qu'en penses-tu ? Que dois-je répondre ?

— Rien, dit Yong. Tu ne devrais peut-être pas parler autant de la situation militaire dans tes articles. Les gens se mettent souvent en colère quand on leur dit la vérité...

— Mais il faut que je la dise... tu me l'as dit toi-même. J'ai écrit : Tchiang gagnera dans toutes les villes mais à la fin il perdra le pays. Ses armées s'enferment dans les villes comme les rats dans un piège. » Yong ne lui révéla pas qu'à l'hôpital de Shanghai où il travaillait, il y avait un réseau communiste clandestin. Qu'il y en avait partout.

La Police secrète avait commencé à faire des perquisitions dans Shanghai ; il valait mieux ne pas parler. « Ce qui compte c'est la paysannerie, Stéphanie. Il en a toujours été ainsi. Les soldats de Tchiang occupent les villes mais ils doivent envoyer des bataillons armés pour arracher la récolte aux paysans afin de ne pas mourir de faim.

— C'est inutile que j'écrive cela, je suppose — ils n'ont pas envie de savoir », dit Stéphanie un peu chagrinée ; puis elle sourit et tendit la main pour avoir une autre poire.

« Stéphanie, le temps viendra peut-être où quelques personnes dans ton pays se mettront en colère... pour avoir échoué...

— L'Amérique est un pays libre, Yong. Il n'y a pas qu'une vérité... il existe plein d'opinions différentes. »

Cela l'agaçait que Yong ne semblât pas pouvoir sentir la différence entre la traditionnelle liberté d'expression américaine et la prudence si nécessaire en Chine. « On ne court aucun risque à simplement *dire* ce qu'on pense en Amérique.

— La vérité n'est pas toujours au goût des gens, Neige de Printemps, répondit-il avec un calme exaspérant. Les Américains aussi sont orgueilleux et têtus. Et commettre une erreur est parfois dur à digérer. »

L'après-midi se resserrait autour d'eux, la lumière impalpable du soir s'adoucissait de mauve lavande.

« Oh Yong, ne nous disputons pas. » Elle frissonna. « Nous sommes ici, dans ce petit éden, où ton père joue de la flûte, élève des loriots et cultive des chrysanthèmes et où Mère, ta mère, lui est aussi indispensable que l'air qu'il respire... et tu envisages d'un ton léger de perdre tout cela...

— Je pense que nous le perdrons peut-être, dit Yong. Mais je sais sans le moindre doute que nous le reconstruirons. En attendant, il est bien de jouir d'un instant de beauté... »

Leurs regards se croisèrent, s'attachèrent l'un à l'autre ; autour d'eux, à présent, la lumière semblait jaillir du cœur d'une opale ; Yong se leva et ils pénétrèrent ensemble dans la maison.

Ils entraient maintenant dans ce temps que vivent les gens mariés et amoureux. Ils s'habituaient l'un à l'autre et s'apprenaient, se découvraient chaque jour un peu plus, accumulant ainsi un trésor de souvenirs. Souvenirs d'amour, de nuits, de matins, d'après-midi passionnés mais aussi de mille petits instants de bonheur qui faisaient d'eux un couple. Ils étaient à l'écoute l'un de l'autre et bientôt Stéphanie sut, rien qu'au bruit de son pas, si Yong avait eu une bonne ou une mauvaise journée. Une mauvaise journée signifiait qu'un de ses malades était mort pendant une opération.

A l'Hôpital général, où il dirigeait le service de chirurgie, Yong avait un travail très difficile. Il y avait un nombre très élevé de malades et malgré l'aide qu'essayaient d'apporter des organismes tels que la Croix-Rouge, les quakers, le Corps des ambulanciers, le Fonds d'assistance à la Chine, l'U.N.R.R.A., trop souvent les médicaments achevaient leur voyage dans les coulisses du marché noir et non à l'hôpital ; exactement comme à Chungking.

Stéphanie écrivait un autre livre. Le premier, *Voyage à Yenan,* avait eu une presse favorable et s'était bien vendu. Dans le deuxième elle essayait de décrire la dissolution du pouvoir de Tchiang Kaishek. Son travail l'amena au quartier général du Fonds d'assistance à la Chine, dont la présidente n'était autre que Soong Chingling, Mme Sun Yatsen, la sœur aînée de Mme Tchiang Kaishek. Soong Chingling, qui œuvrait sans relâche à Shanghai pour le Front uni, était très critique à l'égard de son beau-frère, Tchiang Kaishek et partageait sans restriction l'idéal de Yenan. A cet engagement profond s'ajoutait une passion tout américaine pour la loyauté et la justice ; comme ses sœurs, elle avait fait ses études à Wellesley et parlait donc un anglais parfait qui rendait son éloquence fascinante.

Stéphanie fut conquise par Soong Chingling. « Il faudrait qu'on entende cette femme », écrivait-elle. Malheureusement, c'était sa sœur, Mme Tchiang Kaishek, qui irait aux Etats-Unis réclamer toujours plus d'armes — et qui serait entendue.

Pourtant, grâce à Soong Chingling, Stéphanie se retrouva à Nanking, par une journée lugubre de février, pour assister au départ d'un convoi de DC 2 à destination de Yenan.

Journée décisive aussi, car la mission Marshall avait finalement reconnu son échec. La guerre civile avait commencé et les négociateurs communistes retournaient à Yenan dans des avions américains. Stéphanie regarda le chargement de médicaments fournis par les quakers. Ce serait leur dernière livraison de remèdes. Elle s'entretint avec une jeune Américaine au visage frais et aux cheveux châtains qui allait escorter le chargement.

Margaret Stanley venait du Minnesota. « J'ai été volontaire pour aller travailler n'importe où, je ne sais même pas ce que représente Yenan. » Au Minnesota, elle n'avait jamais entendu prononcer le mot.

Atterrée, Stéphanie se demanda si ses collègues et elle n'avaient pas gaspillé leurs mots à informer une Amérique qui ne *voulait* pas savoir. Elle essaya de lui écrire en quelques phrases sa propre expérience de Yenan.

« Puis-je vous demander d'emporter quelques lettres pour mes amis là-bas ? » Elle griffonna à la hâte quelques lignes pour les Shaggin, pour Pousse de Bambou, pour Sa Fei. « Il y a si longtemps que je n'ai pas eu de leurs nouvelles. »

Le cœur serré de tristesse, elle regarda décoller les avions.

Jeune et enthousiaste, Margaret Stanley allait à la guerre sans le savoir. Cinq jours plus tard, Yenan commencerait à évacuer ses grottes et trois semaines après, le 21 mars, la ville tomberait devant les troupes du général Hu Tsungnan, le plus proche collaborateur de Tchiang Kaishek, l'homme qui depuis bientôt dix ans maintenait le blocus autour de Yenan avec deux cent mille hommes.

Dans l'immense salle de conférences du ministère de l'Information de Nanking, Henry Wong, jovial et toujours loyal, parlait de la grande victoire du Kuomintang. « Les rebelles communistes vont maintenant demander la paix », déclara-t-il. Les journaux affichaient des titres à la une triomphants :

LA CHUTE DE YENAN
LA FIN DU COMMUNISME EN CHINE

Par tout Nanking, on entendait exploser les pétards ; dans les manifestations joyeuses organisées par la Ligue des jeunes du Kuomintang, on jurait loyauté et fidélité à Tchiang Kaishek, le *Chef.* Ces jeunes gens avaient une démarche curieuse qui ressemblait au pas de l'oie. « Copiée sur les sections d'assaut d'Hitler », dit Michael Anstruther qui, de l'hôtel réservé aux journalistes étrangers, observait le défilé.

Michael avait rouvert l'agence de presse britannique et venait souvent voir Stéphanie à Shanghai ; il arrivait avec son esprit vif, son urbanité, son expérience, sa profonde connaissance des faits, son flair — et un énigmatique jeune Chinois.

« Eh bien, il n'y en a plus pour très longtemps », dit-il, tandis que passait devant eux une banderole aux couleurs vives montrant des communistes prosternés devant d'héroïques soldats du Kuomintang.

« Tu veux dire... que c'est la fin pour Yenan ?

— Je veux dire que c'est la fin pour Tchiang Kaishek. Les communistes ont décidé, il y a déjà un certain temps, de *laisser* le général Hu Tsungnan prendre Yenan... Et maintenant ils le traînent par le nez, lui et ses troupes, à travers les villages en une course poursuite. Hu veut capturer Mao Tsetung et Chou Enlai mais il ne se rend pas compte qu'il est ferré comme un poisson. Nous avons échangé dix-sept villes vides contre six cent mille des meilleurs soldats de Tchiang — voilà ce que disent les communistes.

— Mais il reste à Tchiang cinq fois plus d'hommes et tant d'armes...

— Oui, mais le peuple est contre lui », dit Michael.

Revenue à la maison, Stéphanie chercha une réponse auprès de Yong. Mais les mains de Yong restèrent inertes sur ses genoux. Il semblait absent, un peu triste. Alors Stéphanie comprit soudain que, n'eût été pour elle, lui aussi serait en train de marcher et de chanter joyeusement sur les routes, mais d'un autre pas, avec ceux de Yenan.

Il était revenu à Shanghai, où tout était à vendre, même l'âme des gens, à cause d'elle. Il avait voulu l'amener à sa famille, à Mère. Il avait voulu vivre avec elle et l'aimer. Et à présent son cœur était lourd et il se sentait coupable.

Ils se regardèrent, chacun sachant que l'autre savait. Ils avaient leur couple, et l'amour comme un grand feu qui continuait de les éblouir... Serait-ce toujours suffisant ? Les vrilles de la peur s'insinuèrent en Stéphanie, s'accrochèrent à son corps et à ses membres. Peut-être un jour... elle chercha la main de Yong.

Quand vint l'été de 1947, le gouvernement de Tchiang se trouvait au bord de la faillite financière. L'inflation avait multiplié les prix par cent cinquante mille par rapport à leur niveau de 1945. Au milieu de 1948, ils seraient cinquante millions de fois plus élevés qu'en 1947. Même les presses à billets ne parvenaient pas à suivre l'inflation.

A Shanghai, les gens trimbalaient avec eux d'énormes valises de billets, ils poussaient des brouettes pleines d'argent, en grosses liasses. Chaque liasse valait un million de dollars. On n'avait jamais sur soi moins de trois millions, ce qui permettait d'acheter un paquet de cigarettes. Ou un repas pour une personne...

« Comment vivent les gens ? Ils se promènent avec cette monnaie de papier... ils paient en liasses, c'est trop long de compter chaque billet...

tout ce qu'ils veulent c'est s'en débarrasser très vite, avant que l'argent perde encore de sa valeur. Alors ils passent leur temps à acheter et à vendre. N'importe quoi. Tout... Machinalement. » Ce serait le dernier article de Stéphanie pour *Maintenant*. On était en mai 1948. Son contrat de trois ans expirait et elle ne souhaitait pas le renouveler.

« Machinalement, les foules se font et se défont... Chacun a quelque chose à vendre. Très souvent c'est un enfant, une petite fille. Mais ça peut aussi être un coupon de tissu, un stylo, une couverture, une chemise... D'autres achètent et, quelques heures plus tard, revendront leur achat pour avoir davantage de liasses... Ce va-et-vient frénétique, incompréhensible et macabre, d'achat et de vente, se poursuit sans cesse. Parfois, il s'agit d'un simple troc... les gens s'installent sur le trottoir, leurs quelques biens étalés devant eux. D'autres s'accroupissent pour regarder, palper, puis échanger un chapeau de paille contre une paire de pantoufles, une assiette contre un bout de tissu. Les queues pour la nourriture s'étirent sur des kilomètres. Elles se forment à deux heures du matin et tous les membres d'une famille se relaient pour garder leur place... S'ils ont de la chance, ils achèteront quelque chose vers neuf heures du matin. D'autres, ceux qui sont vigoureux ou ont la bonne fortune de posséder une bicyclette, vont dans les villages chercher de la nourriture. »

La Famille Jen avait de la chance. Elle possédait des lingots d'or. Seuls les lingots d'or et les dollars américains avaient une valeur, une réalité. Une famille pouvait vivre à l'aise avec cinquante dollars américains par mois. Stéphanie en recevait pour ses droits d'auteur. Elle payait le salaire de ses servantes, leur nourriture ainsi que celle de Yong et d'elle-même. Mais quand elle voulut contribuer aux dépenses de la Famille, Mère l'en empêcha en souriant, « Très chère fille, cela n'est pas nécessaire... il nous reste encore de l'or... »

En 1948 fut promulgué un nouveau décret impératif et une chasse aux lingots d'or commença. Quiconque surpris avec des lingots ou se livrant au trafic de l'or, risquait la peine de mort...

« C'est ridicule, dit Père, ridicule. » Néanmoins, il décida de conférer avec son frère, Deuxième Oncle. « Deuxième Oncle saura, il a plus de cervelle que moi », dit Père en souriant et en se frappant le front de son index recourbé.

Le gouvernement proposait de racheter l'or. On avait créé un nouveau dollar chinois, aligné sur le dollar américain avec une parité de deux pour un. Beaucoup de petites gens, qui redoutaient les fouilles et une exécution sommaire, vinrent apporter le peu d'or qu'ils possédaient.

Mais pas les riches. Il existerait toujours un marché noir de l'or.

Quelques familles envoyèrent leurs serviteurs dans leurs jardins creuser des trous afin de cacher leur or — ou le dissimulèrent dans les poutres de leurs plafonds. Mère gardait ses lingots dans sa chambre, à l'intérieur de deux grandes armoires en ébène sculpté : elles avaient des doubles fonds et de faux plafonds.

Quand Mère devait s'absenter longtemps de la maison, Veuve montait la garde.

Veuve était Sixième Tante, la plus jeune sœur de Père. (La redoutable Jen Ping, que Stéphanie avait rencontrée à Yenan, était Quatrième Tante et l'aînée de Père.) Le nom de Veuve était Jen Jen : Patience.

Veuve avait vraiment connu le veuvage mais le marié étant mort *avant* le mariage, Veuve était donc aussi vierge et l'était restée. Car, à la même époque, Jen Ping s'était enfuie pour rejoindre les communistes et Grand-Père avait été si furieux que la belle jeune fille avait dû rester une « veuve » chaste, vêtue de gris pâle, presque blanc, la couleur du deuil ; elle ne se maquillait pas et marchait un peu tordue, à la fois soumise et révoltée devant la vie diminuée qui était la sienne. Plus tard, Mère l'avait poussée à se marier mais Veuve s'était faite à son rôle et avait refusé.

Elle gardait donc les lingots quand Mère s'absentait. Elle s'asseyait sur le tabouret de Mère devant le miroir ovale à trois faces et s'efforçait de lui ressembler. Elle essayait de devenir Mère, effleurait ses lèvres d'un doigt léger comme Mère quand elle mettait du rouge à lèvres. Son regard errait parmi les crayons à sourcils et les petites boîtes qui contenaient de la crème d'amandes pure pour la peau, et s'attardait sur la poudre et le rouge, ces fards modernes et occidentaux. Ses doigts touchaient, faisaient semblant. Son visage prenait un air de langueur ; elle se sentait plus belle alors et tournait la tête avec cette grâce infinie qu'avait Mère... puis, quelquefois, elle enfouissait son visage dans ses mains ou se jetait sur le lit et riait, et pleurait.

Vers le milieu de 1948, tout le monde sut que Tchiang Kaishek avait perdu la guerre civile.

Les communistes avaient repris Yenan en avril. Ils avaient aussi pris, ou assiégeaient, un certain nombre de villes sur les lignes de chemin de fer qui reliaient le nord au sud.

En Mandchourie, les villes occupées par le Kuomintang n'avaient plus de nourriture et les Forces aériennes des Etats-Unis, les Tigres volants du général Chennault, devaient les ravitailler par avion.

Le marché noir le plus florissant était celui du fil de fer barbelé. Isolées au milieu d'une campagne infestée de maquisards, les armées de Tchiang dressaient des barrières grillagées tout autour des villes qu'elles occupaient... des millions de mètres de fil de fer barbelé.

Mais chaque jour la radio communiste répétait : « Nous sommes frères. Un frère ne se bat pas contre son frère... rejoignez-nous... » Et les soldats du Kuomintang changeaient de camp et apportaient avec eux les armes et les munitions américaines, les uniformes américains... Des bataillons entiers commencèrent à se rendre.

Chaque vendredi soir, les hauts fonctionnaires de Nanking (du moins ceux qui n'étaient pas encore partis) arrivaient à Shanghai par train spécial pour leur week-end de distractions dans les boîtes de nuit et les dancings.

Installées dans de longues limousines, les femmes des hauts fonctionnaires se rendaient à des soirées en pépiant comme des moineaux. Tant de luxe, tant de richesse... Tant de folies. Tant de réceptions. Elles se succédaient, toujours plus éblouissantes. Soirées qui ne se déroulaient pas dans un seul endroit. Ce n'était pas amusant. On allait en groupes rieurs et excités d'un lieu de plaisir à un autre. Des salles de bal aux dancings, où des jeunes filles attendaient sagement assises sur des chaises : des Chinoises à un million les trois danses, le prix d'une tasse de thé... Elles flottaient en dansant, aériennes comme des nuages. Les boîtes de nuit et les bars. Tout ce qu'on désirait en fait de femme on le trouvait : Chinoises, Eurasiennes, Russes blanches, Coréennes. Pour le gratin, il existait même des petits clubs très fermés où des femmes blanches, australiennes, françaises, et même américaines — épouses d'hommes d'affaires ou d'officiers en proie à l'ennui — se prostituaient par amusement et avec les seuls riches Chinois.

Les mendiants. Ils pullulaient dans les rues principales. Chaque jour, la police fondait sur eux avec des bâtons et les refoulait dans les ruelles. Ils en ressortaient bientôt. Toujours plus nombreux.

Les cadavres.

Le gouvernement avait échoué dans son projet de créer un dollar nouveau et fort. Les gens qui avaient perdu leur petit magot d'or étaient furieux. Les hauts fonctionnaires de Nanking pressuraient maintenant les capitalistes et les banquiers comme Père.

Deuxième Oncle, le cerveau financier de la Famille, luttait vaillamment pour maintenir la Famille à flot. C'était un homme taciturne, qui portait de longues robes au col trop large pour son cou maigre ; deux plis de peau descendaient de son nez à son menton. Il avait des problèmes digestifs et sentait les plantes médicinales qu'il absorbait pour se guérir. Jusqu'à présent il avait réussi à éviter les fonctionnaires ou à leur graisser la patte.

Quant à Troisième Oncle, le jeune frère de Père, c'était un mathématicien qui vivait dans un rêve. Il avait fait une nombreuse progéniture à sa femme, personne gentille et fanée qui jouait au mah-jong toute la journée et une partie de la nuit, ne s'interrompant que pour pondre un nouveau bébé. Puis un jour il ne rentra pas.

On apprit qu'il distribuait des tracts antigouvernementaux mais il était si distrait qu'il l'avait fait sur le pont qui enjambait le fleuve, en plein jour. La police politique l'avait saisi, ligoté, bâillonné et l'avait jeté dans le fleuve, lesté d'une grosse pierre.

Par habitude, pour un article qui ne serait peut-être jamais imprimé, Stéphanie prenait des notes sur ce qui se passait dans leur univers...

Les ministres importants de Tchiang Kaishek envoyaient maintenant leurs femmes et leurs enfants à l'étranger, dans des avions américains chargés de meubles, d'objets anciens, de bijoux, de vases — et de lingots. Les avions les emmenaient à Hongkong, en Amérique, au Brésil. Là, ils achetaient des domaines et des maisons et mettaient leurs enfants dans des écoles privées.

L'avance des communistes se poursuivait, ils descendaient du nord et se dirigeaient vers la Chine centrale. Les villes de Mandchourie tombèrent aux mains de l'Armée Populaire de Libération et les hommes d'affaires et les capitalistes du nord commencèrent à se replier sur Shanghai.

Un mythe tenace subsistait. Shanghai ne serait jamais aux Rouges : c'était la ville de la libre entreprise, la ville du lucre et de l'âpreté au gain, du crime et de la corruption, de la drogue, des voyous et de la prostitution.

Une ville brillante, avec la plus grande concentration d'intellectuels de toute la Chine.

Shanghai la ville chinoise la plus occidentalisée.

« Shanghai ne risque rien. Les communistes n'oseront pas prendre Shanghai. L'Occident ne le permettra pas... elle sera placée sous la protection des Nations unies. »

Le prix de la terre monta à Shanghai ; celui des maisons atteignit des hauteurs vertigineuses.

A partir de mai 1948, Yong fut payé en riz pour compléter un salaire mensuel en argent avec lequel il pouvait tout juste acheter deux paquets de cigarettes pour Stéphanie, qui fumait de temps en temps. Elle fut prise d'un immense fou rire qui gagna aussitôt Yong la première fois qu'il lui rapporta ses honoraires de chirurgien en chef pour le mois.

Père amena un jour à la maison M. Keng. Onctueux, poupin, gloussant sans cesse, M. Keng était le numéro un des affaires à Shanghai. De tous les capitalistes chinois (cinquante mille pour presque cinq cents millions d'habitants), Keng était un des plus riches.

Oncle Keng entra tout de suite dans le vif du sujet.

« J'ai demandé à mon cher ami », il désigna Père, « de me permettre de vous rendre visite, dit-il à Stéphanie. Il se trouve que j'ai rencontré

M. Ryder récemment à Dallas. Un homme très prospère. » Il eut un grand sourire.

Stéphanie inclina la tête, gênée qu'il parlât de son père.

« Je vais envoyer un de mes bons à rien de fils au Texas pour étudier la prospection du pétrole. La Chine aura besoin de techniciens pour l'industrie pétrolière. Votre père s'est montré très aimable et a promis de faire visiter à mon fils un de ses champs de pétrole. Nous devons voir grand, loin, penser au jour où les petits problèmes d'aujourd'hui auront disparu... »

Petits problèmes ? pensa Stéphanie... un pays à feu et à sang... des manifestations anti-américaines d'une extrême violence presque quotidiennes...

« Difficultés momentanées, dit Keng d'une voix suave. Je ne suis pas très inquiet. Déjà, je le sais, votre pays rapatrie ses marines... Certes, il y aura des moments difficiles. » Il sourit à nouveau. « Mais la Chine a essuyé bien des tempêtes en cinq mille ans.

— Oncle Keng est le président de notre chambre de commerce », dit Père. Stéphanie comprit qu'elle devait écouter avec beaucoup d'attention.

« L'histoire, en Chine, est un continuum à travers de nombreuses situations contradictoires, dit Oncle Keng. Les combattants s'affrontent mais, à la fin, l'issue n'est ni pour le vainqueur ni pour le vaincu. La victoire appartient à ceux qui ont su durer, qui ont su quand plier et quand se redresser. Il nous faudra nous courber un certain temps mais pour mieux nous redresser ensuite. L'important est de servir notre pays et notre peuple.

» Tchiang Kaishek s'est liquidé lui-même. Le prochain dirigeant sera Mao Tsetung. Regardez-moi. Je suis un gros capitaliste. Mais je vais coopérer avec Mao Tsetung. »

Il sourit à nouveau à Stéphanie. « C'est difficile pour un Occidental de comprendre cela, dit-il avec douceur. Mais vous êtes très intelligente, vous comprendrez.

— Oncle Keng a un fils aux Etats-Unis, un autre avec les communistes et il casera sûrement un neveu à Taiwan auprès de Tchiang Kaishek », dit Yong. Il n'y avait ni rancœur ni accusation dans sa voix, même pas d'indignation. Les choses étaient ainsi.

Ils étaient allongés dans le grand lit à baldaquin où chaque nuit pendant des heures ils parlaient, faisaient l'amour puis parlaient encore. Stéphanie se sentit soudain très américaine. La mention du nom de Heston Ryder avait réveillé en elle la fibre patriotique. Il lui sembla qu'elle s'enfonçait en elle-même et découvrait une autre Stéphanie qui l'attendait... une Stéphanie pleine de vertueux principes, qui trouvait stupéfiant qu'Oncle Keng utilisât sa progéniture comme des gages et des garanties pour préparer l'avenir, quel qu'il fût...

« J'aimerais bien savoir pourquoi Oncle Keng est allé voir mon père.

— Le mien a dû mentionner ton nom, je suppose ; Oncle Keng allait aux Etats-Unis pour affaires.

— Vous auriez dû me le dire...

— Ce n'était pas certain qu'Oncle Keng irait à Dallas, dit Yong avec bon sens.

— Je me demande si Oncle Keng se rend compte à quel point papa déteste les Rouges, dit Stéphanie. La seule idée que Keng, un capitaliste, est prêt à travailler avec eux est pour lui impensable... Je parie qu'il ne l'a pas dit à papa.

— Bien sûr que non », dit Yong qui ne voyait rien de mal à la conduite multiforme d'Oncle Keng. C'était ainsi qu'on faisait en Chine. Survivre à toutes les tempêtes. Seule la Chine comptait et c'était pour elle que le général Yee intriguait. Pour elle que Soong Chingling, la belle et aristocratique belle-sœur de Tchiang Kaishek, avait rejoint le camp communiste. Et la famille Jen...

Yong dormait. Stéphanie se raisonna, elle essaya de se colleter avec cette autre façon de penser et de sentir. Mais quelque chose en elle se rebellait, noyau de résistance irréductible.

La dégradation morale de la ville augmentait de jour en jour. Père affichait une gaieté imperturbable et faisait semblant de travailler ; car se montrer triste aurait inquiété Mère et Mère était son univers, son cœur, la moelle de ses os. Il ne ferait jamais passer la plus petite ombre sur son visage. Mais Mère savait, bien sûr.

Père et son frère, Deuxième Oncle, cherchaient par tous les moyens à sauver la banque. Deuxième Oncle était engagé dans d'obscures tractations avec une mission religieuse étrangère qui avait accès à de grandes quantités de devises et possédait plusieurs boutiques de prêt sur gages. Un mince filet de monnaie étrangère avait ainsi arrosé la banque mais ce n'était pas suffisant.

Stéphanie revenait un jour du quartier Nantao de la ville ; elle avait assisté à une émeute pour de la nourriture au cours de laquelle la foule avait attaqué les portes verrouillées et munies de barreaux de la boutique d'un spéculateur. Michael Anstruther l'accompagnait et, par son comportement, avait appris à Stéphanie comment se mêler sans risque à une foule étrangère et hostile : l'important était de ne pas prendre de photos et de rester à la frange de l'attroupement ; quand la foule était devenue houleuse, Michael et elle s'étaient éloignés discrètement.

Comme Stéphanie pénétrait dans le Jardin du Bassin au Saule, deux hommes en longue robe, leurs éventails noirs glissés dans le col, sortaient de la maison suivis de deux coolies qui portaient un grand vase. Le vase, dont la décoration représentait un grenadier, faisait partie d'une paire qui se trouvait dans le salon. Dehors attendait une brouette remplie de paille et de carton dans laquelle ils allaient poser le vase.

Stéphanie se rendit au pavillon de Mère. Elle s'arrêta devant la fine natte transparente de la porte...

— Mère...

— Oh, chère fille, entrez.

— Mère, pourquoi vendez-vous ces vases ? »

Un peu surprise par les manières abruptes de Stéphanie, Mère la regarda. « Asseyez-vous, ma chère fille, vous devez être fatiguée... Apporte du thé pour la jeune maîtresse », dit-elle à sa servante.

Le thé arriva. Mère leva poliment sa tasse et invita Stéphanie à boire.

« Chère fille, vous savez que le gouvernement a passé un décret qui interdit la possession de lingots d'or. J'en ai encore quelques-uns, mais très peu... car terribles sont les exactions, les pots-de-vin... Père doit être très prudent, étant donné surtout qu'il ne fait pas partie du gouvernement. »

Elle porta à nouveau la tasse à ses lèvres et respira le parfum du thé. Dehors une brise venue de nulle part chuchotait dans les saules.

« Alors nous avons pensé... qu'il valait mieux vendre les vases ; ils en ont emporté un et reviendront chercher l'autre...

— Oh non, dit Stéphanie avec force. Non, ils sont si beaux... vous ne pouvez pas vous en séparer. »

Elle se tourna pour regarder la pièce. « Comment pouvez-vous renoncer à l'un de ces objets ?

— Justement, ce ne sont que des objets.

— Laissez-moi vous donner, disons cent dollars par mois. Nous ne dépensons presque rien, j'ai touché mes droits d'auteur et j'ai plusieurs milliers de dollars... Mère, je vous en prie... »

Mère secoua la tête. « Yong et vous pouvez en avoir besoin.

— Mais nous vivons ici à vos frais depuis bientôt trois ans... Pourquoi ne me permettez-vous pas de faire ça pour vous ? »

Le visage de Mère eut une expression à la fois joyeuse et mélancolique. « Oh Fille Neige de Printemps, comme je regrette qu'on m'ait fait monter dans ce palanquin brodé quand j'avais seize ans... J'aurais peut-être travaillé, comme vous, et je pourrais garder la tête haute...

— Mais vous travaillez tout le temps. Vous êtes l'âme, la force vitale de cette Maison ; vous maintenez la Famille ; tout ce que vous faites... » Stéphanie secoua la tête. « Toutes les réceptions que vous avez données pour moi... pour que je me sente acceptée...

— Nous ne pouvons plus nous permettre beaucoup de réceptions à présent, dit Mère d'une voix un peu mélancolique.

— Je vous en prie, dit Stéphanie. Je vous en prie, laissez-moi vous aider. »

Mère eut alors un geste très juvénile. Elle posa une main sur le bras de Stéphanie. « Mon fils a bien choisi, dit-elle. Il a choisi... celle qui me succédera. »

Stéphanie regarda les mains de Mère, si pâles. Si fortes. Mère avait saisi la vie avec ces mains pâles et fortes. Elle tissait une toile d'araignée de vie et même Stéphanie se trouvait captive. Elle faisait tellement partie de la Famille que s'en séparer serait un déchirement... Comme c'est étrange, pensa-t-elle, je me sens plus proche de cette femme chinoise que de ma propre mère, Isabelle. Et pourtant, à sa façon, Isabelle exerçait une emprise sur elle. Avec la distance, avec la maturité acquise pendant ces trois dernières années, Stéphanie comprenait bien mieux Isabelle, et pourquoi son âme s'était étiolée. Heston Ryder lui avait donné trop de richesses et trop peu de tendresse.

« Stéphanie, souhaitez-vous parfois retourner aux Etats-Unis pour revoir votre famille ?

— Oui, bien sûr », répondit Stéphanie. Elle redressa les épaules. « Mais je ne veux pas quitter Yong... Il a tellement de travail, ce ne serait pas loyal...

— Alors il faut que Yong arrange ça. »

Stéphanie se souvint alors qu'une semaine plus tôt, Yong avait mentionné, d'un air négligent, que l'U.N.R.R.A. lui avait proposé d'aller passer trois mois aux Etats-Unis, pour rencontrer ses collègues américains... « Oh, ce serait formidable », s'était exclamée Stéphanie, heureuse et ravie.

« C'est très long, trois ans sans voir ses parents, poursuivit Mère. Et avec le bébé qui va naître...

— Oh flûte ! Comment le savez-vous ?

— Vos cheveux, vos yeux, votre peau..., dit Mère.

— Y a-t-il quelque chose qui vous reste caché dans cette maison ? » demanda Stéphanie en riant. Elle aurait voulu l'apprendre d'abord à Yong. Lui dire que le docteur Wu l'avait examinée.

« Pétunia a remarqué... murmura Mère.

— Bien sûr ! » La vigilante Pétunia avait remarqué que Stéphanie n'avait pas eu ses règles le mois précédent.

C'était vrai que, depuis quelque temps, l'Amérique et sa famille lui manquaient. Mère l'avait compris. Voilà pourquoi Yong avait parlé d'un ton si naturel de l'invitation faite par l'U.N.R.R.A. Mère avait parlé à Yong... Est-ce qu'ils seraient toujours, toujours, en avance d'une coudée sur elle, à arranger et organiser sa vie à sa place ?

12

Le colonel Tsing, l'homme aux antennes d'insecte, à présent responsable de la lutte contre l'infiltration communiste, eut une idée de génie : créer de fausses cellules communistes à Shanghai, où le réseau clandestin des Rouges était lâche et dispersé.

Comme le projet nécessitait pas mal d'argent, Tsing avait pris contact avec les Américains.

L'ancien Office of Strategic Services (O.S.S.) avait donné naissance à la Central Intelligence Agency. A Shanghai, deux jeunes gens minces, racés comme des lévriers, en dirigeaient une section, encore embryonnaire, à partir d'un bureau minable dans Bubbling Well Road. A la fin de l'année 1947, Washington avait décidé que la C.I.A. travaillerait en étroite collaboration avec les services secrets du Kuomintang.

Les fonds affluaient mais Tsing avait des supérieurs et une grande partie de l'argent restait collée à leurs paumes et n'arrivait pas jusqu'à lui.

Il lui vint une autre idée brillante. Il en discuta avec le lieutenant-colonel Hsu Nuage Elevé, qui était devenu son fidèle subordonné.

« Le réalisme est l'essence de la conduite d'un homme sage », commença-t-il et Nuage Elevé inclina la tête en signe d'acquiescement empressé.

Les chefs militaires manifestaient une certaine nervosité. Surtout ceux qu'on avait laissés dans les régions reculées avec la racaille des troupes, alors que les divisions d'élite envoyées pour occuper les villes côtières bénéficiaient d'armes, d'uniformes et d'argent donnés par les Américains.

Les généraux pouvaient cependant se tailler un territoire sur lequel ils régnaient alors, extorquant vivres et argent aux villages et aux villes sous le contrôle de leurs troupes, devenues une sorte d'armée personnelle.

Il existait un moyen pour ces hommes de s'enrichir — et d'aider Tsing à réaliser ses propres projets de création d'un réseau clandestin. La drogue. L'opium. L'héroïne.

Les chefs militaires de l'intérieur fourniraient l'opium brut nécessaire. Sur les collines des provinces de Szechuan et de Yunnan, la brise faisait danser les pavots roses sur des kilomètres et des kilomètres.

Les soldats veilleraient à la récolte de l'opium. Les fonctionnaires de l'Office des transports s'assureraient de son acheminement par voie d'eau jusqu'à Shanghai.

Et tout le monde aurait sa part de galette.

Les Triades (sociétés secrètes) collaboreraient. La Triade verte et la Triade rouge. Les mailles de leur réseau couvraient toute la Chine. Toute l'Asie du Sud-Est. Partout où il y avait des Chinois, les Triades étaient présentes. Dans tous les quartiers chinois des villes américaines.

A son retour à Shanghai, le lieutenant-colonel Hsu avait été accueilli par ses frères de la Triade verte, une des plus puissantes parmi les sociétés secrètes. Son père en avait fait partie, ainsi que Tchiang Kaishek. Non seulement les Triades avaient survécu à l'invasion japonaise mais elles avaient étendu leurs activités liées au trafic d'héroïne dans toutes les villes occupées par l'ennemi.

Avec le retour du Kuomintang, le trafic de la drogue fut mis en sommeil pendant quelques semaines ; mais, très vite, les Triades renouèrent leur vieille alliance avec les responsables du Kuomintang.

Pour commencer à former des communistes anticommunistes, les Triades apporteraient une aide inestimable.

Leurs chefs étaient des réalistes. Ils se préparaient déjà à l'éventualité de devoir s'expatrier dans un avenir très proche. Mais tout le monde ne partirait pas. Il fallait maintenir les liens ; former des émissaires qui sauraient éviter toute capture. Ceux qui resteraient devraient tenir bon, peut-être pendant des décennies, jusqu'au jour où les Triades pourraient se déployer à nouveau en Chine. Il avait donc été décidé que quelques-uns des « frères » devaient devenir communistes.

Hsu commença à travailler dans un bureau minuscule et poussiéreux, avec deux tables, deux chaises et un seul téléphone. Sa modeste affaire s'appelait la Crystal Import-Export Company ; elle prêtait de l'argent et escomptait des factures à plusieurs petits syndicats dans le quartier Chapei de Shanghai.

« Pas d'intellectuels, avertit Tsing. Pas d'étudiants. Et pas d'affaires avec les gros capitalistes. »

Il existait une tranche flottante de la population sans allégeance définitive, qui n'était ni pour les communistes ni pour le Kuomintang. Ces gens-là pouvaient être approchés par des simulateurs très entraînés, des agents ayant une longue expérience des communistes. On les formerait, puis on les « adopterait » dans le « réseau clandestin », on leur dirait qu'ils étaient membres du Parti... « Il faut qu'ils croient sincèrement qu'ils *sont* membres du Parti, dit Tsing. Nous devons emprunter aux Rouges leur vent pour faire naviguer notre propre bateau. »

La société Crystal facilitait les relations entre travailleurs et patrons. Elle accordait des prêts mais ne demandait pas de cotisations. Ses membres parlaient du « front unitaire patriotique » et des « forces de libération ». En l'espace d'un an, elle avait réussi à envoyer des émissaires à plusieurs syndicats clandestins authentiquement procommunistes qui avaient besoin de devises et d'or. Ainsi s'étaient créées de bonnes relations. Le Parti manquait d'or et de devises, en particulier de dollars américains et ne cherchait pas trop à savoir d'où ils venaient.

Hsu Nuage Elevé devint deux personnes. Lui-même et le camarade Hsu Construit-la-Cité. Sa ferveur était grande. Il étudiait, il dévorait la littérature communiste. Parfois il avait même l'impression d'être un *vrai* communiste.

Quand vint l'été de 1948, l'Armée de Libération avait envahi la province du Shansi et réussi à persuader ses marchands d'argent — dont le négoce millénaire avait suivi la grande Route de la Soie jusqu'en Inde, en Perse et en Egypte — de coopérer avec elle.

A son retour, en 1945, le Kuomintang avait commencé par confisquer les lingots d'argent alors que les armées communistes qui lui succédaient refusaient d'accepter même un lingot symbolique.

Les marchands d'argent envoyèrent donc des représentants accompagner les émissaires communistes pour discuter avec les capitalistes de Shanghai.

« Vous voyez », disaient d'une voix calme et raisonnable les hommes du Parti, « vous n'avez rien à craindre de nous. Nous *avons besoin* de vous, les capitalistes. La Chine a besoin de vous pour progresser. En Mandchourie, notre gouvernement populaire paie les dettes des capitalistes qui ont fait faillite ! Si vous coopérez avec nous, nous empêcherons vos ouvriers de se mettre en grève, d'occuper vos usines et vos maisons. Notre démocratie est d'un modèle nouveau. Les capitalistes sont indispensables dans notre nouvelle démocratie...

A Shanghai, les capitalistes, qui étaient aussi des patriotes, furent conquis. Le roi du fil de coton, celui de la farine, optèrent pour les communistes.

« Nous aimons d'abord notre pays... Notre pays a besoin de nous. Sans nous, *ils* ne pourront pas reconstruire la Chine... Nous aimons notre pays... »

Hsu Nuage Elevé avait gardé son amour des aéroports.

Aller à l'aéroport, regarder s'envoler les énormes oiseaux argentés... Au moins une fois par mois, il s'offrait ce plaisir, et contemplait les avions qui s'élançaient dans la splendeur du ciel et il rêvait.

Pourrait-il un jour atteindre une situation où il aurait assez d'argent et de pouvoir pour obtenir un billet et un passeport avec tous les visas nécessaires ?

Hsu rassasiait ses yeux de tous ces avions et rêvait d'aller en Amérique. Et de travailler pour la C.I.A. Il rêvait aussi de femmes étrangères. On en voyait parfois à l'aéroport. Il faudrait qu'il ait, une fois, une femme étrangère... connaître comment c'était de la pénétrer, de sentir son odeur de femme étrangère, d'entendre crier la femme étrangère sous ses assauts, sous ses coups de boutoir...

Un jour, Hsu entra dans le hall de l'aéroport Hungjao. Une femme étrangère en robe blanche se tenait au comptoir des billets. Elle lui tournait le dos mais quelque chose dans sa chevelure le troubla... et soudain son cœur se mit à cogner et sa bouche se remplit de salive.

La femme se retourna et regarda dans le hall. Son regard passa sur lui, s'éloigna puis revint. Ce n'était pas vraiment une reconnaissance, une perplexité plutôt, la quête d'un visage dans sa mémoire. Il ne pouvait pas arracher ses yeux des siens. La femme se tourna vers son compagnon, un Chinois, un homme mince, qui remplissait des formulaires au comptoir. Elle lui parla. Hsu fit demi-tour et s'éloigna rapidement. Il sortit de l'aéroport, gagna les barrières gardées et partit.

Elle l'avait reconnu.

« J'aurais juré avoir déjà vu cet homme quelque part, dit Stéphanie à Yong.

— Tous les Chinois se ressemblent », dit Yong pour la taquiner.

Il s'était tourné quand Stéphanie le lui avait demandé mais avait juste aperçu le dos de Hsu.

Stéphanie insista. « Je suis sûre de l'avoir déjà vu et lui aussi me connaissait, il est parti. »

Plusieurs heures plus tard, dans le Dakota, Stéphanie s'éveilla d'un léger sommeil et se souvint.

« Yong... cet homme, c'est l'officier qui m'avait frappée, à Chungking... il a rasé sa moustache, c'est pourquoi je ne l'ai pas reconnu tout de suite...

— Te rappelles-tu son nom ? » Yong chercha dans sa mémoire. Est-ce que le colonel Tsing avait seulement mentionné son nom pendant l'interrogatoire ?

Stéphanie secoua la tête et sentit un frisson courir dans son dos. *Quelqu'un marche sur ma tombe.* Yong devina son inquiétude et lui pressa la main. « Il ne peut plus nous faire de mal maintenant, Stéphanie. Jamais plus.

— Il ne peut pas nous faire de mal », répéta-t-elle, rassurée.

Le jeune Américain mince et racé comme un lévrier du petit bureau de Bubbling Well Road examinait des papiers et des documents.

« Mariés à Yenan... mariage enregistré à nouveau à Shanghai... puis au consulat des Etats-Unis en septembre 1945... J'ai l'impression qu'ils sont bel et bien mariés, marmonna-t-il.

— Vérifie. Vois aussi quels contacts ils auront en Amérique, dit l'autre.

— Lui semble être un crack de la chirurgie... il est invité par un certain docteur Sam R. Dean, chirurgien en chef à l'hôpital du Mont Sinaï. Par le biais de l'U.N.R.R.A.

— Tu sais comment sont tous ces intellectuels... Vérifions aussi ce docteur Dean.

— Je me demande comment Heston Ryder va prendre tout ça. Lui qui ne peut pas sentir les Rouges...

— Il trouvera peut-être un bon boulot à Dallas pour son gendre chinois — la plupart de ces sympathisants se calment vite dès qu'ils commencent à faire du fric. »

Ils étaient sans préjugés et accomplissaient consciencieusement leur travail. Travail qui consistait à garder un œil sur les agissements politiques des Américains résidant en Chine. Et Stéphanie Ryder, Mme Jen, était sur leur liste de gens à surveiller.

Heston Ryder accueillit son gendre chinois sans sourire, d'une simple inclinaison de tête. Puis il serra Stéphanie contre lui et, gardant un bras autour d'elle, les conduisit à sa voiture, une superbe Lincoln métallisée.

« Ecoute, trésor, je ne voulais pas t'inquiéter, alors je ne te l'ai pas écrit... mais ta mère a subi une petite opération, rien de grave... elle est à la maison, elle se repose. »

Tandis qu'ils roulaient sur la grand-route qui menait à la ville, Heston fit son monologue habituel. Il portait un pantalon de couleur fauve assorti à ses bottes et un immense chapeau texan. Il jouait le cow-boy qui vient à la ville. Ses yeux bleus avaient un éclat métallique et il parlait d'une voix tranquille et gaie.

« Dallas a bien grandi pendant les trois ans où tu as été partie, Steph. » Devant eux se dressaient les nouvelles usines ; les silhouettes gracieuses des grues emplissaient à nouveau le ciel patient. Heston désignait tel ou tel immeuble, citait des chiffres.

« Voici la plus grosse usine... et puis nous avons les raffineries... oh nous ne sommes pas bien grands encore, il n'y a que quatre cent mille habitants à Dallas mais nous allons battre tout le monde, tu verras... On ne nous traitera plus très longtemps de bouseux. »

Il laisse Yong entièrement en dehors de la conversation, pensa Stéphanie irritée ; elle se tourna vers son mari et lui sourit.

Heston était aux aguets ; tous les pores de sa peau sentaient la présence de cet homme, l'homme qui possédait sa fille, à qui elle appartenait, à qui elle souriait (et la douceur de son sourire lui déchirait le cœur), qui avait mis sa fille enceinte...

Elle avait écrit : « Enfin, j'attends ce qu'on appelait autrefois un heureux événement. Je commençais à me demander si je n'avais pas quelque chose qui n'allait pas. Quand on sait combien tout le monde ici souhaite la venue d'un bébé, combien ils *aiment* les bébés, je trouve que ma belle-famille a fait preuve d'une discrétion héroïque. »

Une vague brûlante l'envahissait quand il pensait à ça... dans le ventre de Stéphanie, un enfant jaune...

Heston vit sa fille Stéphanie regarder Yong, lui sourire. « Détends-toi, disaient le regard et le sourire. Ne t'inquiète pas... ce n'est que mon père. » Il sentit une onde de haine parcourir son corps.

« Et voilà, nous entrons dans Dallas à présent... »

Ils passèrent devant le gratte-ciel Ryder mais Heston ne fit pas de geste ; il attendait que Stéphanie le montrât à Yong.

« C'est l'immeuble de papa », dit Stéphanie.

Courtois, Yong passa la tête par la portière et dit en anglais : « Il est magnifique. La grandeur de la technologie. »

La voiture s'engagea dans Armstrong Parkway, passa en ronronnant devant les maisons somptueuses qui commençaient à se construire, arriva devant le portail de Ryder House, remonta la longue allée qui conduisait à travers un terrain boisé jusqu'au château, mélange de celui de Schönbrunn et du Trianon de Versailles.

Ils traversèrent le vestibule et le grand salon de réception et prirent un ascenseur qui les conduisit aux appartements d'Isabelle, au deuxième étage.

Des tableaux de maîtres, anciens et modernes, sur les murs. Des tapis au sol. Un luxe éclatant. Une maison construite avec un tel soin pour le plus petit détail, avec des matériaux si parfaits, que pas une pierre ne bougerait, pas une latte de bois n'éclaterait ou ne craquerait avant très, très longtemps.

La chambre d'Isabelle. L'alcôve, le lit à baldaquin dressé sur une estrade, drapé d'une profusion de brocart, les colonnettes cannelées inspirées d'une couche royale. Le plafond peint. Stéphanie ne put s'empêcher de penser, Papa a vraiment dépassé les limites... c'est trop… Ce pillage des siècles. Les dépouilles des musées et des palais. Cette débauche de trésors…

Au milieu de l'immense lit recouvert d'un brocart de fils d'or et d'argent, Isabelle reposait, amaigrie, comme ratatinée, les cheveux soigneusement mis en plis, le visage maquillé.

« Maman. » Stéphanie s'avança. « Maman, tu ne nous avais pas dit que tu étais malade…

— Ce n'était pas grave, ma chère. Je serai bientôt debout. Voici donc ton mari. » Elle sourit à Yong et son sourire redonna à son visage un peu de jeunesse, de douceur et de vie.

Yong s'inclina et dit : « Mère, mes parents m'ont demandé de vous transmettre leurs plus sincères salutations. »

Stéphanie et lui avaient apporté des cadeaux pour Isabelle et Heston. Un coffre ancien, sculpté et marqueté, un paravent en soie *Kesu* dont le tissage racontait une histoire d'amour et de chagrin, celle d'un pauvre escholier et de son amour trahi. Pour Heston, deux superbes phénix en jade blanc. Respectueusement, Yong défit lui-même les paquets et les offrit avec la plus exquise courtoisie.

Isabelle se laissa retomber sur ses oreillers et lui sourit. « Je suis très heureuse que vous soyez venu, Yong. Il faudra que nous ayons une longue conversation… dès que j'irai mieux… »

Ils allèrent ensuite dans leurs propres appartements, aux parquets recouverts de tapis magnifiques et aux murs tendus de soie damassée.

« Yong, dit Stéphanie. J'aurais aimé que tu voies notre vieille maison… Il y avait des magnolias dans le jardin et des chênes blancs. Ici, c'est… trop. » Leurs fenêtres donnaient sur un parc à la française avec bassins et statues.

« Ton père est l'empereur d'une jeune et vigoureuse dynastie, dit Yong. Tous les fondateurs d'empires ont ainsi pillé le monde pour s'approprier ses trésors. C'est une loi de la nature. »

Puis : « Ton père t'aime beaucoup. Je dois me faire accepter de lui. Pour toi et pour notre enfant. »

L'enfant, pensait Stéphanie, allongée sans dormir à côté de Yong.

Dehors, la nuit engendrait un million de chuchotements, le murmure de milliers d'insectes. Par les fenêtres ouvertes, à travers la moustiquaire, l'air nocturne entra et dissipa l'odeur fade de tombeau qui pesait sur l'immense pièce. Yong, qui avait le sommeil léger, se tourna sur le ventre puis, sans se réveiller, se remit sur le dos.

Son jeune et merveilleux mari, si prévenant ! Dont elle portait l'enfant avec tant de bonheur. Qui dans l'acte d'amour savait si bien la combler. « Qui t'a appris à faire l'amour, Yong ? » lui avait-elle demandé pour le taquiner.

« Toi… et un vieil homme du nom de Lao Dze, avait-il répondu, qui vivait il y a deux mille cinq cents ans. » Il lui avait alors expliqué le taoïsme, cette philosophie impérissable, contre laquelle Confucius s'était acharné avec tant de rage. Car le Tao présentait la femme comme la matrice de la création. Le Tao enseignait que l'homme doit apprendre de la femme et laisser son inconscient le gouverner. Le Tao enseignait l'œil intérieur de l'amour. « Tu m'as créé, Stéphanie, avait dit Yong. C'est toi qui m'as révélé toute la magie de l'univers. Sans toi, je me dessécherais. »

Et Stéphanie s'était sentie en sécurité, comme si l'amour était une protection dans un univers de haine.

Elle en avait la certitude quand elle voyait d'autres femmes autour d'elle. Des femmes à qui l'on avait inculqué le sentiment de leur infériorité, qui s'étaient moulées dedans et le portaient comme un cilice. Isabelle dans cette vaste demeure qui n'était qu'un monument à la gloire de Heston et de sa puissance, Isabelle qui dépérissait lentement, sans bruit, les doigts chargés de bagues en diamant, les yeux cernés... C'était affreux de lui voir ce sourire résigné.

Avant de se coucher, Stéphanie était allée souhaiter la bonne nuit à Isabelle. Elles avaient parlé de l'enfant à naître.

« Es-tu contente, Stéphanie ?

— Oui, maman, oh oui...

— Et ton mari ?

— Yong... il a presque pleuré d'émotion. Pour les hommes chinois, verser des larmes n'est pas efféminé », s'était-elle hâtée d'expliquer. Cette maison, la présence de son père, comme un poids, l'obligeaient sans cesse à justifier Yong.

Car Yong, dans cette maison, n'était pas... était un peu perdu.

« Je suis heureuse que Dieu t'ait donné cet enfant, Stéphanie. Je crois qu'Il veut ainsi que l'enfant et toi accomplissiez Son œuvre en Chine.

— Oh maman, tu sais bien que je n'ai pas l'esprit très religieux... »

Isabelle avait levé la main. « Mon enfant, la volonté de Dieu est de nous imposer un calvaire... et ton destin sera un calvaire... avec un enfant de sang mêlé. » Elle l'avait dit.

Sang mêlé.

Stéphanie avait entendu cette réflexion auparavant. A Nanking. Pendant une réception. Une Américaine qui parlait à son mari : « Mais nous ne pouvons pas l'inviter à notre soirée, chéri. C'est un *Eurasien.* »

Un Eurasien...

A Shanghai les Anglais les appelaient des métis.

Les Chinois disaient sang-mêlé, comme les Français.

Elle en avait vu à Shanghai. Ils étaient nombreux dans cette ville.

Des jeunes filles. Dans les dancings, les bars. Très belles, superbes. Mais...

Elle se rappelait cette fin d'après-midi à Shanghai, dans la Maison où pièces et jardin se mêlaient si harmonieusement ; Yong avait traversé la première et la deuxième cour, puis, par la galerie qui s'incurvait comme si elle suivait un méridien invisible, était venu jusqu'à l'endroit où Mère et elle l'attendaient.

Assises ainsi, elles ressemblaient à ces figurines enchâssées dans la laque, sur les coffres et les paravents ; femmes se promenant parmi les feuillages et les fleurs de l'été naissant. Car Stéphanie n'aurait pas commis l'erreur, à présent, de se précipiter au-devant de Yong ou de s'avancer pour un baiser. Pas devant Mère. Ni personne. Il s'était incliné et avait dit cérémonieusement « Mère », puis il avait souri à Stéphanie mais c'était tout son amour qu'il avait mis dans ce sourire « Stéphanie. »

Elle avait alors entendu chanter les fleurs éclatantes de l'amour dans sa voix mais elle s'était contentée de répondre d'un ton posé : « Tu es de retour. » La servante avait apporté une tasse de thé.

Puis Mère s'était levée en disant : « Je dois aller voir la nouvelle robe de Sixième Tante... »

Nouvelle... Elles avaient toutes cette même absence de couleur Veuve avait deux cent cinquante robes grises.

Yong s'était assis près de Stéphanie et avait dit : « Puis-je te dire combien tu es belle ? »

Elle avait mis sa main dans la sienne. « Yong. Je vais avoir un enfant de toi. »

Pendant au moins dix secondes il l'avait fixée sans parler. Puis elle avait vu sur son visage... elle l'avait vu... la joie, le bonheur, l'exaltation, mais aussi... autre chose. La peur.

Il l'avait entourée de ses bras en murmurant : « Oh mon amour, mon amour... » Et elle avait senti des larmes sur sa joue.

A présent, dans cette nuit du Texas, elle se rappelait cette autre chose... cette ombre impalpable, frémissement d'un fantôme dérangé par le vent, spectre muet, privé de voix. Ce silence, qu'elle avait entendu ce jour-là, paralysait son cœur Non pas que Yong lui cachât quelque chose. Non, il s'efforçait de se *recomposer*, afin qu'elle fût rassurée, sereine : et c'était une forme de mensonge...

A l'hôpital de Shanghai, il y avait le docteur Wu, dont la femme était américaine... le docteur Hsieh, dont la femme était belge... leurs enfants étaient des Eurasiens... de beaux enfants, intelligents, des couples heureux. Leurs enfants allaient à l'école. Ils étaient bilingues. Avaient des amis. Des amis chinois. Ils avaient aussi des amis américains et français, et d'autres.

C'était ridicule de s'inquiéter.

Même si quelques personnes stupides disaient du mal des sang-mêlé, des Eurasiens, qu'importait ?

Ils décidèrent d'aller passer le week-end au ranch. « Je ne monterai pas à cause du bébé mais je te montrerai nos chevaux », dit Stéphanie à son mari. Après trois jours passés à la maison, elle trouvait la tension de plus en plus insoutenable. C'était comme des cordes vibrantes tendues entre deux barres, un frémissement continu en elle, le battement de cœur d'un serpent. Elle avait du mal à s'endormir. Elle se réveillait en sursaut, à l'aube.

Faire la conversation, essayer de dissiper les malentendus, ne faisait qu'aggraver les choses.

« Papa, à Yenan, on avait donné à Yong un poney mongol parce qu'il devait parcourir des kilomètres pour se rendre à l'hôpital... toute une vallée à traverser chaque fois.

— Dans ce cas, il va pouvoir monter, au ranch », dit Heston.

Stéphanie savait que Yong ne pourrait pas monter un vrai cheval. Il y avait une différence énorme entre ce poney mongol et les pur-sang de son père. Mais Yong disait : « J'aimerais essayer.

— Alors, on fera une sortie entre hommes », avait décidé Heston. Catégorique. Et Stéphanie avait senti monter en elle la tension, la peur. Yong — et les amis de son père. Tous semblables à lui, grands, musclés, costauds. Ils avaient un code pour communiquer, un langage à eux. Et leur tenue : les bottes faites à la main, les chemises d'un style volontairement rustique... Yong aurait l'air si... étranger parmi tous ces grands gaillards débordant de vitalité, avec leurs cuisses imprégnées de la connaissance des chevaux, avec leur regard brillant et leur accent traînant...

Yong faisait de son mieux pour parler avec Heston. Pour avoir une conversation normale. Il posait des questions sur l'Amérique, sur le Texas. Heston répondait et chacune de ses réponses semblait destinée à égratigner la peau de Yong.

« Alors là, si vous vous intéressez aux affaires, vous devriez parler à votre ami Eddy Keng. Il travaille dans notre équipe pétrolière... un gars futé. Il va rester ici. Ouais, vous devriez peut-être avoir une conversation avec lui.

— Certainement », disait Yong avec modestie. Et il se gardait d'ajouter qu'en fils obéissant, Edward Keng restait en Amérique parce que son père le lui avait ordonné ; son père, Keng Dawei, qui était prêt à coopérer avec les communistes.

C'était pénible. Quand il parlait à Heston, Yong retombait dans son anglais chinois guindé. Il prononçait des banalités atroces. Stéphanie en frémissait d'irritation — contre Yong, et contre son père qui obligeait son mari à s'abaisser.

« Les affaires sont très importantes en Amérique », disait Yong de façon simpliste et Stéphanie sentait sa peau se hérisser.

« Vous l'avez dit. » Heston, mince, musclé, viril, regardait Yong avec un mépris à peine dissimulé. « Vous connaissez quelque chose aux affaires, Yong ? C'est nécessaire, vous savez, d'où croyez-vous que vient tout cet argent que nous donnons à votre pays ?

— Nous vous en sommes reconnaissants.

— Vous avez choisi la famille qu'il fallait pour faire votre apprentissage », disait Heston sur un ton suggérant que Yong savait que Stéphanie était la fille d'un homme riche.

« Le père de Yong est banquier, lançait Stéphanie, furieuse.

— C'est ce que tu m'as dit. Qu'a-t-il l'intention de faire de sa banque maintenant ? La donner aux Rouges ou partir pour Hongkong ?

— Mon Père n'a pas l'intention de partir, répondait Yong.

— Il va mettre les pouces et laisser massacrer nos gars, hein ?

— Papa ! » s'exclama Stéphanie ; elle s'arrêta. *Je dois laisser Yong faire face.* « Je monte voir maman, les hommes ; je vous laisse à vos discussions politiques », dit-elle tout en pensant Mon Dieu, comme je deviens maladroite. Elle avait envie de vomir.

Quand elle redescendit, Yong se promenait seul dans le jardin et inspectait paisiblement les roses. Il ressemblait tant à son propre père, avec ce visage qui ne laissait transparaître aucune émotion, que Stéphanie sentit ses entrailles se tordre. Les Chinois, en parlant de l'émotion, disent que leurs intestins sont déchirés et c'est vrai, c'est le ventre, et non le cœur, qui est le siège de ce bouillonnement. C'est de là que jaillissent l'amour et le meurtre et toutes choses divines et bestiales. Elle posa une main sur son épaule et il tourna vers elle un visage joyeux. « J'ai pris beaucoup de plaisir à parler avec ton père ! », dit-il, remportant ainsi une victoire qui était peut-être bâtie sur un mensonge mais n'en restait pas moins une victoire.

Ce soir-là, le docteur Webster et un certain docteur Padrewski vinrent dîner avec leurs femmes. John Webster était le médecin de Stéphanie depuis toujours et elle se sentait à l'aise avec lui. Padrewski était chirurgien dans le nouvel hôpital de la ville. La Ryder Corporation avait créé une fondation médicale et on était en train de construire une aile nouvelle, le pavillon Ryder, qui contiendrait une centaine de lits pour la chirurgie. Padrewski avait été nommé responsable de ce service et voulait faire bonne impression sur Heston.

Stéphanie avait rarement vu son père aussi virulent, bien que son ton restât poli. Il avait choisi de parler de ce que l'Amérique avait fait pour le monde, du sang versé dans les combats pour la liberté, de la magnanimité des Etats-Unis à l'égard du Japon. Ce fut un grand péan, sincère et émouvant. Mais il continua avec une attaque violente du bolchevisme, de ses compagnons de route, des Rouges en Amérique et Stéphanie fut frappée par la veine de paranoïa qui courait à travers tout son discours.

« Ils sont en train de miner les fondations mêmes de notre société.

Le communisme s'introduit jusque dans nos foyers, il se faufile dans toutes nos institutions, même les plus sacrées. Il a pénétré jusque dans nos églises. Quelques-uns de ces missionnaires... »

Webster intervint d'un ton conciliant. « Voyons, Heston, nous sommes le géant du monde économique... je ne crois pas que nous ayons des raisons de nous inquiéter...

— Et moi je pense que nous le devons, John. Ici, à l'hôpital, on ne devrait pas employer quelqu'un s'il n'est pas loyal... il faudrait instaurer un serment de loyauté comme à Washington pour les fonctionnaires fédéraux. On vérifierait chacun avant de lui donner un boulot... ça diminuerait un peu toute cette pourriture... »

Stéphanie sentit le goût amer qu'elle connaissait bien envahir sa bouche. La nausée.

Bien qu'il s'adressât à tous les convives, chacune des paroles de son père était un coup d'estoc porté à Yong — un coup et un défi. Défi qu'elle suppliait silencieusement Yong de relever.

Mais il continuait de manger, paisible. Il avait des problèmes avec son steak. C'était un morceau trop gros, il avait presque un haut-le-cœur devant cette énorme masse rouge dans son assiette. Cette viande presque crue l'horrifiait. Il la mâchait par petites bouchées et s'appliquait à couper des morceaux minuscules.

Pendant un arrêt de la conversation, il se tourna vers le docteur Padrewski : « Je m'intéresse de plus en plus à la chirurgie des vaisseaux et des nerfs — pour la réimplantation des membres sectionnés. »

Padrewski s'empressa de saisir cette diversion, Yong fit alors en termes techniques une description du genre d'opérations qu'il avait accomplies au front, en Chine, dans des conditions rudimentaires, avec très peu ou pas d'anesthésiques, description qui suscita l'intérêt des médecins et, pendant quelques moments, Yong et eux dirigèrent la conversation.

Après le dîner, tout le monde monta saluer Isabelle, qui avait préféré rester couchée et ne pas assister au repas.

Jimmy, qui était à l'Académie militaire de San Antonio, vint au ranch en permission. Grand et mince comme son père, il offrait un visage avec encore quelque chose de flou, d'informé. Il avait une épaisse chevelure, et une mèche dorée retombait sur ses yeux gris, au regard trop souvent troublé, pensa Stéphanie.

« Salut Yong », dit-il d'une voix un peu incertaine. Dans la grande véranda au sol carrelé, au mobilier de rotin blanc, où s'affairaient les domestiques noirs en train de mettre la table, ils avaient l'impression d'être dans un îlot de calme et de paix.

Quand Heston descendit de la Packard et s'approcha de son pas énergique il les vit : Jimmy, Yong et Stéphanie, qui flânaient sous les arbres près de l'enclos à chevaux. Il entendit leurs voix claires et il sentit quelque chose se serrer en lui. Stéphanie l'aperçut et il nota le mouvement de ses lèvres qui disaient « Voici papa » ; puis elle cria gaiement « Papa ! » et se dirigea vers lui, la démarche encore gracieuse et légère, tout son corps comme irradié d'une chaude luminosité due à sa future maternité. Elle l'embrassa et il dit : « Salut trésor », d'une voix machinale.

Jimmy, avec ce sourire nerveux qui l'irritait tant, dit : « Salut papa. »

Yong souhaita le bonjour. Heston fit semblant de ne pas l'entendre.

« Alors Jimmy ... combien de temps vas-tu rester avec nous ?

— Une semaine environ, papa. Je suis en permission...

— Magnifique. Parfait. Comment ça se passe là-bas ?

— Très bien, papa. » Heston fronça les sourcils. Les résultats de Jimmy en mathématiques n'étaient pas fameux. Et il n'avait pas réussi à entrer dans l'équipe de football ni dans celle de base-ball...

« Tu as vu ta mère ? » Isabelle était restée à Dallas.

— Je pensais y aller demain », dit Jimmy. Il s'était donc arrangé pour venir au ranch d'abord, nota Heston. Pour voir Yong et Stéphanie.

A nouveau la brûlure en zigzag d'un éclair de fureur. Il la sentait même dans son cerveau. Il avait l'impression que tous les trois le repoussaient, l'écartaient. Il regarda le ciel et respira lentement. « Je vais voir des chevaux demain chez les Gants... On partira le matin, à cheval. Vous voulez venir vous autres ? Rien qu'entre hommes. »

Stéphanie dit : « Je suivrai en voiture. » Un pressentiment provoqua en elle une nausée qui lui monta à la gorge.

« Voici la maison familiale de Yong à Shanghai. »

Ils étaient assis dans la salle de séjour, après le dîner. Stéphanie avait apporté un grand nombre de photos, dont quelques-unes prises à Yenan. Yong était sur un petit poney mongol, l'air d'un inoffensif voleur de grands chemins, son bonnet de fourrure de travers sur sa tête, planté au milieu de la plaine déserte. « Ouh, dit Jimmy en souriant, ils sont plus petits que nos Navajos.

— Regarde, papa, dit Stéphanie, là, c'est notre rocaille avec les poissons rouges. » Elle se leva et plaça l'album sur les genoux de son père afin qu'il pût mieux voir.

Heston jeta un coup d'œil et bâilla. « Je crois que je vais aller me coucher... j'ai eu une rude journée. »

Jimmy éclata d'un rire joyeux. « Oh Yong, qu'est-ce que c'est que tu portes là ? Une poule ?

— Bonne nuit, papa », dit Stéphanie d'un ton léger. Trop léger.

Elle avait à nouveau cette impression d'un ressort tendu en elle qui lui faisait cambrer le dos et crispait son sourire trop large...

Heston entendit encore une fois la voix de Yong, le rire de Jimmy et celui, frais et gai, de Stéphanie. Longtemps après, il les entendit qui montaient se coucher.

De violentes nausées secouèrent Stéphanie le lendemain matin. Heston téléphona au docteur Webster.

« C'est tout à fait normal, dit Webster.

— Je veux que tu viennes, tu entends ? » dit Heston. Puis, à sa fille : « Je vais appeler l'hôpital. Pour qu'ils envoient un spécialiste par avion.

— Non, papa, je t'en prie. Je vais rester au lit. Ça ira très bien. » Elle sourit. Comment pouvait-elle lui expliquer que c'était la tension, ce déchirement, cet écartèlement entre Yong et lui, qui la faisait vomir ?

Heston emmena Yong et Jimmy. « Vous avez dit que vous savez monter, alors on va vous donner un cheval », dit-il à Yong. Jimmy dut prêter à Yong une paire de bottes qu'il portait quand il avait quatorze ans.

« Accroche-toi, cette pouliche est vicieuse », chuchota-t-il à Yong. Ils s'éloignèrent tous les trois au trot.

Dès qu'ils furent partis, Stéphanie se sentit mieux. Elle téléphona à Webster. « Docteur Webster, ici Stéphanie. Je vais bien à présent. J'ai honte de vous déranger ainsi...

— Tu sais, Stéphanie, les nausées matinales sont un phénomène naturel mais je suppose que si tu te sens un tout petit peu tendue ça n'arrange rien. »

Ainsi Webster avait remarqué. « Je suis sûre que ça va passer. Yong et moi quitterons le ranch dans quelques jours... nous irons à New York. » Elle continua à bavarder. Webster dit qu'il viendrait vers la fin de l'après-midi et Stéphanie comprit que lui aussi était tendu, à cause de Heston Ryder.

« J'ignorais qu'il ne savait pas vraiment monter à cheval », dit Heston. Puis il ajouta : « Une vraie femmelette hein ? Il peut même pas venir à bout d'un bon bifteck. »

Yong était tombé de cheval et s'était fracturé la clavicule. Au cours des deux jours qui suivirent, Stéphanie vomit beaucoup. Et pas seulement le matin. Webster et le spécialiste lui donnèrent pilule sur pilule.

« Yong, partons. »

Yong regarda Stéphanie, allongée sur le lit ; le crissement des cigales s'élevait et retombait inlassablement.

« Stéphanie... c'est ma faute... »

Ainsi il savait.

Cette affabilité inaltérable qu'il montrait... Si seulement il avait crié, ou cassé quelque chose. S'il avait affronté Heston et lui avait dit : « La selle n'était pas correctement attachée et vous le saviez... »

Jimmy le lui avait avoué : « Ça me fait mal de te dire ça, sœurette, mais je crois qu'au retour, la sangle était trop lâche — quelqu'un a dû vouloir jouer un tour à Yong... » Ce n'était pas son père. Probablement un des autres hommes. Papa ne faisait pas des choses moches comme ça... mais il devait être au courant...

Le troisième jour, elle avala le double des pilules qu'on lui avait prescrites et annonça qu'ils partiraient pour New York le surlendemain.

« On attend Yong à l'hôpital du Mont Sinaï », expliqua-t-elle. En espérant que Yong ne la démentirait pas. Yong se tut. Il n'eut aucune réaction.

« Pourquoi cette hâte, trésor ? Ça ne te plaît plus ici ? » fit Heston, sa voix traînante à la façon sudiste, sa courtoisie inquiétante. Et à Yong. « Je ne pense pas qu'ils soient si chauds que ça de vous voir là-bas... si j'en crois ce qu'on m'a dit... ils peuvent bien se passer de vous encore quelques jours...

— Mais peut-être puis-je apprendre quelque chose à New York que je ne peux pas apprendre ici, dit Yong.

— De quoi diable parle-t-il ? demanda Heston à sa fille.

— Yong en connaît plus en chirurgie que la plupart des gens ici », répliqua Stéphanie d'une voix rageuse, furieuse que Yong ne se défendît pas.

« Ah ben, vous m'en direz tant », dit Heston en exagérant son personnage de cow-boy, accent traînant, air ahuri oh-moi-je-ne-lis-pas-beaucoup.

Ils retournèrent à la grande maison de Dallas. Isabelle avait quitté le lit. Elle semblait aller mieux. Elle retrouve ses forces quand papa n'est pas là, pensait Stéphanie, tandis qu'ils étaient tous assis dans l'immense salon, fait pour recevoir au moins deux cents personnes, et qu'Isabelle interrogeait courtoisement Yong sur la Chine.

Heston sortit. Ce qui provoqua à la fois un soulagement et une gêne. Jimmy devenait presque loquace quand son père n'était pas là. Isabelle monta se coucher mais Jimmy et Yong restèrent ensemble à parler. Yong expliqua des tas de choses à Jimmy, ces choses que Stéphanie aurait tant voulu qu'il racontât à son père.

Ce fut Jimmy qui les conduisit en voiture à l'aéroport. Il embrassa Stéphanie et serra énergiquement la main de Yong. « J'aimerais vachement aller vous voir un jour. Bonne chance et... écrivez-moi. »

Ils agitèrent la main jusqu'à ce que l'avion commençât à rouler et qu'ils ne puissent plus voir sa tête blonde.

Quand ils arrivèrent à New York, pour la première fois depuis dix jours, Stéphanie n'eut plus cette impression d'un corset qui l'étranglait. Ses nausées et ses vomissements diminuèrent aussitôt.

Mais une faille s'était ouverte entre elle et Yong. Pas plus large qu'une fêlure dans un vase de porcelaine, mais elle existait.

Stéphanie aurait voulu que Yong répliquât vertement à son père, qu'il lui tînt tête... et Yong n'en avait rien fait.

Sans cesse il avait souri, esquivé, paré. Digne et courtois, il s'était incliné. Heston l'avait insulté. Yong avait pris un air distrait. Il avait dit à Stéphanie : « C'est entièrement ma faute », tandis qu'on bandait son épaule.

Il n'avait pas tenu tête à son père et elle savait que Heston le méprisait pour ça. Heston l'avait pratiquement dit à Stéphanie : « Eh bien, trésor, amuse-toi bien à New York. Il paraît que c'est plein de pédés ces temps-ci.

— Que veux-tu dire, papa ?

— Plein d'étrangers aussi... alors sois prudente. »

Ils descendirent dans l'appartement d'Isabelle. Stéphanie raconta à Yong qu'elle y avait séjourné trois ans plus tôt et que John Moore habitait tout près. Mais John était en Asie du Sud-Est, il faisait une grande enquête sur la vague communiste en Indochine française et en Malaisie. « C'est dommage. Il est très intéressant. Tu l'aurais beaucoup aimé », dit-elle.

Yong se domina avant que son expression pût changer et ferma son esprit comme il l'avait fait depuis son arrivée en Amérique, refusant la jalousie, la colère, refusant la moindre imperfection dans son amour pour Stéphanie.

La clavicule cassée de Yong ne l'empêcha pas de suivre les cours de chirurgie que lui avait organisés le docteur Dean à l'hôpital du Mont Sinaï. Il assista à des opérations et participa à des séminaires et des conférences. Il rapportait des livres qu'il étudiait et annotait jusque très tard dans la nuit.

C'est à New York que Stéphanie commença à comprendre l'état d'esprit de l'Amérique. Ou plutôt à le sentir, comme une odeur. Car c'était quelque chose de trop flou, de trop ambigu pour qu'on pût s'y raccrocher. Il y avait toujours cette impression rassurante, réconfortante que chaque opinion était contrebalancée par une vue opposée, que tout tournait rond.

Mais elle sentait une sorte d'odeur aigre, un malaise intangible et inexplicable, comme des relents lointains de vomi dans une salle de bains...

Amérique, Amérique... que t'arrive-t-il ? Elle était à présent consciente de l'existence de quelque chose qu'elle ne voulait pas et ne pouvait pas admettre.

Une oppression... une appréhension inexplicable... quelque chose d'inquiétant dans l'air. Elle essayait de le repousser mais le malaise ne se laissait pas dissiper.

Elle téléphona au magazine *Maintenant.* La secrétaire parut d'abord ravie. « J'ai lu votre livre, dit-elle d'une voix extasiée. *Et* vos articles. Je vous passe Monsieur Mandel tout de suite. » Trois minutes plus tard, elle reprenait l'appareil. « Il est en réunion en ce moment... il vous rappellera dès qu'il sera libre. »

Halway Mandel la rappela, gai, trop gai. La chose était tapie dans sa voix. « Stéphanie, quelle joie de vous savoir de retour... »

Ils déjeunèrent ensemble. Dans un petit restaurant italien non loin de la Deuxième Avenue.

« Que se passe-t-il ici ?

— Stéphanie... voilà, c'est une sorte de peur. » Il avait prononcé le mot. « En ce moment, la peur se répand — non seulement à Washington, chez tous ceux qui ont dû prononcer le serment de loyauté... la peur est à Hollywood ; des acteurs, des scénaristes, des metteurs en scène sont soumis à des enquêtes... Et je vous le dis, nous aussi nous nous battons... pour une presse libre. »

La Peur. Voilà le nom de la chose. Qu'on ne pouvait éviter.

Comme l'odeur des excréments à Chungking. Partout. Dans les maisons d'édition. Parmi les écrivains. Les hommes de science. Les professeurs...

Les journalistes, dont quelques-uns étaient maintenant sans emploi à cause de ce qu'ils avaient écrit sur la Chine.

1948 fut une année d'élection présidentielle. Le slogan des Républicains était : « Les Démocrates ont un faible pour le communisme. » La majeure partie de la presse américaine avait commencé à virer, comme un navire sur l'océan, à une vitesse modérée et régulière, si bien qu'il ne semble pas avoir changé de direction.

Le 3 août, Stéphanie, qui descendait la Deuxième Avenue, acheta le magazine *Look* et le *New York Times* au kiosque qui se trouvait à l'angle de la Cinquante-Deuxième Rue. Un titre lui sauta au visage : « Les Rouges pourraient-ils s'emparer de Detroit ? »

La peur.

La Commission des activités anti-américaines commença une enquête sur « les espions à l'intérieur du gouvernement » qui fit grand bruit dans la presse. A partir d'août, être cité à comparaître devant la Commission signifiait la perte de votre emploi.

« Qu'arrive-t-il... oh, qu'arrive-t-il à l'Amérique ? »

Elle revit Dick Steiner, devenu avocat et associé dans le cabinet

Steiner, Finkelbaum et Mann ; Dick essaya d'expliquer la situation à Stéphanie.

« Les choses ont beaucoup changé... quand j'essaie de dire que j'ai été sauvé par des *communistes*... d'ailleurs je ne le dis plus. Grand Dieu, même Charlie Chaplin a des problèmes. » Il lui tendit sa carte de visite professionnelle. « Faites-moi signe de temps en temps. » Il sourit. « Si vous avez besoin de moi, je serai là. » Elle savait qu'il était sincère.

Vance Marston, son éditeur, était absent. Stéphanie rencontra son assistante, une brune rondelette qui la fit penser à des prunes mûres. Elle se montra charmante et pleine de chaleur, prit le manuscrit de Stéphanie d'un air ravi et l'écouta avec des yeux brillant d'intérêt.

Stéphanie se sentit comprise, encouragée. « Nous vous trouvons formidable... Dès que Vance sera de retour, nous nous occuperons de votre manuscrit... »

Une semaine plus tard, le manuscrit fut renvoyé par la poste à Stéphanie, accompagné d'une lettre amicale de Vance. Il avait eu un travail fou... vraiment un rythme épuisant... il avait aussi deux enfants qui allaient à l'école (ce que ça avait à voir avec son manuscrit elle ne le découvrit jamais). « Nous avons lu votre manuscrit avec beaucoup de plaisir ; il donne une image très riche de la Chine... mais après en avoir longuement discuté, nous estimons que votre livre ne clarifie pas vraiment la vision des problèmes complexes qui se posent en Chine. Il est aussi — pardonnez ma franchise brutale — trop politique... » Néanmoins, si Stéphanie souhaitait retravailler le manuscrit, Marston serait tout disposé à l'examiner à nouveau... « P.S. Téléphonez-moi... Je serai ravi de vous inviter à dîner ainsi que votre mari... » Cette dernière ligne écrite de la main de Vance.

Stéphanie ne lui téléphona pas. Elle se sentait vidée, lasse.

A Radcliffe, le très sérieux professeur Woodward comparaissait devant la Commission des activités anti-américaines. Il était allé en U.R.S.S. et avait écrit un petit livre : *Introduction à la poésie russe contemporaine.*

Stéphanie appela son amie Camilla Waring. La blonde, la brillante, la courageuse Camilla, dont la famille appartenait à la bonne société de Pennsylvanie, organisait des manifestations de soutien au professeur Woodward. « Inscris mon nom », dit Stéphanie. Elle décida d'aller à Radcliffe pour participer à un meeting. Dieu merci, pensa-t-elle, on a *encore* le droit de protester en Amérique...

A la fin du meeting, Camilla emmena Stéphanie chez elle pour lui présenter son mari, Gene ; c'était un homme paisible et plein d'humour, un ingénieur qui travaillait à un programme fédéral pour la production d'énergie hydroélectrique. Après le dîner, Camilla coucha ses deux enfants, mit quelques disques de musique classique et ils s'installèrent tous les trois pour bavarder. De la Chine. De l'Amérique. De l'hystérie qui était en train de naître dans le pays. D'une cinquième colonne communiste.

Stéphanie avait apporté ses albums de photos. Elle leur parla de la famille de Yong, des capitalistes qui étaient prêts à accepter le nouveau régime par amour pour leur pays...

Gene secoua la tête d'un air perplexe. « C'est une mentalité très différente de la nôtre. »

Stéphanie retourna à New York soulagée et plus heureuse qu'elle ne l'avait été depuis longtemps. Dieu merci, il y avait des Américains qui ne cédaient pas...

A New York, on ne les dévisageait pas, Yong et elle, quand ils marchaient dans la rue, comme cela avait été le cas à Dallas, la seule fois où elle l'avait emmené au magasin Neiman-Marcus. New York offrait l'indifférence tranquille de la grande ville qui s'en moque. Yong se faisait des amis à Mont Sinaï ; de jeunes médecins et leurs femmes vinrent boire un verre et restèrent à dîner. Ils refusaient de prendre au sérieux cette panique, cette thèse de conspiration... « Ça passera », disaient-ils.

La clavicule de Yong guérit. Mais la faille entre Stéphanie et lui était toujours là. Stéphanie, imprégnée de la tradition américaine de franchise, combattait avec énergie les rumeurs sur l'existence de réseaux d'espions et de complots. Elle en était à son sixième mois de grossesse, ce qui lui donnait une invulnérabilité presque agressive, et elle se sentait capable d'affronter n'importe quoi. Mais elle aurait voulu que Yong se batte aussi. Qu'il parle en faveur de Yenan et de la victoire communiste en Chine, qu'il les défende...

Mais Yong s'y refusait. A chaque fois, il évitait l'affrontement. « Je pense que quelques-uns de vos journalistes vous ont dit la vérité », répondait-il. Quand on lui demandait comment tout cela se terminerait, il souriait comme pour s'excuser et disait : « Je ne suis pas un politicien. »

Ces dérobades irritaient Stéphanie. Elle se rappelait le ricanement méprisant de son père. Pourquoi Yong avait-il tellement... peur ? Parce qu'il avait peur. Elle le savait.

La nuit, il restait allongé auprès d'elle, respirant à peine. *Il essaie de ne pas m'irriter.* Car elle était devenue irritable, elle lui parlait d'un ton cassant, qu'elle se reprochait ensuite.

Une nuit, elle ne put plus supporter ce mur de silence entre eux. Elle tendit la main et il fut là ; il attendait cette main, ce bras tendu à travers l'espace du lit. Et il la serrait dans ses bras.

« Stéphanie, tu penses que je suis... un poltron.

— Ce n'est pas ça...

— Si. Tu attends de moi que je sois... plus américain. Moins... prudent.

— Tous nos amis disent ce qu'ils pensent.

— Je ne suis pas américain et je ne suis pas sûr que nos amis ne changeront pas... Oui, ce qui se passe me fait peur...

— Mais si nous nous taisons, ce sera pire.

— Vrai, dit-il d'une voix pensive. C'est vrai.

— Yong, avec papa... tu l'as laissé te marcher dessus...

— Je comprends très bien ton père... *pourquoi* il me déteste. » Il s'assit. « Je comprends et je crains que toi tu ne comprennes pas... mais cela n'a pas d'importance. » Il semblait indifférent. « Stéphanie, les choses vont beaucoup changer. Parfois je m'inquiète... que tu y sois mêlée.

— Mais je veux y être mêlée, dit Stéphanie. Je t'aime, Yong. Je vais avoir ton enfant. »

Il soupira à nouveau.

Puis il resta un long moment silencieux, à envisager l'avenir. A essayer de voir ce qui risquait de se passer, toutes les souffrances que l'avenir tenait en réserve. Il aurait voulu lui dire : Peut-être devrions-nous réfléchir... Peut-être vaudrait-il mieux que le bébé naisse ici... Mais il savait que quelque chose de têtu et de fier en Stéphanie prendrait cela aussi pour un manque de courage.

« Oh Yong, dit-elle. Serre-moi fort. » Il la prit dans ses bras, la caressa et lui murmura qu'il l'aimait.

Alors, parce qu'elle en voulait profondément à son père, par défi, par refus de reculer devant le danger, elle dit : « Notre enfant sera chinois et américain. Et fier d'être les deux. Je veux que notre enfant n'ait jamais honte de rien, jamais. Je pense qu'il vaudrait mieux qu'il naisse dans notre maison, protégé par tes ancêtres. Alors il sera toujours fier de lui. »

Un autre éditeur, Alfred Zimmerman, à qui Stéphanie avait envoyé son manuscrit, les invita à dîner au restaurant. A l'Algonquin. Stéphanie expliqua à Yong la place que tenait l'Algonquin dans la littérature américaine ; pendant le repas, plusieurs personnes vinrent saluer Zimmerman, qui leur présenta Yong et Stéphanie. « Pourquoi n'écrivez-vous pas aussi un livre, docteur Jen ? dit-il en plaisantant. La chirurgie dans les brousses de Chine. »

Lui aussi écarta la thèse d'un complot communiste. « Il existe quelques paranoïaques mais, croyez-moi, nous ne sommes pas tous fous. »

Il fit signer un contrat à Stéphanie et lui versa une avance de cinq mille dollars.

Ils allaient bientôt retourner en Chine.

Un couple chinois de San Francisco vint leur rendre visite, puis un autre, de Chicago. Le bouche à oreille, si efficace en Chine, fonctionnait aussi en Amérique.

Yong disait : « Ah oui, c'est un parent d'un de mes camarades de classe. » Ou bien : « C'est un cousin d'un ami de mon père. » Un jour, ils rencontrèrent une charmante dame aux cheveux argentés et sa fille. La dame était la tante du mari de la sœur de la mère de Yong... Ils arrivaient, devisaient gaiement de choses et d'autres et ne faisaient *jamais* allusion à la politique. Ils se montraient souriants et courtois avec Stéphanie, manifestement ravis de la voir enceinte. Ils apportaient des cadeaux et des lettres pour leur famille en Chine.

Arthur Chee et sa femme Millie vinrent aussi leur rendre visite. Tous deux étaient des Chinois d'outre-mer, des médecins, avec une très belle situation dans un hôpital de Los Angeles. Et tous les deux avaient décidé de retourner en Chine. Ils demandèrent à Yong de les aider. « Nous voulons servir notre pays... nous devons retourner... nous savons que cela ne sera pas facile... la vie sera dure... », dirent-ils. Ils regardèrent Stéphanie avec respect et admiration. « Vous avez rejoint notre peuple dans cette grande aventure, pour reconstruire notre pays. Nous vous reverrons en Chine. » Ils comptaient partir d'ici à la fin de l'année. Des étoiles dansaient dans leurs yeux. Leurs oreilles entendaient souffler le vent du Destin, leur cœur vibrait avec le tonnerre de la Création. En Chine.

A la fin septembre, Isabelle vint passer quelques jours avec eux à New York avant leur départ.

« J'aimerais pouvoir aller avec vous. J'ai toujours eu envie de voir la Chine. Un pays si mystérieux... » Elle devenait soudain très française, avec cette image mythique de la Chine, contrée à la fois fascinante et effrayante. Isabelle demanda : « Combien y a-t-il de Chinois ?... » Puis, avec un petit rire : « Quand j'étais enfant, on nous faisait peur avec le péril jaune... » Puis : « Bandez-vous encore les pieds des femmes ? »

Yong lui répondait avec un sourire gentil, rassurant. Il l'accompagna à la cathédrale Saint Patrick et se tint à ses côtés pendant la messe, s'agenouillant quand elle s'agenouillait, bien que ces mouvements incessants le déroutassent un peu. Isabelle s'épanouit dans l'atmosphère de prévenance dont il l'entourait. Elle retrouvait sa vivacité, comme un malade reprend des forces en absorbant un peu de nourriture, une orange, un gâteau. Et c'est sans cette lassitude qui enrobait d'habitude chacun de ses mots qu'elle dit à sa fille : « Tu as bien fait de ne pas m'accompagner en France il y a trois ans, Stéphanie Ç'a été horrible. »

Le comte de Quincy, son oncle, qui avait donné des réceptions dans son château pour les officiers allemands, vivait maintenant exilé en Espagne. Ses deux fils avaient été fusillés.

« Ç'a été une période affreuse, sale, mais ça va mieux maintenant, les communistes ont été jugulés. La Résistance était pleine de communistes, vous savez. Mais, se hâta-t-elle d'ajouter, les communistes chinois... sont différents... » Elle donna à Stéphanie un scapulaire de l'Immaculée Conception et à Yong une image pieuse. « Je sens que vous viendrez tous les deux à Dieu, dit-elle. Je le sens. Jimmy l'a fait mais il ne l'a pas dit à son père... »

Jimmy. Unis par leur amour pour lui, ils parlèrent. Il avait écrit, téléphoné. Il pleuvait à San Antonio et il y avait de la boue partout à l'Académie militaire. Il y avait un service religieux protestant tous les jours.

« Mon fils deviendra catholique », dit Isabelle.

« Je viendrai vous voir tous les deux en Chine », écrivait Jimmy. Et aussi « Yong, j'ai lu plein de bouquins sur les poissons rouges... »

Le jour où ils quittèrent les Etats-Unis, les journaux annoncèrent la chute de la Mandchourie aux mains des communistes. « L'effondrement de l'armée de Tchiang semble total. »

Sept armées, quatre cent mille hommes, disposant de toutes ces armes et ces munitions américaines, battues... Une fois encore, Tchiang Kaishek envoyait sa femme demander de l'aide à l'Amérique. Mais le gouvernement américain ne voulait plus donner. On rapatriait les G.I.'s. Les quartiers protégés américains de Nanking se vidaient. Seul le vent d'automne s'aventurait sur les pelouses ombragées, parmi les arbres importés de l'étranger.

La Famille était venue à l'aéroport pour leur souhaiter la bienvenue. Père et Mère, Deuxième Oncle et Veuve, plus l'essaim habituel d'enfants. Oncle Keng aussi était là ; il tapota la main de Stéphanie et dit : « Dites-moi, avez-vous vu mon fils Eddy à Dallas ? » Et, ô surprise, il y avait aussi Yee Meiling, très élégante dans un fourreau de velours marron foncé.

« Stéphanie, il y a si longtemps... » Meiling était accompagnée d'un grand jeune homme à lunettes. « Mon mari Sung Weichang, dit-elle. Il est journaliste. »

Mère, toujours belle et calme, jeta un coup d'œil aigu au corps de Stéphanie. *C'est vrai, je porte* peut-être *le fils aîné de son fils...* Et Stéphanie ne se vexa pas de ce regard.

Mère, Meiling et elle s'entassèrent dans la voiture mise à leur disposition par Oncle Keng pour gagner la Maison. La Maison où l'attendaient ses servantes Pivoine et Pétunia ; elles poussèrent de petits cris de joie. « Première jeune maîtresse est de retour ! » et leurs yeux rapides caressèrent la belle courbe de son ventre.

La tradition, la courtoisie, l'enveloppèrent comme dans un cocon de soie. Pourtant elle sentait toujours cette petite morsure dans son cœur, son père. Il avait été si sec au téléphone. « Vous partez... Eh bien bonne chance, trésor. Dis au revoir pour moi à ton mari. » Et il avait raccroché.

« Je le ferai revenir à moi », pensait-elle en promenant fièrement son ventre. Elle sourit à Yong.

13

Dans une grande éclaboussure de rames, le *kwadze,* étiré comme une graine de melon, vint s'échouer sur l'étroit bas-fond d'Ichang. Le patron du bateau paya les haleurs qui se dispersèrent rapidement pour fumer leur opium quotidien. Des mendiants se bousculaient et se battaient en criant pour porter les bagages des passagers qui débarquaient.

Petit Etang descendit à terre.

Pendant des mois et des mois, pendant trois Fêtes de Printemps et trois Lunes d'Automne, Petit Etang avait suivi le meurtrier de sa mère. Il avait appris son nom : Hsu Nuage Elevé. Appris qu'il était de Shanghai. Il l'avait vu quitter Chungking, comme tant d'autres quand les gens de l'embouchure du fleuve y étaient retournés, après que les Américains eurent jeté le Feu du Ciel sur le Japon.

Se nourrissant de détritus trouvés dans les poubelles, disputant des déchets aux rats, Petit Etang avait grandi, fortifié par une tenace rage de vivre.

Et puis, en cette année 1948, l'année du rat, son puissant destin avait trouvé une prise à laquelle s'accrocher. Le kwadze était là, sa voile serrée. Prêt à quitter Chungking et à descendre le fleuve ; ses passagers attendaient dans la cabine du milieu. Sur le pont se trouvaient les seize haleurs, les deux vigies et les trois matelots de pont, ainsi que le pilote et le patron. Mais l'un des matelots, un jeune garçon, était en train de mourir littéralement à la tâche. Le patron criait : « Je n'emmène pas de cadavres » ; les haleurs jetèrent le corps sur le rivage. Petit Etang s'avança.

« *Laopan,* Vieux Maître, prenez-moi, je suis fort, jamais malade.

— Tu mangerais trop, cria le patron après lui avoir jeté un regard.

— *Laopan,* un bol de riz par jour me suffit. » Petit Etang se frappa la poitrine et roula des yeux.

Il avait embarqué. Il apprit vite — car il était zélé et habile comme sa mère — à hacher les légumes, à faire la vaisselle, à nettoyer le pont, à laver les vêtements des passagers. Quand le kwadze s'enlisait, il pataugeait avec les haleurs, une corde en travers des épaules et tirait, tirait, si fort qu'il avait l'impression que son ventre allait éclater et que le chanvre mouillé en frottant mettait son épaule à vif.

Chaque mètre du Grand Fleuve était une légende : les rochers sinistres où habitait la mère de Yu Wang, le Roi des Eaux ; les villes entourées de remparts, au sommet des falaises, où s'étaient déroulées de sanglantes batailles dix-sept siècles auparavant ; le Gué céleste où l'on vendait aux passagers des passeports pour le ciel. Le Défilé de Fer où chaque passager attachait un tonneau vide autour de sa taille et se tenait prêt à sauter dans le courant, pour flotter jusqu'à l'arrivée des secours, tandis que le pilote guidait le kwadze au milieu des rochers meurtriers.

Wanhsien, la cité innombrable, où la rivière décrit une boucle entre deux pics gigantesques. C'est là qu'un homme vint parler à Petit Etang.

Et Petit Etang pensa, peut-être veut-il la même chose que le patron du bateau.

Car une nuit, celui-ci avait pris son plaisir sur le corps de Petit Etang, vite, pendant que les haleurs fumaient leur opium et que les passagers dormaient. Petit Etang avait serré les dents et subi sans broncher.

L'homme était gros, ventru, et avait un visage rond. Il s'arrêta pour observer Petit Etang, en train de laver un énorme tas d'épinards. Petit Etang restait vigilant. *Que me veut cet homme riche ?*

L'homme demanda : « Eh, *hsiao kwei,* petit diable, quel âge as-tu ? Quel est ton nom ? Où sont ton Pa et ta Ma ?

— Je suis orphelin. Mon nom est Liang... Mon père a été enrôlé de force dans l'armée... ma mère est morte... J'ai dix-huit ans...

— Quand tu arriveras à l'embouchure, que vas-tu faire ? As-tu de la famille ? Pourquoi tenais-tu tant à descendre le fleuve, petit diable ?

— J'avais envie de voir de nouveaux endroits. »

L'homme inclina la tête et s'éloigna.

Ils passèrent les rapides du Dragon qui, selon la légende, exigeait trois victimes par jour ; ils traversèrent les gorges de la Boîte à Vent et le Grand Fleuve cognait si fort contre ses parois rocheuses que le bruit faisait vibrer le bateau ; ils franchirent ensuite les gorges des Sorcières, aussi sombres que la nuit, même à midi, toutes résonnantes des cris poussés par les singes au pelage doré qui y habitaient ; ils traversèrent encore les gorges du Foie de Bœuf et des Poumons de Cheval, où de sinistres rochers noirs gardaient les défilés le long desquels devait glisser le kwadze, puis après celles de la Lampe qui Luit et du Chat jaune, arrivèrent enfin à Ichang.

Ichang. Où le Grand Fleuve s'élargissait et devenait un cours d'eau paisible et majestueux qui allait rejoindre la ville bâtie sur la mer : Shanghai.

A Ichang, l'homme revint trouver Petit Etang. « Vas-tu descendre encore le fleuve, petit diable ? Ce kwadze ne va pas plus loin. »

Cela faisait maintenant deux semaines que Petit Etang observait l'homme. Attentivement. Il avait remarqué son calme. Et qu'il ne buvait pas, ne jouait pas, qu'il était toujours aimable avec tout le monde.

« Je ne sais pas, Grand Premier-Né. Pour nous, les miséreux, le matin ne garantit pas le soir.

— Petit diable, je pense qu'il y a autre chose en toi. » Sa main traça un cercle sur sa poitrine, à la place du cœur. Alors le barrage qui retenait la langue de Petit Etang céda. Il dit :

« Je veux... me venger. »

L'homme le regarda. « C'est bien. C'est très bien. Nous voulons tous nous venger. »

Il s'éloigna de quelques pas puis se retourna pour le regarder.

« Viens avec moi », dit-il. Puis il ajouta : « Je ne te ferai pas ce que t'a fait le patron du bateau. »

Alors Petit Etang suivit Prospérité Tang dans la ville d'Ichang.

L'éducateur américain Leighton Stuart, à présent diplomate, se tourna vers le général Yee : « Je tiens à vous remercier pour tout ce que vous avez fait... Votre aide a été très précieuse.

— C'est nous qui vous remercions. Votre tâche a surpassé celle de tout homme », dit le général Yee. Tout en buvant lentement son thé, il pensait : Il n'y en a plus pour longtemps. Rien ne peut sauver Tchiang Kaishek. Il dit à Stuart : « Votre nom ne sera pas oublié par le peuple chinois, et par vos innombrables étudiants à travers tout le pays. »

Stuart eut un petit sourire amer. « Pour le moment, ils me maudissent. » Et ça lui faisait mal, très mal.

Le général Yee dit : « Chacun de nous a un rôle, un destin, à accomplir. L'important est de faire ce qui doit être fait. »

Alors un sentiment fragile, et pourtant assuré, s'éveilla chez l'éducateur. Ces mots lui rappelaient son œuvre, l'œuvre d'un demi-siècle.

Cinquante ans passés en Chine. Il allait partir mais la Chine était dans ses os ; partout ailleurs ce serait l'exil. Ici, à Pékin, cette ville merveilleuse qu'il adorait, il avait fondé l'université chinoise la plus prestigieuse, l'université Yenching.

C'était en 1918 : il avait, pour entreprendre la construction de cette université chrétienne à Pékin, quitté le séminaire presbytérien où travaillaient ses parents. Il avait dû se battre contre les traditionalistes de son propre groupe missionnaire, résolus à ne former que des théologiens, mais il avait gagné. L'université Yenching formerait des médecins, des chercheurs, des écrivains, élite nouvelle et nécessaire de la Chine.

Sans se lasser, avec un autre missionnaire, Henry Luce, il avait relancé des amis à travers tous les Etats-Unis pour obtenir de l'argent. A dos d'âne, à bicyclette, à pied, il avait fait le tour hors des murs de Pékin, à la recherche d'un terrain à bâtir et n'avait trouvé que des cimetières ou des tombes particulières, qu'on ne pouvait déplacer.

Puis le seigneur de la guerre Yee, père du général Yee qui allait devenir son ami, l'avait aidé. C'était un homme éclairé, vif et énergique, qui croyait fermement que la Chine devait changer. Il avait obtenu du gouverneur de la province de Hopei qu'il cédât une de ses propriétés. Et Yee avait persuadé les plus grandes familles de Chine d'envoyer leurs fils et leurs filles à l'université Yenching.

Dix-sept descendants du seigneur de la guerre Yee y avaient fait leurs études. Yee Meiling avait été une des étudiantes les plus brillantes de sa promotion.

Yenching. La beauté de son site, la qualité de son enseignement, célèbre dans toute la Chine. Bien qu'elle fût partie intégrale de l'œuvre missionnaire américaine, l'université s'était abstenue de faire ingurgiter de force le christianisme à ses étudiants. C'était ce respect pour les non-chrétiens qui avait poussé tant de grandes familles chinoises à y envoyer leurs enfants.

Mais « Votre enseignement a engendré l'Antéchrist ! » C'est par ces mots que l'avait accueilli un Américain, membre du comité directeur de l'œuvre missionnaire, lors de sa dernière visite dans son propre pays.

« Dieu agit par des voies mystérieuses... », avait-il répondu avec humilité.

A présent, il avait vraiment l'impression que son travail avait engendré... un monstre.

Au cours de l'été 1947, le général George Marshall, exaspéré et épuisé, avait convoqué Stuart. « Est-ce que vous comprenez le chinois, vous ? Moi pas. »

Stuart s'était mis à la tâche avec acharnement, faisant de son mieux pour amener la paix, priant Dieu pour qu'il l'éclairât. Il avait échoué. Comme Marshall. Et à présent les gens qu'il aimait l'injuriaient en le traitant d'impérialiste hypocrite et en l'accusant de duplicité.

« Ils auront besoin de vous, un jour », répéta le général Yee. Yee avait une vision de la Chine qui allait au-delà des guerres et des inimitiés, au-delà des dogmes et des régimes.

Mais même avec cinquante ans de Chine derrière lui, elle restait inaccessible à Stuart.

Comment les communistes pourraient-ils un jour avoir besoin d'un chrétien tel que lui ? « Ah ! Vous aussi, vous aurez besoin d'eux », dit d'une voix douce le général Yee, qui pensait aux siècles à venir.

A l'image du grand fleuve, l'histoire de la Chine était tortueuse et pleine de méandres. Le général Yee resterait aux côtés de son peuple comme tant d'autres membres de l'intelligentsia. Depuis presque trois mille ans, ces érudits avaient fidèlement servi leur pays, ils avaient éduqué chaque envahisseur étranger, instruit avec souplesse mais inflexibilité chaque souverain barbare — semblables à ces générations de jardiniers qui avaient appris à un pin vieux de cinq cents ans à ne pas dépasser quinze centimètres, afin qu'il s'intégrât dans un paysage miniature.

C'était ça, l'immortalité de la Chine. La culture chinoise avait dévoré et digéré quatorze dynasties étrangères. Digérerait-elle aussi la doctrine communiste ? Evidemment.

De retour dans la tristesse de sa salle de séjour, Leighton Stuart prit sa vieille Bible sur l'étagère au-dessus de son bureau et lut : « Et voici, le semeur sortit pour semer... »

Les années s'éloignèrent ; il redevint le jeune et ardent missionnaire qui œuvrait dans les champs de la grâce divine et roulait à bicyclette parmi les cimetières autour de la cité fabuleuse, à la recherche d'un terrain pour construire une université.

La prochaine étape dans la guerre civile serait la conquête des villes du sud par les Rouges. Le général Yee faisait la navette entre les deux camps car il savait qu'il n'y aurait pas de trêve.

Le groupe de maquisards qui se trouvait à l'intérieur de Shanghai et le réseau clandestin dans la ville même s'organisaient. Quand l'Armée de Libération descendrait du nord, il risquerait d'y avoir un hiatus, un vide, un moment de chaos. Les troupes du Kuomintang, dans leur retraite, pilleraient et mettraient peut-être à sac leurs propres villes. Des groupes de citoyens se formaient donc pour maintenir l'ordre. Il fallait éviter la propagation du choléra et d'autres maladies infectieuses. Avec la Croix-Rouge et les médecins des hôpitaux, Meiling s'employait à mettre sur pied un programme qui assurerait la santé des habitants de la ville. Pour permettre une passation de pouvoir sans désordre.

« Nous voulons éviter les épidémies dans la ville en cas de

combats », dit Meiling à Stéphanie, d'un ton réaliste, à l'orée du terrible hiver de 1948.

Peut-être était-ce son mariage avec Sung Weichang, le journaliste à lunettes, qui avait transformé Meiling et lui avait donné une telle énergie. Ou bien était-ce la victoire imminente de la cause en laquelle elle croyait ?

Yong aussi était transporté de joie. Il s'occupait de réorganiser le service de chirurgie de l'hôpital, dans le cas où l'on se battrait pour prendre Shanghai.

Quant à Stéphanie, elle était en extase devant la merveille de son ventre. Il était devenu l'univers, la voie lactée et toutes ses étoiles. A l'abri dans la sécurité que lui donnait son corps, soutenue par l'adulation quotidienne de la famille, elle contemplait la guerre avec un détachement qui devait l'étonner plus tard.

Le gouvernement de Tchiang Kaishek, retourné à Chungking, continuait de diffuser sur les ondes des messages de victoire. « Les communistes ne prendront pas le sud de la Chine. Ils ne pourront pas franchir le grand fleuve Yangtse. Le sud de la Chine restera avec Tchiang Kaishek. »

Personne ne discutait ces messages car personne n'y croyait. Chacun se préparait activement à accueillir les conquérants.

Les écoles s'affairaient. On avait prévu un accueil triomphal pour l'Armée de Libération quand elle entrerait dans Shanghai, avec des arcs de triomphe en bambou décorés de fleurs en papier que des milliers d'écolières fabriquaient avec ardeur.

Des milliers de garçons s'entraînaient pour le défilé de la victoire : ils apprenaient les chants communistes et la danse du *Yangko*, la danse des semailles.

Le fils de Stéphanie et de Yong naquit la veille de Noël, le 24 décembre 1948, le jour où l'armée communiste atteignit l'université Yenching, près de Pékin.

L'accouchement fut facile. L'accoucheur, le docteur Wu, y contribua par son calme assuré, Mère par son acceptation sereine de l'événement. Tous donnèrent l'impression à Stéphanie qu'elle se lançait avec succès dans une joyeuse aventure. Chaque détail physique était reçu avec approbation. Chaque vague de douleur était une salve triomphante pour Stéphanie.

Mary Lee, l'infirmière en chef qui s'occupait d'elle, était eurasienne. De mère russe blanche et de père chinois. Elle parlait cinq langues, avait été fiancée à un officier américain et puis, une semaine avant la date fixée pour leur mariage, la J.U.S.M.A.G., la mission américaine de conseillers militaires auprès de Tchiang Kaishek, avait fait paraître une ordonnance contre la fraternisation.

« Nous sommes nombreuses à avoir été ainsi piégées, expliqua Mary Lee. Jack avait déjà acheté l'alliance... il a été rapatrié et j'ai eu le bébé. » Un bébé blond aux yeux bleus que Mary appela Wenceslas. « Je ne sais pas pourquoi », dit-elle en riant. Mary Lee était une enfant du malheur et le malheur arpentait obstinément sa vie. Mais elle l'affrontait avec une gaieté indomptable. « Je ris pour ne pas pleurer », confia-t-elle à Stéphanie.

Stéphanie perdit les eaux. Elle inspira et poussa et Mary Lee poussa avec elle. Le règlement de l'hôpital interdisait la présence de la famille pendant l'accouchement mais le beau corps indomptable de Mary Lee n'acceptait pas les règlements et elle fit entrer Mère pendant un court moment ; et Mère fut si apaisante que Stéphanie sourit et sut que tout se passerait bien. Elle pensa à Isabelle, sa propre mère, et éprouva soudain pour elle une immense pitié. Avait-elle été entourée par autant de sollicitude et d'amour ? Ou bien l'avait-on laissée seule, terriblement seule, en cette heure de souffrance et de bonheur mêlés ? Peut-être n'avait-elle connu que la froideur terrifiante d'une attention professionnelle qui faisait d'elle un simple objet d'observation scientifique. Sans Mère, sans Mary Lee, sans Yong auprès d'elle ; Yong dont le visage se crispait d'inquiétude, de douleur et d'amour et qui était si comique dans son désir éperdu de mêler sa voix à la sienne, de partager ses efforts, de pousser avec elle cette vie nouvelle dans le monde des vivants, qu'elle éclata de rire.

Je sais à présent pourquoi Isabelle m'a toujours ressentie comme une étrangère... je le comprends... elle avait donné naissance à quelque chose qui ne faisait pas partie d'elle.

Le docteur Wu dit : « Et maintenant un dernier effort, madame Jen », et il lui donna rapidement une bouffée d'éther. Et l'enfant fut là, entre leurs mains, avec son petit corps luisant, et son crâne humide couvert d'épais cheveux noirs.

« Un fils, c'est un fils », s'écria Mary Lee.

Yong se pencha au-dessus d'elle, ses cheveux ébouriffés pareils à une vieille brosse à dents, et elle dit d'un ton badin car maintenant elle avait envie de rire, le monde était si merveilleux : « Les cheveux de ton fils sont plantés exactement comme les tiens, Yong.

— Oh ma bien-aimée, mon amour, notre enfant, bégaya Yong.

— Trois kilos deux cents. Un beau et robuste garçon. A présent, vous avez sûrement sommeil, madame Jen. Je dois aller à la messe de minuit. C'est un merveilleux bébé de Noël... »

Mary Lee était ravie. *Un enfant de plus comme nous, un autre Eurasien.* Elle lava l'enfant, le mit dans son berceau tout en chantonnant : « Ils ne peuvent pas nous arrêter... ils ne t'arrêteront pas toi, n'est-ce pas ? » Elle jeta un dernier coup d'œil à Stéphanie, qui dormait du sommeil paisible de la victoire et se rendit à la messe de minuit le cœur plein d'allégresse.

Le jour de Noël, tout le monde sut, à Shanghai, que les professeurs et les étudiants de l'université Yenching avaient envoyé une délégation pour accueillir l'Armée de Libération du Peuple. On avait érigé un arc de triomphe.

Les troupes communistes campaient dans le village proche des terrains de l'université et leur bonne conduite stupéfia tout le monde. Ils ne réquisitionnèrent ni nourriture, ni animaux, ni hommes. Ils aidèrent mêmes les paysans à porter des charges et à pousser leurs carrioles. « Nous n'avions jamais vu une armée comme celle-là. »

L'Armée Populaire de Libération n'entra pas dans Pékin. Elle attendit à l'extérieur que le chef nationaliste, le général Fu Tsoyi, « ait vu la lumière » et se rende de son plein gré, évitant ainsi le massacre.

Il fallait donner du temps au général Fu Tsoyi. Il devait faire semblant de défendre ce qui n'était pas défendable tout en organisant la retraite en bon ordre de ses troupes. Il fallait qu'il reçoive de la nourriture et de l'argent pour ses soldats. Bref, il ne fallait pas qu'il perde la face et sa dignité.

Yong l'expliqua à Stéphanie. Il appelait ça « s'incliner de bonne grâce devant la réalité ». Stéphanie écrivit un court article qu'elle envoya à *Time*. « Le concept chinois de victoire et de défaite, et de loyauté envers une cause est différent du nôtre. » *Time* ne publia pas son article.

En janvier 1949, avec l'aide d'un professeur de l'université Yenching qui servit d'intermédiaire, le général Fu Tsoyi et le chef communiste de l'Armée de Libération parvinrent à un accord satisfaisant.

Et c'est ainsi que le 23 janvier l'Armée de Libération entra dans Pékin. Michael Anstruther y était. « Tout a paru très facile. Les soldats sont entrés à pied. Le dernier avion a décollé comme prévu, emportant les représentants du Kuomintang encore présents dans la ville. Les entrées et les sorties étaient merveilleusement réglées, comme dans un opéra chinois. »

Tous les soirs, Père venait cérémonieusement rendre visite à Stéphanie et lui apportait les journaux. L'officiel *Singtao*, le *Takungpao* et le quotidien anglais le *North China Daily News*. Tout en buvant une tasse de thé, il devisait gaiement des nouvelles et comparait les articles, radicalement opposés, des trois journaux. A son avis, le *North China Daily News*, financé par les banques britanniques et par Jardine Matheson, était le plus digne de confiance.

Mère venait un peu après Père et apportait toujours un plat spécial pour redonner des forces à Stéphanie ou un cadeau pour le bébé, des chaussons, un bonnet, une veste tricotés.

Ils s'emplissaient les yeux, et le cœur, du spectacle de leur premier petit-enfant. C'est Stéphanie qui, accompagnée d'une *amah* portant son fils, aurait dû leur rendre visite, pour leur montrer le bébé, pour lui enseigner le respect des aînés, pour leur présenter ses respects. Mais ils avaient inversé la tradition.

Mère paraissait jeune et ardente quand elle regardait le bébé. « C'est un vent de printemps qui souffle la vie sur l'arbre gelé de la mienne », disait-elle. Père et elle contemplaient l'enfant avec ravissement et Stéphanie, émue par cet amour, le posait dans les bras de Père et disait en chinois : « Petite Chose, incline-toi devant Grand-Père. » Et elle pressait légèrement en avant la tête brune. « Incline-toi devant Grand-Mère. »

Ils tenaient ce petit morceau de vie nouvelle, qui gargouillait et faisait éclater des bulles de salive, qui serrait leur doigt dans son poing minuscule et les contemplait de ce regard fixe et convergent qu'ont tous les bébés du monde.

La pièce s'emplissait d'émotion quand Père, tenant son premier petit-fils, disait d'une voix frémissante : « Je crois qu'il a votre menton, ma fille...

— Le pensez-vous ? Il a vos yeux, Père... »

Rituel, rituel, compliments, politesse que tout cela mais combien satisfaisant et gratifiant, ce renouvellement des liens, ce trait d'union d'amour et de sollicitude entre les générations.

Mère tenait l'enfant avec une maîtrise dissimulée. Elle retrouvait sa propre jeunesse au contact du bébé. Puis, craignant de paraître trop possessive, elle rendait l'enfant à Stéphanie.

On l'appela Trésor d'Hiver. Ce fut son nom de bébé.

Il y avait eu un petit drame quand Stéphanie était rentrée de l'hôpital. Elle avait tenu non seulement à nourrir son enfant au sein mais à s'en occuper entièrement, à le changer et à le baigner, à le bercer quand il pleurait. « Mais, très chère fille, avait dit Mère, cela vous fatiguera. Nous avons engagé une *amah*. *Amah* Mu est parfaite avec les bébés. Elle attend dans la cour extérieure que vous la receviez... » *Amah* Mu était une personne propre et discrète. D'une certaine façon, elle rappela à Stéphanie le professeur Soo de Chungking (où était-elle à présent ? Elle n'avait jamais répondu à la lettre que Stéphanie lui avait envoyée...). *Amah* Mu avait travaillé dans des familles américaines. « Les autres dames américaines me *donnaient* leur bébé pour que je m'en occupe, *entièrement*. Elles sortaient, allaient faire des courses, se rendaient à des réceptions tous les soirs... Je restais à la maison avec les bébés et il ne leur est jamais rien arrivé..., dit *Amah* Mu, manifestement offensée. Je suis venue dans la Famille Jen parce qu'elle a une excellente réputation... comment aurais-je pu savoir que sans même me mettre à l'essai, la jeune maîtresse jugerait que je n'étais pas digne de confiance ? » Elle avait perdu la face. Mère la consola et la pacifia. Elle lui expliqua que la jeune maîtresse était *très* jeune et que c'était son premier enfant.

« Certes, ma fille, c'est tout à fait louable de votre part de vouloir vous occuper entièrement de Premier Petit-Fils. Mais dans un mois ou deux, vous aurez envie de sortir parfois, de voir des amis. Vous aurez envie d'être avec votre mari. Vous avez votre livre à finir, je crois. Laissez au moins *Amah* Mu laver les vêtements du bébé et le veiller quand vous sortez. »

Pendant trois semaines, Stéphanie refusa de donner Trésor d'Hiver. Elle permit seulement à *Amah* Mu de laver ses vêtements et de nettoyer sa petite chambre, séparée de la sienne par un simple paravent. Puis elle attrapa un rhume. Trésor d'Hiver en fit autant, et devint un champion du hurlement. Il hurlait non par faim mais pour le plaisir. Yong se leva alors et fit des va-et-vient dans la chambre en le tenant dans ses bras pendant la moitié de la nuit...

Stéphanie resta au lit, à soigner son rhume ; *Amah* Mu circulait sans bruit dans ses chaussons de tissu, changeait le bébé, le lui apportait pour la tétée mais seulement après avoir, avec une douceur intransigeante, attaché un masque chirurgical blanc sur le nez et la bouche de Stéphanie. Alors Stéphanie céda et devint moins possessive.

Les hormones de la maternité avaient éveillé en elle une hostilité à tout ce qui était étranger, ou différent. Pendant un certain temps, l'idée des mains d'*Amah* Mu sur le corps de son bébé lui avait été insoutenable. Mais *Amah* Mu, qui baragouinait un anglais incroyable, où les mots chinois se mêlaient à des « oh yeh », ou « okay » ou « goddam[1] » montra une grande compétence et Trésor d'Hiver l'aimait beaucoup ; il lui faisait plein de gargouillis et de petits rires et devenait chaque jour plus florissant.

Le 24 janvier, on célébra le premier mois de l'enfant, selon la tradition. On peignit des œufs en rouge, par douzaines. On les offrit à tous les parents et aux amis ; et il y eut un festin de réjouissances, vingt tables, deux cents parents et familles alliées...

Trésor d'Hiver fut officiellement présenté à ses ancêtres. Jen Yong le porta jusqu'au pavillon habité par les tablettes des Honorables Ascendants. Neige de Printemps s'avançait à côté de son mari, vêtue d'une robe et d'une veste en satin pâle rebrodé doublées de fourrure. Père et Mère marchaient devant eux et Père agitait une cloche, afin d'attirer l'attention des ancêtres, au cas où ils auraient été distraits ou occupés à autre chose. Il s'éclaircit la voix et appela les Honorables

1. Juron correspondant en français à « nom de Dieu ».

Ascendants d'un ton respectueux puis présenta Trésor d'Hiver par son vrai nom généalogique.

Le livre de généalogie avait déjà fixé pour vingt-quatre générations à venir le radical et la racine des idéogrammes à utiliser comme noms propres.

« Oh, Vénérables Ancêtres, le nom de votre indigne arrière-petit-fils est Forêt », dit Père. Forêt serait le nom officiel de Trésor d'Hiver. Jen Lin.

Forêt était un enfant chanceux. Les huit circonstances de sa naissance avaient été éminemment favorables et le maître astrologue, qui était assis à l'une des tables du festin, dit que cet enfant n'aurait que deux passages difficiles à affronter dans sa vie. L'un quand il aurait huit ans, et l'autre à vingt-cinq ans... Mais la configuration des planètes était telle qu'il les franchirait et que chaque épreuve le ferait progresser.

Le repas terminé et les invités partis, Stéphanie et Yong retournèrent à leur pavillon ; Yong portait son fils. Stéphanie dit : « Et maintenant, mon chéri, nous devons nous occuper de sa moitié américaine. »

Yong inclina la tête. « Bien sûr, nous lui donnerons aussi un nom américain.

— Ce n'est pas ce que je veux dire, reprit Stéphanie, nous devons le baptiser et en faire un chrétien. »

Yong tendit le bébé à *Amah* Mu, qui avait retrouvé la plénitude de son statut et reçu, en cette journée solennelle, de nombreuses petites enveloppes contenant des cadeaux (dont des lingots et des dollars en argent). Yong parla d'une voix lente et posée : « Certains de mes amis disent qu'on enseigne à un chrétien à mépriser ses ancêtres, Stéphanie.

— Oh Yong, comment peux-tu croire ça ? Je suis chrétienne et je ne méprise ni mes ancêtres ni les tiens... Où diable as-tu pris une idée pareille ? Voyons, tu as travaillé toute ta vie avec des missionnaires chrétiens. »

Yong détourna son regard. Il avait une façon, comme Mère, de s'absenter, de ne plus être présent, tout à fait exaspérante.

Stéphanie, assise dans sa robe doublée de fourrure, la belle robe que Mère lui avait donnée, caressait la soie et attendait que Yong revienne à elle.

Mais elle n'attendrait pas plus longtemps — pas cette fois-ci. « Nous avons décidé que ce serait notre enfant à tous les deux. Tu te souviens ? » dit-elle en s'efforçant de rester calme et d'apaiser le tumulte soudain de son cœur.

« Je me souviens. » Yong revenait, en partie. Alors Stéphanie comprit qu'il essayait à nouveau de l'intégrer, avec ses besoins et ses désirs, dans un univers où elle n'existait pas. Elle sentit grandir la distance entre eux.

Yong aussi le sentit... Depuis la naissance de l'enfant, il n'avait guère passé de temps à la maison. En plus de son travail à l'hôpital, il y avait la formation des équipes de secours pour le cas où l'on se battrait à Shanghai. Il faisait aussi partie de la Ligue démocratique. Il participait à des débats politiques, rentrait très tard à la maison, et se levait tôt pour se rendre à l'hôpital. Quant à Stéphanie, depuis son retour de l'hôpital, son comportement avait changé. Elle s'absorbait complètement dans le bébé. Les attentions, l'hommage, les petits soins, l'adulation dont elle était l'objet de la part de la Famille l'avaient gâtée et lui avaient donné une certaine arrogance.

Yong était un mari aimant et un amant passionné ; il avait toujours pensé d'abord à Stéphanie, pour éviter de la blesser. Mais à présent, il reculait devant sa suggestion ; il pensait à toutes les implications d'un tel geste et essayait de façonner les mots dans lesquels une chose aussi étrangère pouvait être acclimatée.

New York. Cette nuit-là, ils s'étaient accrochés l'un à l'autre, dans la peur de se perdre. Yong savait que Heston Ryder régnerait toujours sur une partie de l'âme de Stéphanie. Il avait accepté ce fait parce qu'on ne pouvait pas le changer. Il avait failli demander à Stéphanie de rester pour avoir son enfant en Amérique. L'enfant aurait été ainsi protégé de tout danger... Mais il avait renoncé à dire ses craintes à Stéphanie parce qu'elle y aurait vu de la lâcheté — ou de l'opportunisme. C'était, bien sûr, de l'opportunisme. Mais pas pour la Chine, car il y avait une universalité, une éternité, de la Chine qui transcendait tout opportunisme. Mais à New York, il n'avait pas pu expliquer ça à Stéphanie. Et depuis sa grossesse, elle semblait s'être fermée au monde extérieur et à lui...

Il se tourna enfin vers elle. Son visage était adorable et la robe de satin choisie par Mère lui allait à la perfection. Il y avait des boutons de fleurs brodés sur toute la veste, rose très pâle et or, et du satin blanc rebrodé terminait les manches...

La vaillante Stéphanie, qui n'avait pas hésité à se jeter dans ses bras. Qui avait choisi de retourner avec lui, contre le désir de son père, lui faisant confiance à lui, à son amour, et fâchée contre son propre père à cause de lui...

Il vint à elle, lui prit les mains et les appuya contre sa poitrine. « Pardonne-moi, ma bien-aimée. Je suis très fatigué et quelque peu égaré. Bien sûr, il sera baptisé selon ton désir. Je le dirai à Père et à Mère. Cela leur sera égal. Seuls quelques parents stupides grogneront mais nous n'y prêterons pas attention.

— Je ne vois pas ce qu'il y a de mal à ça », commença Stéphanie. Puis elle éclata en sanglots et Yong passa l'heure suivante à la consoler... Non, il n'avait jamais eu l'intention de refuser que son fils fût baptisé mais il lui avait semblé que le faire avant que l'enfant pût comprendre dans quoi on l'engageait, n'était pas loyal. Comment pouvait-on faire entrer quelqu'un de force dans une religion ?

« S'il doit devenir chrétien, il devrait être baptisé deux fois, dit Yong pour l'égayer, une fois pour ton père et une fois pour ta mère et puisqu'ils appartiennent à deux églises différentes, il faut qu'il puisse aller aux deux. » En fait, cela correspondait exactement à l'éclectisme des Chinois. Car treize cents ans plus tôt, ils avaient mélangé toutes les croyances. Personne ne se sentait traître ou incohérent s'il était un jour bouddhiste, le lendemain taoïste et le troisième jour autre chose.

Stéphanie se mit à rire. « En Occident, des gens sont morts pour des détails tels que la présence ou non du Christ dans un petit morceau de pain azyme. » Pour un Chinois, ce fanatisme était incompréhensible.

Ils furent à nouveau unis et Stéphanie, apaisée, perdit son agressivité. « Je suppose que j'étais un peu énervée. » Doutes et peurs semblaient avoir disparu tandis que leurs corps s'unissaient.

Mais plus tard, Stéphanie resta longtemps éveillée, à penser à la réticence avec laquelle Yong avait accepté que leur fils fût l'héritier de sa culture à elle autant que de la sienne... en serait-il toujours ainsi ? Un combat constant pour ne pas perdre son identité — pour ne pas être complètement absorbée par ce monde dans lequel son mariage l'avait fait entrer ?

Stéphanie demanda à Meiling d'être la marraine de Trésor d'Hiver. « Vous avez fréquenté une université chrétienne, Meiling, cela ne vous déroutera pas trop.

— Je suis ravie et honorée », dit Meiling ; elle suggéra que ce fût Leighton Stuart qui baptisât le bébé. « Cela lui fera grand plaisir. Il n'est pas très populaire en ce moment, bien sûr, mais c'est un homme bien. Tous les ans, à Noël, je chantais le *Messie* dans le chœur, quand j'étais à l'université et il venait toujours nous dire bonjour... »

Par un calme après-midi inondé de soleil, Leighton Stuart vint à la Maison Jen. Seuls Yong et Stéphanie, Meiling et Michael Anstruther étaient présents. Michael était le parrain. Trésor d'Hiver fut baptisé Thomas Heston James et se montra d'une sagesse exemplaire pendant la brève cérémonie.

Isabelle écrivait : « Ton père espère que tu vas revenir en Amérique avec le bébé, si la situation continue de s'aggraver en Chine. » Jimmy était dans sa seconde année à l'Académie militaire de San Antonio. « Je ne crois pas qu'il veuille vraiment devenir officier. Je suis convaincue qu'il a la vocation. » Isabelle s'accrochait à l'idée que Jimmy voulait devenir prêtre.

Jimmy envoyait des lettres gaies mais dans lesquelles, curieusement, il ne parlait jamais de lui-même. Il écrivait : « Il me tarde de connaître mon neveu Thomas. Je lui achèterai de vraies bottes et un vrai chapeau de cow-boy. » Il plaisantait sur l'école. « Ils nous font courir sans arrêt avec nos paquetages sur le dos... je parie qu'on ne fait pas ça en Chine. » Il joignait toujours un mot pour Yong, des messages brefs et timides. « J'aimerais recevoir une lettre en chinois, Yong, avec la traduction bien sûr. Et pourrais-tu m'envoyer un livre de lecture chinois ? J'ai décidé d'apprendre cette langue ; ainsi, quand je viendrai à Shanghai, je ne me sentirai pas trop perdu... »

Stéphanie répondait à Jimmy, de longues lettres, où elle lui parlait de toutes sortes de choses. Elle lui envoya des photos de la Famille, de Yong, d'elle et de Trésor d'Hiver, des autres membres de la Famille et de la Maison ; Yong écrivait : « Cher Jimmy, j'espère très sincèrement que tu pourras venir nous voir... »

Dans la nuit du 20 avril, les communistes traversèrent le Yangtse pour entrer dans Nanking. C'était une nuit sombre avec des taches de brouillard. Sur toute la longueur du front, l'artillerie troua l'obscurité avec ses tirs et les bateaux des communistes s'élancèrent. Dix divisions traversèrent ainsi pour aller s'emparer de la capitale de Tchiang, tandis que des files de camions chargés d'officiers du Kuomintang avec bagages, meubles et familles s'éloignaient en direction de Shanghai.

Dans l'après-midi, l'Armée Populaire de Libération fit son entrée officielle dans Nanking et fut accueillie par une délégation de professeurs d'université et de dignitaires.

Shanghai serait âprement défendue jusqu'au bout, dit le porte-parole du gouvernement du Kuomintang après la chute de Nanking. Henry Wong convoqua les journalistes et, mentant avec une noble assurance, leur annonça que Shanghai serait un nouveau Stalingrad.

Pourtant, sur les quais de Shanghai, s'entassaient toutes sortes de marchandises. Les embarcadères étaient pleins de gens qui partaient ou essayaient de partir en emmenant tous leurs biens. Ils embarquaient pour Hongkong et Taiwan, pour les Philippines, l'Amérique...

Le général de brigade Tsing vint à Shanghai pour diriger la ville.

C'était un travail qu'il ne goûtait guère. Les ordres venus d'en haut étaient absurdes, confus, changeants. Ils ne faisaient qu'aliéner un peu plus les gens. Mais Numéro Un Grand Vent voulait « punir », « frapper de terreur et affaiblir les os » des gens mécontents et irrités.

Tchiang avait lancé une « politique de terre brûlée » pour Shanghai ; ordre de couler tous les petits vaisseaux et les embarcations des petits commerçants ; une ceinture de barbelés serait établie autour de la ville.

Ce devint banal de voir des intellectuels et des ouvriers abattus dans les rues. Un enfant qui errait le long de la voie du chemin de fer, parce qu'il était faible d'esprit, fut tué comme espion. Il avait onze ans.

C'est de la folie, pensait Tsing. Mais il devait obéir. La loyauté. La plus grande des vertus. Il resterait loyal à Tchiang Kaishek. D'un geste machinal, il tripotait le billet d'avion prioritaire pour Hongkong qui se trouvait dans sa poche.

La Famille s'organisa pour se protéger.

De plus en plus de parents venaient chercher asile dans le Jardin du Bassin du Saule, car ils se savaient menacés. Menacés à cause de Yong. Personne ne le disait ouvertement mais tout le monde le savait. Tout comme les autres membres de la Ligue démocratique, Yong était sur la liste des gens à exécuter. Mais Yong était aussi leur passeport pour la prochaine dynastie, celle des communistes.

Père assembla tous les habitants de la Maison et leur demanda d'être prudents. Surtout après l' « accident » de Troisième Oncle. Ils ne devaient jamais sortir seuls. Après le crépuscule et le couvre-feu tous devaient être rentrés à la maison.

« Stéphanie, il ne faut plus que vous sortiez seule, c'est trop dangereux, dit Mère.

— Ils essaieront de vous blesser, juste pour provoquer un incident, et diront que ce sont les communistes qui l'ont fait », dit Père.

Le portail principal de la maison était tenu fermé toute la journée. De même que les deux portes de derrière.

Père recruta des gardes du corps parmi les jeunes membres de la famille.

La nuit, des cousins patrouillaient deux par deux dans le jardin. Les gens venaient furtivement, avant le couvre-feu, et toutes les affaires se traitaient dans la maison. La banque faisait porter le courrier par des messagers. Oncle Keng Dawei vint dans sa limousine, protégé par trois gardes du corps armés, pour conférer avec Père.

Tout le monde *les* attendait. Attendait qu'ils arrivent et prennent possession de la ville.

Le général de brigade Tsing nota avec satisfaction que Hsu Nuage Elevé Construit-la-Cité et la Crystal Trading Company avaient bien réussi. Des « équipes de sécurité », ingénieusement subdivisées en cellules minuscules, reliées les unes aux autres par un seul membre, en général un frère d'une Triade, avaient infiltré les cellules du réseau communiste clandestin, présent partout, jusque dans les bureaux de police et les ministères. Les communistes tenaient la poste, les dépôts ferroviaires et les usines. Ils étaient très forts dans les usines et Hsu était parvenu à infiltrer quelques-unes de leurs cellules.

Tsing était content. Il allait assurer un peu plus sa position, resserrer les liens qu'il avait établis avec les Triades. Il ne restait que très peu de temps.

Devant lui, venues d'en haut, des listes. Des listes de gens à punir pour trahison...

Un garde du corps escortait le docteur Jen Yong quand il se rendait à l'hôpital. Son père l'avait exigé. Le garde du corps, Hsiao, était le jeune frère de la belle-sœur d'un cousin au deuxième degré de la Famille Jen. Mais c'était un playboy, son surnom était Vaurien. Il avait une concubine qui lui coûtait beaucoup d'argent. Il avait fait cinq enfants à sa femme légitime, dont l'aîné n'avait pas huit ans. Tsing envoya un de ses meilleurs agents prendre contact avec Vaurien. Jen Yong victime d'un accident — ce serait une bonne leçon pour les membres de la Ligue démocratique, pour la Famille Jen, et pour cette femme américaine aux mœurs faciles qu'ils avaient fait entrer dans leur Famille.

Un soir, au crépuscule, deux hommes se postèrent à un carrefour animé et plein de gens qui allaient dans toutes les directions. Ils attendirent près des chevaux de frise renforcés par des fils barbelés.

Yong sortit à pied de l'hôpital, Vaurien à ses côtés. Vaurien vit les deux hommes et fit le signal convenu, il passa la main dans son col, pour qu'ils l'identifient. Puis il dégaina. Et Yong serait mort si, à ce moment précis, alors que les tueurs s'avançaient vers lui, il ne s'était pas tourné vers Vaurien pour lui poser une question ; Yong vit le revolver dans sa main et son visage liquéfié de peur et il comprit. Il se jeta à plat ventre sur le sol au moment où les deux hommes tiraient. Ils atteignirent Vaurien. Son corps tomba sur celui de Yong. Les hommes tirèrent à nouveau avant de prendre la fuite.

Effrayés, les passants avaient fait le vide autour des corps mais quelques étudiants en médecine se précipitèrent. Yong resta immobile. Il était toujours couvert par le corps de Vaurien, par son sang. Il était indemne mais, feignant d'être blessé, il se laissa ramener à l'hôpital.

Très tard cette nuit-là, tandis que la Famille attendait Yong, les messagers que Père avait envoyés dans différentes directions revinrent et lui apprirent ce qui s'était passé.

« Il est sauf. A l'hôpital. On monte la garde devant sa porte. » Stéphanie voulut y aller.

« Non, il ne faut pas, Stéphanie, dit Père. C'est trop dangereux.

— Mais Père... je dois y aller ! » Elle pleurait à chaudes larmes et se débattait entre les mains qui la retenaient avec douceur mais fermeté.

Père y alla, avec deux gardes du corps. A son retour, il décida que seules Mère et Stéphanie devaient savoir que Yong n'était pas blessé.

« Mais comportez-vous comme s'il était gravement atteint, ma fille, sinon ils risquent d'essayer à nouveau. »

Vaurien était mort. Père raconta à Mère sa trahison. Personne d'autre dans la famille ne devait savoir. Père envoya de l'argent à sa femme. La concubine disparut.

Après ça, Père engagea trois gardes du corps, des Russes blancs, avec des chiens, pour patrouiller dans le jardin la nuit.

Corail et Chardon restèrent à leur école et ne retournèrent pas à la maison. « Elles sont plus en sécurité avec d'autres jeunes », dit Mère, comme pour se convaincre. Mais elle s'inquiétait pour ses filles, surtout pour Chardon qui était impétueuse et bavarde. « Elles sont débordantes de patriotisme et font probablement des tas de choses très dangereuses. » Quelques élèves d'une école progressiste avaient été arrêtées alors qu'elles collaient des affiches souhaitant la bienvenue aux communistes et avaient été torturées. Les cheveux, les ongles et, bien sûr, le vagin.

Une autre semaine. Puis une autre. Yong restait à l'hôpital. Père interdit à Stéphanie ou à Mère d'aller le voir. « Trop dangereux. »

Stéphanie se retira dans son pavillon paisible, trop paisible, et se consacra à son fils. Trésor d'Hiver grandissait ; il gazouillait et riait ; il avait presque cinq mois et c'était un bébé robuste et actif. Chaque jour, Veuve venait s'exclamer :

« Il a l'air entièrement chinois, quelle chance ! »

Et Stéphanie retenait le ressentiment qui montait en elle.

Puis une nuit, on entendit le grondement affaibli du canon, comme un coup de tonnerre au loin.

A l'aube, de la fumée s'éleva de l'autre côté du fleuve. Les soldats du Kuomintang incendiaient les villages. Plus tard, la fumée s'épaissit quand ils firent sauter les réservoirs de pétrole. Le bruit du canon se fit plus rare, plus capricieux, puis se tut et ce fut le silence.

« Ils arrivent », dit Père.

Ils entrèrent dans Shanghai. Chaussés d'espadrilles, ils avançaient en file indienne ; ils ne défilaient pas, ils marchaient. Leurs officiers aussi allaient à pied et il était impossible de les distinguer de leurs hommes. Avec eux se trouvaient des travailleurs culturels équipés de porte-voix, pour s'adresser aux gens.

Cette armée ne violait pas, ne tuait pas, ne pillait pas mais on disait qu'ils allaient fusiller tous les riches, tous ceux qui possédaient de la terre ou qui avaient travaillé pour le Kuomintang.

« Ils passent dans notre rue », dit Chardon à Stéphanie. Corail et elle sortirent. Elles portaient des brassards qui indiquaient qu'elles faisaient partie d'une équipe chargée du maintien de l'ordre dans les rues.

Il y avait peu de gens dehors. Les maisons étaient fermées et les magasins avaient leurs volets mis. Les soldats marchaient si paisiblement qu'ils avaient presque dépassé la maison quand Stéphanie debout derrière le portail les aperçut. Chacun d'eux portait suspendu en travers de sa poitrine un sac de toile en forme de boudin qui contenait sa ration de riz. Leurs fusils étaient armés. Cinquante ou cent hommes passaient. Puis il y avait un intervalle de cinq à dix minutes avant qu'un autre groupe arrivât, toujours en file indienne. Cela dura toute la journée.

Ils avaient l'air bien nourris, avaient des visages ronds, bronzés par le soleil et le corps plus trapu que les gens de Shanghai. Leurs uniformes étaient froissés mais propres.

Au bout de quelques heures, comme ils continuaient de passer, les gens commencèrent à sortir de leurs maisons. Les portes s'ouvrirent. Les enfants apparurent. Les soldats sourirent aux enfants. Puis les femmes sortirent.

Quelqu'un applaudit et les soldats firent de même. Puis ils se mirent à chanter. Personne ne connaissait l'air ni les paroles mais c'était joli.

C'est ainsi que la ville fut prise.

« Le 25 mai, écrivit Michael Anstruther, les troupes communistes du commandant Chen Yi sont entrées dans Shanghai dans un ordre parfait, stupéfiant les habitants par leur discipline et leur tenue. »

14

Il y avait plus d'un an que Stéphanie avait regardé les premiers soldats de l'Armée de Libération du Peuple entrer dans Shanghai en espadrilles, puis leur cavalerie s'avancer au pas lent des poneys de Mongolie, comme si les cavaliers arrivaient tout droit des falaises jaunes de Yenan.

Ç'avait été une année passionnante, extraordinaire. Galvanisés — et poussés par les affiches hautes en couleur qui les pressaient de « s'organiser » — les gens de Shanghai avaient répondu ; ils s'étaient portés volontaires pour nettoyer rues et ruelles des détritus et des déchets accumulés pendant les derniers mois du régime de terreur du Kuomintang ; ils avaient réparé les maisons en ruine, enlevé les barbelés. Le riz, l'huile et les légumes arrivaient de la campagne dans des carrioles de paysans tirées par des mules. Et personne n'essayait de tricher dans les queues, personne ne se livrait au pillage.

Les rues changèrent d'aspect. On ne voyait plus ces voitures insolentes qui se frayaient un chemin à coups de klaxon parmi les troupeaux de corps amorphes couverts de haillons.

Au début, les boîtes de nuit et les dancings restèrent ouverts mais personne n'y allait à part les étrangers et les « étrangers d'imitation » c'est-à-dire les Chinois complètement occidentalisés. L'une après l'autre, leurs lumières brillantes s'éteignirent.

Une grande partie du clinquant — et du vice — qui avait fait de Shanghai une ville si fascinante était en train de disparaître.

Beaucoup d'Occidentaux, pourtant, souhaitaient rester. Ils avaient passé presque toute leur vie à Shanghai ; ils y avaient leurs amis, leurs domestiques, leurs maisons, leurs clubs. Dans le passé, ils avaient été exemptés d'impôts, avaient vécu dans des demeures fastueuses, séparés par de hauts murs de la Chine réelle et de ses malheurs. Les seigneurs de la guerre, le Kuomintang, les Japonais, les avaient épargnés. La vie n'importe où ailleurs, surtout sans domestiques, leur paraissait impensable. Mais grande était leur indignation d'être contrôlés, suspectés, de devoir payer des gages corrects à leurs domestiques et d'être obligés de leur donner un jour de congé par semaine. Certains partirent mais d'autres restèrent à Shanghai dans l'espoir qu'une placide normalisation finirait par s'imposer. Le *North China Daily News,* qui représentait les intérêts de l'Empire britannique, continuait de paraître.

Les soirées offraient maintenant l'occasion de paisibles réunions familiales et les gens allaient se coucher tôt. Des jeunes gens et des jeunes femmes polis mais d'une implacable minutie visitaient chaque ruelle, chaque maison, chaque boutique ; ils recensaient les habitants, notaient les malades, les sans-emploi, les visiteurs qui n'étaient pas résidents. Les écoles rouvrirent et les enfants s'y rendaient par groupes en chantant. Des élèves professeurs volontaires organisaient des cours d'alphabétisation pour adultes dans les temples. On rassembla les mendiants, on les nourrit, on les vêtit et on les renvoya dans leurs villages d'origine.

Dès le début, le Parti s'attaqua avec énergie au fléau de la drogue, que tenaient les Triades. Quartier par quartier, rue par rue, des camions de l'armée circulèrent ; les soldats arrêtaient les spéculateurs, les trafiquants, les fournisseurs de drogue. On les exécutait sommairement.

En l'espace de dix jours, il n'y eut plus de drogue dans la ville. On ouvrit des cliniques pour soigner les toxicomanes. Une association de « fumeurs d'opium souhaitant se désintoxiquer » se fonda. On encourageait les fumeurs d'opium et les toxicomanes à se déclarer, non pas pour être fusillés mais pour entreprendre une désintoxication de groupe et se débarrasser de leur servitude.

Un sentiment irrésistible de vertu imprégnait à présent la cité du vice, de la saleté et de la richesse.

L'UNION C'EST LA FORCE. Des affiches montraient des jeunes, des vieux, des hommes, des femmes, une foule immense, qui levaient des visages extasiés vers le rayonnement d'une gerbe de drapeaux rouges flottant au vent.

LE TRAVAIL EST NOBLE, LE TRAVAIL EST BIEN. Les affiches montraient comment de grands obstacles pouvaient être surmontés par un effort collectif. Chacun voulait retrousser ses manches et *agir* maintenant !

Père faisait partie de l'Association des capitalistes nationaux. « J'ai un but dans la vie, disait-il. Reconstruire mon pays. » Le soir, il rentrait tard, fatigué mais exalté, de réunions pour la reconstruction des finances de la Chine. Oncle Keng Dawei présidait les réunions. On traçait un plan ambitieux pour la revitalisation économique de

Shanghai, la ville sangsue qui avait sucé le sang de la Chine au profit d'intérêts étrangers et devait à présent devenir l'atout majeur du pays.

On inaugura une nouvelle monnaie qui mettrait fin à l'inflation. « Nous redresserons *tout* », disait Père.

Le maire de Shanghai était le maréchal Chen Yi, le commandant dont les troupes étaient entrées dans la ville avec tellement de correction. Son but était de rallier chaque cerveau, chaque bras, pour lancer la ville sur sa nouvelle trajectoire. Il écoutait tout le monde. Il allait dans les universités cajoler les professeurs. Il rendait visite aux hommes de science et aux ingénieurs. Il dînait avec des capitalistes. Tout le monde était stupéfait. Si c'était ça le communisme, alors c'était une bonne chose. Tolérant, éclairé...

Père racontait que le maire Chen Yi lui avait dit, ainsi qu'à ses amis capitalistes : « Nous devrons apprendre auprès de vous. Nous ne savons rien sur les villes, sur le commerce étranger ; vous, vous avez toute l'expérience. »

On tenait des réunions dans les hôpitaux pour discuter un projet de formation de médecins pour les villages. Il fallait huit ans pour obtenir le diplôme et l'on en délivrait moins de mille par an. A ce rythme, et supposé que la population ne dépassât pas ses cinq cents millions actuels, cela prendrait mille ans pour avoir assez de médecins pour les villages, où vivaient quatre-vingt-cinq pour cent de la population. Pourtant il se trouva quelques médecins éminents pour dénoncer des projets qui prévoyaient une formation accélérée du personnel médical et le raccourcissement des études, parce que, selon eux, cela abaisserait de façon dangereuse le niveau des connaissances.

« Ils veulent garder leurs privilèges bourgeois », disait Joan Wu, la femme américaine du docteur Wu. Ronde de visage, un peu guindée, elle travaillait dans la pharmacie de l'hôpital. Elle était pleine d'admiration pour le nouveau régime.

Des équipes médicales allèrent dans les campagnes étudier les besoins sanitaires des villages. Ils voyageaient dans des camions militaires et couchaient sous des tentes. Pour la première fois, quelques médecins et de nombreux étudiants virent les conditions de vie affreuse de leurs propres concitoyens. « Nous n'imaginions pas... », disaient-ils, mal à l'aise. Le docteur Wu et quelques autres se portèrent volontaires pour aller passer de six mois à un an dans les zones rurales afin de mettre en place un véritable service de sages-femmes. La qualité des soins donnés au bébé et à la mère était lamentable. Trop souvent, la sage-femme du village était une vieille femme sale qui se servait de crochets de fer rouillés pour tirer l'enfant quand l'accouchement était difficile. Dans certaines régions montagneuses, on appliquait encore un emplâtre de fumier sur le nombril des nouveau-nés. Dans d'autres provinces, on ne donnait aucun répit à la femme en couches qui devait se tenir au-dessus de deux briques pendant des heures...

Un fort sentiment de culpabilité gagnait non seulement les médecins mais aussi de nombreux intellectuels. Certes, ils avaient lutté pour la démocratie, et contre Tchiang. Mais avaient-ils vraiment *fait* quelque chose pour leurs semblables ?

Yong était allé à Yenan, il avait travaillé sur les champs de bataille et dans les villages, il avait mangé, dormi et travaillé avec les paysans. A présent, il établissait des projets de cliniques à l'échelle des villages, qui emploieraient un personnel para-médical formé à accomplir des opérations simples liées aux accidents du travail. Le plus important était la propreté : stérilisation des instruments, piqûres antitétaniques, diagnostic correct. « Quatre-vingts pour cent des maladies courantes et soixante pour cent des accidents peuvent être traités à l'échelon local », affirmait-il. A condition qu'il y eût un personnel efficace, formé en deux ou trois ans à reconnaître ce qui était grave et ce qui ne l'était pas. Les coûts médicaux seraient ainsi radicalement réduits et on gagnerait du temps pour former davantage de médecins.

Ses sœurs jumelles, Chardon et Corail, âgées à présent de seize ans, débordaient d'enthousiasme. « Nous voulons donner notre vie pour construire une Nouvelle Chine, disaient-elles d'un ton grandiloquent. Nous renonçons de grand cœur à toute ambition personnelle. » Elles s'étaient toutes deux portées volontaires pour aller dans les villages enseigner et aider le personnel médical.

Mère aussi était « organisée ». Toutes les femmes de la rue se réunissaient pour discuter de leur responsabilité dans la communauté. Un comité de rue fut formé pour superviser le recensement de tous les habitants de la rue, les conditions d'hygiène, les soins aux enfants, pour trouver une solution aux problèmes familiaux et signaler toute conduite asociale, telle que la prostitution clandestine.

Veuve devint soudain ce qu'on appelait une « activiste » ; infatigable, elle exhortait les autres femmes de la rue à coopérer.

Elle se montra particulièrement douée pour repérer les problèmes familiaux. Au numéro 4 vivait Mme Nieh, qui maltraitait sa belle-fille et ordonnait à son fils de battre sa femme. En fils obéissant, il la frappait et lui donnait des coups de pied énergiques et il fut indigné quand le comité de rue lui fit des reproches. « Mais je suis un fils obéissant ! » Après tout, la tradition ne disait-elle pas : « Balaie seulement ton propre seuil. Ne t'occupe pas du gel sur le toit de ton voisin. » Mais Veuve rapporta le cas devant la Fédération nationale des femmes. « Il lui a brûlé le cou avec sa cigarette l'autre jour. »

Comment Veuve rassemblait-elle une telle masse de renseignements sur tous les gens de la rue ? Chaque femme se le demandait dans le silence de son esprit. Pourtant, Veuve fut bientôt entourée d'amies — elle dont, naguère, la seule vue portait malchance — car personne ne tenait à devenir l'objet de ses minutieuses investigations.

En tant que seule étrangère de la rue, Stéphanie reçut une attention particulière.

Deux membres du Parti vinrent l'interroger. On lui remit sa carte d'immatriculation et elle fut reconnue membre de la Famille mais on ne l'autorisa pas à participer à des activités.

« J'aimerais beaucoup faire quelque chose, aider », disait-elle. Mais le comité de rue ne pouvait pas, ou ne voulait pas, lui confier de tâches parce qu'elle était étrangère.

Elle commença la rédaction d'un nouveau livre. Sur les changements dans la ville. Elle tenait son journal. Elle se promenait beaucoup. Et se sentait rejetée, ignorée, abandonnée.

Et puis un jour, il y eut une voix, une voix américaine, à la porte. « Salut, Texas. » Lionel Shaggin, bronzé et souriant ; il ouvrit grand ses bras et Stéphanie se jeta à son cou dans sa soif de quelque chose d'américain.

« Ça fait des années », dirent-ils ensemble, et ils éclatèrent de rire. Des années. Depuis le début de 1945, quand elle avait quitté Yenan, et on était en 1949.

Lionel Shaggin, Loumei et leur fils Guerrier de Chine, avaient été évacués de Yenan quand la cité de grottes était tombée aux mains du Kuomintang en 1947. Lionel avait été nommé à Shanghai et chargé de l'élimination des maladies vénériennes. Le principe de base était de ne pas punir les femmes mais d'arrêter et de punir les hommes qui pratiquaient l'esclavage sexuel. Les droits des femmes, l'égalité entre les sexes faisaient partie intégrante de la révolution chinoise. On considérait les prostituées comme des victimes et non comme des criminelles. Elles seraient guéries, éduquées, on leur apprendrait à travailler.

« Vous savez, Lionel, je n'avais jamais vu le problème de cette façon... » Une idée se faisait jour dans l'esprit de Stéphanie : les magazines américains voulaient des histoires « de gens » — eh bien en voici...

« Il n'y a pas que vous, sœurette. Même moi — quand j'ai commencé ma carrière médicale — je n'avais pas une idée très claire sur la nature de la prostitution féminine. »

La poste fonctionnait bien. Le courrier arrivait de façon régulière, quoiqu'un peu lente, à cause de la censure des deux côtés. Stéphanie reçut des lettres de son éditeur Zimmerman et un câble de *Maintenant* lui demandant un grand article sur la « chute » de Shanghai.

« Ce n'est pas une chute mais une libération », écrivit-elle et elle envoya un papier sur le travail de Lionel auprès des prostituées. Il ne fut jamais publié.

Un jour, quatre professeurs vinrent à la Maison demander à Stéphanie d'enseigner la littérature anglaise et américaine à l'université. Elle fut ravie.

« Oui, oui. Je ferai de mon mieux. »

Enfin, elle aussi était utile.

Elle fut aussi invitée, avec Mère et quelque cinq cents autres femmes, à un thé donné par la toute neuve Fédération nationale des femmes. Le maire y assista et lui serra chaleureusement la main : « Vous êtes une amie, vous êtes la bienvenue. » On demanda aux femmes d'étudier le projet d'une nouvelle loi sur le mariage, qui devait constituer la Charte des Droits de la Femme. Pour la première fois existerait la liberté de choisir son conjoint et l'infanticide des fillettes serait sévèrement puni.

Stéphanie participa aussi à des réunions où l'on discutait des réformes nécessaires dans l'enseignement de la littérature et de l'art d'écrire. Il y aurait de nouveaux livres, de nouvelles histoires, d'autres sujets. De quoi parleraient les écrivains, et pour quel public, se demandait Stéphanie. Quatre-vingts pour cent de la population étaient illettrés. Tous les professeurs reçurent un guide-âne politique : un discours de Mao Tsetung prononcé à Yenan en 1941, sur les rapports entre l'écrivain et ses lecteurs ; sur l'obligation d'écrire pour les paysans et les ouvriers et pas seulement pour l'élite intellectuelle ; sur le devoir de créer des personnages héroïques tirés du peuple, et d' « éduquer les masses » par la littérature.

C'est du réalisme socialiste, pensa Stéphanie. Mais les masses étaient encore incapables de lire. Elle avait des doutes mais se garda poliment de tout commentaire et accepta avec enthousiasme quand on lui demanda d'apporter son aide au nouvel Office des traductions de l'université, pour traduire des manuels de science, de sociologie, d'histoire et d'économie : c'était un premier pas important vers le but « Education de masse, culture de masse ».

Stéphanie avait l'impression d'être sur le seuil d'une expérience prodigieuse. *Tout* devait être repensé. Il fallait commencer tant de choses à la base. « On assiste à un grand déploiement d'initiative », écrivait-elle dans son journal. Puis elle contempla les mots qu'elle venait de tracer, sachant qu'avant son expérience chinoise elle n'aurait pas pu les écrire ni même formuler cette idée. Et elle se sentit impuissante, car *limitée* par sa propre éducation, à décrire ce qui se tentait sous ses yeux.

En juin 1949, on organisa un grand défilé de la victoire.

Tout le long des rues de Shanghai — Bubbling Well Road, Nanking

Road, avenue Joffre — de grands dragons de soie et de papier, chacun porté par quarante-huit hommes, défilèrent en ondulant. On entendait le fracas des cymbales, la voix grave des tambours. Des garçons et des filles vêtus de vestes et de pantalons aux couleurs vives dansaient le *yangko.* Suivit un défilé de chars : des avions et des navires de papier, des locomotives, des automobiles, des gratte-ciel... rêves et visions du futur, quand la Chine serait devenue un géant industriel.

Des unités de l'Armée Populaire de Libération participèrent aussi, sans armes, chaque homme tenant à la main une pivoine en papier. La foule riait, applaudissait et se bousculait pour taquiner les soldats.

Mais quand vint l'automne, on commença à sentir le poids d'un changement aussi vaste. Et pendant l'hiver il y eut quelques incidents désagréables entre des industriels chinois et étrangers et leurs ouvriers. Les ouvriers réclamaient de meilleures conditions de travail et des salaires plus élevés. Le slogan enivrant de la révolution, « Le pouvoir à la classe ouvrière », semblait contredit par la politique du gouvernement, qui était de restaurer le plus vite possible l'économie délabrée et donc de conserver les usines capitalistes, dirigées par leurs propriétaires ; or, ceux-ci imposaient encore à leurs ouvriers trois cent soixante-deux jours de travail par an — dix heures par jour. Une pénurie de matières premières se produisit et quelques usines fermèrent.

L'inflation, un instant jugulée, reprit. Les spéculateurs retrouvèrent l'espoir. « Nous tiendrons le nouveau régime à la gorge d'ici un an. »

L'un des problèmes majeurs du système était l'extrême rareté d'administrateurs expérimentés. Dans les organismes municipaux, dans les banques, dans la plupart des bureaux, on avait gardé les anciens employés du temps du Kuomintang. On avait besoin d'eux. Mais il fallait bien cependant récompenser les fidèles du Parti, même si beaucoup d'entre eux ne savaient que se battre et se trouvaient complètement dépassés par tout ce qui avait trait à la paperasserie.

La majorité des hommes du Parti chargés de responsabilités étaient des paysans-maquisards du nord de la Chine. Ils ne comprenaient pas le dialecte de Shanghai, avec ses sons d'oiseaux et ses intonations chantantes. La plupart n'avaient jamais vu auparavant une grande ville. Ils ne savaient pas tirer une chasse d'eau, tourner des robinets. Devant les téléphones, les postes de radio, les réfrigérateurs et les ascenseurs, ils se sentaient transportés sur une planète étrangère et hostile.

La municipalité ratissa les universités pour trouver des hommes et des femmes plus compétents. Les communistes du réseau clandestin de Shanghai étaient d'experts conspirateurs mais se montraient incapables de diriger une banque ou une quelconque entreprise de commerce. D'où viendraient les administrateurs *instruits ?*

Alors, dans cette ville, si étendue et si complexe, avec ses cinq millions d'habitants, le plan du général de brigade Tsing, de la Police secrète du Kuomintang, eut l'occasion de porter ses fruits. Car, à présent, le besoin de gens sachant lire et écrire était si pressant que beaucoup furent hâtivement promus cadres, et même membres du Parti, sans qu'on eût fait trop de vérifications sur leur identité et leur passé.

En six mois, Hsu Construit-la-Cité était devenu le bras droit d'une maquisarde de Yenan, au visage buriné, au large sourire, la camarade Lo. A Yenan, elle avait eu la charge de l'aide sociale et de l'enregistrement des mariages. On l'avait nommée à Shanghai pour s'occuper de l'immatriculation des citoyens employés dans les filatures et les usines de textile, des femmes pour la plupart.

Et parce que c'était une paysanne — habile avec un fusil mais troublée par les ascenseurs et sujette au vertige dès qu'elle montait plus de quatre étages — elle écoutait le camarade Hsu, récemment nommé pour l'aider, car il connaissait Shanghai et avait de l'instruction. C'était un jeune homme si serviable, qui remplaçait un peu le fils qui avait été tué pendant la guerre de libération. Il la raccompagnait toujours à la maison du peuple où elle vivait. « Il y a encore de mauvaises gens qui traînent, disait-il avec galanterie. Tante Lo, vous êtes trop précieuse pour qu'on risque de vous perdre. »

Hsu devint ainsi son assistant, son bras droit. Il se mit à recruter ses propres subalternes et parmi eux deux des toutes premières recrues du colonel Tsing... Chaste Sagesse connue maintenant sous le nom de camarade Bo, et son mari, Tsui Dragon de Mer, le couple qui, cinq ans plus tôt, avait été envoyé à Yenan pour infiltrer les communistes.

La camarade Lo fut heureuse que la camarade Bo devînt son assistante responsable du secteur éducatif dans le syndicat des ouvriers du textile... car Bo Chaste Sagesse lui rappelait des souvenirs de Yenan. Et le camarade Tsui Dragon de Mer était à Pékin, chargé des écoles secondaires dans un quartier de la capitale. « Ainsi — quand vous voudrez que quelque chose soit rapidement transmis à Pékin, mon aimé pourra aider », dit Chaste Sagesse.

Le propre mari de la camarade Lo, Meng, était encore dans l'armée en Mandchourie. Seule à Shanghai, Lo trouvait réconfortante l'aide efficace des camarades Hsu et Bo Chaste Sagesse.

Six fois par jour, à sept heures du matin, Stéphanie se rendait à l'université sur la vieille bicyclette de Yong, dont il se servait quand il allait à l'école. Yong, lui, prenait l'autobus jusqu'au jour où Lionel Shaggin lui procura la bicyclette presque neuve d'un Américain qui partait.

Les premières fois, la police interpella Stéphanie pour examiner ses papiers. « J'enseigne à l'université, camarade policier », disait poliment Stéphanie et elle leur montrait des photos d'elle-même avec Yong et Trésor d'Hiver. Les photos furent très convaincantes. Maintenant, les policiers lui faisaient bonjour de la main quand elle passait en pédalant.

Sa classe, à l'université, comprenait deux fois plus d'étudiants qu'il n'était autorisé avant la libération. Soixante. « Mais à cette époque-là, madame Jen, nous avions des notions ridicules : " Peu mais les meilleurs ", telle était notre devise. Nous étions complètement coupés des masses », lui dit le doyen.

Le premier jour, le doyen, homme maigre et fin lettré, l'avait présentée à sa classe : « La camarade Laï Neige de Printemps nous aide à reconstruire notre pays. » Les étudiants avaient applaudi et deux jeunes filles s'étaient avancées pour lui offrir des fleurs.

Les cours finis, les étudiants s'empressaient autour d'elle, avides, pleins de questions sur l'Amérique. Pourquoi les Américains avaient-ils aidé Tchiang Kaïshek ? Quand les Etats-Unis reconnaîtraient-ils la République populaire ?

« Les Américains ne sont pas toujours bien informés, essayait d'expliquer Stéphanie. Ils ont très peur du communisme, le mot seul les empêche de penser lucidement... » Elle s'efforçait d'expliquer mais se sentait elle-même déconcertée par l'hystérie grandissante de son propre pays.

Le doyen suggéra qu'elle étudiât Chaucer, Walt Whitman, Shakespeare, Dickens et Mark Twain, considéré comme « progressiste ».

« Je pensais que Jane Austen serait une bonne introduction à la littérature..., dit Stéphanie.

— Nous pensons que *Huckleberry Finn* est un bon exemple de littérature progressiste », répliqua le doyen d'une voix douce.

Fatiguée mais contente, elle rentrait chaque après-midi à la maison où elle retrouvait son fils. Trésor d'Hiver était à présent un bambin vigoureux, gai, volontaire et vif. *Amah* Mu veillait à ce qu'il accueille sa mère avec respect. « Incline-toi devant ta mère. » « Demande à ta mère si elle est fatiguée. » « Dis : Mère, votre indigne fils est heureux que vous soyez de retour. »

Stéphanie était heureuse — à part quelques rares accès de nostalgie pour l'Amérique. On avait besoin d'elle ici. Elle pouvait apporter une aide utile. En tant que femme elle se sentait comblée, bien dans sa peau. « J'ai tout... un mari, un fils, une famille aimante et un travail passionnant... », écrivait-elle dans son journal, et elle écartait ce sentiment vague de... d'impermanence qui s'attachait au fond de son esprit.

Shanghai était devenue un lieu détendu, au rythme lent. L'agitation fébrile, la hâte dans tous les gestes avaient disparu. Dans l'ancienne

Shanghai, les gens se crevaient au travail — ils poussaient, tiraient, soulevaient, portaient avec frénésie comme s'ils avaient voulu distancer une calamité lancée à leurs trousses. Shanghai avait été une jungle, aussi agitée et bruyante à quatre heures du matin qu'au milieu de l'après-midi. Tout cela avait changé. La rapidité individuelle n'était plus recherchée, la vitesse n'était plus considérée comme une qualité désirable. Les gens attendaient que les décisions viennent de la collectivité et ils étaient eux-mêmes la collectivité. Il y avait eu un rejet des responsabilités de la part des individus. L'instinct de survie avait perdu de sa virulence, il n'était plus nécessaire de se battre bec et ongles pour tenir.

Une certaine crainte d'en faire trop au lieu de trop peu se répandait insidieusement. Stéphanie remarqua que se dresser avec trop de hardiesse et de mordant n'était pas bien vu par la « collectivité »

« Comme si on avait vaporisé dans l'air une drogue tranquillisante, qui imprègne tout, écrivait Stéphanie. Mais malgré ce ralentissement, des choses remarquables s'accomplissent. »

« C'est tout simplement le rythme de la campagne ... des paysans, lui expliquait Yong en riant. Les paysans sont en train de prendre le pouvoir. »

Le corps de Stéphanie aussi vivait à un rythme plus lent. Il lui fallait plus de temps pour réagir à présent. Malgré tout le travail que lui donnait son emploi du temps de professeur, elle avait parfois l'impression de flotter entre la terre jaune et le ciel bleu, une bulle de temps distendu. Un bien-être végétal. Elle marchait par pur plaisir et se contentait de pousser la bicyclette quand elle rentrait après les cours. Elle absorbait la ville, cette ville qui apprenait une nouvelle manière d'exister. Pendant ses cours, cette disponibilité d'esprit se reflétait dans sa façon d'enseigner. Elle parvint à mieux comprendre Walt Whitman à Shanghai que quand elle était à l'université de Radcliffe.

Chacun de nous inévitable
Chacun de nous recevant les significations éternelles de la terre...

Elle essaya d'expliquer le sens de ces vers à ses étudiants. Les notions abstraites d'existence, les états d'anxiété et de perception étaient très difficiles à traduire. Mais à l'aide de patientes métaphores elle y parvint et connut sa récompense quand ses étudiants se regardèrent, inclinèrent la tête et sourirent.

Malgré ce nouveau sentiment de sécurité et malgré leur bonheur, Yong et Stéphanie connaissaient des moments où ils se sentaient fragiles et vaguement menacés. Il y avait une gêne dans l'air, encore vague. Elle surgissait à propos de choses insignifiantes, des affiches murales, un discours particulièrement virulent à la radio. Ou bien devant le départ, lent mais constant, des étrangers. Shanghai se vidait de ses étrangers.

Ils partaient isolément ou par groupes de deux ou de dix, bateau après bateau, par train quand les chemins de fer furent rétablis.

Yong amenait des amis à la maison, surtout ceux qui avaient des épouses étrangères. Les Shaggin, les Wu, les Hsieh. Il invitait des professeurs d'université qui avaient vécu à Chungking et à Yenan. Bientôt la maison des Jen fut réputée pour son hospitalité. Et parmi leurs amis, s'instaura une loyauté, un besoin des autres, comme si, sous le sol tolérant et merveilleux qu'ils foulaient, quelque chose de menaçant avait été tapi, prêt à surgir.

Malgré les imprécations de la presse étrangère contre la Chine, le commerce avait repris avec de nombreux pays occidentaux. Des hommes d'affaires européens maintenaient des sociétés à Shanghai. Quelques Américains de Shanghai refusaient de partir, dont Henry Barber, journaliste indépendant et écrivain, qui publiait un hebdomadaire appelé *Feuille d'Avis*. Ils se retrouvaient souvent chez les Shaggin ou dans une autre maison pour discuter de l'éventualité d'un changement dans la politique du gouvernement américain. Ils y croyaient davantage depuis que le président Truman avait déclaré que la Corée restait en dehors du périmètre de défense américain en Asie. Un jour, peut-être, viendrait la réconciliation. L'armée chinoise se démobilisait. Mao Tsetung l'avait publiquement dit : « A présent, une nouvelle guerre mondiale est tout à fait impensable. »

Herbert Luger vint passer quelques jours à Shanghai pour réorganiser les émissions en langue anglaise de la station de radio de la ville. Il vint voir Stéphanie et se lança dans une diatribe contre les Etats-Unis à cause des persécutions et des chasses aux sorcières.

Parce qu'il avait dirigé la Mission Dixie, le colonel David Barrett s'était vu refuser toute promotion. John Service avait dû subir toute une série d'interrogatoires pour prouver sa loyauté. On l'avait innocenté en 1946, 1947, 1949 et encore tout récemment mais « ils s'acharnent sur lui... les impérialistes ne seront pas contents tant qu'ils n'auront pas déclenché une autre guerre ».

Luger regarda Stéphanie avec insistance et essaya de passer un bras autour de ses épaules ; agacée, elle changea de place. « Nous avons besoin de vous, Stéphanie. Je sais que vous avez fait du bon travail par votre enseignement et vos traductions mais vous pourriez être plus efficace à la radio.

— Je n'y connais rien.

— Il nous faut une voix américaine. Une voix féminine. Pour parler aux Américains. Si vous pouviez faire une causerie, disons deux fois par semaine, le soir, à l'heure de grande écoute à Washington, ce serait très utile. »

Son assurance, le jargon qu'il employait déplaisaient à Stéphanie. Et ces mains baladeuses...

« Je ne pense pas que j'en suis capable.

— Vous n'auriez rien à faire. Rien. C'est nous qui rédigerons. Vous n'auriez qu'à lire. Nous avons plusieurs Américains et aussi des Australiens et des Britanniques qui travaillent pour nous. Rendez-vous compte, Stéphanie ! C'est un grand honneur de réfuter point par point les mensonges de l'impérialisme. Nous sommes engagés dans un combat sans merci contre les fauteurs de guerre. »

Il poursuivit son monologue, d'une voix sonore de prédicateur. « Les jours de l'impérialisme sont comptés, mais les impérialistes continuent à semer le désordre...

— Il faut que j'y réfléchisse.

— Stéphanie, où est passé votre enthousiasme ? C'est une occasion magnifique pour vous de montrer de quel côté vous êtes...

— Herbert, ne me bousculez pas, je vous en prie. » Elle se leva. « Je vous ferai connaître ma réponse demain. Ce n'est pas si urgent que ça, après tout. »

Ce soir-là Yong rentra tard. Il avait les yeux cernés de fatigue. Stéphanie portait la robe d'intérieur qu'il préférait, en soie, aux manches évasées et qui moulait son corps mince. Elle avait relevé ses cheveux en un simple chignon ; son visage ciselé et sérieux était plus beau en sa maturité que six ans plus tôt. Yong la trouva qui l'attendait dans la pièce fraîche ; alors son corps se détendit et la fatigue le quitta. « Oh mon amour, mon amour, dit-il. La pièce rayonne d'un feu mouvant, à cause de ta présence...

— Toute cette poésie dont tu me combles... » Elle sourit puis lui fit part de la proposition de Herbert.

« Non, dit Yong. Non, Stéphanie, tu ne vas pas faire ça...

— Ça pourrait peut-être aider.

— Je ne pense pas que tu devrais lire des textes à la radio. » Il était en colère et parlait d'une voix froide et guindée. « Sauf si ce sont tes propres textes.

— Très bien. C'est ce que je répondrai à Herbert. »

Ils s'assirent et leur accord dissipa la gêne qui s'était instaurée entre eux.

« Oncle Keng nous a invités à aller passer l'été à Wusih, dit Yong. J'y allais quand j'étais enfant, au début de la saison chaude. » Yong ne pourrait y passer que quelques jours mais Mère resterait avec Stéphanie et Trésor d'Hiver.

Et donc, quand les cours de Stéphanie prirent fin à la mi-mai — et que les étudiants « descendirent » aider à la réforme agraire dans les villages — Stéphanie et Mère partirent accompagnées de Trésor d'Hiver et d'*Amah* Mu.

Wusih était un lieu de villégiature renommé pour sa beauté, le paradis des peintres. Les saules, les camphriers, les chênes argentés et les eucalyptus offraient une riche bigarrure de verts au bord du lac. Le jade des rizières allait se fondre dans l'azur pâle des collines qui ceignaient l'horizon. Le lac était une étendue infinie de soie dont le bleu saphir était moiré par de fines ondulations.

Une école de peinture occupait la première cour et les pièces de service de la maison de Keng Dawei. La nouvelle académie des arts avait réquisitionné une partie de la maison et Oncle Keng l'avait volontiers prêtée.

Les artistes touchaient à présent un salaire mensuel. Ils avaient ainsi la sécurité et le nouveau gouvernement les encourageait à peindre. « Avant la libération, nous mourions de faim... maintenant le gouvernement nous donne tout ce dont nous avons besoin... » tel était le refrain que Stéphanie entendait tous les jours de la bouche des écrivains, peintres et musiciens. Tout ce qu'ils avaient à faire était de créer. Créer en hommage à la révolution.

Le célèbre peintre Tseng Shunte, un maître de l'école méridionale dont les paysages Wusih étaient très appréciés, se trouvait là avec vingt de ses élèves. L'école projetait de créer collectivement plusieurs grands tableaux pour célébrer le premier anniversaire de la République populaire de Chine, le 1er octobre 1950.

« La Corée, dit Mère. Quelque chose semble s'être produit en Corée. » Stéphanie, qui était allée faire une petite promenade matinale, avait raté les informations.

Tseng Shunte entra dans leur cour.

« Maître Tseng, soyez le bienvenu, partagez notre petit déjeuner..., dit Mère.

— Non, non, j'ai déjà mangé... avez-vous entendu la radio ?

— Oui, à l'instant... il s'est passé quelque chose en Corée.

— Le gouvernement réactionnaire de la Corée du Sud a attaqué la Corée du Nord », dit Tseng. Il s'attardait, regardait Stéphanie. « Le gouvernement américain dit qu'il aidera la Corée du Sud.

— Eh bien, espérons que ça s'arrangera vite, dit Mère.

— Le président Truman a déclaré que la Corée n'était pas dans le périmètre de défense des Etats-Unis... c'est ce qu'il a dit... » Maître Tseng soupira. « Les choses sont troubles, très troubles. » Il s'inclina et s'en alla.

Ce matin-là les étudiants sortirent comme d'habitude pour flâner autour du lac et choisir des coins ombragés pour planter leur chevalet.

Stéphanie s'assit à côté du poste de radio. Bientôt il y eut un nouveau bulletin d'information.

Il y avait eu une « agression ». La Corée du Sud avait lancé une offensive sur la Corée du Nord. Elle tourna les boutons pour essayer de capter Hongkong ou la B.B.C. mais n'obtint que des crachotements et des bruits de friture.

Ce soir-là, sur Hongkong, elle entendit que le général MacArthur, le chef suprême des forces américaines à Tokyo, avait reçu l'ordre de son gouvernement de soutenir la Corée du Sud avec des vaisseaux de guerre et des avions.

Mère entra pendant que Stéphanie écoutait.

« Qu'est-ce que cela signifie ? demanda Mère.

— Je ne sais pas, dit Stéphanie. Je ne sais vraiment pas. »

De Hongkong la voix du commentateur leur parvenait toujours, menaçante.

« C'est le moment pour les nations du monde de choisir leur camp... sinon la marée rouge nous submergera... Armageddon... une troisième guerre mondiale... »

Des manifestations contre l'agression commise par la Corée du Sud se déroulèrent à une petite échelle dans les villes chinoises. Etudiants, travailleurs, ménagères, mobilisés par le réseau dense des organisations, tenaient des meetings, signaient des pétitions contre l' « agression ».

Stéphanie se déplaçait dans un état de malaise où elle se sentait presque désincarnée ; son seul bouclier contre l'anxiété était le calme de Mère. Mère paraissait sereine. Seuls un geste un peu plus chaleureux avec Trésor d'Hiver, un ton plus enjoué, la trahissaient.

Mais les étudiants ne venaient plus bavarder avec Stéphanie. Maître Tseng et ses élèves tenaient des réunions ; ils commencèrent à peindre des affiches sur la guerre de Corée. Ils tendaient d'immenses cadres contre les murs de la cour. D'un geste majestueux, Maître Tseng ébauchait un motif, dessinait à traits rapides des foules de gens avec des têtes qui en émergeaient comme la crête dansante des vagues sur un océan... Des drapeaux rouges se déployaient au-dessus et, dans un halo de lumière, un soldat nord-coréen, le fusil à la main.

Maître Tseng était devenu légèrement plus distant, bien que toujours affable, avec Mère et Stéphanie. Il ne franchissait plus le seuil de leur cour mais se tenait à l'extérieur et bavardait avec Mère, sans paraître voir Stéphanie. Il caressait sa fine barbiche et parlait du scintillement de la lumière sur le lac.

Au soir du 7 juillet, les armées nord-coréennes avaient réussi une percée profonde dans le sud et menaçaient Séoul. A l'O.N.U., treize pays acceptèrent d'envoyer des forces armées en Corée, à condition que les Etats-Unis commencent. MacArthur fut nommé commandant en chef des forces de l'O.N.U. en Corée.

La bouche sèche, Stéphanie dit à Mère : « Peut-être devrions-nous rentrer à Shanghai.

— Il fait trop chaud à Shanghai, dit Mère.

— Je ne veux pas que Yong s'inquiète, dit Stéphanie.

— Il fait très, très chaud à Shanghai... », répéta Mère.

Stéphanie comprit. En temps de guerre, les étrangers deviennent automatiquement suspects. Dans n'importe quel pays. Et elle était américaine. Mieux valait ne pas être à Shanghai en ce moment...

Mère alla conférer avec Maître Tseng, qui reconnut que Stéphanie s'était montrée indignée par l'agression des impérialistes. « Maître Tseng, votre parole comptera. Notre gratitude durera mille ans.

— Cent suffiront, dit Tseng, charmé par Mère. Moi, Tseng Shunte, suis aussi grandement affligé. »

Amah Mu rentra de sa promenade avec Trésor d'Hiver et comme toutes les nourrices, tint absolument à raconter les moindres faits et gestes de l'enfant. « Alors, *nous* avons entendu les tambours et *nous* avons vu les danseurs et ils *nous* ont demandé de soutenir la Corée du Nord contre ses agresseurs », dit-elle.

Trésor d'Hiver intervint d'une petite voix flûtée : « A bas l'impérialisme américain ! A bas les valets de l'impérialisme ! » C'était un enfant à l'esprit vif, avec une grande facilité d'expression et une oreille fine. Trop fine, pensa tristement Stéphanie. Bien qu'il eût les grands yeux bruns de Stéphanie, il avait les mêmes cheveux que Yong et paraissait chinois. Il répétait les slogans mais passait aussi par des moments de silence attentif. Il avait une façon de secouer la tête quand il faisait un caprice qui était du plus pur Stéphanie. Mais elle le surprenait de temps en temps qui la contemplait d'un air sérieux et perplexe. Peut-être était-il en train de découvrir qu'elle était différente, physiquement différente, d'*Amah* Mu, de Grand-Mère et de tous les oncles et les tantes qu'il connaissait...

Elle alla dans sa chambre, ferma la porte et s'y adossa. Mon Dieu, pensa-t-elle, c'est mon enfant, mon enfant... Mais Mère entra d'un geste presque brusque avec Trésor d'Hiver et plaça l'enfant près de Stéphanie en disant : « Allons, Trésor, embrasse ta mère... »

Alors Stéphanie serra sauvagement son fils contre elle, si fort qu'il se tortilla un peu. *Oh mon Dieu... qu'il ne regrette jamais que sa mère soit américaine.*

Trésor d'Hiver revint le lendemain avec son dernier trophée de slogans : « Tuez tous les impérialistes et leurs chiens serviles. »

Amah Mu prit son ton gentiment grondeur : « Voyons, Trésor, tu ne dois pas crier ça *à la maison,* c'est seulement pour les gens qui défilent dans les rues.

— Je veux défiler. Je veux défiler. » **Trésor d'Hiver arpenta la pièce** en balançant le bras, le poing serré. « A bas l'impérialisme américain.

— Tu es trop petit pour défiler, dit sa Grand-Mère.

— Je veux être soldat, dit Trésor d'Hiver. Je veux tuer les chiens... J'ai vu un chien, maman. On le tuait. Ha, ha. » Stéphanie avala avec peine la bile qui montait dans sa gorge.

Une campagne d'hygiène massive avait alors lieu pour abattre les chiens bâtards et errants susceptibles d'avoir la rage. Mais, comme d'habitude, les gens faisaient du zèle et l'on tuait tous les chiens.

Mère regarda *Amah* Mu qui dit : « Nous passions et nous les avons vus tuer un chien...

— Tu seras médecin, comme ton père, dit Mère à Trésor d'Hiver.

— Je veux être soldat, dans l'Armée de Libération ! » cria Trésor d'Hiver en continuant ses va-et-vient et en secouant la tête comme Stéphanie.

« A-t-on jamais entendu parler de quelqu'un qui *voulait* être soldat ? Le bon fer ne sert pas à faire des clous, les bons fils ne deviennent pas soldats..., dit *Amah* Mu.

— Je veux me battre », hurla Trésor d'Hiver et *Amah* Mu s'empressa de l'emmener en disant : « Petit sot, allons laver ton visage et tes mains. »

Dans le train qui les ramenait à Shanghai, Stéphanie fut contrôlée quatre fois par la police chargée de la sécurité dans les transports. A chaque gare, le zélé chef de train faisait monter deux policiers pour l'interroger. Sans se lasser, avec une grande courtoisie, Mère expliquait ; *Amah* Mu approuvait de la tête, présentait Trésor d'Hiver, l'exhibait comme la preuve vivante que Stéphanie n'était pas une espionne, qu'elle était bien mariée à un Chinois et voyageait avec sa Famille.

Mais que faisait-elle en Chine ? demandaient les jeunes policiers têtus et perplexes. L'excellent chinois de Stéphanie la rendait suspecte. Ils la dévisageaient puis se regardaient. Ils se tournaient vers Mère. Où avait-elle appris le chinois ? Pourquoi était-elle venue d'Amérique en Chine ? Stéphanie leur dit qu'elle était allée à Yenan et leur montra des photos qu'elle avait toujours sur elle. Photos de son mariage à Yenan et une photo de groupe. Et dans ce groupe, au premier rang, se tenaient plusieurs des dirigeants de la Chine, leur visage nettement reconnaissable et derrière eux, les Américains de la Mission Dixie... Les policiers des trains serrèrent alors la main de Stéphanie. « Quel honneur d'avoir dans notre train un hôte respecté qui a été photographié avec nos dirigeants ! »

Le chef de train resta assis avec elles jusqu'à la fin du voyage, à se chauffer au soleil de cette gloire. « Cette camarade américaine a vu le président Mao, le commandant Chu Deh, le premier ministre Chou Enlai », annonça-t-il à tout le wagon et les voyageurs se pressèrent pour admirer Trésor d'Hiver. « Il a l'air complètement chinois », disaient-ils et ils lançaient à Stéphanie des sourires approbateurs. Ils offrirent des bonbons à Trésor d'Hiver.

Mais quand elle descendit du train, un jeune homme cracha sur le sol devant elle.

Shanghai fut bombardée depuis Taiwan. Tchiang Kaishek se servit de ses avions américains. Parmi les morts, il y eut la servante de Stéphanie, Pétunia.

Tous les samedis, Pétunia allait voir sa mère qui habitait dans la ruelle du Fil et de l'Aiguille, dans le quartier Chapei. Là, les maisons étaient des constructions en bois légères qui retentissaient des cris des enfants. La ruelle était toujours pleine de femmes assises devant leur porte en train de coudre, de piquer et de broder. Elles travaillaient par paire, ou à trois, et se relayaient. Leurs doigts agiles ne se reposaient jamais sauf pendant leur sommeil. Leurs fines voix aiguës mêlaient la musique du dialecte de Shanghai aux cris et aux rires des enfants qui jouaient dans la *nilung,* comme on appelait les ruelles.

Pétunia était une bonne fille. Dès son arrivée, elle prenait la bobine et une aiguille, s'asseyait sur un tabouret à côté de sa mère et cousait. Les doigts de sa mère ne marquaient pas de pause même quand elle disait : « Te voici, ma fille. »

Pétunia répondait : « Me voici, Mère », et se mettait à coudre. Toute la rue chantait les louanges de Pétunia et louait sa mère d'avoir une fille si respectueuse et dévouée.

La bombe tomba sur la ruelle un peu avant midi. On entendit le sifflement aigu et quelques femmes levèrent la tête. Quelqu'un cria, épouvanté, « *Aiyah* » mais la réaction des couturières fut lente. Les vêtements. Les vêtements devant elles. Elles se levèrent tout en pliant machinalement leur ouvrage et la bombe tomba.

« Si quelqu'un à l'Ouest ne se met pas à *penser* une minute, nous allons droit à la guerre, dit Lionel Shaggin d'un air inquiet, et la guerre est la dernière chose dont la Chine a besoin. »

La radio de Lionel Shaggin était un poste à ondes courtes très puissant qui captait les nombreuses voix du monde : la B.B.C., la Voix de l'Amérique, Tokyo, Hongkong... C'était presque rituel pour Henry Barber, pour Stéphanie, Joan Wu et à l'occasion pour d'autres étrangers de Shanghai de s'entasser dans la salle à manger des Shaggin et d'écouter les radios étrangères. Chacun écoutait la radio chinoise le matin chez lui. Ensemble, ils essayaient de faire coïncider les nouvelles contradictoires qu'ils entendaient.

« Truman essaie de contenir MacArthur, affirmait Henry Barber. MacArthur a ordre de rester au sud du parallèle et de ne pas lancer une nouvelle croisade. »

Mais la septième flotte avait été mobilisée, sous le commandement de MacArthur, pour patrouiller la mer et protéger Taiwan. « Pour protéger Tchiang Kaishek ? Pourquoi ? » demandait Lionel Shaggin.

La Corée du Sud était maintenant déclarée vitale pour la défense de l'Occident. « C'est en contradiction avec ce qu'a dit le président Truman il y a quelques mois, faisait remarquer Joan Wu.

— Tchiang vient de proposer six divisions à l'Amérique pour envahir la Chine.

— Truman est le dos au mur... les Républicains ont juré d'avoir sa peau s'il ne se montre pas farouchement anticommuniste.

— En ce moment, les Républicains se déchaînent et c'est la panique chez les Démocrates. Il leur faut se montrer encore plus antirouges que les autres...

— L'hystérie, dit Lionel. C'est de l'hystérie. Alger Hiss et maintenant les Rosenberg... » Trois semaines après le début de la guerre de Corée, on les avait arrêtés et accusés de complot dans un but d'espionnage.

« L'Amérique est en état de choc, elle devient paranoïaque. D'abord la perte de la Chine. Puis l'annonce que l'Union soviétique possède la bombe atomique. Et maintenant la Corée... », dit Henry Barber.

Michael Anstruther qui, jusqu'alors, avait circulé à travers toute la Chine avec une facilité quasi miraculeuse, avait été expulsé quarante-huit heures après le début de la guerre parce que son journal à Londres soutenait les Américains. Michael le prenait avec philosophie. « C'est la façon diplomatique habituelle d'exprimer un mécontentement », écrivait-il avec humour à Stéphanie.

A son tour, la Grande-Bretagne avait été secouée par l'aveu de Klaus Fuchs, un savant atomiste de haut niveau, qui avait reconnu être un espion à la solde de l'U.R.S.S.

« Il existe un cancer rouge dans le corps politique américain... le gouvernement est à présent obligé de l'arracher pour survivre... », affirmait un éditorial de la Presse Hearst.

Un certain sénateur McCarthy devenait de plus en plus bruyant. Le 2 décembre, anniversaire de la naissance de Lincoln, il avait été désigné par le comité du parti républicain au Sénat pour parler sur « le communisme au Département d'Etat ». Il avait attaqué anonymement cinquante-sept « Rouges, possesseurs d'une carte », et, en le nommant, un savant, Owen Lattimore.

« La peur et l'intimidation règnent. A travers toute l'Amérique, les gens ont peur », écrivait un ami à Henry Barber.

« La Chine ne veut pas d'une guerre avec l'Amérique... c'est la dernière chose qu'elle souhaite ou dont elle a besoin », écrivait Henry Barber — qui continuait à faire paraître sa *Feuille d'Avis* à Shanghai.

La radio de Pékin se faisait de plus en plus condamnatoire. En écoutant les deux côtés, Stéphanie sentait croître son désarroi. « Tout le monde semble être devenu fou », dit-elle.

Lionel essaya un faible sourire. « Le bruit et la fureur sont une forme de communication de notre époque, sœurette. La Chine ne veut pas la guerre ni la plupart des Américains. Alors peut-être l'invective devient-elle un avertissement. »

Stéphanie eut un pâle sourire. « En d'autres mots, quand les gens s'injurient, il s'agit en fait d'amour et de baisers.

— C'est ce qu'affirme un de nos anciens proverbes chinois », répliqua Loumei qui refusait de perdre espoir.

Pendant tous les mois de juillet et d'août, les nouvelles en provenance de Corée ne parlèrent que de retraite précipitée. Jour après jour, semaine après semaine.

« C'est la débâcle des agresseurs impérialistes », proclamait Herbert Luger. Les Nord-Coréens possédaient des tanks russes de trente-cinq tonnes ; les forces américaines — pour la plupart peu entraînées au combat et arrachées à leurs garnisons confortables au Japon — étaient mal équipées. Partout c'était le désarroi, la débandade, le massacre. Tout au long des routes jonchées d'épaves de véhicules, sur les crêtes en dent de scie, écrasés par l'artillerie ennemie, encerclés, les G.I's se battaient et reculaient, reculaient sans cesse.

Lionel dit : « Nos garçons qui meurent, là-bas, en Corée... ça me fait mal aux tripes. »

La Voix de l'Amérique n'essayait d'ailleurs pas de minimiser l'ampleur de la défaite. « Tout autour de nous, les clairons ont commencé à sonner. Ils étaient juste au-dessus de nos têtes, dans les collines, et nous canardaient... »

« Des tanks nous ont tiré dessus depuis notre propre parc de véhicules. »

« Nous sommes partis en courant... aussi vite que nous le pouvions... nous étions coupés des autres. »

Herbert rayonnait. « Vous les entendez? Vous les entendez? Ça prouve la supériorité des nôtres...

— Herbert, dit Lionel d'une voix douce, ferme-la.

— Mais...

— Ferme-la, Herb, répéta Stéphanie. C'est un peu de nous qui est en train de mourir... »

A l'université, ses étudiants lui demandèrent — et le fait de poser la question signifiait que la décision en avait été prise collectivement :

« Professeur Laï, que pensez-vous des grandes victoires de l'héroïque peuple coréen sur les agresseurs impérialistes ? » La classe entière la regardait, muette, et attendait.

D'une voix tremblante, Stéphanie dit : « Je suis bouleversée par toutes ces souffrances, des deux côtés — et j'espère que cette guerre se terminera très vite. »

Elle n'avait pas donné la bonne réponse, elle le savait. Ce n'était pas de l'optimisme révolutionnaire. Ce n'était pas... l'attitude correcte. Un peu comme si, après Pearl Harbor, on avait considéré les Japonais comme des êtres humains, plongés tout autant que les autres dans un conflit mortel... Les mains nouées derrière son dos, elle contempla les jeunes visages réprobateurs qui lui faisaient face.

Stéphanie écrivit un article qu'elle intitula « Lettre de Shanghai ». Henry Barber le publia dans son hebdomadaire. C'était un texte d'analyse, qui essayait d'expliquer l'attitude chinoise devant le conflit. « La Chine veut la paix, elle en a besoin pour sa reconstruction... Le gouvernement espère que la Chine pourra rester hors du conflit... »

Herbert fulmina. « Seriez-vous en train d'insinuer que la République populaire de Chine a *peur ?* Quelle attitude défaitiste typiquement bourgeoise... Nos camarades chinois n'ont jamais peur... c'est la fin de l'impérialisme... les forces du socialisme creusent sa tombe en Corée... »

Stéphanie était devenue allergique à Herbert. Elle avait la chair de poule quand il s'approchait, avec ses yeux exorbités derrière ses épaisses lunettes.

« Stéphanie, vous restez perchée sur la barrière, c'est une attitude libérale caractéristique, ce refus de s'engager. Mais il faudra bien que vous choisissiez votre camp. Après tout, c'est l'U.R.S.S., et non les Etats-Unis, qui a gagné la guerre.

— Merde ! »

Mais malgré leurs disputes, parfois violentes, ils étaient bien obligés de se rencontrer chaque jour autour du poste de radio de Lionel. Herbert aurait pu écouter les informations au Centre de radiodiffusion, où ses collègues chinois étaient capables de capter toutes les radios du monde, grâce à un équipement nouveau acheté à Hongkong. Il disait d'un air supérieur : « C'est une telle perte de temps. Ce que disent l'U.R.S.S. et la Chine me suffit. » Pourtant, il continuait à venir écouter...

L'article de Stéphanie fut cité et commenté par John Moore et par Michael Anstruther dans leurs journaux. « L'article de Stéphanie Ryder est un plaidoyer pour le bon sens. Il souligne le danger d'une éloquence grandiloquente », écrivit John Moore.

Et Michael : « Stéphanie Ryder nous a donné le point de vue d'un pays qui, bien que communiste, est visiblement anxieux de ne pas s'engager militairement dans le conflit. »

Ils essayaient tous les deux de l'aider mais le groupe de presse Hearst l'attaqua avec violence : « Un compagnon de route — une nouvelle recrue pour les Rouges... »

Stéphanie écrivit à son père une lettre laborieuse, qu'elle recommença plusieurs fois pour la rendre convaincante. « Papa, tu me parles dans tes lettres d'un grand complot communiste. Mais je suis convaincue qu'il n'existe pas. » Une fois écrite, la lettre lui parut creuse, pompeuse. Il n'y avait pas trace de ce lien spécial qui, par-delà les idées, l'unissait à son père. La distance, mais aussi le sens différent qu'ils donnaient aux mots, empêchaient toute vraie communication entre eux.

A Isabelle, sa mère, elle écrivit : « Tout va bien ici. Beaucoup de gens sont inquiets de ce qui se passe en Corée mais tout s'arrangera, j'en suis sûre... Je vais bien, ainsi que Yong et notre fils. »

Elle écrivit aussi à Jimmy, bien qu'elle n'eût pas reçu de lettre de lui depuis longtemps. Mais Jimmy était à l'Académie militaire de San Antonio. A cause de cette guerre, il lui était peut-être difficile d'écrire.

Pendant ce temps, à l'université, ses collègues et ses étudiants chinois devenaient de plus en plus distants avec elle. Une réprobation silencieuse se manifestait aussi au Bureau des traductions où ses collègues étrangers, un couple de Français, des Espagnols et un Britannique, ne lui adressaient pas la parole quand ils la croisaient. Comme si elle avait été personnellement responsable de la guerre de Corée...

Cette attitude faisait mal à Stéphanie, lui rongeait le cœur. Même les Chinois, pensait-elle, ne se montraient pas aussi mesquins que ces étrangers, si persuadés d'être d'admirables révolutionnaires...

Matin et soir, elle parcourait sur sa bicyclette le trajet entre la maison et l'université. Elle continuait à enseigner avec obstination. Elle maintenait son cœur et son esprit dans une torpeur épaisse. Elle se sentait surveillée ; elle était écœurée ; mais elle continuait.

15

Le 6 août, la retraite des forces de l'O.N.U. en Corée prit fin. L'arrivée de renforts importants, combinée avec un pilonnage féroce par les bombardiers américains — qui détruisit presque tous les villages et villes de la Corée du Nord — mit un terme à ces dix semaines de déroute.

Ce fut le succès de l'opération amphibie, mise au point par MacArthur — le débarquement des marines à Inchon, près de l'extrémité ouest du 38e parallèle et leur poussée vers l'est pour couper en deux les forces nord-coréennes — qui permit ce renversement de la situation. Le sort de la guerre avait changé. Au cours des deux semaines suivantes, les forces nord-coréennes évacuèrent le territoire sud-coréen. Le 27 septembre, MacArthur fit une entrée triomphale dans Séoul.

Agglutiné autour du poste de radio de Lionel, le petit groupe d'Américains apprit la nouvelle.

A l'O.N.U., une résolution fut hâtivement votée, qui autorisa MacArthur à franchir le 38e parallèle et à entrer en Corée du Nord. « A présent l'huile est dans le feu, dit Shaggin. Merde, oh merde... » Stéphanie entendit la voix forte et claire d'Alistair Choate qui s'exprimait avec son élégance habituelle depuis le quartier général de MacArthur à Tokyo. « C'est presque une balade pour nos troupes. Leur moral est excellent. Les marines qui se battent en Corée sont des vétérans de Guadalcanal et d'Okinawa, surentraînés à la guerre amphibie... Les armées nord-coréennes sont annihilées... La victoire est en vue. »

Toute résistance fut écrasée. Les forces américaines et leurs alliés avançaient à une allure stupéfiante en Corée du Nord. On parlait à présent d'une réunification sous les auspices des Nations unies. Mais l'inquiétude grandissait devant la rhétorique guerrière qui se déversait du quartier général de MacArthur à Tokyo.

« Cet homme a l'air prêt à s'embarquer dans une croisade », remarqua Lionel, le visage plissé d'inquiétude.

Le gouvernement chinois réagissait à présent devant cette menace évidente pour la Chine ; en effet, de sa propre initiative, MacArthur était allé à Taïwan pour rencontrer Tchiang Kaishek ; ils avaient discuté d'une future coopération militaire et de la « victoire finale ».

« La reconquête du continent constitue notre but », avait proclamé Tchiang.

Tous les matins, Yong et Stéphanie écoutaient la radio locale. « Les Chinois ne tolèreront pas passivement de voir leurs voisins envahis », disait la radio.

Le premier ministre indien, Nehru, envoyait des messages d'avertissement au gouvernement américain. Si les troupes de MacArthur s'avançaient trop à l'intérieur de la Corée du Nord, la Chine serait obligée d'intervenir...

Mais MacArthur avouait presque ouvertement son intention de « détruire les sanctuaires nord-coréens » où qu'ils soient. Le président Truman, que l'attaque gratuite par les avions de MacArthur d'une base aérienne soviétique en Sibérie, près de Vladivostock, inquiétait fort, se rendit en avion le 11 octobre à l'île de Wake pour rencontrer MacArthur.

Le fleuve Yalu constituait la frontière entre la Chine et la Corée du Nord. Il fournissait l'énergie hydroélectrique aux industries chinoises de Mandchourie. Si les troupes américaines s'approchaient trop, les Chinois se sentiraient menacés. Le Département d'Etat et Truman démentirent toute « extension des hostilités », mais Sygman Rhee, le président de la Corée du Sud, remis en selle par MacArthur déclarait : « La guerre ne peut pas s'arrêter au Yalu », et MacArthur passant outre aux limites imposées à son avance, se dirigeait vers le fleuve...

Stéphanie, Lionel Shaggin et Henry Barber envoyèrent lettres et télégrammes au gouvernement américain, à des amis. L'hebdomadaire d'Henry Barber expliquait le point de vue chinois. Stéphanie écrivit à son père, à ses anciens rédacteurs en chef, à son éditeur, à des amis, à...

Aucune de ces lettres ne reçut de réponse. Elle apprit plus tard qu'elles avaient été interceptées. Elle avait souffert en les rédigeant. « Les Chinois ne veulent pas la guerre avec l'Amérique. Malgré la phraséologie, les Chinois ont dit leur volonté de s'asseoir autour d'une table et de discuter avec Washington... la guerre est la dernière chose qu'ils souhaitent ou dont ils ont besoin... »

Elle décrivait aussi l'attitude des Chinois vis-à-vis des Américains résidant en Chine. « Bien sûr, on ne peut pas dire qu'elle est

" amicale " mais elle n'est pas *raciste.* Ils s'interdisent le moindre geste malveillant ; mais cet état de choses pourrait changer si la guerre continue. »

La poussée des troupes américaines se poursuivit de façon irrésistible.

« C'est l'aviation qui a gagné, déclara la voix assurée d'Alistair, à partir des porte-avions, elle est allée faire sauter toutes les défenses, les villes, les routes et les chemins de fer de Corée... il ne reste pas une pierre debout à Pyongyang. » Stéphanie fut écœurée de l'entendre chanter les louanges de ces archanges de la mort qui répandaient la terreur avec leurs armes terribles.

Les pertes les plus élevées concernaient surtout les civils puisque chaque village était soupçonné d'être un repaire d'ennemis. Un million de gens allaient mourir dans les bombardements et à cause de la famine qui s'ensuivit. Des flots compacts de réfugiés encombraient les routes, allant n'importe où et nulle part, et mourant en chemin.

« Il y a des Noirs parmi les soldats... des bataillons bien entraînés de Nouvelle-Guinée... quand il y a une accalmie dans la bataille ils font de la musique... des blues extraordinaires... », racontait Alistair. Des accords de jazz parvenaient à Stéphanie et lui mettaient les larmes aux yeux.

De Tokyo, MacArthur affirmait qu'on ne devait pas laisser aux Nord-Coréens de « sanctuaires privilégiés » de l'autre côté du fleuve Yalu, c'est-à-dire en Chine.

A la radio, la voix nette d'Alistair poursuivait : « Il est clair que si l'on permet aux troupes nord-coréennes de se replier dans un sanctuaire pour y panser leurs blessures et reconstituer leurs forces, une nouvelle invasion pourrait se produire...

— Oh merde, merde, merde », marmonnait Lionel Shaggin.

Le président Truman déclara : « Nous n'avons à aucun moment envisagé de poursuivre les hostilités en Chine... » Malheureusement cette déclaration vint dix jours après les bruits guerriers émanant de Tokyo et il était trop tard.

« Mélange de douceurs de lune de miel et de menaces, cracha Radio Pékin, pour endormir l'opinion publique et la préparer à une avance vers la frontière chinoise et à son franchissement. »

Des volontaires chinois traversèrent le Yalu entre le 12 et le 20 octobre. Le fleuve commençait à geler et à devenir une route de glace. Les volontaires le passaient la nuit puis se fondaient dans les champs. Ils portaient des capes à capuchons blanches qui les rendraient invisibles quand les premières neiges tomberaient en novembre. Ils allaient par petits groupes, en file indienne, puis disparaissaient dans les montagnes ; leur nombre s'éleva bientôt à deux cent mille hommes, soit vingt divisions.

En novembre, le gouvernement chinois déclarait officiellement : « Aider la Corée dans sa résistance... c'est défendre notre propre pays. » C'était le Français La Fayette, rappelaient-ils, qui avait créé ce précédent des volontaires alliés pendant la révolution américaine.

Les hôpitaux chinois se préparaient à une éventuelle guerre d'envergure.

« Nous ne pouvons pas rester là à attendre d'être bombardés », dit Yong ; il avait à présent un emploi du temps écrasant car, en plus de ses responsabilités proprement médicales, il avait été désigné pour représenter son hôpital au sein des partis non communistes de la Ligue démocratique. Il rentrait chaque soir épuisé, sombrait dans un sommeil léthargique, dont il émergeait trop vite pour se ruer à nouveau vers son travail. Stéphanie essayait désespérément de lui parler, il fallait qu'elle lui parle.

« Ecoute-moi, ton pays est le mien... nous sommes sur le point de nous combattre... »

Yong se contentait de dire : « Nous devons empêcher cela... », il la prenait dans ses bras, l'étreignait avec une sorte de rage et partait.

La guerre s'étendait et concernait chaque jour davantage d'hommes.

Un flot régulier de G.I's arrivait en Corée. L'O.N.U. appelait ça une « opération de police » et cet euphémisme serait utilisé pendant les trois années suivantes.

Stéphanie et Joan Wu, l'épouse américaine si discrète et effacée du docteur Wu, s'inscrivirent dans un cours de formation d'infirmières.

Elles entrèrent dans un comité chargé de l'évacuation des enfants et des femmes enceintes, au cas où Shanghai subirait un bombardement général. On commençait à raconter que certains sénateurs, à Washington, suggéraient de lâcher une bombe atomique sur Pékin et Shanghai. Le site de Shanghai étant constitué d'une bande de boue peu profonde, il était impossible de creuser des abris antiaériens comme cela avait été fait dans les falaises rocheuses de Chungking. Il faudrait donc évacuer la population et cela exigeait une discipline sans faille. Chaque citoyen devait savoir quoi faire et où aller exactement.

Mère portait un brassard marqué du mot « Santé » et enseignait les premiers soins aux blessés à tout le quartier. Veuve et elle organisèrent des équipes de brancardiers.

Presque chaque jour, avaient lieu des manifestaions « de résistance à l'Amérique et d'aide à la Corée ». On mettait sur pied des patrouilles pour maintenir l'ordre et empêcher le pillage en cas de bombardement massif.

On parlait de plus en plus de la nécessité d'être vigilant. Vigilance à l'endroit des agents du Kuomintang, des saboteurs et des espions. Les espions... tout étranger devenait suspect.

« Cela peut se produire dans n'importe quel pays », disait vaillamment Henry Barber. Il affichait un calme solide mais il maigrissait. Tout comme Lionel Shaggin. Et Stéphanie. Seule Joan gardait son même air effacé mais elle essuyait sans cesse ses lunettes sur sa jupe, comme si les verres avaient tendance à s'embuer.

Les étrangers avaient commencé à partir, car les gens étaient de plus en plus convaincus que *tous* les Occidentaux étaient contre la Chine. N'y avait-il pas treize nations représentées dans les forces de l'O.N.U qui se battaient en Corée ?

Le petit groupe d'Américains encore présents à Shanghai sentait que plus que jamais ils devaient agir, ils devaient faire quelque chose pour empêcher un désastre.

Dans chaque ville de Chine, on acclamait les volontaires qui partaient pour la Corée. Dans un vacarme où se mêlaient le roulement des tambours, le fracas éclatant des cymbales et celui, plus profond, des gongs, au milieu d'une marée de drapeaux rouges, des jeunes gens décorés de cocardes en ruban grimpaient dans des camions militaires et partaient pour des camps d'entraînement, puis pour la Corée...

A Shanghai, des industriels allèrent en cortège avec leurs cadres commerciaux offrir de l'argent et des vêtements pour la Corée. Des équipes féminines de secours confectionnaient des vestes matelassées, des pantalons, tricotaient des gants et des bonnets pour les volontaires.

Partout, même dans les quartiers les plus miséreux, les gens apportèrent leurs dons : des épingles à cheveux en argent ou en jade, une paire de bracelets, une assiette de porcelaine, de l'argent...

Père donna des rouleaux laqués, de la porcelaine, des peintures, des calligraphies, et son dernier lingot d'or. Tous ces objets seraient vendus à l'étranger et rapporteraient de l'argent pour la guerre.

Mère se dépouilla de tous ses bijoux, à l'exception de ses bracelets de jade. Mais elle empêcha Stéphanie de donner son collier. « Non, ma fille, vous devez le garder. Un jour, quand vous aussi vous accueillerez une nouvelle fille, l'épouse de Trésor d'Hiver, vous le lui donnerez... ».

En Corée, les troupes victorieuses des Nations unies célébrèrent la fête de Thanksgiving, le 23 novembre 1950, avec de la dinde, du café et des tartelettes. « Les soldats s'apprêtent à aller pendre leur linge sur la ligne Yalu », disait une voix joyeuse sur Radio Tokyo. « La victoire est totale... ils seront certainement de retour dans leurs foyers pour Noël. »

Le 24 novembre commença la déroute.

Les volontaires chinois ouvrirent une large brèche dans les armées de MacArthur. Soudain toutes les collines se hérissèrent d'hommes. Trente divisions attaquèrent les forces occidentales. Ils déferlaient sans cesse et aucune quantité de bombes ne semblait pouvoir les arrêter.

Une nouvelle fois, la retraite commença. Et à nouveau les voix, à la radio, en rendirent compte avec minutie. Cela stupéfiait le docteur Wu qui venait maintenant avec sa femme Joan écouter les nouvelles. « Mais nous, Chinois, n'avouerions jamais un tel carnage, une retraite aussi lamentable », disait-il.

Cette deuxième retraite avait un côté bizarre. Henry Barber était perplexe. « Ils semblent s'enfuir avant même que l'ennemi commence son offensive. » Les destructions massives causées par les armées de l'O.N.U. lors de leur avance initiale aggravaient maintenant leur retraite. Partout ce n'était que ruine et désolation, des millions de sans-abri qui fuyaient encombraient les routes et paralysaient la circulation. Les troupes en retraite devaient lutter contre la population pour se frayer un chemin. Les forces aériennes avaient si complètement détruit les ponts et les chemins de fer qu'il n'y avait plus rien d'intact. Et l'hiver s'abattait à présent sur la Corée avec sa rigueur sibérienne.

En Chine, l'air vibrait d'exaltation tandis qu'à Tokyo la voix d'Alistair Choate prenait un ton terne et morne pour décrire les « hordes sauvages qui dévalent des montagnes sur les malheureux survivants ».

Une nouvelle fois, le 38e parallèle fut franchi. A nouveau, Séoul tomba aux mains des Nord-Coréens et des volontaires chinois.

Mais le début de 1951 amena un redressement de la situation pour les forces américaines. Elles contre-attaquèrent et repassèrent le 38e parallèle. Séoul fut repris. Alors les deux armées s'arrêtèrent, à bout de souffle, épuisées.

Match nul.

On en était au même point que quand la guerre avait commencé six mois plus tôt. Les deux armées se faisaient face haineusement de part et d'autre d'un périmètre de défense qui correspondait (presque) au 38e parallèle.

Trésor d'Hiver eut deux ans à Noël de 1950. Il reçut un train miniature, un avion et un lapin. Mais c'était le jeu de la guerre qu'il préférait car il en entendait parler quand on l'emmenait promener ; il revenait ravi, en criant des slogans, ses épais cheveux noirs dansant sur son front. « A bas l'impérialisme américain. Résistez à l'Amérique Aidez la Corée », chantait-il en brandissant un fusil en bois que lui avait acheté *Amah* Mu. Stéphanie le lui retira sans tenir compte de ses hurlements de colère mais elle ne pouvait pas ne pas entendre les mots de haine pour son pays que l'enfant prononçait avec tant d'entrain et d'innocence.

Il jouait aux bombardements. Il courait à travers le jardin, son avion à la main et disait *boum... boum... boum* et *pan,* tandis que ses cousins plus âgés faisaient partir des pétards pour imiter la fusillade. A l'école, on expliquait les bombardements aux enfants, on leur apprenait à se jeter sous les tables et les chaises quand ils entendaient les avions. Car l'aviation de Tchiang Kaishek mitraillait et bombardait régulièrement la côte ; mais Shanghai possédait maintenant des canons antiaériens, aussi les avions évitaient-ils la ville.

« Pan, pan, boum ! » criait Trésor d'Hiver.

Stéphanie se souvenait que Jimmy avait lui aussi joué à la guerre, un chapeau de cow-boy sur la tête, et avait tiré sur les Peaux-Rouges avec un fusil de bois. « Méchant Peau-Rouge... Pan ! »

Quand Yong parvenait à quitter l'hôpital tôt, avant l'heure du coucher de son fils, il essayait d'amener l'enfant à jouer à d'autres jeux. Des jeux d'adresse avec des ballons. Aux billes. Au train qui arrivait dans une gare puis partait pour une autre. N'importe quoi pour lui faire oublier la guerre.

« Tuer, criait Trésor d'Hiver. L'écraser avec mon train...

— Non, fils, le train est fait pour transporter les gens, pour qu'ils aillent se rendre visite. Montons dans le train et allons voir Grand-Mère. » Stéphanie entrait dans le jeu, elle achetait un billet, montait dans le train et chantait *Chattanooga Choochoo,* ce qui faisait rire aux éclats Trésor d'Hiver.

Ils essayaient ainsi de maintenir un cercle de bonheur, de normalité, de sérénité, loin de la guerre omniprésente, pour eux-mêmes et leur fils. Stéphanie contemplait les deux têtes penchées sur le train, si semblables dans leur forme, avec la même abondance de cheveux noirs, et son cœur sautait comme une biche.

La nuit, l'amour venait à pas feutrés les baigner de sa lumière apaisante. Dans cet îlot de tendresse, tout le reste était aboli. Stéphanie et Yong s'étreignaient avec une rage silencieuse, et ils avaient peur, peur de trop s'aimer, peur qu'un jour cet amour se transforme en arme pour blesser l'autre...

Parfois Stéphanie pleurait doucement, pour ne pas réveiller Yong. Lui faisait semblant de dormir à ses côtés et la souffrance envahissait son corps. « C'est ma faute si elle est malheureuse... Que puis-je faire pour l'épargner ? »

Ils faisaient l'amour avec gravité et se conduisaient mutuellement de la souffrance et de l'anxiété à la paix. Dans ces moments-là, le chagrin glissait de sur leurs corps, tel un vêtement qu'on enlève. Pour être à nouveau là, le lendemain matin, et adhérer à eux toute la journée, pour les envelopper de malaise.

« Oh Cieux, priait Yong, que la paix revienne, vite...

— Cette guerre nous détruit, disait Père, inquiet. On avait prévu de démobiliser les armées, elles sont un lourd fardeau, plus de trente pour cent du budget, et maintenant c'est impossible...

— Nous ne pouvons pas nous permettre cette guerre », disait le docteur Wu.

Un peu partout, des voix s'élevaient, timides. Qui parlaient de trêve...

Mère avait des ombres légères sous les yeux. Mère, toujours si coquette, sortait à présent vêtue d'une tunique en coton bleu comme les étudiantes et portait des chaussures plates. Pourtant, par la perfection de sa silhouette et de ses gestes, elle restait suprêmement élégante. Veuve et elle allaient de maison en maison vendre les bons de la victoire émis par le gouvernement. « Pour résister à l'Amérique et aider la Corée. »

Veuve n'avait plus sa démarche inclinée. Elle s'était redressée. Compétente et assurée. Toute la rue la citait comme une travailleuse modèle. Elle vint trouver Stéphanie.

« Vous devez défiler avec nous, déclara-t-elle, pour exiger la paix en Corée. Toutes les femmes de la rue défilent aujourd'hui... ». A regret, Stéphanie dit : « Je défilerai pour la paix, mais ne me demandez pas de crier contre mon propre pays, je ne le peux pas. »

Veuve la regarda avec froideur et dit : « Vous avez une responsabilité — votre fils est chinois — voulez-vous qu'en grandissant il devienne un traître ? »

Chaque jour, Veuve s'épanouissait en une extase toute neuve ; elle se sentait désirée, utile. Son chagrin passé se muait en une grâce mystique. Son deuil interminable avait été une épreuve, une préparation pour la gloirc qu'cllc connaissait aujourd'hui ct qui était à elle, rien qu'à elle. A personne d'autre. Elle ne devait rien à personne.

Mère avait tout. Un mari, un fils. Une belle maison. Mais Veuve était comblée par la révolution, elle s'accomplissait dans la révolution. C'était elle, et non pas Mère, qui était devenue une meneuse, et elle entraînerait les autres. Son hostilité à Mère, si longtemps réprimée, grandissait de jour en jour.

« Elle s'est nourrie de ma souffrance et maintenant je l'obligerai à courber sa fière tête devant moi... »

Au début, Veuve ne s'aperçut pas de ce nouveau sentiment en elle ; il grandit peu à peu, un peu plus fort chaque jour. Elle expliquait à ses amies que Mère n'était pas une méchante capitaliste ; elle était simplement frivole ; elle aimait les réceptions et le maquillage ; elle avait seulement besoin qu'on remodelât sa façon de penser. A présent, Veuve s'avançait en égale avec Mère. Mais dans les réunions, quand les applaudissements montaient vers elle et qu'elle se sentait soulevée par tous ces hommages après un discours vibrant (elle adorait faire des discours, toujours fidèlement calqués sur l'éditorial du journal de la veille) elle était agacée par le léger sourire qui flottait sur le visage de Mère.

« Vous vous en êtes très bien tirée, Sixième Belle-sœur », disait Mère.

L'agressivité contre Stéphanie grandissait. Elle ne s'exprimait pas en mots mais n'en était pas moins sensible. Une hostilité miasmatique. Des regards qui se figeaient dès qu'elle apparaissait.

Elle cherchait des excuses. « Je ne peux pas les blâmer. C'est naturel. Je suis américaine et mon pays est en train de tuer des Chinois et des Coréens... »

Ce fut Herbert Luger qui, à sa manière habituelle, amena toute la situation au grand jour. Un jour, il arriva à l'université, à la fin de son cours. « Je voudrais vous dire un mot, Stéphanie. Pour votre bien. Je pense que vous devriez m'écouter.

— Je rentre à la maison, Herbert. Nous pourrions faire le trajet ensemble... ou nous retrouver chez moi. »

Herbert secoua la tête avec énergie. « Non, Stéphanie, je ne remettrai pas les pieds dans la maison de votre belle-famille capitaliste. » Il croisa les bras. « C'est mon devoir de vous dire que votre conduite est un bien mauvais exemple pour nous tous. Nous sommes les invités de la Chine. Nous défilons tous pour la paix. Nous défilons pour dénoncer les crimes monstrueux contre l'humanité commis par les impérialistes. » Comme si ces paroles pompeuses ne suffisaient pas, Herbert produisit un épais classeur plein de coupures de presse pour lui montrer que partout dans le monde, des gens éminents, des scientifiques, des avocats, des écrivains, protestaient contre le comportement des Etats-Unis dans cette guerre. Il posa le classeur sur la table et commença à lire quelques articles.

Stéphanie l'interrompit : « Herbert, j'ai protesté, j'ai écrit des lettres. J'ai dit que nous avions tort d'envahir la Corée du Nord... Mais je ne peux pas défiler et prononcer des slogans... »

« *Nous* », Herbert s'empara du pronom avec gourmandise. « *Nous,* Stéphanie... est-ce que vous vous rangez du côté de ces agresseurs qui égorgent le peuple coréen ? »

Stéphanie éclata. « Merde, je *suis* américaine et vous aussi ! Tout ça me rend malade, à en vomir, alors s'il vous plaît fichez-moi la paix. »

Herbert agita son index et poursuivit sa litanie de slogans. Même les Chinois doivent le trouver grotesque, pensa Stéphanie qui se rappela qu'à Yenan, ils l'avaient surnommé le Mille-Pattes. Herbert Luger éprouverait toujours le besoin de prouver qu'il était plus révolutionnaire que tout le monde.

« Stéphanie, vous êtes la victime de ce que vous appelez équilibre, objectivité. Mais même votre mari, en ce moment, se livre à une autocritique à cause de vous. » Devant le regard sidéré, incrédule et effrayé de Stéphanie, il poursuivit avec délectation : « Il ne vous l'avait pas dit, n'est-ce pas ? »

Mais Stéphanie ne l'entendait plus. Il était devenu une forme opaque qui produisait du bruit. Elle sortit en courant de la salle, claqua la porte au nez de Herbert et... oui, ils étaient là, par deux, par trois, de petits groupes immobiles dans le corridor. Qui écoutaient. Ou, peut-être, qui n'écoutaient pas. Ils ne firent pas un geste vers elle. Ne la regardèrent pas. Elle se dirigea vers sa bicyclette, dressée dans le râtelier.

Sur la selle, il y avait un morceau de papier collé, où étaient écrits ces mots en chinois :

« Espionne impérialiste, hors de notre université. »

Quand Yong rentra, il la trouva assise, encore vêtue de sa grosse veste blanche, dans la demi-obscurité de la chambre où luisaient les braises du brasero. Elle ne tourna pas la tête.

Il vint à elle et dit son nom. Sans le regarder, elle lui tendit la feuille qu'elle tenait à la main, en un petit geste pitoyable. Il lut le bout de papier puis le posa soigneusement sur la table. Le *détruire* aurait constitué un dangereux mépris pour une expression de la volonté collective.

Il rangea le papier dans un tiroir, vint s'asseoir auprès de Stéphanie et la prit dans ses bras.

Ils avaient l'impression d'être devenus tout gris ; d'être entourés, envahis de gris. Leur lumineux amour se transformait en cendres, gris lui aussi.

« Pardonne-moi, dit Stéphanie. Pardonne-moi Yong.

— Il n'y a rien à pardonner, mon âme. C'est moi qui t'ai fait grand tort.

— Yong... crois-tu... que nous pourrons... qu'ils nous laisseront rester ensemble ?

— Oui, dit-il, oui... cela ne durera pas... tu verras... cela ne durera pas... »

Cette nuit-là, ils firent l'amour avec une rage, un paroxysme de passion, qui les laissèrent épuisés et pourtant non apaisés. Avec une sorte de cruauté, ils cherchaient la dissipation de leurs craintes et la paix dans le corps de l'autre mais se retrouvaient finalement seuls. L'aube apporta une grisaille sombre dans laquelle leur amour sembla s'enfoncer avec un goût de cendres.

Yong se prépara à partir pour l'hôpital ; aujourd'hui une réunion était prévue où il serait publiquement critiqué.

« Pas seulement moi, Stéphanie. Tous les médecins, mentit-il. Parce que nous avons été quelques-uns à émettre des réserves sur l'envoi de volontaires en Corée. »

Stéphanie fut stupéfaite : « Qui d'autre avec toi ?

— Quelques-uns. Mais à présent nous comprenons qu'il fallait intervenir en Corée. Et pourtant, ça coûte si cher au pays. » Il eut un sourire doux et triste. « Mais nous devons supporter cette épreuve. Cela nous trempera. » Il lui sourit. « Ne te tourmente pas pour cette réunion. Cela ne m'inquiète pas. Tu sais, Stéphanie, la Chine est un très vieux pays. Nous savons être patients... »

Yong ne révéla pas à Stéphanie que c'étaient ses trois amis les plus proches, le docteur Wu, le docteur Hsieh, et le docteur Fan (ce dernier était revenu de Chungking et avait maintenant sept enfants) qui l'avaient critiqué. Leurs femmes, l'Américaine Joan Wu, la Belge Michelle Berbiest et la Chinoise Mme Wu, toujours précédée de son ventre fertile, avaient manifesté avec les familles du personnel hospitalier et crié des slogans contre la guerre de Corée. On les avait félicitées. Dans les écoles, leurs enfants étaient cités en exemple à cause du comportement méritoire de leurs parents. Stéphanie n'avait pas participé à la manifestation.

Le docteur Wu avait dit à Yong : « Ne prends pas mal, vieux Jen, que nous t'adressions ces critiques légères... il vaut mieux que ce soit *nous* plutôt que d'autres, qui t'auraient peut-être traité d'espion ou de contre-révolutionnaire. » Le docteur Wu et le docteur Fan s'étaient employés à maintenir la critique de la conduite de Yong dans les limites de « la subjectivité, de l'ignorance bourgeoise ».

Ils redoutaient que quelqu'un, à un échelon inférieur, ne profère des accusations violentes contre Yong. « On accorde autant d'attention à ce que dit l'employé qui nettoie les latrines qu'à mes paroles, avait dit le docteur Hsieh. Ne l'oublie pas, Yong.

— Enfin, c'est la démocratie, soupira le docteur Wu. Le pouvoir au peuple.

— Je remercie tous mes collègues pour leur aide, déclara Yong dans son autocritique publique. Je suis pleinement conscient qu'il était de mon devoir d'aider ma femme à mieux comprendre la situation. Je ne l'ai pas fait. C'est ma faute, non la sienne. » Il fit état des lettres de Stéphanie, de sa préoccupation devant les événements. Pour la protéger, pour lui éviter une séance de critique qu'elle n'aurait pas pu supporter. « Je dois souligner le fait que ma femme est écrivain. Ecrire, et non défiler, est sa façon de montrer de quel côté elle se place. »

Chaque hôpital, école, bureau, département, usine, banque, constituait une unité, une structure autonome qui avait à sa tête un comité du Parti, responsable devant elle-même et devant l'Etat de la conduite de chacun de ses membres. Chacun, dans l'unité, était le gardien de ses frères et sœurs. Ainsi donc, le comportement et les rapports de Yong et de Stéphanie étaient l'affaire de tout le monde dans l'unité constituée par l'hôpital.

L'assemblée se déclara satisfaite des explications offertes par Yong.

Aussi, quand Stéphanie alla trouver le doyen de l'université pour lui parler du papier trouvé sur sa bicyclette, il lui dit : « Bien sûr que vous devez continuer à enseigner. Ne prêtez pas attention à des accusations irresponsables ! » Stéphanie poursuivit donc ses cours. Mais, à présent, elle se sentait constamment surveillée. Des yeux malveillants ou simplement curieux, qui la pénétraient comme des petits coups de poignard.

La guerre de Corée entraîna une résurgence de l'activité du Kuomintang et des Triades et alimenta des rumeurs selon lesquelles Tchiang Kaishek s'apprêtait à reconquérir la Chine du continent avec l'aide des Américains.

Le Parti s'inquiétait de l'agitation dans les villes. Sa plus grande peur était de « perdre les sceaux du pouvoir » si la majorité des villages devait être dominée par l'intelligentsia urbaine.

Il entreprit des mesures pour consolider ses positions ; en commençant par des curriculum vitae : dans chaque unité, chaque personne dut écrire son autobiographie, qui serait ensuite confrontée à celle des autres membres de sa famille dans d'autres unités, avec celles de ses égaux et de ses collègues, de ses amis et relations et de toute personne qu'il aurait connue ou rencontrée au cours de sa vie.

Dans un pays où il n'y avait jamais eu de registre officiel pour les naissances et les morts, où tout reposait sur l'histoire familiale ou sur la mémoire orale, sur ce que les contemporains, les voisins, les camarades de classe, les collègues, les amis, les ennemis, les connaissances disaient ou écrivaient sur vous, cette façon de vérifier la vie de chaque être était une entreprise gigantesque mais aussi un moyen très efficace de mettre tout le monde en fiches.

Il n'existait donc plus rien de privé, de personnel, d'à part, de séparé, d'isolé, hors de propos. Chaque action, chaque pensée dans la vie d'un homme n'était qu'un point dans une tapisserie, entremêlé, relié aux actions, aux pensées, aux motivations d'autres gens. Et à la fin, c'était le motif qui était le plus important et qui donnait le sens de la tapisserie. Quel était le « raisonnement » qui produisait telle ou telle conduite ? Et si la conduite de quelqu'un était différente de celle des autres, alors l'unité entière s'emparait de cette différence — car elle constituait une dissonance, une imperfection, un désaccord. Confrontés à cet examen minutieux, individuel, impitoyable car il se faisait sans hâte mais ne lâchait jamais son sujet, beaucoup se sentirent désorientés, vulnérables, comme s'ils avaient dû marcher sur l'eau, vulnérables parce que leur monde familier, aux linéaments connus, les avait abandonnés.

Dans chaque famille chinoise avait toujours existé un sens très fort de la responsabilité collective. Aucun acte personnel ne pouvait être indépendant puisqu'il aurait alors empiété sur la vie ou le destin d'autres membres de la Famille. Il y avait toujours eu une culpabilité solidaire. Et à présent, elle était étirée, étendue au-delà de la Famille, à l'extérieur, et s'appliquait à tous les événements d'une vie et à tous les gens qu'on avait pu rencontrer.

« C'est monstrueux », dit Stéphanie à Lionel quand elle découvrit que tout le monde, y compris Yong, s'affairait à écrire sa vie jusque dans les plus infimes détails. « Mais c'est une violation de la vie privée. »

Lionel se mit à rire. « Allons, Texas, cela se produit partout. La vie privée... mais c'est un mythe. Pendant la Seconde Guerre mondiale, tout Américain qui avait fait partie de la Brigade Lincoln et avait soutenu le gouvernement espagnol contre Franco, se voyait interdire la promotion au rang d'officier, alors que nous nous battions contre Hitler et ses nazis, les alliés de ce même Franco. Et regardez ce qui se passe en ce moment... on traîne des gens devant la Commission des activités anti-américaines simplement parce qu'il y a vingt ans, ils sont peut-être allés à une soirée où se trouvaient des communistes...

— Mais comment le fait de tout savoir sur chacun peut-il aider ?

— L'état moderne, que ce soit en Amérique ou en Chine, nous aura bientôt tous étiquetés, classés, mis sur fiches, dit Lionel. Vous verrez. »

« Mais, Meiling », Stéphanie redevenait la jeune femme impétueuse qui s'attaquait à tout ce qui lui paraissait mauvais. « Nous avons bien, en Amérique, des organisations religieuses qui font pareil : confessions publiques, nouvelle naissance, mais pas sur cette échelle, et ce n'est pas un acte obligatoire...

— Nous avons toujours été secrets, trop secrets », dit Meiling sans s'émouvoir quand Stéphanie lui parla de cette décision de fouiner dans la vie privée des gens. « Jusqu'à aujourd'hui, protéger sa propre famille était le devoir le plus sacré... »

Et Stéphanie pensa : Voilà l'explication du comportement de Yong. Il ne se dresse pas pour affronter les problèmes, il ne se bat pas pour des idées, il pense toujours en termes de *gens ;* à ce qui pourrait arriver à Mère, à Père... à *moi*... si jamais il disait quelque chose... Oh, Yong...

Meiling était enceinte mais encore très active. Elle venait voir Stéphanie au moins une fois toutes les deux semaines. Elles s'installaient confortablement et passaient toute la soirée à bavarder.

« Vous *devez* continuer à enseigner, Stéphanie. Et ne pas tenir compte de ce torchon », dit-elle en écartant d'un geste négligent la note que Stéphanie avait trouvée sur sa selle. « C'est un moment pénible pour vous mais ça passera. D'ailleurs, poursuivit-elle en souriant, nous avons tous fait d'excellents rapports sur vous...

— Nous ? qui, nous ?

— Tous ceux qui vous ont connue à Chungking et à Yenan. » Elle se leva et tapota la main de Stéphanie. « Ne prenez pas les choses trop à cœur... ça passera. »

Un jour d'avril arriva la nouvelle que le président Truman avait relevé MacArthur de son commandement.

« Enfin, dit Lionel, enfin. » Le visage radieux, il commença à danser en faisant tourbillonner Loumei.

« Vous, les Américains, dit Loumei, vous êtes tellement émotifs. »

Lionel rit. « Rien ne semble troubler ma femme. Elle revient d'une réunion où quelqu'un l'a critiquée d'avoir épousé un Américain ; elle écoute, incline la tête et les laisse dire. Puis elle explique que selon le président Mao, les Américains sont bons, seule une poignée d'impérialistes sont mauvais. Elle se couche et dort comme une bienheureuse tandis que moi je ne ferme pas l'œil d'inquiétude...

— Nous sommes puérils, aussi instables que de jeunes volcans », dit Henry Barber.

Le lendemain matin, quand Stéphanie entra dans sa classe, un de ses étudiants lui adressa un petit sourire.

Il y eut un grand meeting à l'université pour demander la paix en Corée. Stéphanie y participa. Joan Wu et elle se tenaient par le bras et tout le monde les applaudit.

En Amérique, la guerre de Corée avait provoqué un boom économique énorme et le même phénomène se produisit aussi à Shanghai où les usines tournaient à fond pour dépasser les normes et les quotas qui leur avaient été assignés. Presque chaque jour, des ouvriers frappant des cymbales et battant du tambour, parcouraient les rues avec des drapeaux rouges pour proclamer leurs records de productivité.

Père n'avait jamais paru aussi confiant car les mesures prises par le gouvernement pour faire participer les usines à l'effort de guerre avaient été décidées avec l'accord des capitalistes de Shanghai et la plupart des industriels avaient répondu favorablement.

Mais les prix auxquels le gouvernement achetait les produits au secteur industriel privé ne cessaient de grimper. De nouvelles usines naissaient, les anciennes travaillaient presque nuit et jour. Les capitalistes n'avaient pas connu une telle prospérité depuis des années. Le besoin en matériel et en matières premières entraîna de la contrebande sur une grande échelle, surtout par Hongkong.

« Faire de la contrebande pour la révolution est méritoire », déclara Oncle Keng Dawei, le visage plissé de sourires. Le gouvernement faisait semblant de ne pas voir la contrebande. « Le Parti garde un œil fermé et l'autre ouvert », dit Keng.

Néanmoins, le Parti remarqua que Shanghai, la ville du boom économique, redevenait une hydre dévorante par son activité créatrice de richesse et que cela allait à l'encontre de toute réforme de la structure sociale.

« Les Nations unies ont décidé l'embargo économique de la Chine... »

Le répit s'achevait. Les espoirs de paix volèrent en éclats. La guerre continua et l'atmosphère redevint déplaisante.

Jusqu'en mai 1951, malgré la guerre de Corée, les échanges avec l'Occident et même avec les Etats-Unis avaient représenté plus de quatre-vingts pour cent du commerce total de la Chine. Dix nations occidentales avaient passé des contrats avec la République populaire de Chine. Mais l'embargo des Nations unies détruisit tout cela.

« L'Amérique est plutôt immature, soupira Oncle Keng, pendant une conversation avec Stéphanie. Elle nous oblige à dépendre entièrement des Russes alors que nous ne le souhaitons pas. »

Les Chinois détestaient l'idée de dépendre d'un seul pays, qu'il fût capitaliste ou communiste, même d'un pays « frère ». En plus, l'U.R.S.S. faisait payer très cher à la Chine ses fournitures d'armes pour la guerre de Corée.

L'embargo rendait difficile la contrebande depuis Hongkong. Les Etats-Unis y installèrent une équipe vigilante et nombre d'observateurs, d'enquêteurs et d'inspecteurs pour empêcher le passage en fraude de machines, de médicaments et de tout produit utilisable par l'industrie chinoise. Il devint impossible à la Chine de vendre ses soies, ses objets d'art anciens, ses jades, ses canards et ses œufs de cane, ses remèdes, ses soies de porc — tout ce qui constituait son commerce traditionnel — par Hongkong. Car quiconque traitait avec la « Chine rouge » était mis sur une liste noire par l'Amérique.

Une nouvelle forme de contrebande, souterraine, apparut et les Triades, spécialistes de tout ce qui était illégal, reconstituèrent quelques-uns de leurs réseaux et firent d'énormes bénéfices.

Et très vite, tous les abus, les fraudes, les tromperies, les friponneries, les coquineries, les ruses, les indélicatesses du passé réapparurent. C'était facile, pour beaucoup de capitalistes, de retrouver les vieilles habitudes : camelote pour la guerre, commandes exécutées sans soin, à des prix gonflés.

« L'Etat doit payer ; il a passé un contrat avec nous et s'est engagé à nous acheter toute notre production, même si elle est inutilisable. »

« On peut acheter, soudoyer les membres du Parti. Ce sont des paysans... offrez-leur un ou deux bons repas, une veste matelassée, une paire de chaussures et ça suffit... vous obtenez tous les permis, toutes les autorisations nécessaires... »

Le vieux mode de vie réapparut, avec les habitudes ancestrales d'hypocrisie et de fausseté tandis que le statu quo de la guerre en Corée et l'essor des prix érodaient l'enthousiasme.

« C'est triste », dit le professeur Chang Shou à Stéphanie et à Yong. Il observait cette résurgence du passé avec inquiétude. « Certains membres du Parti ont changé. Ils s'attendent à présent à avoir des privilèges. Qu'on s'occupe spécialement de leurs enfants dans les écoles. Que les gens ne discutent jamais avec eux et se contentent d'approuver et d'obéir. Personne ne peut les contredire. » Il soupira. « Ils n'ont pas assez d'instruction pour résister à la corruption. »

Les deux fils aînés du professeur Chang étaient des scientifiques mais le troisième était un arriéré mental. Avant, ils avaient honte de lui mais à présent il travaillait ; il gagnait sa vie en poussant des charrettes à bras. « Il participe aux réunions de l'usine, dit son père avec fierté. Il pousse plus de charges par jour que tous les autres ouvriers. Il ne se sent plus inférieur à ses frères. »

Les journaux de Shanghai publiaient des articles dénonçant la corruption, les pots-de-vin, le népotisme. Mais les usines étaient étranglées par une paperasserie délirante, chaque bureaucrate du parti inventant son propre règlement pour se donner davantage de pouvoir. A chaque niveau, il fallait remplir des formulaires, obtenir un cachet, une signature. La seule façon de contourner ces obstacles était la corruption. Pour maintenir l'approvisionnement de leurs usines, pour obtenir plus vite les certificats et permis exigés, les industriels donnaient des « présents » aux hommes du Parti. Les inspecteurs recevaient des cadeaux et, en échange, ils fermaient les yeux ou passaient les coups de téléphone nécessaires.

Yong était inquiet. Il y avait une pénurie de médicaments et de matériel. Le comité du parti de l'hôpital était dirigé par un homme presque illettré, qui regardait avec suspicion les instruments chirurgicaux. « Pourquoi vous en faut-il tant ? » demandait-il devant une rangée de forceps. Et à présent, les plus belles chambres étaient réservées aux cadres supérieurs du Parti à qui l'on donnait aussi priorité dans les traitements.

Comme la corruption a vite atteint le Parti, pensait Yong, alors que nous commencions tout juste à mettre les choses en place.

Il se produisait le même phénomène qu'en Amérique, où le sénateur Joseph McCarthy, bruyant et assuré, conduisait une chasse aux sorcières contre les Rouges à travers tout le pays : on parlait de plus en plus de sabotage, d'activités contre-révolutionnaires tandis que la situation économique commençait à se dégrader.

Chardon et Corail revinrent de la campagne, où elles avaient participé à la réforme agraire. Elles avaient un regard étincelant et le visage bronzé par le soleil. Elles refusèrent d'avoir des draps dans leur lit ; elles se coupaient elles-mêmes les cheveux et se plaignaient qu'il y eût trop de plats à chaque repas.

« Nous habitions chez de pauvres paysans », expliqua fièrement Chardon. Elles avaient assisté au jugement des propriétaires et à l'exécution de l'un d'eux. « On a fusillé un seul de ces " tigres ", dit Chardon d'une voix déçue. On a donné aux autres une chance de se racheter. Mais ils portent des masques noirs quand ils travaillent afin que tout le monde sache qu'ils sont mauvais. »

« Les jeunes sont toujours pour les solutions radicales... l'humanité semble progresser non pas par la tolérance mais par le fanatisme, dit Mère d'un ton rêveur à Stéphanie. Si nous devions additionner la dette de sang de chaque pays...

— Mon pays ne vaudrait pas mieux, Mère, dit Stéphanie. Regardez ce que nous avons fait aux Indiens... et ce que nous faisons encore aux Noirs.

— Les hommes créent de belles théories et de beaux credos pour se convaincre de la justesse de leur dernier carnage », dit Mère en soupirant.

Mère parlait de ses filles d'un ton détaché, avec humour et gentillesse. « Chardon dirige et Corail suit. Corail ne recherche pas les lumières de la rampe comme Chardon. »

Chardon avait adopté le large chapeau de paille des paysans et le gardait tout le temps sur la tête, alors que Corail retirait le sien dans la maison.

Un soir, au dîner, Chardon annonça un plan pour réformer le mode de pensée de la Famille.

« Nous avons remodelé notre façon de penser par notre travail pour la réforme agraire, déclara-t-elle d'une voix un peu agressive, mais une autre responsabilité nous incombe. Nous devons nous assurer du camp que vous avez choisi, Père, Mère. Pour ou contre la révolution. Chacun doit prendre nettement position. »

Corail approuva timidement de la tête. Elle adorait sa mère et s'accrochait à elle en une supplication d'amour muette et enfantine. Chardon paraissait tellement plus brillante, son aînée d'une demi-heure. Ce fut Chardon qui décida que, trois fois par semaine, la Famille s'assemblerait pour étudier le marxisme-léninisme. Elle fut d'ailleurs très vexée quand tout le monde accepta avec enthousiasme. Le visage impassible, Yong dit : « Je suggère que nous commencions nos séances de travail à quatre heures du matin... c'est le seul moment où nous sommes tous à la maison. » Il se levait à cinq heures, pour être à l'hôpital dès six heures et demie.

Aux réunions de son école, Chardon avait « nettement pris position » à l'égard de sa famille et de leur origine sociale. « Nos parents sont des capitalistes. Nous sommes décidées à nous remodeler et aussi à changer notre Famille... sinon, nous romprons avec elle ! »

Après avoir lancé cette déclaration énergique qui lui valut de nombreux applaudissements, Chardon était rentrée à la maison très contente d'elle.

« Mère, pourquoi vous obstinez-vous à porter ces robes ? Vous devriez aller travailler en usine, pour aider la Corée. »

Mère répondit d'un ton serein : « Chardon, tes cheveux sont sales. Ne crois-tu pas qu'il est temps de les laver ?

— Oh Mère, vous ne pensez qu'à des choses triviales. Est-ce que se laver les cheveux est important ? Croyez-vous que les volontaires qui se battent en Corée se lavent les cheveux ?

— Certainement, répondit Mère avec une logique exaspérante. On m'a dit que notre héroïque Armée Populaire de Libération a un très haut niveau d'hygiène. Des cheveux sales entretiennent les poux et les poux apportent des maladies... »

Les jumelles avaient postulé pour devenir membres de la Ligue de la jeunesse. « Je crains que nous ne soyons jamais acceptées à cause de notre mauvaise origine sociale », dit Chardon à Corail d'un ton lugubre. Ah, pourquoi n'étaient-elles pas nées dans une honnête famille d'ouvriers ou dans celle d'un pauvre paysan ?

Chardon dit à *Amah* Mu : « Vous devriez travailler en usine. Que la jeune maîtresse s'occupe elle-même de son enfant.

— Allez péter », répliqua *Amah* Mu, tout en emmitouflant Trésor d'Hiver pour le conduire au jardin d'enfants.

« *Amah* Mu est arriérée, il faudrait la rééduquer, dit Chardon à Mère.

— Nous avons tous besoin d'être rééduqués », reconnut Mère ; elle brodait une serviette pour son petit-fils et des mules pour Stéphanie, qui était à nouveau enceinte. Le cœur de Mère suivait les points de son aiguille ; point par point, son esprit suivait l'aiguille et traçait un nouveau motif pour sa nouvelle vie.

« J'ai honte d'être votre fille », dit Chardon avec insolence.

Mère la regarda. « On n'y peut rien, mon tout petit. Nous sommes ce que nous sommes.

— Je veux consacrer ma vie à éduquer les paysans.

— Ça, dit Mère, c'est une excellente idée. »

Et parce qu'elles ne parvenaient jamais à émouvoir Mère, les jumelles l'admiraient en secret mais disaient tout haut combien c'était affreux d'être affligées de parents aussi réactionnaires.

Mère continuait à coudre car elle savait que la vie est très longue et les théories et les grands sentiments des hommes bien éphémères L'avenir apporterait peut-être des moments pénibles et ce n'était pas le moment de se laisser aller avec complaisance à ses émotions. Telle une soie pure et impérissable qu'on plie pour la ranger, Mère se repliait sur elle-même et attendait.

Meiling donna le jour à une petite fille, un joli bébé avec d'abondants cheveux noirs et de grands yeux ronds. Meiling l'appela Toute-Ronde, Yuan-yuan. On lui fit remarquer que c'était le nom d'une célèbre concubine impériale qui avait apporté des désastres à la Chine.

« Je lui chercherai un autre nom quand elle sera grande », répondit Meiling d'un ton placide.

Son mari était à Hongkong. « Je ne suis pas censée le dire, confia-t-elle à Stéphanie. Les Américains ont imposé à l'O.N.U. cette résolution qui interdit la vente à la Chine de tout matériel militaire. A présent, ils essayent d'obliger Hongkong à ne plus rien acheter à la Chine. Quiconque commerce avec la Chine est mis sur la liste noire. Mais les Britanniques sont plus pondérés. Et d'ailleurs Hongkong crèverait de faim sans le porc chinois, les légumes chinois, le riz chinois et mourrait sans l'eau chinoise... même les Américains boivent notre eau. » Le mari de Meiling était allé à Hongkong pour discuter discrètement affaires avec les Britanniques.

La maternité avait arrondi Meiling et lui avait fait perdre son allure de lutin. Stéphanie et elle communiaient dans le plaisir que leur donnaient ce sentiment de plénitude dans leur corps, cette assurance suprême, liés à la maternité.

Trésor d'Hiver adorait jouer avec Toute-Ronde et le bébé poussait de petits cris ravis quand il la promenait dans la pièce ; Trésor d'Hiver pleurait quand sa mère l'emmenait. « Ta maman te donnera bientôt une sœur rien que pour toi », lui dit Meiling.

« Quand ils seront grands nous les marierons, dit-elle, soudain très matrone. Je ne vous l'ai jamais dit, je crois, Stéphanie, mais le père de mon mari est Vieux Sung, le serveur de l'Hôtel de la Presse. Il est membre du Parti depuis très longtemps. »

Un jour arriva une lettre de Rosamond Chen, de Pékin. « Chère Stéphanie, ma mère est très malade. Elle vit à Shanghai et j'ai obtenu l'autorisation de venir auprès d'elle. Le gouvernement est très bon de se préoccuper ainsi de la santé de ma mère. J'aimerais beaucoup vous voir si vous n'êtes pas trop occupée. »

Stéphanie répondit aussitôt par un télégramme : « Bienvenue ». Mais quand elle en parla à Meiling, le soir, celle-ci dit :

« Rosamond est une personne tellement insouciante.

— Que voulez-vous dire par insouciante ? »

Le visage de Meiling resta impassible. « Elle place la satisfaction de ses désirs au-dessus de tout.

— Mais, Meiling, c'est votre amie...

— C'est mon amie mais elle a adopté le modèle occidental de " soi d'abord " et vous savez, Stéphanie, que ce n'est pas ainsi que nous, nous pensons. »

Rosamond arriva, emmitouflée dans un manteau matelassé, un foulard noir sur la tête. Son visage avait vieilli, surtout autour de la bouche. Sa beauté était un peu éraillée comme une soie qu'un chat aurait griffée.

« Oh Rosamond, dit Stéphanie, je suis si contente de vous voir. Je comptais les jours. »

Rosamond sourit mais ses yeux ne reflétèrent pas ce sourire. Il y avait en eux quelque chose d'opaque, de craintif, et elle parlait d'une voix rapide et saccadée.

« C'est si bon de vous voir, si bon », dit-elle en anglais tandis que Stéphanie lui faisait traverser le jardin pour rejoindre son pavillon. « Quelle belle maison vous avez. Je pense que vous avez beaucoup de chance de l'avoir gardée, vous devez être des gens très importants. Bien sûr, le gouvernement se montre *si* généreux avec les gens qui lui sont *utiles.* » Les mots coulaient machinalement de sa bouche comme si elle ne les avait pas pensés.

Stéphanie fit du thé. Depuis la mort de Pétunia, elle essayait de participer un peu au travail de la maison mais Pivoine et le cuisinier Lee ne lui laissaient pas faire grand-chose. « Jeune maîtresse a le bonheur en elle », disaient-ils, ce qui signifiait qu'elle était enceinte et devait être prudente. Pivoine apporta des biscuits et des fruits, posa les assiettes, lança un regard hostile à Rosamond et se retira.

Pourquoi est-elle si impolie ? pensa Stéphanie. Elle remarqua que le visage de Rosamond s'était encore crispé, comme si l'insolence de Pivoine lui avait fait mal.

Rosamond dit : « J'ai toujours froid à présent... il ne fait pas froid dans votre maison mais chez ma mère, il fait tout le temps froid. » Elle tendit les mains vers le petit brasero. Un fin réseau de rides entourait ses yeux.

« Vous êtes restée jeune et belle, Stéphanie. Meiling m'a dit que vous avez un merveilleux petit garçon... voyons, quel âge a-t-il ? Nous ne nous sommes pas vues depuis sept ans... oui, c'était à Chungking, en août 1945, on venait de lancer la bombe sur Hiroshima et nous nous retrouvons aujourd'hui... oh les choses ont bien changé...

— Elles ont certes beaucoup changé », dit Stéphanie à voix haute. Comme si quelqu'un avait écouté leur conversation. Rosamond avait apporté avec elle une impression d'être épiée qui vous donnait froid dans le dos bien qu'il n'y eût personne d'autre dans la pièce.

« Oh oui, oh oui, dit Rosamond, vous rappelez-vous à Chungking, comme nous attendions la libération ? »

Elle se mit à tousser et sortit son mouchoir. Quand elle releva la tête, elle avait les yeux pleins de larmes. « Oh Stéphanie, chuchota-t-elle, je suis... je suis si malheureuse... »

Stéphanie étreignit le dos maigre de Rosamond. « Racontez-moi et au diable celui qui écoute », dit-elle.

Les yeux de Rosamond firent le tour de la pièce avec ce regard vide qu'ont les aveugles. « Je suis idiote... je me sens constamment observée... tout le temps... à cause de Carlos.

— Carlos ? »

Rosamond lui raconta son histoire d'une voix haletante. « Vous vous souvenez, Stéphanie, nous sommes allées au consulat américain et vous avez parrainé ma demande pour aller aux Etats-Unis. Mais je n'ai rien obtenu. Les visas devaient passer par la Police secrète de Tchiang Kaichek et ils m'ont refusé un passeport. J'ai écrit à Terry et il m'a envoyé de l'argent. Il m'a dit qu'il essayerait de venir me chercher... et puis... je n'ai plus reçu de lettres... »

(Terry, en Irlande, peut-être, avec sa femme, Blanche et les enfants.)

Rosamond était allée à Pékin et avait trouvé un emploi dans une société américaine. « C'était en 1946. Terry a cessé de m'écrire cet été-là. Et je suis tombée amoureuse de Carlos. » Carlos était un Espagnol qui travaillait aussi pour cette société américaine. Quand le personnel américain était parti, Carlos avait été nommé représentant de la société car il parlait très bien chinois et vivait à Pékin depuis trente ans.

« Ils ont arrêté Carlos. Il y a environ trois mois. En même temps qu'une famille allemande qui habitait dans la même rue. Je ne sais pas pourquoi », dit Rosamond d'une voix perdue.

« Les hommes de la Sécurité publique m'ont posé des tas de questions et je leur ai dit la vérité. Ils ont fermé la maison de Carlos et placé un garde devant. Je voulais lui envoyer des colis, de la nourriture, mais seuls les *proches* — femme, fils ou fille, père, mère — ont l'autorisation d'écrire ou d'envoyer des colis de nourriture. « Vous n'êtes pas sa femme, m'ont-ils dit.

» Alors j'ai demandé à venir à Shanghai, pour vivre auprès de ma mère. Elle est très âgée...

» Il faut faire quelque chose pour sortir Carlos de prison », dit Rosamond en se tordant les mains d'angoisse. Mais elle savait qu'on ne pouvait rien faire. Comment défendre un Espagnol vivant depuis si longtemps en Chine, peut-être comme espion ? L'Espagne n'avait pas de représentation diplomatique auprès du nouveau gouvernement et c'était un pays fasciste.

« Le nouveau gouvernement est très soupçonneux. Tout contact avec des étrangers est mal vu. Plus on proteste plus ils sont *sûrs* qu'il y a eu ce qu'ils appellent " rapports illicites ", espionnage... et cela ne fait qu'aggraver les choses. »

Pourtant, Rosamond voulait retourner à Pékin. Pour être près de Carlos. Elle pourrait trouver du travail comme traductrice auprès des ambassades accréditées. « Il faut que je convainque ma mère de venir à Pékin avec moi. Mais elle est tellement attachée à son cercueil. Elle l'a acheté il y a quelques années. Il faudra que j'emporte aussi le cercueil dans le train. »

Pauvre Rosamond, pensa Stéphanie après son départ. Depuis tant d'années qu'elle dépend d'un homme — d'abord Terry, puis ce Carlos... Que va-t-il lui arriver? Il n'y a pas de place ici... maintenant... pour une femme si seule, si vulnérable...

L'obscurité de l'automne, opaque, froide, figée. Yong rentra et Stéphanie sut qu'il était arrivé quelque chose.

« Qu'y a-t-il mon chéri ? » Son cœur cognait dans sa poitrine.

« Nous partons pour la Corée, Stéphanie. Le docteur Wu, le docteur Fan et moi. Dans quelques jours.

— Pour combien de temps ? » Sa voix se brisa. Elle allait être seule... et vulnérable...

« Je ne sais pas... pas trop longtemps j'espère », dit-il en la prenant dans ses bras.

Cette nuit-là, ils s'accrochèrent désespérément l'un à l'autre, enfermés dans un univers où il n'y avait que leurs deux corps, dont chaque parcelle leur était plus précieuse que tout au monde, sourds et aveugles à tout ce qui n'était pas leur amour, leur désir, leur jouissance.

Stéphanie accompagna Yong à l'aéroport. Les médecins se rendaient par avion en Mandchourie. De là, ils seraient transportés en camion militaire à un endroit de Corée non révélé.

Joan Wu et Mme Fan n'étaient pas venues à l'aéroport. Joan était trop occupée à la pharmacie de l'hôpital et Mme Fan avait trop d'enfants à torcher.

Pendant que Stéphanie et Yong, assis côte à côte, attendaient le départ de l'avion, un membre des services de sécurité vint l'interroger.

Elle lui montra son laissez-passer et Yong expliqua qu'elle était sa femme.

« Les étrangers ne sont pas admis dans l'aéroport, dit le policier.

— Mais elle a un permis, dit Yong. Elle habite à Shanghai.

— Nous devons vérifier le permis », dit le policier. Il parlait d'une voix unie, appliquée, un peu sévère.

On entendit l'appel dans les haut-parleurs : « Les voyageurs pour Pékin et Shenyang sont priés d'embarquer immédiatement. »

« Ne t'inquiète pas, Stéphanie, dit Yong. C'est une simple routine...

Demande-leur d'appeler Père et le doyen de l'université. » Il était très pâle et hésitait à la quitter. Il regardait Stéphanie, le policier.

« Je ne suis pas inquiète. Prends soin de toi mon chéri. » Stéphanie sourit gaiement.

Elle n'était pas venue à l'aéroport pour espionner... elle était venue dire au revoir à Yong. Et maintenant Yong partait, il s'éloignait. Elle le regarda, le vit descendre les escaliers, se retourner une fois, deux fois, puis traverser la piste jusqu'à l'avion. Elle lui fit signe de la main. Patient, le policier se tint à ses côtés sans intervenir jusqu'à ce que Yong eût gravi la passerelle de l'Ilyouchine.

« Suivez-moi je vous prie », dit l'officier courtoisement.

Deux autres policiers se trouvaient dans le petit bureau de l'aéroport. Ils contemplèrent son laissez-passer.

« Nous devons vérifier, dirent-ils.

— Où puis-je attendre ? » demanda Stéphanie.

Ils se regardèrent. Ils étaient tous les trois très jeunes et ne savaient manifestement pas comment maîtriser cette situation. Une étrangère dans l'aéroport, qui ne partait pas, mariée à un médecin qui allait en Corée.

Une Américaine.

Deux d'entre eux n'avaient jamais vu d'étrangère. Ils contemplaient Stéphanie avec curiosité.

« Elle parle chinois, dit l'un d'eux d'un air stupéfait. J'ai même compris ce qu'elle a dit...

— J'aimerais avoir une chaise pour m'asseoir, camarades », dit Stéphanie. Et elle ajouta, sachant que cela impressionnait toujours beaucoup : « Je suis enceinte. »

L'un des jeunes gens s'empressa d'aller chercher une chaise.

Stéphanie attendit, assise sur la chaise, tandis qu'ils étudiaient son laissez-passer, le tournaient en tous sens, le relisaient puis la regardaient.

« Connaissez-vous le numéro de votre unité ? » demanda l'un. Elle le leur donna. Elle leur dit où elle habitait. Puis, comme chaque fois, leur montra la photo de Trésor d'Hiver. « Mon fils », dit-elle. Alors, elle sentit fondre la cage de verre. Cette cage qui s'était érigée autour d'elle quand Yong était parti et qui, peu à peu, se vidait d'oxygène.

Elle attendit pendant quinze heures. Elle demanda de l'eau à boire et on lui apporta de l'eau chaude. Elle demanda à marcher de long en large dans le corridor et on le lui refusa. Il n'y avait pas de nourriture. La tête lui tournait un peu. Les policiers allèrent déjeuner. Elle demanda à aller aux toilettes. Les policiers en discutèrent longuement. A la fin apparut une vieille femme. C'était la femme de ménage qui nettoyait les cabinets. Elle accompagna Stéphanie et lui remit du papier hygiénique. Elle resta à l'intérieur du cabinet pendant que Stéphanie urina.

« *Hai,* vous êtes faite tout pareil que nous », dit la vieille femme.

Il était presque minuit quand l'officier du service de sécurité, un nouveau mais tout aussi jeune et peu assuré que les autres, lui dit qu'elle pouvait rentrer chez elle.

« Mais comment ? C'est la nuit. Il faut que je téléphone à ma famille.

— Interdit de téléphoner, dit le policier.

— Alors il me faudra attendre ici jusqu'à ce qu'il fasse jour, dit Stéphanie.

— Non, dit le policier. C'est absolument impossible. » Il ne le dit pas mais Stéphanie devina que le bureau lui servait aussi de chambre. Il devait s'allonger et étendre une couverture sur le parquet. Il lui fallait donc partir.

« Ecoutez, dit le policier avec gentillesse, il y a des vélos-pousse, un garage de vélos-pousse un peu plus loin sur la route, à cinq cents mètres de l'aéroport. »

Stéphanie le remercia. Elle traversa le hall obscur et sortit de l'aéroport. Elle atteignit les escaliers qui menaient à la route, en bas. Comme tous les soirs, un mélange de pluie et de brouillard s'était abattu sur Shanghai et tout était humide, d'une humidité grasse. Stéphanie glissa, manqua cinq ou six marches et atterrit sur le derrière. Elle resta un instant assise sur la dernière marche puis elle se releva, frictionna ses fesses et se dirigea vers le garage de vélos-pousse.

C'était une baraque en bois branlante, aux planches disjointes à travers lesquelles filtrait la lueur ambrée d'une lampe à huile. La porte était entrouverte. A l'intérieur, des hommes dormaient, d'autres jouaient aux cartes. Leurs vélos étaient rangés sous un auvent. Pendant qu'elle se tenait là, hésitante, deux autres hommes garèrent leurs véhicules et se dirigèrent vers la porte.

A présent, les hommes n'étaient plus attelés entre les brancards. Ils avaient des bicyclettes. Ils formaient des coopératives. Leurs tarifs étaient fixes. Certains étaient membres du Parti.

Et eux qui, jadis, étaient si pauvres, si méprisés qu'il leur était impossible de se marier, se voyaient à présent recherchés par les filles des propriétaires terriens qui fuyaient la réforme agraire et essayaient, par le biais de marieurs, d'épouser même des conducteurs de vélos-pousse, pour acquérir une nouvelle dignité.

Les deux hommes se turent en voyant Stéphanie, une étrangère, seule, à cette heure de la nuit.

« Camarades, dit-elle, j'ai été retenue à l'aéroport par la police de sécurité. Mais ils ont vérifié et m'ont relâchée. Je peux rentrer chez moi. Mais c'est très loin. L'un d'entre vous accepterait-il de m'y conduire ?

— Où habitez-vous ? demanda l'un.

— Quelle est votre unité ? » s'enquit l'autre.

Stéphanie le leur dit.

Ils se regardèrent. C'était très loin, en effet.

« Si je ne rentre pas chez moi maintenant, il faudra que j'attende jusqu'au matin. Et il n'y a pas d'endroit où je puisse me reposer. »

Ils se regardèrent, incertains.

« Où est votre mari ?

— Mon mari est médecin. Il est parti pour la Corée ce matin, c'est pourquoi je suis venue à l'aéroport. »

Les deux hommes entrèrent dans la cabane pour discuter avec leurs collègues. Puis l'un d'eux revint. « Je vais vous conduire chez vous. Une femme ne doit pas être seule la nuit dehors. Même si les rues sont sûres à présent.

— Elles le sont, certes », dit Stéphanie.

Au bout d'une heure et demie, Stéphanie reconnut la rue pavée où se trouvait la maison.

Pendant le trajet elle avait bavardé avec l'homme. Il était né à Shanghai. Son père, un pauvre colporteur, était mort de la tuberculose. Le gouvernement construisait maintenant des logements pour les gens comme lui. Il avait trente-cinq ans. « Je n'avais jamais eu de toit au-dessus de ma tête, seulement la pluie du ciel, et le soleil. »

Stéphanie se prit d'affection pour lui. Il n'essayait pas de la faire parler, il pédalait et faisait de petites remarques polies. Elle pensa : je suis bien, je me sens en sécurité avec lui et avec des gens comme lui, en sécurité et même heureuse. Elle lui parla de Yong et de Trésor d'Hiver... *Cet homme a attendu un toit pendant toute sa jeunesse. Pourquoi me plaindre parce qu'on m'a retenue quinze heures pour un contrôle. On est en guerre.*

« Oui, camarade. J'ai un père et une mère en Amérique, et aussi un jeune frère.

— Dans le temps, dit l'homme, les Américains nous faisaient aligner, une vingtaine en général, et on faisait des courses avec nos pousse-pousse. Eux étaient assis dedans. Comme on courait !

— C'était très mal, dit Stéphanie, gênée.

— Nous le faisions pour de l'argent. Nous avions tellement faim, tout le temps, expliqua l'homme sans colère. Les Américains payaient toujours. Les autres étrangers refusaient parfois. » Il n'avait plus jamais faim à présent. « Mais je ne crois pas que je pourrai un jour avoir une aimée... vous comprenez, j'ai encore ma vieille mère, elle est aveugle et très âgée... les jeunes filles ne veulent plus se charger d'un tel fardeau. »

Il ne nourrissait aucune haine, aucune amertume, aucun ressentiment contre la vie. Il émanait de lui une grande douceur.

Le portail de la Maison était ouvert. Mère, frêle silhouette très droite, tendue par une énergie farouche, se tenait devant et guettait la rue. Stéphanie descendit. Elle éprouvait une lourdeur bizarre dans son ventre, un déchirement sourd.

Mère dit au conducteur : « Merci, camarade, d'avoir ramené ma fille. » Elle lui paya la somme exacte ; il sourit et s'éloigna d'un pas allègre sur les pavés puis il enfourcha la bicyclette et disparut.

Mère accompagna Stéphanie dans sa chambre. Il lui arrivait une chose étrange ; un flux chaud coulait en elle. Puis une crampe la déchira. La lumière était allumée. Elle baissa les yeux. Mère dit : « Que se passe-t-il ? »

A l'endroit où se tenait Stéphanie, sur les carreaux, il y avait quelques gouttes de sang, qui coulaient lentement entre ses jambes.

16

Depuis Tokyo, les Forteresses volantes survolaient la mer du Japon et ses fréquentes tempêtes pour apporter leur cargaison d'hommes à Kampo en Corée du Sud. Plusieurs fois par jour, des Dakotas décollaient, chargés d'hommes et d'armes pour amener des renforts dans cette interminable guerre de Corée.

Le sous-lieutenant James Ryder avait les fesses engourdies par le rebord métallique du banc. Il remonta d'une secousse sa Mae West jaune et se retourna pour jeter un coup d'œil par le hublot. La mer et le ciel montaient et descendaient sous ses yeux, le Dakota plongeait et rebondissait tandis qu'il commençait sa descente sur Séoul.

Ils atterrirent à Kampo à la fin de l'après-midi et l'air glacé s'engouffra par la trappe. Jimmy en aspira une goulée et fit « Aaah ». Cet air était si propre après la pollution de Tokyo, la saleté brunâtre suspendue dans l'atmosphère, les odeurs d'essence et les relents rances. Ses poumons se déployèrent et absorbèrent avec avidité cet oxygène pur. « Je sens la neige », dit-il.

Un sergent-chef, corpulent et rougeaud, qui semblait sortir tout droit d'une bande dessinée, attendait les renforts pour les conduire aux camions. Jimmy contempla l'horizon couleur d'améthyste derrière la ligne des montagnes où s'enfonçait le globe doré du soleil. « C'est là que les Chinetoques s'enterrent, mon lieutenant, dit le sergent avec courtoisie. Mon lieutenant, si vous voulez bien me suivre... »

La route sur laquelle roulaient les camions suivait docilement le fleuve Han gelé. La lumière changea, fonça, devint d'un lilas uniforme ; le cours d'eau figé étincelait entre ses berges de sable blanc. « Mon Dieu, que c'est beau, dit Jimmy.

— Qu'est-ce qui est beau ? demanda Arch Cappuzzio, à peine remis de son mal de l'air.

— Tout, dit Jimmy. Tout. » Sa main fit un geste large devant eux.

« Je n'aurais jamais cru que ce fût aussi splendide... » Il prit à nouveau une profonde inspiration.

Arch se mit à rire. « T'as encore rien vu, mon pote. Ça peut aussi être l'enfer. Attends que les Chinetoques s'occupent de toi. » A Tokyo, Arch avait entendu beaucoup d'histoires. Sur les Chinetoques et les Gooks qui surgissaient soudain, sortis de nulle part, vous tiraient dessus et se volatilisaient à nouveau comme des fantômes. « Ils sont derrière toi quand tu les crois devant. Ils ont creusé des kilomètres et des kilomètres de tunnels dans les montagnes. Les bombes ne peuvent pas les atteindre. »

Les cantonnements de l'armée américaine étaient situés au nord de Séoul ; les camions traversèrent la cité en ruine ; le geignement des moteurs se diluait dans le silence des rues vides. Des pans de murs miraculeusement encore debout indiquaient le tracé des rues, comme sur un site archéologique. Des fenêtres aveugles, ouvrant sur le vide, quadrillaient quelque ruelle. Des tas de débris bien nets bordaient les grandes artères pour permettre la circulation des véhicules militaires. Séoul avait changé quatre fois de mains en une année.

Les baraquements des officiers consistaient en quelques rangées de longs bâtiments préfabriqués, au toit arrondi en tôle ondulée. « Compagnie G, dit le sergent, c'est ici. » Jimmy et Arch sautèrent du camion pour se retrouver dans le décor familier d'un camp militaire américain. Jusqu'aux odeurs qui étaient les mêmes.

Mais Jimmy n'avait pas envie d'entrer dans la chaleur du baraquement. Il aurait voulu marcher, sortir de cette prison de barbelés et s'enfoncer dans cette couleur somptueuse dont l'air semblait pétri, rouge cramoisi maintenant que le soleil avait disparu.

Le lendemain, les nouveaux arrivés eurent droit au discours de bienvenue du capitaine Farady, dont le visage aux traits burinés exprimait une sévérité stricte et mordante. Il vivait dans un bureau minuscule, dont la table était jonchée de papiers. Les murs étaient couverts de cartes. Il semblait connaître la Corée uniquement par ces cartes. Lui arrivait-il de sortir et d'aller marcher jusqu'à ces montagnes bleues dont le parfum de neige arrivait jusqu'aux narines de Jimmy ?

« Je sens la neige, répéta Jimmy.

— Et moi je sens la bouffe », répliqua Arch qui disait parfois des choses de ce genre quand Jimmy planait trop haut pour lui.

Farady fit l'appel : Spellman, Cappuzzio, Hinckle, Ryder... s'arrêtant à peine pour entendre le bref « Présent ». Encore une fournée de jeunes bons pour la boucherie, pensa avec lassitude le capitaine Farady.

Depuis juillet 1951, trois mois après le limogeage de MacArthur par le président Truman, des pourparlers étaient menés pour une trêve, un cessez-le-feu, mais la guerre continuait, les G.I.'s mouraient et d'autres jeunes gens au visage candide venaient les remplacer. Et le capitaine Farady n'était pas heureux. C'était un bon soldat, soucieux d'épargner la vie de ses hommes. Chaque fois qu'un G.I. était tué, c'était un peu de sa chair qu'on lui arrachait.

D'une voix sèche et précise, Farady distribua les tâches puis traça un tableau de la situation dans le secteur H, la zone de combats où les compagnies de renfort allaient opérer. « Nous avons de bonnes raisons de croire que l'ennemi va tenter une percée en bordure de ce front. Ils sont massés derrière les montagnes. Nous renforçons donc tout le secteur. » La compagnie serait chargée de tenir une petite vallée qui le contournait vers le nord. Aucune présence ennemie n'y avait été signalée depuis quelques mois. « Nous fortifions cette zone car nous craignons qu'ils n'utilisent à nouveau leur tactique du rouleau compresseur. » Tous les villages de la vallée avaient été détruits afin de priver l'ennemi d'abri, de nourriture ou d'une aide quelconque et le bombardement des pentes de la colline se poursuivait sans relâche.

« Il essaie un peu trop de nous faire croire que ce sera une simple promenade », pensa Arch Cappuzzio.

Jimmy se pencha pour regarder la carte. Il repéra le « front » qui zigzaguait à travers les vallées encaissées.

« Des questions ? » Le capitaine Farady jeta un coup d'œil circulaire. Jimmy leva la main. « Oui, lieutenant Ryder ?

— Mon capitaine, je voudrais savoir... qu'en est-il des pourparlers pour un cessez-le-feu ? »

Farady resta muet.

« Mon capitaine, le territoire indiqué sur cette carte semble se situer un peu au-delà de la zone neutre de cessez-le-feu que j'ai vue sur une autre carte...

— Lieutenant Ryder. » Farady, rouge et furieux, crachait ses mots. « L'ennemi agit en violation flagrante de toutes les règles de la civilisation. Nous ne pouvons pas leur faire confiance. Il nous faut les frapper sans arrêt. Il faut que nous tenions le terrain... est-ce clair ?

— Oui mon capitaine, merci mon capitaine.

— Merde, tu as eu un sacré culot, dit Arch. Cette histoire de carte... comment savais-tu que le secteur était au-delà de la zone neutre ?

— Je l'ai lu à Tokyo... c'était dans les journaux japonais publiés en anglais, avec les noms et tout... J'ai reconnu les noms.

— Tu sais, on peut pas se fier uniquement à ce que disent les Japonais, répondit Arch. Espérons qu'ils ne nous enverront pas escalader ces pentes de montagne... c'est le massacre à coup sûr. T'as entendu parler de la Crête Crève-Cœur ? et combien des nôtres ont... »

Jimmy et Arch marchaient dans les rues de Séoul dévastée. Une ville morte, du moins si l'on ne s'écartait pas des artères principales. De temps en temps, Jimmy apercevait des gens qui passaient, furtifs comme des ombres, en haillons : des hommes, des femmes, des enfants. Mais ils ne s'approchaient pas. Ils vivaient parmi les ruines.

Des petits garçons, vifs et légers, se pressaient autour d'eux comme des moineaux effrontés. « Hé, hé, G.I.'s, G.I.'s, cirer chaussures, cirer chaussures... G.I., G.I., tu veux moi cirer toi ? »

Etrangement intact au milieu des ruines, le dôme de granit de l'hôtel de ville, copié sur quelque capitole américain ; et derrière, le vieux Palais doré des empereurs de Corée, dont les tuiles vernissées gisaient sur le sol, parmi les débris des trésors qu'avaient abrités ses pièces. Jimmy s'avança dans ce qui naguère avait été le jardin et ramassa une petite plaque d'un vert céladon très pâle, avec un motif central visible sous l'émail. Il la mit dans sa poche et ses doigts la touchaient de temps en temps. C'était un signe, une présence, comme les montagnes, comme l'air...

On réparait quelques bâtiments. Celui des Nations unies, en briques grises, autrefois un ministère, grouillait d'ouvriers. Des femmes en pantalon, la tête couverte d'un foulard, hissaient des planches, transportaient des corbeilles...

« Ce sont les femmes qui font tous les durs travaux ici, comme en Russie », remarqua Arch. Elles balayaient les rues, enlevaient les détritus, poussaient de lourdes charges. Les hommes, vêtus de vêtements blancs, dont ils changeaient tous les jours, attendaient, assis, que les femmes préparent la nourriture ; les femmes passaient la nuit à laver ces vêtements, à grands coups de battoir dans l'eau claire des ruisseaux, jusqu'à ce qu'ils fussent d'un blanc éclatant.

Les femmes, au visage aplati et placide. Fortes, massives, lourdes. Et patientes. Certaines portaient leur bébé sur le dos, dans une couverture, pendant qu'elles travaillaient.

« Je suis ici, dans ce pays et j'ignore tout de lui, dit Jimmy.

— Tu apprendras bien assez vite, Jimmy. »

Ils descendirent l'avenue qui conduisait à ce qui avait été la gare. Des baraques en planches, au toit couvert de toile goudronnée, éclairées par des lampes-tempête ; il en sortait une musique criarde, jouée par de vieux phonographes. Devant les baraques, des femmes, au corps épais, sans taille, aux jambes courtes, les cheveux crêpelés. Leurs visages ronds étaient plâtrés d'un épais maquillage blanc que zébrait le rouge sang de leur bouche.

« Hé, G.I., hé, Américain ! Viens, donner du c..., beaucoup c..., juste un dollar, un dollar. Viens, viens...

— Ce sont des Japonaises qu'on fait venir de Tokyo. Les Gooks, on peut pas leur faire confiance », expliqua Arch, tout fier de sa science fraîchement acquise, pendant leur transit à Tokyo.

Les Gooks, surnom méprisant inventé par les G.I.'s pour les Coréens. Interdit aux Gooks de monter dans nos camions... Faites-les descendre à coups de pied... les Gooks n'ont pas le droit de pénétrer dans nos camps... on ne peut pas faire confiance aux Gooks... Jimmy frissonna.

La musique, poisseuse de nostalgie, lui serra la gorge, le ventre. Comme l'Amérique était loin !

Ils s'arrêtèrent et les filles les entourèrent aussitôt en jacassant comme des pies ; elles les tiraient par la manche, par le bras, certaines leur pelotaient les fesses, glissaient une main hardie dans leur braguette. A la lumière, leurs visages fardés semblaient tous pareils.

Jimmy se dégagea et s'éloigna. Arch, mi-amusé, mi-écœuré, secoua les deux filles qui s'accrochaient à lui et cria : « Hé, Jimmy, attends-moi.

— Toi gros, toi fort, très fort, avoir beaucoup c... avec moi. »

Arch réussit à les repousser et rejoignit Jimmy, poursuivi par les cris aigus et les rires des filles qui, à présent, leur lançaient des obscénités qu'ils ne pouvaient pas comprendre.

« Ce n'est pas comme si nous allions nous battre, dit Arch. On est seulement là pour occuper le terrain. Puis on rentrera aux Etats-Unis.

— Sûr, dit Jimmy. Nous n'allons tuer personne.

— Ni être tués », dit Arch, toujours réaliste.

Le convoi de blindés et de camions qui transportaient la compagnie G quitta Séoul et se dirigea vers le nord, vers les montagnes à l'odeur de neige. Jimmy les contemplait avec fascination.

Bientôt la route fit place à un bourbier informe de boue gelée, labourée par des centaines de véhicules, là où, naguère, s'étendaient des champs.

Puis le paysage changea, devint plus tourmenté, avec des crêtes qui se dressaient soudain puis s'éloignaient en une ligne brisée.

Dix mille G.I.'s avaient été portés tués, blessés ou disparus depuis le début des pourparlers pour un cessez-le-feu, en juillet 1951. Mais la plus grande partie des pertes se situait dans les tout premiers mois, au cours des combats acharnés pour s'emparer de crêtes qui devaient s'avérer par la suite d'un intérêt stratégique nul.

A présent, plus question d'escalader des collines. On se contentait de tenir les positions. Les pourparlers s'interrompaient, reprenaient, puis s'interrompaient à nouveau, chaque partie rendant l'autre responsable de leur échec.

Depuis plusieurs mois, le front stagnait. Ni avance ni recul de part et d'autre.

« Oh mon Dieu, priait Jimmy chaque soir, faites que je n'ai à tuer personne. »

C'était étrange, il n'arrivait pas à éprouver de la haine. Il aurait dû mais il ne le pouvait pas. Il n'avait pas non plus l'impression de défendre quelque chose. Et c'était ça qui était anormal. Cette espèce d'indifférence à l'endroit de cette guerre. Mais la beauté de ce pays le bouleversait et son cœur se serrait au spectacle de cette terre dévastée.

Stéphanie. Et Yong. Il était ici à cause de sa sœur Stéphanie... et de Yong.

Il revoyait la scène, là-bas, à l'école militaire. Il revenait au vestiaire après le match, avec cette sensation de bien-être dans tout le corps qu'on éprouve quand les muscles se détendent, que le sang s'apaise dans les veines, et qu'on se laisse envahir par une agréable fatigue, la sueur soudain délicieusement fraîche sur la peau brûlante.

Il avait entendu.

« Je te le dis... sa sœur baise avec un Chinetoque... » Puis quelqu'un d'autre : « Fais gaffe, le voilà... » Il s'était arrêté et tous le regardaient. Alors Arch s'était avancé et l'avait entraîné dehors.

« Ah, Jimmy, il faut que je te parle... » Et derrière son dos, le type enfilait son pantalon en sifflotant.

Arch avait passé son bras sous le sien et l'avait traîné à travers la grande cour carrée de l'académie militaire, le long de la galerie et jusque dans les champs, à grandes enjambées, comme si sa vie en dépendait. « Ecoute, Jimmy, calme-toi, tu sais bien que ce mec est débile... ne fais pas attention, écoute, viens prendre un café...

— Je le tuerai, Arch, je le tuerai... ma sœur...

— Ecoute, Jimmy, il le pensait pas vraiment...

— Ça fait longtemps qu'ils disent ça, Arch ? Depuis quand ?

— C'est la première fois que je l'entends... » Arch mentait.

« Ma sœur est mariée à un médecin chinois, Arch. Il n'est pas communiste.

— Mais bien sûr, Jimmy, y a plein de Chinetoques qui sont pas rouges... ça veut rien dire...

— Je lui casserai la gueule. »

Ce fut ce soir-là qu'il le sentit. Cette épaisseur de l'atmosphère, cette application dans les gestes, ces attitudes faussement naturelles. C'était insupportable. Deux jours plus tard, il était allé trouver le capitaine Herzog et même à présent qu'il était calmé et si loin, ici en Corée, il était incapable de se rappeler exactement comment ça s'était passé, il avait eu l'impression de se déplacer dans un brouillard de rage et de souffrance. Il se souvenait seulement de s'être dit : ne flanche pas, ne flanche pas.

« Oui, lieutenant Ryder ? »

Les yeux d'Herzog. Ce regard opaque. Lui aussi savait.

« Mon capitaine, je demande à être envoyé en Corée... »

C'était ça qu'ils attendaient.

Une onde brûlante de colère le secouait.

« Vous vous sentez bien, Ryder ?

— Tout à fait, mon capitaine. »

Le camp d'entraînement. Six semaines. De la chair à canon. Il avait souhaité mourir, s'était demandé ce qu'on éprouvait...

Et puis Arch Cappuzzio était arrivé. « Je me sentais un peu seul là-bas, sans toi, Jimmy. En plus, j'ai toujours eu envie de voyager. »

Au camp, il avait entendu ce qu'on racontait. Sur les pertes humaines. Les cercueils qu'on rapatriait. Beaucoup trop de cercueils. Beaucoup trop de généraux acharnés à poursuivre les combats. « Tu comprends, la guerre fait marcher l'industrie... on est en plein boom économique alors ils ont intérêt à la poursuivre, comme ça il n'y aura pas une autre dépression... », expliqua Arch, sans révolte.

Il téléphona à sa mère quelques jours avant son départ pour Tokyo. Pour lui annoncer qu'il allait en Corée mais sans en faire un truc grave, sans dramatiser...

Elle n'allait pas bien. Mais c'était quelque chose dont elle ne voulait pas parler.

« Jimmy, oh, Jimmy, gémit-elle, Jimmy, pourquoi, pourquoi ? Je croyais que tu n'irais pas...

— Je serai bientôt de retour, maman... On parle déjà de paix en Corée alors tu vois, il n'y a absolument aucun danger. »

Ce demi-mensonge était dur à dire.

« Jimmy », elle sanglotait. « C'est ton calvaire, Jimmy, chacun de nous, chacun a son propre calvaire... tous nous avons le nôtre... que le Seigneur étende sa grâce sur toi.

— Maman, je t'en prie, ne pleure pas... je te jure que je serai bientôt de retour, ce sera bientôt fini, tout le monde le dit... et d'ailleurs on ne se bat pratiquement pas.

— Oh Jimmy, peut-être est-ce la volonté de Dieu mais c'est dur. Jimmy... Tu n'oublieras pas de prier, n'est-ce pas ?

— Non, maman. » Ses doigts touchèrent la petite croix que sa mère lui avait accrochée au cou : « Bien sûr que non. »

Puis ce fut son père qui vint lui parler.

« Jimmy, il n'avait pas sa voix autoritaire habituelle.

— Oui, papa. » Jimmy se raidit.

« Il paraît que tu t'es engagé, fils ?

— Oui papa. Nous partons pour Tokyo. Nous y resterons quelque temps, pour nous acclimater...

— Je vois. » Heston réfléchissait. Jimmy pouvait presque entendre les pensées se bousculer dans l'esprit de son père. Mais Heston ne le mettait plus mal à l'aise à présent, ni le silence entre eux. Il n'y avait pas de menace dans ce silence. Il avait pris cette décision tout seul et c'était une sorte de victoire sur son père.

Naturellement, Heston vint à l'aéroport le jour où ils embarquèrent

On pouvait lui faire confiance pour appeler les gens qu'il fallait et obtenir tous les renseignements et autorisations nécessaires.

De loin, il paraissait le même. Grand, élancé, foulant avec assurance cette terre si bénéfique pour lui ; mais à mesure qu'il s'approchait il parut à Jimmy plus léger, plus fragile, comme s'il avait perdu une partie de sa substance. Il n'impressionnait plus son fils, Jimmy ne se sentait plus nerveux devant lui et c'est avec calme qu'il le regarda venir vers lui. Sous le grand chapeau de cow-boy, Jimmy vit le regard calme dirigé vers lui et il se sentit envahi d'amour pour son père.

« On a le temps de boire un café », dit Heston et ils allèrent s'asseoir au comptoir du bar. C'était une matinée éblouissante de lumière, tout semblait laqué de brillance. Jimmy trempa une brioche dans son café.

Ils parlèrent peu, d'Isabelle surtout. Jimmy sentit que sa santé préoccupait Heston. Les docteurs ne cessaient de répéter qu'il n'y avait aucune raison de s'inquiéter mais elle n'allait vraiment pas bien. Elle était à nouveau alitée. « Passe-lui un coup de fil quand tu le pourras, tu veux bien ?

— Bien sûr papa. » Il l'avait fait. Il avait téléphoné presque tous les deux jours, de Tokyo. Elle priait avec lui.

« Dieu tout-puissant et miséricordieux, montrez-moi ce que je dois faire... donnez-moi la paix de l'esprit. Que votre volonté soit faite... »

« J'estime que tu as bien fait, fils. Il faut lutter contre le mal. » Mais Heston ne mettait plus autant de force dans ce mot. Comme s'il s'en était lassé. « On m'a dit qu'il ne reste plus une ville debout en Corée...

— Papa, dit Jimmy, je... » Il s'interrompit. Comment dire à son père qu'il s'était porté volontaire à cause de Stéphanie, pas pour tuer ?...

Comme s'il avait deviné sa pensée, Heston dit : « Il me semble qu'il y a eu assez de sang versé... dans ce maudit pays...

— Papa, as-tu des nouvelles de Stéphanie ? »

La dernière lettre remontait à deux mois. Une lettre anodine, qui ne disait presque rien sauf que tout allait bien et qu'ils ne devaient pas s'inquiéter. Isabelle avait répondu, comme d'habitude.

Heston inclina la tête puis d'un geste maladroit, il étreignit l'épaule de son fils. « Jimmy, prends soin de toi... »

Il aurait voulu lui dire : Je t'aime, mais si ses lèvres ne purent pas prononcer le mot, Jimmy le lut dans ses yeux et dit : « Papa, c'est formidable que tu aies pu venir. »

Puis il s'éloigna, vers l'avion, le cœur léger ; il allait à la guerre comme on va à l'école.

Au-delà de l'avant-poste occupé par la compagnie G, la vallée montait vers une chaîne de montagnes en forme de croissant qui s'enfonçait dans la Corée du Nord. Il n'y avait aucun signe de vie dans la vallée, qui se rétrécissait à mesure qu'elle pénétrait dans les premiers contreforts rocheux.

Tous les villages avaient été détruits ; les gens étaient partis et quand ils étaient encore là, c'étaient d'inoffensifs cadavres qui se confondaient avec la terre et les rochers.

La première fois que Jimmy vit un cadavre, il ne comprit pas ce que c'était. Il crut qu'il s'agissait d'un animal ou d'une étrange plante charnue d'une variété inconnue. Un grand bouquet mauve d'intestins terminé par une tache blanche en forme de triangle. Un visage. Celui d'une jeune fille. Aux longs cheveux noirs. Gelé, la bouche et les yeux grands ouverts.

Il y en avait eu d'autres. Le plus horrible, c'était les gosses.

Leurs membres étaient figés dans des positions étranges, dans des angles impossibles. Et toujours ces yeux ouverts, ces bouches béantes, gelées en une dernière gorgée avide de cet air si riche en oxygène.

« Merde, si nous devons rester ici longtemps, faudra faire des cimetières », dit Arch.

Mais la mort n'a pas d'odeur quand le froid la conserve. Et, bientôt, les hommes s'habituèrent à ces corps au milieu des autres décombres...

Avec la régularité d'un mécanisme d'horlogerie, l'aviation effectuait des manœuvres à certaines heures de la journée. Ils bombardaient les collines et les montagnes. Ils éventraient et défonçaient les pentes boisées.

« Y a un taux de munitions à gaspiller par jour et par homme, expliqua sérieusement Arch, pour que la guerre puisse continuer. » Jimmy riait devant cette parodie d'attaque de la terre, cette terre qui, imperturbable, continuait d'être.

Les véhicules progressaient avec difficulté sur le sol gelé, éventré de cratères de ce qui avait été naguère un quadrillage de rizières. Parfois, dans un tournant, surgissait un petit taillis de sapins. Et parfois ils traversaient des futaies carbonisées d'arbres anonymes. Ils roulaient sur un sol meuble de cendres noires et des corps aux bras implorants, dressés vers le ciel, gisaient çà et là parmi les cadavres des arbres.

« Le napalm, dit Arch.

— Arch !

— Oui, Jimmy.

— Ce ne sont pas des soldats.

— Et alors, Jimmy ? Ce sont des Gooks, des ennemis... »

Un réseau triple de fils de fer barbelés protégeait le camp et on avait installé un poste d'observation sur un petit promontoire qui dominait toute la vallée. Vers le nord, le sol montait en molles ondulations jusqu'aux collines crêpelées par le vert sombre des pins, que dominait une haute chaîne de montagnes abruptes aux cimes enneigées, étincelantes. Derrière le camp, vers le sud, s'étendait la plaine qu'ils avaient traversée en venant.

Pas de chiens, ni de gens. Rien.

Au pied du camp, adossé à une petite crête isolée, le spectacle banal d'un village en ruine. Pas si banal que ça, pourtant, car, parmi les maisons effondrées, se dressait un petit toit de tuiles, témoignage d'un passé disparu. Les tuiles avaient cette couleur violette que semblaient affectionner les Gooks.

Comment ce toit, aux bords gracieusement recourbés, avait-il seulement échappé aux bombardements? Derrière lui se dressait un rocher escarpé de granit gris, poli par les griffes répétées du vent.

Jimmy et Arch descendirent voir le village. Personne alentour. Pas même un cadavre.

« C'est le premier coin vraiment propre, dit Arch. C'est chouette. »

La compagnie s'installa confortablement. Les hommes n'avaient pas grand-chose à faire, à part la consolidation des abris enterrés, l'exercice, les tours de garde et, bien sûr, toutes les corvées indispensables d'un camp d'entraînement.

« Je te parie qu'on va rester peinards ici jusqu'à la fin de la guerre », dit Arch.

L'après-midi, les montagnes étincelaient et le soir, elles se détachaient avec netteté sur le ciel mauve. La tentation d'aller les escalader devenait irrésistible. Jimmy et Gunnar Christiansen les contemplaient depuis le poste de guet du promontoire. « Seigneur, comme j'aimerais aller là-bas en haut », soupirait Gunnar, alpiniste chevronné et moniteur de ski à Aspen, dans le Colorado.

« On les appelle les monts Diamants », ajouta-t-il, nostalgique.

Et tous deux pensèrent : Quand la guerre sera finie, nous reviendrons, nous reviendrons...

La nuit, Jimmy, Arch et leurs hommes couchaient dans les abris, recouverts de bâches. Mais jamais un avion ennemi ne vint les mitrailler. Les hommes s'entraînaient comme pour une vraie guerre. Ici, cela devenait un jeu.

Alors, au bout d'un certain temps, avec le silence et l'absence d'activités, une douce torpeur envahit le camp. Le soleil répandait sur eux la splendeur de sa lumière. A mesure que les jours s'allongeaient, ils sentaient dans l'air la sève impatiente gonfler les bourgeons encore invisibles.

« Le printemps arrive », dit Arch.

Ce trouble que le printemps apportait dans leur corps, ces pincements malicieux de tous leurs nerfs, ce bouillonnement des humeurs, ces conciliabules que leur esprit tenait tout seul, chargeaient de sens les mots les plus banals.

Presque chaque après-midi, Jimmy descendait jusqu'au village en ruine derrière le camp et allait voir le toit en virgule, de tuiles mauves, si miraculeusement intact ; la lumière étincelante l'irisait de toutes les couleurs de l'arc-en-ciel.

« Tu sais que d'après mes observations nous sommes à plus de deux kilomètres au-delà de la zone officielle de neutralité ? » dit Gunnar. Gunnar adorait autant les cartes que les montagnes. Il s'était procuré une grammaire et un livre de contes de fées coréens et avait entrepris l'étude des idéogrammes. Il passait des heures penché sur les cartes et avait calculé que le camp se trouvait juste au-delà de la limite tacitement reconnue par les deux parties lors des derniers pourparlers. Elles ne cessaient pourtant de s'accuser mutuellement de violer cet accord. Cela faisait partie du jeu de la guerre.

Jimmy s'accroupit à côté de Gunnar et d'Arch et contempla la carte. « Peut-être est-ce la raison pour laquelle les Australiens qui étaient ici avant nous sont partis », dit Christiansen en bon Suédois méthodique et prudent.

Un matin, Jimmy crut entendre chanter. « J'entends des chants, dit-il à Arch.

— Allons donc. » Arch écouta. « Moi, j'entends rien. » Arch faisait lui-même de la musique. Il jouait les tubes de l'année sur son harmonica. Jimmy regarda le toit brillant. Soudain, il vit des colonnes dorées qui le soutenaient... Mais c'était une hallucination, bien sûr ; il se rendait presque tous les jours au village pour s'asseoir parmi les pierres et rêver et il n'y avait pas de piliers dorés, il le savait.

Il était parvenu à une intimité avec ce pan de mur intact qui le lui rendait aussi précieux que la petite plaque verte tapie au fond de sa poche.

Pour s'y rendre, il lui fallait traverser les sillons des champs dévastés. Puis il grimpait un sentier sinueux découpé par les cratères pleins d'eau glacée qu'avaient creusés les bombes, miroirs aussi vides que les yeux des morts. Le sentier, fait de marches d'argile durcie et bordé de jeunes arbres, conduisait à une corniche de pierre juste devant le toit et Jimmy essayait d'imaginer le village, la rue, avant les bombardements, enserrant ce pan magique de tuiles d'un violet pâle qui avait dû être le temple. Le toit devait avoir recouvert une salle de belles dimensions dont seuls les murs latéraux étaient encore debout. A l'intérieur, il n'y avait que des gravats et un grand encensoir de bronze, tordu et déjeté. Sur l'un des murs encore debout, des gribouillages incompréhensibles tracés à l'encre noire sur le plâtre blanc grossier. Des mots, ou peut-être simplement quelques dessins maladroits de nuages entourant un saint bouddhique.

Un après-midi, Jimmy entendit le tintement d'une cloche.

« Arch... écoute... tu entends ça ? »

Le son s'était tu.

« Moi, j'entends rien du tout », dit Arch.

Mais Jimmy savait. Accrochée à l'une des avancées du toit il y avait une petite cloche de bronze, placée là pour produire des sons quand le vent soufflait.

Mais il n'y avait pas de vent. Peut-être un oiseau... mais il y en avait si peu par ici.

Il toucha à nouveau la petite plaque dans sa poche. Peut-être n'était-ce pas un oiseau. Comme elle était belle, la musique de cette clochette...

A la fin de cet après-midi-là, juste avant la venue du soir et du froid, il alla au village. Le corps vibrant de bonheur, il s'assit sur ce qui naguère avait été un mur, à présent simple tas de pierres.

Le soldat de première classe Dryberg, qui était de garde ce soir-là, regarda le lieutenant Ryder partir pour sa promenade quotidienne, juste avant la bouffe, puis porta son attention ailleurs.

Les monts Diamants semblaient mordre le ciel bleu, le soleil se couchait. Il se releva et alla sur la pointe des pieds toucher ce miracle parmi toutes les ruines, la clochette. C'était sûrement un oiseau qui l'avait effleurée de son aile.

Jimmy s'assit sur le seuil de ce qu'il appelait à présent le temple. Le soleil accomplit son numéro habituel : il changea l'or en vert puis en cramoisi avant de s'enfoncer dans le bain de sang qu'il venait de répandre sur le ciel.

Ici, Jimmy pouvait croire en Dieu, d'une façon qui lui était inaccessible à San Antonio. Ici, la présence de Dieu était évidente, au milieu de ses galaxies. Son soleil, aux jeux d'arc-en-ciel, les montagnes étincelantes étaient là aussi pour le plaisir de Dieu, et celui de l'homme. *Merci, ô Dieu.*

A pas menus, le chat vint examiner Jimmy. Jimmy le regarda avancer prudemment sur le sol rugueux. D'où était-il sorti ? Il n'y avait pas de vie ici, elle avait été effacée, abolie... le chat ne le savait-il pas ?

« Minou, minou », appela Jimmy tout en se demandant s'il ne rêvait pas. Le chat était petit, noir de fourrure à part les deux pattes de devant, blanches, il ne semblait pas effrayé. Il s'arrêta, regarda Jimmy et miaula.

Encore un miracle, comme la cloche, et le toit. Mais celui-ci était le plus merveilleux de tous, la première chose vivante depuis tant de jours, le premier non-cadavre ; comme pour le confirmer, le chat arqua son dos, tourna autour de Jimmy et vint se frotter contre sa botte. Ce n'était pas un animal galeux ; il était maigre mais pas squelettique... et pas sauvage non plus. Peut-être restait-il quelques personnes vivantes, rescapées des bombardements, et qui se tapissaient dans quelque crevasse ; mais les chats reviennent toujours chez eux et pour celui-ci c'était ce village... Je ne dois le dire à personne, pensa Jimmy. Sinon on enverra une patrouille et cela veut dire destruction pour ceux qui restent ; on ne peut pas prendre de risques... ce sont peut-être des espions...

Le chat avait retrouvé sa place dans ce qui avait naguère été la rue du village, à présent un amas de pierres, et faisait sa toilette.

Jimmy vint s'accroupir auprès de lui et lui parla doucement. De ses doigts il le grattait juste sous l'oreille et l'animal se mit à ronronner. « Tu es une drôle de petite bête ; comment as-tu fait pour *vivre* hein ? » demanda Jimmy. Il projeta de lui apporter de la nourriture mais sans le dire à personne, absolument à personne... même pas à Arch. Personne ne devait découvrir le chat.

Les ombres mauves du soir qui tombait s'épaissirent et le paysage entier changea de couleur tandis que le soleil commençait à peindre sa demeure cramoisie dans le ciel.

Jimmy prit le chat dans ses mains ; il sentait sa fourrure frémir, vivante, contre sa chemise. Il resta là, immobile, heureux ; les ombres s'allongèrent ; bientôt elles disparaîtraient dans l'obscurité.

Il y eut un bruit léger. Très léger. Comme le glissement d'une chaussure souple sur l'herbe sèche.

Jimmy leva les yeux. Sa silhouette découpée dans le trou béant du mur du fond, vêtu de gris pâle, un bonnet de fourrure sur la tête : Yong.

« Yong ! cria Jimmy, tout heureux. Yong ! »

Le dernier rayon de soleil lui éblouit les yeux et il s'avança, le chat toujours dans ses mains. Alors, derrière le premier bonnet de fourrure, il en vit un second, puis encore un autre. Il y eut un grand bruit dans ses oreilles et soudain ce fut la nuit et il fut heureux, heureux, de n'avoir jamais tué personne.

Ce fut soudain l'enfer : ils sortirent du tunnel qu'ils avaient creusé et qui débouchait derrière le camp tandis qu'un autre groupe d'hommes descendait des paisibles montagnes. Le camp fut pris sous le tir croisé des mitrailleuses.

La compagnie se battit vaillamment ; les soldats tiraient tout en courant se mettre à l'abri, ils tiraient et tombaient. Arch Cappuzzio fit tout ce qu'il put. Lui aussi mourut, en se demandant où était Jimmy. Aussi soudainement qu'ils étaient venus, les assaillants se retirèrent et la nuit tomba.

Les bombardiers arrivèrent et pilonnèrent les collines. Ils déversèrent des tonnes de bombes. Mais les tunnels étaient solides et ne risquaient rien.

Le camarade-responsable Kang était allongé sur sa paillasse dans la plus profonde galerie souterraine. Il pensait à ce soldat américain tout seul, avec le chat. Ils ne s'étaient pas attendus à le trouver là mais ils ne pouvaient pas se permettre d'attendre. Il n'avait d'ailleurs pas gêné le déroulement de leur plan. Kang aussi aimait les chats, il avait eu un chaton quand il était enfant. Dommage qu'on n'ait pas pu épargner celui-ci.

Mais pourquoi l'Américain avait-il marché droit dans sa direction en souriant et en serrant le chat contre lui ?

17

Stéphanie connaissait bien le corridor aux murs verts et au parquet de carreaux gris du service de maternité. Trésor d'Hiver était né dans cet hôpital, il y avait un peu plus de trois ans ; elle y revenait aujourd'hui. Elle se demanda si Mary Lee, l'Eurasienne, y travaillait toujours.

Mère et Pétunia avaient aidé Stéphanie à s'allonger à plat sur le lit, un gros tampon pressé entre ses jambes. Mais le saignement n'avait pas cessé, ni les contractions ; aussi, avec la première lueur argentée de l'aube, Mère l'avait emmenée à l'hôpital dans la voiture d'Oncle Keng.

L'infirmière des urgences se montra très cassante.

« C'est une étrangère... ce n'est pas un hôpital pour étrangers.

— Ma belle-fille est l'épouse du docteur Jen Yong, un chirurgien de cet hôpital. Son premier bébé est né ici il y a trois ans. »

L'infirmière fronça les sourcils. « Quelle est son unité ?

— L'université, département de langues et littérature étrangères, dit Stéphanie en montrant sa carte da travail.

— Dans ce cas, vous auriez dû faire une demande d'admission en passant par votre unité. C'est elle qui vous aurait envoyée à nous.

— C'était impossible, dit Mère. Le saignement a commencé dans la nuit...

— Nous devons aussi signaler sa présence aux services de la Sécurité publique. Elle est étrangère, poursuivit l'infirmière comme si elle n'avait pas entendu. On doit signaler tous les déplacements des étrangers... » Sa moue s'accentua quand elle lut la carte de travail de Stéphanie. « Américaine. Elle devra attendre que nous ayons reçu l'autorisation. »

Mère rapprocha deux chaises en bois et aida Stéphanie à s'allonger dessus. La douleur était sourde, guère plus forte que pendant ses règles. De temps en temps, elle se faisait plus aiguë, comme si une main avait cherché à tâtons puis serré fort.

« Je crois que je ne saigne plus », dit-elle à Mère. Elle finit par s'assoupir.

La matinée s'achevait quand le jeune médecin arriva avec une autre infirmière. Lui aussi fronça les sourcils en voyant Stéphanie. « Tout cela est tout à fait irrégulier », commença-t-il.

Mère expliqua. Stéphanie était l'épouse du docteur Jen Yong. Elle avait déjà accouché dans cet hôpital. Le docteur Wu pouvait en témoigner. « Le docteur Wu est en Corée, dit le jeune interne. Il nous faut l'autorisation de son unité pour pouvoir régulariser la procédure.

— Docteur, dit Mère, téléphonez, je vous en prie, au comité du Parti de l'université. Voici le numéro de téléphone. » L'interne le nota et s'éloigna. La nouvelle infirmière regarda Stéphanie et dit :

« Voulez-vous boire un peu d'eau ?

— Oh oui », dit Stéphanie.

L'infirmière lui soutint la tête et dit : « Vous parlez très bien chinois. »

A présent la douleur ne la lâchait plus, elle lui tordait le ventre, exactement au milieu, et Stéphanie aurait voulu s'enrouler autour de ce point central et s'endormir. Une autre heure passa. La communication avec son unité était difficile à obtenir.

Mère revint enfin avec le jeune médecin ; celui-ci dit : « Installez la patiente dans la salle n° 3. » Il s'assit pour remplir un formulaire. « C'est vous qui en serez responsable vis-à-vis de la Sécurité publique. Vous devez signaler son transfert à l'hôpital », dit-il à Mère.

Il n'y avait pas de brancard disponible. L'infirmière et Mère aidèrent Stéphanie à se rendre jusqu'à la salle, qui contenait huit lits ; l'un d'eux, vide, attendait Stéphanie. Elle s'allongea sur le drap immaculé et des paravents furent disposés autour du lit. Stéphanie fut soulagée de pouvoir échapper ainsi au regard des sept autres patientes. « Une étrangère, c'est une étrangère... », chuchotaient-elles. L'infirmière et Mère aidèrent Stéphanie à se déshabiller. Les tampons étaient maintenant imbibés de sang rouge vif. L'infirmière les renouvela, fit une piqûre à Stéphanie, puis lui essuya le visage et les mains avec une serviette chaude.

Les femmes s'assirent sur leur lit et regardèrent les paravents.

« Pourquoi est-elle ici ?

— C'est un hôpital pour les Chinois, pas pour les étrangers.

— Est-ce qu'elle porte des microbes ? Les Américains tuent les nôtres avec des microbes.

— Nous allons toutes tomber malades et mourir. »

Mère posa sa main sur celle de Stéphanie et dit : « Essayez de dormir. » L'infirmière prit sa température.

« Nous allons toutes mourir à cause de ses microbes. »

L'infirmière sortit de derrière les paravents. Elle dit : « Vous toutes, Grandes Sœurs, écoutez. C'est une amie américaine. Elle n'a pas de microbes. Regardez-moi, ai-je eu peur de m'approcher d'elle ? »

Mère s'installa sur une chaise au chevet du lit. Des visages épiaient entre les paravents. Une foule de visages, l'un après l'autre. Stéphanie ferma les yeux. Je ne dois pas faire attention, se dit-elle. Il ne faut pas que j'y fasse attention. Nous sommes en guerre et beaucoup de gens sont furieux. En Amérique aussi, ce genre de chose se produit. Ressaisis-toi, Stéphanie.

Puis un autre médecin arriva, plus âgé, qui parlait avec cette voix distinguée caractéristique des intellectuels.

« Madame Jen, je suis le docteur Peng, un collègue de votre mari. » Stéphanie essaya de s'asseoir. Le docteur Peng dit : « Ne bougez pas. Nous vous emmenons en salle d'examen. »

Elle fut transportée sur un brancard jusqu'à une petite pièce carrée. Le docteur l'examina avec des gestes très doux puis on la ramena dans la salle.

Pétunia l'attendait ; elle avait apporté deux thermos, l'un plein de thé, l'autre d'eau bouillante, et plusieurs mets, du riz, de la soupe, du chou avec de la viande, dans ce genre de petits récipients ronds qui s'emboîtent les uns dans les autres. Et des vêtements de rechange. Pétunia dit : « Vieille Maîtresse a été appelée ailleurs. Elle m'a demandé de vous apporter de la nourriture maintenant et aussi ce soir. Elle reviendra dès qu'elle le pourra... »

Dans l'après-midi, une douleur fulgurante transperça Stéphanie, suivie de contractions. Elle perdait à présent de gros caillots de sang. L'infirmière et le docteur Peng arrivèrent. Il ordonna des piqûres. Et soudain, après une dernière contraction déchirante, la douleur disparut et Stéphanie sut qu'elle avait perdu son bébé.

Il était là, hors de son corps, petite masse sanguinolente. C'était fini. Elle éprouva un immense soulagement. *Je ne voulais pas cet enfant. Je ne voulais pas introduire une vie nouvelle dans ce monde privé d'amour.* Elle enfouit son visage dans l'oreiller et pleura très doucement pendant quelques minutes. C'était fini.

Le lendemain matin, elle trouva Chardon debout près de son lit, à la fois agressive et mal à l'aise. Elle apportait le déjeuner et le dîner de Stéphanie. Et de nouveaux thermos. « Nous sommes tous très occupés par la nouvelle campagne pour démasquer les contre-révolutionnaires, dit-elle. Mère doit s'occuper de Père. Elle ne peut pas venir.

— Dites à Mère que je suis très bien soignée. »

Chardon choisit d'y voir une insulte. « Vous croyez que nous sommes des barbares, comme *vos* soldats, dit-elle. Nous avons des principes moraux socialistes, nous.

— Je ne voulais pas dire... »

Mais Chardon tenait à sa colère. « J'espère qu'à l'avenir, vous exprimerez plus clairement votre condamnation de l'agression. »

Stéphanie ferma les yeux. Devant cette fureur juvénile, elle se sentait vieille, très vieille. Oh Yong, Yong, suis-je vraiment dangereuse pour toi ? Mère, je voudrais tant ne pas vous faire du tort.

« Les Américains utilisent à présent des armes bactériologiques, dit Chardon. Ils répandent des nuages d'insectes et de microbes. Le monde entier est indigné et condamne cette atrocité.

— Je ne savais pas. » Stéphanie sentirait la douleur plus tard, dans sa chair. Pour le moment, elle était molle et lasse. *Il est bien qu'un enfant de la haine n'ait pas vu le jour.*

Chardon partit et l'infirmière de la veille vint faire la toilette de Stéphanie. Elle se montra douce et efficace, lui fit une nouvelle piqûre et partit ; sans avoir prononcé un mot.

Le lendemain, le docteur Peng lui fit un curetage. Il revint la voir quand elle fut sortie de l'anesthésie. Stéphanie remarqua alors qu'il avait un tic. Le côté gauche de son visage se contractait vers le haut et les muscles orbitaux externes de son œil gauche étaient parcourus de tressaillements.

Avait-il déjà ce tic la première fois qu'elle l'avait vu ? Elle ne pouvait pas se rappeler.

« Madame Jen, vous pourrez rentrer chez vous dans deux jours. Reposez-vous le plus possible. Vous n'avez aucune raison de vous inquiéter.

— Je vous remercie beaucoup, docteur Peng. »

Il partit. Sans avoir souri une seule fois.

Pivoine l'attendait pour la ramener à la maison. Une infirmière les accompagna jusqu'au bureau des entrées et des sorties ; un homme d'âge mûr était assis sur une chaise et lisait le journal tout en fumant une cigarette.

« De quoi s'agit-il, de quoi s'agit-il ? » demanda-t-il d'un air important en parcourant les papiers que l'infirmière lui avait remis.

« Une malade qui rentre chez elle, dit l'infirmière.

— Est-ce qu'on en a informé les services de la Sécurité publique ?

— Non, répondit l'infirmière.

— Elle ne peut pas sortir tant que la Sécurité publique ne l'y aura pas autorisée. » Il brassait l'air avec des gestes affairés.

Stéphanie dit : « J'irai moi-même informer la Sécurité publique avant de retourner chez moi.

— Ah, mais c'est que vous n'avez pas le droit de quitter l'hôpital, dit l'homme d'une voix autoritaire.

— Alors il faut que quelqu'un aille porter les papiers et j'attendrai ici », dit Stéphanie.

L'homme lui lança un regard furieux. Quelle insolence ! Aucune humilité chez cette étrangère, elle ne suppliait pas. Il signalerait cette arrogance. « Je dois avoir l'autorisation de l'échelon supérieur », dit-il.

Stéphanie attendit. Deux heures, puis trois. L'homme partit, un autre le remplaça. Soudain apparut le docteur Peng. Il se pencha sur le bureau et chuchota quelque chose à l'homme ; celui-ci ouvrit un tiroir, sortit un tampon et apposa un cachet sur les papiers de Stéphanie. « Vous pouvez rentrer chez vous », dit-il.

« Une assemblée générale des étudiants et des professeurs de l'université a décidé d'interrompre les cours de littérature américaine pour se consacrer à la lutte récemment entreprise pour démasquer les contre-révolutionnaires », écrivit le doyen à Stéphanie.

La lettre l'attendait sur la table du salon. Pas d'autres lettres. Rien de Yong. Il n'y avait personne dans le jardin et la maison, à part le cuisinier Lee et le portier. « Ils sont tous à des réunions », expliqua Pivoine.

« Les agresseurs américains répandent des microbes pour tuer les gens », disait une voix à la radio que le cuisinier avait allumée pour écouter les nouvelles.

Pivoine partit pour assister à une réunion d'information sur la façon de reconnaître les microbes et de les détruire. Lee, le cuisinier, avait préparé tous les plats pour le repas du soir qu'*Amah* Mu aiderait à servir quand elle reviendrait de l'école maternelle avec Trésor d'Hiver. Lee partit à son tour pour participer à un cours où l'on apprenait aux cuisiniers à empêcher les microbes de contaminer la nourriture.

Je ne le crois pas, je ne peux pas croire que mon pays puisse faire ça, pensait Stéphanie. Un désespoir absolu, d'un noir d'encre, la submergea. Elle aurait voulu ne plus jamais quitter son lit.

Yong était-il au courant ? Etait-ce la raison pour laquelle il était parti pour la Corée ? Et s'il savait, pourquoi ne le lui avait-il pas dit ? Les femmes à l'hôpital marmonnaient des accusations à propos de microbes qu'elle aurait eus sur elle... Yong devait donc savoir, au moins depuis la veille. Pourquoi ne lui en avait-il pas parlé ?

Je ne peux pas le croire.

Lionel Shaggin passa le lendemain, l'air sombre et las. Il avait de grands cernes noirs sous les yeux. « C'est la guerre bactériologique. J'ai du mal à admettre que mon pays ait pu faire une chose aussi horrible... mais après la bombe, je suppose que tout est possible. Que pourrait-il y avoir de pire qu'une bombe atomique ?

— D'une certaine façon, répandre des nuées d'insectes semble plus affreux...

— Stéphanie, je dois suspendre mon jugement tant que je n'aurai pas de preuves irréfutables. Mais je suis presque sûr... Une épidémie de peste bubonique s'est déclarée, elle a déjà fait des milliers de victimes.

— Mais en êtes-vous sûr, absolument sûr ? » demanda Stéphanie.

Lionel la regarda puis détourna les yeux. « Stéphanie, comment ne pas croire les rapports de ceux de mes collègues qui sont là-bas ? »

Tard ce soir-là, Mère rentra. Son visage avait une pâleur cireuse. « Nous parlerons un autre jour, dit-elle. Ne vous tourmentez pas inutilement. »

Elle allait tous les jours à la banque. Où Père était retenu pour répondre à l'enquête en cours. *Amah* Mu, qui se considérait comme un membre de la famille, apporta Trésor d'Hiver dans ses bras pour qu'il saluât sa grand-mère. « Je dis toujours à jeune maîtresse : mangez bien et reprenez des forces, laissez votre esprit en repos et un autre petit maître viendra bientôt. »

Henry Barber lui rendit visite. Lui aussi paraissait fatigué et se montra d'une brusquerie inhabituelle. « C'est toute la Chine qui souffre. Tant de projets, tant de choses que le nouveau gouvernement avait l'intention d'accomplir, ne seront pas réalisés à cause de cette guerre. Les communistes chinois avaient cru que l'Amérique les aiderait. Et à présent il y a cette histoire de microbes. »

Ne te laisse pas aller, Stéphanie. Tiens bien les rênes de ton cœur. Ne t'apitoie pas sur toi-même. Et sois prudente, car il ne s'agit plus seulement de toi. Il y a Yong. Il y a Trésor d'Hiver. Ils seront impliqués dans tout ce que tu diras ou feras.

Mais tenir était dur, très dur ; il lui fallait lutter contre une grande lame d'amertume qui montait en elle en un flot saumâtre et malfaisant, et la submergeait ; qui la mettait hors d'elle et la faisait se terrer dans sa chambre, incapable d'affronter le monde extérieur, ce monde devenu soudain étranger et hostile.

Stéphanie se rendit à l'université à bicyclette. A trois reprises, elle fut arrêtée par des agents de la Sécurité publique. Chaque fois, elle leur montra sa carte de travail.

De nouvelles affiches étaient apparues dans les rues : la peste en Corée et en Chine du Nord, due aux armes bactériologiques des Américains. On y voyait des Chinois, hommes et femmes, le poing tendu contre des nuages d'insectes qui tombaient, chacun représentant un minuscule Oncle Sam ; en haut-de-forme, pantalon rayé, le symbole du dollar sur sa poitrine.

Elle remarqua les nouvelles boîtes en bois. Semblables à des boîtes aux lettres, avec une fente. Des boîtes spéciales pour les lettres que pouvait écrire quiconque avait une réclamation, un grief, un soupçon à formuler. Dans le cadre de la campagne en cours contre les espions, les spéculateurs, les contre-révolutionnaires, et les membres du Parti coupables de fraude, de corruption ou de népotisme.

Une immense banderole s'étendait en travers de l'avenue qui menait à l'université. En anglais et en chinois. « Je suis convaincu que pour cette guerre bactériologique, des essais sur le terrain ont eu lieu sur une grande échelle. » Cette déclaration émanait d'un homme éminent et respecté, un médecin missionnaire étranger.

Des jeunes femmes, le visage protégé par un masque blanc, allaient de maison en maison inspecter les latrines et les égouts. A tous les carrefours, étaient dressées des tentes pour la vaccination. On avait entrepris celle contre la variole l'année précédente. A présent on vaccinait les gens contre le choléra et la typhoïde.

Des affiches annonçaient la désinfection de tous les trains. Une campagne de grande envergure contre les mouches, les moustiques et les rats allait commencer. Stéphanie se rappela sa participation à la campagne de l'année précédente ; elle s'était promenée tout l'été armée d'un tue-mouches.

A l'université, les panneaux d'affichage étaient couverts de rapports et d'affiches. Des entomologistes signalaient qu'en Chine du Nord, on avait trouvé les cadavres de plusieurs variétés d'insectes étrangers à la région. Il y avait eu des nuages de plumes de poulets et de feuilles sèches, retrouvées sur la neige gelée de Mandchourie. Et aussi de petits containers bourrés de cultures bactériologiques.

Des savants s'étaient réunis à Paris, à Londres, à Moscou, à Bruxelles, pour protester contre la guerre bactériologique. Des chrétiens chinois en appelaient aux chrétiens américains : « Arrêtez la guerre bactériologique. »

Stéphanie longea les corridors couverts d'affiches et arriva au secrétariat du doyen. L'employé qui lui avait remis sa carte de travail quelques mois plus tôt ne sembla pas la reconnaître. Elle demanda à voir le doyen.

Au bout d'un moment, le secrétaire revint : « Il vaut mieux que vous lui écriviez ce que vous avez à lui dire. » Il inclina la tête et prit son stylo afin qu'elle n'essayât pas de lui serrer la main ou de s'adresser à lui nommément.

Stéphanie comprit alors qu'elle s'était montrée puérile en venant à l'université. Après tout, raisonna-t-elle, qu'aurais-je dit au doyen ? Ecoutez, je ne suis pas responsable de tout ça ; je m'intéresse aux étudiants. Cela ne changera rien pour la guerre d'interrompre mon cours. Ecoutez...

Elle s'était trompée. Elle avait *raisonné* de travers. Elle n'était pas censée se montrer. Cela gênait tout le monde... elle l'obligeait à aborder le problème. Le doyen voulait éviter les désagréments.

Ils me protègent en me retirant de la circulation, en me rangeant sur une étagère. On ne pourra pas ainsi les accuser d'avoir abrité chez eux un espion américain et on ne pourra pas m'accuser, moi, d'avoir fait de l'espionnage à l'université.

Reste à la maison et attends, Stéphanie. Tu es en Chine, ne l'oublie pas. Ici, on agit différemment. Accepte. De toute façon, tu ne peux rien faire d'autre qu'accepter. Un typhon fait rage, il faut le laisser s'épuiser. Pourquoi te précipiter dehors et te faire briser, comme ces hauts peupliers qu'on avait essayé de planter dans la Chine du Sud (sur les conseils erronés des Russes) et que le vent avait déracinés aussi facilement que des poteaux télégraphiques ? Fais-toi invisible pendant quelque temps...

« Camarade, dit Stéphanie, dois-je rendre mon laissez-passer ?

— Je n'ai pas d'instructions à ce sujet », dit le jeune homme, absorbé par la contemplation de son stylo.

Neige de Printemps eut alors la certitude que le doyen la protégeait. Et qu'en mentionnant le laissez-passer elle venait de le mettre en danger ainsi qu'elle-même, le jeune secrétaire, Yong, Trésor d'Hiver et toute la famille Jen.

Stéphanie, tu es bien toujours américaine, avec ta manie de vouloir modeler le monde à ton image. Tu es une idiote, Stéphanie.

Ce jeune homme participe à des assemblées. Il *sait* que ton cours a été suspendu et que tu devrais rendre ta carte. Mais le doyen ne l'a pas réclamée. Et ce camarade vous aurait volontiers oubliés toi, ta carte et ton cours si tu ne t'étais pas ainsi mise en avant...

Suppose que, soudain conscient de cette omission, il accuse maintenant le doyen d'avoir introduit une Américaine dans l'université et de l'avoir protégée en ne lui retirant pas son laissez-passer ?

Est-ce que le doyen ne serait pas dans une sale situation ?

Idiote, idiote Stéphanie... Furieuse contre elle-même, elle rentra à la maison.

« Reposez-vous, disait Pivoine. Jeune maîtresse doit se reposer.

— Reposez-vous », disait Mère, un peu amaigrie par ses va-et-vient entre la Maison et la banque.

Reposez-vous, lui avaient répété Yuyu et Panpan.

Le repos est sacré. Comme la sieste. Même les combattants de la Longue Marche (et leurs adversaires) observaient la trêve de la sieste. Repose-toi, Stéphanie. Ne vois pas, ne parle pas, n'entends pas, ne sors pas. Une mauvaise santé pouvait servir d'excuse à tant de choses. Profite de ta mauvaise santé, cultive-la, entretiens-la.

Le repos. Dans le calme et l'inaction, l'Univers bouge, pour arranger toutes choses.

Deviens invisible, Stéphanie.

« Nous avons de la chance, dit Mère. Nos serviteurs sont restés avec nous, sauf les deux fils du jardinier. » Ils s'étaient inscrits à la toute nouvelle Université populaire. Stéphanie désherbait, taillait les massifs, s'occupait des poissons rouges, nettoyait le bassin.

Le travail manuel lui était d'un grand secours. Accroupie au-dessus des jeunes plants de genévrier ou occupée à ébourgeonner les chrysanthèmes, Stéphanie sentait son esprit s'apaiser. A soulever le sol, à le retourner autour des racines avec une sarclette, elle apprit la patience. Le vieux jardinier lui enseigna que chaque arbre, chaque arbuste a sa personnalité propre. Et comme Père était totalement requis par l'enquête en cours à la banque, elle se chargea aussi de la promenade des grives et des loriots, balançant légèrement les cages pour pallier l'absence de brise et apporter à leur plumage une aération indispensable ; puis elle renouvelait l'eau, remplissait de graines les petits bols de porcelaine et, le soir, recouvrait les cages.

« Pah... pah... woooooooo », criait Trésor d'Hiver. Une école primaire s'était ouverte dans la ruelle des Huit Bijoux. Trésor d'Hiver courait dans la rue et traînait près de la clôture de la nouvelle école. Il entendait les enfants réciter en chœur et chanter et de l'autre côté de la clôture, il récitait et chantait avec eux. Dans la cour de la Maison, les enfants de Deuxième Oncle et de feu Troisième Oncle jouaient à la guerre pendant les longues soirées de printemps, ils s'exerçaient sur des cibles qui représentaient des démons américains, de grotesques représentations d'Américains découpées dans du carton.

Les enfants voyaient des films sur la Corée. Ceux de Troisième Belle-Sœur transformèrent leur coin de jardin en champ de bataille. Ils creusèrent une tranchée et érigèrent un petit poste de gué en empilant des briques et des pierres. Ils achetèrent des chapelets de pétards qu'ils faisaient ensuite éclater.

Un après-midi, Stéphanie entendit Trésor d'Hiver hurler de terreur. Les enfants l'avaient ligoté et le frappaient à grands coups de bâton et avec leurs poings.

« Frappez-le, frappez-le », criait K'uei, le fils cadet de Troisième Frère, robuste garçon de douze ans. Depuis la mort de son père, tué par le Kuomintang, sa mère le gâtait beaucoup.

« C'est un espion... tuez-le », hurlait-il. En voyant Stéphanie, les enfants s'arrêtèrent et s'enfuirent. La présence de sa mère redoubla les hurlements de Trésor d'Hiver. C'est alors que Stéphanie entendit K'uei. « *Yang Kueidze* », démon étranger, scandait-il d'une voix aiguë et perçante.

Sa mère arriva en se dandinant et dit : « Vilain garçon, ne crie pas... qu'as-tu dit ?... » Elle rassembla sa couvée et les fit rentrer dans son pavillon. Puis elle se tourna vers Stéphanie avec un visage rayonnant. « Ne faites pas attention... ce n'est qu'un enfant... »

Stéphanie dénoua la ficelle qui liait les bras de son fils contre sa poitrine (ça aussi c'était imité des films). Elle l'emmena dans la salle de bains et lui essuya le visage et les mains avec une serviette chaude.

« Trésor, dit-elle, Trésor, ne pleure pas.

— Je veux mon *Tietie,* gémit-il en se détournant d'elle. *Tietie, Tietie !!*

— *Tietie* est parti loin pour soigner les soldats malades... » Elle l'entoura de ses bras. Mais il refusa de la regarder. « Viens, dit-elle, nous allons lire le livre d'histoires que *Tietie* t'a donné.

— Je veux pas. » Trésor d'Hiver s'arracha à son étreinte et s'enfuit. Vers les serviteurs, vers Pivoine, vers Lee le cuisinier, en hurlant : « Je veux *Tietie,* je veux *Tietie...* »

Stéphanie nettoya la salle de bains. Elle aurait voulu mourir. Elle aurait voulu prendre Trésor d'Hiver dans ses bras et partir, partir loin d'ici, tout de suite. Quitter cette Maison et ce pays qui lui déchirait le cœur et lui enlevait son enfant.

Elle s'acharna à nettoyer, elle lava et frotta le carrelage. Ce travail machinal empêchait son esprit d'exploser. Elle serrait les dents, si fort que ses mâchoires lui faisaient mal.

Au bout de ce qui lui parut un long moment, elle sortit de la salle de bains. Pivoine jouait avec Trésor d'Hiver dans la salle de séjour, elle découpait du papier avec de petits ciseaux puis, de ses doigts habiles, façonnait des grenouilles et des oiseaux qu'elle lançait en l'air. Trésor d'Hiver riait. Il semblait avoir oublié son chagrin. Le lendemain, Troisième Tante apparut, tout sourire, elle apportait des petits gâteaux et des pêches confites sèches. Aucune allusion ne fut faite à l'incident de la veille.

Mais la semaine suivante, Trésor d'Hiver revint de la crèche avec de grands yeux perplexes. *Amah* Mu, qui l'y conduisait et l'allait chercher tous les jours, avait la mine longue et paraissait un peu plus pâle que d'habitude.

Elle informa Stéphanie qu'elle avait besoin de *repos.* « J'ai tout le temps des maux de tête. En plus, ma sœur ne va pas bien et a de nombreux enfants. Il faut que je l'aide. En ce moment, avec la campagne politique, ma sœur n'a pas le temps de s'occuper d'eux... »

Quelque deux ans plus tôt, *Amah* Mu avait dit à Stéphanie qu'elle n'avait ni frère ni sœur. Elle était fille unique. Stéphanie avait compati. Mais l'existence d'une sœur se révélait manifestement nécessaire et il eût été ridicule de faire une histoire autour de ce petit mensonge si utile. La sœur mythique d'*Amah* Mu permettait à tout le monde de sauver la face.

Stéphanie comprenait parfaitement pourquoi *Amah* Mu avait besoin de *repos :* ce serait une pause, un moment suspendu, pour donner du temps à tout le monde, y compris à Dieu qui organise l'avenir, les changements politiques, les guerres, et qui consomme de grandes quantités de temps pour régler toutes ces choses.

« Vous devez vous reposer, déclara Stéphanie, acceptant noblement de lui donner la réplique. Vous avez, en effet, été très fatiguée ces derniers temps. »

Amah Mu respira plus librement. « C'est difficile pour ma sœur.

— C'est extrêmement difficile », acquiesça Stéphanie d'une voix calme et courtoise. En partant, *Amah* Mu dirait : « Elle est peut-être américaine mais elle a compris... » *Amah* Mu détourna son regard. « Il y a beaucoup d'enfants très grossiers à l'école maternelle. Je ne voulais pas inquiéter jeune maîtresse mais une autre école serait plus satisfaisante pour le petit maître. »

Compris.

Trésor d'Hiver n'était plus le bienvenu à l'école maternelle. A cause de la guerre bactériologique en Corée.

Et pourtant, la première fois qu'elle y avait conduit son fils, un peu plus d'un an auparavant, elle n'avait rencontré que des institutrices adorables, souriantes et ravies de l'accueillir.

Trésor d'Hiver passait maintenant de longues heures devant la clôture de l'école primaire. Puis, il revenait jouer avec son train. Une semaine, il fit deux fois pipi au lit alors qu'il ne mouillait plus son lit depuis qu'il avait dix-huit mois.

Il cessa aussi de poser des questions. Lui qui avait toujours été très curieux, qui voulait regarder dans le microscope de Yong. Yong lui avait installé un petit télescope. Il lui avait appris à observer les étoiles. Sa grand-mère l'avait surnommé « Monsieur pourquoi » parce qu'il était toujours en train de demander des explications. A présent, il ne demandait plus rien.

Deuxième Oncle punit K'uei. Interdiction de jouer avec les enfants plus jeunes. Il demanda à Stéphanie d'organiser des jeux pour eux avant qu'ils transforment tout le jardin en champ de bataille. Stéphanie les fit jouer à colin-maillard, à la chasse au trésor, elle installa un filet de volley-ball, elle leur racontait des histoires. *Le Chat botté* eut beaucoup de succès, ainsi que *Cendrillon.* Les enfants mimèrent des charades mais à la fin, ils retournaient à leur jeu de la guerre.

Incapable de se faire obéir, Stéphanie les contemplait avec désespoir et lassitude et pensait — les gens s'entre-tuent dans la guerre, des gens qui auraient pu être des amis, des amants. En guerre, ils se haïssent et ne savent même pas pourquoi. Comme tout cela était irrationnel...

L'insomnie. Le grand lit, trop grand, que l'absence de Yong rendait inhospitalier. Après avoir écouté la radio, elle passait les heures en lisant. Père et Yong avaient de riches bibliothèques. Elle lisait en chinois, plusieurs heures chaque jour — car, bien qu'elle le parlât couramment, elle ne maîtrisait pas encore la lecture. Elle découvrit que cela exigeait d'elle une telle concentration que tout le reste s'effaçait de son esprit. A l'aide d'un dictionnaire elle apprit à reconnaître de nouveaux idéogrammes, et chaque fois c'était une petite victoire joyeuse sur cet ennemi invisible et pernicieux qui conseillait le désespoir, qui rendait ses membres lourds et déchirait son esprit en lambeaux. Cet ennemi qui avait toujours en réserve pour elle le menu gravier de la terreur, comme ces petites bouffées de vent surgies de nulle part qui vous jettent soudain au visage du sable râpeux. Les idéogrammes, qui existaient depuis des millénaires, lui enseignaient la patience.

Le professeur Chang Shou proposa à Stéphanie de lui donner des leçons. Quelques années plus tôt, à la veille de la libération, elle lui avait rendu service. La femme de Chang, petite femme timide, souffrait d'un cancer du rectum et le professeur n'avait pas assez d'argent pour payer les frais d'hôpital. Honteux, il lui avait demandé de lui prêter de l'argent. Stéphanie lui avait donné cent dollars. Yong avait opéré Mme Chang sans prendre d'honoraires. Le distingué et éminent professeur de littérature chinoise et sa femme leur en furent extrêmement reconnaissants.

Bien qu'il n'y fît aucune allusion, Stéphanie comprit que cette offre de lui enseigner la littérature chinoise était une façon de rembourser sa dette. Quant au professeur Chang, il était ravi d'avoir une étudiante aussi zélée. « Vous avez pris un bon départ, lui dit-il. Je vais maintenant vous aider à progresser. »

Ainsi donc, chaque semaine, le professeur Chang se présentait dans le jardin des Jen au crépuscule, quand il avait terminé son travail à l'université. Assis en face de Stéphanie à un grand bureau, la main devant sa bouche en un geste de courtoisie par crainte que son haleine ne l'indisposât, il dissertait des philosophes, des classiques pendant deux heures.

Stéphanie envoyait de menus cadeaux à Mme Chang : du talc, des mouchoirs, des gâteaux qu'elle avait elle-même confectionnés.

Mme Chang supportait bien sa colectomie. Elle sortait peu, même pour aller voir des amis, car son état la mettait mal à l'aise. Mais Stéphanie apprit avec intérêt que cette femme discrète et effacée était un poète qui publiait, sous le pseudonyme de Brise d'Automne, de petites pièces d'une forme parfaite et hautement appréciées.

La fille du professeur Chang passait parfois le prendre. Elle était grande et très jolie, avec des cheveux ondulés et une bouche tendre. A vingt-sept ans, elle n'était pas encore mariée. « Pour le moment, avec tous ces changements politiques, il est mieux de laisser de côté ce genre de problèmes », dit d'un ton évasif le professeur Chang.

Apprends au contact de ces gens, Stéphanie. Ils traversent une épreuve très pénible... mais ils ne te l'imposent pas. Essaie de leur ressembler. Garde pour toi tes plaintes futiles.

La purge des contre-révolutionnaires qui avait commencé à l'automne 1951 s'était transformée en une campagne plus précise et plus spécifique — ou plutôt en deux campagnes : l'une contre les cinq « maux » ou poisons capitalistes et l'autre contre les trois « maux » à l'intérieur même du parti communiste.

Les cinq poisons-maux dans les entreprises commerciales étaient : tentative de corruption de responsables du Parti, fabrication de marchandises de mauvaise qualité, fraude sur les contrats passés avec le gouvernement, formation de cartels visant au monopole et à l'augmentation des prix et communication à l'étranger de « secrets économiques ». Les trois maux-poisons à l'intérieur du Parti désignaient cette même corruption mais les membres du Parti seraient punis beaucoup plus sévèrement que les autres.

Depuis de nombreuses semaines, Père et Deuxième Oncle participaient à des réunions et à des séances de critique. Ils passaient des heures à éplucher les livres de la banque et d'une petite fabrique d'ampoules électriques et d'interrupteurs qui était la propriété de la banque ; ils vérifiaient si les contrats avait été respectés ou si l'Etat avait été lésé d'une quelconque manière.

Toutes les enquêtes étaient menées avec minutie et une rigueur inflexible. Et il y avait des victimes, bien sûr. Certaines coupables et d'autres innocentes. Alors la peur, une peur rampante, se répandait de plus en plus dans les familles concernées et dans celles qui leur étaient apparentées.

Mais pas Père. Curieusement, il croissait en stature et en assurance. Comme s'il avait attendu ces épreuves pour montrer sa maîtrise sur l'angoisse et la peur. « Nous accueillons la campagne avec joie. Nous accueillons les enquêtes. Nous n'avons rien à cacher. »

Il affrontait l'épreuve avec une bonne humeur inaltérable et un sens de l'humour si parfaits que tous ceux qui le rencontraient et entendaient son rire affable se demandaient comment cet homme pouvait rester aussi serein.

Mère se tint constamment à ses côtés. Comme elle était un des vice-présidents de la banque, elle exigea de rester auprès de lui. Elle étudia les registres avec les comptables, attentive à tous les détails, compétente, précise. Deuxième Oncle aussi participait à ces travaux, et ses doigts voletaient sur un boulier imaginaire tandis qu'il vérifiait et revérifiait les comptes de l'usine et de la banque.

Mais quand ils rentraient à la maison, ils mettaient leurs soucis de côté, même Deuxième Oncle, dont la digestion était plus difficile que jamais. La Maison était un sanctuaire, inviolable. On ne devait y introduire aucun chagrin, aucun souci.

Dans ses rencontres quotidiennes avec sa belle-famille, Stéphanie prenait bien garde de ne pas poser de questions. Elle évitait même d'interroger leurs visages d'un regard trop insistant.

« Je me trouve au centre d'un cyclone qui dévaste l'existence de chacun ici, écrivait-elle dans son journal, mais je vis cette épreuve en spectatrice, par personne interposée. »

La nuit, elle enfouissait son poste de radio portatif sous une couverture, baissait le son — elle avait toujours présentes à l'esprit ces boîtes dans les rues, les boîtes des dénonciations — et écoutait les voix du monde extérieur.

Celle de la B.B.C., à Hongkong disait :

« A Shanghai de nombreux capitalistes sont emprisonnés, traînés à des réunions de lutte de classes, condamnés aux travaux forcés... On signale que plusieurs hommes d'affaires accusés de fraude, de corruption de membres du Parti, de vente à l'Etat de marchandises de mauvaise qualité et de divulgation à l'étranger de secrets économiques, se sont suicidés... »

La Voix de l'Amérique décrivait la « vague de terreur » qui s'était abattue sur Shanghai. Un « spécialiste » américain de la Chine affirmait qu'environ soixante millions de gens avaient été tués pendant les deux dernières années.

« Selon des sources en provenance de la Chine communiste, M. Keng Dawei, le célèbre milliardaire, s'est suicidé en se jetant d'un immeuble sur le Bund à Shanghai. »

« Comment va Oncle Keng, Père ?

— Dawei ? Oh il va très bien. Il a été complètement disculpé. » Père rit de bon cœur. « Le veinard. Mais c'est qu'on a tellement besoin de lui... »

M. Tam, le millionnaire chinois « d'Outre-mer », qui avait quitté l'Indonésie l'année précédente pour rentrer en Chine, avait lui aussi évité toute condamnation. « Il n'a même pas organisé son usine, expliqua Père. Lui et sa famille suivent des cours de marxisme-léninisme trois fois par semaine. » Ses enfants donnaient le bon exemple. Johnny Tam avait conduit sa classe à une manifestation contre la guerre bactériologique.

Pourtant, il arrivait que les bulletins contiennent des vérités qui faisaient frémir Stéphanie.

« Parmi les nombreux étrangers arrêtés à Pékin depuis le début de la guerre de Corée, le cas de M. Carlos Annioli, résident pékinois de longue date, semble l'un des plus sérieux. Il est gardé au secret depuis bientôt un an et demi... »

Rosamond. Infortunée Rosamond. Est-ce que Meiling l'aidait ? Sa présence était dangereuse pour ses amis. Le simple fait de la connaître pouvait avoir des conséquences graves pour Stéphanie. Et donc pour Yong, pour Père et Mère.

« On apprend que l'épouse américaine d'un gynécologue chinois a été arrêtée à Shangai, annonçait la B.B.C.

» Joan Hesse, l'épouse du docteur Wu, est la fille de missionnaires américains ; elle a fait de brillantes études de biochimie à l'université Radcliffe ; c'est aux Etats-Unis qu'elle a rencontré et épousé le docteur Wu... »

Joan, si désintéressée et dévouée. Joan aux yeux myopes et au regard délavé. Joan, qui avait abdiqué son identité américaine pour se fondre dans la culture de son mari. Pourquoi l'avait-on arrêtée ?

« Toutes ces arrestations sont stupides, Loumei. »

Loumei était venue voir Stéphanie avec son fils Guerrier de Chine, de trois ans plus âgé que Trésor d'Hiver. Il se passionnait pour les insectes et apprenait à Trésor d'Hiver à capturer des grillons.

« On la relâchera si elle est innocente », dit Loumei, aussi régulière qu'une montre suisse. « Il y a des erreurs. Des gens sont arrêtés qui ne devraient pas l'être. Les cadres du Parti sont parfois très ignorants. »

A l'université, on avait arrêté un chercheur en télécommunications. Le tableau expérimental sur lequel il travaillait émettait en permanence des signaux lumineux dont le représentant du Parti ne comprenait pas le sens. On l'avait condamné à mort pour espionnage... avec deux ans de sursis. C'était la règle. Pour donner à tout le monde le temps de se calmer, de réévaluer la situation.

Loumei dit : « Ce qu'il y a de terrible, c'est que les autres chercheurs de son département n'ont rien fait pour l'aider. Lionel et moi avons essayé de trouver quelqu'un pour plaider en sa faveur mais nous ne faisions pas partie de son unité et nous n'avons pas été entendus. Il faudra procéder à un réexamen de toutes les condamnations. Bien sûr, il y a eu tellement d'injustice dans le passé et tellement de victimes mais parfois, la réparation d'anciennes injustices en crée de nouvelles. »

Le professeur Chang Shou arriva, non pas à son heure crépusculaire habituelle mais au milieu de la matinée, alors que Stéphanie était occupée dans la cuisine.

« Je suis navré, madame Jen, il me sera impossible de venir pendant quelques jours. »

C'est à cause de moi. On lui a ordonné de ne plus me voir.

« Non, non, ce n'est pas ce que vous croyez, dit-il en voyant son expression blessée. C'est ma fille. Elle a été arrêtée. »

Soulagement, et honte de cette réaction.

Le professeur Chang accepta une chaise. Il but une tasse de thé et soupira.

« Pardonnez-moi, dit-il, je vous ai grandement troublée. J'en suis désolé...

— Je vous en prie, professeur...

— Tout se passera bien, je le sais... » Il secoua la tête et ses lunettes étincelèrent. « C'est une histoire stupide. Il y a quatre ans, ma fille a été demandée en mariage par un jeune homme. Il semblait être d'une bonne famille et avoir une certaine instruction. Son milieu correspondait au nôtre et sa famille souhaitait cette alliance. Ma fille et lui se rencontrèrent une fois de façon très officielle et il ne paraissait y avoir aucun obstacle. Bien sûr, ma fille n'était pas amoureuse de lui mais elle a le sens du devoir filial. Sa mère voulait la voir se marier.

» Et puis nous avons découvert qu'il faisait partie des chemises bleues de Tchiang Kaishek, ses partisans d'inspiration nazi. Nous avons donc rompu le mariage. Mais à présent on arrête ma fille à cause de cette histoire passée. Quelqu'un est allé la déterrer et a écrit une lettre de dénonciation. »

Stéphanie frissonna. C'est affreux.

Le professeur Chang secoua la tête. « C'est un temps de mise à l'épreuve. Bien au-delà de votre expérience, et de la mienne. Mais nous devons nous adapter. Nous devons vivre et survivre. »

Un jour, Père et Mère dirent à Stéphanie d'une voix très naturelle : « Fille, demain nous devons participer à une réunion très importante. Nous sommes venus vous dire de ne pas vous inquiéter. Tout ira bien.

— Mais il y a eu d'autres réunions, dit Stéphanie. En quoi celle de demain est-elle différente ?

— C'est une assemblée de lutte des classes, expliqua Mère. Toute notre famille sera présente. Souvent, les jeunes ne souhaitent pas être indentifiés à notre classe. Parce que, voyez-vous, nous étions des exploiteurs...

— Mais vous êtes nécessaires, on vous a dit que vous faisiez partie du peuple, que vous avez le droit de vote, que vous êtes indispensables, s'exclama Stéphanie indignée.

— Nous devons regarder les deux côtés de la situation, dit Père gaiement. Nous faisons partie de la classe qui exploite et nous devons nous réformer, changer notre façon de penser. Nos enfants doivent choisir, pour leur bien, de rompre avec nous.

— Nos enfants ne seront pas des capitalistes, dit Mère.

— Non, ce seront de bons travailleurs au service de l'Etat », dit Père.

Stéphanie les implora : « Laissez-moi allez avec vous, je fais aussi partie de la Famille... »

Mère sourit. « Chère fille, vous êtes étrangère, on n'exige pas de vous de subir cette confrontation.

— Neige de Printemps, n'agitez pas votre cœur, dit Père. Les épreuves que nous traversons sont destinées à nous éduquer, autant que le peuple. C'est pour le bien de notre pays.

— Pour le bien de notre pays », répéta Mère.

Stéphanie leur jeta un regard triste, désespéré. Mère tendit la main pour lui caresser la joue. « Tout ira bien, ma fille, dit-elle. N'oubliez pas, nous ne vivons pas que pour nous seuls mais pour les générations à venir. » Sa voix coulait, pleine d'énergie sereine. Mais Stéphanie remarqua que les larges bracelets de jade avaient disparu de ses poignets ; elle en éprouva une grande tristesse.

Pivoine aussi allait à l'assemblée de lutte des classes. « Je parlerai en faveur des vieux maîtres, dit-elle à Stéphanie en se frappant la poitrine. Trop de gens cherchent seulement à créer des histoires et à calomnier. Je leur dirai le bien de la Maison Jen. Ma voix est menue mais perçante. »

Sa déclaration allait certes compter. Elle avait plus de poids que celle d'un capitaliste car le père et la mère de Pivoine étaient tous les deux des ouvriers, ce qui lui conférait une origine sociale excellente et en faisait quelqu'un digne de foi.

« On doit s'habituer à un nouveau genre d'égalité, écrivait Stéphanie dans son journal. A présent, l'égalité signifie que les paysans et les ouvriers sont devenus les maîtres : mais ils doivent *apprendre* à être les maîtres... et je doute que la meilleure méthode soit de les dresser contre les capitalistes, surtout en ce moment... » Mais la démocratie ne risque-t-elle pas de conduire à la violence aveugle de la rue, quand aucune règle ni contrainte ne vient limiter sa liberté ? « La Chine essaie de construire tout un système social nouveau... mais aucune loi, aucun code civil ou pénal ne fonctionne... le lien entre la liberté et les *usages* légaux de la liberté n'a pas été défini... »

Elle décida de faire travailler Trésor d'Hiver. Le matin, il faisait quelques exercices d'écriture. Puis il apprenait de nouveaux idéogrammes dans son livre de lecture et les copiait. Stéphanie entreprit aussi de lui enseigner l'alphabet anglais. Il apprenait vite mais chaque fois qu'elle parlait anglais devant lui avec Lionel Shaggin, Henry Barber ou le professeur Chang, Trésor d'Hiver se figeait et sur son visage passait cette ombre fugitive qui traversait aussi parfois le visage de son père.

Shanghai possédait maintenant son premier journal pour enfants et l'on trouvait également de nombreux livres d'histoires, bien présentés, mais d'un prix accessible à tous. Stéphanie et son fils lurent le journal qui annonçait qu'une exposition sur la santé et sur la façon d'éviter les microbes se tiendrait dans le parc.

« Je sais déjà tout ça », dit Trésor d'Hiver. Et son visage se ferma

« Alors nous jouerons ici, dit Stéphanie. Puis nous préparerons notre repas. Le cuisinier Lee est allé à une réunion.

— Je sais », dit Trésor d'Hiver de la même voix atone.

Trésor d'Hiver soupirait, se tournait, se rendormait. Stéphanie l'avait couché sur son lit à elle pour la sieste de l'après-midi. Il perdait son corps potelé et bébé. Il serait mince, comme son père, mais il aurait les longues, longues jambes d'Heston Ryder. Il possédait déjà une certaine élégance dans les gestes. A part ses yeux, et un reflet mordoré dans ses cheveux, c'était tout le portrait de Yong. Il avait ces mêmes sourcils étirés vers les tempes et cette peau fine comme de la soie.

« Il a vraiment l'air chinois... il est pareil à nous », disait Veuve, et Deuxième et Troisième Tante, chaque fois qu'elles le rencontraient avec Stéphanie.

Elle s'assit sur le lit près de son fils. Il n'avait pas utilisé le pot de chambre. Peut-être devrait-elle le réveiller — ce retour du pipi au lit l'inquiétait. Oh mon chéri, mon tout petit, pensa-t-elle, mon trésor, mon amour, ne me déteste pas, je t'en supplie, ne me déteste pas... que puis-je faire pour te garder, pour te rendre heureux, pour empêcher cette expression sombre qui te vient quand tu me regardes puis que tu regardes les autres ?...

Passionnément, mais avec des gestes doux, afin de ne pas le réveiller, elle entoura Trésor d'Hiver de ses bras. Elle resta longtemps ainsi, à le tenir et à prier. Je vous en prie, mon Dieu, épargnez-le, épargnez son père et la Famille ; faites que je n'apporte pas le malheur et la souffrance sur eux.

« Belle-fille, nous sommes de retour. »

Stéphanie sortit de son sommeil. C'était le milieu de la nuit. Mère se tenait au pied de son lit.

« Mère... » Elle se souleva et tendit le bras vers sa robe de chambre.

Mère alla dans le bureau et s'assit sur la chaise du professeur Chang Son visage était pâle et crispé.

« Voudriez-vous du thé, Mère ? » Des feuilles fraîches et l'eau bouillante dans le fidèle thermos.

« Ce thé est bon », dit Mère. Elle avait une voix blanche, atone

« Ça a été dur ? demanda Stéphanie.

— Non. Pas trop. Sauf avec Jen Jen, votre Sixième Tante par alliance, Veuve..., dit Mère.

— Veuve ? Pourquoi ? qu'a-t-elle fait ? »

Mère dit d'une voix lasse : « Elle nous a dénoncés et votre Deuxième Oncle a été arrêté »

« Cette campagne des cinq et des trois poisons a été pour nous comme le franchissement d'une chaîne de montagnes, avec des défilés et des gorges profondes. Un déferlement de fausses accusations. Et des calomnies comme des pierres tranchantes, qui nous coupaient la plante des pieds tandis que nous cheminions pour fuir le danger et atteindre la sécurité.

» C'est avec des visages joyeux que nous avons accueilli l'ordre nouveau car nous savions que nous serions utiles. Et nous aimons notre pays. Nous aussi avons souffert de la honte infligée à notre peuple par les conquêtes étrangères.

» Le père de mon fils et moi avons abordé sans peur ce temps de mise à l'épreuve. Nous avion' suivi des cours pour réformer nos façons de penser. Nous nous sommes renseignés, nous avons regardé agir les autres. Le père de mon fils s'est bien comporté. Il a écrit un essai : " J'accueille avec joie l'enquête sur ma personne. " Comme ses ancêtres, il s'est moqué des périls. Il a redécouvert le courage et l'audace.

» Le père de mon fils est le seul homme que j'aie jamais connu. Pendant de nombreuses années, je ne l'ai pas aimé parce que je ne l'avais pas choisi et parce que j'étais fière et révoltée. Je savais des pays où les amants se choisissent. Mais cela n'a pas été mon destin. Je décidai donc que j'abandonnerais mon corps en otage mais que mon esprit dominerait cet homme et que je le gouvernerais.

» Mais à travers cette épreuve, j'ai découvert un autre homme. Comme je me suis découvert des moi que je ne soupçonnais pas. Il s'était installé, pensais-je, dans un état de jeunesse heureuse mais totalement dépendante. Il m'aimait et c'était cet amour même qui le diminuait, qui maintenait dans cet état embryonnaire toutes ces qualités qu'il déploie aujourd'hui : maîtrise des événements, claivoyance, habileté.

» Et voilà qu'à présent, après trente années de vie commune, je suis tombée amoureuse de mon mari. Moi une vieille femme, et lui un vieil homme. Dans cette guerre de rancune que j'ai livrée si longtemps, j'ai perdu et c'est l'amour qui m'a défaite. C'est à la fois merveilleux et terrible. Car, dorénavant, je serai bien plus vulnérable...

» J'ai fait en sorte que Neige de Printemps n'en sache pas trop sur tout ce qui s'est passé récemment car elle n'a pas l'habitude d'affronter l'injustice et la souffrance avec impassibilité, sans montrer son angoisse et sa colère. Ce qui est dangereux pour nous.

» Pourtant Neige de Printemps apprend vite. Elle écoute. J'espère que mon fils saura toujours trouver le chemin de son cœur car il est plein de noblesse et bat en harmonie avec son esprit. Mais elle doit apprendre à ne pas être aussi franche. Elle doit apprendre à calculer. Et à la fin, elle nous sauvera.

» Sa fausse couche a permis de la protéger plus facilement. L'université a suspendu son cours. Elle a été ainsi protégée contre sa propre impétuosité.

» Pendant ce temps, la campagne des cinq poisons nous mettait à l'épreuve et nous trempait. Etions-nous coupables d'un ou de tous les vices de notre classe? Par bonheur nous avons eu beaucoup de gens qui ont témoigné en notre faveur.

» Le père de mon fils a vérifié lui-même, avec ses comptables, les comptes de la banque sur de nombreuses années. Jour après jour. On nous a confrontés à notre personnel. Nos employés à la banque, nos serviteurs, tous ont été rassemblés pour témoigner sur notre conduite.

» C'est ça la démocratie. La volonté et l'opinion des masses.

» Le père de mon fils est resté à la banque pendant environ deux semaines et il signalait lui-même ses erreurs. Je lui apportais de la nourriture et du linge propre tous les jours. J'ai assisté à chaque réunion, j'ai additionné et soustrait à l'aide du boulier dont j'avais appris le maniement. Nous avons accepté les critiques en courbant la tête et nous avons exprimé notre gratitude à ceux qui ont corrigé nos lamentables erreurs.

» Ensuite, on nous a confrontés à nos amis. Des gens semblables à nous, tel notre ami Keng Dawei. Il s'est trouvé mis en accusation par des gens qu'il considérait comme des intimes. Jaloux de son succès, espérant se sauver ainsi eux-mêmes, ils lui ont mis sur le dos leurs propres méfaits. Utilisation de drap invendable dans la confection d'uniformes pour les volontaires de Corée.

» Passage clandestin d'or et de devises étrangères vers Hongkong pour acheter des marchandises en contrebande. Spéculation dans le commerce du riz pour provoquer une pénurie de nourriture. Kong Dawei s'en est bien sorti. Il a ri de bon cœur quand on l'a traité de criminel endurci. Nous l'avons défendu. Ceux qui l'avaient diffamé ont été défaits. Les membres du Parti qui avaient touché de l'argent pour faire de faux témoignages ont été emprisonnés. Certains ont été fusillés.

» Les nouveaux gouvernants connaissent notre grande faiblesse. La faiblesse des intellectuels, des savants, des classes possédantes, que notre fortune soit l'or ou le savoir. Nous cherchons à nous sauver et nous n'hésitons pas à nous trahir et à nos dénoncer mutuellement. Mais il y a parmi nous des gens courageux qui ne craquent pas, qui refusent de trahir leurs amis. Tel est l'homme que j'ai épousé.

» Nous aussi, nous sommes vus accusés et diffamés par des gens que nous croyions nos amis. Qui avaient mangé avec nous, ri avec nous, dans le passé.

» Le père de mon fils a souri en les voyant. Un étrange plaisir faisait briller ses yeux, comme s'il avait enfin découvert une chose à laquelle il aurait aspiré tous les jours de sa vie.

» Après avoir traversé avec succès plusieurs épreuves, il nous en restait une dernière à affronter : la confrontation avec la famille.

» Toute la famille devait y participer. Le témoignage de chaque membre serait vérifié en le comparant à celui des autres.

» “ Mon fils est en Corée ”, leur dis-je.

» Mon fils. Comme il aurait souffert s'il avait été avec nous. Et quelqu'un, pour lui nuire, aurait sûrement mentionné la nationalité de sa femme.

» “ Ma belle-fille doit-elle participer à la réunion ? demandai-je. Elle est étrangère.

» — En tant qu'étrangère, elle n'en a pas le droit. ”

» Nous avons décidé de dire nous-mêmes à Neige de Printemps qu'elle ne devait pas venir. Pour la rassurer et lui montrer que tout se terminerait bien.

» Le lendemain matin, nous nous sommes rendus à l'ancienne salle de cinéma qui sert à présent pour les assemblées de lutte des classes. Des affiches couvraient les murs.

NOUS ÉCRASERONS LES CAPITALISTES PERVERS QUI FRAUDENT LE GOUVERNEMENT !

À BAS LE CLUB DU MARDI, CETTE ASSOCIATION CONTRE-RÉVOLUTIONNAIRE DE CAPITALISTES !

À BAS CEUX QUI ONT SUCÉ NOTRE SANG GÉNÉRATION APRÈS GÉNÉRATION !

N'OUBLIEZ JAMAIS LA LUTTE DES CLASSES !

» Et les affiches criardes habituelles. Je me demande si notre ami le Maître Peintre Tseng, que nous avons connu il y a deux ans à Wusih, a formé les étudiants de l'Académie des arts dont les œuvres décorent aujourd'hui ces murs.

» Nous sommes passés devant un ami et sa famille, qui attendaient leur tour dans le couloir. Il avait la tête baissée et paraissait troublé. Mais il a fait bonne figure en nous voyant. Je pense qu'il a peu de chance d'être blanchi, car il est membre du Club du mardi.

» Les journaux ont beaucoup parlé de ce club et l'ont accusé d'être une association d'hommes d'affaires cherchant à frauder l'Etat, un cartel d'entente sur les prix, afin de faire d'énormes bénéfices. Le mot *club* lui-même est devenu péjoratif, avec une connotation d'intrigues et de complots.

» Nous étions debout sur la scène dont les rideaux étaient soigneusement tirés. Devant nous, dans la salle, quelques familles capitalistes " propres ", des ouvriers représentant différentes industries, et tout le personnel de notre banque.

» Installés à une tribune, le secrétaire du Parti qui préside la séance et d'autres membres du Parti. Le président nous demande si l'un de nous a autre chose à confesser. " Si vous racontez tout franchement vous serez traités avec indulgence... sinon, la punition sera sévère... "

» C'est la formule rituelle.

» Récemment, au cours de ces confrontations, certains jeunes ont accusé leurs parents. Les jeunes ont tendance à faire du zèle. Ils croient que la jeunesse est une garantie qu'on est bien révolutionnaire. On leur a dit qu'en dénonçant les actes mauvais, même au sein de leur propre famille, ils servent les intérêts supérieurs de leur pays et qu'ils contribuent aussi à réformer la mentalité arriérée de leurs parents. On leur a dit que notre génération est perverse et manque d'idéaux.

» Mes filles nous ont dénigrés à leurs assemblées d'école mais je pense que tous les adolescents en font autant, surtout en période de révolution. C'est très à la mode maintenant de trouver la vénération filiale répugnante. " Nous ne pourrons jamais devenir membres du Parti avec une origine sociale si mauvaise ", se lamentent-elles. Comme si c'était notre faute si elles sont nos filles.

» J'étais préparée au pire ; une sorte de gangue enveloppait mon esprit et s'accrochait à lui comme la mousse autour d'une pierre pour l'isoler et le protéger.

» Je consolai leur père. " Elles ne comprennent pas le monde, ni même cette révolution qu'elles affirment aimer.

» — Ce sont des filles indignes, dit-il avec colère.

» — Elles sont un peu surexcitées. Cela passera. "

» Quand il m'a vue si calme, il a retrouvé sa sérénité. " Un monde nouveau va naître, a-t-il dit, et toutes les naissances sont douloureuses. " Il avait dit à Keng Dawei que c'était une sorte de marathon spirituel. " Celui qui pourra marcher jusqu'au bout gagnera. "

» Comme nous nous tenions debout devant les masses, je me demandais si mes chères petites filles diraient combien elles s'estimaient malheureuses d'être nées dans une telle famille capitaliste.

» “ Que leurs paroles soient pour vous comme un vent qui passe, comme des mouches qui bourdonnent, chuchotai-je à leur père. Et non une flèche qui infecte votre cœur.

» — Je ne ferai pas comme Ouyang ”, répondit-il.

» Notre ami Ouyang. Son fils s'est dressé dans la salle et a dénoncé son père. L'école secondaire qu'il fréquente était naguère une des plus snobs, des plus huppées, des plus aristocratiques de Shangai. Elle avait le plus haut niveau d'études et était réservée aux riches. L'école a fait un “ renversement ”, elle naît à une nouvelle existence et professeurs et élèves se rachètent en manifestant un très grand fanatisme.

» Ouyang a mal réagi à la diatribe de son fils contre lui. Il est rentré chez lui et s'est tué en avalant du poison. Depuis, son fils ne sait plus de quel côté se tourner. Car même ceux de ses camarades de classe qui l'avaient encouragé à accuser son père ne veulent plus le fréquenter.

» Il y a aussi une jeune fille qui a accusé ses parents. Le comité du Parti de son unité l'en a félicitée. Mais plus personne ne lui adresse la parole et elle a une dépression nerveuse.

» Le représentant du Parti a invité les enfants de Deuxième Frère à parler. Mais aucun d'eux n'a voulu dire autre chose que : “ Oui, nous sommes d'une Famille qui a une origine capitaliste. Mais nous avons accueilli la révolution avec joie et nous aimons notre pays. Je n'ai jamais surpris mes parents à prononcer des paroles contre-révolutionnaires. ” Interrogé sur l'habitude de sa mère de jouer au mah-jong, le fils aîné a répondu : “ Mais elle ne joue jamais pour de l'argent. Et depuis la guerre de résistance pour aider la Corée, elle a cessé de jouer et passe ses journées et ses nuits à coudre des vêtements pour nos héroïques volontaires. ” Ce n'est qu'à moitié vrai car Deuxième Belle-Sœur ne sait pas coudre. J'ai taillé quelques vêtements pour elle, ainsi que notre tailleur, qui nous est fidèle.

» Je voyais que le secrétaire du Parti était content. Il ne voulait pas de dénonciations débouchant sur une enquête. Les suicides ne font pas bon effet sur les masses. Les ouvriers détestent ça. “ Ce n'est pas convenable que des enfants accusent leurs parents... Qu'est-ce que ces petits diables qui crachent sur leurs ancêtres ? ”

» Quand notre tour est arrivé, Corail a regardé Chardon, Chardon a regardé Corail, elles nous ont toutes les deux regardés et Chardon a dit : “ Notre Famille a accueilli avec joie la révolution et nous n'avons jamais entendu nos parents prononcer une parole contre-révolutionnaire. Comme nous ne voulons pas être des capitalistes, nos parents nous ont encouragées à aller dans les zones rurales, pour aider la réforme agraire... ”

» Puis Corail a dit “ Maman ” comme un bébé et elle s’est jetée dans mes bras en pleurant. Chardon est restée immobile, l’air un peu jaloux car elle croit que je préfère Corail, alors j’ai tendu la main vers elle et je l’ai serrée contre moi et les gens ont applaudi comme au théâtre devant un spectacle bien joué et j’ai pensé : C’est fini.

» J’avais oublié Veuve. Elle s’est alors avancée et a crié : “ Moi j’ai quelque chose à dire. Il faut que je dise l’amertume qui remplit mon cœur. ”

» Toute retenue évanouie, toute pudeur oubliée, elle a raconté son histoire. Comment elle était veuve et vierge. Comment on l’avait empêchée de se remarier. A l’entendre, on aurait cru que ses frères l’avaient contrainte au célibat. “ J’étais une morte vivante jusqu’à ce que la révolution vienne me libérer, a-t-elle crié. Et elle, elle..., en me montrant du doigt, toutes ces années elle s’est nourrie de ma souffrance. Voyez comme cela l’a rendue belle ! Elle a tout eu, un aimé, un fils, et il faudrait que vous voyiez ses robes, de toutes les couleurs de l’arc-en-ciel...

» — Camarade Jen Jen, camarade Jen Jen, a coupé le membre du Parti qui présidait. Les masses ici présentes éprouvent une grande compassion pour vous... Mais vous avez dit vous-même dans le récit de votre vie que vous ne vouliez pas vous remarier.

» — J’ai dû les protéger, *eux,* dit Veuve. Ils se servaient de moi. Je devais garder la maison et l’or. *Elle* sortait et je restais pour garder son or, qui était dans sa chambre, dans son armoire.

» — Il n’y a plus d’or chez nous, camarade, dis-je. C’était avant la libération, quand on ne pouvait pas vivre sans or. Quand la libération est arrivée nous avons remis tout notre or à l’Etat. Nous avons acheté des bons de la victoire. Nous avons des reçus pour tout cet or. Vous pouvez chercher. Il n’y a pas d’or. ”

» Mais Veuve a continué, elle a parlé de trafic d’or et de devises étrangères avec des missionnaires étrangers. Je ne m’étais pas rendu compte qu’elle était au courant. Elle s’est tournée vers Deuxième Beau-Frère et l’a accusé d’avoir participé à ce trafic. Or la femme de Deuxième Beau-Frère n’est pas très intelligente. Au lieu de sourire et de hausser les épaules en disant : “ C’était avant la libération ”, elle s’est mise à hurler à Veuve : “ Traîtresse, tu n’as pas honte, misérable esclave ? Ne t’avons-nous pas nourrie toutes ces années ? ” Et bien sûr ces paroles ont fait mauvaise impression.

» Le père de mon fils s’est levé. Il a dit d’un ton apaisant : “ Camarades, avant la libération, oui, nous détenions de l’or, pour sauver nos vies. Mon frère et moi avons expliqué à fond tout cela dans le récit de notre vie. Cette séance a pour objet d'enquêter sur les cinq maux *après* mai 1949, quand Shangai a été libérée. Nous ne nous sommes livrés à aucun trafic, nous n'avons corrompu personne, nous n'avons pas fraudé l'Etat ni aucune des sociétés d'Etat ni aucune société privée. Quant à ma sœur, — il se tourna vers Veuve —, nous l'avons souvent poussée à se remarier. Mon aimée a essayé d'arranger des unions... "

» Mais la salle était agitée et certains criaient : " Enquêtez, enquêtez sur cette histoire de trafic avec des missionnaires étrangers ". Il a donc été décidé que l'enquête sur nous et Deuxième Beau-Frère serait reprise.

» Puis il y a eu un coup de théâtre : quelqu'un dans la salle s'est levé et en désignant Deuxième Oncle a dit : " Il est allé au Club du mardi. Je l'ai vu là-bas. " C'était le portier du club.

» Deuxième Beau-Frère n'a pas été autorisé à rentrer à la maison avec nous. Il était d'une pâleur mortelle et avait une respiration sifflante, comme s'il étouffait, quand on l'a emmené en prison. »

Stéphanie avait la gorge serrée d'indignation.

« Quel système est-ce là qui dresse les gens les uns contre les autres ? Qui les encourage à se trahir mutuellement ?

— Veuve n'a pas eu l'impression de *trahir*. Elle s'est convaincue que c'était là l'indignation qu'il convenait d'éprouver. Elle n'a pas pu résister à ce rôle d'héroïne parce qu'elle a été une ombre trop longtemps... », dit Mère en buvant son thé.

Les deux femmes étaient assises près du bassin, la glycine embaumait l'air nocturne et l'obscurité était un cocon pour leurs paroles.

« Patience était une jeune fille bonne, elle recueillait les oiseaux, les chats perdus. Elle aurait voulu devenir une nonne bouddhiste et pendant un certain temps elle a suivi un régime végétarien. Elle avait une sorte de petite ménagerie : des chiens, des chats, des perruches. Mais elle n'a jamais eu de chance dans ses rapports avec les gens. Son fiancé est mort. Elle s'est accrochée à Yong quand il était bébé mais Yong a grandi et est devenu un petit garçon volontaire, tout comme Trésor d'Hiver », dit Mère en souriant.

Non, pensa Stéphanie, Trésor d'Hiver n'est pas comme Yong. L'enfance de Yong a été d'une seule pièce. Trésor d'Hiver doit assembler un patchwork insensé de morceaux différents pour se construire une protection... et certaines choses mauvaises le poursuivront toute sa vie...

« Puis Veuve a aimé les jumelles, elle était souvent avec elles. Mais les jumelles ont grandi, Veuve leur a paru démodée et elles l'ont laissée tomber. C'est étrange, dit Mère d'un ton rêveur, elle a dit que je me nourrissais de sa solitude. J'ai vraiment essayé de lui donner de l'affection, comme à tous les autres membres de la Famille. Mais peut-être lui avais-je assigné un emplacement définitif dans la structure familiale. Nous aurions dû faire ce qu'elle demandait, construire un petit autel dans le jardin, pour remercier toutes les choses vivantes qui nous donnent de l'affection ; mais Grand-père refusa et, après sa mort, Veuve n'en a plus reparlé. Le besoin d'amour étant grand chez elle et personne ne l'a jamais comblé. »

Les serviteurs de Deuxième Oncle partirent quand il fut arrêté, à l'exception du vieux cuisinier et d'une femme de ménage.

Ils dirent qu'ils avaient trouvé du travail dans des usines. « Tout le monde veut être ouvrier », dit Mère.

Les jumelles aidaient Deuxième Tante à épousseter et nettoyer les pièces et à laver les vêtements des enfants. Deuxième Tante avait toujours eu le chagrin facile. A présent, elle pleurait sans cesse, regardait autour d'elle d'un air perplexe et attendait qu'on fît les choses à sa place. C'était une femme lente, à la chair très blanche, mollasse et opaque. Le chagrin lui donnait encore plus d'appétit.

Deuxième Oncle devint encore plus pâle pendant la semaine où il fut réinterrogé, les rides autour de sa bouche se creusèrent. Père se démenait, il allait voir tous les gens importants qu'il connaissait. « Votre frère a participé à une réunion du contre-révolutionnaire Club du mardi. Alors que vous n'y êtes jamais allé », lui disait-on. Que s'était-il passé ce jour-là ? Deuxième Oncle serait confronté à d'autres membres du Club. En attendant, il lui fallait recommencer le récit de sa vie, puisqu'il avait omis ce détail.

« Le grand mouvement de lutte contre les réactionnaires absorbe toutes les énergies des masses », dit Père à haute voix pendant le dîner. Il regarda fixement sa sœur, Veuve, Patience.

Le huitième jour de l'enquête, Deuxième Oncle vomit une grande quantité de sang noir et fut transporté à l'hôpital.

« Pourquoi devrions-nous admettre des capitalistes ? » demanda à Père et à Mère le jeune infirmier qui les reçut.

Père lui sourit avec douceur. « C'est le comité du Parti chargé de l'enquête qui l'envoie ici, dit-il. Voici la lettre, camarade. »

On avait placé Deuxième Oncle dans une salle semi-privée. Il était sous perfusion intraveineuse. Dans son visage maigre, les deux sillons qui descendaient de son nez à son menton se creusaient tous les jours davantage. « Je ne me sens pas... trop mal. Je ne souffre plus à présent... »

Dans le couloir, une infirmière était assise près d'une affiche recommandant aux parents des malades qui devaient être opérés de donner leur sang. Chardon et Corail donnèrent le leur. Stéphanie vint à l'hôpital.

« Je suis aussi une parente », dit-elle.

L'infirmière n'eut pas l'air du tout étonnée de voir une étrangère en ce lieu. « Oui, nous avons besoin de sang. Je vais inscrire votre nom. Nous essayons d'éduquer les masses mais beaucoup sont encore terrorisés à l'idée de donner leur sang. »

Père gronda Stéphanie. « Fille, nous avons donné le nôtre, il n'était pas nécessaire que vous y alliez. »

Deuxième Oncle eut une seconde puis une troisième hémorragie ; le comité du Parti commençait à s'inquiéter. S'il mourait, ils en seraient tenus responsables. Une dette de sang à régler. Ils se dépêchèrent de le blanchir. « Il est allé au Club du mardi pour voir un ami... il n'y a pas eu de transaction illégale. » Deuxième Oncle eut un pâle sourire quand il apprit la nouvelle.

« C'est un énorme ulcère gastrique... il doit l'avoir depuis des années », dirent les médecins.

Deuxième Oncle mourut subitement, deux semaines après son entrée à l'hôpital.

Ce ne fut pas facile pour Père d'organiser l'enterrement. Les cimetières ne se trouvent jamais à l'intérieur des villes. Il faut sortir de l'enceinte, aller dans la campagne. C'est là que se trouvaient les cimetières privés des grandes familles, dans des lieux propices choisis par des géomanciens pour leurs qualités bénéfiques.

Jadis, Deuxième Oncle aurait été conduit au lieu de sépulture de la famille Jen, à vingt-cinq kilomètres de Shanghai. C'était un cimetière récent. A peine six générations y reposaient, les tombes plus anciennes se trouvant dans le village ancestral de la Famille, dans la province de Shantung. Elles remontaient à quinze cents ans seulement, soit quarante-neuf générations.

Mais il y avait eu la réforme agraire et dans toute la campagne chinoise, les paysans, avides de terres supplémentaires, s'étaient approprié les cimetières des grandes familles. « La terre aux vivants et non des tombes pour les morts », proclamaient-ils.

On avertit les familles. « Désirez-vous enlever les pierres tombales et les ossements de vos ancêtres pour les déposer dans un autre lieu ?... » La famille Jen reprit ses pierres tombales, aux inscriptions tracées par les meilleurs calligraphes du pays et les déposa, avec les cercueils, dans un bout de terrain vague. Mais c'était une solution précaire et il n'y avait pas de place pour un nouveau cercueil.

« A partir de maintenant, nous incinérerons nos morts », décida Père avec cette fermeté récemment acquise. Cette pratique était devenue obligatoire pour les membres du parti communiste, afin de donner l'exemple. Mais la masse des adhérents du Parti était constituée de paysans, hostiles à cette idée. Ils tenaient à un enterrement.

Deuxième Tante gémit : « Les funérailles par le feu sont une pratique barbare, comme en Inde. Comment reconnaîtrai-je le père de mon fils quand, à mon tour, je descendrai aux Neuf Sources, s'il n'est plus qu'une poignée de cendres sans visage ? »

Mère dit : « Nous garderons les cendres de nos ancêtres dans des urnes à l'instar des Japonais, qui ne peuvent pas se permettre de gaspiller leur terre. Les paysans feront passer leur charrue sur les cercueils de nos ancêtres si nous ne les enlevons pas. »

Pendant que se déroulaient ces discussions, Deuxième Oncle attendait dans un cercueil du meilleur bois, le *lanmu* ou cèdre blanc, qu'on coupe dans les montagnes de Szechuan et qu'on fait flotter en radeaux pour parcourir les quatre mille cinq cents kilomètres jusqu'à Shanghai. Deuxième Tante se frappa le front contre le sol devant le cercueil de son mari. « Entends-moi, entends-moi, gémissait-elle, attends-moi. »

Finalement, on enterra Deuxième Oncle. Ni dais funéraire ni pleureurs. Des amis vinrent et prononcèrent l'éloge funèbre. Pas de pierre tombale, les tailleurs de pierre étaient trop occupés à travailler pour les musées, les bibliothèques, les maisons de l'enfance et les clubs de travailleurs.

« On dirait l'enterrement d'un criminel », gémit Deuxième Tante. Mais de nombreuses personnes vinrent s'incliner devant le cercueil et elle s'adoucit. Tous ses enfants étaient présents, ils portaient des brassards noirs, selon la nouvelle coutume. Au lieu d'être vêtus de toile rustique blanche.

La petite tablette de Deuxième Oncle, marquée d'une goutte de sang prise à l'index de la main gauche de son fils aîné, fut placée parmi celles des autres ancêtres. La Famille s'assembla discrètement autour d'un repas, sans oublier de donner leur part aux ancêtres, afin de maintenir, par ce rituel de partage de la nourriture, le lien du sang et de la chair qui franchit l'océan du temps et de l'espace et assure la continuité. Veuve aussi était là. Personne ne lui dit un mot d'insulte. En fait, on ne lui adressa pas la parole. Elle était redevenue une ombre dans la Maison.

Presque une semaine après l'enterrement de Deuxième Oncle, le facteur apporta deux enveloppes à Stéphanie. L'une, grande, en papier brun, était couverte de tampons de la censure ; à l'intérieur il y avait un télégramme. Datant de plus de trois mois. Il disait : « Jimmy tué dans embuscade en Corée, 18 mars. Corps retrouvé et rapatrié. Papa. »

L'autre enveloppe contenait une lettre d'Isabelle :

« Ma chère Stéphanie,

« Jimmy a été tué en Corée. Cela faisait moins d'un mois qu'il y était. Il est tombé au front, dans une embuscade. Ton père a été bouleversé mais il a son travail, qui l'absorbe.

» Nous, créatures du Seigneur, devons nous incliner devant Sa volonté et Le louer, qu'Il nous accorde joie ou chagrin.

» Je sais que Dieu a une place dans Son Paradis pour les cœurs purs. Et Jimmy était de ceux-là. Dieu tiendra certainement compte de son intention de devenir catholique.

» La dernière fois que tu étais ici, nous avons parlé de Calvaire. A l'image de Notre Seigneur qui a joyeusement pris sur lui les péchés du monde et fait le suprême sacrifice de Sa Vie pour nous, nous devons toujours nous souvenir des péchés que nous avons commis et accepter joyeusement, et nous réjouir, quand nous souffrons... »

Les yeux brouillés de larmes, Stéphanie froissa la lettre pieuse de sa mère. « Jimmy!... » chuchota-t-elle, puis elle s'allongea sur son lit et éclata en sanglots.

Beaucoup plus tard elle lissa la lettre, la plia et la rangea avec le télégramme, dans le tiroir où elle gardait l'unique lettre de Yong, qu'elle avait reçue en 1945, les photos de son mariage à Yenan et des photos de Trésor d'Hiver. Depuis le départ de Yong pour la Corée, elle n'avait eu de lui que de brefs messages guindés. Des lettres qui ne disaient rien. La censure.

Jimmy. Pendant des jours et des mois elle allait sentir le coup de poignard soudain du chagrin — et s'immobiliser sous cette douleur insupportable. Ne plus jamais revoir Jimmy, son visage indécis, ses grands yeux gris, la mèche dorée qui tombait sur son front.

Trésor d'Hiver arriva en courant. « Maman, maman, regarde, regarde! » Sur sa poitrine, il y avait une médaille, un petit drapeau rouge. « Maman, maman, Tante Fan a dit que j'étais un enfant chéri du président Mao. »

Stéphanie s'agenouilla et le serra très fort dans ses bras. « Et qui est Tante Fan, mon amour? »

Trésor d'Hiver se tortilla. « C'est une nouvelle tante. Elle est venue te voir, maman... »

Stéphanie reprit une expression sereine et alla accueillir cette Tante Fan inconnue qui attendait à la porte.

Elle trouva une femme à la peau sombre, très maigre, à la démarche vive. La démarche des femmes du Sud, qui n'ont jamais eu les pieds bandés. Elle donna à Stéphanie une poignée de mains vigoureuse. La matité de sa peau s'expliquait dès qu'elle parlait. La camarade Fan était cantonnaise. Elle avait le langage direct et sans fioritures des Cantonnais et toutes ses syllabes se terminaient par un petit crochet : un k, un t, un p...

« La campagne des trois maux à l'intérieur de notre parti a révélé un certain nombre d'insuffisances dans notre travail, déclara-t-elle. Nous sommes en train de les corriger. J'ai appris l'incident concernant votre fils. C'était une erreur. On n'aurait pas dû le renvoyer de l'école. »

Imitant Mère, Stéphanie dit machinalement : « C'est tout à fait compréhensible...

— Non, dit la camarade Fan avec énergie. C'est contraire à la politique du Parti. Il faut que les enfants apprennent l'internationalisme. Et maintenant nous devons nous excuser. Je suis venue vous présenter nos excuses. Votre fils sera le bienvenu à l'école maternelle. Quand il aura sept ans, il ira à l'école primaire du district. »

Stéphanie appela Trésor d'Hiver. L'institutrice Fan dit : « Tu reviens à l'école demain, Trésor d'Hiver. Nous t'attendrons tous.

— Je ne veux pas y aller », dit l'enfant.

A sa façon brusque, un peu déconcertante, Fan s'accroupit devant Trésor d'Hiver. « Tu ne veux pas y aller parce qu'un enfant t'a traité de noms méchants... c'est bien ça ?

— Je n'aime pas l'école. Je ne veux pas y aller. » Le visage de Trésor d'Hiver était sombre, fermé. Comme celui de Yong quelquefois.

L'institutrice Fan dit : « Regarde-moi. Quand j'étais petite, moi aussi, les autres enfants me disaient des choses méchantes, et aussi à ma mère ; ils disaient que je n'étais pas chinoise... »

On aurait dit que l'enfant n'avait pas entendu. Il donnait des coups de pied dans la terre.

« Demain matin, je reviendrai ici. Toi, ta maman et moi, nous irons ensemble. Ta maman est la bienvenue à notre école. Puis, si tu ne veux toujours pas y aller, tu rentreras à la maison. »

Dans la cour de l'école maternelle, sept cents mètres plus bas dans la rue, les enfants alignés frappaient des mains et chantaient : « Bienvenue, bienvenue, Trésor d'Hiver. Bienvenue, bienvenue, Tante Laï. » Derrière eux, les institutrices souriantes applaudissaient. Il y avait aussi deux photographes, qui prirent des photos quand les institutrices vinrent serrer la main de Stéphanie.

Les camarades de Trésor d'Hiver se pressèrent autour de lui. Une petite fille aux cheveux ornés d'un énorme nœud rose prit sa main et la secoua énergiquement. Un petit garçon essaya de lui fourrer quatre billes rouges et bleues dans l'autre. Trésor d'Hiver gardait ses deux poings serrés. Il regardait les autres enfants, les institutrices, sa mère...

« Ecoute, Trésor d'Hiver », dit l'institutrice Fan. Elle s'accroupit à nouveau devant lui pour ne pas le dominer de sa taille : « Ming a gardé ses billes spécialement pour toi. Il a pleuré quand tu es parti...

— Oui, dit Ming. Je les ai gardées pour toi.

— Maman, dit Trésor d'Hiver, maman. » Il vit que sa mère était entourée elle aussi. Il devina que comme lui elle avait été blessée. Ça faisait une drôle de boule douloureuse en dedans. Une petite fille enrubannée mit un bouquet de dahlias dans la main de sa mère. Mais c'était la même petite fille qui lui avait crié : « Va-t'en, Américain. » Et l'institutrice qui souriait maintenant à maman était celle qui avait dit à *Amah* Mu : « Nous ne voulons pas de sang-mêlé américains dans cette école... »

La camarade Fan fit un petit discours : « Le président Mao nous enseigne que tous les peuples de la terre sont bons, seuls un très petit nombre d'exploiteurs sont mauvais. Trésor d'Hiver est le fils de deux personnes bonnes, le docteur Jen, qui se trouve actuellement aux côtés de l'héroïque peuple coréen, et sa mère, Laï Neige de Printemps, qui a écrit de bonnes choses sur la Chine et qui est notre amie américaine. Les Américains sont nos amis. »

Tout le monde applaudit longuement. Le petit garçon Ming offrit de nouveau ses billes à Trésor d'Hiver. « Prends-les, prends-les. » Trésor d'Hiver accepta les billes.

Dans la principale salle de classe, on avait installé des tables sur tréteaux, avec des assiettes contenant des bonbons, des cacahuètes, des biscuits, et des bouteilles de jus d'orange. Sur les murs, le portrait de Mao Tsetung contemplait les enfants d'un œil bienveillant.

« Aujourd'hui, c'est vacances, pour fêter le retour de Trésor d'Hiver », cria la camarade Fan. Elle vint s'asseoir près de Stéphanie. « Dites-moi, comment fonctionnent les écoles maternelles et les jardins d'enfants dans votre pays ?

— Je ne sais pas vraiment. Il n'en existait pas quand j'étais petite.

— Nous allons en construire partout, dit une institutrice, les yeux brillants. Nous voulons que les enfants chinois deviennent des citoyens vertueux, sains, qui aiment leur pays et le socialisme. »

Ce soir-là, Trésor d'Hiver étreignit sa mère quand elle le mit au lit. Il n'avait pas eu ce geste depuis longtemps.

« Maman, j'irai à l'école demain.

— Bien sûr, mon chéri. L'institutrice Fan sera très contente. Et tous tes amis aussi.

— Je n'ai pas d'amis, dit Trésor d'Hiver.

— Bien sûr que si. C'est juste une ou deux personnes qui ont fait une erreur. C'est tout. Cela arrive à tout le monde de faire des erreurs...

— Même toi et *Tietie ?* demanda Trésor d'Hiver.

— Bien sûr, mon chéri... mais quand on commet une erreur, on doit la corriger... et tout ira bien. »

Il resta immobile, avec la même expression pensive que son père. « Maman. » Il posa timidement sa tête sur la poitrine de Stéphanie puis la pressa contre elle comme s'il avait voulu retourner dans son corps. « C'est loin de notre maison, l'Amérique ? »

Les peupliers avaient revêtu leur habit d'or roux et, dans le bleu du ciel, de petits nuages voguaient tels des yoles à la dérive. La Fête d'Automne arriva et Yong rentra de Corée.

Il vint tout droit à Stéphanie, sans s'arrêter au pavillon de ses parents. Personne ne le vit à part le vieux portier, qui était si perclus de rhumatismes qu'il ne quittait presque plus sa chambre près du portail.

Stéphanie était en train de nettoyer la salle de séjour. Pivoine passait beaucoup de temps à présent à aider Deuxième Tante et Stéphanie participait autant qu'elle le pouvait aux tâches ménagères.

Il se tint immobile sur le seuil, désemparé, désemparé par tout cet amour qui était en lui, c'était si douloureux d'aimer à présent, et la regarda.

Stéphanie leva la tête et le vit.

Il était si maigre, si décharné, si triste.

Ils restèrent ainsi comme figés, pétrifiés, angoissés de s'aimer si fort, effrayés par leur amour.

Yong ouvrit son sac avec précaution et en sortit une petite plaque de céramique coréenne vert céladon. Elle était très ancienne et un phœnix déployait ses ailes sous l'émail transparent.

Stéphanie la prit dans sa main. « C'est adorable », dit-elle.

« Un homme me l'a donnée, Un Coréen. Il a dit : “ Pour votre femme américaine ”. »

Elle soupira. Son cœur, tout son corps étaient lourds du tourment de l'amour.

« Jimmy, dit-elle. Jimmy aussi était en Corée. Il est mort là-bas. On a rapatrié son corps. »

Alors Yong pleura Jimmy mort ; sans chercher à retenir ses larmes Stéphanie le regarda pleurer, incapable d'aller vers lui, de le consoler. Son âme était lasse et elle n'était plus capable d'alléger sa peine. Ils restaient allongés sur le grand lit mais ils n'avaient pas retrouvés cet apaisement qu'ils se donnaient naguère par les gestes de leurs corps ou la ferveur de leur amour. Il y avait dans leur étreinte un goût de désastre, un pressentiment de futurs tourments.

« Je t'aime, dit-il, je t'aime. »

Et elle dit : « Je t'aime. »

Et ils tournèrent tous les deux la tête pour cacher leur regard.

« *Tietie,* à quoi ça ressemble un impérialiste américain ? demanda Trésor d'Hiver à son père.

— Je n'en ai pas vu, mon fils.

— L'institutrice dit que les Américains sont bons, comme maman. Les impérialistes américains sont mauvais. »

Parler avec son fils était pour Yong une façon de communiquer avec Stéphanie.

« Je n'ai pas vu d'impérialistes. Je n'ai vu que des soldats, qui faisaient seulement leur devoir, qui se battaient.

— Les as-tu vus se battre, *Tietie ?*

— Oui, fils, quelquefois.

— Tu n'as tué personne ?

— Non, fils. J'ai même essayé de soigner les blessures des prisonniers américains...

— Pourquoi, si ce sont des gens méchants ?

— Ils ne sont pas méchants, fils.

— Alors pourquoi les tuons-nous, et pourquoi nous tuent-ils ?

— Beaucoup de gens se font tuer pour rien », dit Yong.

D'une voix neutre, Stéphanie s'adressa à Yong en anglais : « Sois prudent, il le répétera peut-être à l'école. »

Alors Yong sut qu'elle avait perdu sa fougueuse innocence. Cette audace, cette intrépidité qui la faisaient foncer tête baissée dans n'importe quelle situation, sans calculer les risques. Ce pour quoi il l'avait tant, tant aimée. Parce que c'était un comportement si différent du sien.

Stéphanie était devenue prudente. Ses mains, posées sur ses genoux, avaient perdu la fluidité de leurs gestes.

Et lui avait perdu le chemin qui le menait à elle. Il le savait. Ils vivaient un simulacre de bonheur. Les mots qu'ils échangeaient avaient un son mou comme des pièces de monnaie tombant dans un plat d'étain.

La purge des cinq poisons, et des trois poisons à l'intérieur du Parti, s'achevait. Une révision des verdicts allait avoir lieu.

Certains furent libérés ; d'autres reçurent des excuses publiques pour avoir eu des « verdicts erronés ». Mais d'autres encore eurent moins de chance.

La fille du professeur Chang Shou fut relâchée, ainsi que Joan Wu. Toutes deux touchèrent leur salaire pour la période de leur incarcération et elles gardèrent leur travail.

« Ce n'était pas si terrible, dit Joan Wu à sa sortie de prison. Nous devons essayer de comprendre la Révolution. Des bouleversements d'une telle ampleur ne peuvent pas se produire sans qu'il y ait quelques bavures.

— Je ne crois pas que je pourrai jamais posséder ce genre d'objectivité, dit Stéphanie, impressionnée par la force morale de Joan.

— Vous n'êtes pas marxiste », dit Joan avec le regard extatique d'un missionnaire inspiré. Elle avait dû ses ennuis à son nom de jeune fille, Hesse, qui était aussi celui d'un espion allemand arrêté à Pékin.

L'amant de Rosamond, Carlos, avait été condamné à mort, mais après les deux ans de sursis habituels il avait été expulsé de Chine tandis que Rosamond était envoyée pour deux ans dans un camp de rééducation pour le travail manuel.

Au même moment, les journaux faisaient la une avec l'exécution de Julius et d'Ethel Rosenberg, accusés d'avoir été des espions pour le compte de l'U.R.S.S. L'exécution avait eu lieu en juin 1953, à New York, dans la prison de Sing Sing, malgré les protestations et les supplications de nombreuses personnalités, dont Albert Einstein, qui avait appelé à un mouvement de désobéissance civile contre les chasseurs de sorcières.

Et Stéphanie se sentit à nouveau déchirée, en comprenant que la même monstrueuse injustice pouvait avoir lieu aussi bien dans son propre pays qu'en Chine.

Le sénateur Stuart Symington prononça un important discours à Radcliffe et le professeur Moslyn en envoya une copie à Stéphanie. Bien qu'il fît lui-même partie de la sous-commission d'enquête de la commission sénatoriale sur les activités gouvernementales que présidait McCarthy, il mettait l'opinion en garde contre le « nouveau règne de la terreur » qui s'instaurait en Amérique.

« Mon pays n'est pas immunisé contre le virus de l'intolérance, écrivit Stéphanie dans son journal. Mais du moins nous avons les moyens de lutter contre… »

Yong revint un soir de l'hôpital avec un visage joyeux. « Stéphanie, je suis muté à Pékin. Dans un nouvel hôpital qui se consacrera à la neurochirurgie. »

Les hôpitaux de Shanghai étaient les meilleurs. Celui de Yong, le numéro 6, était spécialisé en chirurgie du cerveau et en neurochirurgie et commençait à faire de la microchirurgie. A présent, on demandait à son équipe d'essaimer, de créer des branches dans d'autres villes, d'enseigner et de former des milliers de nouveaux médecins.

Il en allait de même dans tous les secteurs d'activité. Les scientifiques, les ingénieurs et les ouvriers qualifiés étaient très recherchés et les meilleurs se trouvaient à Shanghai. Les ouvriers de Shanghai allaient en former d'autres dans les nouveaux complexes industriels qu'on avait créés dans les lointaines provinces.

Le transfert de Yong à la capitale signifiait une reconnaissance officielle de ses qualités de chirurgien. Il partirait le premier ; Stéphanie et son fils le rejoindraient plus tard, quand il aurait trouvé une maison, et une école pour Trésor d'Hiver.

Déçu que Stéphanie accueillît la nouvelle avec un sourire poli et distant — et anxieux de lui faire partager sa joie, Yong dit : « Les universités de Pékin ont énormément besoin d'experts étrangers. Je pense qu'il te sera facile de t'y faire muter, ma chérie. »

En plus des douze mille experts soviétiques, venus aider la Chine à construire son industrie lourde, il y avait dans le pays quatre ou cinq cents autres « étrangers » — depuis les experts tchécoslovaques en cordonnerie jusqu'aux professeurs de littérature et aux traducteurs — employés par le gouvernement chinois. Ils recevaient des salaires très élevés et avaient droit à de nombreux privilèges. Tous avaient au moins un domestique, si ce n'est deux, à leur disposition.

« Ça sert d'être étranger », dit cruellement Stéphanie.

Il entendit l'insulte, l'amertume contenues dans cette phrase.

Elle passa devant lui comme s'il n'avait pas existé et sortit dans le jardin. Elle avait planté des buissons de roses thé. Le parfum de leurs lourds pétales embaumait l'air ; c'était la dernière floraison de la saison. Elle se pencha pour couper les tiges afin de remplir les beaux vases anciens de la salle de séjour avec les ultimes roses de l'été.

Yong la suivit du regard et sut à nouveau qu'il l'avait perdue... Et Stéphanie aussi avait perdu une partie de son être et s'était enroulée sur elle-même, aux aguets, craintive.

Comment parviendrait-il à la reconquérir ? Ce qui avait peint chaque heure de couleurs enchantées s'était évanoui. Cette chose semblable à la houle de la mer, ce déferlement de bonheur.

Cela reviendra. Je le ferai revenir. Je sentirai à nouveau mon cœur, tel un sonore coquillage, écouter le retour de la mer, sa voix, son rire, sans lesquels je meurs.

18

A Tientsin, les baraquements de l'école n'étaient pas très loin des docks du port. Les recrues qu'ils hébergeaient paraissaient un matériau éducatif bien improbable : enfants de familles paysannes chassés de leur village par la famine et réduits à la mendicité ; orphelins ; enfants qui n'arrivaient pas à retrouver leurs familles. Ils venaient de partout, comme Petit Etang et son ami Hsiao Wang, qui étaient originaires de la lointaine province de Szechuan. La révolution prenait ces déchets de l'humanité et en faisait des cadres instruits et dévoués. Certains deviendraient des savants remarquables. D'autres portaient en eux le germe de futurs chefs d'Etat, peintres, musiciens, écrivains.

A l'aube, après l'exercice du matin, quand sonnaient les clairons et que montait le drapeau aux cinq étoiles, Petit Etang sentait tout son corps trembler d'amour passionné.

Chaque matin, ils répétaient ces paroles :

« Oh, le parti communiste est cher à mon cœur ; il m'a sauvé la vie. Il m'a nourri. Je donnerai ma vie pour obéir au Parti. Pour construire une Chine socialiste, riche et puissante. »

La vie entière de Petit Etang, depuis que Prospérité Tang avait jeté les yeux sur lui, offrait la preuve vivante que le Parti avait donné aux sous-hommes — ces quatre-vingt-dix pour cent de la population, ce qui leur avait toujours été refusé : dignité, valeur, sens, et espoir.

Cinq ans auparavant, en 1948, l'année du rat, Petit Etang avait suivi Prospérité Tang ; celui-ci l'avait emmené vers l'est, là où le Grand Fleuve s'élargissait dans un univers de marais. Tang l'avait laissé dans une bourgade chez un marchand de riz. Pendant trois mois, il avait travaillé, transportant les sacs de riz, nettoyant la boutique, faisant les courses. Le marchand était un homme qui ne criait pas après les gens ; il disait : « Viens, petit diable, je vais t'apprendre... » et Petit Etang comprit que Prospérité Tang et lui étaient le même genre de personnes.

Semblables à ces boîtes qui sont dans des boîtes qui sont dans d'autres boîtes. Ou comme les oignons. Enlevez une pellicule, vous en trouverez une autre dessous et ainsi de suite.

Petit Etang apprit à compter. A ajouter et à soustraire. A tracer les chiffres dans cette curieuse écriture étrangère : 1, 2, 3, 4... il sut compter jusqu'à cent, jusqu'à mille, jusqu'à dix mille. Il apprit à se servir du boulier. La nuit, il s'exerçait et continuait d'écrire les nombres avec son index mouillé de salive sur le comptoir en bois qui lui servait de lit.

Dans l'obscurité, un chaland accostait à la porte de derrière du magasin, qui donnait sur un bras mort du fleuve. On entendait le clapotis de l'eau réveillée par le bateau. Petit Etang se levait, il aidait à sortir les sacs de riz, à les empiler sur le chaland qui s'éloignait ensuite, poussé par les perches. Pas un mot n'était prononcé.

Un soir, le marchand de riz dit à Petit Etang : « Petit diable, à présent, tu dois voyager avec le riz. Partir avec le bateau. » Et il avait pris sa place, accroupi parmi les sacs de riz. Il aida à pousser le chaland à la perche. Deux hommes le conduisaient. Ils voyagèrent deux jours et trois nuits et pénétrèrent enfin dans un grand lac encombré de hauts roseaux, semblable à une forêt miniature, épaisse et apparemment impénétrable. Mais entre les grandes étendues de roseaux, des chenaux se dessinaient, qui formaient mille méandres, découpaient d'innombrables petites îles, gros monticules d'herbe et de sol spongieux. Sur certains on voyait des champs, des arbres et des villages, des chaumières auprès desquelles étaient amarrés des bateaux. Dans cet univers semi-aquatique, le brouillard du matin ressemblait à du lait caillé, épais et poisseux. Le silence régnait, que troublaient seuls les cris des oiseaux aquatiques. Cette eau sans rives s'étendait à l'infini et il fallait déjà connaître le chemin pour trouver le campement de maquisards, niché au cœur des marais. Les villageois pêchaient, cultivaient du riz et nourrissaient au moins une centaine de maquisards.

« Fais attention aux arêtes, petit diable », dirent les camarades quand Petit Etang mangea le premier poisson qu'il avait attrapé. Il n'en avait jamais mangé avant. Il portait un uniforme gris trop grand pour lui et ses pieds étaient chaussés d'espadrilles en paille tressée. Il était chargé de porter la grande marmite ronde en fer dans laquelle les maquisards faisaient cuire leur riz quand ils changeaient de campement. Ce qu'ils semblaient faire assez souvent.

Il apprit à pêcher. A imiter le criaillement menaçant de la corneille et le nasillement pompeux du canard ; le claquement maussade de la poule d'eau. Il apprit à s'approcher de l'ennemi par-derrière sans faire de bruit. Il apprit à tirer. Et à tuer.

Tous les matins avait lieu l'exercice, et puis la classe. La lecture et l'écriture. L'écriture, quelle merveille ! Il taillait un roseau et écrivait sur le sable au bord de l'île, fasciné par les signes qu'il traçait.

« Je veux me venger. » Il raconta son histoire aux maquisards assemblés lors d'une réunion de « déversement d'amertume ».

« Nous voulons tous nous venger », lui répondaient-ils.

Mais la vengeance ne pouvait pas être un acte isolé, accompli par une personne seule. Elle devait être un « changement de la terre et du ciel ». Total. Afin que jamais plus il n'y eût d'injustice sur la terre.

Un matin, tandis qu'ils étaient au garde-à-vous, le camarade responsable leur dit : « Demain, nous partons. Car Tchiang Kaishek, cet œuf de tortue, est foutu et nos armées vont le chasser de sa capitale, Nanking. »

Ils applaudirent, poussèrent des hourras, et crièrent : « A bas Tchiang, l'œuf de tortue ! Vive le Parti ! Vive le président Mao ! »

Ils se mirent en route. Ils atteignirent la terre ferme et continuèrent de marcher ; ils se déplaçaient la nuit. Ils rencontrèrent d'autres hommes vêtus de gris, qui marchaient comme eux et bientôt on aurait dit que la terre entière marchait, marchait, dans la même direction.

Une nuit ils virent à l'horizon une longue barre rougeoyante dans l'obscurité : la ville.

Et soudain les canons tonnèrent tous en même temps, le ciel se peupla d'étoiles filantes et, avec la première brise de l'aube, une immense clameur s'éleva et cent mille hommes s'élancèrent. Petit Etang courut lui aussi en criant : « Tuez, tuez », et « Hsu, fils de tortue, me voici, me voici... »

Il s'imaginait presque qu'il allait rencontrer Hsu, et qu'il lui arracherait le foie, qu'il le lui découperait dans son corps... Et presque aussitôt ce fut le matin et ils étaient arrivés, ils avaient gagné et le camarade responsable disait : « Maintenant, nous allons entrer dans Nanking. Marchez le dos droit. Marchez la tête haute. Et rappelez-vous : Nous sommes des communistes, nous ne faisons jamais de mal au peuple... » Ils avaient donc pénétré dans Nanking, la belle cité ombragée d'érables, et ils avaient défilé sans regarder à droite ni à gauche.

Mais Petit Etang ne resta pas longtemps à Nanking. Lui et d'autres comme lui furent rassemblés et envoyés vers le nord, à pied car les trains ne roulaient toujours pas ; ils marchèrent pendant des semaines jusqu'à ce qu'ils atteignent le port de Tientsin. Et tout au long du chemin, partout où ils passèrent, ce fut la victoire, les villages les acclamaient, tout le monde parlait de libération, il y avait des drapeaux rouges.

Un jour, Petit Etang vit la première locomotive de sa vie, un monstre qui ressemblait à une énorme tête de ver, qui crachait avec impatience des paquets de vapeur et traînait derrière elle des boîtes où s'entassaient des gens.

L'école de Tientsin était dirigée par l'armée. Les soldats démobilisés devaient aider à la production mais d'abord ils devaient acquérir de l'instruction afin de devenir ouvriers d'usine ou cadres inférieurs. Ils devaient apprendre — du moins ceux qui n'étaient pas trop âgés.

Pendant les trois années suivantes, Petit Etang étudia comme une éponge absorbe l'eau et fit l'équivalent de quatre années d'école primaire.

L'école produisait sa propre nourriture, avait ses ateliers pour la réparation des outils agricoles, ses fosses à purin, ses maçons, ses tailleurs, ses cordonniers et ses charpentiers qui fabriquaient tous les bancs, les lits et les tables. Il y avait aussi des cardeurs de coton, qui confectionnaient les vestes matelassées pour l'hiver. Les professeurs et les élèves aidaient à abattre les taudis qui entouraient la zone portuaire. Pour y construire des maisons en briques grises où logeraient les futurs ouvriers des futures usines.

Petit Etang étudiait aussi la culture et la politique. Le marxisme-léninisme. Des brochures, des opuscules du Parti. Il étudia la musique et le chant. On lui fit lire un roman, qui le laissa perplexe. Il avait été écrit en Russie, le grand pays frère, et les noms étaient très longs. En toutes choses, il s'acharnait, de toutes les forces de son cœur puissant et de son corps chétif, à maîtriser les tâches qu'on lui donnait à accomplir.

Et puis un jour, il se retrouva avec quatre-vingt-dix-sept autres, choisis comme lui pour devenir membres du Parti, parce qu'ils s'étaient montrés zélés et durs à la tâche, disciplinés et capables d'autocritique. En tant qu'orphelin ayant grandi dans les taudis, il avait une excellente origine de classe, ce qui comptait aussi. Et son âme s'était nourrie d'amertume, à satiété, et cela aussi était un élément favorable.

Il leva le poing pour prêter serment ; ses yeux étaient brouillés de larmes. C'était le plus grand honneur, devenir membre du Parti... si seulement sa mère était vivante, si elle avait pu le voir maintenant ! Car les puissants de naguère rampaient à présent et les opprimés foulaient la terre en maîtres... *Ma, si tu pouvais voir ton fils !*

Sa vie avait un sens, un but. Il œuvrait à un projet cosmique dont il n'était qu'une part infinitésimale. Mais le grand, le sage, le glorieux Parti le savait et ne l'oublierait jamais. Car le Parti se souciait de lui et parce que lui, Petit Etang, comptait pour le Parti, il était quelqu'un, il existait.

Comme il avait une grande habileté manuelle, on le nomma responsable de l'atelier de réparations. L'atelier grandissait. Un ingénieur était venu de Shanghai avec des plans. Un jour, ce serait peut-être une usine. Qui fabriquerait des bicyclettes, ou même des moteurs et des générateurs.

Il avait une passion pour les outils qu'il maniait : il en serrait les vis, graissait les roulements à billes et se documentait sur cette chose magique, l'électricité. Un amour insatiable de la connaissance l'animait.

Petit Etang rêvait de machines. Il les voyait sur les affiches :

APPRENEZ GRACE AU SAVOIR IMMENSE DE L'UNION SOVIÉTIQUE !!!

CÉLÉBREZ L'ANNIVERSAIRE DE LA LUTTE DE L'HÉROÏQUE PEUPLE CORÉEN !!!

AUGMENTEZ LA PRODUCTION. TRAVAILLEZ À PLEIN RENDEMENT POUR UNE CHINE SOCIALISTE !!!

Les affiches. Elles montraient les nouvelles usines qui se construisaient dans la ville de Tientsin. Les cheminées qui fumaient. Les locomotives, les avions, les camions qui sortaient de ces usines en un flot ininterrompu. Des broches étincelantes, des métiers à tisser, où se fabriquait l'avenir radieux. Des vêtements pour tous !

Un grand autocar remontait en grondant l'avenue ; il transportait un groupe d'experts soviétiques. Petit Etang les regarda avec respect et admiration.

L'Union soviétique.

Grande, fraternelle, généreuse. Dont les livres étaient si savants que Petit Etang ne les comprenait pas.

Les Grands Frères se déplaçaient toujours collectivement, en autocar. Ils pouvaient être de six à vingt-cinq. Toujours ensemble.

Une équipe d'experts soviétiques était venue visiter l'école. Ils étaient neuf.

Pendant des semaines, l'école s'était préparée à les recevoir. Arcs de triomphe, banderoles en chinois et en russe ; la chorale avait répété ; l'orchestre avait déchiré l'air de sons aigus pour accorder les instruments.

Petit Etang avait travaillé, il avait scié, raboté, poncé du bois pour préparer l'estrade et les bancs pour ces hôtes extraordinaires.

Ils étaient arrivés. Tous les neuf, en un bloc compact.

Ils avaient écouté les discours, applaudi, fait le tour de l'école, et les membres du Parti qui s'empressaient autour d'eux paraissaient minuscules, comparés aux géants russes.

Ils mangeaient d'une façon prodigieuse. Toute la journée. Petit Etang n'oublierait jamais leur appétit. Cette absorption de nourriture avait été leur seule manifestation visible d'intérêt pour l'école.

Le petit déjeuner : quatre œufs chacun, puis du gâteau au chocolat ; ils avaient mangé chacun une livre de ce gâteau spécialement confectionné à leur intention dans l'ancienne pâtisserie allemande Kiesling rebaptisée magasin d'alimentation des Amis étrangers.

Deux bouteilles d'alcool chacun. Du lait. Du thé étranger, rouge et âcre. Trois livres de jambon. Trois de saucisses. Cinq livres de pain. De la confiture étrangère, cinq livres.

Jamais Petit Etang n'avait vu des hommes manger autant. Pas étonnant que les camarades soient si gros. Dans son esprit, bien manger, être gros, lourd, signifiait appartenir à la classe supérieure. Et voilà que la classe supérieure se confondait avec la supériorité dans tous les domaines. Le Grand Frère soviétique mangeait beaucoup parce qu'il était superman.

Pourtant, après leur départ, quand l'école retrouva son visage habituel, qu'ils eurent débarrassé les tables et discuté pour savoir comment utiliser les restes de nourriture, un sentiment de rancune silencieux, inexprimé, régna parmi les élèves.

Ils avaient tellement mangé. Ils avaient laissé des miettes sur leurs assiettes, alors que les miettes étaient si précieuses. On ne devait pas perdre un seul grain de riz.

Peut-être un jour, les Chinois mangeraient-ils autant, quatre œufs rien que pour le petit déjeuner avec du jambon, des saucisses et des gâteaux et des alcools et...

Par la suite, pendant des mois, le comité du Parti espéra que les Russes enverraient une lettre de remerciements. Et même, pourquoi pas, une machine pour leur petit atelier de réparations... qu'ils ne les oublieraient pas.

Ils n'avaient rien reçu. Rien. « Peut-être n'avions-nous pas fait assez », dirent les membres du comité, prêts à s'accuser. Ils avaient dû manquer de politesse envers le Grand Frère.

Par un après-midi de la fin juillet, quand les cigales frottent leurs ailes et que la chaleur plane au-dessus de la terre, Petit Etang et son ami Hsiao Wang sortirent pour faire la promenade rituelle de leur journée mensuelle de congé. Ils se rendirent d'abord au petit restaurant de pâtes, abrité par un auvent de nattes, que tenait la grosse Tante Lan. Elle leur servait toujours d'énormes bols de nouilles fumantes, lisses, parfumées aux épinards et aux herbes, qui vous glissaient dans le gosier comme du velours et allaient remplir tout l'espace entre vos côtes.

Quand ils eurent fini, ils rapportèrent les bols vides et les baguettes à Tante Lan, ajustèrent leurs casquettes tout en riant de ses plaisanteries polissonnes qui les faisaient rougir (elle était très portée sur les choses conjugales) et s'éloignèrent d'un pas nonchalant. Petit Etang et Hsiao Wang avaient décidé de ne pas se marier, bien qu'à présent, le mariage fût accessible même aux pauvres paysans et que les ouvriers fussent très recherchés. Il y avait tant de filles avec une mauvaise origine de classe qui essayaient d'épouser un homme d'une bonne origine de classe ! Mais tant que le socialisme ne serait pas solidement établi, Petit Etang et Hsiao Wang resteraient célibataires et consacreraient leurs forces à travailler pour leur pays.

Ils se dirigèrent vers les docks car ils aimaient le bruit de l'eau et le spectacle des bateaux. Ils avaient la nostalgie du Grand Fleuve, de ses jonques rousses et de ses eaux tourbillonnantes. Ici, à Tientsin, le fleuve n'était pas aussi beau qu'à Chungking. Ici le pays était plat et l'eau lente, molle, alourdie de vase. Les bateaux devaient se battre contre le limon visqueux pour s'arracher au rivage.

Tout le long de la route, des affiches bariolées leur adressaient des messages nouveaux, qui meublaient leur esprit comme on remplit une maison de meubles.

SUPPRIMONS L'ANALPHABÉTISME.

Sur une immense banderole tendue sur l'avenue toute neuve bordée de mimosas, des groupes d'enfants, filles et garçons au visage rayonnant et aux dents étincelantes, accueillaient un énorme livre auréolé par le soleil, leurs mains se tendaient vers lui.

« J'avais une sœur, dit Hsiao Wang, elle est morte de faim pendant la famine... »

Moi, j'aurais eu un frère, pensa Petit Etang. A quoi aurait-il ressemblé, ce petit frère ? Oh, il serait maintenant semblable à ces enfants aux joues de pomme d'api, à ces enfants heureux, qui n'étaient pas obligés de travailler, qu'on ne battait pas, dont les estomacs étaient bien remplis et la peau couverte, hiver comme été.

Ma aussi aurait des vêtements à présent, et de belles épingles pour ses cheveux. Les voisines diraient : « Grande Sœur Liang, ton fils a apporté l'honneur sur ta tête... »

Ma sourirait, de ce sourire doux qui relevait les coins de sa bouche. (Son cœur se serrait à cette vision. Aucune femme n'avait un sourire aussi merveilleux.) Il le guettait tout le temps quand il regardait les jeunes filles si libres, si insouciantes, qui marchaient dans les rues de Tientsin.

Des piles de caisses s'entassaient dans les docks et des hommes s'affairaient à les décharger. Des machines, des outils en provenance de Russie. Petit Etang et Hsiao Wang montrèrent leur laissez-passer au camarade policier, élégant dans son uniforme blanc et sa casquette ornée de l'étoile rouge.

Ils allèrent jusqu'à l'extrémité du quai et écoutèrent l'eau mordorée recracher la vase indigeste contre les pierres. Un navire était à quai, sa passerelle abaissée ; une petite foule se tenait devant.

« Des étrangers qui partent », dit Hsiao Wang.

Des valises, des sacs et des caisses en bois entouraient les étrangers, une cinquantaine environ qui attendaient de monter à bord. Dernier contrôle de la douane et de la police de la sécurité. Un à un, lentement, ils gravissaient la passerelle et leurs bagages étaient hissés derrière eux par le personnel portuaire. Un grillage serré isolait les étrangers et leur bateau du reste des docks.

Hsiao Wang et Petit Etang contemplaient la scène à travers le grillage.

Cet étranger si laid avec les lunettes. Un peu voûté. Il était penché sur une valise et s'efforçait de la refermer après l'inspection du douanier. Il portait un costume blanc tout froissé. Près de lui se tenait une femme aux cheveux grisonnants, vêtue d'une robe fripée de coton fleuri, décolorée par de nombreux lavages.

Taifu. Le docteur, Le docteur étranger qui l'avait conduit auprès de sa mère ce soir-là, à Chungking. Il était là, de l'autre côté du grillage.

« *Taifu ! Taifu !* »

Petit Etang était redevenu le jeune garçon qui allait voir sa Ma et s'inclinait bien bas dans le couloir devant l'étranger. « *Taifu !* »

David Eanes entendit les mots, l'accent, cet accent de Chungking, la ville où il avait passé la moitié de sa vie. Il se tourna, aperçut un jeune homme en veste kaki, aux pommettes saillantes, au nez large. Un visage de Szechuan. Il fit deux pas vers le grillage et dit : « Vous m'appelez ? »

Mais déjà l'agent de la Sécurité publique avait bondi. « Interdit, interdit, hurla-t-il. Reculez, reculez. » Puis il s'adressa d'un ton furieux à Petit Etang : « Qui êtes-vous ? Que faites-vous ici ? »

Petit Etang sortit sa carte. Il continuait de dévisager David Eanes. Le policier fronça les sourcils en lisant la carte. Il se radoucit.

« C'est interdit de parler à des étrangers. Vous devez partir immédiatement. C'est un manquement à la discipline que je suis obligé de signaler. » Il sortit son stylo et son carnet et releva le nom de Petit Etang et le numéro de son unité.

« Partons, partons. » Hsiao Wang tira Petit Etang par la manche et l'entraîna loin du grillage. « Ne te retourne pas », recommanda-t-il. Ils s'éloignèrent de l'eau visqueuse et la rumeur des navires s'éteignit. Ils se retrouvèrent dans une rue paisible, sous l'ombre maigre des jeunes arbres qu'écrasait le soleil brûlant de l'après-midi. Hsiao poussa un profond soupir. « *Aiyah,* Petit Etang, je dois te critiquer... Qui était ce démon étranger ?

— Un docteur... il a tenté de sauver ma mère... il a donné son sang pour elle...

— *Aiyah.* Qui voudrait du sang d'un étranger ? » dit Hsiao Wang, horrifié.

Chungking avait été libérée, sans violence, en décembre 1945. David et Jessica Eanes accueillirent avec joie le nouveau pouvoir. Ils participèrent aux défilés qui parcoururent les rues de la ville, ils aidèrent leurs collègues à ériger un arc de triomphe piqué de fleurs en papier à l'entrée de l'hôpital quand l'Armée de Libération fit son entrée.

Et puis, le 25 juin 1950, éclata la guerre de Corée.

Etant canadiens, les Eanes signèrent des pétitions contre l'agression américaine. Le comité directeur de leur mission protesta contre les bombardements de civils en Corée.

Mais en septembre 1951, les Eanes furent arrêtés. Et placés en résidence surveillée pendant un an. Au cours de cette année, ils subirent de nombreux interrogatoires. N'avaient-ils pas envoyé des messages-radio, pour révéler ce qui se passait à Chungking ?

Les mois s'écoulèrent. Les interrogatoires se firent plus pressants et se renouvelèrent tous les jours pendant plusieurs heures. La confiance des Eanes s'effrita. La peur et l'angoisse balayèrent tout autre sentiment. La peur, la lassitude et une folle inquiétude.

« Certains médecins et des infirmières ont écrit des rapports vous accusant d'avoir pratiqué des expériences sur des êtres humains », dit-on à David Eanes.

David fut stupéfait. « Ce n'est pas vrai. Je n'ai jamais fait une chose pareille... Ma religion considère que la vie humaine est sacrée. » Mais c'était là un argument sans valeur.

C'était un temps où les amis se retournaient contre les amis, où les collègues dénonçaient leurs collègues. La trahison fleurissait partout. Pour se sauver, les gens inventaient des choses les uns sur les autres. Cela se produisait tout le temps.

David Eanes pleura, amèrement, quand il apprit qu'un collègue l'avait accusé. « Le docteur Wing affirme que vous lui avez montré comment pratiquer de telles expériences... »

Jessica intervint : « Le docteur Wing pourrait-il donner des détails précis ? Sur qui, où et quand mon mari a fait des choses aussi horribles ? »

Les interrogateurs revenaient à la charge avec de nouvelles questions : Combien d'opérations le docteur Eanes avait-il pratiquées en vingt-cinq ans ? Pourquoi autant ? Combien de malades étaient morts après l'opération ? Pourquoi étaient-ils morts ? Qu'il en fasse une liste...

Et puis un jour, à l'automne de 1952, les interrogatoires cessèrent.

Ils apprirent qu'un Canadien influent, membre du Conseil de la paix, avait obtenu leur libération. Mais ils devaient partir.

Ils commencèrent à faire leurs bagages. Une liste en neuf exemplaires de chaque objet fut exigée. Déclaration de toutes les monnaies qu'ils emportaient. Avis de leur départ dans tous les journaux, un mois à l'avance. Paiement de toutes leurs dettes.

Cela leur prit quatre mois.

La veille du jour où ils quittèrent Chungking pour se rendre à Tientsin, seul port, à présent, par lequel les étrangers avaient le droit de sortir de Chine, ils reçurent la visite d'un homme à la tête ronde, accompagné de deux membres du comité du Parti responsable de l'hôpital.

L'homme avait des yeux enfoncés dans leurs orbites et portait un costume gris très propre.

« *Taifu*... me reconnaissez-vous ? »

David le regarda. Le visage lui était familier mais depuis quelque temps sa mémoire avait des défaillances.

L'homme prit un cendrier sur la table, courba les épaules, plia légèrement les genoux et s'avança d'un pas traînant.

« Vieux Wang, s'exclama David, vous êtes Vieux Wang. »

Vieux Wang, l'homme qui nettoyait les crachoirs et les bassins. C'était un cadre, à présent, et d'après son air assuré, chargé de responsabilités.

A la suite de la campagne pour éliminer les trois poisons, un million environ de cadres du Parti avaient été rétrogradés, envoyés à la campagne pour travailler, exclus ou critiqués.

Mais Vieux Wang faisait partie de ceux qui avaient été promus pour remplacer dans les villes ceux qui avaient succombé à la corruption.

« Les choses sont différentes, maintenant, *Taifu*. Notre pays a relevé la tête et personne ne nous insultera plus.

— Nous en sommes très heureux, dit Jessica.

— Nous n'oublierons jamais la gentillesse, la bonté que les Chinois ont eues pour nous », dit David.

Vieux Wang inclina la tête et partit.

Les Eanes gagnèrent Tientsin sans encombres.

Le bateau avait rejoint la haute mer ; les Eanes se tenaient côte à côte sous les étoiles, écoutant le monologue inlassable de la mer. Ils se sentaient à la fois soulagés et tristes. Car c'était leur jeunesse, le temps de leur vigueur, qu'ils laissaient derrière eux pour devenir les exilés dans leur propre pays.

« Je me creuse la tête pour essayer de retrouver le nom de ce jeune homme... Et je n'y arrive pas..., dit David.

— Mais lui s'est souvenu de toi, mon chéri, comme Vieux Wang », dit Jessica. Et ils éprouvèrent un grand réconfort.

« Merde à sa salope de mère », marmonna Hsu Construit-la-Cité tout en examinant ses cheveux ; il se tourna pour observer l'arrière de sa tête dans un miroir. Même un jeune homme verrait ses cheveux blanchir après de tels moments.

Hsu sentait encore en lui ce vide terrifiant, une onde de chair de poule se formait dans ses joues, descendait le long de son cou, jusqu'à la plante de ses pieds quand il pensait à ces semaines et à ces mois qu'avait duré la campagne contre les cinq et les trois poisons.

« C'est à cause des cauchemars », murmura Hsu en arrachant un cheveu ici et là. Les cauchemars. Ils avaient commencé quand il avait dû écrire sa biographie, soigneusement préparée par le général de brigade Tsing. Elle avait été vérifiée. Plusieurs fois. Certaines des personnes qu'il avait mentionnées n'avaient pas pu être retrouvées. Mais tant de membres du Parti avaient changé de nom, et d'identité...

Il lui arrivait encore de s'éveiller, couvert de sueur, en pensant à ces boîtes dans toutes les rues, chacune avec la fente par où les gens pouvaient glisser des lettres, des dénonciations, qu'on lirait, qu'on écouterait. On appelait ça « Etre à l'écoute de l'opinion des masses ».

Il transpirait car il savait que quand la personne accusée se confessait... elle disait des choses qui ne s'étaient pas vraiment passées mais auxquelles elle croyait en les décrivant. Ainsi, la Crystal Import-Export Co. avait été mentionnée et les gens qui avouaient avoir négocié des affaires pour la société avaient presque, presque, révélé qu'elle disposait de grandes quantités d'or, ce qui, évidemment, était on ne peut plus louche.

Mais ils n'avaient pas pu dire combien. Et c'était juste au moment où le Parti chantait les louanges des sympathisants qui avaient donné de l'or aux organisations communistes dans les moments difficiles.

Ce fut cette nuit-là que Hsu découvrit son premier cheveu blanc. Pendant des jours et des jours, le cœur battant à se rompre, il avait mangé, parlé, souri et son visage impassible n'avait rien montré. C'était à ça que servait un visage. A dissimuler, à offrir une *image*. A ne rien révéler.

On ne le surprenait jamais sans un livre à la main. Marx, Engels, Lénine, Staline, une brochure du président Mao.

Je suis en train de passer par le chas d'une aiguille, pensait Hsu. Heureusement, la camarade Lo l'avait soutenu. Seuls, quelques-uns de ses subordonnés lui avaient reproché un certain « commandisme ». (A la prochaine campagne politique, il aurait leur peau.)

La camarade Lo. Ce vieux tas de boue, cette Boule de Graisse lourdaude, comme il l'appelait en secret. Malgré ses années citadines, Lo avait gardé son visage hâlé, ses joues rougies par le vent de Yenan de chaque côté de son nez minuscule. Mais la camarade Lo s'apprêtait à partir pour Pékin et Hsu voulait y aller avec elle.

« Petit Hsu, avait-elle dit, mon Vieux Partenaire est de retour de Corée, il est maintenant à Pékin et l'Organisation vient de m'y muter. » Son Vieux Partenaire, c'est-à-dire Meng, son mari, était un membre important du Parti et du gouvernement. Un vétéran de l'armée. Mais, bien sûr, Lo le dépréciait toujours, comme elle faisait pour elle-même. « Nous ne sommes que des tas de boue, disait-elle en gloussant comme une gamine. Je ne suis qu'un stupide tas de boue... »

Tout le monde voulait être à Pékin. Pékin était le centre, le cœur, là se trouvaient le Comité central et le Conseil d'Etat. Pékin était devenu synonyme de sommet du Parti et tout ce qui évoluait autour de la « Direction » et du « Sommet » s'était fixé à Pékin.

Quiconque venait de Pékin ou montait à Pékin était tenu pour un privilégié, un cran au-dessus des simples cadres provinciaux.

Enchantée de la promotion de son mari, la camarade Lo jouait les modestes, les effarouchées. Elle affectait d'avoir peur. « Regardez-moi, stupide paysanne, et mon Vieux Partenaire, ce rude guerrier. Lui et moi avons mangé des racines de sorgho dans notre jeunesse. Nous n'avons pas reçu beaucoup d'instruction. Qu'allons-nous devenir dans la capitale ? Je suis sûre que je ferai des tas d'erreurs.

— Mère Lo, disait Hsu avec son sourire le plus charmant, le Parti a de bons yeux. Il sait choisir les gens bien, les intrépides qui forment la moelle épinière de la révolution.

— Oh, quel flatteur, s'écriait la camarade Lo en feignant la colère.

— Mère Lo, grâce à vous, notre équipe a fait du bon travail, nous avons chassé un grand nombre de contre-révolutionnaires. En fait, votre successeur n'aura pratiquement plus rien à faire. Si vous n'aviez pas été là pour nous guider, nous aurions commis un grand nombre d'erreurs. »

Il fallait qu'il amène Boule de Graisse à demander sa mutation à Pékin. Avec la position élevée de son mari, ça ne devrait pas être trop difficile.

Hsu joua son premier coup en insistant pour accompagner la camarade Lo à Pékin, afin de porter ses bagages et de veiller sur elle dans le train.

« Quand nous sommes descendus libérer le Sud, nous n'avions que l'autobus n° 11. » C'était là la plaisanterie préférée de la camarade Lo. L'autobus n° 11 désignait les deux jambes. « Je ne suis jamais montée dans un train de ma vie. Quant à l'avion, je crois que je mourrais de peur.

— Mère Lo, mon cœur ne sera en paix que si je suis à vos côtés pour m'assurer que vous ne manquez de rien pendant le voyage. »

La camarade Lo était une personne frugale et honnête. Elle n'avait jamais utilisé les fonds du Parti pour donner des banquets, elle n'avait jamais abusé des privilèges qui venaient si facilement, qui s'attachaient d'eux-mêmes, aurait-on dit, aux membres du Parti. Dans les queues chez le médecin, les membres du Parti d'abord. Dans les écoles, des soins meilleurs et des leçons supplémentaires pour leurs enfants. Des billets de train et des places de cinéma obtenues sans difficulté. Et de menus cadeaux. Des œufs, un poulet, un foulard. Et tant de services rendus gratuitement : réparation d'une fenêtre ou de la tuyauterie ; des légumes frais, des champignons parfumés venus du Sud en hiver. Mais la camarade Lo refusait fermement tous les cadeaux.

Ce qui la tourmentait, à présent, c'était que pour transporter sa vieille carcasse à Pékin, il fallut acheter deux billets de train au lieu d'un sur les fonds du Parti. Et comme elle était l'épouse d'un cadre élevé, l'administration des Transports lui avait attribué un billet grand confort, ce qui la gênait aussi.

« Je voyagerai à la dure, dit Hsu en souriant. Nous autres, les jeunes, devons nous tremper le caractère. Et je rembourserai le prix du billet sur mon salaire. »

Ce billet grand confort pesait sur la conscience de la camarade Lo comme un tas de pierres. Bien sûr, elle n'était plus jeune. Elle avait pas mal de bagages à porter car elle avait acheté quelques cadeaux pour son Vieux Partenaire, et pour son fils et sa fille.

D'autre part, le jeune Hsu méritait certainement quelques jours de congé. Il n'était même pas parti pour le Nouvel An. Selon sa biographie, il était orphelin. Son père était mort quand il avait sept ans. Il ne lui restait que des parents éloignés à Shanghai. Il avait passé le Nouvel An au bureau, à vérifier les fiches des suspects contre-révolutionnaires du district. Vraiment un jeune homme modèle. Et bien physiquement. Studieux. Parfois, elle pensait : Ne serait-ce pas une bonne chose s'il épousait Petite Perle ? Elle va avoir vingt-trois ans, elle est encore jeune, mais dans trois ou quatre ans...

Pourtant ce billet de train la faisait hésiter.

Hsu comprit qu'il devait agir. « Camarade Lo, dit-il d'un ton ferme, vous ne pouvez pas voyager seule. Vous n'êtes plus toute jeune et un voyage en train est extrêmement fatigant. »

A la gare de Pékin, le camarade Meng, corpulent, les cheveux gris, en chemise et pantalon de coton, un éventail noir à la main, se tenait sur le quai. Tout en lui révélait le militaire, depuis les cheveux courts coupés en brosse jusqu'à sa façon de poser ses pieds, chaussés de simples espadrilles, sur le sol. Hsu l'observa avec attention. L'homme n'était pas naïf, contrairement à Boule de Graisse.

A ses côtés se tenait une jeune fille rondelette, les cheveux nattés, en uniforme de l'armée.

La jeune fille se précipita. « Maman, maman », cria-t-elle et elle se jeta dans les bras de la camarade Lo. L'homme grisonnant souriait. Le sourire plissait les coins de ses yeux. La camarade Lo et lui ne se touchèrent pas. Elle dit : « Vieux Partenaire, comment vas-tu ? » Son visage rayonnait. Il rit et prit son sac. Cette réserve apparente dissimulait un amour profond, inaltérable.

Hsu déposa sur le quai le dernier des innombrables paquets et sacs que la camarade Lo avait emportés.

« Maintenant que vous voici bien arrivée, je vais repartir par le prochain train.

— Pourquoi vous presser ainsi ? demanda la camarade Lo.

— Venez au moins manger un peu. Le prochain train ne part pas avant minuit. » Elle se tourna vers son mari. « Le camarade Hsu s'est bien occupé de moi. » Hsu sentit le regard de Meng le passer au peigne fin.

Hsu protesta mollement et se laissa emmener. Une grosse voiture attendait. Car le mari de la camarade Lo était un membre très important du Parti et venir chercher sa femme à la gare faisait partie des cas où l'usage d'un véhicule officiel s'imposait.

« Une auto, dit la camarade Lo. Mais nous aurions pu marcher.

— L'Organisation y tenait », grommela son mari.

Hsu pensa : utilisation d'une voiture officielle pour venir chercher sa femme à la gare et il rangea ce détail dans sa mémoire pour un usage futur. Si une autre campagne de masse survenait, il pourrait s'en servir contre Meng.

La maison allouée à la famille était neuve. Elle avait de solides planchers et une salle de bains moderne. Il y avait deux grandes chambres et une salle de séjour. La camarade Lo était très contente. Sa fille, Petite Perle, pourrait avoir sa propre chambre. Quant à son fils, il dormirait dans la salle de séjour quand il viendrait à la maison. A Shanghai, elle avait appris à se servir d'une salle de bains moderne. Au début, elle ne savait même pas où elle devait chier, ou se laver le visage !

Pendant que sa femme et sa fille étaient dans la chambre et qu'un cuisinier préparait le repas, Meng commença à questionner Hsu.

C'était un inquisiteur serré, impitoyable. Hsu arborait un air modeste mais il sentait les petits yeux rapprochés du vieux vétéran le sonder, lui percer la peau. Pas de mollesse chez cet homme, pas de graisse ni sur le corps ni autour du cerveau.

Dans quel village était-il né ? Quand ? Que faisait son père ? Et sa mère ? Où était-il allé à l'école ? Combien d'années ? Le nom de ses maîtres ? Qu'avait-il fait quand les Japonais avaient pris Shanghai ? Quand avait-il rejoint le Parti ?

Ainsi de suite, minutieusement. Il dut refaire le chemin de toute sa vie, depuis le jour de sa naissance jusqu'à la façon dont son unité l'avait choisi pour accompagner Lo à Pékin. Vraiment ? Ç'avait été une décision collective de son unité ? (Seigneur, pensa Hsu, il faut que je demande à Chaste Sagesse de régler ça dès mon retour.)

Hsu commença à transpirer. Il avait l'impression que des morceaux de sa vie se décollaient, se détachaient et qu'il ne pouvait plus la reconstituer — cette « vie » que le général de brigade Tsing lui avait préparée, qu'il avait apprise par cœur et même copiée deux fois, et qui avait été acceptée. C'était à cause de la manière qu'avait Meng de faire une pause, ses mâchoires bougeant lentement, après chaque réponse de Hsu. Il laissait les mots s'enfoncer dans l'eau du silence puis il repêchait la réponse, la répétait comme s'il avait examiné une pierre.

La camarade Lo émergea enfin de la chambre. « Voyons, Vieux Partenaire, as-tu donné du thé au jeune Hsu ? Et des cacahuètes ? Oh comme tu es étourdi... mais nous allons maintenant prendre un vrai repas... »

Pendant tout le repas, le Vieux Partenaire Meng garda le silence. Mais ses yeux ne quittèrent pas les mains de Hsu, ses baguettes. Il l'observait. Il observait sa manière de porter la nourriture à sa bouche.

Finalement, Hsu prit congé. La nourriture avait été délicieuse mais elle pesait, insipide, sur son estomac.

« Vieux Partenaire, le gronda la camarade Lo, je te parle et tu n'écoutes pas. »

Ils étaient tous les deux couchés, oreiller contre oreiller. Un vieux couple, heureux d'être ensemble et acceptant l'autre tel qu'il était, sans restriction.

« J'écoute, dit son mari avec tendresse, mais je réfléchissais au sujet de ce type, Hsu.

— Eh bien ? C'est un bon jeune homme. Travailleur. Il a sucé l'amertume dans sa jeunesse... »

Le Vieux Partenaire soupira. A sa façon de manier ses baguettes, c'était évident pour lui que Hsu ne s'était pas nourri d'amertume. Mais il n'avait pas envie d'en discuter. Quand le niveau de l'eau baisse, les pierres apparaissent, pensait-il. Il fallait laisser le temps faire son œuvre et révéler ce qui était vrai et ce qui ne l'était pas.

« Je ne sais pas ce que je ferais sans lui, reprit Lo. Je pense qu'on devrait le faire venir ici pour m'aider. Les gens de Shanghai sont les plus intelligents et les plus astucieux et on en trouve à travers toute la Chine. Ils sont bien plus astucieux que nous autres, nordistes.

— Beaucoup plus », acquiesça Meng d'une voix apaisante. Quelque chose dans la voix de son mari irrita la camarade Lo. Mais elle ne pouvait pas lui parler de ses projets pour Petite Perle. « Vieux bêta, tu es trop soupçonneux », dit-elle tendrement.

Quand la semaine de permission qu'on lui avait accordée pour la venue de sa mère à Pékin s'acheva, Petite Perle prit le train pour retourner à son école des arts et métiers à Tientsin.

L'école avait un programme fondé sur l'alternance : une partie consacrée aux études, l'autre au travail ; elle formait des techniciens pour l'armée. Perle était fière d'avoir été choisie par l'Armée Populaire de Libération. Elle conduirait et réparerait des ambulances, des camions, peut-être même des tracteurs, si on l'affectait à un secteur agricole de l'armée.

Deux dimanches par mois, les étudiants des écoles et instituts de Tientsin allaient travailler à l'extérieur. La ville avait très peu d'espaces verts et la municipalité avait décidé de transformer un ancien quartier de taudis, tout imprégné de l'eau puante des égouts, en un parc avec plates-bandes, allées, pavillons, rocailles et lac artificiel. Des milliers de volontaires allaient travailler à ce projet ambitieux.

Perle creusait vaillamment, elle enfonçait sa bêche dans le fossé puant qu'il fallait vider de sa boue. Il n'y avait pas beaucoup d'eau mais il avait plu et la bêche était lourde. Elle sentait la fatigue dans ses bras, dans son dos, comme une brûlure dans ses muscles. Elle glissa et tomba dans le fossé.

« Là, prenez ma main. » Une main ferme puis deux bras puissants la soulevèrent et la hissèrent sur le rebord du fossé. « Ne bougez pas, je vais vous nettoyer. » Le jeune homme arracha des poignées d'herbe et lui essuya son pantalon, ses bottes, sa veste. Il se pencha pour récupérer la bêche au fond du fossé et la nettoya aussi. « Il faut aplanir le sol sur lequel vous vous tenez quand vous creusez », lui dit-il. Il tassa une petite plate-forme pour qu'elle y posât les pieds. Il maniait la bêche avec souplesse et eut vite rempli la corbeille de Perle puis la sienne ; il les suspendit à une palanche, qu'il plaça en travers de son épaule, et commença à gravir la pente. « Soufflez un peu avant de recommencer à travailler », lui cria-t-il.

Quand le temps de travail fut écoulé, ils remontèrent ensemble la pente. Perle dit timidement : « Vous êtes très fort, camarade.

— Mon nom est Liang, Liang Petit Etang. J'ai l'habitude du sol gras, dit-il, c'est comme l'endroit d'où je viens.

— J'ai compris à votre accent que vous étiez de Szechuan », dit Perle.

Il sourit. « Dans mon école, nous venons de tous les horizons. » Il ne lui demanda pas son nom et lui fit un bref signe de tête quand ils se séparèrent pour rejoindre leurs camions respectifs. Elle le regarda s'éloigner. Il boitait.

Perle pensa : Il a un visage carré, pas pointu. Elle préférait les visages carrés aux visages pointus.

19

Les maisons carrées de Pékin se cachent derrière des murs gris aveugles ; ainsi fermées au monde extérieur, elles sont entièrement tournées vers leur propre cour centrale. Chaque maison répète le plan, vieux de trois mille ans, de la CITÉ. Un assemblage de carrés murés, emboîtés les uns dans les autres et orientés selon les points cardinaux, le nord, le sud, l'est, l'ouest. La CITÉ est le symbole du cosmos, elle exprime l'équilibre et l'harmonie et chaque maison reproduit la cité.

A la Libération, en 1949, de nombreux étrangers partirent et leurs maisons restèrent vides. Le docteur Jen Yong, récemment nommé chirurgien en chef de la nouvelle unité chirurgicale du Nouvel Hôpital, choisit une petite demeure au numéro 31 de la *Hutung* (ruelle) du Mur jaune, pas très loin de l'ancienne douve bordée de saules qui longeait les remparts de la Cité impériale de Pékin. Ces enceintes avaient été abattues dans les années 20, pour construire des maisons. Seules deux séries de murailles subsistaient encore : les massifs remparts extérieurs en brique grise qui remontaient au XIVe siècle, si larges que deux attelages pouvaient avancer de front sur leurs sommets fortifiés et crénelés, et les murs rouges qui entouraient les palais de la dynastie des Ming, au cœur de Pékin, c'est-à-dire la Cité « intérieure », ou interdite.

La hutung du Mur jaune avait deux mètres de large. Aucune voiture ne pouvait s'y engager. Elle était typique de cet enchevêtrement d'entrailles de poulet que formaient les ruelles sinueuses, les impasses, les sentiers en terre battue, reliant les habitations aux rues et aux avenues pavées ou goudronnées qui quadrillaient la cité. Chaque hutung était une piste poudreuse que les orages d'été transformaient en mare de boue.

Trois marches de pierre conduisaient au portail peint en vermillon du numéro 31. Il était flanqué par des lions de pierre à la queue en panache, dressés sur des piédestaux de pierre de trente centimètres de hauteur.

Yong avait choisi cette maison surtout pour le jardin de sa cour intérieure — Stéphanie adorait jardiner... Il y avait deux lilas, un arbre de Judée, quelques rangées de genévriers, de phlox et de dahlias, un forsythia et un pêcher aux branches largement déployées. La grande salle de séjour-salon était orientée plein sud. A l'ouest ouvrait la chambre à coucher et à l'est la salle à manger. Dans les coins formés par ces pièces, étaient nichées une salle de bains moderne, un cabinet et des pièces plus petites, séparées par des paravents de bois sculpté. Derrière la cuisine (où trônaient une cuisinière en fonte importée d'Europe au début du siècle et une glacière) une autre petite cour pavée conduisait à une porte de service pour les domestiques. Deux chambres pour ceux-ci, l'une près du portail, l'autre près de la cuisine, s'inséraient dans cet ensemble sans déranger l'harmonie de son carré. Une véranda pavée faisait le tour de la cour et arborait de superbes poutres peintes et des piliers rouge vif.

La maison avait appartenu à un savant allemand amoureux de la culture chinoise. Il était mort très peu de temps après son retour dans son pays natal, où il se sentait un étranger après tant d'années d'absence. Avant de partir, il avait fait repeindre la maison et refaire les tuiles du toit, laissant comme un parfum d'affection flotter dans les pièces.

Yong attendait l'opinion de Stéphanie sur la maison avec un sentiment voisin de la panique. L'aimerait-elle ou sa réaction serait-elle de pure politesse, avec cet enjouement qui le torturait, car c'était presque un mensonge ? Il voulait qu'elle redevienne cet être franc et joyeux dont il était tombé amoureux. Lui ne pouvait pas se permettre — écrasé sous le poids de la tradition — d'être aussi totalement sincère qu'elle. Mais c'était justement pour ça qu'il l'aimait, pour cette franchise presque brutale.

Laisse-moi les plans et les calculs, les dérobades et les compromis, afin que ton chemin soit dégagé, pensait-il. Mais *toi*, reste telle que tu es, mon amour.

« Oh, elle est superbe ! s'exclama Stéphanie. Comment as-tu fait pour la trouver ? »

Elle se tenait dans la cour, aussi droite qu'un rayon de soleil, sans chercher à dissimuler son plaisir. Et Yong se réjouit de la joie de Stéphanie.

Il entendit une voix frémissante (la sienne) dire : « La tuyauterie est en bon état mais l'électricité ne marche pas. »

Stéphanie se dirigea vers le pêcher et regarda les branches.

L'arbre avait fini de donner ses fruits et préparait ses feuilles pour l'automne. « Celui qui a conçu cette maison devait être quelqu'un d'extraordinaire, déclara Stéphanie. Je me sens bien rien qu'à la regarder.

— Le cuisinier... », dit Yong, soucieux de dénigrer les choses afin de se concilier le Destin, toujours envieux devant un trop grand bonheur humain.

« Oui... ? » Stéphanie sourit au cuisinier.

Au service du savant allemand depuis vingt-cinq ans, il était resté pour veiller sur la maison. Il se tenait derrière Yong et regardait Stéphanie d'un air ravi.

« Il ne sait faire que la cuisine allemande. Il réussit très bien les crêpes aux pommes de terre... »

Stéphanie éclata de rire. Elle rit jusqu'à en avoir mal aux côtes. Rire libérateur qui abolissait momentanément tous les doutes, les chagrins, les inquiétudes, les tensions. Momentanément.

Cette nuit-là, ils firent l'amour dans le grand lit, seul meuble laissé par le savant allemand. Et leur amour fut joyeux et insouciant, spontané et sans calcul comme cela devait être.

Ils dormirent et s'éveillèrent au matin et la maison s'anima et se mit en frais pour plaire à Stéphanie.

Alors Stéphanie comprit que pour faire revenir cette chose qui s'était évanouie — cette magie qui les liait, Yong et elle — elle devait en faire sa maison à elle, à elle et à Yong. A part de la Famille. Rien qu'eux deux.

En cette merveilleuse fin d'automne qu'embrumaient les pluies de l'arrière-saison, Stéphanie commença à meubler la maison.

Elle n'avait rien voulu prendre du Jardin du Bassin au Saule, bien que Mère eût proposé de lui envoyer une partie du mobilier. En plus, il y avait tellement de magasins à Pékin où l'on trouvait des meubles Ming authentiques, ou authentiquement faux, ou encore les productions plus richement décorées de la dynastie Manchu qui avait succédé aux raffinés Ming. Avec cette honnêteté nouvelle, qu'ils pratiquaient d'autant plus aisément que mentir était inutile, puisque les prix étaient fixés, les directeurs de ces magasins disaient à Stéphanie : « Ceci est une véritable copie fabriquée il y a quatre-vingts ans, d'une chaise datant de cinq cents ans... » Acheter des meubles devint pour elle une leçon d'histoire, une plongée dans les siècles, une aventure passionnante.

« Utilisez le passé pour servir le présent », avait recommandé Mao Tsetung. Le gouvernement s'était donné pour tâche de conserver le passé. Jamais un régime, depuis le XVIIIe siècle, n'avait fait autant pour rénover, restaurer, entretenir et préserver les trésors nationaux de toutes sortes. On déracinait les arbres qui avaient poussé à travers les toits du Palais impérial, on transformait les palais Ming abandonnés en musées, on restaurait des fresques bouddhiques, datant du XIVe au

IIIe siècle avant Jésus-Christ, qui se trouvaient dans des grottes le long de la Route de la Soie. On encourageait les fouilles archéologiques. On empêchait le pillage des bronzes, jades et porcelaines anciens et leur transfert hors de Chine.

Mais d'autres voix s'élevaient avec force. Celles de gens qui avaient toute leur vie associé cette quête de la beauté avec leur propre exploitation. Celles de ceux qui disaient que pour faire la révolution, il fallait supprimer toute cette « beauté » qui n'était qu'une valeur réactionnaire bourgeoise. Dans de nombreux comités du Parti, on fulminait contre ceux qui « n'aimaient que les choses anciennes, féodales et réactionnaires... ». On dénonçait les esthètes et leur idolâtrie du « mode de vie bourgeois ». Pour construire une « splendide culture moderne », il n'y avait qu'un modèle, l'Union soviétique.

Indifférente à ce conflit d'idées sur la moralité politique de l'esthétisme, Stéphanie poursuivait obstinément sa chasse à la beauté ; et Yong s'abstint de lui dire que si une nouvelle campagne de masse survenait, la possession de tels trésors du passé pourrait bien être considérée comme un crime.

Stéphanie acheta des tabatières, des statuettes en ivoire, de la porcelaine, des tapis anciens, des chaises, des tables, des commodes Ming authentiques. Elle parlait avec les marchands et apprenait l'histoire de chaque objet, la passion qu'il avait inspirée à ses propriétaires successifs, à travers les siècles, la vénération dont ils l'avaient entouré. L'acte d'acheter devenait pour Stéphanie un hommage à une tradition préservée, même si le vieux monde qui l'avait portée avait craqué et gisait en fragments comme un bâton de sucre d'orge écrasé.

Stéphanie, pleine de ce nouveau bonheur, avait l'impression qu'un miracle était possible en Chine. Le pays passerait sans trop de dégâts d'un univers de pénurie à un monde d'abondance et saurait conserver l'élément le plus précieux de son passé. Mais dans sa frénésie d'acheter, elle ne s'attardait pas à réfléchir qu'elle-même essayait d'accomplir ce miracle — dans sa vie, du moins, et dans celle de Yong — par l'acquisition de biens, de richesses... ces symboles familiers de la sécurité qui faisaient partie de son éducation.

Yong succomba lui aussi au charme de Pékin.

Les librairies étaient des cavernes d'Ali Baba. Entassés dans la pénombre de recoins poussiéreux, empilés dans des arrière-boutiques, des centaines de milliers de vieux livres. Les vieux érudits y côtoyaient de jeunes ouvriers hier encore analphabètes. Ils se pressaient devant les rayonnages, fouillaient dans les coins, avides de lire, d'acheter. Cinq, six, dix siècles de livres issus de bibliothèques privées. Yong retournait de ses razzias dans les librairies les bras chargés, les poches pleines — trésors du XVIe ou du XVIIe siècle, imprimés sur la planche en bois, dont se débarrassaient les familles qui vendaient leur bibliothèque au poids du papier, par peur d'être classées capitalistes.

Dans son travail, Yong devait affronter de nouveaux défis. Des problèmes que la guerre de Corée avaient rendus plus urgents. Des plaies nouvelles : brûlures par le napalm, chairs déchiquetées par les balles. Les soins apportés aux soldats blessés des troupes du Kuomintang avaient été très limités ; l'Armée de libération populaire, au contraire, prenait le plus grand soin de ses blessés. Et à présent, il fallait s'occuper des ouvriers. Une restructuration totale des hôpitaux, de la chirurgie, s'avérait indispensable. Yong et ses collègues allaient devoir se spécialiser car les techniques opératoires devenaient de plus en plus complexes. Yong participait aux travaux de recherche en microchirurgie, pour la réimplantation de membres, de mains ou de doigts sectionnés — domaine particulièrement important dans la nouvelle Chine, car la perte d'un ouvrier à cause d'une mutilation était insupportable. Le pays ne pouvait pas se permettre un tel gaspillage. On attendait beaucoup de l'amélioration des techniques dans cette branche de la chirurgie.

D'autres collègues de Yong se tourneraient vers d'autres spécialités. Les brûlures, les greffes de peau... il y avait tant à faire, et ils étaient si peu nombreux. On se plongerait dans la science médicale chinoise ancienne ou peu connue, pour trouver de vieilles techniques qui pourraient retrouver une utilité dans le présent. Tout dans le passé de la Chine devait être vérifié, passé au crible, pour n'en garder que le bon, qui permettrait peut-être à la création et à la découverte de faire de nouveaux bonds en avant.

Le Bureau de traduction des Editions en langues étrangères demanda à Stéphanie sa collaboration et elle devint donc un « expert étranger ».

A ce titre, elle touchait un salaire énorme — cinq fois celui de Yong — qui ne lui était d'aucune utilité, et avait droit à de nombreux privilèges — dont elle n'avait que faire car Yong ne pouvait pas les partager. Ainsi, elle bénéficiait d'un mois de vacances au bord de la mer en été mais Yong, en tant que Chinois, n'était pas inclus dans le séjour.

« Tout cela parce que les Chinois sont persuadés qu'aucun étranger ne peut ou ne veut supporter leur niveau de vie, écrivait-elle dans son journal. Alors, ils s'efforcent de nous procurer les luxes qu'ils s'interdisent mais qu'ils s'imaginent indispensables aux Occidentaux. »

Mais tout en écrivant ces lignes, elle se demanda si ce n'était pas aussi une autre façon de faire savoir aux étrangers que si « utiles » qu'ils puissent être, ils resteraient toujours *étrangers*.

Ils venaient nombreux au numéro 31. Des amis. Beaucoup d'amis.

Sa Fei suivie de son mari Liu Ming, toujours aussi épris. Sa Fei, à présent vice-présidente de l'Union des écrivains et de la Fédération de l'art et de la littérature, et pourtant très critique envers les méthodes pesamment bureaucratiques de la fédération. « Chaque écrivain est aussi un fonctionnaire de l'Etat. Comme dans les dynasties impériales où chaque poète devenait un mandarin. Nous n'avons absolument aucune tradition d'une intelligentsia individualiste et autonome », se lamentait-elle.

Liu Ming ne se souciait guère d'idéologie. Il écrivait sur ce qu'il connaissait le mieux, les villages, parlait peu, souriait, et aimait Sa Fei.

Quelques collègues de Yong venaient aussi au n° 31. Des médecins, des scientifiques, des chercheurs ; eux aussi se sentaient brimés par les comités, les innombrables comités du Parti, qui étaient tous censés « guider » leur travail.

« Ils ne comprennent rien à la science, et toute notion de recherche scientifique dépasse leurs capacités intellectuelles », dit un scientifique avec agacement.

Parfois la véhémence des discussions rendait l'atmosphère orageuse. Sur la recherche fondamentale. Le Premier ministre Chou Enlai était à fond pour et les scientifiques prononçaient son nom avec respect. « Mais beaucoup de membres du Parti n'ont ni sa culture ni son intuition », disaient-ils.

Il arrivait qu'un invité, incapable de décrire en chinois quelque processus technique, parce que les mots n'avaient pas encore été inventés, se tournât vers Stéphanie, l' « expert en langues ».

« Madame Jen, que serait l'équivalent chinois de quark ou de méson ? » Ils la taquinaient gentiment : ils composaient des calembours et des charades et la mettaient au défi de les traduire.

Yee Meiling vint aussi au numéro 31. En tant que vice-directeur du ministère de la Santé, elle faisait de fréquents voyages dans les pays d'Europe de l'Est... Un soir, elle invita Stéphanie et Yong à dîner chez son père, le général Yee.

Le général Yee occupait une somptueuse résidence « à quatre cours », avec des piliers carmin et une balustrade en marbre qui courait le long de la véranda. Cette splendeur convenait à son rang, celui d'un ministre non communiste, membre d'une douzaine de comités et dirigeant d'un des huit partis non communistes qui s'étaient regroupés dans la Ligue démocratique et avaient maintenant des sièges à l'Assemblée nationale. Le rôle de ces partis consistait en une critique modérée des erreurs communistes, en aucun cas en une opposition ou un défi au pouvoir du Parti. Ce qui rendait leur statut de « partis politiques » assez ambigu.

Le général Yee parla des grandes réalisations du nouveau gouvernement. Et offrit à ses invités un repas superbe. « Mon père a l'un des meilleurs cuisiniers de Pékin », dit Meiling. Non seulement le cuisinier était excellent mais il siégeait aussi à l'Assemblée nationale ; c'est donc en voiture officielle qu'il arriva pour préparer le repas du général Yee.

L'un des invités, ce soir-là, en plus de Sung Weichang, le mari de Meiling qui garda un silence morose pendant tout le repas, était le père du jeune homme, Vieux Sung, l'ancien serveur de l'Hôtel de la Presse.

« Vieux Sung ! » s'exclama Stéphanie avec un éclair de son ancienne spontanéité. Elle se retint juste à temps de l'embrasser et se contenta de lui donner une chaude poignée de main.

Sung leva son verre à deux mains en hommage à Stéphanie et leur sourit, à Yong et à elle, d'un air affectueux. Il dirigeait à présent l'Hôtel de l'Amitié, un ensemble de bâtiments à cinq étages d'aspect grandiose, dans lesquels étaient logés les experts et conseillers techniques russes et est-européens, quelque deux mille en tout. C'était là aussi que résidaient les membres des partis communistes de l'Europe de l'Ouest.

« Il parla des difficultés pour fournir assez de lait, de fromage, de yaourt et de crème aigre aux Russes. « Ils mangent des choses que nous ne mangeons pas », dit-il. Le nom même de *fromage,* Stéphanie le savait bien, faisait pâlir Yong. De nombreux Chinois partageaient cette réaction. De temps en temps, Stéphanie avait une envie irrépressible de boire un verre de lait frais, bien glacé. Elle se livrait à ce petit vice quand elle était seule à la maison. Trésor d'Hiver refusait de boire du lait de vache. « Ça sent mauvais », disait-il en tordant comiquement le nez.

Mais s'il arrivait à Yong et à Stéphanie de sortir, elle préférait tenir « maison ouverte » au numéro 31, ravie que sa maison devînt le rendez-vous des intellectuels pékinois.

Hsiao Lu, le poète candide qu'elle avait rencontré chez les Eanes, à Chungking, passait les voir de temps en temps et les amusait beaucoup. Il était resté un être sans attaches, rêvant de parcourir la Chine entière à dos d'âne. « Je ne suis pas fait pour le fonctionnariat. » Comme Sa Fei, il trouvait Pékin trop bureaucratique, trop étouffant et partageait son opinion sur la transformation du Parti en un nouveau mandarinat. « Je veux être aussi insaisissable que la brise de l'aube, loin de l'œil vigilant d'un camarade toujours prêt à regarder de travers mon âme et ses effusions. »

Le père de Hsiao Lu, l'ancien seigneur de la guerre, était fort occupé, à présent, à critiquer les anciennes habitudes, y compris sa propre dépendance de fumeur d'opium. « Il essaie toujours de faire mieux que moi, soupirait Hsiao Lu. Et il y arrive, même aujourd'hui. »

Arthur et Millie Chee étaient venus d'Amérique au début de 1955, à la suite de l'appel vibrant lancé par Chou Enlai à tous les intellectuels chinois vivant à l'étranger, de revenir dans leur pays pour le servir. Un soir, ils se présentèrent au numéro 31, apportant avec eux la bruyante exubérance américaine dont leur corps et leur esprit chinois étaient imprégnés. Ils racontèrent à Stéphanie les difficultés qu'ils avaient rencontrées pour sortir des Etats-Unis. Depuis 1952, seuls une douzaine d'intellectuels chinois avaient réussi à éluder la surveillance stricte qui entourait quiconque était soupçonné de vouloir se rendre en Chine « rouge ». Joseph McCarthy se trouvait alors au sommet de son pouvoir.

Les Chee avaient pu partir, ostensiblement pour des vacances au Brésil. Du Brésil, ils s'étaient embarqués pour la Suède, pays qui avait reconnu la République populaire ; en Suède, l'ambassade chinoise les avait pris en charge et, par le Transsibérien, les avait fait revenir au pays de leurs ancêtres.

Arthur et Millie étaient radieux. Leurs yeux étincelaient d'enthousiasme. Ils avaient été royalement traités — juste quelques leçons de rééducation politique. « Nous aimerions aller dans l'arrière-pays et fonder un centre d'épidémiologie... »

D'autres Chinois de l'extérieur vinrent chez les Jen. Un couple adorable de Néo-Zélandais qui s'étaient enfuis de leur famille pour retourner en Chine. Un ingénieur canadien. Deux choses les caractérisaient tous : leur amour pour la Chine, aussi visible que les défenses d'un éléphant, et la conscience nette qu'ils avaient que les Chinois de Chine ne leur faisaient pas confiance ; qu'en étant de l' « extérieur » ils avaient des habitudes, des façons de penser différentes. « A chaque campagne, nous sommes les cibles de la critique », expliquaient-ils. Mais ils gardaient le moral et s'accrochaient de toute leur âme à leur amour pour le pays de leurs ancêtres.

La maison était toujours pleine de gens, de rires, de discussions. « Le pas de votre porte n'est jamais froid », disait Mère Huang, ravie. Mère Huang était la nouvelle cuisinière. Le cuisinier aux spécialités allemandes avait été embauché par une ambassade occidentale qui appréciait probablement ses gâteaux de pommes de terre. Mère Huang avait été recommandée par le comité de rue et régnait à présent sur les fourneaux ; elle préparait de la bonne cuisine du Nord, généreusement parfumée d'ail, et des nouilles extraordinaires. Elle avait fait venir une nièce pour faire le ménage et la lessive. Rien ne plaisait davantage à Mère Huang qu'un « seuil chaud » et de l' « air brûlant et plein de bruit », c'est-à-dire une réception avec beaucoup d'invités. Elle venait à la porte du salon, jetait un coup d'œil de propriétaire puis décidait combien de plats supplémentaires elle allait préparer.

Le second livre de Stéphanie, publié par Zimmerman, avait été victime de la fureur mccarthyste et avait sombré sous les insultes bruyantes de la plupart des grands journaux. Le comportement fantasque du public américain avait étonné Stéphanie. Comme il se laissait facilement retourner par des critiques, eux-mêmes poussés par la peur !

Yong acheta une longue table étroite sur laquelle il disposa des photos : de Stéphanie, de leur mariage à Yenan, de ses parents, des parents de Stéphanie, de Jimmy, de Trésor d'Hiver. Il agrandit celles que Jimmy avait prises au ranch — dont une où Stéphanie riait, ses cheveux soulevés par le vent, avec derrière elle, des chevaux qui galopaient dans une prairie émeraude. C'était sa préférée. Il gardait l'original sur lui, dans une poche de sa veste, et ne s'en séparait jamais.

L'hiver. Les matins opaques quand le brouillard blanc emplissait la cour, ouatait le toit. Le bruit des balais. Chaque propriétaire était chargé de la propreté de la partie de hutung qui s'étendait devant son portail et ses murs.

Yong partait pour l'hôpital à six heures, l'allure juvénile dans sa veste et sa casquette bleues, semblable à un banal ouvrier tandis qu'il courait pour attraper l'autobus n° 14 qui s'arrêtait sur l'avenue au bout de leur hutung.

Le facteur. « Notre ami vêtu de vert arrive », annonçait Mère Huang. Les mains sur son tablier, elle regardait le camarade facteur poser sa bicyclette sous l'auvent, traverser la cour et venir remettre le courrier à Stéphanie. Stéphanie l'invitait toujours à entrer et à s'asseoir. Mère Huang lui apportait une tasse d'eau chaude. Il refusait de boire du thé car c'eût été de la corruption. Il se tenait gauchement assis au bord de la chaise, respectueux et dévoré de curiosité.

Stéphanie inspectait les enveloppes. Beaucoup de lettres pour Yong. Quelques-unes pour elle. Avec la fin de la guerre de Corée, le service postal entre les Etats-Unis et la Chine fonctionnait à nouveau. Elle savait que le facteur aimait bien savoir d'où venaient les lettres, alors elle en prenait une et disait : « Ah, en voici une de ma mère.

— Votre honorée vieille dame... disait le facteur, tout en buvant bruyamment son eau, comment se porte son vieux corps honoré ? »

Stéphanie décachetait la lettre, jetait un coup d'œil à l'écriture calligraphiée : « Elle est en bonne santé... elle écrit une longue lettre... »

Stéphanie lui donnait les timbres. Le fils du facteur collectionnait les timbres étrangers. Comme Jimmy jadis.

Isabelle écrivait à sa fille tous les quinze jours. Une énergie toute neuve lui était venue depuis la légère crise cardiaque qui avait frappé Heston à la fin de l'automne 1953. Une crise cardiaque, dix-huit mois après la mort de Jimmy. Les lettres d'Isabelle n'étaient qu'un long commentaire sur la mauvaise santé de Heston.

« Ton père est très affecté par la mort de Jimmy, écrivait-elle. Il a pleuré son fils discrètement, en essayant de ne pas montrer son chagrin. Nous fermons la grande maison... Ton père parle d'en faire don à la ville... »

« Il ne pourra plus travailler aussi dur qu'auparavant ; les médecins le lui interdisent. Je vais l'emmener passer quelque temps en Europe... »

Elle était responsable à présent. Responsable de Heston Ryder, le créateur, le bâtisseur. Papa ! Stéphanie sentait une grande vague d'amour pour son père l'envahir, mêlée à du ressentiment devant le bonheur évident que l'état diminué de son mari inspirait à Isabelle. Bien qu'il eût semblé ne pas aimer Jimmy, il lui avait été profondément attaché. Il s'était lui-même pris au piège par l'intensité de son amour, le caractère absolu de ses sentiments. Il aimait et n'en laissait rien paraître. Il avait aimé Stéphanie et elle était partie, et puis Jimmy était mort.

Isabelle. Que son mari eût besoin d'elle lui redonnait de l'énergie... Alors, les paroles de Veuve étaient-elles vraies ? Fondait-on sa propre force sur la faiblesse de l'être aimé ? « Elle s'est nourrie de mon chagrin », avait dit Veuve à propos de Mère...

Les lettres de son père. Son écriture avait changé. Il y avait quelque chose de plus appliqué, de plus laborieux, moins assuré et moins impétueux dans ses brèves missives. Stéphanie les conservait parfois sur elle toute une journée avant de les ranger dans le tiroir où elle gardait ses papiers, son journal et les lettres de sa famille.

« Stéphanie, tu sembles heureuse. Je suis content que tu n'aies pas de problèmes. Moi je vais tout à fait bien, je suis juste un peu fatigué... »

« Notre Grande Gueule nationale le devient un peu trop à mon goût... Je suis tout à fait d'accord pour protéger l'Amérique — le système de gouvernement, la liberté que nous avons sont uniques au monde, et trop précieux pour qu'on leur fasse courir des risques... mais il y a des limites à observer... il devient vraiment encombrant... »

Aveu de taille de la part de son père. McCarthy ne le fascinait plus. Elle montra la lettre à Yong.

« J'ai toujours pensé que ton père était un homme de bon sens, dit Yong. Un jour, il nous sera très utile... »

— Utile ? Que veux-tu dire ?

— Je veux dire que la Chine aura besoin de ce qu'il y a de meilleur dans tous les domaines de la technologie. Et ton père est un homme perspicace, qui voit loin... il comprendra, un jour... »

Utile. Le père de Yong avait dit : « Oh, rien ne peut arriver à Oncle Keng. Keng Dawei est *utile...* »

Elle se sentait mal à l'aise quand Yong utilisait de tels mots. Comme si les gens se mesuraient, se jaugeaient par leur utilité, comme si les nations ne pensaient qu'en fonction de leurs intérêts propres. Mais l'Amérique ne défendait-elle pas ses intérêts nationaux, réels ou imaginaires ? Peut-être Yong avait-il raison, après tout...

« Mais que fais-tu de l'idéologie ? Des croyances, des convictions ? J'entends chaque jour chanter les louanges de l'U.R.S.S. De son aide technique désintéressée, de la haute technologie qu'elle apporte à la Chine.

— Nous devons pencher de leur côté, dit Yong. Après tout, Staline nous a vraiment aidés... même s'il nous a fait payer cette aide... Rappelle-toi ce que Mao et Chou Enlai ont dit à John Service en 1945 ! Seule l'Amérique peut vraiment aider la transformation de la Chine.

— Je sais, tu as toujours pensé que papa viendrait un jour ici et serrerait la main de Mao Tsetung, dit Stéphanie en riant.

— Je le pense encore, Stéphanie, je *travaille* avec des chirurgiens russes. Ils sont bons mais nous sommes tout aussi avancés qu'eux. J'ai appris de meilleures techniques auprès de chirurgiens formés en Occident et je les ai vues appliquées aux Etats-Unis. Je pense qu'un jour, l'Amérique pourra nous aider en technologie. Et elle aura aussi besoin de nous. » Il parlait avec une telle assurance que Stéphanie fut ébranlée.

Comment l'Amérique pourrait-elle avoir besoin de la Chine ? Son patriotisme chauvin de Texane se rebellait à l'idée que l'Amérique pût avoir besoin de quelqu'un.

« De quelle façon ? demanda-t-elle d'une voix plus sèche qu'elle ne l'aurait voulu.

— Seules l'Amérique et la Chine, ensemble, peuvent assurer la paix, soupira Yong, sensible à sa réaction de défense. Sinon le monde sera toujours instable. »

Dans ses lettres à son père, Stéphanie essayait de lui dépeindre l'état d'esprit de la Chine ; elle lui décrivait le grand élan constructeur qui animait tout le pays. Partout des usines, des logements pour les ouvriers, de nouvelles écoles, des hôpitaux. Tous les jours quelque chose était accompli ; l'apathie, le sentiment d'impuissance avaient disparu.

« Il y a beaucoup d'enthousiasme parce qu'on réalise des choses qui n'avaient jamais été tentées auparavant », écrivait-elle. Si Yong avait raison, cela devrait intéresser son père, malgré son anticommunisme.

Elle essayait d'égayer Heston par des descriptions de Pékin : « C'est une ville merveilleuse, bien que le temps y soit souvent détestable. A part cinq semaines en automne, le climat est très éprouvant. De décembre à mars, souffle un vent glacial. " Les murs parlent avec le vent ", disent les enfants pour décrire les gémissements et les sifflements rauques que produit la poussière projetée en permanence contre les pierres. Et puis, soudain, se produit une trêve, quelques jours de ciel céruléen, mais selon ma cuisinière, cette clémence annonce un désastre futur. “ Le froid noir va arriver, le sol sera aussi dur que la fonte, la prochaine récolte maigre et nous nous serrerons la ceinture. ” »

Stéphanie écrivit aussi à tous ses amis, au professeur Moslyn à Radcliffe. A Camilla Waring. Mais cette dernière lettre lui fut renvoyée. « Son comité de rue devrait connaître sa nouvelle adresse », dit le facteur quand il la rapporta à Stéphanie.

« Les comités de rue n'existent pas en Amérique, camarade facteur. »

Elle écrivit à nouveau au professeur Moslyn pour lui demander les coordonnées de Camilla. « Je n'ai pas eu de nouvelles d'elle depuis un an, répondit Moslyn. Son mari, ses enfants et elle sont partis de la ville il y a environ deux ans ; j'ai reçu une carte de Noël et depuis, plus rien. »

Cette lettre rendit Stéphanie songeuse, elle y sentait une imprécision délibérée qui la troublait profondément sans qu'elle puisse mettre le doigt sur la cause.

Trois jours avant Noël, Yong et Stéphanie retournèrent à Shanghai fêter leur dixième anniversaire de mariage et les six ans de Trésor d'Hiver.

A la gare, Trésor d'Hiver courait le long du train qui ralentissait, en essayant de voir dans les compartiments. Stéphanie fut incapable d'attendre. Elle sauta du train encore en marche et vit Trésor s'arrêter, se figer une seconde, puis se précipiter dans ses bras.

« J'ai pensé à toi tous les jours, maman, dit-il avec ce sérieux qu'elle aimait et redoutait à la fois. Et à *Tietie.* » Il leva des yeux brillants vers Yong et il n'eut pas d'hésitation. Il les acceptait tous les deux. Alors Stéphanie se dit qu'elle avait été idiote, une fois de plus, de penser qu'il avait marqué une pause, une réticence fugitive, en la voyant. Il lui prit la main et elle se sentit la plus comblée des femmes.

Père et Mère étaient là aussi. Ils n'avaient pas vieilli, ne s'étaient pas retirés dans ce repliement sur elles-mêmes des personnes âgées.

Alors commencèrent des jours heureux dans le climat plus clément de Shanghai, sans poussière ni vent glacial, où le froid se maintenait raisonnablement autour de zéro au lieu des vingt degrés en dessous à Pékin. Avec de longues et sérieuses discussions entre Mère et elle à propos de sa peau. Mère lui donnant une recette de crème spéciale, à base d'amandes, pour la protéger. Mère soucieuse que Stéphanie garde sa beauté : « Oh, chère fille, la poussière de Pékin... j'ai des amies qui sont paniquées, qui refusent d'aller vivre à Pékin même lorsque leur mari est nommé dans la capitale. Pékin les fait saigner du nez, rend leur peau toute rugueuse ; elles crachent, elles graillonnent, elles toussent sans arrêt à cause de la poussière. »

Père, discutant de la nationalisation des industries et des banques, alors en cours. Tout devait être nationalisé. Le banquier Jen resterait pour diriger ce qu'il avait naguère possédé. Il toucherait un salaire et des dividendes sur le capital investi dans l'affaire par la famille Jen, et des indemnités pour tout ce qu'on lui enlèverait. « De cette façon je n'aurai plus de responsabilité, dit Père gaiement. Je ne devrai plus rendre des comptes pour les erreurs... »

Jours heureux... sauf que Yong devait retourner à Pékin, car au contraire de Stéphanie — qui jouissait des privilèges accordés aux étrangers — il n'avait pas de vacances, à part quelques jours pour le nouvel an chinois.

Lionel Shaggin et Loumei invitèrent Stéphanie à dîner et Lionel lui parla de la réhabilitation réussie des prostituées.

Il avait un peu grossi, paraissait plus jeune et montrait un grand enthousiasme devant les résultats de son action. « Encore cinq ans et nous aurons presque supprimé la syphilis, ce sera pareil pour la blennorragie. Nous n'avons eu que dix nouveaux cas de syphilis dans cette ville de cinq millions d'habitants... »

Joan Wu, Michelle Berbiest, l'épouse belge du docteur Hsieh, et Stéphanie se retrouvèrent pour une orgie de café dans l'appartement de Michelle. Elle avait confectionné deux énormes gâteaux fourrés de chocolat belge, de confiture d'abricot faite à la maison, et de crème. Les talents de ménagère de Michelle avaient grandi à mesure que ses domestiques l'avaient quittée pour aller travailler en usine.

Avec une obstination inébranlable, elle reproduisait à Shanghai l'univers de sa Belgique natale. Ses enfants et son mari buvaient du café, mangeaient des crêpes nappées de confiture au petit déjeuner. Ils se servaient d'un couteau et d'une fourchette, et jamais de baguettes. Elle revenait du magasin d'alimentation réservé aux Européens les bras chargés de viande, de lait et de fromage. Elle regrettait qu'on ne pût pas trouver de fraises.

Ses enfants ne lui racontaient pas qu'à l'école, leurs camarades leur disaient qu'ils puaient le lait et les tenaient à l'écart. Grands, bien bâtis et flegmatiques, ils prospéraient dans leur statut d'étrangers, comme leur mère. Michelle ne savait rien de ce qui se passait en Chine, ne lisait pas de journaux, n'écoutait pas la radio. Confortablement installée dans l'univers étanche qu'elle avait créé autour d'elle, elle comptait les mailles de son tricot tandis que son mari lisait, écrivait ou se tourmentait à côté d'elle ; puis à neuf heures, elle repliait son ouvrage d'un geste vif et disait aux enfants « C'est l'heure d'aller se coucher. »

L'idée ne semblait jamais effleurer non plus le docteur Hsieh que sa femme devrait changer. Et Stéphanie s'interrogea. Elle s'était adaptée, elle était devenue autre, elle n'était pas restée à l'écart. Elle avait laissé Trésor d'Hiver devenir totalement chinois. Peut-être aurait-elle dû imposer sa façon de vivre américaine à la maison, peut-être. Mais elle ne l'avait pas fait. Au contraire, cela avait été si passionnant, si stimulant d'apprendre le chinois, de s'habiller, de manger chinois. d'*être* presque chinoise. Presque...

« *Amah* Mu est venue une ou deux fois voir Trésor d'Hiver, dit Mère à Stéphanie. Et l'institutrice Fan est venue me parler de son travail à l'école. » A travers ces paroles, Stéphanie respira le parfum de l'approbation publique.

Stéphanie rencontra longuement la camarade Fan, qui lui parla de Trésor d'Hiver et de sa précocité. « Il doit devenir un scientifique, dit-elle d'un air grave. Il sera précieux pour notre pays. »

Stéphanie commença à faire travailler son fils le soir et à travers ces moments partagés, elle redécouvrit son petit garçon et s'émerveilla de son intelligence. Il pouvait déjà lire et écrire plus de trois mille idéogrammes. Il avait retrouvé sa curiosité insatiable pour le ciel, les animaux, les insectes et les machines. Mais les livres pour enfants étaient rares. On en publiait beaucoup mais en une heure, il s'en vendait dix mille exemplaires dans les librairies. Il y avait tellement de lecteurs.

Stéphanie demanda à Heston et Isabelle de lui en envoyer et Heston en expédia deux douzaines. Stéphanie fut convoquée à la Poste principale de Shanghai et s'entendit dire par le directeur que les livres devaient être renvoyés.

« Mais, camarade directeur, ce sont des livres pour mon fils. Pour lui donner des connaissances scientifiques afin qu'un jour il aide à la reconstruction de la Chine... » L'accent chantant du Texas pimentait joliment son chinois et le directeur charmé pensa : Quelle aimable étrangère, elle n'est pas arrogante du tout.

Stéphanie ajouta, de la même voix douce : « Le président Mao a dit : “ Les choses étrangères doivent servir à la Chine. ” Mon père, qui est ingénieur, a pensé que ces livres pourraient être utiles à son petit-fils de l'extérieur. »

Le directeur, tout à fait attendri à présent, dit : « Je dois consulter mes supérieurs », ce qui signifiait qu'il plaiderait la cause de Stéphanie.

Au bout d'une semaine de réunions très agréables, avec thé, cacahuètes, bonbons, entre le secrétaire du comité du Parti, le directeur, les neuf membres de l'équipe chargée du courrier étranger, les censeurs et Stéphanie, on arriva à un compromis. Quatre livres seraient renvoyés. Leur contenu était réactionnaire. Mais Stéphanie serait autorisée à les lire afin de transmettre à son fils le matériau scientifique utile qui s'y trouvait.

« Nous espérons que vous traduirez beaucoup de livres utiles pour nos enfants », dit le directeur. Stéphanie le remercia et promit. Et prit une décision.

Quinze jours après le nouvel an chinois, quand elle retourna à Pékin, Trésor d'Hiver l'accompagnait. Désormais, il irait à l'école à Pékin.

Comme Trésor d'Hiver passait presque tout le jour à l'école, Stéphanie continua à travailler pour le Bureau de traduction des Editions en langues étrangères. Elle trouvait ce travail à la fois passionnant et frustrant. On traduisait en anglais les vieux classiques chinois aussi bien que des œuvres récentes d'auteurs contemporains. Mais bien qu'on encourageât les jeunes écrivains, il semblait à Stéphanie que la meilleure littérature, celle qui exprimait le mieux les changements fantastiques apparus en Chine, était écartée des traductions. Un livre l'avait particulièrement emballée : *Sous le vieux mûrier*, un récit inspiré de la réforme agraire, avec ses côtés positifs mais aussi ses erreurs et son climat de peur. L'auteur y avait inséré avec beaucoup de talent la lutte complexe d'un jeune homme, dont le seul crime était d'aimer une jeune fille et qui était cruellement torturé à cause de cet amour.

« C'est un bon roman, plein de suspense et d'émotion », avait écrit Stéphanie dans son rapport. Elle avait recommandé une traduction de cette œuvre mais le comité du Parti l'avait écartée.

« Et pourtant, tant d'œuvres sentimentales, creuses, plates, obséquieuses, sont traduites, elles, dit Stéphanie à Sa Fei.

— Moi aussi, je m'intéresse aux jeunes écrivains, répondit celle-ci. Certains de nos auteurs plus âgés se gaussent des jeunes en disant qu'ils ne sont pas " instruits ", que leur style n'est pas " poli ". Certes, ils n'ont pas passé quinze ou vingt ans à lire trois mille ans de littérature classique. Mais je suis sûre que, pour qu'une nouvelle littérature chinoise voie le jour, il faut rajeunir le langage tout entier. Nous devons nous écarter de ce classicisme borné. »

Sa Fei amena au numéro 31 un jeune écrivain au talent prometteur, auteur de nouvelles au ton sarcastique et à la forme parfaite. Les bureaucrates de l'Union des écrivains l'avaient promu et nommé rédacteur adjoint d'une revue quelconque. Il passait donc tout son temps dans des réunions à discuter de création, de contenu, de forme, à lire les manuscrits des autres et n'écrivait plus rien lui-même.

« Chaque fois qu'un nouveau talent est découvert, on en fait un fonctionnaire, on lui donne un salaire généreux, une maison, on lui paie des voyages. Cela produit des écrivassiers médiocres et non de véritables artistes, dit Sa Fei.

— Tu es trop dure, dit Hsiao Lu. Après tout, toi aussi tu es une bureaucrate.

— Cela ne m'a pas empêchée d'écrire... », dit Sa Fei sur la

défensive. Mais elle n'avait plus composé de grand roman depuis la Libération, seulement des essais et des reportages sur la réforme agraire. Liu Ming, qui refusait avec constance tout poste officiel en disant : « Je ne suis pas qualifié, je n'ai pas dépassé l'école primaire », écrivait beaucoup mais son œuvre était minutieusement examinée pour y déceler les erreurs politiques. Il partait souvent pour les villages et disparaissait parfois ainsi pendant des semaines, ne prenant même pas la peine de venir toucher son salaire.

« Liu Ming n'a jamais été heureux de chier dans un W.-C. moderne, disait Sa Fei. Il pense à tout ce merveilleux fumier qui se perd et ça l'attriste. »

On continuait à demander à de vieux écrivains éminents de « corriger » le style des jeunes auteurs et, peut-être parce qu'ils n'appréciaient pas du tout que l'Union des écrivains regroupât maintenant presque quatre mille membres, au lieu de quatre cents à peine avant 1949 — beaucoup de jeunes écrivains n'étaient jamais publiés.

« C'est une erreur de vouloir améliorer le style d'un écrivain, écrivait Stéphanie dans un mémorandum destiné au comité du parti du Bureau des traductions. Qui oserait corriger Hemingway pour qu'il ressemble à Victor Hugo ? » Mais au-delà de la question du style, se profilait le problème politique, impossible à cerner.

Selon la procédure utilisée aux Editions en langues étrangères, un traducteur chinois traduisait le texte original chinois en anglais. Puis, un « expert étranger », qu'on allait vite surnommer le « polisseur », retravaillait le texte pour le rendre lisible.

C'était seulement après ce travail de polissage que le comité du Parti responsable de la pureté idéologique des œuvres publiées examinait la traduction pour s'assurer de sa conformité politique, et qu'aucun adjectif n'avait été sauté, aucun mot déformé. Mais comme personne dans ce comité ne parlait couramment une langue étrangère, la traduction devait être un fidèle mot à mot. Ce qui, bien sûr, en faisait un texte absurde. Stéphanie et les autres experts étrangers essayaient de leur expliquer que les langues diffèrent dans leur syntaxe, dans la place du verbe, la construction de la phrase. En vain. Le comité du Parti n'était pas convaincu. Le polisseur devait alors recommencer son polissage. Et ainsi de suite, ce qui empirait les choses au lieu de les améliorer.

La plupart des « experts étrangers » tombaient dans un état d'exaspération chronique, qui les menait soit à la démission, soit à la dépression nerveuse, soit à l'abandon de tout effort pour faire du bon travail. La Chine était la Chine, disaient-ils, et ne changerait pas. Quelle importance si personne dans le reste du monde ne lisait un mot de ce qu'ils avaient écrit.

Mais Stéphanie, toujours têtue, refusait de baisser les bras. Grâce à sa maîtrise de la langue chinoise, elle pouvait expliquer les différences entre les divers langages aux membres du comité, en discuter avec eux. Puis elle reprenait l'œuvre à zéro et la retraduisait. Jusqu'au jour où elle s'aperçut qu'elle était en train de se gagner l'hostilité des traducteurs chinois car elle leur faisait perdre la face. Et ça c'était une faute impardonnable.

Elle demanda sans succès à être transférée dans un autre service. Elle avait un contrat de trois ans. Cependant, comme elle avait déjà enseigné à Shanghai, elle réussit à se faire coopter dans une école de langues dirigée par un couple anglais charmant, Mary et Peter Wellington.

Les Wellington étaient des communistes romantiques ; amoureux de ce paradis futur que la révolution allait créer, ils étaient un peu déconcertés par toutes les bavures vénielles, ou pas si vénielles que ça, qui parsemaient le chemin conduisant à ce paradis mais ils n'en continuaient pas moins à espérer.

L'école de langues avait trois mille étudiants. Les professeurs venaient de tous les pays du Commonwealth aussi bien que des Etats-Unis. Trois fois par semaine, Stéphanie donnait quatre heures de cours sur la littérature américaine. C'est là qu'elle toucha vraiment du doigt la confusion que créait dans l'esprit des Chinois la riche variété de la langue anglaise.

Les étudiants étaient très attentifs au son du mot, à l'intonation, à l'accent, à la prononciation. La moindre variante, telle que tom*âh*to au lieu de tom*ei*to, b*ei*sin au lieu de b*aï*sin, les déroutait complètement. Les différents accents qu'ils entendaient — britannique, canadien, australien, américain — produisaient une cacophonie insupportable à leurs oreilles.

Les Wellington affrontèrent le problème. Ils leur prouvèrent que *beisin* et *baïsin,* que *skedule* et *schedule,* étaient la même chose, que *yeah, yep, yah* et *yes* ne formaient qu'un seul mot et donc que l'accent texan de Stéphanie et le cockney d'Oliver Todder exprimaient un seul et même langage.

« L'anglais est un grand tumulte, un océan indompté », écrivit un étudiant. Stéphanie passait des heures merveilleuses avec ces jeunes si studieux, qui bientôt surent imiter ses intonations sudistes aussi bien que les accents londonien, australien ou écossais de leurs autres professeurs.

En août, Stéphanie et Trésor d'Hiver partirent passer un mois de vacances à Peitaiho, au bord de la mer.

Le bungalow qu'on leur avait attribué était très agréable. Stéphanie apprit à son fils à nager. Elle était heureuse en sa compagnie ; il avait une attitude très adulte pour certaines choses, il était capable d'une grande concentration d'esprit et sa curiosité n'était pas superficielle, il allait jusqu'au bout d'un problème sans s'éparpiller. De quoi était fait le sable ? Pourquoi le soleil changeait-il de couleur le soir ? Pourquoi la mer était-elle salée ? Stéphanie découvrit un magazine pour enfants, intitulé *Dix Mille Pourquoi,* imprimé à un million d'exemplaires, qui apaisa en partie la soif de connaissance de Trésor d'Hiver.

Elle entreprit de lui enseigner sérieusement l'anglais mais chercha en vain sur son poste de radio une émission satisfaisante. En Chine, on n'enseignait alors qu'une langue étrangère, le russe. Elle se tourna vers les programmes d'anglais pour débutants de la Voix de l'Amérique. Mais quand la Voix commençait à parler de la Chine communiste en termes insultants, elle ne supportait pas que Trésor d'Hiver entendît et éteignait le poste. Cela lui donnait la nausée, tout comme les références hostiles à l'Amérique à la radio chinoise. Elle éprouvait alors une impression désolante de vide et elle serrait Trésor d'Hiver contre elle, rassurée par la beauté et la tranquille confiance du petit garçon, qui ne montrait aucun signe de traumatisme.

Trésor d'Hiver et Stéphanie firent des promenades sur les collines couronnées de pins qui dominaient la plage de sable blanc. Ils se levaient à trois heures du matin pour voir le soleil surgir de la mer. Le petit garçon l'étreignait et disait : « Oh maman, maman, c'est si beau que cela allume un grand feu en moi. » Et Stéphanie le serrait contre elle, respirait son odeur de petit garçon et sentait son amour pour son fils la submerger comme une puissante houle.

Tsui Dragon de Mer et Bo Chaste Sagesse, sa femme, furent à nouveau réunis à Pékin. Lui était à présent sous-directeur de l'école secondaire d'un grand quartier de Pékin. Quant à Bo Chaste Sagesse, elle venait d'être mutée à Pékin dans les services de la camarade Lo en même temps que le camarade Hsu.

La camarade Lo, si simple, si généreuse, si consciencieuse, qui n'avait pas une once de malhonnêteté en elle, était en train de bâtir à son insu sa propre « pyramide », sa petite montagne de pouvoir, dans le plus pur style bureaucratique. Sa seule préoccupation était d'obtenir plus d'efficacité dans le travail en recrutant des gens compétents à Shanghai. Mais sans s'en rendre compte, elle perpétuait une pratique féodale, et des plus corruptrices ; celle des subalternes dociles liés par l'intérêt personnel : une clique de flagorneurs autour d'un « cadre supérieur ».

Dans toute la bureaucratie, cet échafaudage de clans et de cliques autour de tel ou tel personnage important se maintenait, imperméable à toutes les campagnes et les purges. C'était une structure vieille de deux mille ans, consacrée par la tradition confucéenne du *kuansi,* et qui n'avait souvent rien à voir avec le mérite, le talent, l'aptitude ou l'ardeur au travail. Les empereurs l'avaient pratiquée. Le Kuomintang aussi. Et, à leur tour, les communistes retrouvaient les vieilles habitudes.

C'est ainsi que Hsu Construit-la-Cité put s'introduire dans le cœur même des choses ; Pékin, le « centre » du pouvoir du parti communiste.

Trésor d'Hiver prit une feuille de papier dans le tiroir de Maman. Il grimpa sur sa chaise et poussa de côté sa machine à écrire. Les sourcils froncés, secouant la tête avec vivacité, comme Stéphanie quand elle réfléchissait, il commença à écrire.

« Mon chéri, que fais-tu ? » demanda Maman.

Trésor d'Hiver regarda Maman qui revenait de son travail, les bras chargés de livres. Il avait envie de courir à elle, d'enfouir sa tête contre son ventre, de sentir son odeur. Il aimerait toujours Maman. Maman si différente, Maman si belle. Il l'aimait, comme *Tietie. Tietie* et lui étaient d'accord ; ils devaient tous les deux veiller sur Maman si belle.

« J'écris à Grand-Papa de l'extérieur », dit-il avec un air important. Il se retint de se jeter contre elle. Il était une *personne,* plus un petit garçon. Il s'efforçait d'être grave, sérieux, adulte. D'imiter *Tietie* qui, parfois, contemplait Maman de loin, pour mieux la mettre tout entière dans l'œil de son amour.

Alors Maman posa ses livres sur une chaise en riant de ce rire cristallin qu'elle réservait à *Tietie* et à lui ; puis elle le prit dans ses bras et dit : « Oh mon chéri, mon chéri : oui, écrivons une longue lettre à Grand-Papa de l'extérieur... »

C'était un grand garçon de six ans maintenant et il commençait à écrire en anglais, en tenant son stylo comme un pinceau et en mettant les mots en chinois quand il ne connaissait pas leur équivalent.

« Respecté aimé granpa dehors, je écris ma letre à vous maman vous envoyé ma image pareille au bord de mer, protegez bien vous santé petit fils extérieur Jen Forêt Heston Thomas... »

Et Stéphanie dit : « Oh Grand-Papa de l'extérieur va être si heureux en lisant ta lettre. C'est la première que tu lui écris tout en anglais. »

Trésor d'Hiver voulut écrire le nom et l'adresse de Grand-Papa de l'extérieur sur l'enveloppe. Tout seul. Puis il commença une lettre pour Grand-Maman de l'Extérieur.

« Respectée aimée Grand-Maman de l'extérieur, veillez votre corps... »

Le cœur léger, Stéphanie porta les lettres à la poste et Trésor d'Hiver se prépara à attendre la réponse, adressée personnellement à lui parce que maintenant il était une *personne.*

Comme beaucoup d'enfants de milieux intellectuels, Trésor d'Hiver avait déjà appris tellement de choses chez lui avant d'aller à l'école qu'il était en avance de trois ans. A présent que les universités recrutaient leurs étudiants parmi les fils d'ouvriers et de paysans, il y avait une plus grande concurrence entre les enfants d'intellectuels et les autres pour entrer dans les instituts supérieurs du savoir.

« L'éducation est importante, rien ne peut la remplacer. » Grand-Mère l'avait dit à Shanghai, dans son style habituel, où la fermeté de la pensée se devinait sous l'euphémisme. En fin de compte, le succès ou l'échec de tous les systèmes dépendaient de l'élite qu'ils s'étaient donnée.

« Nous devons apporter nous-mêmes ce que l'Etat, actuellement, ne peut nous donner », avait affirmé Yong, en écho à sa mère. Il était tout à fait pour l'éducation des paysans et des ouvriers mais, en attendant, lui et ses parents bourraient de connaissances l'esprit de Trésor d'Hiver. Et Stéphanie n'agissait pas autrement quand elle enseignait l'anglais à son fils.

Au cours du printemps 1955, un nouvel ouragan politique balaya le pays.

Depuis quelques mois, les journaux contenaient des allusions, des menaces voilées à propos d'un comportement « sommet de montagniste », désignant des individus qui créaient leur pyramide semi-autonome de pouvoir personnel.

Et l'explosion avait lieu. Une faille béante dans le Parti. Comme une fissure dans le ciel, avec les pans de ciel qui tombaient sur la terre.

Deux responsables importants du Parti, Kao Kang et Jao Shushih, membres du Comité central, étaient accusés de complot pour faire éclater le Parti. Leurs noms étaient devenus maudits.

La crise ne concernait que les membres du Parti, pas les non-communistes. Yong reçut des documents seulement pour l'information. « Je t'ai dit que l'étreinte de l'ours était dangereuse, dit-il à Stéphanie. Tout le monde sait que l'U.R.S.S. les soutient, pour essayer de nous enlever la Mandchourie — mais personne ne le dit. C'est un secret d'Etat...

— Tu crois toujours que la Ryder Aircraft Company vendra un jour des avions à ce pays ? demanda Stéphanie pour le taquiner.

— Oncle Keng le croit, je le crois aussi... et je pense que quelques dirigeants partagent cette opinion », dit Yong sans s'émouvoir.

En juin, ce fut l'affaire Hu Feng qui éclata.

Sa Fei vint leur parler de Hu Feng. C'était un critique et essayiste, membre du Parti, qui en refusait la discipline et n'aimait pas beaucoup le cadre politique étroit dans lequel étaient confinés l'art et la littérature. Hu Feng écrivait : « Les tsars politiques semblent terrorisés par tout ce qui n'est pas strictement orthodoxe... ils sont si peu sûrs d'eux qu'ils n'hésitent pas à écraser quiconque ne fait pas preuve à leur égard d'une soumission totale. » Il dissertait sur « l'esprit subjectif qui lutte pour trouver sa propre forme d'expression ». Il avait écrit des centaines de lettres et d'articles et cette correspondance au vitriol était à présent rendue publique dans la presse. De nombreux écrivains, destinataires de ces lettres, étaient impliqués dans cette affaire. Mais presque tous se rétractaient avec frénésie et exprimaient la plus grande indignation devant le contenu des missives que leur ami Hu Feng leur avait envoyées.

Un grand débat eut lieu au sein de l'Union des écrivains sur le cas de Hu Feng. Sa Fei aussi était impliquée dans cette affaire.

De cette voix calme et nette qui laissait présager les ennuis, Yong dit à Stéphanie : « Je crois plus sage que nous oubliions tout ce que Sa Fei a dit sur Hu Feng dans cette maison. Pour son bien...

— Mais elle n'a rien dit d'important.

— Néanmoins, nous devons oublier chaque mot », reprit Yong de sa voix chirurgicale, comme s'il procédait à une opération délicate. « Le Parti est secoué par l'affaire Kao Kang et Jao et maintenant il y a cette agitation chez les écrivains, qui représente une menace pour son pouvoir. J'espère seulement que le Parti ne se sentira pas trop menacé et n'entreprendra pas une nouvelle campagne politique parmi les intellectuels. »

Ils étaient allongés côte à côte dans l'obscurité, sans se toucher. *Que ferons-nous, Yong, si on te demande de témoigner contre Sa Fei ou contre un autre de nos amis qui est venu dans notre maison et y a oublié prudence et discrétion parce qu'elle est belle et accueillante ?*

L'esprit de Stéphanie prononça les mots, elle eut presque l'impression de les avoir dits à voix haute. Mais Yong continua de dormir, ou en offrit l'apparence.

C'était grave. Très grave.

Même les experts étrangers parlaient de l'affaire Hu Feng. A l'école de langues, Peter Wellington convoqua une assemblée générale sur ce sujet.

Mais il n'y eut pas de véritable discussion car Herbert Luger vint diriger les débats.

En septembre commença la campagne intitulée « débusquement de tous les contre-révolutionnaires cachés au sein du Parti et de l'intelligentsia ». Elle allait durer huit semaines.

Tous les soirs, Yong participait à des réunions politiques.

Stéphanie était maintenant rongée en permanence par une légère anxiété, qui n'apparaissait pas encore sur son visage ou dans ses lettres à ses parents.

L'anxiété. Elle se mouvait à l'intérieur de Stéphanie comme un animal en cage, étranger, imprévisible. Elle l'éveillait la nuit par un sursaut, comme si le lit avait soudain été secoué par un de ces légers tremblements de terre, si fréquents à Pékin : quand les lampes se balançaient et que le thé dansait dans les tasses. L'anxiété était un spasme, une crispation de l'esprit. Ses mains se nouaient et se dénouaient nerveusement tandis qu'elle lisait, corrigeait une traduction ou parcourait la dissertation d'un étudiant. Une contraction soudaine de sa gorge l'empêchait d'avaler.

Dans ces moments-là, Yong devenait irréel.

Etait-ce son imagination qui lui faisait voir sur le visage de Yong une expression transparente, trop transparente, une innocence manifeste, trop manifeste ? Plus que jamais il l'entourait d'attentions, de tendresse. Le dimanche, ils allaient dans les parcs voir l'automne lancer ses dernières pincées de poudre dorée sur les arbres. Yong se comportait comme s'il avait été totalement heureux. Comme s'il n'avait pas eu le moindre souci. C'était trop beau pour être vrai.

L'anxiété grandit. Elle devint un énorme ver blanc, aveugle. A la croissance ininterrompue. Quand on le coupait en morceaux, chacun se transformait en un nouveau ver, complet.

« Je ne crois pas qu'il y ait vraiment une conspiration inspirée par Hu Feng, dit-elle à Yong. Je ne crois pas qu'il existe autant de contre-révolutionnaires cachés.

— Je ne sais pas », répondit Yong en soupirant. Il s'était mis à soupirer. Comme si lui aussi sentait une chose assise sur sa poitrine, pesant sur sa respiration et qu'il essayait de la déloger. En soupirant.

La maison était devenue tranquille. Personne ne venait plus. Chaque unité, chaque département cherchait ses propres « contre-révolutionnaires cachés » et il y avait des réunions tous les soirs.

Personne ne pouvait être sûr qu'un collègue, un ami, ou soi-même ne serait pas reconnu le lendemain contre-révolutionnaire dans ses actes, son attitude ou sa façon de penser. Mieux valait rester chez soi. Car une visite chez un ami pouvait être interprétée comme un complot.

A l'école de langues, les discussions quotidiennes entre professeurs et étudiants avaient cessé. Les étudiants et le personnel chinois se tenaient à l'écart des étrangers.

Aux Editions en langues étrangères, le travail de traduction se poursuivait. Bien que les employés fussent blêmes de fatigue. Traducteurs chinois et « polisseurs » étrangers continuaient de s'irriter mutuellement avec les corrections et les contre-corrections. On appoi tait un soin extraordinaire au choix des mots à présent car toute erreur pouvait être interprétée comme un sabotage délibéré.

Pourtant, le ministre de la Culture, savant et écrivain éminent, approuva courageusement une traduction de poèmes classiques. Alors que ses propres écrits étaient soumis à examen pour y rechercher des traces de pensée contre-révolutionnaire.

Dans les librairies de Pékin, on trouvait toujours les œuvres de Sa Fei. Stéphanie le remarqua et en fut un peu réconfortée. De Shanghai, Lionel Shaggin lui écrivait : « Cohn et Shine, les adjoints de McCarthy, se sont rendus dans toutes les bibliothèques des services d'information gouvernementaux. » Et Stéphanie, découragée, pensa : Mais c'est la même chose ici, exactement la même chose sauf que cela passe sur une bien plus grande échelle...

Il y eut des incidents déplaisants. Pour s'innocenter, un poète trahit son meilleur ami ; il rappela une remarque faite en passant, des incidents, pour prouver qu'il était contre-révolutionnaire. L'ami se suicida.

Il existait mille noms pour expliquer de telles trahisons. La jalousie, la cupidité, l'ambition, la frustration, la perfidie, la flagornerie. Mais à présent tout se résumait en un seul mot : contre-révolutionnaire. Tout était devenu *politique,* toutes les faiblesses humaines se jugeaient en termes d'attitude, de motivations politiques.

Stéphanie s'inquiétait de plus en plus. Il y avait les livres de Yong, la maison, les meubles. Il y avait les amis qui étaient venus et qui avaient parlé ; et il y avait elle-même. Tant d'éléments parmi tout ça pouvaient être interprétés comme contre-révolutionnaires. Comme des tentatives délibérées de restaurer le passé, de susciter chez les visiteurs un désir de luxes maintenant disparus, de détruire le socialisme, de corrompre...

Le ver de l'anxiété qui l'habitait devenait de plus en plus gros et luisant de santé. Elle sentait l'affolement la gagner, surtout quand elle voyait l'extraordinaire maîtrise de soi de Yong. Maîtrise de soi dont faisaient preuve beaucoup d'autres intellectuels soumis à des réunions épuisantes, usantes, à l'examen minutieux de leurs écrits, de leurs paroles, de leurs habitudes.

Paradoxalement, cet automne de 1955 vit un grand nombre de célébrités littéraires étrangères se rendre en Chine.

Car, en avril de cette même année, Chou Enlai avait lancé à Bandung une grande offensive de politique étrangère pour courtiser tous les pays du monde. Et, grâce à l'intelligentsia de gauche européenne, la Chine était acclamée comme le pays d'un nouvel espoir.

Jean-Paul Sartre et Simone de Beauvoir vinrent en septembre. La campagne contre les contre-révolutionnaires cachés battait son plein mais les distingués visiteurs n'en sauraient rien. Pas un mot, pas une grimace, pas un œil injecté de sang ne troubleraient les plaisantes semaines qu'ils allaient passer à visiter le pays. On traduisait *La Putain respectueuse* de Sartre en chinois, en hommage à l'illustre visiteur, et le texte paraîtrait dans le numéro de novembre du magazine *World Literature Translation*, publié à Pékin.

La commémoration du deux centième anniversaire de la mort de Montesquieu eut lieu en Chine. Le cent cinquantième anniversaire de la naissance de Hans Christian Andersen fut célébré par une excellente traduction de tous ses contes. Pour la première fois parut une traduction intégrale de l'œuvre de Chaucer, il y eut des conférences sur la poésie de Byron. On publia des traductions des *Hauts de Hurlevent* et de *Jane Eyre* d'Emily et de Charlotte Brontë avec des premiers tirages de cinquante mille exemplaires. On préparait celle de l'œuvre complète de Bernard Shaw, de Mark Twain, du *Tom Jones* de Fielding, de *Spartacus* par Howard Fast.

Yong opérait du matin au soir six jours par semaine ; il assistait à des réunions tous les soirs. Le dimanche, il lisait des textes politiques. Quand il rentrait à la fin de la journée, Stéphanie était calme, apparemment sereine. Il revenait pour oublier son anxiété, pas pour en parler. Il rentrait à la maison pour plaisanter, pour se distraire, pour aimer Stéphanie pendant quelques brèves heures.

Elle le prenait dans ses bras car c'était ce qu'il souhaitait. Elle lui accordait la faveur et la grâce du corps aimé, l'apaisement. Il s'efforçait de la protéger, tout le temps, elle devait donc lui montrer un visage lisse, lumineux, gai. Si elle avait dit : « Qu'est-il arrivé, Yong ? Dis-le-moi, je t'en prie, car je ne peux pas respirer, je n'arrive plus à respirer », il aurait peut-être craqué, il serait parti à la dérive, sans aucune attache, vers les rochers noirs du désespoir. Peut-être savait-il que la sérénité de Stéphanie n'était pas naturelle, mais il était trop fatigué pour commencer à ôter le masque de normalité qu'elle portait et qui lui permettait à lui de souffler, de s'affaisser en lui-même, de dormir. Et il était trop heureux qu'elle le portât.

Ils ne firent pas souvent l'amour pendant les huit semaines que dura la campagne. Il avait besoin de tendresse ; la tendresse était un bouclier qui le protégeait, une source où il venait tous les soirs puiser des forces nouvelles pour le jour suivant.

« Donne-moi le réconfort du silence, du calme », disait son corps. Stéphanie le lui donnait et dans cette duperie réciproque, leur amour grandissait et dépérissait en même temps ; il déployait une aile radieuse sur le gris terne de la terre et du ciel et ce mensonge permanent le minait sournoisement.

Au cours des semaines, Yong s'aguerrit, supporta mieux cette tension perpétuelle. Alors que d'autres trébuchaient et s'effondraient, et que beaucoup allaient même jusqu'à se suicider, des cals se formaient aux points sensibles de son âme, qui atténuaient la douleur ; l'épreuve développait en lui, comme chez son père, une résistance élastique, un entrain nouveau.

Le fils aîné du professeur Chang Shou, un scientifique, fut accusé de comportement contre-révolutionnaire, et emprisonné. Avant la Libération il avait un certain temps servi d'interprète à un savant britannique éminent, marxiste convaincu et membre du Conseil de la paix de Stockholm. Celui-ci vint en Chine, et fut reçu avec tous les honneurs, alors même que son interprète était tenu pour criminel et gardé sous les verrous.

« Yong, comment peux-tu expliquer cela ?

— L'ignorance. Une ignorance totale aux échelons inférieurs.

— Il faut faire quelque chose... »

Cela prit quatre mois pour que le fils du professeur Chang fût relâché. Les « échelons inférieurs » n'avaient pas pris la peine de lire leurs journaux, où s'étalait en gros caractères le nom du savant anglais.

Millie Chee plaça un pot de géraniums rouges sur son bureau et fut immédiatement critiquée par ses collègues. Signe évident de tendances « bourgeoises ». Bouleversée, elle vint trouver Yong. « Je ne comprends pas... qu'est-ce que ç'a à voir avec la médecine ? ou avec la révolution ?

— Bon Dieu, s'exclama Arthur furieux, quelle sorte de gens sont-ils, qui prennent un pot de géraniums pour une preuve de mentalité bourgeoise ? »

Yong leur parla. Il apaisa Arthur, lui donna des conseils.

A la réunion, Millie se leva pour parler. « Nous aimons la Chine, ces fleurs me font penser à la Chine », dit-elle.

Les géraniums rouges restèrent sur son bureau. Personne ne pouvait trouver à redire à ce sentiment. Ah, si les géraniums avaient été *blancs*...

En novembre, ce fut fini.

Yong rentra tôt un soir et dit : « Neige de Printemps, c'est terminé. » Il alla dans la chambre, s'allongea sur le lit et dormit vingt heures d'affilée.

A la maison d'édition aussi, c'était terminé. Soudain, ses collègues chinois redevinrent amicaux et recommencèrent à lui parler.

« Je crois qu'il est temps d'écouter un peu de musique », avait dit le secrétaire du Parti alors que le personnel se rassemblait sans entrain pour une énième assemblée générale, chacun s'affaissant sur sa chaise. (Aucun étranger n'y prenait jamais part.) Le secrétaire du Parti avait mis un disque et soudain chacun parlait à ses voisins (ce qu'ils évitaient soigneusement de faire depuis huit semaines). Certains s'étaient même mis à danser, le secrétaire du Parti en tête. Comment expliquer un passage aussi radical de la froideur hostile à l'affabilité ? Pourtant, c'était ainsi.

On avait « débusqué » environ quarante-cinq mille « contre-révolu tionnaires cachés » dans les rangs du Parti et dans les différentes unités.

A présent, était venu le moment de réexaminer chaque cas. Beaucoup allaient être innocentés... mais en attendant certains seraient morts. Par suicide. Surtout parmi les membres du Parti.

« La purge a été trop sévère... dans quelques universités, les professeurs refusent de reprendre leurs cours... on a arrêté des scientifiques uniquement parce qu'ils possédaient des appareils dont le comité du Parti de leur unité ne comprenait pas l'usage. »

On rapportait l'histoire d'un couple de photographes. Le flash de l'un d'eux avait explosé accidentellement pendant une réunion de dignitaires du Parti. Ils avaient été arrêtés tous les deux comme contre-révolutionnaires, et accusés d'avoir voulu créer la panique et assassiner des chefs du Parti.

Il y avait aussi le cas de cet homme emprisonné parce qu'il avait travaillé quelque temps avec la mission Marshall...

Sa Fei s'était vue accusée de multiples crimes par une meute de confrères écrivains mais avait réussi à s'en tirer après une longue autocritique au cours de laquelle elle avait reconnu ses erreurs.

« Ils ont raconté n'importe quoi, absolument n'importe quoi... que j'aimais l'argent, que déjà, à Yenan, j'essayais de détruire le socialisme. Que j'avais écrit qu'il n'y avait pas assez de papier de paille pour les règles des femmes..., dit-elle à Stéphanie.

— Mais c'était vrai, il n'y avait *pas* assez de papier, dit Stéphanie.

— Vos confrères devraient savoir tout ce que vous avez fait... et que vos livres ont un immense succès, dit Yong.

— Ah, vous ne connaissez pas les écrivains..., dit Sa Fei. Ils sont jaloux, jaloux...

— Mais c'est fini, à présent », dit Yong d'un ton léger. Stéphanie le regarda. Son visage lisse et affable. Son expression sereine. Et soudain elle lui en voulut. Elle s'était éprise de son pays, de ses concitoyens, à cause de lui. Et voilà de quoi ces mêmes concitoyens, ce pays, étaient capables...

« Ne rencontrez-vous pas de la jalousie parmi vos collègues ? » demanda Sa Fei à Yong.

Il ne répondit pas tout de suite et Stéphanie comprit qu'il avait dû vivre des choses pénibles, dont il ne lui parlerait jamais. Puis il haussa les épaules. « La nature humaine.

— La nature humaine ! Ah, c'est quoi la nature humaine ? » demanda Sa Fei.

Mère Huang entra et annonça : « Nous mangeons maintenant. » Le seuil allait de nouveau être chaud et elle avait préparé tous les plats préférés de Sa Fei.

« Trop sévère, cette campagne a été trop dure. Les dirigeants le savent... »

Jen Ping, Quatrième Tante, en vêtements d'un bleu fané. Amaigrie, un peu tassée, comme si ses os s'étaient raccourcis. Elle venait d'être mutée à Pékin après six ans passés dans la province du Sinkiang.

Elle travaillait à présent au nouvel Institut des nationalités créé à Pékin pour former des médecins, des scientifiques et des cadres politiques issus de la cinquantaine de minorités nationales existant en Chine. « Nous avons maintenant une bonne ligne de conduite, dit Jen Ping. Autonomie, liberté religieuse et culturelle pour les minorités nationales. Mais le problème, c'est sa mise en œuvre. Nous manquons de responsables capables de mener une telle politique. »

Elle leur parla un peu de l'affaire Hu Feng. « Au Sinkiang, nous avons très peu d'écrivains et les Uighurs, qui forment la principale minorité, n'avaient jamais entendu parler de Hu Feng. Ils ne savent pas lire le chinois. Ce sont des musulmans et ils lisent l'arabe. On a pourtant recherché des sympathisants de Hu Feng parmi eux. » Pendant quelques minutes fugitives, son visage exprima une immense lassitude triste. Mais elle retrouva son sang-froid habituel. « Vous devriez aller au Sinkiang, Belle-Sœur. Pour voir le pays. Nous faisons fleurir des arbres dans le désert. Nous creusons des puits pour avoir de l'eau et fixer les oasis. »

C'était le septième anniversaire de Trésor d'Hiver. Meiling vint avec sa fille Toute-Ronde.

Trésor d'Hiver avait invité quelques enfants de son école. Stéphanie avait confectionné un gros gâteau, orné de sept bougies roses. Mère Huang avait préparé des petits gâteaux, des friandises et des fruits confits. Trésor d'Hiver sortit le microscope que son père lui avait acheté et les enfants se pressèrent autour. Fascinés, ils se penchèrent sur ses lamelles : une patte de mouche, une aile de libellule, un cheveu.

Heston et Isabelle avaient envoyé un télégramme : « Joyeux Anniversaire, Tommy chéri » qui rendit Trésor d'Hiver fou de joie. Son premier télégramme ! Il sortit ses cartes. Il avait dessiné des cartes de la Chine et de l'Amérique. Dans celle de l'Amérique, le Texas occupait une place éminente ; il couvrait presque la moitié du territoire ! Trésor d'Hiver décrivit le Texas aux autres enfants. « C'est la plus grande province d'Amérique. C'est là que vivent mon Grand-Papa et ma Grand-Maman de l'extérieur. Il y a beaucoup de chevaux et de vaches et les gens des villages portent de grands, grands chapeaux.

— C'est un vrai petit Texan », dit Lionel en riant.

Le Texas. Les espaces beaux à vous couper le souffle, le regard qui embrasse d'un seul coup d'œil la terre et le ciel, pas de barrière, pas de clôture, rien qui arrête l'élan en avant de l'énergie humaine ou le déroulement de l'espace. En écoutant son fils, Stéphanie fut envahie de nostalgie. Du Texas. De l'Amérique. Elle regarda Joan Wu, qui était venue de Shangai pour participer à un colloque et était passée souhaiter un bon anniversaire à Trésor d'Hiver.

« N'as-tu jamais le mal du pays, Joan ?

— Le mal du pays ? Pas du tout, dit Joan. Je serais incapable de vivre en Amérique en ce moment... il s'y passe des choses si affreuses...

— Il s'en passe également ici, Joan.

— Oh, mais ce n'est pas pareil, dit Joan. En Amérique, quatre-vingt-dix pour cent des gens sont exploités ; ici nous nous débarrassons des dix pour cent d'exploiteurs...

— Comment as-tu vécu la campagne à Shangai ? »

Joan rayonnait de zèle missionnaire. Elle décrivit la campagne comme elle eût parlé d'une neuvaine catholique. Stéphanie se prit à songer. Une foi absolue. Une Seule Vérité. Comme c'était étrange de croire que la vérité était unique. Le christianisme avait porté le feu et l'épée dans de nombreuses contrées. Au nom d'un Dieu de Vérité et d'Amour. Etait-ce le fanatisme, et non la tolérance, la douce bienveillance, qui faisait progresser l'humanité et rendait les religions prospères ?

« Je suis personnellement convaincue que cette campagne aura été utile », dit Joan d'une voix satisfaite.

Les joues rouges de bonheur, Trésor revint après avoir accompagné ses invités à la porte. Il ne restait plus que Toute-Ronde. C'était une petite fille grassouillette, éperdument amoureuse de Trésor d'Hiver. Dès qu'elle le voyait, elle gloussait de plaisir, tout son corps se trémoussait avec frénésie. Meiling et Stéphanie se sentirent presque gênées devant cette sorte de danse nuptiale, puis elles se regardèrent et sourirent. Peut-être ces deux-là se marieraient-ils un jour...

Trésor d'Hiver était ravi de l'adoration de Toute-Ronde ; il en rayonnait de vanité. Il lui donna sa meilleure bille, lui montra sa plus belle lamelle — l'aile de papillon. Mais Toute-Ronde n'avait d'yeux que pour lui.

« Meiling, que devient Rosamond, êtes-vous au courant ? demanda Stéphanie pendant que Meiling habillait Toute-Ronde.

— Rosamond ? Ses deux ans de rééducation sont achevés, répondit Meiling, soudain très absorbée par le boutonnage du manteau de sa fille.

— J'aimerais la revoir. »

Meiling semblait avoir des problèmes avec la boucle de la ceinture. « Il vaut mieux que vous n'ayez pas de contacts avec elle...

— Mais Meiling, c'est une amie. »

Meiling regarda Stéphanie. « Cela ne vous fera aucun bien, ni à elle ni à vous, de vous revoir. »

Quand ils se retrouvèrent seuls, Trésor d'Hiver entoura de ses bras le cou de Stéphanie. « N'agite pas ton cœur, maman, je te protégerai, moi. »

Comment savait-il que Stéphanie s'inquiétait ?

« Maman est parfois stupide, mon tout petit. Mais maman t'aime et elle aime *Tietie,* c'est juste qu'elle n'est pas très intelligente... »

Il inclina la tête d'un air raisonnable. « Mais nous t'aimons quand même, maman, même si tu n'es pas très intelligente. » Puis il alla tranquillement se coucher.

En janvier 1956, fut célébré à Pékin le centenaire de la parution de *Feuilles d'herbe* de Walt Whitman. On demanda à Stéphanie, ainsi qu'à d'autres Américains, de parler de Whitman. Tous les étudiants de l'école assistèrent à la conférence.

Ensuite les étudiants lurent des extraits de *Feuilles d'herbe.*

Ce même mois, on célébra aussi le trois cent cinquantième anniversaire de *Don Quichotte.*

On fit appel à Stéphanie pour aider à la traduction des œuvres d'Hemingway. *Le Vieil Homme et la mer* venait de paraître. On préparait la publication du *Soleil se lève aussi* et de *Pour qui sonne le glas.*

Le film de Herbert Biberman, *Le Sel de la Terre,* qui était alors sur les listes noires en Amérique, sortit dans la plupart des grandes villes chinoises.

Lionel Shaggin et Henry Barber vinrent de Shanghai pour rencontrer l'écrivain Albert Maltz. Maltz était un des « Dix d'Hollywood » qui avaient refusé de coopérer avec la Commission des activités anti-américaines et avaient été condamnés à une peine de prison. Maltz vivait à présent à Mexico et avait été invité par le gouvernement chinois.

Les Américains se réunirent et organisèrent une grande réception à laquelle assistèrent de nombreux étrangers de Pékin. Les conversations portèrent sur l'inquisition qui s'était abattue sur Hollywood et sur l'effondrement de Joseph McCarthy, coulé par son passage à la télévision.

« Les masses l'ont jugé, dit Herbert Luger d'un ton solennel.

— Les masses n'ont rien jugé du tout. C'est un phénomène typiquement américain, rétorqua Stéphanie, qui n'essayait plus de cacher l'antipathie que lui inspirait Luger. McCarthy s'est détruit lui-même par son propre fanatisme. »

Stéphanie passait par des phases de tristesse et de fierté quand elle pensait à son pays. Et un sentiment de manque commença à se développer en elle. Elle avait le mal du pays. Le mal des siens.

20

Quand, dans les années suivantes, le souvenir devint obsession, Stéphanie allait arpenter les corridors de son esprit où s'alignaient comme pour une inspection les événements, les actions passés.

Si seulement j'avais... si seulement Yong avait... Curieusement, certaines années étaient pleines de jours forts, qui brillaient comme des candélabres allumés ; d'autres s'étiraient ternes, somnolentes, moroses, aussi sombres que des chambres au crépuscule.

Tout avait commencé en ce mois de janvier 1956.

Oh, j'ai le mal du pays, le mal des miens. Une nostalgie à l'intensité capricieuse. Qui rongeait insidieusement son être mais n'était pas encore un besoin irrépressible.

La Famille réunie fêta le Nouvel An avec le déploiement habituel de réjouissances, de gaieté, de rires, que rehaussait l'espoir apporté par un nouveau courant dans ce maelström qu'était la métamorphose perpétuelle de la Chine.

Une nouvelle politique vis-à-vis des intellectuels.

Les dirigeants avaient fait d'importants discours qui définissaient les rapports nouveaux du Parti avec ces difficiles, indispensables, suspects et précieux intellectuels.

Au printemps, circula dans les universités et les instituts un document intitulé : QUE CENT FLEURS S'ÉPANOUISSENT, ET QUE CENT ÉCOLES DE PENSÉE S'AFFRONTENT. Le document reprenait la nouvelle ligne politique.

Les comités du Parti des universités, des instituts et des hôpitaux demandaient à présent aux intellectuels dont ils étaient responsables de les critiquer à leur tour.

« Quel est le sens de cette démarche, Yong ?

— Cela signifie qu'il doit y avoir plus de liberté intellectuelle, sinon il n'y aura pas de progrès.

— Est-ce la seule raison? La liberté ne devrait-elle pas être nécessaire pour elle-même ? La voix de Stéphanie était plus coupante que d'habitude.

— Il n'existe pas de liberté absolue, il y a toujours des... contraintes, dit Yong.

— La révolution avait pour but de débarrasser de la tyrannie. Celle de Tchiang. C'est à ça que tu œuvrais, *toi,* c'est ce en quoi nous croyions alors. »

Elle s'interrompit. Non, il ne fallait pas qu'elle le blesse, en lui rappelant les temps lumineux de Yenan, si pleins de foi et d'espoir. Elle devait continuer à avoir confiance. En lui.

Mais la lassitude l'habitait à présent. Les pierres du gué qui menaient vers l'avenir étaient devenues sable mouvant sous ses pieds.

« On a promis aux intellectuels des droits, des garanties constitutionnelles... c'est la raison pour laquelle nous avons rejoint le Front uni... », déclara le docteur Fan, qui venait d'être coopté dans une nouvelle unité chirurgicale de Pékin.

Mao Tsetung et Chou Enlai avaient tous deux fait des discours sur le « traitement correct des intellectuels », ce qui sous-entendait qu'il ne l'avait pas été dans le passé.

Mais tout le monde n'était pas d'accord à l'égard des intellectuels dans le Parti. Chou et Mao pouvaient bien être pour l'ouverture, pour permettre les discussions, les divergences d'opinion dans les limites du système. Les cadres moyens et la base y étaient hostiles. « *Ils* parlent de liberté, de démocratie... mais uniquement pour eux-mêmes, disaient les cadres. Quand un intellectuel est emprisonné, ça fait grand bruit. Dix mille paysans meurent de faim et personne ne dit un mot.

— Il y a beaucoup de paysans dans le Parti et nous leur rappelons trop les mandarins, qui les écrasaient de leur superbe », dit Yong.

Hsiao Lu, le poète, et Sa Fei n'étaient pas d'accord avec lui. « Nous sommes un nouveau modèle d'intellectuels. Nous aimons notre pays et nous avons fait des sacrifices pour lui ; nous nous sommes montrés dignes de confiance.

— Mais le Parti n'a pas confiance en nous. Et ne l'aura jamais. Même quand un intellectuel est membre du Parti, on ne lui fait pas entièrement confiance », répondait Yong, réaliste.

C'était ce réalisme qui troublait le plus Stéphanie : elle ne savait plus ce que pensait Yong, ce qu'il éprouvait réellement. Elle avait perdu le contact avec son mari et avec la cause qui avait amené leur rencontre.

Yong ne paraissait pas s'en apercevoir. Mû par un regain d'espoir, il passait de longues heures à rédiger un rapport sur la gestion des hôpitaux chirurgicaux, sur leurs besoins, leurs impératifs. « Nous sommes à un tournant, Stéphanie. Je veux faire tout ce que je peux pour que les choses fonctionnent mieux, du moins dans mon secteur. Je crois que le Parti est sincère et il a besoin qu'il y ait un large consensus parmi nous... »

Stéphanie se trouva incapable de lui dire : Yong, je n'arrive plus à me sentir concernée — je suis vidée jusqu'à la moelle. Je veux rentrer dans mon pays. Je me sens... rétrécie, desséchée...

La maison résonnait de voix, de rires. Mais l'après-midi, sa maîtresse arpentait la cour fleurie, incapable de sortir de sa détresse, et contemplait sans le voir le toit gracieux, en quête d'un autre ciel, d'un horizon illimité.

« Que cent fleurs s'épanouissent, et que cent écoles de pensée s'affrontent. »

Phrase harmonieuse, poétique.

Le professeur Chang Shou vint de Shanghai participer à des assemblées de la Ligue démocratique. D'une voix exaltée il déclara : « J'attendais ce moment... » Des centaines d'intellectuels se réunirent pour écouter, pour parler. Ils n'étaient que cinq millions sur les six cents millions de Chinois, et se divisaient en intellectuels supérieurs et inférieurs ; depuis les physiciens nucléaires jusqu'aux médecins et aux professeurs de collège en passant par les écrivains, les ingénieurs et les biochimistes, les archéologues et les géologues. Vingt pour cent d'entre eux seulement étaient membres du Parti.

« Au cours de ces dernières années il y a eu une poussée nouvelle de sectarisme et de bureaucratie dans le Parti... une rectification en profondeur est absolument nécessaire... chacun doit écouter avec un esprit ouvert les opinions des autres... le droit de conserver des différences doit être respecté... les non-communistes qui souhaitent participer à cette rectification doivent être bien accueillis », proclamait un document du Parti afin d'encourager les non-communistes, les membres de la Ligue démocratique et des huit partis qu'elle regroupait à se sentir concernés et à participer.

« La Chine est notre pays. Qu'ils soient dans le Parti ou à l'extérieur, les affaires de ce pays concernent tous les Chinois », déclara Jen Yong à une réunion.

Mais beaucoup restaient très réticents.

Tout ce qui, naguère, offrait un visage familier était devenu étranger, hostile. L'inévitable poussière de Pékin rendait Stéphanie folle d'irritation à présent. Quand Mère Huang avait fini d'épousseter une pièce, elle avait envie de lui crier : « Regardez, il y a de nouveau de la poussière... »

Yong, lui, débordait d'entrain, faisait l'amour avec ardeur et s'endormait comme un enfant. Il s'épanouissait dans cette atmosphère manifestement plus détendue et, le soir, en rentrant à la maison, il expliquait à Stéphanie ses idées sur le fonctionnement de l'hôpital ; il souhaitait, en particulier des réunions régulières de tout le personnel « Si l'habitude de la libre discussion est instaurée et acceptée, si nous arrivons à bâtir une solidarité entre nous sur certains enjeux... », disait-il en rêvant de démocratiser le parti communiste. « Nous sommes indispensables, Stéphanie, ils sont obligés de nous écouter. »

Il était si absorbé par son travail qu'il ne remarquait pas l'absence d'enthousiasme de Stéphanie, son intérêt de pure forme. « C'est une très bonne idée », disait-elle, l'esprit ailleurs, le corps aspirant à rejoindre cet ailleurs.

Même Trésor d'Hiver lui devenait par moments étranger. Le cœur cognant soudain dans sa poitrine, elle l'observait, surprise. Il avait des gestes qu'elle ne connaissait pas. Des attitudes, des façons de parler qui lui étaient inconnues. Elle l'aimait, d'un amour de chaque instant, et pourtant elle découvrait combien il avait changé, combien il changeait encore. Il était enjoué, courtois, par bien des côtés déjà adulte. Et distant.

La texture de son esprit m'échappe maintenant.

C'était un Jen. Pas un Ryder.

Elle allait dans sa chambre respirer ses draps pour sentir son odeur de petit garçon et, pendant un bref instant, refermer sa blessure, se retrouver entière. Puis il revenait de l'école et elle le découvrait plus grand que dans son souvenir.

La nuit, elle puisait dans la riche provision de plaisir engrangé dans sa mémoire pour reproduire ce qui, dans le passé, avait été pure félicité, et rendre ainsi Yong comblé et heureux. Il s'endormait sans se douter de rien et elle restait allongée à ses côtés, les yeux grands ouverts dans l'obscurité. *Demain je lui parlerai. Demain.*

Puis c'était le matin et Yong sautait du lit, aussi vif qu'une échappée de soleil entre les nuages, avide de vivre cette nouvelle journée d'espoir radieux, et elle ne pouvait pas lui dire...

En février 1956, la nouvelle du discours de Khrouchtchev dénonçant les crimes de Staline secoua la Chine tout entière. Une traduction en chinois du discours circulait dans les universités.

Yong en montra un exemplaire à Stéphanie et cela la renforça dans sa conviction qu'elle devait rentrer aux Etats-Unis. *En ce moment je n'arrive pas à me comprendre moi-même et plus rien de ce qui m'entoure n'a de sens.*

« Yong, ne crois-tu pas qu'il y a quelque chose de vicieux dans un système qui permet l'existence de telles horreurs ? Tu sais que Staline m'a toujours fait très peur.

— Oh, Stéphanie, mon cher cœur, que puis-je te répondre ? La Chine n'aura pas de Staline... je n'en ai jamais été plus sûr. »

Jusque tard dans la nuit, il écrivait. Sur les techniques chirurgicales. Sur un enseignement plus efficace. Sur l'organisation des unités en chirurgie. Sur la formation des chirurgiens. Sur la chirurgie dans les villages. Sa tête brune était penchée sur les pages ; son pinceau courait, habile, sur le papier. Il avait ramené des Etats-Unis quelques livres sur l'administration des hôpitaux. « J'ai toujours pensé que j'aurais un jour à m'occuper de ces problèmes. La Chine manque de personnel qualifié dans tous les domaines et il est très important de moderniser très vite la gestion des entreprises. »

Par peur de le déranger, Stéphanie se cherchait de bonnes raisons pour ne rien lui dire alors qu'en elle grandissait le besoin trop longtemps réprimé d'un autre air, d'un espace qui ne fût pas celui de la Chine, du son d'autres voix, de l'odeur d'autres villes.

Cette année-là, toutes les entreprises furent nationalisées. Père, Oncle Keng Dawei et M. Tam — ce millionnaire chinois originaire d'Indonésie qui, dans un brusque élan de ferveur patriotique, avait liquidé tous ses biens et était revenu en Chine afin de construire des usines — vinrent à Pékin participer à des réunions pour préparer le second plan quinquennal. Ils arboraient tous le même sourire large et détendu.

On organisa des manifestations pour célébrer cette nationalisation. Les capitalistes de Shanghai avaient défilé dans les rues, une fleur épinglée à leur veste, pour se réjouir de l'abolition de leur propre classe. Ils brandissaient des enveloppes géantes contenant des pétitions pour « s'amalgamer de leur plein gré ».

La gaieté de Père avait quelque chose d'un peu inquiétant ; il allait être nommé conseiller financier du nouveau système bancaire et toucherait un salaire fixe.

Stéphanie se demanda comment son père aurait réagi si le gouvernement américain avait nationalisé la Ryder Aircraft. Il se serait battu, jusqu'au bout... il se serait réfugié dans les Rockies et aurait canardé les Fédéraux venus pour l'arrêter... ou peut-être se serait-il incliné...

A l'automne de 1956, des troubles éclatèrent en Pologne puis en Hongrie.

En écoutant la radio de Pékin, à la lecture des journaux étrangers qui arrivaient aux Editions en langues étrangères, Stéphanie apprit l'écrasement de la révolte hongroise par les troupes soviétiques.

Les experts étrangers, dont beaucoup appartenaient à des partis communistes occidentaux, furent atterrés, désorientés. Ils accomplissaient leur travail machinalement, le regard figé. Telle une passerelle de planches pourries, leurs convictions morales avaient cédé sous leurs pieds.

« La perte de foi est une expérience effrayante, dit Peter Wellington à Stéphanie. Plusieurs d'entre nous, à commencer par moi, ont été traumatisés. Nous refusions, depuis tant d'années, de croire que l'Union soviétique pût mal agir... »

Mais pire encore était la peur d'être jeté hors du Parti — le Parti qui représentait la famille, la sécurité, les amis, la foi... ce serait devenir un mort vivant. « Alors certains restent, par habitude. Et espèrent. Continuent d'espérer, et d'accepter. »

Stéphanie pensa à Isabelle. Que ferait-elle si l'Eglise catholique se révélait être une odieuse tyrannie ? S'accrocherait-elle, en niant l'évidence ?

« Je crois que je suis mûre pour un congé, dit-elle à Peter en changeant de sujet. Pouvez-vous me dire ce que je dois faire ?

— C'est le comité responsable des experts étrangers qui règle ces problèmes, dit Peter. Les experts ont le droit de retourner dans leur pays d'origine au bout d'un certain nombre d'années. Cela dépend de la durée du contrat. Dans notre école, c'est trois ans. Voyons — vous êtes chez nous depuis 1954, donc l'année prochaine, en 1957, vous aurez droit à un congé. Mais il faut que vous en parliez avec le secrétaire Lung. »

Le secrétaire Lung était un homme affable qui rappelait à Stéphanie Henry Wong de l'époque de Chungking. « Nous voulons assurer votre sécurité, camarade Ryder. En ce moment, aux Etats-Unis, les personnalités progressistes sont en butte à de constantes persécutions de la part du gouvernement réactionnaire.

— Les parents de la camarade Ryder se font vieux, son père a été très malade, dit Peter Wellington. Cela va faire huit ans qu'elle n'est pas retournée en Amérique.

— Huit ans est bien long, reconnut Lung. Et vos parents aspirent sans doute à vous revoir. » Il fit un clin d'œil, exactement comme Henry Wong jadis. « Je vais étudier le cas et soumettrai un rapport aux autorités supérieures. »

Yong regardait Neige de Printemps redresser les coussins, vider les cendriers ; elle alla dans la chambre de Trésor d'Hiver s'assurer que sa couverture n'avait pas glissé.

Quand elle revint, elle surprit le regard de Yong posé sur elle et lui sourit. Il était vraiment beau. Non, c'était autre chose. Une sorte de rayonnement intérieur qui faisait de lui le genre d'homme vers lequel les femmes se sentiraient attirées, n'importe où.

C'est son pays... il aime son pays.

Plus on vivait avec quelqu'un, plus on devait veiller à le redécouvrir chaque jour, à refaire connaissance. Sinon une grisaille s'installait dans votre esprit, le sentiment qu'il n'y avait rien de nouveau, que tout avait été déchiffré. Stéphanie n'en était pas là, mais elle n'avait plus la force d'essayer de rencontrer Yong...

« Yong, je suis allée voir le secrétaire du Parti aujourd'hui, pour lui demander un congé.

— Oui, dit-il, oui. » Ses yeux s'élargirent un peu. Ce fut tout. Puis, avec un effort, il dit. « Bien sûr, j'aurais dû y penser avant. Je sentais que quelque chose te tourmentait... pardonne-moi d'être si stupide.

— Il n'y a rien à pardonner. Tu étais tellement occupé. » Elle savait qu'elle se montrait cassante mais elle ne supportait pas son empressement à s'accuser, son attitude conciliante.

« Je veux seulement aller passer trois ou quatre mois dans mon pays puis je reviendrai.

— Bien sûr, dit-il, bien sûr. Je comprends. Les nerfs de mon cœur se dessécheraient si je restais trop longtemps loin de la Chine. »

Pendant l'hiver 1956-1957, la bureaucratie gagna les industries et les entreprises récemment nationalisées. Leurs anciens propriétaires assistèrent avec angoisse à cette transformation.

« Au lieu d'une signature, chaque document a maintenant besoin de six à dix cachets.

— Nous attendions plus d'efficacité de la part du Parti ; or, c'est la situation inverse qui se produit : nous avons diminué la production alors même qu'il y a une inflation énorme de personnel...

— Tous les chefs de service qui ne sont pas membres du Parti sont devenus de simples employés et on nomme des communistes à la tête des administrations — même quand ils n'y connaissent rien.

— Ce sont ceux qui ignorent tout qui donnent des ordres et prennent les décisions ; ceux qui savent n'ont pas droit à la parole. »

Père écrivait : « Je faisais marcher ma banque avec sept directeurs et sous-directeurs et cent vingt-cinq employés. Aujourd'hui il y a vingt-cinq directeurs, cinquante sous-directeurs et toujours cent vingt-cinq employés. »

Le printemps succéda à l'hiver. Les arbres fleurirent et les rivières gelées retrouvèrent leur fluidité.

Des histoires satiriques dénonçant les méfaits de la bureaucratie circulaient çà et là. De jeunes écrivains, souvent membres du Parti, en étaient les auteurs. On en trouvait à foison dans les librairies. « Nous connaissons des hommes du Parti, écrivait un satiriste, dont le seul talent consiste à débiter des slogans. Quand ils en ont répété un une douzaine de fois dans une réunion, ils estiment avoir bien travaillé et se dépêchent de rentrer chez eux pour se mettre au lit. »

Les critiques se faisaient plus bruyantes, plus virulentes. Dans les universités, l'agitation gagnait parmi les étudiants, qui rédigeaient des affiches murales pour réclamer davantage de livres et moins de discussions politiques, et la liberté de choisir leur travail à la fin de leurs études.

A l'école de langues, les élèves de Stéphanie rédigèrent aussi des affiches en gros caractères — qu'on accrochait sur les murs, sur les panneaux, partout. Ecrites à la main, elles offraient des libres opinions, des suggestions, des critiques — sur le système, sur les gens. Aucun sujet n'était tabou. Il n'y avait pas de lois sur la diffamation. C'était ça « les cent fleurs », une liberté totale d'opinion.

Les étudiants posaient des questions à Stéphanie. Sur le sénateur McCarthy, sur la Constitution, sur les tribunaux, les Noirs, les Indiens... « Avez-vous des affiches murales comme ici ? »

Stéphanie expliqua que même à l'époque de McCarthy, des opinions différentes avaient pu s'exprimer. Citant I. F. Stone et d'autres auteurs, elle leur expliqua la chute du sénateur. « Chaque pays connaît ce problème. Les gens doivent se battre pour conserver leurs libertés, même celles qui sont garanties par un gouvernement démocratique. »

Les journaux contenaient des éditoriaux critiquant le Parti et son « style d'action ». Des forums se tenaient dans les instituts et les universités auxquels assistaient des journalistes et aussi des membres du Parti. Les membres du Parti prenaient des notes. Les journalistes aussi.

Les gens qui ne sont pas des experts ne devraient pas « commander » ceux qui savent.

C'était là le grief essentiel des intellectuels.

Une affiche murale apparut dans le plus grand hôpital de Pékin :

« Des hommes du Parti qui ignorent tout de la médecine dirigent l'hôpital. Ils imposent aux techniciens en radiologie des heures de travail trop nombreuses et refusent d'admettre que c'est dangereux. " Les rayons X ? mais c'est comme quand on prend une photo. Comment cela pourrait-il être dangereux ? " disent-ils dans leur ignorance. »

« Le Parti a mis la pagaille partout et ses dirigeants devraient être punis, lut Stéphanie dans un éditorial. Le Parti est en train de se corrompre. Il devient un nouveau Kuomintang. Il devrait partager le pouvoir avec les autres partis », affirmait un article paru dans un autre quotidien national.

Yong secoua la tête d'un air sceptique. « Je trouve tout cela irréaliste. Nous vivons dans un régime communiste. Ils ont accompli de bonnes choses et fait des erreurs. Nous ne pouvons pas demander tout le pouvoir. »

Mais le vent avait tourné et apportait avec lui un désir de vengeance. Les intellectuels n'étaient pas les moins acharnés à exiger « œil pour œil ».

Des incidents inquiétants se produisirent. Des grèves. Quelques cadres du Parti furent assassinés.

« Les professeurs d'université n'ont pas voix au chapitre en ce qui concerne la sélection, la promotion ou le choix des étudiants envoyés à l'étranger pour s'y perfectionner. Les capacités intellectuelles ne sont plus le seul critère. La sélection est déterminée par la politique, par l'origine de classe », affirmait un éditorial.

Dans certains instituts universitaires, on refusait à présent d'admettre les enfants d'ouvriers et de paysans. Des affiches murales s'étalaient sur leurs murs et affirmaient que l' « admission des classes inférieures faisait un grand tort à l'éducation ». On avait dû abaisser le niveau des études pour s'adapter à leurs capacités. On donnait des emplois à leurs enfants même quand leurs résultats aux examens étaient moins bons que ceux des fils et des filles de l'ancienne élite. « Les mérites universitaires n'ont plus d'importance, seule compte l'origine de classe. Pourtant, notre pays a besoin de scientifiques de premier plan dans tous les domaines s'il veut se moderniser. »

Pour la deuxième fois, Trésor d'Hiver allait sauter une classe à son école. Il aurait ainsi quatre ans d'avance.

« Maman, le maître dit que je serai un scientifique. Il voudrait me donner des cours de mathématiques supplémentaires. »

Trésor d'Hiver avait une belle écriture. Il avait été désigné pour participer au concours de calligraphie, ouvert aux enfants de huit à quatorze ans, qui allait se dérouler dans toute la Chine.

Il avait de grands yeux lumineux, un front harmonieux et des cheveux superbes, noirs avec un reflet châtain et légèrement ondulés. Il dévorait tous les livres anglais qu'il pouvait trouver et construisait un petit poste de radio. C'était la passion du moment ; tous les jeunes construisaient eux-mêmes leur poste de radio.

« Est-ce que tu continues à aider tes amis deux fois par semaine, Trésor ? »

Comme il était si éveillé, si précoce, on lui avait confié une tâche : assister dans leur travail ses camarades plus lents. Il s'en était acquitté avec zèle pendant tout l'hiver et s'était fait beaucoup d'amis.

« Non maman. » Trésor d'Hiver fit une petite grimace. « Le maître dit : " Que les paysans retournent cultiver la terre et que les ouvriers aillent dans les usines. " Il dit qu'ils sont stupides et qu'ils ne seront jamais capables d'apprendre. »

Stéphanie se trouva confrontée à un véritable problème de conscience. Il fallait choisir. Soit une élite très instruite et l'immense majorité des jeunes privés d'instruction... soit une instruction accessible à tous et des niveaux plus faibles.

« La Chine est un pays pauvre ; elle ne peut pas se permettre à la fois une élite avancée et l'instruction pour tous, affirma le docteur Wu. Il vaut mieux avoir des établissements à part, avec des niveaux plus bas, pour les enfants d'ouvriers et de paysans. »

Yong n'était pas d'accord : « Nous, l'élite, représentons seulement un pour cent de la population. Nous sommes cinq millions en tout. Nous ne pouvons pas garder toute l'éducation pour nous et pour nos enfants. Nous nous mettons à dos les paysans et les ouvriers. »

Avril s'effaça devant mai et la clameur contre le Parti enfla.

« Le Parti est un nouveau tyran. Il ne respecte pas la Constitution. »

Mai 1957 fut effervescent, crépitant d'électricité. Discours enflammés, affiches murales. Certains intellectuels se laissaient de plus en plus griser par leurs propres idées, sans se soucier des conséquences.

Yong gardait son sang-froid mais manifestait une légère appréhension. « Je pense que nous oublions trop facilement le passé. Nous oublions Tchiang Kaishek. Or, les intellectuels ne peuvent pas gouverner le pays tout seuls. Nous n'avons aucun soutien parmi les gens ordinaires. Nous *devons* instaurer des rapports clairement définis avec les gouvernants actuels. Des lois, le respect des droits des individus. Mais pas essayer de réclamer le pouvoir pour nous-mêmes, c'est utopique. Crois-tu qu'un parti, quel qu'il soit, serait prêt à renoncer au pouvoir, surtout quand il a dû lutter si longtemps pour s'en emparer ? »

Stéphanie sentit la justesse et le bon sens du raisonnement de Yong. Même en Amérique, personne ne songerait à demander aux intellectuels libéraux de la côte est de *gouverner* le pays. Il y avait toujours des contrepoids. Mais les intellectuels chinois obnubilés par le sentiment d'avoir perdu la face, semblaient emportés par leur rancune et leur sentiment héréditaire de supériorité sur les classes inférieures.

« Madame Laï, madame Laï ! ! ! »

Derrière Stéphanie, dans la rue, une femme petite, plutôt boulotte, jeune.

« Vous ne me reconnaissez pas ? Je suis Grenade. »

Grenade, la petite servante-enfant de Rosamond Chen, à Chungking.

Grenade portait un pantalon et une chemise d'un bleu délavé ; elle aurait pu être une ouvrière, une institutrice ou toute autre chose avec cette nouvelle façon égalitaire de s'habiller. Elle avait des livres sous le bras.

« Comme vous avez changé, Grenade. »

Grenade eut un grand sourire. « Le Parti s'est occupé de moi. Il m'a envoyée à l'école. Et maintenant je serai un professeur et non une servante-esclave. » Elle montra ses livres avec fierté à Stéphanie : une traduction chinoise des pièces de George Bernard Shaw, un livre sur l'hygiène en usine. « Je ne comprends pas tout ce que je lis mais c'est de la culture, dit-elle.

— Je suis très contente pour vous, dit Stéphanie. La dernière fois que nous nous sommes rencontrées, il y avait la camarade Yee Meiling et la camarade Chen. Les avez-vous revues ?

— J'ai vu la femme Chen, dit Grenade avec raideur. Je l'aide à se réformer. Je vais l'aider une fois par mois.

— Est-ce qu'elle vit toujours dans la partie nord de la ville ?

— Elle y est revenue il y a deux mois. »

Stéphanie s'engagea dans la hutung poussiéreuse et aussitôt les enfants qui jouaient dans la ruelle se précipitèrent pour avertir leurs parents de sa présence. Des femmes sortirent de leur maison pour la contempler. L'une d'elles cria : « Camarade Chen ! Une amie étrangère vient vous voir ! »

Rosamond apparut, vêtue d'une chemise et d'un pantalon gris, l'air d'une étudiante, d'une ouvrière, de tout sauf de Rosamond. Ses cheveux étaient coupés court et elle n'avait aucun maquillage sur le visage.

Il s'était arrondi. Avait perdu ses lignes aiguës. C'était un visage paisible, déjà décoloré par la vieillesse.

« Stéphanie, vous êtes gentille d'être venue. De si loin. »

Elle dit ces mots en chinois ; autour d'elles, la foule, tous ceux qui avaient pu se glisser dans la cour, observait l'étrangère ; on chuchotait : « De quel pays est-elle ? »

« Je suis heureuse de vous voir, je m'inquiétais, dit Stéphanie.

— Mais vous n'avez pas de raison de vous inquiéter, dit Rosamond avec une intonation de surprise, tout en conduisant Stéphanie dans la pièce où elle habitait. Il ne faut *pas* vous inquiéter. Tout va bien, très bien pour moi. »

C'était une pièce petite, bien rangée, avec une cuvette posée sur un trépied, un lit, une table, une chaise, un petit miroir accroché au-dessus de la table et des livres. Trois livres. Sous le lit, un coffre pour les vêtements. *Le Quotidien du peuple* s'étalait sur la table. A côté un thermos et quatre verres.

Une pièce ascétique. Pas d'odeurs. Une cellule de nonne.

« Asseyez-vous, je vous en prie », dit Rosamond en montrant l'unique chaise. Elle prit du thé dans une petite boîte métallique et en déposa une cuillerée dans deux verres puis versa dessus l'eau bouillante du thermos.

Les feuilles de thé se déroulèrent lentement. Rosamond avait un sourire serein. Elles n'avaient rien à se dire.

« Comment va votre mari ? votre fils ?

— Ils vont bien, très bien. »

Oh, il ne reste rien, absolument rien de Rosamond. Peut-être a-t-elle trop aimé, ou pas assez... qui pourrait le savoir ?

« Où enseignez-vous à présent? J'ai appris que vous traduisiez Hemingway...

— J'ai fini de polir *Le Vieil Homme et la mer* et j'aide à compiler un dictionnaire. J'enseigne trois fois par semaine, dans une école de langues. »

Rosamond inclina la tête. « Je me comprends beaucoup mieux, à présent. Avant j'étais pleine de problèmes, d'insatisfaction. Mais j'ai rejeté tout cela. J'ai opéré un retournement. Je suis quelqu'un de nouveau. J'ai connu une seconde naissance. » Son débit s'accélérait, elle devenait plus prolixe, comme si un automatisme, un mécanisme d'horlogerie s'étaient déclenchés en elle, la lançant dans une autodescription satisfaite et bien rodée. « Je n'avais pas la bonne façon de penser, ma façon de penser était mauvaise, très mauvaise, réactionnaire. Mais à présent le Parti s'occupe de moi. Je sens tous mes os propres maintenant.

— Où travaillez-vous ? » demanda Stéphanie en soufflant doucement sur le thé. Sans anse il était difficile de tenir le verre brûlant.

« Je suis employée à l'usine textile d'Etat n° 27. C'est là que j'ai passé mes deux ans de travail disciplinaire et de rééducation. Les camarades ouvrières sont si bonnes, si patientes — c'est la première fois que d'autres femmes sont vraiment gentilles avec moi sans attendre quelque chose en retour. Elles m'ont invitée dans leur maison, comme si je n'avais pas été un être indigne. Elles ne se sont pas offusquées de mes crimes de pensée.

— Vos quoi ?

— Mes crimes de pensée, répéta Rosamond. Elles m'ont traitée... comme si je faisais partie de leur famille. C'est là que j'ai découvert la générosité de mes compatriotes. Je me suis sentie en sécurité et j'ai demandé à rester, comme ouvrière. J'ai choisi d'être ouvrière. »

Il n'y avait rien, absolument rien à dire. Le passé avait été aboli. Et Rosamond était heureuse.

« C'est si gentil à vous d'être venue », répéta Rosamond en raccompagnant Stéphanie jusqu'à la ruelle où les enfants attendaient pour apercevoir l'étrangère.

— Au revoir, Rosamond, je reviendrai vous voir, si vous le voulez bien.

— C'est trop de souci, je ne suis pas souvent chez moi .. je vous écrirai », répondit Rosamond.

Stéphanie comprit alors qu'elle aussi avait été effacée, gommée, de la vie de Rosamond. Rosamond ne souhaitait pas vraiment la revoir. N'avait pas besoin d'elle. Plus maintenant.

« Meiling, j'ai vu Rosamond.

— Ah, dit Meiling d'une voix aussitôt patiente et prudente.

— Elle semble aller bien. Elle a grossi. Elle veut rester une ouvrière.

— Qu'y a-t-il de mal à ça ? »

Stéphanie regarda Meiling. C'était toujours l'enveloppe charnelle qu'elle connaissait mais dessous il y avait une autre personne, une autre Meiling.

« Mais Rosamond pourrait enseigner, faire des tas d'autres choses. »

Meiling rabattit les manches de sa chemise et boutonna les poignets. « La camarade Chen a choisi, librement, de devenir ouvrière. Le travail manuel est ennoblissant. La classe ouvrière est la base de la société socialiste.

— Mais...

— Vous ne savez pas combien les intellectuels sont mesquins entre eux, dit Meiling. Rosamond est heureuse. Laissons-la à son bonheur. »

Meiling aussi avait changé. Elle était devenue dogmatique et replaçait tout, paroles, actes, dans un contexte politique. Elle devenait de plus en plus distante et lointaine et Stéphanie se sentait incapable de la rejoindre. Stéphanie qui refusait de changer, de devenir une autre Joan Wu.

Ce mois-là, Stéphanie n'eut pas ses règles. Une nouvelle vie se nichait au creux de son corps. Les meules de ses cellules allaient moudre un nouvel être humain.

Farouche, indomptable, l'instinct de conservation grandit en elle pour le protéger. De tout. De tous. Car tout, autour d'elle, était devenu étranger, menaçant. Même la Famille. Même Yong.

La fin du mois de mai. Le feuillage des arbres récemment plantés le long des avenues procurait une ombre appréciée. Des groupes d'ouvriers allaient passer le dimanche dans les collines environnantes. Les paysans venaient de leurs villages, vêtus de leurs plus beaux habits, accompagnés de leurs enfants aux vêtements bariolés. Ils ignoraient la faim à présent. Et la peur. Les plus âgés allaient naïvement se prosterner et s'agenouiller devant la Porte de la Cité interdite, surmontée d'un portrait de Mao. « Nous avons un nouvel empereur, disaient-ils. Son nom est Mao Tsetung. » Impossible de leur expliquer qu'il ne s'agissait pas d'une nouvelle dynastie impériale. Ils tenaient à la sécurité que leur donnait la certitude que quelqu'un gouvernait le pays, régnait sur lui. Un empereur bienveillant qui les nourrirait et s'occuperait d'eux.

Mais dans les villes, plus évoluées, les « cent fleurs » s'épanouissaient de plus belle sur les murs des universités. On en était aux attaques contre le parti communiste.

« Le Parti a tout gâché. »

« Débarrassons-nous du parti communiste. »

« Le Parti va bientôt s'effondrer. »

La presse communiste rapportait scrupuleusement les discours au vitriol prononcés par des intellectuels éminents, membres de la Ligue démocratique, qui exigeaient de pouvoir recruter des paysans et des ouvriers et demandaient des élections libres dans lesquelles chaque parti essaierait de conquérir le pouvoir.

« Quelle absurdité, quelle dangereuse absurdité », dit Yong.

Cela commença le 8 juin par un article intitulé QUEL EST LE BUT DE TOUT ÇA. L'article se présentait sous la forme d'une protestation à propos d'une lettre anonyme de menaces contre un homme qui avait pris la défense du parti communiste. « Nous considérons cette lettre d'intimidation comme une remise en cause du rôle dirigeant du parti communiste », disait l'article.

« Je pense, déclara Yong de cette voix incolore et atone qui, pour Stéphanie, sonnait le gong du désastre, qu'il va y avoir une contre-attaque... et ce sera dur, très dur...

— Quel genre de contre-attaque ? » demanda Stéphanie.

La matinée était brûlante. Une chaleur poussiéreuse, suspendue au-dessus de la ville, qui desséchait la peau. Il fallait attendre le soir, quand les arroseuses municipales aspergeaient d'eau les avenues à présent goudronnées, pour sentir un peu de fraîcheur. Dans les hutungs, chaque famille jetait de l'eau par bassines pour faire tomber la poussière devant les maisons.

« Le parti communiste ne peut pas tolérer, il ne tolérera pas, une remise en cause de son pouvoir. Il va y répondre avec encore plus de violence. Le fait même qu'il a permis la publication de ces articles montre qu'il tient la situation en main.

— Eh bien, dit-elle d'une voix amère, finalement, cela tourne plutôt mal. Nous allons avoir une nouvelle saloperie de campagne de masse.

— Stéphanie. »

Elle l'attaqua d'une voix sifflante. « Oh ! tu t'en tireras, Yong, toi et ta Famille. Vous vous en êtes tirés pendant des siècles, ou faut-il dire des millénaires ? Tenir et survivre. Sourire et survivre. Voilà votre devise. Vous allez continuer. A chaque fois, vous vous adapterez, vous composerez... mais moi, je... » Sa voix se brisa, elle s'enfuit dans sa chambre et se jeta sur le lit en éclatant en sanglots.

Le soir vint et elle retrouva son calme, navire à l'ancre dans une baie tranquille. Je suis stupide, pensa-t-elle, tout simplement stupide.

Yong avait laissé un message sur le bureau : « Ma très chère et bien-aimée, je dois aller travailler. Je t'aime. »

« Je t'aime. » Bien sûr. Mais vient un moment où l'amour est désemparé, perdu dans un paysage de rochers et de feuilles mortes.

La nuit. Ils se réconcilièrent et chassèrent le poison de leur cœur. Ils firent l'amour. Mais Stéphanie ne dit pas à Yong : je suis enceinte.

Car, à présent, une soudaine roublardise l'habitait. S'il savait, elle serait dépossédée. Par la Famille. Leur sollicitude inépuisable ferait fondre ses défenses.

Mère. Toutes ses attentions — qui lui semblaient maintenant pures manigances. Elles l'affaibliraient. Elle serait à nouveau asservie, s'*ils* savaient.

Elle garderait le secret absolu, vis-à-vis de tout le monde.

Si le secrétaire du Parti Lung savait, il ferait sûrement des histoires. Il dirait : « Etes-vous sûre que vous pouvez voyager? Dans votre état ? »

Tous, ils étaient tous les mêmes. Ils vous ligotaient avec les fils de soie de l'attention, de la sollicitude.

Ils pensaient à votre place. Ils organisaient votre vie, vos goûts et vos dégoûts. Ils étaient toujours un pas en avance sur vous.

Et ils voudraient garder cet enfant. Un Jen. Qui appartenait à la Famille. Pas à Stéphanie Ryder. Elle fut soudain assaillie de fantasmes. *Ils* étaient là, embusqués, prêts à lui arracher l'enfant, leurs esprits tels des aigles au regard perçant, tournoyant au-dessus de son territoire, son corps.

L'actuelle campagne de rectification est marquée par un phénomène indésirable et extrêmement néfaste... certains prêchent la liquidation du parti communiste... Les critiques ont pour but de renforcer le socialisme.. et non de le détruire...

Le 10 juin, à Pékin, Shanghai, Tientsin, Shenyang, Anshan et vingt autres villes, des ouvriers organisèrent leurs propres forums et dénoncèrent les « éléments anticommunistes » parmi les membres de la Ligue démocratique.

Le 11 juin, la radio du matin annonça : « Il est nécessaire de lutter contre les éléments droitistes qui s'opposent au socialisme. » C'était là un terme nouveau. Droitiste.

Stéphanie et Yong prenaient leur petit déjeuner. Elle dit, d'une voix ostensiblement neutre : « Une nouvelle purge.

— Oui.

— Heureusement que tu ne t'es pas trop mis en avant. On ne pourra pas t'accuser d'antisocialisme... »

Yong ne répondit pas. Il était assommé par la méchanceté de cette remarque. Stéphanie buvait son café. Il était devenu facile de s'en procurer à l'épicerie réservée aux étrangers.

« On assiste à une véritable attaque contre la classe ouvrière, contre le parti communiste et le pays tout entier. Sans le Parti, il n'y aurait pas de Chine nouvelle... », poursuivait la voix à la radio.

Déjà, nombre d'intellectuels qui avaient fait des discours enflammés, se dédisaient, se rétractaient, abjuraient.

« Le vice-président de la Ligue démocratique remercie tous ceux qui ont critiqué ses idées erronées — il se reproche d'avoir égaré un grand nombre de gens », rapportait la radio.

On entendit la voix plaintive du vice-président :

« J'ai été égaré... à présent je regrette mes erreurs. J'ai écouté les ennemis du socialisme... »

Dans les cinq jours qui suivirent, les affiches qui, à l'université, dénonçaient le Parti, furent remplacées par d'autres qui le louaient, condamnaient les « droitistes » et demandaient qu'on « luttât » contre eux.

Un soir, Yong rentra de l'hôpital l'air hagard. Il se laissa tomber sur une chaise et se couvrit le visage de ses mains. Jamais Stéphanie ne l'avait vu manifester un tel découragement.

« Que se passe-t-il, Yong ? Qu'y a-t-il ? » Elle savait que les chirurgiens avaient approuvé le rapport de Yong sur la gestion et les besoins des hôpitaux chirurgicaux. Une peur panique s'empara soudain d'elle. *S'il est arrivé quelque chose, je ne pourrai pas partir.* Cette pensée la traversa comme un éclair et aussitôt après la brûlure de la honte.

Elle alla à lui et écarta ses mains. Elle pouvait encore faire ça pour lui. Le consoler. Lui donner sa présence apaisante.

« Mon amour, qu'y a-t-il, dis-le-moi. »

Il frotta son visage contre son bras, avec le même geste que Trésor d'Hiver, pour en effacer la tristesse. « Neige de Printemps, j'ai honte. Presque tout le monde fait marche arrière, se rétracte et nous nous lançons à présent dans une quête frénétique pour trouver parmi nous des boucs émissaires... chacun cherche ce dont il pourrait accuser les autres — ils disent tous qu'ils ont été égarés, entraînés, afin de se mettre dans les bonnes grâces du Parti et détourner sa colère sur un bouc émissaire... » Ce n'était plus l'homme calme et maître de lui qu'elle connaissait.

Il alla jusqu'à une petite table sur laquelle était posé un ravissant porte-pinceau en porcelaine vieux de deux cents ans, qu'il avait acheté quelques années auparavant. Il le prit à deux mains et le laissa délibérément tomber. L'objet se brisa en mille morceaux.

« Les membres de la Ligue des jeunes communistes et tous les jeunes qui aiment notre pays doivent affiner leur odorat », lut Trésor d'Hiver dans le journal de la *Jeunesse chinoise,* qu'il venait d'acheter au kiosque près de son école.

« *Tietie,* est-ce qu'un droitiste a une odeur différente des autres gens ?

— C'est une image, dit Yong sèchement.

— Dans notre classe, il y a un garçon dont le père est droitiste. Je pense qu'il va quitter l'école. Et cet après-midi nous allons défiler. Pour lutter contre les idées droitistes. »

Des affiches apparurent à l'école de langues, qui attaquaient ceux qui avaient critiqué le Parti, attaquaient la « vie abominable, vautrée dans le luxe » et les « ambitions forcenées » des « droitistes bourgeois qui veulent restaurer leur hideuse dictature... »

Le 25 juin, Stéphanie arriva comme d'habitude pour faire son cours du matin. Elle remarqua une foule anormalement dense autour du tableau d'affichage. Quelqu'un la vit et dit : « La voilà », et les étudiants s'égaillèrent à son approche.

Même à cinq mètres de distance il était visible. En caractères noirs tracés au pinceau, en chinois et en dessous en anglais, son nom.

Une affiche contre elle.

Ce jour-là, Yong finit d'opérer très tard. Il se sentait vidé quand il enleva enfin sa blouse. Sa chemise lui collait au dos. Ce n'était pas seulement de la fatigue physique. Une peur furtive alourdissait l'atmosphère ; l'ambiguïté, le vague de tous les propos rendaient l'air glissant.

« Nous aurions besoin d'un peu de pluie », dit le docteur Fan. On pouvait comprendre cette phrase comme une remarque sur le temps ou comme une allusion politique signifiant qu'il faudrait que les choses se calment un peu.

Dans le couloir faiblement éclairé, Yong croisa Arthur Chee et dit « Salut Arthur ». Ces temps-ci peu de ses collègues parlaient à Arthur car ils s'attendaient à tout moment à le voir « chapeauté », étiqueté, droitiste.

Il était si *différent.* Un Chinois de l'extérieur. Qui avait des habitudes étrangères, qui aimait le café. Il avait reproché aux cours de politique d'être une perte de temps. Il avait déclaré que le gouvernement chinois n'avait pas établi de système légal.

« Pendant la dernière campagne pour débusquer les contre-révolutionnaires, on a arbitrairement fixé leur nombre à cinq pour cent dans chaque unité. Tout le monde s'est efforcé d'atteindre cet objectif des cinq pour cent, disait Arthur. Je connais un petit atelier où il n'y a que neuf personnes. Comment faites-vous pour dénicher cinq pour cent de contre-révolutionnaires sur un total de neuf personnes ? »

Les gens avaient alors applaudi. Mais tout cela se passait trois semaines auparavant. A présent, chacun niait avoir jamais été d'accord avec Arthur Chee. Sauf Yong, et quelques autres courageux...

La salle où les chirurgiens se changeaient était déserte. Là aussi il y avait des affiches. Les plus récentes accusaient certains médecins d'avoir « égaré les masses ». D'autres étaient des confessions. « Je me suis laissé séduire par les vues erronées d'éléments droitistes... »

Puis Yong vit la nouvelle affiche, en plein milieu de la pièce. Avec son nom en grands caractères noirs tracés au pinceau. Docteur Jen Yong.

« Je trouve ça dégoûtant », dit Peter Wellington.

Herbert Luger s'agita d'un air gêné. « Attendez une minute, s'il vous plaît. Il s'agit là de l'expression d'une libre opinion de la part des masses...

— Absolument pas. C'est ignoble et vil. De la diffamation.

— Dans votre pays, les lois contre la diffamation sont faites uniquement pour protéger les exploiteurs », dit Herbert Luger.

Peter Wellington le regarda fixement. « Mon Dieu, dit-il d'une voix douce, excusez-moi de vous dire ça, Luger, mais vous êtes une vermine.

— Attendez une minute, une minute... »

Mais Peter Wellington était sorti de la pièce.

Comme tout le monde, il avait vu l'affiche contre Stéphanie. Il avait voulu avoir l'opinion d'un spécialiste. On disait qu'Herbert Luger approchait de très près les dirigeants et connaissait bien leurs idées. Les poings de Peter Wellington se serrèrent dans ses poches. Il était absolument interdit aux étrangers d'arracher les affiches. Quoi qu'elles contiennent. C'était une ingérence inadmissible, une atteinte à la souveraineté des masses. Mais Peter aurait voulu déchirer quelque chose.

Hsu Construit-la-Cité savourait sa vengeance.

Un gentleman attend dix ans pour se venger. Il avait attendu douze ans et dix mois. Il se rappelait encore cette cuisante journée d'août à Chungking. Les taudis. Cette femme qui s'était jetée sur lui avec fureur. Pour le frapper. Lui.

Parce que la camarade Lo avait été l'officier d'état civil au mariage de Stéphanie à Yenan, son service avait reçu du secrétaire Lung une enquête de routine.

Lung en avait aussi envoyé une à l'université de Shanghai où avait travaillé Stéphanie. Il aimait avoir tous ses dossiers en ordre. Et il aimait aussi ne pas prendre de décisions tout seul en partageant la responsabilité avec d'autres. Il voulait aider Stéphanie. Il avait suggéré qu'elle touche un tiers de son salaire en devises étrangères et qu'on lui accordât un congé de six mois à plein traitement. Il souhaitait aussi lui signer un nouveau contrat quand elle reviendrait en Chine. Son travail était de grande qualité. Lung s'attendait à de bons rapports de tous les côtés.

Tous les documents, directives internes du Parti, rapports secrets concernant les affaires intérieures du Parti qui parvenaient à la camarade Lo passaient d'abord par les mains de Hsu Construit-la-Cité. Comme la camarade Lo n'avait pas un goût immodéré pour la lecture, Hsu les lui lisait à haute voix.

Quand l'enquête sur Stéphanie arriva dans le service de la camarade Lo, Hsu la passa à Chaste Sagesse. Elle examina la lettre avec soin. Elle se rappelait l'échec de sa petite campagne de calomnie contre Stéphanie à Yenan.

Mais à présent on pouvait ressusciter ce vieux commérage, l'amplifier, le déformer et en faire un thème politique.

Chaste Sagesse alla trouver le comité de rue de la hutung du Mur jaune. Les grands-mères qui le dirigeaient seraient trop heureuses de parler du numéro 31 et de ce qui s'y passait. Tous les gens qui venaient et qui rendaient la hutung « chaude et pleine de bruit ». Les écrivains, les médecins et les scientifiques importants qui entraient dans la maison.

« Il y a du matériau à utiliser là... », dit Chaste Sagesse.

Sa capacité à transformer des événements en apparence inoffensifs en conduite suspecte s'était considérablement améliorée. Une réunion pouvait toujours avoir l'air d'un complot. Contre le Parti.

Le secrétaire du Parti, Lung, envoya une deuxième lettre demandant une réponse rapide. « J'ai eu des rapports favorables sur la camarade Laï Neige de Printemps par d'autres sources », écrivait-il.

Hsu grinça des dents. En clair cela signifiait : « Nous voulons un bon rapport de votre part.

— Dangereux, conclut Chaste Sagesse. Nous devons avoir une couverture. »

« Laï, l'Américaine », s'exclama la camarade Lo. Hsu ne pouvait pas différer cette histoire plus longtemps.

« Je ne sais rien sur cette personne, dit-il avec humilité.

— Je me la rappelle très bien, reprit Lo en riant. « Très jolie. Et le docteur Jen Yong. Ils formaient un couple superbe. J'ai été très contente quand ils se sont mariés. C'est moi qui ai enregistré le mariage. Les dirigeants étaient pour. »

Le cœur de Hsu se serrait tandis qu'il écoutait le récit enthousiaste de la camarade Lo. « Je préparerai donc un rapport *entièrement* favorable, dit-il. Bien sûr, c'est une grande responsabilité, camarade Lo, d'écrire qu'il n'y avait pas la moindre critique contre cette Américaine et son aimé, bien que leur origine de classe ne soit pas très bonne, je crois...

— Il y a eu des critiques. Il me semble que nous avons même eu une réunion. La camarade Bo y assistait. » Et Lo raconta à Hsu l'histoire des commérages à Yenan.

Hsu écoutait avec ravissement et notait dans son carnet les propos de la camarade Lo. Pour s'en servir un jour contre elle. Et dans l'immédiat contre Stéphanie Ryder.

« Camarade Lo, je vais préparer la réponse ; nous devons mentionner ces commérages creux, pour *votre* protection, dit-il. Ce sera à l'autre unité d'en juger. »

Petite Perle allait passer les vacances d'été à Pékin, dans sa famille. Elle chargea son paquetage sur son épaule et ramassa son sac. Elle devait se rendre à pied à la gare pour prendre le train.

L'Institut des arts et métiers de Tientsin où elle faisait ses études était destiné aux enfants de paysans et d'ouvriers anciens maquisards. Le niveau des professeurs n'était pas très élevé, celui des élèves non plus. Mais on y enseignait ; on y apprenait.

Quand les « cent fleurs » avaient commencé, le comité de l'école avait invité les responsables étudiants d'une prestigieuse université voisine, au recrutement très sélectif, à venir leur parler et leur exposer leurs idées car, à l'Institut, on ne comprenait pas de quoi ils se plaignaient.

Petite Perle ne saisit pas un mot de ce qu'ils dirent. Elle *savait* que le Parti était bon, qu'il les avait sauvés. Sans lui, ils n'auraient jamais pu manger, et à plus forte raison lire et écrire. Ils seraient morts de faim, et leurs ossements blanchiraient au bord de quelque route... De quoi se plaignaient ces gens ?

Dès qu'on avait son diplôme, on se voyait attribuer un travail. Très tôt, les étudiants allaient travailler dans les usines, pour mettre en pratique ce qu'ils avaient appris. On allait là où le Parti vous envoyait. Et alors ? Pourquoi trouver ça affreux ?

Un jour, l'Union des élèves de l'Institut avait organisé une réunion avec des délégués d'autres écoles populaires. Et il y était. Avec son visage carré. Il était un délégué.

Liang Petit Etang, Visage carré, avait dit, de cette voix lente mais forte que Petite Perle aimait, si différente du ton évasif et du débit rapide des autres : « Que veulent-ils vraiment ? »

Tout le monde s'était interrogé.

« Nous ne savons pas ce qu'ils veulent vraiment. »

Petit Etang attendait dans l'avenue qui menait à la gare, bordée de mimosas dont le parfum entêtant embaumait l'air à la ronde.

Il attendait depuis le matin pour être sûr de ne pas la manquer. Car il y avait deux trains pour Pékin. Un le matin et l'autre l'après-midi. Elle n'avait pas pris celui du matin.

Il attendait.

Ils s'étaient revus après la réunion des étudiants. Ils n'avaient pas échangé un salut. Pas une parole. Quelqu'un aurait pu le remarquer et faire des commentaires. Ça se serait su et ils auraient été en butte à de continuelles plaisanteries. Mais *eux* savaient. Leurs regards s'étaient croisés plusieurs fois mais ils n'avaient pas osé se sourire.

Après la discussion des cent fleurs, il s'était débrouillé tout en bavardant pour traîner son ami Hsiao Wang dans le coin où elle se trouvait afin de pouvoir l'entendre. Elle avait alors informé (très gratuitement) une amie de son intention d'aller à Pékin pour les vacances et comment elle irait et quel jour elle partirait...

Il écoutait...

L'amour se cachait sous la terre, au fond des mers ; l'amour était désir brûlant, ténèbres, mystère. Ce n'était pas des *mots*. Surtout pas des mots qui expliquent, et qui blessent. L'amour avait la couleur du ciel et des arbres, l'odeur de la terre. Les mots encombraient l'amour. Les mots étaient des lanternes dans la nuit mais l'obscurité avait la beauté du devenir.

Ainsi donc, silencieux, séparés, mais assurés de l'existence de l'autre, ils croissaient. Comme croissent les plantes, en silence, sous le soleil.

Petite Perle changea son paquetage d'épaule et traversa l'avenue. La gare n'était plus très loin. A quelques centaines de mètres. L'odeur des mimosas lui parvint.

Il était là. Il regardait à droite, puis à gauche.

C'était son visage carré, c'était lui.

Ils n'eurent pas besoin de parler.

Il alla à sa rencontre, prit son paquetage et le chargea sur son épaule. Il boitait un peu. Ils se rendirent ensemble jusqu'à la gare.

Bien sûr, pas question pour lui d'entrer dans la gare, il n'avait pas de billet.

« J'irai à Pékin à pied, dit-il. Je me mettrai en route demain. J'ai un professeur qui connaît quelqu'un à Pékin. J'irai à pied. »

Elle dit : « Je pars. »

Il dit : « Vous partez. »

Il n'était pas nécessaire de prononcer d'autres mots.

Le secrétaire du Parti Lung était furieux, embarrassé et aussi un peu inquiet. Il contemplait l'affiche contre Laï Neige de Printemps. Ignoble.

« Vous dites qu'il y en a une semblable au Bureau des traductions ?

— Oui. Et une autre est apparue à l'université de Shanghai, presque identique. Et une à l'hôpital chirurgical. »

Le secrétaire Lung réfléchit. C'était sérieux. S'agissait-il d'une manifestation de l' « opinion des masses », ou d'une simple cabale ? Et dans ce deuxième cas, quel en était le but ?

Une lettre de la camarade Lo était arrivée.

« Bien qu'à Yenan la direction du Parti ait approuvé le mariage, il y avait eu quelques rumeurs défavorables sur la vie privée du docteur Jen Yong et sur celle de l'Américaine. Le secrétaire de Parti Pu en avait fait part à la direction. Le service d'état civil n'a pas eu à s'occuper de ce problème. »

Le secrétaire du Parti Lung relut l'affiche.

LAÏ NEIGE DE PRINTEMPS,
STEPHANIE RYDER,
AGENT DE L'IMPÉRIALISME CULTUREL
AMÉRICAIN

« Protéger l'esprit de notre jeunesse de la pourriture et de l'ordure bourgeoises est une tâche essentielle pour nous tous qui éprouvons un amour ardent pour le socialisme. Pourtant, depuis de nombreuses années, nous abritons parmi nous un des pires échantillons de la corruption réactionnaire et de la débauche sexuelle, nous lui confions un travail d'enseignement et de traduction qui lui permet de répandre avec frénésie le poison dans notre jeunesse.

» Laï Neige de Printemps, Stéphanie Ryder, est une Américaine séduisante, qui fait ample usage de ses charmes. C'est la fille d'un Gros Propriétaire et réactionnaire qui vend des avions à ce bandit de Tchiang Kaishek pour bombarder notre peuple. Habituée par son éducation à satisfaire ses caprices les plus fous, elle est parvenue à s'introduire en Chinc en devenant la maîtresse de plusieurs correspondants de journaux américains. Pendant son séjour à l'Hôtel de la Presse de Chungking, elle a eu des aventures bien connues du Kuomintang et encouragées par ces valets de l'impérialisme américain. Elle a séduit le docteur Jen Yong, ce fils de capitaliste, esclave de sa passion pour les femmes et ils se sont livrés ensemble à leur luxure sans retenue.

» Jen Yong a pu ainsi aller en Amérique où il a conclu un pacte avec l'impérialisme américain. Depuis, il n'a cessé de proclamer avec zèle que la chirurgie américaine est la meilleure du monde et il a commencé à former dans nos hôpitaux des laquais de l'impérialisme américain.

» N'est-il pas grand temps d'examiner cette affaire ? »

Le secrétaire du Parti Lung soupira. L'affiche le mettait lui aussi dans une situation délicate... « abrité un agent de l'impérialisme culturel américain ».

A Peter Wellington il dit : « Si Mlle Ryder fait une demande de congé *pour raisons de santé*, je pense que notre comité le lui accordera. »

Elle avait l'impression d'être au centre d'un tremblement de terre. Le lit oscillait sous elle. Elle avait envie de vomir, de vomir ses tripes. Elle se précipita dans la salle de bains. De ses deux mains crispées, elle étreignit son ventre, ce ventre porteur de vie et entendit sa voix crier avec rage : « Va-t'en, Yong. Va-t'en. Laisse-moi ! »

Car Yong était rentré de l'hôpital et se tenait, immobile et crispé, au milieu de la chambre. « Stéphanie...

— Ah, tu es au courant ! » Elle avait tiré les stores et la silhouette de Yong se découpait faiblement près du lit. « Ne me touche pas, dit-elle. Je t'interdis de me toucher !

— Stéphanie, je t'en prie, mon amour, ne sois pas si bouleversée... »

Elle lui jeta un regard furieux. « Bouleversée ? Je ne suis pas bouleversée. Je suis ravie.

— Je t'en supplie, mon amour.

— Et cesse de m'appeler ton amour ! »

Elle n'était plus qu'un bloc de haine. Elle reniait le passé, piétinait tout ce qui avait été amour, tendresse. Elle avait envie de hurler sa haine à Yong mais il la priva même de cette satisfaction en se retirant et en cachant sa douleur derrière le masque impassible de son visage.

Il ne lui parla pas de l'affiche qui le mettait lui-même en cause.

Un crépuscule épais et implacable chassa le soleil têtu de l'après-midi et, dans la gorge de Stéphanie, se mêlèrent la bile de sa grossesse et l'amertume du souvenir. Oh ! *il* l'avait rendue aveugle, et sourde, et elle, idiote, n'avait pas élevé de rempart pour se protéger. *J'aurais dû faire comme Michelle Berbiest, ça ne m'aurait pas fait aussi mal. Je te hais, Yong. Tu m'as rendue aveugle et sourde.*

Trésor d'Hiver.

Il fallait qu'elle l'emmène avec elle.

Impossible. Il était trop un Jen. Il leur appartenait.

Elle jeta un coup d'œil à sa montre. Trésor d'Hiver allait bientôt rentrer. Il était allé voir un match de ping-pong.

Il arriva, de sa démarche légère, si semblable à celle de son père ; aucune raideur dans son corps.

C'était bien un Jen. Il traversa la cour, jeta un regard alentour et entra dans sa chambre en disant : « Maman. »

Il ne savait rien. Dieu merci. Cela restait limité aux unités où elle travaillait.

« Maman, tu n'es pas bien. Est-ce que ta tête est douloureuse, maman ?

— Oui, mon chéri. Maman a été très fatiguée aujourd'hui. »

Il lui adressa un sourire rayonnant. Son visage, le visage de Yong. Un Jen. « Maman, tu travailles trop — mais c'est l'été, et nous irons bientôt au bord de la mer, n'est-ce pas ?

— Oui, mon chéri. Mais maintenant maman voudrait se reposer. »

Mère Huang entra, avec du thé, et quelques gâteaux pour Trésor d'Hiver.

« Maîtresse devrait prendre un fortifiant, maîtresse est épuisée par le travail, dit-elle.

— Je vais me reposer quelques jours », dit Stéphanie. (Mère Huang avait-elle deviné qu'elle était enceinte ?) La cloche du portail tinta. La nièce de Mère Huang alla ouvrir. C'était Peter Wellington.

« Je sais ce que vous éprouvez, Stéphanie... mais je vous en prie, je vous en prie, ne le prenez pas trop à cœur. Vous comprenez, des choses comme ça peuvent arriver. Il y a toujours une veine de déraison dans ces campagnes politiques de masse. Ça se tasse ensuite...

— Merci de me le dire, Peter.

— Notre ami Lung m'a dit que si vous demandez un congé de maladie, il pourra vous l'accorder tout de suite.

— Merci, Peter.

— Stéphanie. » Peter était désolé. « Nous vous soutenons tous. Je vous en prie, venez à l'école dire au revoir à vos étudiants. Ça leur fera plaisir. Ils vous aiment beaucoup. »

Tout s'arrangea très vite.

Stéphanie se rendit une dernière fois à l'école. Une petite réception fut organisée pour lui souhaiter bon voyage. Les étudiants lui serrèrent la main. Certains lui offrirent de menus cadeaux : un éventail, des baguettes en ivoire sculpté.

Comme si l'affiche n'avait jamais existé.

Le secrétaire Lung lui donna une chaleureuse poignée de main. « Ecrivez-nous dès que vous irez mieux », dit-il.

Il prononça un petit discours où il affirma que Stéphanie était non seulement un excellent professeur mais une chaste épouse et une bonne mère. Il lança un regard féroce à l'assemblée et répéta : « Une chaste épouse et une bonne mère. » Tout le monde applaudit.

Ça signifie, je suppose, qu'ils ne croient pas ce que dit l'affiche, pensa Stéphanie. Elle en fut réconfortée et montra une attitude fière et jeune bien que son corps fût tout meurtri à l'intérieur, comme s'il avait été roué de coups.

Trésor d'Hiver et elle iraient à Shanghai. Trésor resterait chez ses grands-parents ; Stéphanie poursuivrait son voyage jusqu'à Canton puis Hongkong. Yong avait expliqué à son fils que Maman allait voir ses parents. Le petit garçon avait écouté puis avait longuement regardé sa mère. « Maman, tu reviendras bientôt, maman ?

— Oui, Trésor, dès que je serai guérie. »

Jen Ping les accompagnerait.

« Pourquoi ? demanda Stéphanie quand Yong le lui annonça. Pourquoi est-ce elle qui vient ? Et pas toi ? »

Ils ne s'adressaient plus la parole à présent, sauf devant Trésor d'Hiver. Yong quittait la maison pour se rendre à l'hôpital, rentrait le soir. La nuit, ils restaient étendus, côte à côte, rigides comme des fantômes fatigués, sans se toucher.

« Stéphanie, je... »

Une colère blanche s'empara d'elle. « Tu ne m'as pas demandé si j'aurais envie de sa compagnie.

— Stéphanie, je t'en prie, je t'en prie... » Il s'approcha, prit ses mains dans les siennes, essaya de capter son attention. Mais elle le repoussa et lui jeta un regard haineux.

« Lâche-moi. » Glaciale. Crépitante de colère, de mépris. Il laissa retomber ses mains.

« J'ai pensé qu'elle pourrait t'être utile. »

Le mot détesté. *Utile...*

« Qu'elle vienne si elle le souhaite mais je n'ai pas besoin d'elle. »

A nouveau tout était organisé pour elle. Tout. La Famille. Jen Ping prendrait le train avec elle. Elle ne pouvait rien y changer.

Mais elle ignorait que Yong s'était vu refuser la permission de l'accompagner à Shanghai. Par le comité du Parti de son unité. Il ne le lui dit pas.

Une chaleur suffocante poissait le soir et l'odeur du goudron et de la fumée emplissait la gare. Les gares étaient les mêmes partout ; elles vous rendaient insensible ; on attendait la libération du départ, dont on avait accepté le caractère inéluctable.

« Maman, je veux que tu portes mon cadeau pour Grand-Papa et Grand-Maman de l'extérieur. » Trésor d'Hiver farfouilla dans son sac et en sortit le mystérieux cadeau, qu'il avait tenu secret jusqu'alors. Une boîte en bois décorée de ses plus beaux coquillages, ceux qu'il avait ramassés pendant l'été passé à Peitaiho. Un cœur et en dessous, en anglais : « I lov you. »

« Bien sûr, mon chéri. Mets-le dans le grand sac de maman. Il ne risquera pas de se casser.

Yong la regardait. Elle se tourna à nouveau vers lui. Le chef de gare siffla ; bientôt il agiterait le drapeau vert du départ.

« Je t'écrirai, Yong... Je reviendrai.

— Bien sûr, Neige de Printemps. Tu reviendras, je le sais. » Sa voix était assurée mais ses yeux, glissant sur elle, contemplaient une autre Stéphanie, juste derrière elle.

« Je t'attendrai toujours, dit-il.

— Yong. Je *dois* partir. »

Il retrouva l'anglais qu'il parlait à Chungking, précis et démodé. « Nous sommes soudés ensemble, toi et moi. Même ton départ s'insère dans le besoin que nous avons l'un de l'autre. Nous sommes dans les mains l'un de l'autre, pour le restant de nos jours sur cette terre. »

Le moment était venu de monter dans le train, le moment de partir.

D'agiter les mains, un mouchoir. Vers Yong, immobile sur le quai, la main à peine levée.

Une heure plus tard, Trésor d'Hiver couché et bordé, Jen Ping et Stéphanie se retrouvèrent seules dans le wagon-restaurant. Jen Ping dit : « Yong avait demandé l'autorisation de vous accompagner. On la lui a refusée.

— Pourquoi ne me l'a-t-il pas dit ?

— Parce que vous ne l'avez pas deviné », répliqua Jen Ping.

Le Jardin du Bassin au Saule avait un aspect un peu irréel ; royaume des fées désenchanté. C'était dû en partie à la chaleur écrasante, en partie au fait que la plus grande partie de la maison avait besoin d'être repeinte.

Père pratiquait la boxe chinoise tous les matins. Mère était tout absorbée par l'éblouissement de son amour tout neuf pour Père. C'est une chose précieuse entre toutes que l'amour à l'automne de la vie, tendresse qui vient avec les années, plus précieuse qu'une jeune passion. Stéphanie les vit se promener dans le jardin, main dans la main. Ils s'arrêtèrent près des rosiers qu'elle avait plantés et qu'une épidémie de pucerons avait dévastés.

Le soir, Jen Ping s'installa dans le bureau avec son frère pour bavarder. Elle était rentrée dans le sein de la Famille. Ils parlèrent de Stéphanie. De Yong.

Trésor d'Hiver resterait à Shanghai. « Jusqu'à votre retour, chère fille. » Yong n'aurait pas eu le temps de s'en occuper.

Tout était arrangé. Elle se sentait superflue. Veuve allait et venait en chantonnant. Elle avait repris sa démarche déjetée. Et son insignifiance, même dans les divers comités dont elle faisait partie. Des femmes plus jeunes, plus robustes, y faisaient entendre des voix fortes, assurées et compétentes. Sur la contraception. Sur le problème des épouses battues. Sur les repas des enfants dont les mères travaillaient. Sur la création d'un magazine féminin. Sur les procédures de divorce, l'égalité des salaires. Sur la possibilité d'être ouvrières dans des aciéries.

Mère empaqueta des boîtes en laque et de petits vases en émail cloisonné destinés aux parents de Stéphanie. « Nous n'avons guère plus d'objets de valeur à offrir, à présent, ma chère enfant. Dites, je vous en prie, à vos parents respectés que nous espérons faire leur connaissance quand tout malentendu sera dissipé. »

Malentendu. C'est l'euphémisme du siècle, pensa Stéphanie.

L'enfant qu'elle portait en elle. Trois mois. Cela ne se voyait pas. Elle surprit le regard scrutateur de Mère. Et lui cacha ses nausées matinales.

L'institutrice Fan fut ravie de retrouver Trésor d'Hiver. « Je vous en prie, dites au peuple américain que nous voulons être leurs amis, dit-elle d'une voix sincère à Stéphanie. Les droitistes veulent détruire notre grand système. Pourtant, sans la révolution, je serais une mendiante, en train de crever dans un coin. »

Mais John Foster Dulles, le secrétaire d'Etat aux Affaires étrangères, venait de faire des déclarations en faveur des droitistes.

Lionel et Loumei vinrent, accompagnés de Guerrier de Chine, à présent un grand garçon, excellent joueur de volley-ball. « Je suis content que vous ayez ce congé, Stéphanie, lui dit Lionel. Je vous en prie, dites-leur bien là-bas que ce pays souhaite vraiment des liens d'amitié avec l'Amérique...

— Ils ne me croiront pas, Lionel.

— Il faudra bien qu'ils le croient un jour. Ce n'est pas désespéré. A Varsovie, l'ambassadeur américain a des contacts avec celui de la Chine... depuis 1959... »

« Stéphanie, dit Henry Barber, rien n'est définitif, surtout en politique. Il y aura des changements, dans les deux pays. Et vous pouvez contribuer en expliquant.

Vous étiez à Yenan, en 1945. Vous savez que Mao Tsetung et Chou Enlai souhaitaient avoir l'Amérique comme amie. Vous savez que Jack Service et John Davies en ont fidèlement informé le Département d'Etat et que c'est à cause de ça qu'ils ont connu la chasse aux sorcières, qu'on a sali leur réputation et ruiné leur vie.

— Je me sens moi-même plutôt déprimée actuellement par ces campagnes politiques, dit Stéphanie.

— Une révolution n'est pas facile à faire. Elle passe par toutes sortes d'expériences et d'erreurs, de bavures affreuses et de découvertes merveilleuses... Mais il faut continuer. Nous n'aurions pas ces moments si durs, si pénibles, en Chine si l'Amérique n'avait pas changé de cap en 1945, dit Henry Barber.

— Oh, arrêtez, Henry ! dit-elle avec colère. Arrêtez de vous excuser d'être américain. Arrêtez de rendre l'Amérique responsable de tous les problèmes de la Chine. Les Chinois ne vous en aimeront pas plus pour autant. Vous restez toujours un étranger pour eux. »

Stéphanie partit pour Canton. Les yeux brouillés de larmes, elle fit des signes de la main à Trésor d'Hiver qui ne pleura pas. Qui dit, imitant *Tietie :* « Prends soin de ton corps précieux, Maman. »

Shumchun, gare frontière du côté chinois, entre Canton et Hongkong. Un maigre ruisseau. Un pont de bois qui l'enjambait. Du côté de Hongkong, des barbelés couronnant des buttes de terre. Tout le monde savait que la Chine n'avait pas l'intention de prendre l'île ; mais Hongkong avait encore besoin de faire croire qu'elle contenait les hordes chinoises grâce à quelques régiments anglais. Les V.I.P. en voyage à Hongkong allaient se donner le grand frisson en jetant un coup d'œil, par-dessus les barbelés, à la frontière qui séparait le Monde libre de Hongkong de la Chine rouge.

Stéphanie n'eut aucun problème du côté chinois. On vérifia son argent : deux mille dollars américains. En bijoux, elle n'avait que le collier de famille que Mère lui avait donné. Elle traversa le pont. Ses jambes, son cœur, étaient de plomb. Yong. Yong. Trésor d'Hiver. Déjà, les policiers en uniforme de Hongkong demandaient : « Votre passeport, s'il vous plaît. »

Sourcils froncés. Regards perplexes. Ils examinèrent son passeport puis consultèrent un registre noir posé devant eux. « Attendez ici », dirent-ils. Elle attendit. Le bureau des passeports et de la douane était petit ; il y faisait une chaleur étouffante. Quatre policiers armés gardaient l'entrée et la sortie. Pas de siège pour s'asseoir.

Au bout d'une demi-heure arriva un Anglais blond, qui tenait son passeport à la main. « Mademoiselle Ryder, je me présente, Wells de la Special Branch Security. Je crains que votre passeport ne soit expiré.

— Mais je pensais...

— Nous avons pris contact avec votre consulat à Hongkong. Ils vont vous donner un document temporaire, qui vous permettra de monter dans un avion à destination des Etats-Unis.

— C'est là que je désire aller.

— J'ai bien peur que vous ne soyez obligée de vous rendre directement à l'aéroport. Sous une escorte de police. Vous ne pouvez pas rester à Hongkong sans papiers.

— Quand y a-t-il un avion ?

— Il devrait y avoir un départ demain après-midi.

— Ne pourrais-je pas descendre dans un hôtel ?

— Je crains fort que non. Vos papiers sont périmés. »

Un policier chinois en civil s'approcha de Wells d'un air affairé et lui chuchota quelque chose à l'oreille. Ils se retirèrent à l'écart pour discuter. Wells revint. Il avait un air revêche.

« Il semble que quelqu'un se porte garant de vous. Un ami vous attend. »

Sur le quai se trouvaient ses bagages et un jeune homme vêtu d'un somptueux costume en soie italien avec une cravate de soie française. Il resplendissait de la tête aux pieds.

« Chère Tante, dit-il. Bienvenue à Hongkong. » Et, devant son air perplexe, il ajouta : « Je suis Eddy Keng, le fils de Keng Dawei. Nous nous sommes presque rencontrés à Dallas, en 1948...

— Ah oui, bien sûr. » Son père lui avait dit qu'Eddy Keng était un jeune homme intelligent, un homme d'affaires né. Eddy avait travaillé pour Heston afin d'apprendre l'industrie pétrolière.

Des porteurs apparurent comme par enchantement pour prendre ses bagages. Wells jeta un regard irrité à Keng et dit d'un ton hautain : « Hum, il vous faudra faire une déclaration écrite sous serment, vous savez. » Mais les policiers chinois étaient tout sourire à présent et Eddy avait un air ravi.

« Monsieur Wells, moi connaître votre patron. Lui me dire venir ici. » Il conduisit Stéphanie vers une Mercedes bleu nuit étincelante au volant de laquelle était assis un chauffeur en uniforme blanc. « J'emprunte auto mon oncle, dit Eddy à voix haute. Tout le monde connaître mon oncle. Lui sir Henry Keng. Lui à Londres maintenant, acheter chevaux pour Racing Club de Hongkong. Nous aller tout à l'heure à sa maison, Kengstone. »

Eddy Keng faisait exprès de parler pidgin pour se moquer de Wells. Stéphanie s'installa dans la Mercedes à air conditionné. C'était frais, frais et reposant. Elle était à la fois soulagée et résignée. La Famille, les liens. Oncle Keng. En Chine ou hors de Chine ce réseau arachnéen de relations, de liens... ils s'occupaient des leurs jusqu'au bout.

21

« Neige de Printemps,

« Tu as eu raison de partir. Tu t'es sentie menacée par une si grande négation de la fidélité, par l'ombre de la trahison et par le doute grandissant qui faisait paraître fausses toutes choses. Tu es partie en quête de cohérence parce que notre amour, seule certitude qui nous restait, était obscurci par la tragique incertitude qui nous cernait de toutes parts.

» Oncle Keng a tout organisé pour que son fils te protège à Hongkong. Afin que tu ne sois pas traquée, insultée, par des journalistes avides de sensationnel.

» Ma précieuse chérie, je ne suis pas philosophe, qui sait employer le mot juste ; mais les poètes m'ont appris que le monde tangible qui nous entoure n'est pas coulé dans un moule inaltérable. Il se défait et se reforme sans cesse, en un flot constant de temps et de changements. Pourtant, l'esprit humain a toujours faim de stabilité, d'une métaphysique à la vérité immuable. Combien précaires se sont révélées certaines de ces croyances !

» Mais la Croyance est nécessaire à l'humanité. Et des hommes sont morts quand leur foi est devenue une farce, une illusion.

» Je vais devoir subir une certaine épreuve et je suis heureux que tu ne sois pas ici. Je n'aime pas voir trembler ta bouche et la lumière quitter ton visage quand tu essaies de deviner ce que moi, j'essaie de te cacher.

» Connaissant l'issue probable de l'enquête lancée contre moi, j'entends déjà la débandade de rats qui a nom trahison et, quand tomberont sur ma tête les accusations de mes collègues, et de certains de mes amis, je penserai à toi, là-bas, en sécurité, dans ton pays.

» Je rêverai de toi. Je sentirai le vent des grands espaces américains caresser ta chevelure. J'entendrai ton rire ébouriffé comme des chatons de saule dans l'azur et l'or des plaines infinies. Je te vois, silhouette mouvante sous les chênes, dont l'ombre te mouchette de reflets soyeux. Tu es l'oiseau du matin, et jusqu'au matin je t'attendrai, heureux parce qu'en fermant les yeux, je te retrouve, derrière mes paupières. »

Yong n'envoya jamais cette lettre.

Eddy Keng déposa une caution de dix mille dollars, qui permit à Stéphanie de rester vingt-quatre heures à Hongkong pour se reposer. « Reposez-vous, Chère Tante. Dormez. Je m'occupe de tout.

— Oh, Eddy...

— Votre père a été bon pour moi. C'est un homme important, M. Heston Ryder. Il ne nous comprend pas, nous autres Chinois et il ne comprend rien à la politique mais ça n'a pas d'importance. Il pense de façon simpliste noir et blanc, rouge et pas rouge. Je lui dis qu'il y a une seule couleur, celle de l'arc-en-ciel. Il rit. »

Kengstone était une vaste bâtisse dont le style rappelait un château anglais médiéval, avec des tours crénelées. C'était la résidence de sir Henry Keng, membre de l'Ordre de l'Empire britannique, loyal sujet de Sa Majesté la Reine dans cette colonie de la couronne qu'était Hongkong, frère de sang de Keng Dawei, le multimillionnaire capitaliste qui collaborait avec les communistes à Pékin.

Contenue derrière le mur d'enceinte et les grilles de fer cadenassées, se pressait une foule de journalistes et de cameramen, de la télévision et du cinéma, chinois et étrangers, dont le vacarme aurait pu déranger Stéphanie si elle n'avait été en train de dormir profondément dans une chambre à air conditionné.

Eddy Keng, très au fait des mœurs de Hongkong, avait si royalement graissé la patte autour de lui que le policier de la gare de Lowu avait attendu une heure entière avant de livrer à la presse la liste des voyageurs étrangers en provenance de Chine communiste.

Le lendemain, Stéphanie quitta discrètement Kengstone à l'aube, par un tunnel secret creusé pendant l'occupation japonaise de Hongkong. Beaucoup de grandes demeures chinoises possédaient des tunnels semblables qui allaient déboucher dans les collines.

A l'aéroport, deux policiers armés de Hongkong escortèrent Stéphanie jusqu'à un avion de la Pan American. Son passeport, valable seulement pour retourner aux Etats-Unis sur un vol américain, ne lui fut pas rendu mais fut confié à deux hommes jeunes, minces et racés comme des lévriers, mâcheurs de chewing-gum, qui s'assirent l'un devant, l'autre derrière elle dans l'avion.

« Vous me traitez comme une criminelle », remarqua-t-elle. Ils ne répondirent pas. Ils mastiquèrent avec application pendant presque tout le vol.

A Hawaii, elle ne fut pas autorisée à quitter l'avion pendant la durée du transit. Elle en sortit au dernier moment pour être transférée directement dans un autre appareil. A San Francisco, deux hommes en chapeau mou la firent entrer dans l'aéroport par une porte dérobée. Là, deux autres hommes, plus trapus, l'attendaient dans un petit bureau gardé par deux policiers armés. Stéphanie, ivre de fatigue, s'aperçut qu'elle avait oublié à quel point certains Américains étaient corpulents et massifs.

Une fois qu'elle fut dans le bureau, l'interrogatoire commença. Les voix étaient basses, calmes, lentes, impitoyables. Sans relâche. Avec de longues pauses entre les questions.

« Pourrais-je avoir un verre d'eau ? »

« Ecoutez, je suis très fatiguée, je voyage depuis quarante-cinq heures... »

« Je ne comprends pas cette question... »

« Oui, je me suis mariée à Yenan... oui, en 1945. »

« Mais je vous l'ai déjà dit... »

« J'exige de voir un avocat... »

Ils étaient impassibles, imperturbables. Ses paroles, de colère ou de bon sens, coulaient sur eux comme l'eau sur le granit. Ils continuaient. Page après page. Leur liste de questions. Toutes les vingt minutes, une femme d'âge mûr, aux lèvres pincées, au nez chaussé de lunettes, entrait, jetait un regard de mépris à Stéphanie et déposait sur le bureau un nouveau tas de documents.

Ils enregistraient ses déclarations. L'un des hommes se retourna et tripota un magnétophone. Quand l'un était fatigué, l'autre le relayait.

« Madame Jen, nous vous avertissons à nouveau... vous ne vous montrez pas très coopérative... vous ne quitterez pas ce bureau tant que vous n'aurez pas répondu de façon satisfaisante. »

« Un citoyen américain suspect de trahison est tenu de répondre...

— Je ne suis pas un traître.

— Ce sera au sous-comité sénatorial de la Sécurité intérieure à en juger...

— Ces interrogatoires autorisent seulement à poser des questions...

— Ce n'est pas un procès... vous ne pouvez pas demander la présence d'un avocat. »

Des questions. Qui faisaient osciller son esprit. Les mots sortaient de sa bouche en trébuchant, en se bousculant ; un bourdonnement continu emplissait ses oreilles.

Une autre heure s'écoula ; les hommes parurent s'éloigner ; les murs du bureau explosèrent, basculèrent. Elle s'évanouit.

Un plafond blanc au-dessus de sa tête. Etait-elle de retour à Yenan ? Non, ce n'était pas ce genre de plafond, arrondi comme un ventre.

« Yong.

— Steph, c'est Papa...

— Papa. » Elle ouvrit les yeux et se redressa d'un bond. Elle se jeta dans ses bras. « Oh papa, papa, ils m'ont gardée si longtemps...

— Trois heures, mon petit, je sais. J'attendais. Mais c'est fini à présent, c'est fini. »

Deux autres jeunes gens minces les attendaient. Ils les escortèrent le long du corridor que Stéphanie parcourut d'un pas hésitant, appuyée au bras de son père.

Ses bagages se trouvaient près de la porte marquée EXIT.

« Madame Jen, le règlement interdit l'entrée de tout matériel en provenance de la Chine communiste... nous avons dû saisir une partie du contenu de vos valises... »

Ils avaient pris tout sauf ses vêtements. Les carnets de notes, ses journaux, ses manuscrits, les lettres, les cadeaux, les photos de Trésor d'Hiver, de Yong. Tout sauf les vêtements et le linge déjà portés. Même la petite boîte en bois de Trésor d'Hiver, avec ses coquillages formant un cœur et l'inscription « I lov you ».

« Nous vous donnerons un reçu pour tout le matériel saisi. Vous pouvez naturellement les réclamer comme votre propriété personnelle. »

Le bras de Heston se resserra autour de ses épaules.

« Je vais charger mes avocats de cette affaire. Ne t'inquiète pas, mon petit... nous récupérerons tout. Oui monsieur. Tout. » Sa voix était assurée.

« Madame Jen, le règlement interdit d'accorder passeport ou visa à tout citoyen américain qui se sera rendu dans un pays communiste sans autorisation légale... »

Pas de passeport.

Ils sortirent du bâtiment. Elle regarda son père avec émotion. Il discutait avec les deux jeunes gens qui les avaient suivis et relevaient le numéro d'immatriculation de la voiture.

« Ma fille va habiter chez moi. Mes avocats vous en informeront officiellement. »

Son père.

Il n'était plus jeune. Il avait les oreilles, la bouche d'un vieil homme. Son corps était encore ferme, il se tenait très droit mais son aspect avait changé. Elle avait été trop longtemps absente et pendant ce temps il avait vieilli.

« Neige de Printemps,

« Tu m'as dit une fois qu'on avait brûlé des sorcières dans ton pays, à une époque qui n'est pas très ancienne. Mon pays, dans un effort pour exorciser le passé, est en train d'allumer pas mal de bûchers, lui aussi, même s'ils restent symboliques.

» Tu as laissé ici un Nouveau Testament. Je l'ai lu. Le christianisme est fondé sur un sacrifice humain. Une crucifixion, la torture et la lente agonie d'un homme juste et innocent qui voulait régénérer le monde et représentait donc une menace pour le pouvoir en place.

» Peut-être certains d'entre nous sont-ils soumis au même rite de purification que celui qui fut rendu sublime par la torture sur la croix infligée à un homme il y a deux mille ans. Je dois croire à la validité propre de la souffrance, même si c'est une douleur anonyme. Et nous, ceux d'entre nous qui sommes en train de forger ici un monde nouveau, *devons* croire que nous aussi sommes coupables, coupables par procuration. On nous charge du fardeau des crimes et des péchés de nos ancêtres. La Bible chrétienne ne reconnaît-elle pas le péché héréditaire ? Le péché originel, cette curieuse notion, n'est-il pas fondé sur l'idée d'une culpabilité héritée ? Je me console ainsi avec la philosophie, et la poésie, qui sont sœurs. Quelle peur se tapit-elle dans mon cœur ? Aucune. »

Heure après heure, jour après jour, Jen Yong se tint debout, tête baissée, et écouta. Il avait l'attitude requise, humble et soumise. Il aurait le droit de répondre par une autocritique. Sa vie n'était pas en danger. C'était sûr. Mais être étiqueté droitiste vous transformait en une non-personne. Et ce danger était très réel pour Yong.

Il regarda la salle. Les uns après les autres, ses collègues se levaient pour l'accuser. Une lapidation. Certains lui jetaient de lourdes pierres, avec l'intention de tuer. D'autres lançaient du gravier, sans conviction. Ceux-là étaient ses amis.

Mais n'était-ce pas étrange que personne ne parlât en sa faveur ? Il *fallait* trouver quelque chose à lui reprocher. Et tous ceux qui avaient craint pour eux-mêmes étaient soulagés : il avait été choisi pour être le bouc émissaire de son unité.

On pouvait donc rassembler des « preuves » contre lui, les fabriquer, les additionner, les déformer, les gonfler, les empiler, pour remplir du temps qui aurait pu être consacré à rechercher les erreurs des autres.

Des témoignages. De Vieux Wang, à présent deuxième secrétaire Wang, responsable du comité du Parti à l'hôpital de Chungking. « Le docteur Jen Yong a toujours eu des idées et un comportement bourgeois. Il n'écoutait pas les sages conseils. Il se livrait avec insouciance à ses désirs romantiques et lubriques, mettant ainsi en danger notre organisation. Il a affirmé que " l'amour passe avant tout "... »

De l'infirmière Sha, à présent infirmière en chef de la maternité n° 1 de Tsinan : « J'ai travaillé pendant trois ans dans le service de chirurgie de l'hôpital de Chungking, le docteur Jen Yong était un patron typiquement réactionnaire, hautain, arrogant, méprisant pour nous, les infirmières. Sa vie privée était mauvaise. Plusieurs fois, une Américaine est venue le demander, jusque dans les salles. Il abandonnait tout et allait avec elle dans des restaurants de luxe... »

De quelqu'un qui avait partagé une grotte avec lui à Yenan : « Il a quitté notre équipe de la Croix-Rouge quand nous sommes arrivés à Sian et a demandé à un camarade soldat qui conduisait un camion de l'emmener à Yenan. Pas parce qu'il était impatient de se mettre au travail mais parce qu'il désirait retrouver les étreintes de sa maîtresse étrangère... »

D'un autre : « Les hôtes américains de Yenan disposaient d'une grotte chacun. Il en a profité pour se livrer à la débauche presque chaque nuit... »

D'un écrivain que Sa Fei avait amené à la maison de Yong : « Le numéro 31 dans la hutung du Mur jaune était toujours plein de gens, dont beaucoup apparaissent maintenant comme des droitistes. Je me suis laissé entraîner dans cette maison une seule fois, par Sa Fei, cette droitiste bien connue. J'ai été écœuré par les propos que j'ai entendus là-bas... »

D'un autre : « Il invitait exprès de nombreux écrivains pour leur faire rencontrer sa femme, pour les gaver de nourriture et de boisson et leur remplir l'esprit de haine pour le socialisme, et d'amour pour l'impérialisme américain... »

D'un collègue : « Il a calomnié notre grand ami, la fraternelle Union soviétique et son aide désintéressée... il a déclaré que les Russes n'étaient pas aussi avancés en chirurgie que les Américains. »

Un autre : « Il souhaite détruire le rôle dirigeant du Parti... »

Un seul rapport favorable, d'un certain Prospérité Tang, responsable de la production de charbon et d'acier dans une grande région de Mandchourie : « Le docteur Jen Yong a servi avec conviction et désintéressement... Pendant son séjour en prison sous le Kuomintang, il a fait preuve de fermeté et a lutté correctement contre les réactionnaires. Il est très travailleur. »

Jen Yong lut les affiches qui l'attaquaient. Elles s'étalaient partout dans l'hôpital où il travaillait. Où il continuait de travailler car il opérait tous les jours. Seulement à présent, personne ne lui parlait, même pendant les opérations. Il remarqua qu'aucun des hommes qui avaient été emprisonnés avec lui à Chungking n'avait témoigné contre lui. Il en fut heureux.

Mais qui était ce Prospérité Tang, qui se mouillait pour le défendre ?

Le comité du Parti de l'hôpital ne l'avait pas encore jugé droitiste. Mais tout le monde se comportait comme si cela n'aurait su tarder.

Sa Fei avait été déclarée droitiste.

Des articles sur elle et sa « clique » parurent dans *Clarté,* le journal des intellectuels.

A lire *Clarté,* ses remontrances, sa malveillance systématique, Yong se dit que les écrivains étaient bien plus minables, mesquins et mauvais vis-à-vis de leurs semblables que d'autres intellectuels. Les ingénieurs, les physiciens, les mathématiciens, les archéologues médisaient rarement sur leurs collègues, alors que nombre d'écrivains semblaient se nourrir de trahison et s'engraisser de commérages et de médisances.

Un écrivain se vit accuser par sa femme, dont il s'était séparé : « C'est un homme mauvais, qui a un cœur mauvais et un esprit corrompu. Il m'a dit : " Je jouerai la prudence en gardant un pied dans chaque camp. " Il a plus de mille livres sterling planquées en Angleterre. »

En lisant tout cela dans *Clarté,* Yong se dit amèrement : Le Parti connaît notre point faible à présent. Nous n'avons aucune solidarité.

Quelques écrivains éminents, non communistes, qui avaient pratiqué avec zèle la discrétion, furent totalement épargnés. Ils eurent même l'honneur de prendre le thé avec le président Mao. On ne signala nulle part qu'ils aient dit un mot en faveur de leurs infortunés collègues.

Pourtant, certains se montrèrent courageux. L'un d'eux écrivit : « De nombreux auteurs et acteurs distingués se sont mis à l'abri en n'effectuant pas le moindre travail pendant sept ans. Dans l'ancienne société, ils seraient morts de faim, sous le régime actuel, ils sont chouchoutés. Sa Fei, elle, a continué d'écrire pour le peuple... »

Quand quelqu'un devenait droitiste, la famille de l'autre époux essayait d'obtenir le divorce. Afin de ne pas être impliqués.

Mais Liu Ming refusa de quitter Sa Fei. « Je resterai avec elle tous les jours de ma vie. »

On les envoya dans un lointain village de la Mongolie-Intérieure. Sa Fei devrait faire du travail obligatoire mais pas trop. Elle s'occuperait de la comptabilité du village. Elle ne serait plus publiée, jusqu'à sa réhabilitation. Ce qui prendrait des années...

« Je n'ai jamais aimé les grandes villes, dit Liu Ming tout en emballant ses vêtements et ceux de Sa Fei.

— Maintenant, j'aurai le temps de lire », dit Sa Fei en triant ses livres.

Le petit vent d'automne agitait les feuilles des chênes et courbait l'herbe robuste. Les robes luisantes des chevaux lancés dans leur galop matinal brillaient comme des étoiles et Stéphanie entendait les voix claires des cow-boys, le son mat des sabots. Elle pouvait à tout instant être assignée à comparaître devant un sous-comité. Son père faisait tout son possible. Il avait écrit à des membres du congrès, à un groupe de sénateurs, il faisait intervenir ses avocats pour protester. Mais la menace pesait toujours sur elle. Quelqu'un avait une « preuve » contre elle, affirmaient les hommes du F.B.I. « Vous découvrirez bientôt ce que c'est... »

Dick Steiner lui téléphona.

« Stéphanie... deux hommes sont venus à mon bureau pour me poser des questions...

— Dick, ils viennent régulièrement chez moi, trois fois par semaine. Pour m'interroger. Mais pourquoi s'en prennent-ils à vous ? Vous n'avez jamais rien fait...

— J'étais là-bas, vous vous en souvenez ? A Fourche de la Rivière. » Il se mit à rire. « Vous avez besoin d'un avocat, ma chère, mais je m'occupe d'immobilier et d'héritages. Pas le genre qu'il vous faut. Et peut-être m'en faudrait-il un à moi aussi. Ils veulent absolument me faire dire que les tueurs de Fourche de la Rivière étaient des Japonais et pas des hommes du Kuomintang.

— Pourquoi ressortent-ils ça maintenant, Dick ?

— Ils veulent prouver que Tchiang Kaishek a toujours été un grand démocrate, je suppose. Ou que vous mentiez dans vos articles. »

Dick était assigné à comparaître devant le Comité des activités antiaméricaines dans une affaire qui concernait un de ses amis. Abe Collins était un ancien boxeur professionnel et un écrivain qui avait fait partie de la Brigade Lincoln dans la guerre d'Espagne puis, comme G.I., était entré à l'Ecole de formation d'officiers. Deux jours avant d'être reçu, on découvrit qu'il avait combattu pour les républicains en Espagne et il resta simple soldat pendant toute la guerre. Il faisait actuellement l'objet d'une enquête à Hollywood.

Isabelle voulait que Stéphanie allât en France. « En France, il y a la liberté, Stéphanie. Nous condamnons ce qui se passe en Amérique. » Très digne, très grande dame. La voix posée.

« Je dois affronter cette histoire jusqu'au bout, maman. Après tout, je suis dans mon pays. Je ne fuirai pas. » *Comme je l'ai fait avec toi, Yong.* « D'ailleurs, je n'ai plus de passeport. »

Dans son rôle de présidente du Comité des arts de Dallas, Isabelle avait organisé un concert de gala suivi d'une grande réception. Le maestro venait de Paris. L'ambassadeur de France à Washington serait là.

Et puis la presse s'empara de l'histoire de Stéphanie. De grands articles, en première page. De vieilles photos de Stéphanie, celles qui ornaient la quatrième page de la jaquette de ses livres. Des citations de ses livres. Des accusations émanant d'un groupe de « spécialistes de la Chine », dont la plupart étaient publiées par une maison d'édition financée par la C.I.A. Des photos.

Une de Jimmy en uniforme. « Le frère de Mlle Ryder est mort en Corée mais cela n'a pas empêché sa sœur de chanter les louanges des agresseurs qui l'ont tué. »

Son mariage à Yenan ; ses liens avec la Mission Dixie. « Ces hommes dont les rapports mensongers sur la Chine communiste sont à l'origine de la catastrophe... »

C'était une vraie mine d'or pour la presse.

La réception et le concert durent être annulés. Les refus affluaient. En même temps que des lettres d'insultes dont certaines étaient presque hystériques.

Des coups de téléphone sales, obscènes. Mlle Birnbaum, la secrétaire d'Heston, y faisait face avec sang-froid.

« N'encombre pas la ligne, gros lard. »

Le F.B.I. vint. Deux inspecteurs, pour l'interroger trois fois par semaine. Un refus de répondre signifiait la comparution devant le sous-comité pour la Sécurité intérieure.

La presse l'appelait « Stéphanie la Rouge ».

Qu'elle fût la fille de Heston Ryder, président de Ryder Aircraft à Dallas, rendait l'histoire encore plus piquante.

« Stéphanie Ryder maintient que ce qu'elle a écrit avant et pendant la guerre de Corée est la " simple et honnête vérité ", » annonçait un journal. Il poursuivait avec des citations tronquées de ses livres et de ses articles sur Fourche de la Rivière comme s'ils avaient été écrits pendant la guerre de Corée, et non pas cinq ans plus tôt.

« Une personnalité éminente de la société de Dallas, Mme Stimpkin-Jones, présidente des Filles de Dallas, a déclaré dans une interview : " Nous ne voulons pas de ce genre de personne ici... la chose la plus charitable que l'on puisse dire d'elle est qu'elle a dû subir un lavage de cerveau complet... " »

Les journalistes et les photographes rôdaient autour de la maison. Heston fit renforcer les serrures de sécurité sur les portes et les fenêtres. Des journalistes pleins de ressources se perchèrent dans les arbres et dirigèrent des téléobjectifs sur la maison.

La grossesse de Stéphanie fit atteindre à la presse des sommets d'imagination délirante.

Le père du futur bébé était un très haut dirigeant du parti communiste.

C'était pour échapper à la mort que Stéphanie s'était enfuie de Chine.

Elle transportait des documents secrets, des directives destinées aux communistes américains pour renverser le gouvernement des Etats-

Unis à l'aide d'agents achetés par les Chinois. Le F.B.I. aurait trouvé ces documents cachés dans ses bagages et les étudiait.

Une journaliste affirma qu'elle s'était introduite dans la maison et avait trouvé Stéphanie, nue, en train de se faire masser par un « masseur oriental aveugle ».

Une autre prétendit que Stéphanie lui avait accordé une interview où elle aurait déclaré : « On me droguait... Je ne savais pas ce que je faisais. »

Un magazine féminin d'audience nationale publia une interview de Sybil Kersh. Sybil Kersh avait quitté *Maintenant* en 1949 pour devenir scénariste à Hollywood où elle avait fait équipe avec un journaliste de la presse Hearst. En 1951, elle avait dénoncé des collègues dans l'enquête sur l'infiltration communiste dans le cinéma et avait ensuite été nommée membre d'une commission de « réhabilitation » chargée de faire connaître les efforts de l'industrie du film pour se purger de ses éléments subersifs et pour récupérer les auteurs repentants.

L'interview, intitulée « Le calvaire d'une épouse fidèle », était illustrée par une photo de Sybil, silhouette frêle, grands yeux clairs — mère aimante qu'entouraient ses deux enfants déjà grands — et occupait trois pages du magazine.

« Nous étions très attachés l'un à l'autre, Alan et moi.

» Mais en tant que correspondant de guerre, il était souvent absent... les femmes le trouvaient séduisant. Il ne voulait pas les blesser... Stéphanie Ryder a tout fait pour le séduire... elle voulait aller en Chine... déjà, elle participait à des manifestations procommunistes à Radcliffe. »

De vrais métronomes, les hommes du F.B.I.

« Madame Jen, vous avez commencé à faire de la propagande pour les Rouges dès 1944... ces articles sur le village de Fourche de la Rivière... Vous avez écrit deux livres, à la gloire de la Chine communiste et de son régime... »

« Quels étaient vos rapports avec John Service ? »

« Pourquoi avez-vous collaboré à l'hebdomadaire *Le Bulletin* d'Henry Barber à Shanghai ? »

« Madame Jen, pendant la guerre de Corée, vous avez envoyé des lettres à des Américains, dans lesquelles vous condamniez cette guerre et en demandiez l'arrêt... vous vous êtes alignée sur le Conseil de la Paix de Stockholm, manœuvré par les communistes... »

« Vous avez séjourné à Yenan pendant plusieurs mois... pourtant vous soutenez que vous n'étiez pas subventionnée par les Rouges. »

« Certaines de vos activités s'assimilent presque à la trahison. »

« Vos deux éditeurs ont retiré vos livres de la vente... »

« Acceptez au moins de déclarer que vos opinions ont changé.. »

« Vous vous montrez très, très négative... »

« Vous voulez dire qu'à votre avis les Rouges ont raison ? »

« Si vous ne les condamnez pas, c'est donc que vous êtes des leurs... »

« Vous maintenez que votre mari n'est pas communiste. Alors pourquoi ne dénonce-t-il pas le régime ? »

« Nous pensons que les événements de Fourche de la Rivière étaient un truc monté de toutes pièces, à votre intention. »

« Avez-vous réellement vu ces soldats ennemis ? Comment savez-vous qu'ils appartenaient au Kuomintang ? »

« Quand vous êtes revenue en 1945, vous avez soutenu les maquisards communistes dans une conférence à Radcliffe... »

« Est-ce que le nom Joan Hesse vous dit quelque chose ? Et Lionel Shaggin ? Peter Wellington ? »

« Voici une liste de noms. Veuillez nous dire avec précision ce que chacune de ces personnes fait en Chine. »

« Vous avez aidé les communistes à traduire Hemingway et Walt Whitman... »

« Qui d'autre, à part vous, a vu le film *Le Sel de la Terre ?* »

« Vous encourez une peine de prison, nous vous le rappelons... »

Ces lettres qu'on lui avait confiées à son départ. Cela faisait d'elle un agent de liaison du parti communiste américain.

Son médecin, John Webster, la trouvait de plus en plus tendue. Il protesta. « Mme Jen *doit* se reposer... elle est au bord de la dépression nerveuse... cela pourrait être dangereux pour le bébé... »

Les deux hommes en chapeau mou partirent. Stéphanie décida d'aller passer une semaine au ranch. Horace la conduirait en voiture et Minnie l'accompagnerait. « Nous viendrons demain, quand ton père aura eu ses examens », dit Isabelle en l'embrassant, très belle dans son nouveau tailleur parisien. Heston devait subir un électrocardiogramme le lendemain matin. Pour lui aussi c'était une épreuve pénible. Il était toujours président de la Ryder Aircraft. Mais le conseil d'administration avait convoqué une réunion extraordinaire pour le remplacer.

« Ecoute, Heston. Tout ça est mauvais pour la société. Toute cette publicité. Les actions baissent. »

Heston allait être évincé. C'était prévu dans les paragraphes, en tout petits caractères... quiconque, dont la conduite, ou la réputation, seraient blâmables ou de quelque façon susceptibles d'avoir des effets indésirables sur la société... Indignité. C'était le terme employé. Préjudice porté aux intérêts de la société. Il serait obligé de donner sa démission.

Stéphanie arriva au ranch et dès l'après-midi le cirque recommença.

La presse assiégea le ranch. Horace et Minnie, aidés de deux cow-boys mexicains, s'employèrent à les repousser. Stéphanie resta dans sa chambre dont les portes avaient été verrouillées. Mais un jeune journaliste entreprenant monta sur le toit, se laissa glisser sur son balcon et commença à prendre des photos à travers la porte vitrée

Ce soir-là, elle commença à sentir les premières contractions et perdit les eaux.

Minnie téléphona au docteur, puis Horace et elle embarquèrent Stéphanie dans la voiture et la conduisirent à l'hôpital.

La meute des journalistes se lança à leur poursuite et réussit à photographier Stéphanie quand elle pénétra dans l'hôpital.

Isabelle et Heston arrivèrent. Heston était si pâle que son visage semblait poudré de givre. Pendant presque toute la nuit, il arpenta le corridor devant la salle d'accouchement. Isabelle se tenait à ses côtés, allait lui chercher des gobelets d'eau. Puis elle sortit son chapelet et se mit à prier.

« Heston, Dieu nous entendra », dit-elle. Il vint s'asseoir près d'elle

« Belle, dit-il. Belle, je tiens à toi, tu le sais.

— Oui, mon ami. »

Il tenait à elle. Et, ce qui était encore plus important, elle avait retrouvé ses forces — depuis qu'il avait eu sa crise cardiaque. Il dit · « Va parler à Stéphanie, veux-tu ? »

Cela valait mieux que de rester assise dans le couloir à égrener interminablement son chapelet.

John Webster sortit. « Tout se passe bien, très bien... Mais c'est un peu prématuré. L'accouchement n'était pas prévu avant janvier. »

On était à la mi-novembre.

Webster fit entrer Isabelle dans la salle d'accouchement. Stéphanie avait le front couvert de sueur ; elle était en travail et ahanait. Le bébé venait vite mais elle souffrait beaucoup. Isabelle se tint près de la table et dit : « Oh ! ma chérie, ma chérie. » Stéphanie comprit sans peine qu'Isabelle détestait tout ce qui touchait au sang, à la chair, aux gémissements, tous ces halètements et ces grognements qui accompagnent la naissance d'un bébé.

« Comment est papa, maman ?

— Bien... » Isabelle se retira sur la pointe des pieds, comme à regret, mais intérieurement soulagée. Stéphanie serra les dents et continua de mettre au monde son bébé. La petite Marylee naquit donc prématurément et fut placée en couveuse.

Stéphanie reposait, épuisée mais non comblée. Les infirmières s'étaient montrées efficaces, John Webster bon et adroit ; mais personne n'avait poussé *avec* elle. Personne n'avait été engagé physiquement à ses côtés pour lui faire sentir toute la splendeur d'un accouchement, comme l'avait fait l'Eurasienne Mary Lee à Shanghai, et Mère, qui *savaient* l'éblouissement des douleurs de l'enfantement.

Alors, telle la marée montante de l'océan, elle sentit les souvenirs déferler, vague après vague.

Yong, Trésor d'Hiver... la mer entra en elle dans un grand sifflement d'eau et la porta... Un sentiment tragique de vide et de désolation l'envahit. Je n'aurais pas dû partir. J'ai été lâche. Mais j'étais si *fatiguée*... Pourtant, j'aurais dû m'accrocher. Yong, Yong. Tu n'aurais pas dû me laisser aussi facilement partir. *Pourquoi* m'as-tu laissée partir ?...

Il aurait été auprès d'elle et elle aurait dit : « Yong, notre fille. » Et il aurait eu l'air à la fois heureux et éperdu, ses cheveux tout ébouriffés, et il l'aurait caressée de ses doigts si légers et aurait versé des larmes de bonheur.

Elle pleura alors cette fragmentation de son être et la brûlure des larmes lui apporta la lucidité. Elle ne serait jamais plus entière, comme le sont ceux qui n'ont qu'un étroit espace de vie que ne traverse aucun doute et que ne trouble aucune ambiguïté. Tous ces heureux qui ne sont pas partis explorer l'âme d'autres hommes, qui n'ont pas pénétré des mondes de pensée et de façon d'être différents pour en revenir, comme Marco Polo, avec des récits que personne ne voulait croire.

Oh mon cœur à sa folie a aisément cédé et me voici tel un poisson d'aquarium lancé dans une mer sans horizon et qui jamais plus ne retrouvera sa vasque de marbre...

Et, à cause de cette inclinaison, elle avait mis au monde des enfants qui seraient eux-mêmes de grands voyageurs, qui partiraient à la découverte de l'inconnu et se sentiraient toujours étrangers dans un monde divisé. Trésor d'Hiver, et à présent Marylee, chacun d'un côté de l'océan diviseur.

Heston et Isabelle entrèrent et la marée reflua en silence.

Isabelle avait vu le bébé dans la couveuse. L'émotion lui avait mis des larmes au coin des yeux. « Oh, Stéphanie, elle est si minuscule, si miraculeuse.

— Elle s'appellera Marylee, maman. En souvenir de Mary Lee, l'infirmière eurasienne qui m'a aidée à mettre mon fils au monde. »

Isabelle sentit le reproche. Son visage tressaillit mais elle dit : « C'est un très joli nom. »

Son père se pencha pour l'embrasser. Il avait l'air horriblement fatigué.

« Tu veux que j'envoie un télégramme, trésor ? Il faudra que je passe par Eddy Keng à Hongkong, je suppose. Il m'a dit qu'il s'occuperait de toute la correspondance.

— Oh oui, papa. Je t'en prie fais-le. »

Son père s'assit et sortit son stylobille en argent. Stéphanie dicta le texte du télégramme pour Yong.

« Bien-aimé
» Une petite sœur pour Trésor d'Hiver.
» Prématurée mais en bonne santé. Donne un nom à notre fille.
» Neige de Printemps. »

« Yong lui donnera un nom chinois, papa.

— Bien sûr, mon trésor », dit Heston.

Heston et Isabelle partirent. Il était neuf heures du matin et, dans le corridor, une foule d'hommes piétinait : des journalistes qui essayaient de prendre des photos, d'interviewer les infirmières, de se faufiler jusqu'à la couveuse, jusqu'à la chambre de Stéphanie, pour arracher un lambeau de scandale à jeter à un public blasé.

On dirait des cafards, des nécrophores, pensa Heston, pour la première fois écœuré par cette efficacité et cet acharnement de ses concitoyens.

Il y avait eu une colonne entière contre lui dans le journal local. A propos de sa démission. Ils devaient regretter de n'avoir pu enlever aussi son nom de celui de la société ou de l'aile de l'hôpital qu'il avait fait construire...

Il soupira. Il aimait l'Amérique, il avait vraiment cru à un grand complot communiste contre son pays. Mais à présent, il commençait à douter.

Steph. Son beau visage. Le visage d'une femme, d'une femme belle qui savait aimer.

Aimer quelqu'un ou quelque chose était un art, une science, une vocation, une chimère qu'il fallait rendre réelle.

Tandis qu'Isabelle allait s'allonger, Heston se rendit dans son bureau pour dicter le télégramme à sa secrétaire, Mlle Birnbaum. Puis il ajouta impulsivement : « Prenez un deuxième télégramme, s'il vous plaît.

« Cher petit-fils Trésor d'Hiver
» Tu as une jolie petite sœur
» Baisers de ton
» Grandpapa de l'Extérieur Heston. »

Il s'assit dans son fauteuil et but le café que Mlle Birnbaum lui avait préparé. Seigneur, comme il était fatigué. Il tremblait de fatigue. Mais il était heureux aussi. Steph. Oh ! Steph.

Peut-être à présent le F.B.I. la laisserait-il en paix ? Ces salauds. Qui l'avaient harcelée impitoyablement. Ne voyaient-ils pas qu'elle était innocente ? Elle était tombée amoureuse d'un homme et, bien sûr, de son pays. Que disait donc la Bible ? « Ton peuple sera mon peuple », Steph était ainsi. Elle ne lésinait pas quand elle aimait. Elle était de ceux qui donnent. Ne pouvaient-ils pas le comprendre ? Et elle avait voulu revenir. Elle n'avait pas approuvé la guerre de Corée mais même les généraux américains n'étaient plus très sûrs à présent que cette guerre n'avait pas été une erreur monumentale. L'un d'eux l'avait d'ailleurs dit. On s'est trompé de guerre, de champ de bataille, et d'ennemi... Et pourtant, le F.B.I. s'obstinait à traiter sa fille comme une criminelle et à la menacer.

Heston l'avait dit aux types du F.B.I. la dernière fois qu'ils étaient venus pour essayer d'ébranler Stéphanie : « J'ai honte du boulot que vous êtes en train de faire... vous me donnez honte d'être américain. » Il avait écrit à son représentant au Congrès, téléphoné à plusieurs sénateurs. Ils avaient promis d'intervenir. Mais les hommes du F.B.I. avaient continué de venir.

Et maintenant il y avait ce minuscule bout de vie, Marylee. Elle avait déjà plein de cheveux noirs. Minuscule mais mignonne, adorable. Son cœur battait la chamade, violent, passionné ; il sentait vibrer sa cage thoracique.

Il avait gardé les lettres de Trésor d'Hiver et, devant lui, sur son bureau, se trouvait la boîte en bois, avec le cœur et le « I lov you » faite par son petit-fils, qui était un petit garçon chinois. Les avocats l'avaient récupérée ainsi que quelques photos. Il y en avait une de Trésor d'Hiver en maillot de bain, sur une plage, fasciné par une énorme méduse échouée sur le sable. Il était beau, ce gosse. Il viendrait peut-être un jour en Amérique et ils iraient camper tous les deux.

Oh, merde à la politique, de *tous* les bords. Je *suis fatigué*. La matinée était superbe. Dans le jardin, les bergeronnettes et les moineaux donnaient un concert auquel essayaient de se joindre les linottes. Isabelle avait eu raison d'abandonner la grande maison. Celle-ci, proche d'un petit bois, était pleine d'oiseaux et plus pratique. On utiliserait l'autre pour autre chose. On en ferait une annexe de l'hôpital, ou une école de peinture. Ou un institut pour les congrès scientifiques. Parce que ces salauds n'étaient pas importants. Ce n'était pas ça l'Amérique. Et Dallas continuerait de grandir. Le Texas aurait une place importante sur la carte du monde. Et Heston Ryder continuerait à œuvrer pour qu'il en soit ainsi...

Mlle Birnbaum, qui avait envoyé les télégrammes, ouvert et trié le courrier, frappa discrètement à la porte du bureau puis l'ouvrit.

Assis dans son fauteuil, immobile, l'air apaisé et jeune, Heston la regardait de ses yeux si bleus.

La petite Marylee avait une furieuse envie de vivre. Elle hurlait avec énergie et tétait avec tant de vigueur qu'elle mordait presque le sein de Stéphanie. Isabelle attribuait ça au fait que Marylee avait été baptisée quelques heures après sa naissance. Le père Trémoine était venu à l'hôpital et Isabelle avait fait de Marylee une catholique. Stéphanie n'avait pas protesté. « Ça n'a vraiment pas d'importance, maman. Mais Marylee ne sera peut-être pas d'accord plus tard, puisque cela s'est fait sans son consentement. »

Une nouvelle fois, Isabelle se sentit humiliée par la franchise désinvolte de sa fille. Mais la mort d'Heston, en plongeant les deux femmes dans la douleur, avait rendus dérisoires les conflits mineurs.

Et la presse se déchaînait à nouveau.

Heston était mort de chagrin.

Le bébé était anormal...

Mais les journaux plus modérés mentionnèrent que l'enfant avait reçu le baptême catholique et la nouvelle sembla renverser le courant. La boue se tarit. L'ignoble perdit de sa virulence. Les lettres et les coups de téléphone anonymes s'espacèrent. Sauf un journal particulièrement obstiné qui soudoya une élève-infirmière pour obtenir une photo du bébé quand on l'amenait à Stéphanie pour la tétée. Une mort et une naissance avaient exorcisé le mal. De nombreuses personnes assistèrent à l'enterrement de Heston. Le service de sécurité loué pour l'occasion tint la presse à l'écart.

Des amis vinrent rendre visite à Isabelle et amenèrent des cadeaux pour le nouveau-né.

Un mois après la naissance de Marylee, Stéphanie quitta Dallas avec son bébé et Minnie. Horace les conduisit à Hot Springs puis, le lendemain, à Memphis, où elles prirent un avion pour New York. « Je voulais être loin de Dallas, écrivit Stéphanie à Yong, à New York, je me sens plus proche de toi... » Elle attendit, attendit une lettre de Yong. Qui ne vint pas. Elle n'était pas descendue dans l'appartement de sa mère, qui était connu de la presse. Dick Steiner lui en avait loué un au nom de Mme Yates. Le F.B.I. vint à l'appartement mais la présence du bébé les fit renoncer. C'était le 18 décembre.

Le général de brigade Tsing, que ses amis de Washington appelaient familièrement Reggie, examinait les rapports étalés sur son bureau long de trois mètres et large de deux.

Tsing avait un splendide appartement dans Manhattan au dix-septième étage d'un immeuble de la 51e Rue qui dominait l'East River. Il travaillait en liaison étroite avec le F.B.I. et la C.I.A. et surveillait de très près les étudiants et les professeurs chinois des universités américaines. Les marchands, les commerçants de Chinatown, les propriétaires de restaurants étaient tenus par d'autres organisations du Kuomintang. Ceux-là ne posaient pas de problèmes.

Alors que les intellectuels étaient toujours pénibles. Vieille Cacahuète n'avait jamais su s'y prendre avec eux. Il les affamait, les supprimait, les tuait. Voilà son style.

D'ailleurs les communistes aussi pataugeaient avec leurs intellectuels. Ils comptaient sur une longue rééducation mais au moindre soubresaut ils paniquaient et alors ils faisaient donner le rouleau compresseur.

Tsing lut les rapports qui concernaient la Chine intérieure. Il remarqua que Hsu avait réussi à se faire nommer à Pékin. Malin. Il lut aussi le récit sur Jen Yong et sur les affiches.

Hsu avait manifestement voulu se venger de Stéphanie Ryder. Mais une telle affiche pouvait être dangereuse... si l'on en cherchait la source.

Cependant, si Jen Yong était dénoncé comme droitiste, l'affiche sur Stéphanie aiderait à salir sa réputation. Tsing n'avait pas oublié la façon dont Jen Yong lui avait parlé la dernière fois qu'ils s'étaient rencontrés... Treize ans plus tôt.

Reggie Tsing connaissait la nouvelle adresse de Stéphanie. Près de Central Park. Il avait un grand désir de la voir, de lui parler. La belle épouse américaine du docteur Jen Yong.

Yong vit son nom dans le journal du matin. Jugé droitiste pour avoir critiqué le fonctionnement de l'hôpital ; pour avoir cherché à restaurer des méthodes de gestion « bourgeoises » ; pour avoir critiqué la grande, la glorieuse, la fraternelle, la généreuse Union soviétique.

Mais pas un mot sur Stéphanie. Il se sentit soulagé. A présent, il allait pouvoir lui écrire, lui dire qu'elle n'était pour rien dans sa condamnation.

Il savait ce qui l'attendait. Il irait à l'hôpital. Personne ne lui adresserait la parole. Il s'assiérait derrière les autres aux assemblées et aux conférences. Il mangerait seul. Ses écrits médicaux, même s'ils étaient publiés, ne porteraient pas son nom mais seraient attribués à un collectif de chirurgiens. Son salaire serait diminué.

A chaque réunion de critique politique, on reprendrait toutes les accusations contre lui.

Il perdrait la maison. On l'enverrait peut-être dans quelque hôpital lointain. En Mongolie.

Il fit sa toilette et s'habilla en sachant que très bientôt il allait souffrir mille morts. Pour l'instant, il s'accrochait à des gestes banals, pour essayer d'égarer la douleur qui montait en lui. Il entreprit de nettoyer ses chaussures. Il fallait qu'il avertisse Mère Huang. Mère Huang avait dit : « Maintenant que la jeune maîtresse est partie, je m'occuperai de vous. »

Il valait mieux qu'il lui dise. Afin qu'elle ne fût pas gênée pour le quitter.

La cloche de la porte d'entrée tinta.

C'était si inhabituel que Mère Huang entra dans la pièce et demanda : « Dois-je ouvrir ?

— Oui, Mère Huang. »

C'était Arthur Chee et sa femme Millie.

Arthur traversa la cour à grands pas en parlant d'une voix forte et gaie.

« Salut Yong. Millie et moi avons eu envie de venir partager votre petit déjeuner. »

Ils savaient.

Yong fut au bord des larmes. « Arthur, vous êtes vraiment un ami. »

Mère Huang apporta des plats et les posa sur la table. Ils s'assirent. Millie demanda : « Avez-vous des nouvelles de Stéphanie ? »

Yong répondit gaiement : « Oui, elle est bien arrivée à Dallas. »

Alors la douleur se déclencha. Si atroce qu'il ne pouvait plus avaler, seulement regarder Arthur et Millie, le visage figé par un sourire idiot et pathétique.

Le général Yee parcourut la liste de droitistes que son secrétaire lui avait préparée. Les listes s'allongeaient tous les jours. Il fronça les sourcils. Il y en avait trop. Mais un haut dirigeant avait laissé tomber le chiffre de dix pour cent et les cadres moyens s'efforçaient d'arriver à cc taux. Dix pour cent de cinq millions d'intellectuels. Alors que le haut dirigeant avait probablement oublié depuis ce chiffre fatidique qu'il avait jeté comme on secoue la cendre d'une cigarette.

Meiling entra, tenant sa fille par la main. Toute-Ronde était une enfant bruyante, physiquement hyperactive, qui manquait presque de coordination. « Grand-Papa, Grand-Papa », cria-t-elle d'une voix aiguë en se jetant contre lui. Yee tapota la tête de sa petite-fille d'un geste machinal.

« As-tu vu la liste des droitistes, Meiling ?

— Seulement celle du personnel médical, Père. Jen Yong en fait partie. On m'a dit que son rapport sur le fonctionnement des hôpitaux était très réactionnaire...

— C'était un très bon rapport, je l'ai lu », dit son père.

Meiling rougit. Elle ne l'avait pas vu. Trop de travail.

Le général Yee se rendit à la réunion de sa commission. Une commission chargée de recruter des spécialistes de haut niveau dans tous les domaines. Sous la direction du premier ministre Chou Enlai. La commission avait pour mission de veiller à ce que rien de fâcheux n'arrivât à ces brillants cerveaux. Ils devaient être épargnés, si erronées que fussent leurs idées politiques. Ils étaient trop utiles.

Yee trouvait la liste des scientifiques beaucoup trop courte. Il aurait fallu y inclure davantage de gens jeunes. Le docteur Jen aurait dû faire partie des gens protégés. Son travail en chirurgie était tout à fait remarquable.

D'autres personnes, même parmi les dirigeants du Parti, partageaient l'opinion de Yee. Connaissant l'importance des intellectuels, ils n'hésitaient pas à les défendre. « Pourquoi leur faire des histoires parce qu'ils aiment la musique occidentale ou qu'ils ont eu une aventure sentimentale ? »

La commission se réunissait dans une grande pièce, située dans un bâtiment neuf en briques grises. Un seul membre était déjà arrivé. Le camarade Meng, chargé du secteur de la recherche dans la construction aéronautique.

Le vice-commissaire Meng était d'origine paysanne mais il avait une grande finesse. Une soif innée de connaissances. Il était très conscient du rôle important des spécialistes et demandait souvent à Yee de lui expliquer telle ou telle chose — au contraire de certains membres du Parti, qui prétendaient tout savoir et affirmaient que quand on connaissait le marxisme on n'avait pas besoin d'apprendre autre chose.

Les deux hommes se saluèrent avec chaleur. « Encore des noms, dit Yee. Je pense que certains d'entre eux devraient bénéficier d'une révision. Quand viendra le temps des révisions. Le docteur Jen Yong, par exemple. Son rapport n'était pas une attaque du Parti.

— Je le connais, dit Meng. Il est venu sur le front quand j'y étais. Un homme très travailleur. »

Yee dit : « Sa femme est américaine. C'est un écrivain.

— Nous devons examiner chaque cas, dit Meng. Malheureusement, cela prendra très longtemps. »

Tous les jours, Petite Perle allait dessiner dans le Parc de la Mer du Nord. Elle savait qu'il l'attendait, à l'entrée de la hutung où elle habitait. Ils prenaient l'autobus ensemble.

Elle s'installait et dessinait la pagode blanche avec son sommet doré ; les saules qui encadraient le lac artificiel ; les lotus et leurs immenses feuilles ; Petit Etang se tenait à côté d'elle et regardait le paysage Parfois, ils parlaient. De petites phrases courtes, légères.

Petit Etang avait très peu d'argent mais il était très ingénieux. Il y avait un restaurant szechuanais dans le quartier du Marché de l'est et le cuisinier avait accepté que Petit Etang vînt l'aider le soir, quand le restaurant était plein de clients originaires de Szechuan qui voulaient retrouver la nourriture épicée et parfumée de leur province. Un repas par jour. Un endroit pour dormir. Pas de salaire. Mais cela lui permettait de retrouver Petite Perle tous les matins à l'arrêt de l'autobus. Et de se rendre avec elle jusqu'au parc et de la regarder pendant qu'elle faisait semblant de dessiner.

Meng était plongé dans la lecture des fiches sur Jen Yong et

Stéphanie quand Petite Perle revint du parc à midi. Il lui sourit avec tendresse. Sa fille était devenue si jolie, avec une vivacité nouvelle. « Ta mère va amener des invités, c'est son après-midi de congé, dit-il.

— J'aiderai à servir », dit Petite Perle.

La voix forte de la camarade Lo perça le silence de la cour. « Vieux Partenaire, nous voici, les invités arrivent. »

Meng se leva et alla jeter un coup d'œil à la fenêtre. Son visage s'assombrit. Cet homme, encore. Et un couple.

Il les accueillit dans la salle de séjour, une fiche à la main, et les regarda par-dessus ses lunettes ; son visage avait pris une expression bornée, presque stupide. Petite Perle sortit de la cuisine, et y retourna dès qu'elle aperçut les invités. Meng éprouva une petite bouffée de satisfaction. Sa fille n'aimait pas ce type. « Brave petite, elle a du flair. »

Le couple n'avait rien d'engageant. L'homme avait une verrue au menton, d'où pendait un long poil ; il était vêtu d'un pantalon et d'une veste grise, très comme il faut. La femme était onctueuse, trop. Elle débordait d'admiration. « Oh quelle belle maison... nous sommes très honorés... camarade Meng... votre grande réputation a atteint nos humbles oreilles... »

Merde, pensa Meng. Ses yeux étaient deux vrilles froides qu'elle enfonçait dans tout ce qui l'entourait.

La camarade Lo était rouge de plaisir.

« Petite Perle, appela-t-elle. Fille ! Viens saluer nos invités. »

Petite Perle apparut, s'inclina d'un geste machinal, sans sourire. Bo Chaste Sagesse lui prit la main et commença à parler.

« *Aiyah,* quelle jeune fille charmante, si sérieuse dans ses études... votre père et votre mère ont une grande renommée, vous devez suivre leurs traces... sans notre jeunesse pour construire le socialisme, qui nous succédera ? Comme l'a dit le président Mao : " Vous êtes le matin du monde. " »

Petite Perle apporta les plats mais elle n'avait pas mis de couvert pour elle-même. « Je n'ai pas faim », expliqua-t-elle et elle se retira dans la cuisine.

Chaste Sagesse dit : « Oh ! quelle bonne jeune fille, si timide et si chaste, vous l'avez bien élevée, camarade Lo. »

Meng vint rejoindre sa femme et les invités. La femme commença à parler de Yenan et Meng prêta soudain l'oreille.

« Ah, qui aurait pu imaginer que nous mangerions aussi bien, quand nous étions à Yenan, dit Chaste Sagesse d'une voix théâtrale.

— Nous sommes de vieilles connaissances de Yenan », expliqua la camarade Lo à son mari, afin qu'il portât un toast au bon vieux temps des grottes.

Meng leva son verre : « A la révolution. Au Parti. »

Il était tout ouïe à présent — surtout à l'endroit du camarade Hsu, qui n'était jamais allé à Yenan.

Chaste Sagesse but ; son mari, Dragon de Mer, but. Leurs visages étaient congestionnés et leurs langues se déliaient.

« Quand nous sommes arrivés de Chungking, Yenan nous est apparu comme le paradis, dit Dragon de Mer.

— Ah, dit Meng en les regardant tour à tour tous les trois. Vous venez tous de Chungking ?

— Pas moi, s'empressa de dire Hsu. Je ne suis jamais allé à Chungking. »

Chaste Sagesse leur raconta ensuite comment Dragon de Mer et elle avaient risqué leur vie pendant des années. « Travailler dans les zones blanches sous le Kuomintang était très différent de la vie libre et protégée d'une base rouge, expliqua-t-elle.

— Oui, dit Meng. Moi je ne suis qu'un soldat. Je ne me suis jamais trouvé dans des endroits dangereux. »

D'un ton dégagé, Chaste Sagesse cita les noms de dirigeants du Parti, comme si elle les connaissait bien. Et bientôt, la conversation porta sur les droitistes qui, affirma Chaste Sagesse, « devraient être exécutés... ils veulent renverser notre Parti bien-aimé.

— Avez-vous connu le docteur Jen Yong, de Chungking ? demanda Meng. Il est allé à Yenan, je l'ai rencontré là-bas... c'est le fils d'un gros capitaliste, n'est-ce pas ?

— Ce droitiste, s'exclama Chaste Sagesse, quelle bonne chose que ces gens-là soient démasqués dans toute leur noirceur ! »

Elle était lancée. Hsu, terrorisé par sa loquacité, essaya de changer la conversation. « Camarade Bo, parlons plutôt de sujets agréables. »

Mais Chaste Sagesse continua en parlant de cette femme étrangère qui avait eu une conduite si scandaleuse à Chungking — « Tout le monde était au courant » — et qui avait ensuite épousé Jen Yong. « Deux conspirateurs, dit-elle, qui projetaient de restaurer l'impérialisme américain.

— Il y a eu une réunion sur eux à Yenan, dit Meng en regardant sa femme.

— La camarade Chaste Sagesse y assistait, répondit Lo d'une voix placide. C'est elle qui a accusé l'Américaine.

— Pas du tout, dit Dragon de Mer, soudain inquiet. Elle n'a fait que répéter ce qu'on nous avait dit. »

Chaste Sagesse reprit son sang-froid. « J'ai seulement dit ce que j'avais entendu à Chungking.

— De la bouche de qui ? » Meng mit la main derrière son oreille.

« Un parent, qui était serveur à l'Hôtel de la Presse », dit Dragon de Mer.

Meng remplit à nouveau les verres d'une main ferme. Comment se faisait-il que ces gens-là disaient tant de mal de cette Américaine alors que, dans le dossier, le réseau clandestin de Chungking n'avait que des louanges à lui adresser ?

La camarade Lo était peinée. « J'invite des gens et tu n'es pas poli avec eux. »

Meng continua à examiner ses fiches.

« Es-tu sourd ? cria Lo à son mari. Réponds-moi. »

Il lui adressa un sourire affectueux. « Vieille Femme, Vieille Femme, je prends de l'âge, c'est tout. »

Mais Lo ne s'adoucit pas. « Petite Perle est vraiment très têtue », dit-elle en changeant de sujet mais en rendant Meng responsable de l'attitude de sa fille.

« N'essaie pas de la marier à Hsu, Vieille Femme. Elle ne l'aime pas.

— Qu'en sais-tu ? demanda Lo, tout à fait en colère à présent. Elle fera ce que je lui dirai.

— Plus maintenant. Les mariages forcés sont interdits. C'est la nouvelle loi », dit son mari en la poussant gentiment vers la chambre pour une petite sieste.

Petit Etang allait bientôt quitter Pékin. Il lui restait exactement cinquante centimes sur les trois *yuan* et demi qu'il avait en arrivant à la ville deux semaines plus tôt. Il lui faudrait retourner à pied à Tientsin mais les villages le nourriraient en chemin ; il trouverait toujours à se rendre utile pour payer sa nourriture.

Parce que c'était leur dernier matin ensemble, Petite Perle et lui flânèrent le long des allées que les arbres ombrageaient d'une épaisse frondaison.

Petit Etang parla à Perle de sa mère Liang Ma ; de l'homme qui lui avait donné un coup de pied ; de la dame américaine qui l'avait frappé et qui avait emmené Ma à l'hôpital. « Hsu Nuage élevé, dit-il. Un homme de Shanghai. S'il est encore en vie, je le trouverai un jour. Même si, pour cela, je dois remuer ciel et terre. »

Ils arrivèrent à l'entrée du parc et se firent face. Elle le regarda bien en face et sourit. Ses lèvres s'incurvèrent en une ligne gracieuse. « Eh bien, vous devez partir, à présent », dit-elle.

Il regarda son sourire. « Je dois partir. »

Dans quinze jours elle regagnerait Tientsin elle aussi. Il la retrouverait là-bas.

Il s'éloigna et se retourna deux fois pour la regarder.

L'hiver sévissait sur New York avec sa rigueur habituelle. Dans Central Park, les arbres dénudés offraient l'imbroglio de leurs branches noires. Stéphanie se souvint que Yong et elle s'étaient promenés dans Central Park en 1948 et combien Yong l'avait trouvé mal entretenu

Noël dans cinq jours. Stéphanie avait télégraphié à Eddy Keng, pour lui demander une nouvelle fois des nouvelles de Yong, elle avait envoyé un télégramme à Trésor d'Hiver pour son anniversaire. Aucune lettre de Yong.

L'anniversaire de son fils. Il allait avoir neuf ans et elle ne serait pas auprès de lui. Et elle n'avait aucune nouvelle.

« Il n'y a pas de communications postales directes avec la Chine communiste », lui avait-on dit à la poste. Il y en avait, seulement les employés ne les connaissaient pas. Ils ignoraient que la poste mondiale, passant outre aux rideaux de bambou, aux portes politiques bruyamment claquées, aux roulements de tambour guerriers, fonctionnait, elle. Par Hongkong. Par la Suisse, par Londres...

Stéphanie commençait à douter des arrangements d'Eddy Keng. Elle écrivit directement à Yong à Pékin, à Lionel Shaggin, à Mère, à Peter Wellington...

Elle flâna dans Central Park. L'austérité hivernale des allées presque vides l'apaisait. Un couple d'amoureux, insensible au froid, s'étreignait sur un banc accueillant.

Debout dans la courbe d'une allée, Reggie Tsing observait la belle jeune femme qui s'avançait, dans son discret manteau de cachemire beige au col en zibeline. Oui, elle était très belle, et une grâce naturelle irradiait d'elle ; son cœur se serra de jalousie. Jen Yong avait vraiment de la chance...

« Madame Jen. » Il s'inclina, courtois, bien élevé.

« Oui ? » Perdue dans ses pensées, elle ne l'avait pas remarqué. Elle vit qu'il était chinois et pendant un bref instant pensa : Peut-être un ami d'Eddy, qui arrive de Hongkong et m'apporte des nouvelles de Yong... « Oui, qu'y a-t-il ?

— Madame Jen, mon humble nom est Tsing. J'ai bien connu votre mari, le docteur Jen Yong. Il y a quelques années. »

Elle vit le manteau de vigogne, les chaussures, les gants de conduite en peau de porc. Mais elle nota surtout sa façon de parler. Il s'exprimait... comme les gens du Kuomintang. Avec les vieilles expressions rituelles.

Il ne fallait pas qu'elle le crût.

« Je ne pense pas que vous connaissiez le docteur Jen Yong, dit-elle.

— Mais si. Nous avons été en relations étroites pendant quelques semaines... J'ai admiré son courage, sa loyauté. Quelle tristesse qu'à présent il soit condamné. »

Une porte sombre se ferma quelque part ; le parc s'obscurcissait, la lumière perdait son éclat.

Elle dit : « Je n'ai pas le temps », et essaya de poursuivre son chemin. Mais il se mit à marcher à son côté sans paraître gêné.

« Vous ne voulez pas entendre. Pourtant je vous dis la vérité. Votre mari a été condamné, comme droitiste. Pour avoir attaqué le Parti dans un rapport médical. Il a vanté les méthodes américaines. Vous ne pourrez plus jamais retourner en Chine Les communistes ne vous le permettront pas. »

Il vit ses épaules se raidir. Elle s'éloigna.

Tsing se sentit mécontent de lui-même. D'une certaine façon, c'était un échec. Elle pleurait peut-être mais il n'en tirait aucun plaisir.

Stéphanie allait entre les bras implorants que tendaient les arbres vers un ciel indifférent.

Yong. Je t'ai vu écrire ce rapport. Tu étais tellement sûr qu'ils le liraient, qu'ils comprendraient que tu voulais aider. Mais ils n'ont pas compris.

Toutes ces nuits qu'il avait passées à le rédiger.

Ses jambes étaient devenues de plomb, elles se mouvaient de façon mécanique mais la ramenaient de plus en plus vite vers la maison.

Quand elle fut à mi-chemin de chez elle, elle sentit, elle eut la certitude qu'un message de Yong, ou un télégramme... l'attendaient.

Le téléphone sonnait dans l'appartement quand elle mit la clef dans la serrure. Minnie était allée promener Marylee dans sa voiture. *Oh, pourvu qu'il ne s'arrête pas.*

« Allô, dit-elle tout essoufflée, allô ?

— Stéphanie... c'est John... John Moore... »

John. Le soulagement. Mais aussi la déception.

« John, je suis si heureuse d'entendre votre voix, dit-elle.

— Je suis en ville, Stéphanie. J'habite à New York, à présent... on peut se voir ?

— Oh oui, John, bien sûr... » Soudain les larmes nouèrent sa gorge. Parce que ce n'était pas Yong. Seulement John Moore. « Je serai ravie de vous voir, John. Il y a si longtemps... »

22

Ils étaient à nouveau à l'Algonquin, dans la chaude lueur des lampes tamisées et la faible odeur du vieux bois qui va avec la bonne chère et les conversations brillantes. Il émane de tels lieux un parfum dont l'esprit se souvient. Le numéro 31, la maison de Pékin, avait aussi eu cette atmosphère riche et enrichissante.

John Moore regarda Stéphanie. Il n'aimerait jamais une autre femme. Il avait essayé, pour briser cette prison du cœur où le retenaient la courbe de son cou, les paillettes d'or de ses yeux. Et, à présent, il était heureux et torturé car elle était là. Ils avaient tant de choses en commun, leurs esprits, sinon leurs corps, étaient si ouverts l'un à l'autre.

Stéphanie parla de Yong, encore de Yong et le cœur de John saignait tandis qu'il écoutait, le visage impassible, en faisant tourner son verre à pied. La voix de Stéphanie était grave et belle. « Nous étions handicapés par des événements sur lesquels nous n'avions aucune prise », dit-elle. Elle parla de Trésor d'Hiver et sa voix se brisa et ses yeux se remplirent de larmes. Elle n'avait pas reçu un mot, pas un seul de Yong ou de son fils depuis son arrivée aux Etats-Unis, à la fin juillet Seulement des messages rassurants d'Eddy Keng à Hongkong, disant que « tout allait bien », « de ne pas s'inquiéter ». « Dès que les choses se préciseront, nous vous le ferons savoir. » Elle lui raconta aussi les nombreux affronts qu'elle avait subis depuis son retour dans son pays . « Je suis sûre qu'on ouvre ma correspondance. »

C'était le 27 décembre. Stéphanie avait passé les trois jours précédents recluse dans son appartement à attendre un message, un coup de téléphone. Elle avait appelé Eddy Keng à Honkong et entendu sa voix lointaine lui dire : « Tout va bien, Tante, oui. Oui, votre fils a eu votre message, il vous remercie, il dit qu'il vous a écrit... les lettres ont un peu de retard... votre mari n'est pas à Pékin, mais il est en bonne santé... ne vous inquiétez pas... »

« Stéphanie, les communications postales sont aléatoires et la censure très lourde, il y a parfois trois, quatre barrages, dit John pour la rassurer. Toutes les lettres en provenance de la Chine communiste passent par Hongkong. Elles sont soupesées, examinées à la loupe. Nous avons trois organismes et huit cents employés qui s'y consacrent. Ça provoque des retards énormes. Et puis, il y a aussi la censure chinoise. Si j'étais vous, je ferais confiance à Eddy Keng. Il sait. Votre famille ne vous écrit pas parce que vous leur avez dit que vous étiez harcelée par les hommes du F.B.I. et qu'ils ne veulent pas vous créer davantage d'ennuis... » Et pour l'égayer, il lui raconta une anecdote sur un certain M. Bien, interprète chinois à l'O.N.U., qui était surveillé et harcelé depuis six ans. « Sa famille et lui ont droit à un voyage dans leur pays tous les deux ans. C'est le règlement de l'O.N.U. Donc, en 1952, ils sont allés en Chine avec leur fils âgé de huit ans. Depuis, le F.B.I. ne les laisse pas une minute en paix. Tous les matins, le fils se rend à l'école encadré par deux hommes du F.B.I. « Du moins, mon fils est protégé », dit Mme Bien ! Deux gardes du corps ! Elle et son mari trouvent très drôle d'être réveillés à trois heures du matin pour être interrogés.

— Vous plaisantez.

— Pas du tout. M. Bien me l'a dit lui-même. La plupart du temps, il leur offre le thé. »

Stéphanie éclata de rire mais retrouva vite son sérieux. « A présent je me sens moche d'avoir quitté Yong. J'aurais dû rester. C'est ça le mariage... mais Yong ne m'a pas retenue. Il n'a pas *lutté,* il a accepté tout de suite, trop vite. Maintenant je ne sais plus où j'en suis...

— Et vous avez donc pensé que vous étiez la source de ses ennuis... »

John Moore posa la main sur son bras habillé de soie. « Stéphanie, ne vous déchirez pas. On ne peut rien contre une telle situation. C'est comme les inondations, ou la guerre. Il n'y a rien que la volonté humaine puisse changer. »

Il poursuivit. « Vous avez toujours été impulsive et courageuse. Rappelez-vous Chungking et ce salaud que vous avez frappé et qui a été à l'origine de tout le reste. Vous n'êtes pas poltronne, Stéphanie. Vous ne vous laissez pas arrêter par les préjugés, la prudence ou même le bon sens.

» Vous ne pouviez tout simplement plus supporter ces campagnes politiques. Vous étiez écœurée et vous aviez le mal du pays — vous étiez épuisée. Et à présent, on fait pression sur vous pour que vous *dénonciez* la Chine communiste — ce que vous ne pouvez pas faire. Yong est là-bas, et Trésor d'Hiver. Et il s'y est aussi accompli tant de choses bonnes en même temps que tout ce mal écœurant. Mais c'est le dilemne de toute histoire, n'est-ce pas ? Nous sommes prisonniers de cette ambiguïté.

— John, quel ami merveilleux vous êtes...

— Non, je ne suis pas un ami. Je vous aime. Ne le comprenez-vous pas ? »

Les mains de Stéphanie tressaillirent sur la table..

Il reprit. « Non, vous ne comprenez pas. Je sais. Eh bien, maintenant c'est fait, je l'ai dit. Je vous aime. Classons donc rapidement mes sentiments avant de les mettre aux archives. Je suis heureux d'être avec vous, je déteste vous voir triste et je n'aimerais pas du tout vous voir retourner en Chine en ce moment... mais si c'est ça que vous voulez j'essaierai de vous aider... »

Elle lui adressa un sourire reconnaissant et le vit tout à coup avec d'autres yeux : un peu plus vieux, mûri par l'expérience, le visage creusé de rides qui lui donnaient une allure que ses traits naturels ne possédaient pas auparavant.

Ils burent le reste du vin en silence. Le lieu, les souvenirs... et, dans cette période qui suit un profond chagrin, quand l'âme et convalescente, la douceur de l'apaisement. Et John, regardant son visage avec cette peau éblouissante et transparente qu'elle tenait de sa mère, pensa : Rien n'égalera jamais pour elle ces années passées en Chine. Non seulement à cause de Yong mais parce qu'elles lui ont donné une telle richesse de joie et de chagrin, de passion et d'horreur vécues.

Lui aussi se sentait marqué par son expérience chinoise. Elle avait déposé en lui un ferment, un espoir tenace, comme si, malgré l'inclémence de la réalité, un paradis serein pouvait, un jour, être atteint.

« Tous les hommes courtisent une vision, Stéphanie, dit-il.

— Une vision, répéta-t-elle, les yeux rêveurs. Elle a été bien près de s'accomplir, à Yenan. Mais à présent, tout semble s'écrouler, tant de choses se sont détériorées...

— Quand la vision devient illusion, le prix à payer est élevé, Stéphanie. »

Il faisait un froid mordant. Ils allèrent par les rues, elle emmitouflée dans ses fourrures, lui vêtu de la parka de cuir qu'il portait depuis quinze ans. Le vent guettait les passants à chaque carrefour, prêt à leur piquer les jambes de ses aiguilles glacées et, des grilles d'aération du métro, montait une chaude vapeur blanche.

« Je téléphonerai à un type que je connais à Hongkong, dit John. Hongkong grouille d'agents secrets... il y en aura forcément un qui sait quelque chose sur Yong. »

Ils se quittèrent devant l'immeuble de Stéphanie. John déposa un baiser sur sa joue et partit.

Merde, merde, merde.

Il était nerveux, fébrile. Il décida de téléphoner à l'une des deux jeunes femmes avec qui il sortait. Madeline était très amoureuse de lui et espérait qu'il l'épouserait un jour. Peut-être le mariage serait-il un bon remède.

Stéphanie.

Le visage de Stéphanie, rayonnant d'amour.

« Merde », répéta-t-il en frappant de son poing un mur indifférent.

« Le docteur Jen Yong, droitiste, sera transféré de Pékin à Lingfu, près de Shenyang, province de Liaoning. » Telle était la décision du comité du Parti.

Lingfu était une ville nouvelle, pas encore indiquée sur les cartes, en Mandchourie. Une ville industrielle, avec des mines de charbon, des usines, des forges, une aciérie et quarante mille ouvriers. La population totale atteignait cent mille personnes. La plupart des ouvriers avaient moins de trente-cinq ans. On prévoyait une augmentation rapide de la population.

Yong avait une semaine pour faire ses bagages. Jen Ping obtint trois jours de congé à l'Institut des minorités nationales où elle travaillait, pour venir l'aider. Ponctuelle, elle arrivait à sept heures du matin et se mettait à l'ouvrage. Les meubles, les affaires de Stéphanie, les livres, tout devait être mis dans des caisses et expédié à Shanghai.

Le docteur Wu et le docteur Fan virent voir Yong. Malgré le risque d'être étiquetés « sympathisants d'éléments contre-révolutionnaires ». Le docteur Fan avait reçu une lettre du docteur Liu, l'ancien ami de Yong à Chungking, qui avait retrouvé sa jeune épouse. « Dites à Jen Yong de ne pas désespérer. » Yong en fut heureux.

Mais ni Joan Wu ni Herbert Luger ne vinrent.

Herbert se répandait en disant : « J'ai toujours soupçonné ces deux-là... Je suis content que les masses les aient percés à jour... »

Peter Wellington vint lui dire au revoir : « Si je peux faire quelque chose... »

Jen Yong réfléchit. S'il écrit à Stéphanie et lui raconte ce qui s'est passé, elle s'inquiétera.

« Je vous demande de ne pas écrire à ma femme à mon sujet, dit-il.

— Je comprends », dit Peter.

Le professeur Chang Shou et ses deux fils n'avaient pas été déclarés droitistes. Son troisième fils, l'ouvrier, prit une semaine de congé et vint de Shanghai aider Yong à remplir les caisses. « Mon fils est très adroit de ses mains », écrivit le professeur Chang. En effet, le fils savait très bien clouer, assembler des planches. Il se procura une voiture à bras et l'un tirant, l'autre poussant, Yong et lui transportèrent les caisses jusqu'à la gare. Pour les expédier à Shanghai.

C'était la mi-novembre. Il restait à Yong trois jours avant son départ. Le facteur arriva, un gros paquet de lettres à la main, traversa la cour et dit : « *Taifu,* j'espère que vous nous reviendrez bientôt, blanc comme neige.

— Camarade facteur, dit Yong, je suis heureux de l'occasion qui m'est donnée de servir les travailleurs de notre pays. »

Ils se turent tous les deux, laissant un « mais » inexprimé suspendu entre eux. Mais votre aimée étrangère ne pourra pas vivre avec vous là où vous allez à présent, pensa le facteur et Yong, devinant sa pensée, blanchit jusqu'aux lèvres.

Il défit le paquet de lettres, nettement ficelées. Ses mains se mirent à trembler. Des lettres de Stéphanie, neuf en tout. Un télégramme retransmis de Hongkong. Eddy Keng avait retiré les enveloppes américaines.

Il lut le télégramme. Le relut. Puis l'emporta, avec les lettres dans sa chambre et, comme un enfant, s'allongea sur son lit avec son trésor.

« Mon chéri... j'ai eu tort de partir... je voudrais tant avoir de tes nouvelles, voir ton écriture... c'est dur de n'avoir rien reçu, rien depuis mon départ à la fin juillet et nous sommes presque en novembre... »

« J'étais enceinte... je ne te l'ai pas dit, pardonne-moi... »

« J'avais peur, j'imaginais que des choses horribles allaient se produire, parce que j'avais déjà perdu un bébé et...

« Je deviens folle, pas un mot de toi, seulement Eddy Keng qui me répète que tout va bien. »

« Le F.B.I. vient toujours par deux ; ils ont le même aspect, les mêmes vêtements. Ils me posent toujours les mêmes questions... Elle deviennent irréelles, surréalistes. Ils veulent me faire déclarer que j'ai changé d'idées, que je rejette le " communisme ". Je leur réponds que je n'ai jamais été communiste, que toi tu ne l'es pas non plus, ils n'arrivent pas à comprendre — pour eux, si tu vis en Chine rouge, tu es forcément rouge... »

« Yong, papa est mort... le jour où Marylee est née. Je joins une photo du bébé, elle est prématurée, on l'a donc mise dans une couveuse... »

Une petite fille. Marylee... Sa fille.

Oh Stéphanie, Stéphanie, tu es retournée dans ton pays, en emmenant ma fille.

Et maintenant tu me demandes de la nommer. Oui je lui donnerai un nom.

Je ne pouvais pas te dire ce qui m'arrivait, Stéphanie. J'avais peur de te bouleverser. Je t'ai écrit : Tout va bien, ne t'inquiète pas. Mais ce n'était pas vrai et mentir est un crime affreux aux Etats-Unis. Cela scandalise les Américains, la plupart d'entre eux ont encore à l'esprit la légende de George Washington et du cerisier.

Pourtant, parfois, le Ciel approuve le parjure. Te rappelles-tu ce poète américain, Donald Hall, que nous avons lu ensemble : « J'ai vécu pour dire la vérité et la vérité a détruit beaucoup de bonnes choses. »

Je t'ai envoyé des messages, de courtes lettres, par Eddy Keng, mais il ne semble pas que tu les aies reçues.

Mère Huang l'appela pour le déjeuner. Il se leva, alla manger puis retourna à son trésor sur le lit.

« Je t'aime, écrivait Stéphanie. Et pourtant je commençais à te haïr parce que je ne pouvais plus accepter ce qui se passait autour de nous... »

Neige de Printemps. C'est pour ça que je t'ai laissée partir. T'aurais-je suppliée, retenue, j'aurais détruit notre amour.

Tout est très clair à présent.

Ce n'est que dans ton pays que tu peux déployer ton talent, devenir ce que tu peux être. Pas dans le mien. Ici, une grande partie de tes dons, de ton intelligence, resterait inemployée.

Il fallait qu'il lui écrive ça. Qu'il lui dise qu'elle ne devait pas revenir.

Dans son monde à elle, tous les avantages étaient de son côté. Elle réussirait. Elle ne pouvait pas ne pas réussir. En Amérique. Cette Amérique prospère. Un monde où les appartements étaient trop chauffés, où tout allait vite, les esprits et les corps ; où existaient tant d'inventions mécaniques pour satisfaire chaque souhait, caprice, désir, fantasme... sauf les aspirations les plus profondes de l'âme, bien sûr ; aspirations que la frénésie de consommer, de dévorer, d'utiliser, d'acquérir, de posséder, desséchaient parfois.

Mais l'Amérique recélait toutes les possibilités de déployer talent et intelligence.

Tu serais même capable de diriger la Ryder Aircraft si tu en décidais ainsi, Stéphanie. Mais alors, tu deviendrais une autre Stéphanie, plus tout à fait celle que j'ai connue et aimée, mais pas non plus quelqu'un d'entièrement différent.

Si tu revenais en Chine maintenant, tu ne pourrais être que la moitié de toi-même. Tu enseignerais la littérature anglaise, tu « polirais » des traductions, tu écrirais des articles médiocres. Qui ne seraient publiés nulle part, ni en Chine où ils ne seraient pas assez « révolutionnaires », ni dans ton propre pays, où l'on te prendrait pour une Rouge et où l'on retirerait tes livres de toutes les bibliothèques.

Il n'avait pas le droit, au nom de l'amour, de la ligoter d'amertume, de l'emprisonner dans la mesquinerie, de lui ôter toutes les choses qu'elle *pouvait* faire, et la personne qu'elle pouvait devenir.

Le soir était tombé et la lune tendait l'arc de son croissant. Il alluma la lampe posée sur la table qui, avec deux chaises et le lit, était tout ce qui restait du mobilier. Il vivait et dormait dans la chambre sans chauffage. Il écrivit. Il livra son cœur à la page. Puis, parce qu'il ne pouvait pas envoyer à Stéphanie ce qu'il venait d'écrire, il le rangea, avec toutes les autres lettres jamais envoyées et les photos qu'il emporterait dans son exil et commença une lettre que n'importe quel censeur accepterait.

« Neige de Printemps,

» Tant de choses se sont passées, et je ne pouvais pas te tourmenter avec des incertitudes. N'aie pas d'inquiétude pour ma sécurité physique et morale ni pour ma santé. Une décision a été prise à mon sujet. Je suis transféré dans une autre ville, une ville nouvelle, qui n'apparaît sur aucune carte. Je ne peux pas te communiquer mon adresse mais mes parents feront suivre le courrier.

» Tu es partie en juillet. En octobre, un certain nombre d'entre nous ont été catalogués droitistes. J'en fais partie. Mais mes erreurs n'ont pas été jugées graves puisque je continue mon travail de chirurgien. Le motif est mon rapport réactionnaire sur le fonctionnement des unités chirurgicales. Rien d'autre n'a été mentionné. Ne t'inquiète pas.

» Mon cœur se réjouit de savoir que nous avons une fille. Je comprends pourquoi tu ne me l'avais pas dit. Une mère a des impulsions plus fortes que la logique ou les conventions. Je suis heureux que nous ayons une fille américano-chinoise après notre fils sino-américain. Notre fille sera fière de son double héritage, comme notre fils. C'est ce que nous avons décidé pour eux.

» Le nom de notre fille est Hirondelle. C'est celui qui lui est attribué dans le livre généalogique.

» Neige de Printemps, tu ne dois pas revenir tant que tout n'est pas réglé, tant que le bébé n'est pas complètement développé... Je suis envahi de douleur en écrivant ces mots. Ils tombent comme une sentence de mort sur ma tête. Mais notre monde est désorienté et il ne s'ensuivra que consternation si nous essayons de forcer une situation qui s'est détériorée.

» Rappelle-toi 1945, quand l'Amérique et la nouvelle Chine se sont presque unies. Ensemble elles auraient pu refaire l'histoire du monde. Les dirigeants de Yenan disaient alors : “ Seule l'Amérique peut nous aider. Aidez-nous maintenant et nous pouvons devenir plus vite démocratiques et nous moderniser plus facilement... ”

» Mais la terreur s'est emparée de l'Amérique, la peur d'un vaste complot communiste. Puis, il y a eu la guerre de Corée et il faudra des années pour que nos pays retrouvent le chemin qui les mène l'un vers l'autre.

» En attendant, ils doivent tous les deux vivre leur calvaire, bien que de façon différente. L'Amérique ne s'apercevra même pas qu'elle souffre, parce qu'elle est si superbement prospère, si riche. La Chine poursuivra sa marche difficile et douloureuse vers son avenir et ne sera que trop consciente de ses souffrances. Des deux côtés, beaucoup de gens mourront et beaucoup auront l'âme brisée.

» Je ne veux pas que tu sois brisée. Cela ne servirait à rien. Je veux ton bonheur mais, peut-être encore plus, je veux que ta vie trouve sa plénitude. Et je veux aussi préserver la transparence de cristal de notre amour et la passion qui nous porte l'un vers l'autre, filigrane de racines qui nourrit l'éternité de l'amour.

» L'année s'achève dans le froid. Déjà, les taupes-grillons chantent près du fourneau de Mère Huang. Dès que cette lettre sera postée, je regretterai de l'avoir écrite. Mon âme criera : “ Reviens, oh ! reviens, juste une fois, une seule fois, mon cœur, mon amour, entends-moi... ” Je tourne le poignard dans la plaie en écrivant : “ Ne reviens pas. Pas encore. ”

» Je vais continuer à attendre. Peut-être attendrirai-je ainsi le Ciel.

» La nuit est tombée. Mais le matin suivra et jusqu'au matin je t'attendrai, dans cette vie, dans l'autre vie, dans toutes nos vies à venir. »

Pendant une réunion de la commission, le général Yee et le vice-commissaire Meng discutèrent de la possibilité d'une réhabilitation pour quelques droitistes.

En tout, quatre cent cinquante mille des cinq millions d'intellectuels que comptait la Chine, avaient été étiquetés « droitistes ».

« Trop, beaucoup trop de gens condamnés, répéta Yee.

— C'est trop tôt, général Yee, répondit le président de la commission. Une campagne d'affiches murales bat son plein parmi les ouvriers et les paysans, pour dénoncer les droitistes. Il n'est pas possible de réhabiliter maintenant... cela ne ferait que désorienter les masses... »

La séance levée, Yee et Meng s'attardèrent. Meng dit : « A propos du docteur Jen Yong... », abordant le sujet spontanément, sans périphrases, ce qui signifiait qu'il était favorable à une action.

Le général Yee dit : « Je pense que je vais faire une petite enquête. Tout seul. »

« Meiling, tu es au ministère de la Santé. Pourquoi n'as-tu pas témoigné en faveur du docteur Jen Yong ? demanda Yee à sa fille sur le ton de la conversation.

— Père, on nous a dit d'écrire des choses critiques, pas des choses favorables.

— Mais d'autres cadres du Parti se sont levés pour le défendre, d'après ce que je sais. »

Meiling examina ses ongles. « J'ai été moi-même très critiquée. Je ne pouvais pas intervenir.

— Bravo, tu deviens un très bon bureaucrate », dit Yee avec une âpreté inhabituelle.

Yee alla trouver Vieux Sung, le père de son gendre. Vieux Sung était assis dans son bureau de directeur à l'Hôtel de l'Amitié. Il accueillit Yee avec chaleur.

« Général, entrez, entrez, asseyez-vous, ici, dans ce coin, là où il n'y a pas de courant d'air. » Il versa le thé. Un sourire plissait son visage. Il avait l'air d'un gentil petit singe. Comment ce Vieux Sung, si débordant de tolérance, a-t-il pu produire un fils aussi arrogant ? se demandait Yee. Toujours en train de parler d'origine de classe, pour rendre Meiling honteuse de la sienne.

Vieux Sung bavardait, intarissable ; Yee semblait avoir tout son temps. Sung décrivit ses problèmes à l'Hôtel de l'Amitié. « Un ensemble de bâtiments si important. On s'épuise à courir de l'un à l'autre... Tant d'étrangers, qui veulent tous des choses différentes, et qui les veulent tous sur-le-champ... parfois l'atmosphère est plutôt tendue. »

Le comité du Parti de l'hôtel avait voulu instaurer une discipline. Fermeture des portes le soir à neuf heures. Pas de cohabitation dans les chambres pour les résidents qui ne seraient pas mari et femme. « Ça n'a pas marché du tout. Mais pas du tout. » Il y avait eu des affrontements violents. « Certaines personnes des pays frères possèdent des éléments très colériques dans leur corps », soupira Vieux Sung. Il y avait eu trois divorces ; plus de quarante couples illégitimes vivaient ensemble dans l'hôtel et d'innombrables autres résidents avaient changé de partenaires si bien qu'il était impossible de tenir le compte de toutes les permutations et combinaisons. Et les Russes adoraient briser des verres. « Notre note de vaisselle est énorme, général Yee.

— A propos de morale, dit Yee, quelqu'un a affirmé que Laï Neige de Printemps, que vous connaissez bien, l'aimée du docteur Jen Yong, s'était très mal conduite à Chungking et que tous les serveurs de l'Hôtel de la Presse étaient au courant...

— Ce n'est pas vrai, s'exclama Vieux Sung. Pas vrai du tout. La camarade Laï est une femme très honnête. Bien sûr, elle riait et bavardait et allait danser mais elle était chaste, dit Vieux Sung. J'ai été heureux qu'elle choisisse un Chinois, l'un des nôtres. Elle n'a jamais reçu d'homme dans sa chambre avec des intentions immorales... »

Yee partit en emportant la liste des serveurs de l'Hôtel de la Presse. Vieux Sung avait une excellente mémoire.

Tandis que Yee parlait, Meng prit des notes. Yee lui raconta aussi comment il avait lui-même averti Henry Wong, alors officier responsable de l'information pour le Kuomintang, pour s'assurer que Stéphanie n'écrirait pas dans un article le récit de sa rencontre dans les taudis.

« Bien sûr, à cette époque-là, j'étais avec le Kuomintang, expliqua Yee.

— Bien sûr, impossible de faire autrement », répondit Meng sans s'émouvoir le moins du monde.

Meng avait toujours présent à l'esprit qu'une réunion « spontanée » pour discréditer Laï Neige de Printemps à Yenan s'était tenue *après* l'arrivée de Chaste Sagesse. Son mari Dragon de Mer avait dit : « ... un parent, serveur à l'Hôtel de la Presse... »

A présent, Meng avait la liste des serveurs.

L'affaire ne concernait plus Jen Yong et Stéphanie Ryder. Elle ne portait pas davantage sur la conduite de Stéphanie. Meng était sur une autre piste.

« Comment s'appelait ce jeune homme que Laï Neige de Printemps avait frappé ?

— Hsu, dit Yee, Hsu. J'ai oublié le nom personnel. Un homme de Shanghai. Son père appartenait à la même Triade que Tai Lee et Tchiang Kaishek. »

Meng regarda Yee par-dessus ses lunettes. « Il nous reste encore une chose à faire. Aller voir le docteur Jen. Il a peut-être des choses à nous apprendre. »

« *Taifu,* dit Mère Huang, je viendrai à la gare avec vous. Je resterai jusqu'à ce que le train soit sorti de mes yeux.

— Mère Huang, vous vous portez tort, de rester ainsi chez un droitiste.

— Et quel visage offrirai-je à mes ancêtres et à votre aimée si je ne tiens pas ma promesse ? J'ai dit à la maîtresse : “ Je m'occuperai de *Taifu* jusqu'à votre retour... ” »

Alors Mère Huang releva son tablier, s'en couvrit le visage et pleura derrière l'écran du tablier, pleura les yeux grands ouverts.

« *Aiyah, Aiyah,* une famille si bien, dispersée maintenant à tous les horizons... »

Yong pleura avec elle et laissa les larmes ruisseler sur ses joues. « Mère Huang, je n'oublierai jamais votre bonté, jamais... »

Peu après, alors que Mère Huang était allée au marché et que Yong remplissait deux caisses avec les livres de médecine qu'il emporterait avec lui, il y eut un coup de sonnette. Il alla ouvrir. Un chauffeur, corpulent, se tenait sur le seuil, le doigt posé sur le bouton. Une énorme voiture bloquait l'entrée de la hutung ; elle avait des rideaux marron à toutes ses vitres. A l'intérieur était assise une femme au corps de chair épaisse et dure sanglé dans un pantalon et une veste de drap fin. Elle avait écarté un des rideaux et dévisageait Yong.

« Nous cherchons le numéro 31, dit le chauffeur.

— C'est ici. »

Le chauffeur se tourna vers la femme. « Epouse de grand dirigeant, ceci est le numéro 31.

— Je le vois bien, dit la femme en continuant de fixer Yong. Demande à cet homme qui il est.

— Quel est votre honorable nom ? dit le chauffeur, qui était bien élevé.

— Je suis le docteur Jen Yong, dit Yong. Puis il ajouta d'un ton désinvolte : un droitiste. Si vous souhaitez voir la maison, entrez. » Il tourna les talons et alla finir d'emballer ses livres.

La bureaucratie devenait de plus en plus nombreuse et les belles maisons étaient rares. Il y avait un problème important dans le logement.

La femme se promena à travers les pièces en se donnant des airs de commandant d'armée. Ce qu'était probablement son mari. Elle jetait des coups d'œil partout, tapait le plancher du pied, vérifiait le cabinet, la cuisine, soulevait le couvercle de la marmite de riz. Puis elle examina la chambre à coucher comme si Yong n'avait pas existé.

« Ah, cette maison est mal tenue. La cour est trop encombrée d'arbres. La maison n'est pas moderne. Et le pêcher est trop vieux. Il faudra l'abattre. »

Puis d'une voix plus forte, devant l'impassibilité de Yong : « La maison d'un droitiste. Elle aura besoin d'un grand nettoyage pour redevenir habitable... »

Son dernier jour à Pékin. Le train partait à minuit. Il louerait un vélo-taxi pour transporter ses deux caisses à la gare. Il marcherait derrière en portant sa valise et son matériel de couchage. Mère Huang avait préparé un dernier repas. Des boulettes, un poulet qu'elle avait payés avec l'argent de son salaire. Elle avait aussi mis de la nourriture dans une boîte métallique pour qu'il pût manger pendant deux jours. « Vous allez faire un long voyage et qui sait si vous pourrez manger dans le train. » Elle avait raison. Et si, au wagon-restaurant, les employés refusaient de le servir ? Non pas parce qu'ils auraient su qu'il était un droitiste mais parce qu'ils l'auraient *senti*. Un intellectuel. Qui voyageait seul. Les gens acquièrent un sens aigu de qui est qui dans ce genre de situations.

A nouveau la sonnette de la porte d'entrée. Yong alla ouvrir.

« Général Yee, vous n'auriez pas dû venir. » Il y avait un autre homme, à la carrure large et aux cheveux grisonnants. Yong pensa : Encore un commandant d'armée qui veut visiter la maison.

« Je suis un droitiste », dit-il à voix haute, machinalement. C'était presque une habitude à présent. « Evitez-moi. Je suis un lépreux politique.

— Droitiste ou non, nous voulons parler avec vous », dit Yee.

L'homme grisonnant tendit la main. « Vous êtes venu inspecter mon unité de maquisards pendant la guerre contre le Japon, en 1945... »

Ils restèrent dans la cour.

« Docteur Jen, dit Meng. Il faut que vous nous disiez exactement ce qui s'est passé à Chungking le jour où votre aimée, Laï Neige de Printemps, a amené la femme des taudis à l'hôpital. Vous devez nous dire absolument tout. C'est capital. »

« Hirondelle, mon trésor, dit Stéphanie, elle faisait manger à Marylee un petit pot à la cuillère. « Mon Dieu, s'exclama-t-elle devant la voracité de sa fille, tu vas devenir énorme ! » Elle serra la bébé contre elle en riant et l'embrassa. Hirondelle était maintenant si vigoureuse qu'on n'aurait jamais cru que c'était un bébé prématuré. Et sa voix quand elle criait ! Hirondelle. Un beau nom.

Les lettres de Yong étaient arrivées, enfin, tout un paquet ; et un paquet de lettres de Trésor d'Hiver, écrites dans un mélange d'anglais et de chinois. « Maman-Maman, tu es partie, pour me faire une petite sœur. Maman, tu dois apporter petite sœur dès qu'elle est assez forte. Grand-mère me dit que je dois être patient parce que petite sœur est très petite et pas forte. Maman, Maman, j'ai tellement envie de voir ton visage et celui de petite sœur mais je serai patient. Parce que *Tietie* est devenu un droitiste, l'école ne voulait pas que je reste. Mais l'institutrice Fan les a obligés à me garder. Elle a dit : " Les enfants ne devraient pas souffrir à cause de leurs parents. " Maman je serai sage, je serai toujours sage maintenant, et obéissant. Alors tout ira de nouveau bien et tu reviendras. »

La lettre de Trésor d'Hiver lui broya le cœur. Oh John, avait-elle dit en sanglotant, il s'accuse de ce qui est arrivé. Je ne peux pas le supporter. C'est impossible. Je dois retourner. Je ne peux pas lui faire ça. »

John dit : « Stéphanie, je vous assure que votre fils ne sentira pas le traumatisme de la même façon qu'un petit Américain. Faites confiance à la famille Jen. Ils sauront faire face à cette situation. »

Elle ne devait pas retourner. Yong lui avait dit de ne pas revenir tout de suite. Il avait forcément une raison. *Je ne pleurerai pas. Je ne pleurerai pas.* Elle serra sa fille avec passion et des larmes brûlantes emplirent ses yeux.

Une porte battit derrière elle. Une porte claquée par le vent. Il n'y a plus d'espace, sauf celui du chagrin, à présent.

Le temps effeuilla ses jours jusqu'au printemps.

Hirondelle grandit et commença à balbutier : « Maman, maman. »

Et Stéphanie sortit de son désespoir.

Elle n'avait pas de passeport. Mais, avec de l'argent, on peut faire beaucoup de choses. Elle pourrait se rendre clandestinement au

Canada, ou au Mexique. L'argent achetait tout et elle avait de l'argent. A condition qu'elle évitât les consulats américains et les lignes aériennes américaines, elle pouvait se rendre en Europe. En France, en Suède. Et, de la Suède, gagner la Chine.

Elle marchait beaucoup dans New York. Elle guérissait ; la plaie se refermait. Elle sentait en elle une force impatiente, une vitalité opiniâtre. Qui sourdaient de tous côtés. Irrépressibles.

L'hiver était parti, le printemps perdait les pétales de ses heures et Stéphanie écoutait de la musique. Le F.B.I. la laissait en paix. Ils ne venaient plus que tous les quinze jours. Mais ils continuaient à la surveiller et son téléphone était sur table d'écoute. On ne lui avait toujours pas rendu son passeport et les papiers confisqués au moment de son arrivée mais elle avait pu récupérer les photos.

Profite du moment, lève la tête,
Trouve ton plaisir dans l'instantanéité...

Stéphanie arpentait les rues. Puis rentrait arpenter les pièces de son appartement. C'était un bel appartement, aux murs tendus de soie damassée, au mobilier sobre. De sa fenêtre, elle regardait cette beauté particulière qu'offre New York juste avant le crépuscule.

La vie continuait.

Il y avait Yong, et Trésor d'Hiver. Il y avait ce pays éternellement changeant, la Chine, avec ses soubresauts imprévisibles. Qu'apporterait la prochaine convulsion ?

Il y avait aussi une autre Stéphanie. Qui se formait et croissait à partir de ce qu'elle avait été, de ce qu'elle avait appris et engrangé

Mai caressait de son air doux les arbres de la ville, ses bâtiments et ses flèches élancées.

Le corps de Stéphanie palpitait, de cet élan qui fait couler la sève, éclater les bourgeons, et irrigue de désir le cœur desséché.

Il m'a dit de ne pas revenir. Il a ses raisons. Ce ne sont pas les miennes Je dois vivre avec elles et avec celles qui me sont propres.

« Stéphanie, est-ce que cela vous ferait beaucoup de peine d'aller manger dans un restaurant chinois ?

— Je ne crois pas, John. J'ai souvent très envie de nourriture chinoise ; nous avions de si bonnes cuisinières... » Elle s'empressa de changer le paysage de son esprit, de ne pas retomber en arrière. Elle venait tout juste de s'arracher au découragement.

Le Mandarin avait un cadre élégant, avec des rideaux de soie, un papier mural discret, des tableaux sur les murs. Et une clientèle choisie de diplomates qui venaient en voisins de l'immeuble des Nations unies tout proche. Une multitude de serveurs empressés assurait un service efficace et silencieux. Seule concession aux manières américaines, les couteaux et les fourchettes — manger avec des baguettes était encore considéré comme un geste exotique. L'entrée s'ornait d'un grand portrait peint de Tchiang Kaishek, fidèle jusqu'à la moustache, la calvitie dissimulée par un clair-obscur flatteur.

« Ne faites pas attention à sa binette, dit John. A Chinatown, elle est accrochée dans tous les restaurants. Sinon le Kuomintang local envoie ses hommes de main saccager leurs cuisines. On prétend que le portrait de Mao est accroché au dos... ils n'auront qu'à le retourner quand ce sera le moment. »

« Aaaah, mon ami, mon ami John, bienvenue ! »

Une voix chaude de baryton, une silhouette corpulente, deux bras ouverts. « Et Stéphanie Ryder. Bienvenue ! Aaaaah ! »

Henry Wong, rayonnant, un peu empâté, leur serra la main avec un plaisir sincère.

« Stéphanie Ryder, ou plutôt madame Jen. Oh, c'est le troisième jour le plus heureux de ma vie... » Il serra le bras de John et tout en répétant : « Mon cher, mon très cher ami », les conduisit à une table dans un coin, sous des lumières tamisées. « C'est merveilleux de vous voir. Je vais prévenir Meena, elle sera si heureuse. » Il se rendit à la cuisine, tandis que des serveurs apportaient des serviettes en toile impeccablement repassées, du thé et le verre d'eau glacée indispensable aux Américains.

Meena s'avança, vêtue d'une blouse blanche qui la faisait ressembler à un médecin. Elle serra Stéphanie dans ses bras en poussant de petits cris de joie. « Oh, il y a si longtemps, si longtemps », dit-elle, les yeux pleins de larmes. Elle aussi avait pris du poids, mais ses cheveux brillaient comme de la laque et son visage rond avait gardé sa jeunesse.

Le dîner fut délicieux, un authentique repas chinois. Henry l'avait composé et on leur donna des baguettes. Le thé venait de la réserve personnelle d'Henry. « C'est du thé de Chine, le meilleur, passé à Hongkong en contrebande. » Il eut un sourire malicieux, comme un petit garçon ravi de la farce qu'il venait de faire. « La seule chose que nous ne servons pas est le lait. Vous vous rendez compte, certains Américains veulent boire du *lait* pendant le repas ! » Pour le fin gourmet qu'était Henry Wong, c'était là un crime majeur.

Après le repas, il voulut absolument leur offrir un dernier verre dans son appartement, situé dans le même immeuble, au-dessus du restaurant. « C'est mieux dans le commerce, d'être toujours sur place. » Il ne leur révéla pas que l'immeuble lui appartenait à présent.

Il possédait un grand assortiment d'alcools et de liqueurs. « Vous vous rappelez Chungking ? Nous avons bu ma dernière bouteille le jour de la victoire sur les Japonais. » Henry évoqua Chungking, la saleté, la chaleur...

« Je suis professeur à présent. De sciences politiques. C'est facile d'enseigner une matière aussi vague que la politique. Beaucoup d'Américains croient que parce que nous sommes anticommunistes, nous possédons *nécessairement* une sagesse politique particulière. » Henry avait réussi à rester neutre et à éviter les écueils de la démagogie. « La neutralité est l'art suprême. Les Grecs l'ont toujours pratiquée. Ils étaient civilisés. Je me sens comme Ulysse. Moi aussi, j'ai eu mon odyssée. A présent, je vieillis. Taiwan m'a promis un ministère si je revenais ; mais je n'ai pas envie de revoir Cacahuète. »

Il aidait au restaurant pendant les week-ends et les vacances et, le reste du temps, donnait des cours à l'Université de Columbia et quelquefois à Yale.

« Et vous, Stéphanie ? » demanda Meena. Alors Stéphanie leur raconta son histoire, sans chercher à dissimuler ce désastre par ricochet qu'était le naufrage de son amour. A parler avec ces gens, dont la vie n'était plus que les épaves d'un naufrage, qui, ayant tout perdu, s'étaient créé de nouvelles personnalités et avaient affronté le malheur sans s'apitoyer sur eux-mêmes, elle découvrit une dimension nouvelle à sa propre souffrance, une autre mesure avec laquelle apprécier les événements. La tragédie acceptée, dédramatisée, devenait le point de départ d'une expérience nouvelle.

Les Wong créaient autour d'eux cette atmosphère de sérénité dont elle avait besoin. Une fois dehors, de retour dans la rue américaine, Stéphanie sombrerait peut-être à nouveau dans ses préoccupations, dans cette anxiété qu'elle essayait de calmer.

« Malheureusement, nous autres Américains nous laissons davantage démolir par ce qui nous arrive que vous ne le faites, dit-elle, en s'excusant presque.

— Nous ne pouvons pas nous offrir le luxe d'un trop grand chagrin, dit Meena. Il nous faut continuer à vivre. »

Henry dit d'une voix un peu pompeuse : « Votre mari est un être noble, Stéphanie. Il aime son pays, et il vous aime. Il a vu clair pour vous. Il ne veut pas que vous soyez frustrée en Chine. Il sait que là-bas, il ne peut pas vous offrir les occasions que vous avez ici.

— A votre avis, que dois-je faire ?

— La seule chose intelligente. Préparer l'avenir. Pour vos enfants.

— Je ne renoncerai jamais à lui, Henry.

— Qui vous parle de renoncer ? dit Henry d'un air surpris. Bien sûr que non, Stéphanie. Mais retourner *maintenant* serait très frustrant. Et une pure folie.

— Nous ne renonçons pas, dit Meena. Nous retournerons, *un jour*.

— Je ne crois pas que Tchiang Kaishek puisse reconquérir la Chine du continent, dit John. Malgré toutes ses fières déclarations actuelles.

— Tchiang ne reconquerra rien du tout, répliqua Henry. Mais les choses changeront. A propos, savez-vous que les Rouges ont des contacts avec Vieille Cacahuète ? La troisième concubine de Tchiang vit à Shanghai. C'est elle qui sert d'intermédiaire. »

John se frappa le front. « L'Amérique annonce qu'elle est prête à défendre Taiwan et la Chine libre et, pendant ce temps, Tchiang nous roule par-derrière !

— Vous aviez besoin d'un mythe, vous l'avez », dit Henry tranquillement, comme si cela réglait la question. Il se tourna vers Stéphanie. « Adressez une requête à Pékin, pour déclarer que vous ne renoncez pas à votre mari. Que vous êtes sa femme et avez un fils en Chine. Que vous comprenez qu'il vous est impossible de ne pas revenir *en ce moment* mais que vous ne renoncez pas.

— En ce moment risque de durer très longtemps, et à quoi bon écrire que je ne renonce pas ?

— Ils sauront ainsi que vous ne les abandonnez pas, dit Meena. C'est un support moral. Si vous n'écrivez pas cette requête, quelqu'un dira que vous êtes partie parce qu'il avait été jugé droitiste. »

« Yong, mon bien-aimé,

» Après treize ans, l'amour m'a laissée sans cuirasse, cité sans remparts ni fortifications. Je m'applique à modeler un nouveau moi-même. Ai-je envie d'être avec toi ? Oui. Mais dès que je serai là-bas, je regretterai ce que j'aurai laissé ici.

» L'été de notre amour ne nous apporterait aucune moisson et nous risquerions de nous détourner l'un de l'autre, pour une discorde que nous n'aurions pas choisie. Tu as raison. Je ne dois pas revenir encore.

» Je recolle mes morceaux pour retrouver une certaine cohérence. Je me souviens des débris de porcelaine sur le parquet, le jour où tu as brisé cette coupe que tu aimais tant. Tu m'as libérée de la servitude de l'amour afin que je devienne une autre. Mais je ne suis pas libre. Je crois que je ne serai jamais guérie.

» Ta mère, autour de mon cou, a placé un collier de jade avec des chaînons en or. Un collier qu'on se transmet dans ta Famille. Elle m'a dit alors que j'étais digne de la remplacer.

» Je dois commencer à faire ce qui doit être fait, dans un monde où des orages différents accomplissent chacun leur œuvre de destruction. Je dois préparer l'avenir pour permettre à nos enfants de s'accomplir. Quand ce qui, à présent, paraît le plus hostile sera le bienvenu, ce qui est maintenant folie deviendra sagesse.

» Je vais te parler de l'Amérique. Elle est en train de changer. Les Américains ne s'accommodent pas aisément de la tyrannie. Le décret sur la sécurité intérieure autorise beaucoup de pratiques, qui ne sont pas légales selon la Constitution. Le Congrès a encore trop peur de la Commission de contrôle des activités subversives instituée par ce décret pour voter sa suppression. Mais l'espoir grandit.

» La Cour suprême a paralysé la chasse aux sorcières. Le 17 juin 1957, quelques jours après que les cent fleurs si prometteuses ont commencé de se faner en Chine, la Cour a frappé un grand coup pour une Amérique plus saine. Et, malgré le F.B.I., Hoover et John Foster Dulles, John Service a été reconnu innocent. La Cour a voté à l'unanimité en sa faveur et contre le secrétaire d'Etat Dulles.

» Dans mon cas, malgré le harcèlement du F.B.I. et le comportement ignoble d'une certaine presse, malgré la laideur et les menaces, je me battrai. Ainsi seulement pourrai-je aider l'Amérique à redevenir saine.

» La Chine est un géant qui s'arrache tout seul, sans aide, à l'étau de la pauvreté. Nous, nous fermons les yeux devant les besoins de ce géant. Mais une étrange logique se dessine à partir de cette situation. Nos hommes d'affaires grommellent : Pourquoi nous coupons-nous du plus grand marché du monde ?

» Comme toi, j'attendrai. J'attendrai et je travaillerai là où je peux élaborer une réponse acceptable. Je ne renonce pas. »

Dans les interviews flatteuses dont on l'accabla quelques années plus tard, Stéphanie dirait avec un léger sourire : « Tout a commencé en mai 1958. Quand j'ai décidé de chercher à mieux comprendre mon père, Heston Ryder, et son œuvre. »

En mai 1958, Stéphanie avait quitté New York pour rejoindre Dallas.

Au cabinet d'avocats Casey, Hull et Ritchie, on l'attendait avec une certaine nervosité.

Les avocats de Heston Ryder virent entrer dans leur bureau une femme mince et élégante au lieu de la bouillante révolutionnaire qu'ils attendaient. Elle portait des vêtements qui auraient fait paraître vulgaire tout autre femme même la mieux habillée. Pas de bijoux à l'exception d'un collier à demi caché par le col de sa blouse de soie. Elle leur adressa un sourire chaleureux, qui les flatta et les provoqua à la fois. Elle écouta avec attention pendant la lecture du testament.

Le testament de Heston était sans ambiguïté. Il laissait à Stéphanie et à ses enfants une importante somme d'argent en capital financier. De gros paquets de titres, dans l'immobilier et le pétrole notamment, pour Stéphanie. Ainsi qu'une participation majoritaire dans la Ryder Aircraft.

A Isabelle, Heston avait laissé une grosse rente annuelle, des propriétés en Provence, sur la Côte d'Azur, deux appartements à Paris et un à New York.

Isabelle était retournée en France. Il n'y avait pas eu de rupture entre sa fille et elle. Mais la mort d'Heston avait effacé entre elles complicité et rivalité. La tension s'était dissipée, restait une affection distante — qui leur convenait et ne demandait pas d'efforts.

Stéphanie héritait du plus gros de la fortune d'Heston. La grande et la petite maison à Dallas, d'autres propriétés à Houston et à San Antonio, les champs pétrolifères et leurs revenus. « Je n'attends pas de ma fille qu'elle soit aussi efficace qu'un homme, j'attends qu'elle fasse mieux. » C'étaient les derniers mots de son testament.

M. Casey, l'associé principal du cabinet juridique, ressemblait à Allen Dulles. Il ne voyait pas Stéphanie d'un bon œil, c'était évident. Quant à Hull et Ritchie, ils la regardaient avec un intérêt tout masculin et un désir de plaire manifeste. Elle décida de faire confiance à Casey.

« Monsieur Casey, je n'y connais rien en affaires. Il faudra que j'apprenne. J'espère que vous m'aiderez comme vous avez aidé mon père. »

Il y avait le problème des employés de son père. Heston ne les avait pas oubliés dans son testament et leur avait donné des rentes annuelles et des sommes d'argent. A tous, y compris aux domestiques et au personnel d'écurie.

« Dites-leur, je vous prie, dit Stéphanie, que s'ils veulent continuer à travailler pour moi, je serai très heureuse de les garder. S'ils souhaitent partir, qu'ils viennent m'en informer ou qu'ils me téléphonent. Je serai chez moi tous les matins entre huit heures et onze heures. »

Les comptables, les experts, les banques...

Stéphanie se leva. « J'ai l'intention de continuer l'œuvre de mon père. Cela me prendra du temps. Je ferai de Dallas mon lieu de résidence principal. »

La bibliothèque d'Heston. Des rayonnages de livres, sur des mètres et des mètres. Revues scientifiques et techniques. Nuit après nuit, obstinée, elles les parcourut.

La chasse aux sorcières avait aussi entravé l'économie américaine.

A travers tout le pays, les hommes d'affaires se plaignaient que le progrès scientifique et industriel fût gêné par les enquêtes sur la sécurité et la loyauté, les vérifications tatillonnes, les menaces, l'atmosphère de terreur. Beaucoup de scientifiques éminents placés sur la liste noire étaient d'une importance vitale pour l'industrie américaine. Pourtant on leur interdisait de travailler dans l'aéronautique, dans la recherche nucléaire et dans d'autres secteurs de pointe. Une vaste quête de cerveaux commença en Europe, pour remplacer les Américains écartés par les mesures de sécurité.

« La réglementation sur la sécurité, qu'elle concerne le personnel ou les documents, entraîne pour l'industrie des problèmes et des dépenses considérables... », pouvait-on lire dans un rapport. La chasse aux sorcières s'arrêtait pourtant à la porte des usines. Les scientifiques interdits d'emploi dans les entreprises appartenant à l'Etat, étaient embauchés par l'industrie privée.

Mais les fonctionnaires, du haut en bas de la hiérarchie, restaient soumis à une surveillance constante. Une enquête sur la loyauté ne pouvait jamais devenir *res judicata,* définitivement close par le tribunal. Le fonctionnaire pouvait à tout moment subir de nouvelles vérifications « même s'il est sorti innocent d'une vingtaine d'enquêtes et autres investigations », écrivait la sous-commission pour la Sécurité intérieure. Qui confirmait ainsi l'illogisme absolu de son fonctionnement.

Tout ce talent inutilisé, pensait Stéphanie. Et le talent, la capacité créatrice, était ce qu'il y avait de plus précieux.

Elle étudia la documentation de son père. Heston avait établi des fiches sur tous les scientifiques américains. Sur quiconque avait trouvé quelque chose, avait eu une idée originale. Même sur ceux qui étaient considérés comme de doux rêveurs. Elle étudia les fiches et prit l'avis de Mlle Birnbaum. Mlle Birnbaum avait d'abord décidé de donner sa démission ; la pension annuelle et le don de dix mille dollars laissés par Heston dans son testament lui suffisaient pour vivre. Mais elle avait l'âme romantique. Le jour où elle vint annoncer son départ à Stéphanie, Marylee était là, c'était l'heure de la tétée, le bébé gargouillait de plaisir ; elle s'entendit déclarer : « Si vous le souhaitez, je resterai auprès de vous pour vous aider. »

Heston Ryder avait projeté de créer une structure dont le seul objectif aurait été de concevoir de nouveaux équipements, des techniques nouvelles, d'expérimenter des idées. Un laboratoire d'idées pour la technologie.

Mlle Birnbaum réunit les papiers, les lettres, les listes de noms. « M. Ryder avait écrit au docteur Clauwaitz ; ils devaient se rencontrer. Le docteur Clauwaitz est biologiste.

— Je le verrai. »

Stéphanie avait besoin de s'entourer de gens en qui elle pût avoir confiance. Pas forcément des experts. Des gens qui prospecteraient pour elle le talent et l'intelligence.

Pour commencer, Dick Steiner, Eddy Keng.

Son téléphone était toujours sur table d'écoute. Elle se savait surveillée par le F.B.I. Mais la terreur s'était dissipée. Elle n'avait plus peur, elle n'était plus malheureuse.

Aucun de ses amis de Dallas n'avait téléphoné. Sauf John Webster et le docteur Padrewski. Ce dernier pour lui parler de l'aile Ryder de l'hôpital.

« J'ai l'intention de poursuivre l'œuvre de mon père. Faites-moi connaître vos besoins. »

A midi, l'air tout entier vibrait de la stridence des cigales et le soleil était un diamant éclaté dans le ciel. Stéphanie se promenait sous l'ombre fraîche des chênes et des camphriers.

Elle sentait la puissance la pénétrer. Son père avait parlé de la puissance qui était entrée en lui « par la plante de mes pieds ». Dans sa jeunesse, il avait longuement marché sur cette terre et elle lui avait accordé un esprit fertile. Stéphanie marchait sur ce sol du Texas et son esprit s'enrichissait.

La nuit, le jardin était féerique sous la voie lactée. Trésor d'Hiver. Il adorait regarder les étoiles. Son petit télescope. Il fallait qu'un jour il puisse contempler l'univers. Avec le plus puissant télescope du monde.

La lumière venue de l'univers, qui tombait sur la terre, captée par le filet que tissaient les yeux des hommes. L'avenir de l'homme était dans l'espace, dans les étoiles, ultime frontière qui lui restait à franchir.

Heston avait établi une liste de cerveaux en astronomie, en recherche spatiale ; ceux qui avaient un emploi, ceux qui étaient sur les listes noires. Car, dans ce domaine aussi, il y avait eu des dégâts.

« Mademoiselle Binrbaum, appelez-moi le docteur Hollingworth à Pasadena, je vous prie. »

Les tubes électroniques. Le premier ordinateur américain, *Eniac,* fonctionnait mais il restait beaucoup à faire.

Il y avait eu le handicap de la « barrière des chiffres ». Les circuits à tubes électroniques complexes duraient peu, étaient difficiles et coûteux à assembler et à entretenir. En 1947, le transistor avait été inventé et avait ainsi ouvert la voie, par le biais du semi-conducteur, aux microprocesseurs.

Elle s'engagerait dans cette branche. L'électronique, la micro-électronique, la nouvelle révolution technologique, qui allait changer la société, et l'homme.

Camilla Waring, Brooklyn, New York. Grâce à un détective privé, Stéphanie avait fini par avoir l'adresse de son ancienne amie. Un week-end, elle prit l'avion pour New York. Il lui semblait très important de retrouver Camilla.

Cette dernière vivait dans un petit appartement de Brooklyn, avec ses deux enfants, âgés de douze et quatorze ans. « D'accord, viens si tu le désires, Stéphanie », avait-elle dit quand Stéphanie lui avait téléphoné.

Un immeuble délabré, un quartier à l'abandon, voué à la démolition. Camilla ouvrit la porte. « Stéphanie... c'est au troisième étage, il n'y a pas d'ascenseur. » Ses avant-bras étaient nus, les muscles se voyaient sous la peau. Tout son corps était noueux.

La salle de séjour était petite, avec des meubles fatigués, des affiches sur les murs, des espadrilles dans un coin, une pile de disques. Camilla alla à la cuisine. « Une tasse de café ? J'ai fait un gâteau. En veux-tu un morceau ou es-tu au régime ? Tout le monde semble l'être.

— Pas moi. Je prendrai volontiers du gâteau et du café. »

Camilla, debout devant la cuisinière, se tourna pour regarder Stéphanie. Le tailleur bien coupé, sobre. Un nuage envahit son visage.

« Comment m'as-tu trouvée ? »

Stéphanie s'apprêta à le lui dire puis s'abstint. « Je te le raconterai une autre fois. Que deviens-tu ?

— Comme tu peux voir. Ce n'est pas brillant depuis le suicide de Gene.

— Camilla ! Je ne savais pas.

— C'a a été en partie ta faute, Stéphanie.

— Ma faute ? Mais c'est impossible... Camilla, je t'en prie...

— Rappelle-toi. Tu es venue nous voir. Tu as passé la nuit chez nous. Nous manifestions pour ce professeur... comment s'appelait-il ?...

— Woodward. Il avait écrit un livre sur la poésie russe. Il comparaissait devant le Comité des activités anti-américaines...

— Je ne te l'avais pas dit. Gene avait un travail ultra-secret. Pour le gouvernement. Ils s'en sont pris à lui dès ton départ... Il était devenu suspect. Il a perdu son emploi. Il a dû subir des interrogatoires pour se disculper. Puis ils se sont attaqués à moi. Le F.B.I. a fouillé partout. Nos livres, la correspondance. Ils ont trouvé tes lettres. Nous étions des sympathisants communistes, ont-ils dit. Ensuite une de nos camarades de fac, Rina Bowring, tu te souviens d'elle, nous l'appelions le lapin, a fait un faux témoignage. Elle a dit que j'appartenais au parti communiste. Elle t'a citée comme agent de liaison. Une mythomane. Le journal d'étudiants auquel je collaborais a été interdit. Sa rédactrice en chef a été accusée d'être communiste.

» Nous avons déménagé. Gene a trouvé un autre emploi. Puis il y a eu la guerre de Corée. Il a perdu à nouveau son travail. Et ça a continué. Le F.B.I. nous traquait sans arrêt... » Camilla parlait d'une voix métallique, monocorde, comme si elle énumérait des faits.

« Nous avons encore déménagé. Gene a trouvé un autre emploi. L'a perdu. A peine nous étions-nous installés quelque part qu'ils arrivaient. Nous n'avions plus d'argent. Puis Gene a dû comparaître une nouvelle fois devant une commission d'enquête. Un jour, il n'a plus pu le supporter. Les gosses étaient auprès de mon père, en Californie, moi je travaillais comme vendeuse au magasin Macy. Au rayon des sous-vêtements. Gene était veilleur de nuit ; c'est le seul travail qu'ils lui avaient laissé faire.

» Il a essayé de maquiller ça en accident. Pour l'assurance. Il est allé en voiture jusqu'à Long Island. Il a loué un bateau. Il ne savait pas nager. Mais ça a foiré. L'autopsie a révélé qu'il avait absorbé des somnifères avant de se noyer...

— Camilla, ma chérie, c'est affreux, absolument affreux... »

Camilla fixait le mur. Elle avait l'air d'avoir quarante ans. Son visage était marqué de rides et elle avait les yeux cernés.

« C'est plus facile quand on a de l'argent, Stéphanie. Nous n'en avions pas. La famille de Gene était pauvre. Ils ont menacé son père, qui était d'origine polonaise, de lui retirer sa naturalisation... Cela faisait trente ans qu'il vivait en Amérique. Ma mère a eu un cancer et toutes les économies de mon père y sont passées. De toute façon, un professeur de littérature à l'université ne roule jamais sur l'or...

— Camilla, je vais t'aider. »

Camilla s'essuya le visage avec ses mains. Sa large bouche généreuse se crispa. « Je suis désolée, Stéphanie. Je me conduis comme une idiote. Ce n'était pas ta faute. C'est le système qui est coupable. A présent, les enfants sont grands mais je suis inquiète. S'il m'arrivait quelque chose, qui s'occuperait d'eux ?

— Camilla, j'ai besoin de toi. De ton aide. J'ai besoin de gens auprès de moi en qui je peux avoir confiance. Veux-tu venir travailler avec moi ? »

Elle exposa ses projets. Commencer sa propre affaire. Prospecter des cerveaux. La richesse intellectuelle. Le talent. L'Amérique n'en manquait pas. La technologie. Mais d'autres domaines, aussi. Pas de limites. Et pas de préjugés de race ou de couleur.

Camilla dit : « Je suis sur les listes de la Commission des activités anti-américaines.

— Au diable la Commission, répondit Stéphanie. Ils ne toucheront pas au privé. »

Elles évoquèrent les pouvoirs énormes de la Commission. Les audiences, qui bénéficiaient d'une énorme publicité, ne respectaient pas dans leur procédure les droits que la Constitution garantit aux individus.

« La Commission se comporte en véritable tribunal et juge la loyauté, les opinions politiques ou simplement la vie privée de ses victimes, dit Camilla.

— Ils ne s'attaqueront plus à toi », affirma Stéphanie. Elle se leva, vive, assurée. « Nous combattrons cette injustice ensemble, Camilla. Avec *mes* armes. Et tu pourras ainsi aider d'autres gens, des gens qui ont souffert comme toi. Réfléchis. »

Elle retourna à Dallas. Elle se sentait à la fois triomphante et honteuse. Elle se battrait. Avec de l'argent. Parce qu'on pouvait faire beaucoup avec de l'argent. L'argent changeait vraiment les choses, et de multiples façons. Oui, elle se servirait de son argent.

23

Lingfu Ville Nouvelle avait une gare, une rue principale pleine de trous, des usines enveloppées de fumée dont les machines bourdonnaient sans répit et des groupes de bâtiments en briques grises à quatre étages où logeaient les ouvriers.

Juste derrière ces ensembles d'habitations commençaient les terrils de la mine de charbon qui alimentait une aciérie. Un voile de brouillard mêlé de suie, parfois roussâtre, le plus souvent noir, vomi par les cheminées de la ville, s'étendait au-dessus de Lingfu.

Il était presque minuit quand Yong mit le pied sur le quai de la gare. Un homme maigre et agressif se rua sur lui en criant : « Je suis le docteur Szeto, responsable de l'hôpital de Lingfu. Vous êtes très en retard. Cinq heures.

— Le train...

— Ne discutez pas. Vous n'avez pas le droit de parler, vous êtes un droitiste. » Szeto fit demi-tour et s'éloigna en laissant Yong se débrouiller avec ses deux caisses, son matériel de couchage et sa valise.

Yong dit : « Je ne peux pas porter toutes mes affaires. » Szeto lui jeta un regard haineux : « Nous sommes des prolétaires, ici. Nous allons à pied.

— Y a-t-il une carriole ? »

Le chef de gare en avait une et accepta de la prêter. « Le droitiste viendra la rapporter aussitôt qu'il aura déchargé ses affaires », cria Szeto. La colère semblait être son état naturel.

Le sol de la rue principale était inégal, avec des ornières profondes de boue gelée. Des aiguilles de gel piquaient le visage de Yong. Il n'y avait pas de réverbères mais une lumière diffuse derrière certaines fenêtres indiquait que les ouvriers des équipes de nuit se levaient.

Szeto entra dans un bâtiment gris. Une odeur puissante d'urine emplissait le hall et la cage d'escalier. Il conduisit Yong à une petite pièce, au quatrième étage, sous les toits. Pas de poêle, aucun chauffage. Une ampoule nue pendait du plafond. Un étroit lit de fer, une table, une chaise.

« Voici votre chambre. »

Yong déroula son matériel de couchage, et l'étendit sur le sommier affaissé. Il alla à la petite fenêtre, couverte d'une épaisse crasse, qui donnait sur un grand mur de briques. La pièce serait sombre, même de jour. Yong tremblait de fatigue. Trois jours de voyage. Mais, avant de pouvoir dormir, il devait aller rapporter la carriole. Le veilleur de nuit attendait son retour pour pouvoir fermer la porte d'entrée de l'hôpital.

Il revint, plongea dans un sommeil épais, entendit des portes claquées, un robinet qui coulait, et s'éveilla. Il faisait encore nuit. Il trouva le cabinet, d'une saleté repoussante. Tout près, dans une pièce, de l'eau froide gouttait de plusieurs robinets.

Il s'habilla, descendit et parvint à la petite salle à manger, au premier étage près de la cuisine. Une douzaine de tables rondes. A l'une d'elles, quatre hommes, vêtus de blouses blanches sales, prenaient leur petit déjeuner. Des médecins. Autour de trois autres tables, des hommes et des femmes, probablement des infirmiers. Le reste du personnel occupait d'autres tables. On respectait la hiérarchie. Pas de place pour Yong, le droitiste. Il attendit, debout. Une table se libéra et il s'assit. Le jeune serveur vint enlever les bols et les assiettes sales et demanda : « Vous voulez manger ?

— Oui, camarade. »

Le serveur se rendit à la cuisine. Le cuisinier vint à la porte jeter un coup d'œil au droitiste. Un de ses yeux était blanc et exorbité. Une cataracte mal soignée.

Le serveur revint avec du pain cuit à la vapeur, du gruau, des cornichons et un bol plein de lait de soja chaud, qu'il tendit avec un air gêné.

« Camarade, c'est très bon, dit Yong surpris.

— Le cuisinier. Il dit qu'il vous connaît. »

Yong but le lait, sentit sa chaleur veloutée glisser jusqu'à son estomac. Il se demanda qui était le cuisinier. Soudain, une voix furieuse lui déchira les oreilles : « Encore en train de manger ? Je ne tolérerai pas une telle paresse... nous commençons le travail tout de suite. » Szeto, en blouse blanche, un stéthoscope suspendu autour de son cou, se tenait derrière lui.

Enhardi par le bol de lait de soja, Yong dit : « Si je ne mange pas, je ne pourrai pas travailler. »

La bouche de Szeto se tordit de fureur. « Vous osez répliquer, cria-t-il. Je vous apprendrai à obéir, je couperai votre longue queue de capitaliste... »

Les dix premiers jours furent atroces.

Szeto ne donna à Yong aucun répit. Il l'insulta devant les malades, devant les autres médecins et les infirmières. Il le mit de garde de nuit. Il lui fit nettoyer les salles, vider les crachoirs et les bassins. Yong dut balayer les couloirs. Faire la toilette des malades. Szeto le harcelait sans cesse : « Droitiste Jen Yong, venez ici... nettoyez cette saleté... »

Yong se souvint de Vieux Wang qui, par fidélité à une cause, avait volontairement nettoyé des crachoirs et des bassins pendant des années, et vécu dans un sous-sol répugnant infesté de rats. *Je dois faire preuve de la même force morale.*

Il découvrit l'état lamentable de l'hôpital.

Des ouvriers qui auraient dû être opérés, des accidentés du travail, ne recevaient aucun traitement. Le seul remède que semblait connaître Szeto était la perfusion de glucose. Quand l'état des malades s'aggravait, il les renvoyait mourir chez eux. On mettait des cas de tuberculose dans les mêmes salles que d'autres malades. Un jeune ouvrier avec une fracture du dos était là depuis deux semaines. Personne n'avait songé à lui mettre un plâtre. Ses jambes commençaient à se paralyser. Pourtant, avec un plâtre, on aurait pu empêcher la paralysie...

Un patient avec un cancer de la gorge, qui se mourait lentement d'étouffement, fut renvoyé chez lui avec un sirop pour la toux. A un jeune garçon qui avait une intussusception, on donna un laxatif...

Les quatre autres médecins étaient jeunes et sans expérience. Ils venaient de finir leurs études et avaient été envoyés ici après cinq mois d'internat. Szeto les terrorisait.

L'annexe, occupée par une maternité, était surpeuplée. Les deux sages-femmes étaient compétentes mais il manquait un accoucheur. Le « docteur » Szeto estimait qu'on n'en avait pas besoin.

Cent mille habitants à Lingfu. Surtout des gens jeunes. Beaucoup de naissances.

Des fenêtres de l'hôpital, Yong contemplait les terrils. Ils ne cessaient de grandir. Un jour, il y aurait un glissement de terrain et ils recouvriraient les maisons construites à leur pied. Pourquoi avait-on bâti là les logements des ouvriers ?

Un soir, un jeune médecin vint gratter doucement à la porte de sa chambre.

« Docteur Jen, je m'appelle Teng. J'ai entendu parler de vous... J'ai lu vos articles sur la chirurgie, avant de venir ici... Vous êtes réputé..

— Je suis un droitiste », répondit Yong.

Teng dit : « Le père de ma fiancée a, lui aussi, été " coiffé ", étiqueté droitiste. Il était dans l'enseignement... et membre du Parti. Comme moi. Et maintenant ma fiancée ne veut plus m'épouser parce que cela pourrait nuire à ma carrière... » Ses yeux rougirent mais sa voix était résignée.

Teng avait eu son diplôme en juin et avait été nommé à Lingfu. « J'ai pensé : Servir les travailleurs d'une ville industrielle nouvelle est une tâche noble... J'étais plein d'enthousiasme... Mais Szeto n'est pas médecin. C'était un guérisseur de village. Il utilisait des remèdes qu'il tenait de son père, un nécromancier. Szeto a fait un stage de six mois dans un hôpital de province et il est devenu " docteur ". Il est venu à Lingfu et, comme il n'y avait personne d'autre à l'époque, on l'a nommé directeur de l'hôpital.

— C'est un fou dangereux », dit Yong.

Quatre jours plus tard, les trois autres médecins vinrent aussi voir Yong dans sa chambre.

« Nous ne pouvons pas laisser les choses continuer ainsi, dit Yong. Nous devons écrire au ministère de la Santé. »

Les autres prirent peur. « Ne mentionnez pas notre nom... nous ne pouvons pas nous associer avec vous...

— Je ne vous citerai pas. »

Szeto apprit que les médecins étaient allés voir Yong. Il décida d'en finir avec le droitiste.

Un après-midi, alors que Yong soignait les escarres d'un jeune ouvrier, Szeto arriva.

« Vous, droitiste Jen. Vous êtes chirurgien. J'ai quelques cas à opérer. Immédiatement. »

La salle d'opération était petite, sale, mal éclairée. Yong contempla l'autoclave. Fonctionnait-il correctement ? Y avait-il des blouses, des gants stériles ? Les infirmières étaient-elles qualifiées ? Et l'anesthésiste ?

Assis sur un banc devant la salle d'opération, cinq malades attendaient. Sous le pyjama de l'hôpital, ils portaient leurs propres vêtements.

« Deux hernies, un cas d'hémorroïdes, une vésicule biliaire. Le docteur Teng vous assistera. Je surveillerai pour m'assurer que vous ne commettez pas de sabotage et n'essayez pas de faire du mal à nos travailleurs bien-aimés.

— Je refuse d'opérer, dit Yong.

— Vous refusez ?

— Ces malades n'ont pas été préparés. Je ne les ai pas examinés. Je ne sais pas s'ils sont en état d'être opérés. »

Szeto était ravi. Yong était tombé dans le panneau. « Vous êtes ici pour être rééduqué, pour vous soumettre aux masses et vous refusez de travailler... »

Des malades sortaient peu à peu des salles. Les infirmières s'approchaient. Szeto se tourna vers eux : « Vous avez entendu, tous. Le droitiste refuse avec insolence de servir les masses. On doit continuer à le combattre... convoquer une réunion de lutte contre le droitiste impénitent Jen Yong. »

Le lendemain après-midi, l'hôpital se réunit. Yong avait été enfermé dans sa chambre mais le jeune serveur était venu lui porter un bol de nouilles. « Le camarade cuisinier dit : " Même les droitistes ont besoin de manger. " »

Une centaine de gens s'entassèrent dans la salle de réunion. Les médecins, les infirmières, le personnel de service, des délégués ouvriers des usines et de l'aciérie. Et aussi le directeur du Service sanitaire de Lingfu, le camarade Go. Cette réunion n'enchantait guère le camarade Go. Sa femme était une des deux sages-femmes de la maternité et, depuis un an, elle lui répétait que le docteur Szeto était dangereux, que les malades ne recevaient pas des soins corrects.

« Les ouvriers ne sont pas idiots. Les jeunes savent qu'il se passe des choses graves... plusieurs fois nous avons dû leur donner des explications quand la mère ou le bébé étaient morts... » La femme du camarade Go maigrissait et devenait de plus en plus nerveuse.

Szeto commença par une accusation contre Yong. « Le docteur Jen Yong a une longue queue de capitaliste. Il est arrogant et prétentieux. C'est aux masses de le rendre humble, afin qu'il confesse ses crimes. » Szeto hurlait toujours. Il ne pouvait jamais parler d'une voix normale.

« Confesse tes crimes, sale droitiste », cria une des infirmières, imitée par les autres.

« Confesse, confesse ! Sale ordure de droitiste ! »

Yong regarda autour de lui. La colère, si longtemps réprimée, contenue, montait en lui, prête à déborder le barrage qu'il lui avait imposée. Qu'avait-il à perdre à présent, sinon la vie ? Et que lui importait de vivre ? Stéphanie était en sécurité, Trésor d'Hiver aussi, à Shanghai. Mais toute sa vie, Trésor d'Hiver serait suivi par une ombre : il serait le fils d'un droitiste. Il n'aurait pas le droit d'aller à l'université, de prendre un travail intéressant, même le mariage serait difficile pour lui.

Yong se tint droit comme son père, joyeux comme son père dans l'épreuve. Joie de pouvoir enfin cracher sa colère, de la vomir au visage de ceux qui le persécutaient. Joie, bonheur de ne plus avoir à s'inquiéter de causer l'infortune de quelqu'un d'autre... rien de pire ne pouvait arriver maintenant.

« J'ai refusé d'obéir à Szeto parce que je ne voulais pas commettre un meurtre. Ce serait criminel de ma part d'opérer dans les conditions imposées par Szeto. Cet hôpital n'est pas au service des ouvriers. Tout ce que Szeto veut c'est que personne ne meure dans " son " hôpital. Il ne soigne personne. Il renvoie les malades mourir chez eux. On n'a jamais pratiqué aucune opération dans cet hôpital et brusquement Szeto veut que j'opère des malades choisis par lui. S'ils meurent, il dira que je les ai tués... »

Il tendit le doigt en direction de Szeto. « Je suis ici depuis vingt jours. C'est ainsi que cela se passe, je l'ai vu. Tuez-moi si vous voulez... Envoyez-moi travailler dans une mine de charbon. Je préfère creuser le charbon. C'est un travail noble. Je serai fier d'être un ouvrier, un mineur. Mais porter une blouse blanche et prétendre savoir guérir les gens, c'est les tromper, Szeto vous trompe. Il n'est pas médecin. »

Il y eut un silence stupéfait dans la salle, bientôt suivi d'un murmure. D'abord bas, il enfla peu à peu, et devint rumeur discordante. Mais l'infirmière qui avait parlé au début reprit sa litanie : « Battez le chien à mort ! » D'autres infirmières l'imitèrent, comme dans un chœur

« Battez le chien à mort !

— Il insulte le Parti.

— Il insulte les travailleurs, les masses !

— Empêchons-le à jamais de montrer son visage de démon au grand jour ! »

On ramena Yong dans sa chambre. Tandis qu'il s'éloignait, tenu à chaque bras par un infirmier, il entendait les slogans hurlés dans la salle. Peut-être l'enverrait-on travailler dans une mine de charbon. Probablement sans salaire. Peut-être pour le restant de ses jours

Quand le directeur des Services sanitaires Go se réveilla le lendemain matin, il se sentit bizarre. La réunion de la veille l'avait mis mal à l'aise. Sa digestion en avait souffert. Il avait l'impression d'avoir de la fièvre.

Il avala un peu de gruau puis absorba des remèdes chinois pour calmer le cœur.

Les masses avaient condamné Jen Yong. On ne devait jamais « verser de l'eau froide sur la ferveur brûlante des masses ». C'était la ligne du Parti.

Le droitiste Jen avait dit des choses très sévères sur l'hôpital. Elles le concernaient aussi, lui, Go. Car il en était l'administrateur...

C'était au comité du Parti à décider quelle punition imposer au droitiste.

« Mais il dit la vérité », lui répétait sa femme. Elle l'avait harcelé toute la soirée. Et avait recommencé à l'aube. « Tu ne peux pas envoyer Jen Yong faire un travail disciplinaire. Tu dois en référer à l'échelon supérieur. Sinon, un jour, tu auras de gros problèmes. »

Yong, dans sa chambre, écrivit à Stéphanie. Peut-être serait-ce la dernière lettre qu'il lui enverrait.

« Neige de Printemps,

» Tout va bien pour moi, je te prie de ne pas t'inquiéter. Je vais être très occupé dans cette ville nouvelle et ne pourrai pas t'écrire souvent. Mais je t'aime et là se trouve mon bonheur. Dans mon amour pour toi.

Ma tendresse me tient éveillé, je pense à toi, à notre petite fille et je suis heureux que tu sois en sécurité, et que tu ailles bien... »

Le directeur des Services sanitaires Go vomit. Son ventre lui faisait très mal. Il avait alternativement chaud et froid.

Il téléphona à l'hôpital et demanda sa femme. « Rentre à la maison, je t'en prie. Je ne suis pas bien. »

Quand elle arriva, elle lui prit sa température : 38°5.

« Je ferais mieux d'appeler l'hôpital, dit-elle. Ce pourrait être une appendicite.

— Pas Szeto, dit Go. Pas Szeto. »

Maintenant que sa vie était en jeu, il comprenait que Szeto était dangereux.

« Mais c'est le règlement... »

Szeto arriva rapidement, en compagnie du docteur Teng. Il posa les mains sur le ventre de Go, sur son front. Il écouta le cœur avec son stéthoscope, puis demanda : « Etes-vous constipé ?

— Ces deux derniers jours.

— Alors, ce n'est rien. Je vais vous donner un laxatif, vous serez bientôt sur pied.

— Non, non. » Go se souvint du garçon qui était mort après avoir pris un laxatif ordonné par Szeto. Cela avait provoqué de vifs commentaires parmi les ouvriers.

« Docteur Szeto, je pense qu'il s'agit d'une crise d'appendicite », dit la femme de Go.

La colère de Szeto monta mais il se maîtrisa. Et si c'était vraiment une crise d'appendicite. Et qu'il soit obligé d'opérer...

« Je ne le pense pas... il a dû manger quelque chose qui lui a fait mal, peut-être du poison, ce qui explique la douleur. »

A son tour, le docteur Teng examina Go puis dit : « Je pense que ce pourrait être une crise aiguë d'appendicite, docteur Szeto.

— Je ne suis pas chirurgien. Vous opérerez, docteur Teng », répliqua Szeto.

Go devint soudain plein de courage. « Appelez le docteur Jen. Je veux que le docteur Jen m'examine. »

Le vice-commissaire Meng était assis à son bureau, les yeux protégés par une visière verte. Il était très tard mais il n'arrivait pas à dormir. Les sourcils froncés, il consultait en soupirant son petit carnet de notes.

Jen Yong avait confirmé le récit du général Yee. Stéphanie avait bien frappé un homme, un certain major Hsu, de la Police secrète du Kuomintang, à Chungking.

Meng pensait à Hsu Construit-la-Cité. Le seul détail suspect chez lui était sa façon de manier ses baguettes. Rien à voir avec celle d'un pauvre homme qui aurait mangé l'amertume.

Ma Vieille Partenaire, songea Meng. Elle refusera de me croire.

Quand il était jeune, que le monde était simple et la révolution radieuse de promesses, il était tombé amoureux pendant qu'il dirigeait l'entraînement de la milice féminine du village où il était logé. Petite Lo, Petit Navet, était la seule qui n'avait jamais pu atteindre la cible, même par accident. Chaque fois que son tir s'égarait, elle éclatait d'un grand rire sonore, qui révélait de magnifiques dents blanches. Elle avait des lèvres très rouges.

Tout le monde approuva leur mariage car ils avaient une excellente origine de classe. Tous deux étaient des paysans pauvres.

Son sang frémissait encore au souvenir de ces nuits juvéniles où la chair ignorante avait su trouver les gestes, rendue audacieuse par l'obscurité. Plaisir. Plaisir de féconder ce corps robuste et si merveilleusement accordé au sien. Pourtant ils n'avaient jamais dit un mot, jamais fait une allusion au plaisir qu'ils se donnaient mutuellement, la nuit.

La guerre. La séparation. Les deuils. Ils avaient vécu tant de choses ensemble. Mais il ne pouvait pas partager cette affaire avec elle. Et s'il allait plus loin, il risquait de lui faire un grand tort.

Car, si Hsu, Tsui Dragon de Mer et Bo Chaste Sagesse étaient des agents du Kuomintang, alors la camarade Lo serait sévèrement critiquée pour son manque de vigilance et pour leur avoir fait confiance.

Si, au contraire, toute cette histoire n'était que coïncidence et invention de sa part, alors ce serait lui, Meng, qui aurait de sérieux ennuis. Calomnie envers des camarades honorables, à partir du récit d'une Américaine frivole et de son droitiste de mari !

Quel bourbier, quel imbroglio !

Ah, comme il était difficile d'être un homme intègre !

Meng poussa un profond soupir puis prit son pinceau et commença à rédiger un rapport pour les services de la Sécurité publique. Faisant preuve de beaucoup de courage, il signa le rapport mais n'indiqua ni son rang, ni son adresse.

Voici qu'un nouveau soubresaut secouait ce pays toujours en ébullition.

Cela avait commencé en novembre 1957, quand le président Mao était allé à Moscou parler avec les maîtres du Kremlin.

Mao Tsetung et Chou Enlai avaient vu dans les discours de Khrouchtchev, dans sa condamnation globale de Staline, non pas une « libération » mais une ruse. Une manœuvre pour devenir « respectable ». Pour adoucir les Etats-Unis.

L'Union soviétique bandait ses muscles. Pour arracher le pouvoir absolu. D'abord courtiser les crédules Américains avec des déclarations de « paix ». La coexistence pacifique. Si c'était nécessaire, utiliser la Chine pour faire diversion, parler du caractère belliqueux de la Chine. Du péril jaune. Puis construire la puissance soviétique jusqu'à ce qu'elle égale et enfin dépasse celle des Etats-Unis.

Khrouchtchev fut furieux quand Mao affirma qu'il existait des « contradictions », dans un Etat socialiste, entre le peuple et le parti communiste au pouvoir. Qu'il pouvait même y en avoir entre des Etats socialistes eux-mêmes. « Impossible », déclara Khrouchtchev. Une fois qu'elle aurait admis l'existence de « contradictions » entre des « frères socialistes » ou à l'intérieur d'un Etat socialiste, comment l'Union soviétique pourrait-elle garder le contrôle de ses satellites d'Europe de l'Est ? Et les révoltes de 1956 en Pologne et en Hongrie ?

A présent, l'Union soviétique exigeait de la Chine le remboursement de toutes les dettes contractées pendant la guerre de Corée et de l'aide fournie pendant le premier plan quinquennal de 1952-1957. Remboursement à effectuer en nourriture, en métaux rares, à des prix fixés de façon arbitraire par Moscou.

La Chine n'avait pas d'autre issue. Les Etats-Unis maintenaient leur embargo. « Jamais, jamais nous ne reconnaîtrons la Chine communiste », proclamait John Foster Dulles.

C'est alors que fut imaginé le Grand Bond en Avant. Tentative désespérée de se passer d'aide, d'où qu'elle vînt. Pour *accélérer* le progrès économique. En se servant de la seule richesse disponible du pays : la main-d'œuvre.

« Nous allons accélérer notre modernisation », annonça la camarade Lo à son équipe. Ses yeux brillaient tandis qu'elle punaisait sur le mur de son bureau et lisait à haute voix les directives sur le Bond.

Pour mener de front la révolution technologique et la révolution socialiste ; pour développer simultanément industrie et agriculture, industries locales et nationales, petites, moyennes et grandes entreprises.

Pour réduire le fossé entre travail intellectuel et travail manuel, entre ville et campagne, entre responsables et gens ordinaires...

Foncez, accélérez, BONDISSEZ EN AVANT !

Une bonne moitié des responsables en poste dans les ministères, les départements, les bureaux et les comités, « descendraient » accomplir un travail manuel dans les villages. Pour aider à construire des canaux, des aqueducs, à creuser des puits et des réservoirs, à reboiser, à construire des routes et des voies ferrées, à installer de nouvelles industries au milieu rural.

Les coopératives de village se réuniraient en communes assez importantes pour mobiliser des milliers de gens, afin de construire des digues et des barrages hydro-électriques et même détourner les cours des fleuves.

« Si l'on m'envoie à la campagne, je mourrai », pensait le camarade Hsu Construit-la-Cité.

Depuis ce dîner chez la camarade Lo, où le vin avait délié la langue de Chaste Sagesse, Hsu se faisait du souci. *Merde à sa salope de mère, pourquoi fallait-il que les femmes soient si bavardes ?*

A présent, il éprouvait souvent une impression bizarre entre ses omoplates.

Est-ce qu'on le surveillait ?

Une nuit, il s'éveilla en sursaut. Il avait distinctement entendu une voix crier : « Hsu Nuage élevé ! » Nuage élevé... il voulait oublier ce nom...

S'il ne se portait pas volontaire pour aller faire un travail manuel, Boule de Graisse commencerait à se poser des questions. Elle l'avait déjà fait. « Cela me rajeunira de retourner travailler dans les champs. Je n'aime pas la vie de la ville », avait-elle dit.

Espèce de tas de boue puant, pensait Hsu. Elle n'est heureuse que quand elle patauge dans la merde.

« Camarade Lo, moi aussi, je me porte volontaire », avait-il déclaré.

Elle rayonna : « Vous, les jeunes, vous avez tellement d'enthousiasme. »

A présent Hsu réfléchissait. Comment échapper à cette corvée ? Trouver un médecin qui le déclarerait tuberculeux ? Avoir une crise cardiaque ? Les crises cardiaques étaient très à la mode.

Il se sentait très seul.

La plaine ressemblait à une fourmilière éventrée, grouillante de gens qui se hâtaient dans toutes les directions tels des insectes affairés. De longues files d'hommes, portant des corbeilles de terre suspendues à des palanches, grimpaient en serpentant jusqu'à la digue qui se dressait comme un mur face au fleuve invisible, là où ciel et terre se fondaient dans le gris plombé de l'horizon. D'autres hommes nivelaient le sol ; ils tassaient la terre au rythme des « *Hey-heng* », et la lourde pierre lisse soulevée par les cordes retombait pesamment avec un bruit mou. D'autres encore préparaient le sol, ils enlevaient les galets déposés par la crue quand le fleuve sortait de son lit et en faisaient des tas ; et d'autres, assis auprès de ces tas, brisaient les galets et mettaient les fragments dans des corbeilles.

Près d'un demi-million d'hommes avaient été mobilisés pour construire plus de quatre cent cinquante kilomètres de digues destinées à contenir le fleuve chargé de vase. Cent mille autres travaillaient sur le barrage, plus loin dans la plaine.

Petit Etang faisait partie de ce demi-million et un sentiment de puissance gonflait son cœur. Qui pourrait nier la force irrésistible des masses? Le Ciel allait sûrement se radoucir et donner enfin à ce peuple, capable de tels efforts cosmiques, des jours de bonheur.

Cinq cent mille travailleurs chantaient :

Oh il n'y a pas d'empereur au Ciel, hai, hai,
Il n'y a pas de dragon sur terre, lo ho lo.
Oh les montagnes s'écartent devant moi, hai, hai,
Car j'arrive avec ma pioche, hai lo lo.

Ils entraient dans la terre promise par bonds gigantesques. Ils construisaient le paradis tout espéré, après des siècles de souffrance et de détresse, de faim du corps et de l'âme...

Petit Etang travaillait, il transportait des pierres, il traînait les sacs de galets jusqu'aux tas. Le soleil de l'après-midi était de plomb, la chaleur faisait miroiter le sol et, de ces foules au dos nu, courbées à la tâche, montaient l'odeur et la vapeur de leur sueur. Chaque équipe comprenait cinq cents hommes, et disposait d'un drapeau rouge, d'un hangar et de quatre latrines. Les porteurs d'eau allaient d'équipe en équipe, deux par deux, et charriaient de grands récipients pleins d'eau potable suspendus à une palanche posée sur leurs épaules. Chaque ouvrier avait un quart de métal, accroché à sa ceinture.

Petit Etang avait soif ; il se dirigea vers le récipient d'eau. Il regarda la route, balafre brune à travers la plaine. Les bulldozers de l'armée l'avaient ouverte. Des camions militaires y roulaient, pleins de volontaires venus des villes, de cadres volontaires pour construire le barrage cinq kilomètres plus loin. Ce barrage qui fournirait l'énergie électrique et la lumière aux villages et aux villes de la région.

« Abolissons la nuit noire de l'esprit ! »

« Apprenons à l'eau à monter au ciel ! »

« Apprenons au soleil et à la lune à changer de place ! »

C'étaient là les phrases du Grand Bond, tracées sur les rochers, sur les ponts, sur les murs, à travers tout le pays.

Bientôt, très bientôt, il n'y aurait plus de pauvreté, plus de besoins et il dirait à Petite Perle : « A présent, nous pouvons nous marier. »

Des camions au capot orné de drapeaux rouges avançaient en grondant ; ils transportaient des responsables venus des villes pour faire un travail manuel.

Petit Etang et d'autres ouvriers les acclamèrent. Les camions ralentirent en abordant une pente.

Alors Petit Etang le vit, très distinctement. Il était à moins de neuf mètres. Dans le camion de tête. La verrue sur son menton. Et même le long poil qui poussait dessus.

Son sang se figea dans son corps. L'homme. Celui qui était avec Hsu, à Chungking, quand il l'avait vu sortir du restaurant, ce soir-là.

Hsu, le meurtrier de sa mère.

Les camions prirent de la vitesse et s'éloignèrent en cahotant.

Cette nuit-là, Petit Etang quitta le hangar-dortoir où il dormait avec cinq cents autres hommes. Il ne dit rien à personne, même pas à son ami Hsiao Wang. Il prit son petit baluchon de vêtements et son quart et suivit la route empruntée par les camions pour rejoindre le barrage.

Le ciel ressemblait au ventre argenté d'un poisson quand il trouva les camions, serrés tels des buffles apprivoisés et aussi paisibles. Endormis. Comme leurs chauffeurs.

Cent mille hommes. Etendus sous des hangars. Endormis.

Comment arriver à trouver l'homme à la verrue ?

Un peu plus loin, flou dans la lumière de l'aube, se dressait le barrage, squelette de poutres et de piliers.

Les cuisiniers s'éveillèrent et frappèrent sur leurs gongs, bang, bang, bang, pour sortir les hommes de leur sommeil. Ils se levèrent et ce fut soudain un immense remue-ménage. Des files pour avoir de l'eau, pour le petit déjeuner, devant les latrines.

Petit Etang fit la queue dans celle du petit déjeuner en espérant que personne ne le remarquerait. On lui donna la ration : deux galettes de farine de seigle et de millet, un bol de soupe aux choux.

Les surveillants militaires donnèrent un long coup de sifflet et les hommes se mirent en rang pour aller travailler. Petit Etang déposa son ballot de vêtements dans un hangar à camions et se mit à marcher, la veste boutonnée jusqu'en haut comme un cadre moyen, du pas assuré de celui qui sait où il va.

Où se trouvait l'homme à la verrue ?

Il arriva près du barrage fourmillant d'ouvriers, et aperçut en bas un groupe d'officiels. L'homme à la verrue, une pelle à la main, se faisait photographier en train de remuer la terre, au milieu des clic-clic des appareils. Deux photographes officiaient.

Des cadres du Parti venus participer au travail manuel... les ouvriers les regardaient.

Petit Etang demanda à un jeune homme qui se tenait à la frange du groupe : « D'où viennent-ils ?

— De Pékin. Ce sont des représentants du ministère de l'Education. »

L'homme à la verrue parlait, il tendait le bras pour indiquer un autre décor pour les photos.

« Camarade, de quelle province est ce représentant du ministère de l'Education ? » Petit Etang avait sorti son carnet de notes et son stylo à bille pour se donner l'air d'un journaliste.

« Vous voulez parler du directeur-adjoint au ministère de l'Education Tsui Dragon de Mer ? Je ne sais pas, répondit le jeune homme, désolé de son ignorance.

— Mon journal voudrait avoir ce renseignement. »

Il entendit rire Tsui Dragon de Mer. Ce rire lui rappela cette nuit à Chungking, quand il s'était dissimulé dans le tas de détritus et qu'ils étaient passés devant lui, Tsui Dragon de Mer, une femme et Hsu Nuage Elevé, le meurtrier de sa mère.

Il suivrait Tsui Dragon de Mer. Pour qu'il le mène à Hsu. Il trouverait Hsu...

Le temps égrenait ses jours comme un arbre perd ses feuilles. L'été puis l'hiver, puis l'été encore. Le Bond avait échoué. 1960, l'année du rat, une mauvaise année.

Au cours des deux années précédentes, trois cents millions de paysans avaient quitté leurs villages à l'époque de la moisson pour faire d'autres travaux, tels que la fabrication d'acier dans des fours primitifs, le creusement de réservoirs, la construction de routes, le défrichement de nouvelles terres. Il n'était pas resté assez de monde dans les villages pour assurer la moisson. Beaucoup de céréales avaient pourri sur pied dans les champs.

Et à présent, la faim régnait sur le pays.

A Lingfu Ville Nouvelle, on avait construit un cinéma, un parc, une salle commune, des écoles. Des logements pour les ouvriers et de nouvelles usines. La population atteignait cent cinquante mille habitants.

L'hôpital avait grandi. Il avait une équipe de vingt-cinq médecins, deux cents infirmières et employait quatre cents personnes. Il y avait deux maternités et une aile de pédiatrie.

Le Bond avait fait partir beaucoup de médecins des grandes villes, qui étaient allés travailler dans les cités plus petites et dans les zones industrielles récemment créées.

Les médecins chinois se trouvaient confrontés à des maladies et accidents du travail qui exigeaient des techniques nouvelles.

Ce fut pendant ces années du Grand Bond que les chirurgiens chinois firent des progrès énormes. Dans le traitement des brûlures. En microchirurgie. Dans la réimplantation de membres et de doigts sectionnés. Dans l'utilisation d'orteils pour remplacer des pouces. Jen Yong allait devenir un des plus brillants pionniers dans ce domaine.

Une promotion avait permis de déplacer le docteur Szeto et de lui faire quitter Lingfu. Il avait été nommé administrateur en chef du service des plantes médicinales chinoises dans la capitale de la province. Il ne pouvait plus faire de mal à personne ; il pouvait même arborer une belle blouse blanche et un stéthoscope autour de son cou.

Le camarade Go, ravi de sa jolie petite cicatrice, avait confié la direction de l'hôpital de Lingfu au docteur Teng. Jen Yong, en tant que droitiste, pouvait travailler mais ne pouvait pas être cité ni prendre de décision, ni disposer de droits politiques. Mais Teng et Go le consultaient constamment.

Et les ouvriers ne parlaient que du docteur Jen et de ses mains magiques.

« Le camarade Go a été rétabli au bout d'une semaine.

— Il guérit les gens rien qu'en les touchant.

— N'ayez pas peur de son bistouri. Il coupe mais il ne fait pas mal. »

Le jeune ouvrier qui se paralysait était à présent confortablement installé dans un plâtre. Il pourrait à nouveau marcher.

Une césarienne permit à la femme d'un syndicaliste de donner naissance à un superbe garçon. Yong expliqua que le bassin de la femme était trop étroit. Elle avait fait du rachitisme dans son enfance.

La confiance en Jen Yong grandissait. Les ouvriers de Lingfu se moquaient bien qu'il fût un droitiste. Ils haussaient les épaules quand on le leur rappelait. « C'est un homme bon », répondaient-ils.

Yong changea. Ses joues se creusèrent. Ses pommettes saillaient davantage. Il paraissait plus âgé. Il était moins doux, plus sec qu'avant. Mais il travaillait comme un fou et l'hôpital de Lingfu devenait meilleur.

En compagnie du docteur Teng et du camarade Go, il se rendit dans la capitale de la province et ils rapportèrent de l'hôpital principal du matériel neuf inutilisé, dont un appareil de radiographie.

Un accoucheur, deux dentistes et trois médecins expérimentés vinrent travailler à Lingfu et tous soutenaient Jen Yong (dont le nom n'apparaissait jamais) dans ses demandes de matériel ou de personnel.

La tuyauterie de l'hôpital s'était améliorée mais restait capricieuse. Le docteur Teng parla à la radio locale et demanda des volontaires pour réparer la plomberie de l'hôpital. Une douzaine de plombiers se présentèrent dans un camion de l'armée ; ils frappaient des cymbales et agitaient des drapeaux rouges dans une atmosphère de carnaval. Les cabinets et les douches retrouvèrent un fonctionnement presque normal.

Yong fit remarquer que les terrils représentaient un danger. Le camarade Go, enchanté parce que la radio nationale citait les réussites de Lingfu, alla examiner l'abrupte montagne grise qui dominait les maisons.

On construisit de nouveaux logements pour les ouvriers de l'autre côté de la ville. Les ouvriers déménagèrent. Et une nouvelle fois, la chance fut avec Lingfu. Trois mois après le départ de la dernière famille, un tremblement de terre secoua la région, un terril vibra, glissa et engloutit un quart des bâtiments.

Au cours de l'hiver 1960, la moitié des usines de Lingfu et l'aciérie s'immobilisèrent. En août, les Russes avaient retiré tous leurs experts et les grands complexes industriels se trouvèrent paralysés.

Les ouvriers continuaient à toucher leur salaire mais ils avaient très peu de travail et la nourriture se faisait rare. L'hiver arriva et beaucoup de gens tombèrent malades ; les vieillards et les bébés mouraient. Stéphanie envoyait des boîtes de vitamines qu'Eddy Keng faisait parvenir à Shanghai, ostensiblement pour son père ; Yong les distribuait aux ouvriers pour lutter contre le béribéri.

Des internes et des chirurgiens de Pékin et de Shanghai vinrent visiter Lingfu ; car la ville recevait des gens de tous les coins de la Chine et certains apportaient avec eux leurs parasites et leurs maladies propres. Cancers du rhinopharynx et de l'œsophage, caractéristiques de certaines régions ; cancer du poumon, de plus en plus fréquent...

Un après-midi où Yong faisait visiter l'hôpital à quelques chirurgiens venus de Shanghai, Teng vint le trouver, l'air inquiet.

« Docteur Jen, il y a un ouvrier en bas. Il a la main coupée. »

Jen Yong partit en courant et demanda : « La droite ou la gauche ?

— La droite. »

Dans le dispensaire, trois ouvriers entouraient un jeune homme assis qui se tenait le poignet. Quelqu'un lui avait mis un garrot. Le garçon était pâle mais il essaya poliment de se lever quand il aperçut Yong. Près de lui, se trouvait une cuvette émaillée qui contenait la main du jeune homme, arrachée par une machine.

« Docteur, dit le jeune ouvrier, vous allez me recoudre ma main, n'est-ce pas ?

— J'essaierai », dit Jen Yong.

Les médecins de Shanghai s'organisèrent et se répartirent les différentes tâches de l'opération.

Celle-ci dura huit heures.

Quatre mois plus tard, le jeune ouvrier pouvait se servir de sa main. Pour tenir des objets, manger et même jouer au ping-pong. Il commençait à écrire...

Entre 1960 et 1962, quelque trois cent mille droitistes furent réhabilités. Ils retrouvèrent leur situation et leur salaire. Et reçurent un certificat de réhabilitation. Dans quelques cas, le comité du Parti de leur unité leur offrit un « dîner de réhabilitation ». Dans d'autres, des réunions officielles furent organisées pour l'annoncer.

Celle de Yong eut lieu au début de 1961. Il en fut aussitôt averti mais rien d'autre ne fut fait pour lui.

Il alla à Pékin demander une réhabilitation totale.

A l'hôpital où il avait travaillé, on avait nommé quelqu'un à son ancien poste. Ç'aurait été injuste pour celui-ci de reprendre Yong, expliqua le secrétaire du comité.

Le mouvement de « descente vers les campagnes, vers les usines » qui avait marqué le Grand Bond en Avant était à présent renversé. Les fonctionnaires et les intellectuels se ruaient sur les grandes villes. On se battait presque pour les postes.

« Bien sûr, nous vous réintégrerons dès qu'un poste sera vacant à votre haut niveau », dit le fonctionnaire du Parti. Mais le comité n'organisa pas de réunion de réhabilitation.

« Ils ont une telle frousse de perdre la face, d'avoir à reconnaître qu'ils se sont trompés, lui dit le docteur Fan. Ce rapport que tu avais écrit leur reste comme une arête en travers de la gorge. »

Ses collègues s'empressèrent autour de lui ; ils le félicitaient d'être « redevenu blanc comme neige ». Yong devrait oublier que certains d'entre eux avaient contribué à le faire condamner.

Yong alla à Shanghai, voir ses parents et son fils. Il ne les avait pas vus depuis 1957.

Dans le train qui le conduisait à Shanghai, il rêva. S'il était réintégré, s'il trouvait une autre maison, alors, peut-être, Stéphanie reviendrait-elle, même pour une simple visite, même pour peu de temps...

Oh Stéphanie, mon amour, mon amour. Pas un jour ne s'est écoulé sans que tu me manques.

Il lui avait écrit, souvent. Sans jamais lui parler de l'humiliation, de sa vie difficile. Aussi ses lettres avaient été quelque peu incolores. « Tout va bien... nous travaillons beaucoup... l'hôpital s'améliore... tout va bien... »

Il lui avait aussi écrit à propos de la main. Avec joie, avec fierté, sans retenue...

Shanghai, Père et Mère, tous les deux un peu vieillis mais en bonne santé ; et à côté d'eux, un garçon élancé, avec ces yeux, ces yeux, les yeux de Stéphanie.

En regardant son fils, Yong se senti envahi par une onde d'amour doux-amer et de douleur. *Oh, aucun jour n'avait été épargné, aucun jour ne s'était écoulé que son souvenir ne l'eût traversé. Oh Stéphanie, reviens, reviens...*

« *Tietie* », dit Trésor d'Hiver. Il paraissait maigre dans ses vêtements bleus. Il avait un peu plus de douze ans.

Ils le serrèrent dans leurs bras, les plus âgés, Père et Mère, sans se soucier des convenances ou d'être vus.

La Maison avait grand besoin d'être repeinte. Dans le jardin poussaient des légumes, choux, épinards, courges. A la place des pivoines, des roses et des chrysanthèmes. Les poissons rouges n'étaient plus là ; quelqu'un les avait mangés. Dans un espace clos de planches, des poules, un coq. Des lapins dans des cages grillagées. « Tout le monde en élève », expliqua Mère. Les lapins se nourrissaient de chou, et on en trouvait facilement à acheter, du chou d'hiver.

« Nous avons assez à manger », dirent-ils. Les capitalistes de Shanghai recevaient des rations de protéines, de viande, de sucre et d'huile plus grandes que celles des ouvriers qui eux avaient davantage de riz. De Hongkong, Eddy Keng envoyait de l'argent étranger. « Nous pouvons acheter des suppléments de nourriture ; avec les devises, nous obtenons des tickets alimentaires supplémentaires. Comme les Chinois d'outremer. »

De Hongkong, de toute l'Asie du Sud-Est, du Canada, les Chinois installés à l'étranger envoyaient de l'argent à leurs familles. Les Chinois des Etats-Unis utilisaient des filières à Hongkong et Singapour.

Une lettre attendait Yong, de Stéphanie. « Je savais que tu allais venir, fils ; j'avais peur que la lettre arrive à Lingfu après ton départ, alors je ne l'ai pas fait suivre, expliqua sa mère.

— Vous avez bien fait, Mère. »

Trésor d'Hiver entra, avec le plateau du thé ; il servit ses grands-parents et son père, en maniant les tasses avec prudence. Du bon thé dans de la belle porcelaine. Yong n'en avait pas bu depuis trois ans. Dans le Nord, les gens ramassaient les feuilles en automne et en faisaient des infusions. Elles contenaient de la vitamine C.

« Du thé spécial pour les Chinois d'outremer, dit Mère en souriant. L'argent est envoyé par Fille. Remercie-la de notre part quand tu lui écriras. »

Stéphanie envoyait de l'argent, des colis de vêtements, des livres, du savon, des comprimés de vitamines. Pour la Famille, et pour lui. Mais il avait dit à ses parents : « Ne m'expédiez rien à Lingfu sauf les vitamines. » Recevoir des paquets, de la nourriture, aurait créé une différence entre lui et les ouvriers de Lingfu, les infirmières et les autres médecins. Il donnait les comprimés de vitamines à ses malades.

« Les jeunes ont vraiment la foi, dit Mère. Trésor d'Hiver se met à table avec nous mais il ne prend pas de tous les plats, seulement du chou et un peu de riz blanc... il dit qu'il ne veut pas de privilèges... il nous reproche de trop bien manger... »

Trésor d'Hiver avait servi le thé avec des manières parfaites mais n'en avait pas bu. « Il ne boit que de l'eau bouillie, dit Mère.

— Je suis fier de mon fils, dit Jen Yong. C'est un idéaliste, comme tous les jeunes.

— Mais quand la bulle éclate, les jeunes deviennent amers », dit Mère.

Yong avait la langue nouée devant son fils. Ce fils qui le regardait, qui le jaugeait d'un œil que n'embuaient ni amour ni haine.

Que se passait-il dans sa tête ?

Il avait dû beaucoup souffrir quand il avait appris que son père était un droitiste. En parlerait-il jamais à Yong ? Que pensait-il à présent, à présent que son père était réhabilité ? Qui étaient ses amis ? Les enfants de droitistes se trouvaient souvent mis à l'écart, rejetés...

« Lis ta lettre, Fils », dit Mère en se levant car elle savait que, par politesse, Yong attendait son départ pour décacheter l'enveloppe. Ils lui avaient préparé une petite chambre. « Nous avons fermé ton pavillon à clef et tous tes meubles sont en sécurité », dit Mère. Il n'aurait pas pu supporter de retourner dans ce pavillon où Stéphanie et lui avaient connu des années de bonheur ineffaçables. Sa gorge se noua en apercevant le sentier sinueux, la rocaille et, derrière, le toit de ce lieu qui avait jadis été un paradis.

Il ouvrit la lettre de Stéphanie.

Il avait attendu d'être à Shanghai pour lui annoncer la bonne nouvelle : « Neige de Printemps, j'ai été réhabilité... peut-être, peut-être, à présent, pourras-tu venir, même si ce n'est que pour une simple visite. » Voilà ce qu'il avait projeté de lui écrire.

La lettre de Stéphanie. Elle lui annonçait que John Moore et elle étaient amants. « Je dois te le dire, Yong, parce que nous ne nous sommes jamais menti. Je ne l'aime pas. C'est toi que j'aime. Je t'aimerai toujours. Mais je ne pouvais pas rester seule. Comprends-tu ? »

Il avait toujours lu et relu ses lettres, en essayant de deviner, de lire avec son cœur entre les lignes. Et maintenant, il lui semblait qu'il avait toujours su. Su à propos de John Moore. Su que cela se passerait ainsi. Su dès le jour où il avait tenu dans sa main la lettre froissée, à la prison de Chungking, tandis que le colonel Tsing scrutait son visage pour y lire sa souffrance.

Après le repas du soir, Mère vint dans sa chambre.

« Tout va bien pour Neige de Printemps ?

— Tout va bien... » Il lutta contre la vague de souffrance qui montait en lui, qui le déchirait. « Elle a trouvé un homme bon. Pour lui donner de l'affection. »

— La solitude », dit Mère.

Elle resta très calme, absorbant, partageant la souffrance de Yong. La faisant sienne.

« Et Trésor d'Hiver ? Il languit tellement d'elle... vas-tu le lui dire ?

— Non... pas encore. »

« Neige de Printemps,

» Je suis totalement réhabilité. C'est une bonne chose pour notre fils. Il a douze ans et son regard me mesure, me jauge, son esprit s'efforce d'assimiler ma réhabilitation, comme il avait dû le faire pour ma condamnation en tant que droitiste. Je le regarde et je pense : Comment peut-il arriver à rassembler tous les fragments des événements incohérents qui forment le monde dans lequel il lui faut vivre ?

» Je ne peux pas t'écrire grand-chose à propos de ce que tu

m'apprends. Cela devait être. Bien sûr. Si tu souhaites un divorce, afin de pouvoir te remarier, n'hésite pas à me le demander.

» Je te remercie pour les années et les jours de bonheur et d'amour que tu m'as donnés. Années merveilleuses que le temps ne saurait ternir ni effacer de ma mémoire.

» Il est préférable, je pense, que tu n'en parles pas encore à Trésor d'Hiver. Certaines vérités gagnent à ne pas être dites ; un enfant de douze ans est très vulnérable.

» Les photos d'Hirondelle que tu as envoyées sont charmantes. C'est une très jolie petite fille et nous aimerions tous la connaître.

» Grâce à tout l'argent que tu envoies, notre Famille ne manque de rien. Nous t'en sommes tous très reconnaissants. Les choses iront mieux l'année prochaine... »

Yong passa deux semaines à Shanghai et de nombreux amis vinrent le féliciter : « Tu es blanc comme neige à présent, disaient-ils, nous en sommes heureux pour toi. »

Trésor d'Hiver écoutait. Jeune juge qui se faisait son opinion. Sur son père. Sur lui-même.

Les jumelles Corail et Chardon vinrent et la Maison retrouva son air d'antan, avec la mousse légère de la gaieté et les rires, chacun cachant soigneusement sa douleur.

Chardon était devenue une actrice très cotée dans les studios de cinéma de Shanghai. Corail était entrée à l'université. Ses études finies, elle épouserait un biochimiste qui travaillait à l'institut de recherche de son université. « Il se moque que je sois la sœur d'un droitiste. »

Jen Yong alla voir la fiancée du docteur Teng. Elle lui dit que la famille de Teng avait refusé de la recevoir parce que son père était droitiste. « Je lui ferai du tort si je l'épouse. Sa famille le rejettera.

— Epousez-le, lui conseilla Jen Yong. Ne faites pas attention à eux. Et ne répudiez pas votre père. »

Trésor d'Hiver commença à parler à son père. Il lui avait fallu plusieurs jours pour se faire une opinion. A douze ans, on pense en termes d'absolu et on exige la perfection. Perfection terrifiante comme la Mort, comme tous les absolus.

Trésor d'Hiver, avec ses coudes pointus, ses genoux qui saillaient sous son pantalon de coton bleu, et son esprit aux prises avec des problèmes insolubles.

« *Tietie,* tu as reçu une lettre de Maman ? Elle ne reviendra plus, n'est-ce pas ?

— Fils, attendons encore un an, puis nous verrons... ce n'est pas sa faute...

— Elle ne reviendra pas. Elle ne pouvait pas le supporter. Et maintenant Maman a *son* enfant à elle et elle ne veut plus de moi.. »

Jen Yong prit son fils dans ses bras.

« Fils, Maman t'aime, elle nous aime. Mais Maman a beaucoup de responsabilités. Si elle revient ici, il lui sera peut-être difficile de retourner dans son pays. Son pays peut l'empêcher de retourner. Et le nôtre peut lui interdire de venir. Et ta sœur est encore un bébé, elle n'a que trois ans. C'est moi qui ai demandé à ta mère de ne pas revenir tout de suite.

— Cela fait plus de trois ans que Maman est partie », dit Trésor d'Hiver. Il luttait de toutes ses forces pour ne pas pleurer.

Alors Yong ouvrit son cœur. Il parla avec son fils. Pendant de longues heures cette nuit-là. Et le lendemain. Et le jour suivant.

Yong lui parla de l'époque de Chungking et de Yenan, en 1944 et 1945, quand un nouveau monde devait naître, fait d'espoir et d'innocence. Quand on croyait que l'Amérique allait soutenir les aspirations à l'indépendance des peuples d'Asie. Quand Mao Tsetung et Chou Enlai étaient prêts à s'envoler pour Washington et que Yenan était plein d'Américains. Il parla du courage de Stéphanie et de l'enfer qu'avait été pour elle la guerre de Corée, et de la perte de son bébé. Du déclin de l'idéalisme et de l'espoir qu'il gardait encore pour empêcher son âme de dériver ; et comment, un jour, il avait dû choisir, choisir entre son pays et Stéphanie.

Il parla de la Famille Jen, dit comment elle avait tenu à travers les siècles ; il parla d'hommes intègres exilés pour avoir critiqué un empereur corrompu. Il parla de la tradition de loyauté et de patriotisme de la Famille Jen.

« L'amour consiste à aimer en dépit de tout, et non parce que tout va pour le mieux », dit-il.

Il raconta à son fils comment les ouvriers de Lingfu ne s'étaient pas souciés qu'il fût un droitiste. Comment ils l'accueillaient quand ils le rencontraient dans la rue, les femmes qui s'approchaient pour lui présenter leur bébé afin qu'il leur sourît, comme s'il avait porté chance. Et comment il se sentait bien et heureux parce qu'ils l'aimaient sincèrement.

« Nous servons notre peuple, et notre pays », dit-il.

Quand il eut fini, l'enfant avait changé. Son monde s'était recomposé, avait pris un sens, même s'il était fait de contradictions et de tensions. « Nous devons protéger Maman, dit-il. Et aussi ma sœur Hirondelle. Il faut donc que je grandisse très vite, pour être un homme. »

Yong fut réintégré dans son poste de chirurgien en chef de l'hôpital de Shanghai, où l'on était impatient de le voir revenir.

Il quitta Lingfu avec beaucoup de regrets. Le comité de Lingfu Ville Nouvelle donna un banquet d'adieux et l'accompagna au grand complet jusqu'à la gare. Il dut faire le tour des usines, pour dire adieu à chacun. Les ouvriers se pressaient en pleurant autour de lui et il avait le cœur broyé. Il aurait voulu rester avec eux ! Eux étaient le peuple, son peuple, ses frères patients, têtus, durs à la tâche, immense mer humaine tournée vers l'avenir. Il travaillerait pour eux jusqu'au dernier jour de sa vie.

« Je vous promets de revenir à Lingfu chaque fois que je le pourrai », dit-il.

A Shanghai, il s'installa à l'intérieur de l'hôpital, dans le bâtiment où logeaient les médecins. Afin d'être plus facilement accessible en cas d'urgence. Il vivait entouré de ses livres, des lettres de Stéphanie et d'une grande photo d'elle, prise au ranch, au Texas, avec le soleil dans sa chevelure, et le vent qui la sculptait, et son rire. Et, derrière elle, les chevaux luisants et pommelés qui galopaient dans la prairie. Il gardait la photo dans un tiroir et ne la montrait à personne.

Il écrivait à Stéphanie. Tous les jours, mais il gardait les lettres. Il ne lui enverrait plus jamais une lettre. Il les conservait dans une malle sous son lit. Jusqu'au jour où il devrait les détruire.

24

Petit Etang ne retourna pas sur son chantier. Il commit ainsi une faute, en abandonnant son travail, son école, pour parcourir à pied les trois cent cinquante kilomètres qui le séparaient de Pékin. Arrivé là-bas, il lui faudrait éviter la police de sécurité et les patrouilles de nuit qui recherchaient les vagabonds non autorisés à vivre dans la ville.

Il n'avait pas de permis de séjour, donc pas de tickets d'alimentation. En temps normal, il lui aurait été impossible de rester. Mais, pendant le Grand Bond, il y avait eu d'énormes mouvements de population. Les paysans et les ouvriers se déplaçaient sans cesse pour gagner ou quitter les innombrables chantiers ouverts à travers le pays et les contrôles étaient devenus difficiles.

« Du moment que j'ai deux mains et deux pieds, je peux travailler, et je trouverai à manger. »

Pourtant, quand il arriva à Pékin, il était à moitié mort de faim. Car les récoltes avaient été mauvaises, les paysans gardaient tout ce qu'ils avaient et regardaient d'un œil soupçonneux ce jeune homme qui s'offrait à travailler en échange d'un repas.

Il avait envoyé une lettre brève à Petite Perle. « J'ai trouvé un ami du meurtrier de ma mère. Je ne serai pas en paix tant que je n'aurai pas découvert où se trouve Hsu Nuage Elevé. Petite Perle, je te demande de m'attendre... »

A Pékin, il alla voir le cuisinier du restaurant szechuanais où il avait travaillé deux ans plus tôt. « Comment pourrais-je te nourrir ? dit le cuisinier. La nourriture est si rare cette année. Les gens viennent manger mais il n'y a pas de restes, ils laissent des bols et des assiettes vides... »

Mais Petit Etang le supplia, l'implora, et le cuisinier se laissa attendrir. Après tout, ils étaient de la même province. Et le cuisinier avait besoin d'une bonne paire de jambes. Si Petit Etang allait dans les villages autour de Pékin pour dénicher quelques œufs de canard, un poulet, un peu de précieux fromage de soja, cela rendrait bien service au cuisinier.

Pendant ces trois années de pénurie, chaque unité, chaque service gouvernemental avait organisé son « équipe de ravitaillement ». Elle élevait des cochons, des poulets, des lapins, établissait des contacts avec les villages pour se fournir en légumes. Tout cela relevait du marché noir, de la libre entreprise, mais le Parti fermait sagement les yeux.

Il fallait bien que les gens mangent.

L'hiver était là. L'hiver qui transformait les arbres en squelettes, et les faibles. Un hiver de disette.

Petit Etang servait les clients, faisait la vaisselle (il léchait les assiettes quand il les rapportait à la cuisine) frottait les parquets, faisait les courses et élevait des lapins dans l'arrière-cour. Il dormait avec les jeunes lapins dans un sac sur sa poitrine pour qu'ils ne meurent pas dans le froid cruel qui s'était abattu sur la ville, vingt degrés en dessous de zéro. Pas de chauffage, pas de charbon. Le cuisinier était au chaud près de son fourneau pendant la journée mais l'éteignait pour la nuit.

Les lapins prospéraient. Ils mangeaient des choux. La seule nourriture qu'on trouvait cet hiver-là était le chou. On en voyait de grands tas, blancs et verts, à chaque coin de rue.

Comment parviendrait-il à trouver Tsui Dragon de Mer ?

« Vieil Homme dans les Cieux, ne soyez pas sourd, ne soyez pas aveugle. Ecoutez-moi. Je suis Liang Petit Etang. Ecoutez le fantôme de mon frère mort-né et de ma mère Liang Ma, car ils ne pourront trouver le repos, ils ne pourront être en paix tant que je ne les aurai pas vengés. »

Comment parviendrait-il à trouver Hsu Nuage Elevé ?

Le ministère de l'Education occupait un très grand immeuble. Des soldats en gardaient les portails et il ne pouvait pas y pénétrer. Il attendait dehors, pour voir entrer ou sortir Tsui Dragon de Mer. Des centaines, des milliers de gens entraient et sortaient. Mais pas Tsui Dragon de Mer.

Il y avait des départements, des services dépendant de l'Education, dans chacun des dix-huit districts de Pékin. Dans lequel d'entre eux travaillait Tsui Dragon de Mer ?

Petit Etang lisait *Le Quotidien du peuple.* Il faisait la queue pour l'acheter dans le froid du matin. Il se débrouillait pour le parcourir rapidement avant de le donner au cuisinier qui le remettait au directeur du restaurant. Car Petit Etang devait rester invisible. Il n'existait pas. Le directeur ne devait pas savoir qu'il était là. Par ces temps durs, il valait mieux garder les yeux fermés.

Quand le directeur avait lu à haute voix l'éditorial devant son personnel il l'emportait chez lui. Pour doubler une veste, un matelas, des chaussures de tissu ou remplacer des carreaux cassés.

Un jour, Petit Etang lut un article écrit par Tsui Dragon de Mer qui louait le courage indomptable des élèves des écoles secondaires dans son secteur ; ils avaient économisé trois cents catties [1] de riz en réduisant leur portion tous les jours pendant un mois. Cela grâce à la conduite éclairée du Parti, écrivait le camarade Tsui. Et à l'enthousiasme des masses pour le sacrifice.

A présent, Petit Etang savait dans quel secteur de Pékin il trouverait Tsui Dragon de Mer.

Il lui fallut quinze jours pour repérer la rue et l'immeuble avec sa plaque : ministère de l'Education, Comité de la 4e division-ouest. Encore quelques jours à guetter et à attendre, les pieds gelés, et il vit l'homme sortir de l'immeuble. Engoncé dans une veste, un bonnet de fourrure à oreillettes sur la tête.

Petit Etang le suivit jusque chez lui.

Dragon de Mer habitait dans la hutung Parfum de Tubéreuse, dans un immeuble réservé au personnel du ministère de l'Education du 4e district-ouest. Un soir, Petit Etang y vit entrer Chaste Sagesse, vêtue d'une veste matelassée à capuchon. Elle avait l'air bien nourrie.

La nuit, il restait éveillé et soignait les lapins, une paire de poules couveuses et un porcelet. Il dormait avec eux et ils lui tenaient chaud. Comment parviendrait-il à forcer Chaste Sagesse ou Dragon de Mer à lui donner l'adresse de Hsu ?

Il dut attendre deux autres semaines avant de pouvoir suivre Chaste Sagesse jusqu'à son bureau. Elle prit l'autobus. Petit Etang n'avait que dix centimes en poche. C'était là toute sa fortune. L'autobus coûtait cinq centimes. Il monta à sa suite. Dans l'autobus il était si près qu'il la touchait presque. Elle ne parut pas le remarquer sauf par un petit reniflement. Il ne sentait pas très bon. Le cochon, les lapins, les poules...

Chaste Sagesse descendit de l'autobus à l'arrêt de la rue du Marché aux Lanternes et la suivit en se dandinant jusqu'à une entrée gardée par des soldats. Elle s'arrêta alors, scruta le brouillard chargé de fumée qui, le matin, imprégnait toute la ville et cria : « Vieux Hsu, vous aussi, vous êtes allé faire des achats ? »

Petit Etang entendit la voix de Hsu avant de le voir. Le visage pointu, la moustache émergèrent du brouillard.

« Bonjour, camarade Bo. Aimeriez-vous quelques cuisses de poulet ? Les miennes sont de premier choix. »

Vieil Homme dans les Cieux avait entendu le fils de Liang Ma. Enfin.

1. Equivalent de 150 kilos. (*N.d.T.*)

Hsu Nuage Elevé. En pelisse, coiffé d'une casquette d'ouvrier. Il n'avait pas changé depuis le jour où Petit Etang s'était agenouillé et avait frappé le sol de son front en le suppliant d'épargner Ma, de la laisser avoir son bébé sous un toit, dans sa cabane, et non pas dehors, aux yeux de tous.

Hsu Nuage Elevé. Bo et lui entrèrent dans l'immeuble en riant et bavardant, et les soldats à l'entrée ne les regardèrent même pas.

Petit Etang devrait emprunter le hachoir du cuisinier pour tuer Hsu Nuage Elevé.

La fête du Printemps approchait. L'année du Tigre allait commencer et les journaux avaient annoncé qu'elle serait meilleure et que toutes les difficultés seraient surmontées car le premier ministre Chou Enlai avait pris le redressement du pays en main. Les récoltes seraient meilleures et le cycle des catastrophes prendrait fin.

Petit Etang décida de tuer Hsu la veille de la Fête du Printemps, le dernier jour de l'année du bœuf.

Le hachoir du cuisinier était un objet merveilleux. Un manche court et épais pour bien le tenir en main, un trou rond comme un œil et sa lame brillait, aussi affûtée qu'un rasoir ! Le cuisinier faisait tout avec son hachoir, il pelait et épluchait, coupait et tranchait, il sculptait les petits radis roses en forme de fleurs, vidait les lapins et les poulets, désossait la viande, découpait le poisson en filets. Le hachoir semblait doué d'une vie propre entre ses mains.

Il ne restait que cinq centimes à Petit Etang, même pas de quoi s'acheter une aiguille. De toute façon, on ne trouvait ni aiguilles ni hachoirs à vendre cette année-là. Le hachoir de cuisinier était un objet précieux et il le gardait à côté de lui pendant son sommeil.

Il faudrait que Petit Etang la prenne le matin, quand le cuisinier se lèverait pour aller au cabinet. Il devrait tuer Hsu très vite au moment où celui-ci quitterait son immeuble pour se rendre à son bureau. Petit Etang avait suivi Hsu jusqu'à l'endroit où il habitait, non loin de son bureau. Il lui faudrait rapporter le hachoir à temps pour que le cuisinier puisse préparer le déjeuner pour les clients.

S'il était un peu en retard, il expliquerait au cuisinier pourquoi il avait dû emprunter le hachoir. Il le nettoierait bien avant de le lui rendre.

Dans le brouillard épais qui gelait les poumons en s'insinuant dans le corps, le fils de Liang Ma attendait, le hachoir dissimulé sous sa veste.

Mais ce matin-là, veille du Nouvel An, Hsu était sorti une heure plus tôt, pour aller faire des courses dans la rue de la Paix de l'Est et acheter des gâteaux fourrés aux dattes. Seuls, les musulmans confectionnaient ce genre de pâtisserie. Hsu avait l'intention de les offrir à la camarade Lo, en disant d'un ton négligent : « Ils sont aussi pour vos mille pièces d'or. » Façon courtoise de dire « votre fille ».

Cette année-là, les douceurs, le sucre, la farine étaient des denrées rares. Seuls les musulmans en avaient et les gens faisaient la queue devant leur boutique, dès quatre heures du matin. On ne pouvait acheter que quatre gâteaux par personne. Hsu avait payé d'avance.

Petit Etang attendit. Il attendit longtemps et comprit enfin qu'il avait manqué Hsu. Il était trop tard à présent pour rapporter le hachoir. Il lui fallait le garder toute la journée. Et tuer Hsu ce soir. Il se rendit d'un pas lent et traînant au bureau de Hsu. Beaucoup de gens traînaient les pieds cet hiver-là. Il faisait si froid.

Il attendit tout le jour devant l'immeuble. Et, dans le crépuscule, dans cette lumière indistincte qui dégradait toutes les couleurs en une grisaille uniforme, Hsu apparut, en compagnie d'une femme d'un certain âge. La femme tenait un paquet dans ses mains, bien au chaud dans des gants de laine tricotés.

Quand Hsu avait donné les gâteaux à la camarade Lo, elle s'était exclamée : « *Aiyah,* vous êtes trop bon. Ma fille est une enfant stupide et têtue. Elle traîne une mine sinistre. Je ne sais pas pourquoi. Elle est comme ça depuis cet été. Elle a maigri, elle refuse de sortir de la maison et de voir un médecin.

— Peut-être travaille-t-elle trop », suggéra Hsu.

Il savait que la camarade Lo voulait lui faire épouser sa fille, Petite Perle. Il venait de décider qu'il accepterait.

Les rues étaient presque désertes, tout le monde se hâtait de rentrer chez soi pour la veille du Jour de l'An.

Les réverbères diffusaient une faible lumière, afin d'économiser l'électricité, mais devant eux se détacha une silhouette maigre, qui leur bloquait le passage.

La camarade Lo s'arrêta. « Ami, cherchez-vous quelqu'un ? »

Petit Etang dit : « Je suis Liang Petit Etang. Je cherche Hsu Nuage Elevé, le meurtrier de ma mère. »

Hsu fit immédiatement demi-tour pour s'enfuir mais Petit Etang tendit le bras d'un geste rapide et le retint par le col de sa pelisse ; il donna une forte secousse et Hsu glissa et tomba.

« Que faites-vous ? Que faites-vous ? » s'écria la camarade Lo tout en tirant sur la veste de Petit Etang.

« Hsu, œuf pourri, tu as tué ma mère, à présent je vais te tuer », hurla-t-il. Le hachoir brilla dans sa main, il le souleva au-dessus de la tête de Hsu et l'abaissa.

« *Aiyah, aiyah* », criait la camarade Lo en tirant Petit Etang.

Le hachoir glissa, coupa un morceau de l'oreille et de la casquette de Hsu et lui entailla la joue.

Le sang jaillit. Hsu hurlait. La camarade Lo criait : « Au secours, au secours, au meurtre ! » Petit Etang éleva à nouveau le hachoir.

« Meurs, meurs », criait-il.

Mais les gens accouraient. Ils s'emparèrent de Petit Etang. Hsu leva la main, le hachoir la trancha et la lui sépara presque du poignet. Trois hommes se jetèrent sur Petit Etang et le maîtrisèrent. Le hachoir tomba par terre.

« Vieux Partenaire, Vieux Partenaire, oh c'est affreux, oh j'ai failli mourir ! » La camarade Lo rentrait chez elle, soutenue par un jeune agent de police.

« Ma, Ma, s'écria Petite Perle, et Meng se leva. Que se passe-t-il, que se passe-t-il ? »

La camarade Lo entra dans la pièce. Il y avait du sang sur son manteau. « Un assassin, un assassin a essayé de tuer le camarade Hsu.

— Ma, Ma, tu saignes. » Petite Perle se précipita vers sa mère.

« Votre mère n'a rien, c'est le sang du camarade Hsu, dit l'agent de police. Vous voici chez vous saine et sauve, camarade Lo, je m'en vais. » Il salua d'un geste vif et sortit.

Meng aida sa femme à retirer son manteau et lui versa du thé tandis qu'elle se laissait tomber sur une chaise. « Là, là, calme-toi, Vieille Partenaire, calme-toi. Bois ceci.., tu n'es pas blessée, n'est-ce pas ?

— Non. » Elle avala son thé. Puis, haletante, leur raconta l'incident. « Nous sortions du bureau, le camarade Hsu et moi, il m'avait offert des gâteaux... oh ! je les ai laissés tomber, j'ai lâché la boîte... et tout à coup, ce jeune homme est apparu devant nous, comme un démon, et a crié : “ Hsu Nuage Elevé, tu as tué ma mère, je vais te tuer. ”

— Ah, ah, dit Meng. Hsu Nuage Elevé.

— Il avait un hachoir, il a frappé le camarade Hsu ; Hsu était couvert de sang, gémit Lo. Je ne sais pas s'il survivra !

— Je dois aller le voir, il faut que j'aille le voir », sanglota Petite Perle en se dirigeant vers le portemanteau auprès de l'entrée ; elle décrocha sa veste matelassée en gémissant comme une petite fille, tandis que les larmes ruisselaient sur ses joues.

« *Aiyah,* je ne savais pas que tu avais tant d'affection pour le camarade Hsu, dit sa mère toute contente.

— Hsu, cet œuf de tortue ? cracha Petite Perle soudain devenue tigresse. C'est Liang Petit Etang, Liang Visage Carré... Je l'aime, maman, je l'aime. Je dois aller le voir tout de suite.

— Je t'accompagne », dit son père.

Cette nuit-là, veille du Nouvel An, Meng et sa fille se rendirent dans les locaux de la Sécurité publique où Petit Etang était détenu, pieds et poignets liés, comme un meurtrier.

Meng dit au policier de garde : « Camarade, il ne s'agit pas d'une simple affaire de meurtre. Traitez bien le prisonnier. Je veux parler à votre supérieur. »

L'officier était chez lui en cette veille de Nouvel An.

Petite Perle dit : « Je veux voir Liang Petit Etang.

— Impossible, répondit le garde. C'est un assassin. Seuls ses proches ont le droit de le voir.

— Je suis sa future femme », déclara Petite Perle. Le garde eut l'air stupéfait. Il regarda Meng, le père. Meng resta silencieux.

Petite Perle dit : « Papa, je veux le voir. »

Le policier interrogea Meng du regard. Meng dit : « J'irai avec elle. »

Alors le policier dit : « Dix minutes... et seulement parce que c'est le Nouvel An. »

Petit Etang se trouvait dans une cellule minuscule, presque un trou, très sombre. Il avait des menottes et était enchaîné au mur par les mains et les pieds. Comme un criminel.

Le policier ouvrit la porte et alluma une bougie. Meng vit un jeune homme, très maigre, aux pommettes aiguës et aux yeux larges. Sa fille prit les mains enchaînées dans les siennes et dit en sanglotant : « Oh, Visage carré, Visage carré... tu aurais dû m'en dire plus, m'expliquer davantage...

— Petite Perle, comment aurais-je pu ? Je t'ai dit tout ce que je savais. Mais comment m'as-tu trouvé ? » Il regarda Meng d'un air surpris.

Et Meng pensa : Il est des nôtres, il a mangé l'amertume. L'histoire est vraie. Et il en fut heureux, et triste, parce que son aimée, Vieille Partenaire, risquait d'en souffrir.

Hsu Nuage élevé Construit-la-Cité fit une confession complète. Ses blessures n'étaient pas mortelles. On ne pourrait pas lui recoudre son morceau d'oreille mais sa main guérirait.

Hsu implora la clémence du Parti. Pendant ces années en Chine, son cœur avait changé, dit-il. Il avait songé à tout avouer. A présent, il implorait le Parti d'être généreux avec lui.

Il dénonça Chaste Sagesse, Dragon de Mer, et d'autres personnes, à Shanghai, à Chungking, à Canton, les agents de liaison, les membres de la Triade restés en Chine qu'il connaissait.

Meng dit au policier chargé de l'affaire : « Camarade, je vous ai écrit il y a plus de quatorze mois pour vous faire part de mes soupçons. Et pourtant rien n'a été fait jusqu'à ce que ce jeune homme Liang Petit Etang attaque avec vaillance l'espion du Kuomintang Hsu. »

Mais la bureaucratie a toujours raison. La police avait prêté une grande attention à ses propos, lui répondit-on. Mais ils voulaient procéder avec prudence afin de capturer tout le réseau, du haut en bas, et « pas seulement le menu fretin ».

Tsui Dragon de Mer et Bo Chaste Sagesse furent arrêtés le deuxième jour de l'année du tigre.

On demanda à Jen Yong de témoigner ; il alla le faire au bureau de la Sécurité publique de Shanghai.

Petit Etang lui écrivit :

« *Taifu,*

» Le Ciel a des yeux, le Parti a des yeux. Le Bien gagnera à la fin. Le Ciel et la Terre peuvent bien se briser en morceaux, moi, Liang Petit Etang, me souviendrai toujours de vous et de votre aimée américaine, Laï Neige de Printemps.

» Le président Mao nous a appris que ce sont les gens qui font l'histoire ; et que nous, les pauvres de jadis, devrions écrire l'histoire de notre propre famille. Moi Petit Etang le ferai, et dirai le bien que vous et votre aimée avez fait à la famille Liang, pour qu'il soit connu de génération en génération. »

Hsu Nuage Elevé, Tsui Dragon de Mer, et Bo Chaste Sagesse furent condamnés à mort. Mais, comme Hsu avait mis tant de bonne volonté à révéler le réseau, il bénéficia de la mise à l'épreuve habituelle de deux ans. S'il se comportait bien et montrait un repentir sincère, sa peine serait commuée en une rééducation par le travail manuel à perpétuité. Les deux autres furent exécutés, selon l'usage, le visage couvert d'un masque, d'une balle dans la nuque.

Petit Etang était furieux. « Hsu doit mourir… on devrait le couper en mille morceaux, le plonger vivant dans de l'huile bouillante ! » cria-t-il au tribunal. Mais on lui fit remarquer que sa mère s'était suicidée. D'un point de vue technique, Hsu n'était pas son meurtrier.

Quand Petit Etang vit qu'il ne pourrait pas ébranler le juge et ses assesseurs, il s'enferma dans le mutisme. Il résolut dans le secret de son cœur de trouver le camp de travail où serait envoyé Hsu et de le tuer un jour. Il découperait son foie et le donnerait en pâture aux corneilles noires.

Mais Petit Etang avait commis des fautes graves. Il avait abandonné son poste de travail, gagné Pékin sans autorisation, vécu clandestinement dans la ville, et il avait volé un hachoir.

Il dut se livrer à une autocritique approfondie sur son manque de discipline, sa désobéissance, sa subjectivité, son individualisme, son aventurisme, non seulement devant sa propre école mais au cours d'une grande réunion à laquelle assistaient d'autres délégués étudiants. Mais il était devenu une sorte de héros et les jeunes l'acclamèrent et l'applaudirent. Le secrétaire du Parti de l'école essaya d'avoir l'air sévère.

« Le camarade Liang aurait dû en référer aux autorités concernées… le Parti dans sa sagesse aurait agi… et aurait démantelé le réseau d'espions du Kuomintang. »

Il fut condamné à un an d'études politiques et de travail manuel.

L'année suivante, l'année du lièvre, Petit Etang et Perle se marièrent et partirent pour Tsinan où on leur avait donné un emploi dans la même unité, une usine d'outillage pour les télécommunications. C'était Prospérité Tang qui avait demandé que le camarade Liang Petit Etang fût nommé là, car Prospérité Tang était devenu un cadre dirigeant important dans cette ville.

Quant à la mère de Petite Perle, la camarade Lo, on se contenta de lui imposer une longue autocritique, dont elle se sortit très bien. Son surnom devint Mère Navet, car ce scélérat de Hsu avait été comme un navet, rouge à l'extérieur et blanc de peur au-dedans.

Neuf ans, pensa Stéphanie. Elle ferma la porte de son esprit sur ce lieu en elle, creuset où la passion et le souvenir s'embrasaient encore trop aisément, où le chagrin désincarné palpitait et refusait de mourir.

C'est ridicule… je pleure toujours dans le secret de mon cœur… aussi sentimentale qu'une gamine de seize ans.

Que le nom de Yong fût évoqué et elle changeait, ses membres se vidaient de leur force, elle se retrouvait dans un no man's land glacé qu'elle avait elle-même créé.

Deux fois par mois, le messager spécial de la Société d'études Keng-Laï de Hongkong lui apportait des lettres. Dans quelques coins du monde qu'elle fût. Keng-Laï. « Laï » la prononciation chinoise de Ryder.

Les lettres étaient enjouées, incolores, presque inquiétantes dans leur sérénité. Sous les mots lisses se dissimulait un autre monde, la fascination d'un bouleversement géant auquel elle n'avait plus accès, auquel elle ne pouvait plus participer. Les lettres l'empêchaient volontairement d'y pénétrer. Elles lui répétaient : tout va bien.

La nuit arrivaient les rêves. Une grotte voûtée, à la blancheur saline, et Yong. Dans ses mains, une poule rousse ; il tournait vers Stéphanie son visage aux sourcils finement dessinés et disait : « Voici des œufs pour ton petit déjeuner, ma bien-aimée. » Mais c'était une vision sinistre car le vent se précipitait en ricanant et emportait Yong et Stéphanie courait après le vent en appelant : Yong, Yong, reviens.

Ou bien c'était une gare. Le train partait en crachant de petits jets de vapeur, les roues tournaient et tous les gens qu'elle aimait étaient dedans et lui faisaient au revoir de la main ; elle restait seule sur le quai, ses bagages en une pile énorme derrière elle, puis il n'y avait plus de train, plus de gare, mais une longue route sombre bordée de hautes tiges de seigle. Et, dans l'épaisseur du seigle, était tapie la terreur.

Certes, le temps avait gommé les arêtes de ses sentiments. Une part d'elle avait oublié. Mais une autre part se souvenait et restait inconsolable et la rongeait chaque année un peu plus.

Pourtant, à la surface, le temps n'avait pas été cruel avec elle. En ce mois de mai 1966, elle avait quarante-deux ans et paraissait à peine la trentaine. L'argent épargnait le corps, gardait à la peau sa jeunesse, étendait l'emprise de l'esprit, organisait les jours et les heures. L'argent lui avait procuré une équipe d'une haute compétence dans tous les domaines, un prolongement d'elle-même, qui exécutait ses décisions et ses souhaits. Voyages, affaires, loisirs, discussions féroces de conseils d'administration ; tout cela tissait la trame de sa vie. La culture, l'art, les contacts sociaux. Même l'amour avait son horaire discrètement financé.

Même. Ce mot rebondissait dans son esprit comme une balle de ping-pong en celluloïd. L'amour, pour aider au bon fonctionnement de cette superbe structure si efficace qui avait nom Stéphanie Ryder.

L'usage de l'argent n'exigeait pas de connaissances particulières mais un talent spécial fait de perspicacité, d'audace, d'un instinct de joueur, d'un nécessaire illogisme et d'une vivacité d'esprit jamais assoupie. Heston avait eu ce talent. Stéphanie le possédait. Comprendre que les cerveaux s'achètent ; savoir juger rapidement les capacités intellectuelles, l'originalité d'une pensée et les saisir au vol. Prendre des risques avec sang-froid et encaisser en douceur les échecs. Ainsi était né le Bureau d'étude spatiales et temporelles, la société anonyme BEST, fondée sur une idée d'Heston, développée par sa fille Stéphanie.

Au cours de ces huit années depuis sa création, BEST avait engendré d'innombrables réussites. Des téléscopes aux lasers chirurgicaux ; des thermostats à l'équipement des voyages spatiaux. Il était devenu impossible à Stéphanie de suivre toutes les ramifications de son entreprise ; c'était là le travail de son équipe, du conseil d'administration et de Dick Steiner, vice-président-directeur général. Stéphanie payait des gens chargés de découvrir des idées neuves, des esprits novateurs et originaux, des percées dans le royaume de l'imagination susceptibles d'être transformées en réalité. Tous venaient lui présenter leur rapport. Elle repérait le possible et fournissait les moyens. Si quelque chose ne marchait pas, elle le mettait de côté. Car des idées rejetées à un certain moment s'étaient révélées plus tard utiles, aptes à s'insérer dans un autre contexte et avaient servi un, deux ou cinq ans après.

Elle était une lutteuse. Elle sortait sans une égratignure des batailles féroces et sournoises des conseils d'administration. A la société aéronautique Ryder, les autres administrateurs avaient voulu l'éliminer. Elle s'était battue, avait gagné et s'était retirée elle-même de la société. Elle ne l'avait jamais regretté.

Son expérience chinoise l'avait aidée. D'une certaine façon, l'existence d'un autre système de pensée signifiait que tout événement, tout phénomène, pouvaient être expliqués d'une manière différente. Cela lui permettait, tout comme à Dick Steiner, de voir plus loin, au-delà des contingences du moment et des mythes trompeurs.

« Quand nos perceptions n'arrivent plus à tenir pied aux événements, quand nous refusons de croire une chose parce qu'elle nous déplaît, nous effraie, ou nous choque par sa seule nouveauté, alors l'écart entre le fait et la perception devient abîme. Et l'action devient inadaptée et irrationnelle. »

Ces paroles du sénateur Fulbright, Stéphanie les avait fait graver en lettres d'or sur des plaques de marbre apposées dans tous les bureaux de BEST.

« Votre mode de pensée appartient au XXIe siècle, ma Tante », lui disait Eddy Keng. Lui aussi regardait au-delà du présent, comme son père Keng Dawei, ce capitaliste multimillionnaire qui travaillait avec les Rouges à Shanghai. Comme son oncle, sir Henry Keng, qui ne manquait jamais une réunion à Ascot ou à Goodwood et mangeait même du fromage de Cheddar, ce qui faisait verdir son neveu.

Tout allait donc bien pour Stéphanie, à part cette escarbille rougeoyante incrustée dans son cœur. Braise toujours prête à s'enflammer et qui menaçait le bon fonctionnement de cette machine parfaite.

Elle se leva de son lit aux draps de satin rose pêche, pour se contempler dans le miroir qui occupait tout un mur de la chambre. Celle où elle dormait seule. Les autres chambres n'avaient pas de miroir.

Mince. Ferme. La peau transparente, lisse. Pas de bronzage, cette contrainte idiote, signe de statut social pour les riches et les moins riches, qui consacraient tant d'efforts et de zèle aux futilités d'une oisiveté épuisante. « Je ne fais pas trempette dans les bassins publics », avait-elle déclaré en souriant à l'envoyée d'un grand magazine de mode. « Elle est scandaleusement riche, elle est d'une dureté écœurante », disait-on d'elle. Un Howard Hughes femelle. On la détestait parce qu'elle était une femme et qu'elle battait les hommes à leurs propres jeux d'argent et de pouvoir.

Stéphanie prit sa douche et s'habilla. Son coiffeur venait une fois par semaine lui laver les cheveux et les mettre en plis. Minnie s'occupait de sa garde-robe. Minnie Cole et Horace Washington l'accompagnaient dans tous ses déplacements. Depuis cet après-midi où ils l'avaient portée dans la voiture et conduite à l'hôpital où Hirondelle était née, ils ne l'avaient plus quittée. Ils la connaissaient mieux que quiconque. C'étaient des gens réels pour elle et non pas des gadgets à manipuler. Ils dirigeaient les domestiques dans les appartements et les maisons qu'elle possédait. Deux fois par an, elle achetait des vêtements, peu, chez Grès et chez Balmain. Ses sous-vêtements, ses draps, son linge de maison étaient spécialement confectionnés pour elle à Hongkong.

En 1959, on lui avait rendu son passeport, ainsi que ses journaux, ses lettres et ses livres. Le F.B.I. avait cessé depuis longtemps de la harceler. L'argent. Et le fait qu'elle semblait avoir décidé d'en gagner encore plus.

John Moore devait rentrer dans l'après-midi ; il était allé au Caire assister à une conférence économique. Dans trois jours, ils partiraient ensemble pour Hongkong. Eddy Keng avait convoqué les directeurs orientaux de la Société anonyme Keng-Laï, qui avait des succursales à Singapour, Manille, Bangkok, Tokyo et Osaka. Keng-Laï investissait aussi dans l'immobilier et les mines en Australie. « A long terme », disait Eddy Keng, pour indiquer que les bénéfices n'arriveraient pas avant dix, quinze ou vingt ans.

Stéphanie avait bien précisé : « Pas de commerce avec Taiwan. Je me moque de l'argent que nous perdons. Je ne veux rien avoir à faire avec Tchiang Kaishek. » Et Eddy Keng s'était incliné. Bien qu'il sût que la Chine communiste se servirait peut-être un jour de liens commerciaux pour ligoter Taiwan, sa province inaliénable, et la racheter ; et que ce qui était haïssable aujourd'hui serait acceptable parce qu'*utile* demain.

Les choses changeaient, elles avaient déjà changé. Malgré l'irrationalité persistante de Washington, handicapé par une politique fondée sur des vieux mythes plutôt que sur des réalités actuelles. Walter Lippmann était maintenant contre la guerre du Vietnam, avec d'autres Américains de bon sens. Mais les faiseurs de mythes criaient encore haut et fort et les briseurs de mythes étaient gênés et affaiblis par leur étiquette de « sympathisants des Rouges ».

« L'ennemi, c'est la Chine », proclama McNamara en 1965, pour justifier les bombardements du Nord-Vietnam.

« La guerre du Vietnam sera terminée dans trois mois », affirmait le Pentagone, en écho à la vantardise de MacArthur à propos de la guerre de Corée : « De retour chez vous pour Noël. »

Mais les choses changeaient, sans cesse, partout.

En 1962, les alliés européens des Etats-Unis avaient rompu l'embargo sur la Chine. L'Angleterre, la Belgique, la France, refusaient d'être plus longtemps empêchées de commercer avec la Chine. Le système de la liste noire pour les sociétés qui traitaient avec la Chine à Hongkong avait perdu son efficacité. Les hommes d'affaires japonais se rendaient à Pékin. De la côte ouest des Etats-Unis, montait une grogne de plus en plus forte : « Nous nous coupons du plus grand marché du monde... pourquoi ? » Des voix s'élevaient à Washington, dans le *New York Times :* « Le temps est venu de reconsidérer notre politique étrangère... »

Le mythe d'une vaste conspiration communiste internationale avait fait long feu. La Chine s'était fâchée avec l'U.R.S.S. et les deux pays passaient plus de temps à s'insulter qu'à vilipender l'Amérique.

Mais il y avait la guerre du Vietnam. Ce glissement insidieux dans un marécage imprévisible, qui allait provoquer une douloureuse confusion des valeurs et où allait s'enfoncer l'élite de l'intelligentsia de la côte est, les vaillants preux du président Kennedy.

Tant que la guerre du Vietnam durerait, l'hostilité envers la Chine subsisterait. Car la Chine ne pouvait pas ne pas se sentir menacée. Le Vietnam était proche de ses frontières et si l'Amérique envahissait le Vietnam du Nord, on se retrouverait dans la situation de la guerre de Corée.

En Chine aussi il y avait des changements.

En 1964, le général de Gaulle avait reconnu la République populaire. Et, à présent, tous les hommes d'affaires européens affluaient. Sir Henry Keng mettait sur pied une délégation de chefs d'entreprises britanniques. Michael Anstruther venait de Londres négocier à Pékin la réouverture d'une agence de presse.

En 1965, alors que le reste du monde allait en Chine, la guerre du Vietnam, l'affirmation de McNamara selon laquelle « l'ennemi principal n'est pas la Russie mais la Chine », et les conseils erronés des libéraux en place, dont l'influence sur le président Johnson était restée grande — tous ces facteurs réunis faisaient que l'Amérique et les Américains se trouvaient coupés de la réalité en train de prendre forme de l'autre côté du Pacifique.

Mais les voix qui demandaient une réévaluation de la situation devenaient de plus en plus fortes et insistantes. Malheureusement, la guerre du Vietnam dissimulait les véritables enjeux. C'était une guerre contre l'U.R.S.S. mais pour tous, l'ennemi était la Chine parce que les Vietnamiens avaient des traits asiatiques et que les Américains n'étaient pas formés à penser en termes de problèmes réels. Ils s'arrêtaient aux apparences.

John Moore contribuait lui aussi au fonctionnement de la structure Stéphanie Ryder.

Quand vint mai 1959, Stéphanie vivait seule depuis bientôt deux ans. Son corps le lui rappelait. Elle se sentait à la fois boulotte et décharnée, son caractère devenait cassant, elle s'irritait pour des riens, dormait mal.

Elle avait alors pris trois mois de vacances. Elle était partie pour l'Europe, en sachant très bien qu'elle allait y chercher un amant, un mâle, quelqu'un qui satisferait ses sens en révolte. Elle alla voir

Isabelle dans son beau château de Provence. Puis elle visita Paris, Bruxelles, Copenhague, Stockholm, Venise et Monte-Carlo.

Elle voyagea en compagnie de Minnie et d'Horace et prit son temps, savourant le bonheur de voir l'Europe avec ses propres yeux, sans être entourée par des gens qui lui auraient dicté ses réactions : les gens qui donnent le ton, ceux qu'il faut fréquenter, ceux qui forment la bonne société. Les gens brillants, les super-riches ou simplement les gens fortunés et à la mode. Sa mère lui expliqua avec cette délicatesse pleine de tact qui la caractérisait que ceux que lui présentait Isabelle de Quincy de Gersant étaient la « *vraie noblesse* », différente de la fausse, celle qui avait acheté ses titres, et des nouveaux riches, comme ces magnats grecs, si méprisants de la vie des autres. « A la fin, seules comptent la naissance et l'éducation », dit Isabelle. Elle portait à présent des harmonies de gris rares et paraissait radieuse.

Discrète, Isabelle ne mentionna jamais Yong. Par contre, elle parla de Trésor d'Hiver, et de ses lettres. « Il doit connaître la sérénité et la paix. Il a l'air si mûr. Une grande famille autour d'un enfant lui donne un sentiment de sécurité. »

Trésor d'Hiver écrivait à sa mère et à Isabelle de courtes lettres charmantes, dans l'anglais démodé, guindé et cérémonieux, qui avait été celui de Yong et qui, aux yeux d'Isabelle, avait un *cachet,* une spiritualité, révélateurs d'une excellente éducation.

L'Europe n'impressionna ni n'étonna Stéphanie. Elle avait connu la courtoisie, la distinction, le raffinement dans le Jardin du Bassin au Saule. Dans la Demeure des Jen. L'élégance, la beauté, la noblesse. Qui n'étaient pas ostensiblement fondées sur l'argent, qui ne ressemblaient pas à la rapacité élégante de l'élite européenne de l'après-guerre, cette société brillante dont les yeux en alerte évaluaient aussitôt le prix de sa robe, de ses bijoux, de ses chaussures. Elle discernait la vulgarité de leur attitude exclusive vis-à-vis des « autres », la médiocrité des organes de publicité, qui s'employaient à proclamer chic cette vulgarité.

Des hommes mûrs avec juste ce qu'il fallait de tempes argentées l'avaient approchée et elle avait deviné qu'ils s'appliquaient à rentrer leur ventre. Des hommes plus jeunes, en tenue sportive blanche sur les courts de tennis, lui avaient lancé ce regard de séducteur qui filtrait entre leurs paupières mi-closes et était censé lui faire perdre la tête. Elle pensa : Me laisser prendre par ces mains-là ? Jamais.

Yong, oh Yong. A cause de toi, je ne pourrai plus me contenter du deuxième choix, de la médiocrité...

Elle reprit l'avion pour New York. « Comment avez-vous trouvé l'Europe ? » lui demanda John Moore, qui était venu l'attendre à l'aéroport Kennedy dans sa Volvo. « J'ai un album rempli de coupures de presses délirantes sur cette bombe du Texas à la beauté fabuleuse.

Vous. » Stéphanie lui sourit, le regarda et décida : ce sera John puis elle répondit : « Je les ai vus avec les yeux d'un autre monde. C'était amusant mais ça n'avait rien de fascinant. »

Quand ils arrivèrent devant chez elle, à Sutton Place, elle dit : « John, je suis revenue pour être avec vous. »

Il y avait tant de choses qu'ils pouvaient apprécier ensemble. Des tableaux et des peintres, des concerts, des expositions. Et tant de sujets dont ils pouvaient parler. John, avec sa culture si riche, avait toujours quelque chose à donner.

Grâce à lui, et à Dick Steiner — tous les deux avaient de nombreux amis — Stéphanie enrichit ses connaissances, élargit ses intérêts, écouta et fut écoutée dans des milieux qui, autrement, l'auraient ignorée.

Elle connut l'apaisement, les cellules de son corps cessèrent leur tumulte, qui engendre aussi l'agitation de l'esprit.

Mais l'apaisement produit aussi sa propre inquiétude. Les os gardaient leur fièvre que nul contact de chair ne pouvait calmer.

Elle se demandait si John s'en apercevrait. Il avait été si heureux, pendant plusieurs mois. Puis, peu à peu, une certaine insatisfaction avait grandi en lui. Elle l'avait surpris en train de contempler la nuit à travers les vitres qui reflétaient le mobilier de la salle de séjour et lui renvoyaient son visage brouillé de tristesse.

Il méritait d'être aimé, méritait plus que cet arrangement facile : les horaires, les soirées réservées, les vacances ensemble prévues d'avance...

Et puis, un soir, vers la fin de 1960, était arrivée une lettre de Yong. Très différente des précédentes. A propos de la réimplantation d'une main sectionnée. Des phrases fortes, pleines de joie, d'assurance, de détails précis : « Nous étions huit à nous relayer... l'opération a duré neuf heures... il y a cinq semaines... aujourd'hui il a pu bouger les doigts... nous sommes si heureux... »

Elle avait aussitôt appelé le chirurgien en chef de l'hôpital de Dallas. « Oui, madame Jen, nous sommes au courant... nous recevons des revues médicales chinoises, nous leur envoyons même les nôtres... » Il rit. « D'excellents résultats, avec un équipement si réduit, vraiment de la très grande chirurgie, et depuis 1958, des percées spectaculaires dans le traitement des blessures... nous aimerions envoyer une délégation médicale à Pékin pour apprendre leur technique. »

Ce soir-là elle parla de l'opération à John avec animation : Yong dans sa lettre avait paru si heureux, si libéré !

John fumait tranquillement et l'observait.

« Stéphanie, j'aimerais te poser une question.

— Bien sûr, vas-y. » Elle se versa un verre, toute à son bonheur.

« Que suis-je pour toi, Stéphanie ? Qu'est-ce que je représente à tes yeux ?

— John, je tiens à toi, tu le sais, plus qu'à toute autre personne que j'ai jamais connue, sauf Yong, évidemment. Je ne t'ai jamais menti... »

Alors le déclic se produisit, elle avait prononcé le nom de Yong une fois de trop et le fantôme était revenu, elle tremblait, tremblait, et laissa tomber son verre.

« Je suis désolée, dit-elle. Je suis désolée, mais c'est plus fort que moi... c'est ainsi chaque fois que je...

— As-tu dit à ton mari que tu couchais avec moi ?

— Non.

— Stéphanie, quand je te fais l'amour, est-ce que tu imagines que c'est Yong ?

— Non, John, jamais. »

Je ne pourrais pas. Je ne pourrais pas. Comment le pourrais-je ? Simplement rêver de lui me fait hurler, m'enlève toute force. Je le chasse, je ferme la porte sur lui. Le cœur est aussi une prison. Et une partie de moi est dans cette prison, avec Yong.

« Stéphanie, ton mari n'est pas idiot. Il doit s'interroger. Il doit passer des heures à penser à toi, à penser et à imaginer... comme je le fais...

— John, tu es obsédé...

— Oui, je le suis. » Il se leva, alla se verser un autre verre, alluma une cigarette. « Je t'aime. Je veux t'épouser. J'avais espéré qu'avec le temps, tu tiendrais à moi...

— Mais je tiens à toi.

— Oui... » Il s'apprêtait à ajouter : comme à ton personnel, à tes projets. Tu m'as intégré dans tes activités ; mais il se retint. « Mais à présent cela ne me suffit plus. »

Elle dit de cette belle voix grave qui appartenait à l'autre Stéphanie, celle qu'il ne posséderait jamais : « John, les choses sont ainsi. »

La colère le gagna soudain. « Combien de temps vas-tu continuer à te mentir ? A prétendre que tu peux retourner là-bas ? Regarde-toi, regarde ce qui t'entoure... Tu es incapable d'y renoncer... tu ne peux plus vivre avec lui maintenant dans le trou perdu où ils l'ont fourré. Et tu ne peux pas le faire venir ici... parce qu'il ne demandera jamais à quitter la Chine. Certains le font, qui ont leur famille à l'étranger. Mais si cruelle que soit la Chine envers ton mari, il restera. Tu le sais. C'est dans ses os. Des siècles de responsabilité.

— Je dois me mentir pour continuer à vivre, dit Stéphanie. La vie est un parjure inévitable. C'est ce que disait Yong. »

Elle vit les volutes de fumée se recourber au bout de la cigarette de John comme un nonchalant point d'interrogation.

Il soupira et vint l'embrasser tendrement sur la joue. « Tu as gagné,

Stéphanie. Fidèle et infidèle en même temps, ainsi que nous le sommes tous. D. H. Lawrence. Il le savait et je suppose que c'est la vie. »

En 1961, elle avait enfin écrit à Yong et lui avait enfin parlé de John Moore et d'elle.

Il avait répondu. En lui offrant de divorcer. Il lui annonçait sa réhabilitation. Elle avait reçu la lettre à Dallas. Pendant un goûter d'enfants. Hirondelle et ses camarades jouaient dans le jardin. Leurs voix aiguës flottaient dans la douceur de l'air.

Réhabilité. Peut-être la Chine lui permettrait-elle d'aller le rejoindre. L'Amérique le laisserait peut-être venir à elle. Elle répondit « Vous me manquez tant, Trésor d'Hiver et toi. » Mais elle savait que c'était là une attitude ambiguë et qu'elle jouait avec des rêves.

Cela se passait cinq ans plus tôt et il n'avait jamais envoyé d'autre lettre. Trésor d'Hiver continuait d'écrire, lui ; il lui donnait des nouvelles de la Famille, de son père. « Papa est très occupé avec sa nouvelle chirurgie. Il voyage beaucoup et se rend dans de nombreux hôpitaux. L'équipe de chirurgiens de Shanghai est devenue très célèbre. Tante Jen (Veuve) dit qu'elle ne t'a pas oubliée. Elle te remercie pour le manteau que tu lui as envoyé. »

Pendant ce temps, la guerre du Vietnam se développait et s'étendait. John Kennedy avait été assassiné à Dallas. Et de plus en plus d' « observateurs militaires » partaient pour le Vietnam. En 1966, il y avait cent cinquante mille G.I.'s au Sud-Vietnam ; les généraux, et le président Johnson, annonçaient qu'on voyait la lumière au bout du tunnel, et que les Vietcongs seraient définitivement battus d'ici la fin de l'année.

En mai 1966, John Moore et Stéphanie s'envolèrent pour Hongkong. De là, John rejoindrait Saigon pour se faire sa propre opinion de la guerre.

25

Hongkong baignait dans la chaleur humide de juin. Un ciel d'étamine étendait sa moisissure au-dessus du port et tout l'or et le turquoise de l'hiver, la splendeur des îlots ourlés d'écume posés sur l'arc-en-ciel de la mer, tout cela était noyé dans une grisaille monotone.

Des nuages informes flottaient mollement au-dessus des collines et, sur les trottoirs luisants et gras, se pressait une foule en sueur.

Hongkong était florissante. Un contrat passé entre la Chine et son gouvernement sous tutelle britannique assurait à la colonie un approvisionnement constant en eau à partir du continent. La frontière avec la Chine, à la gare ferroviaire de Lowu, maintenait toujours un semblant de vigilance — festons de fil de fer barbelé et policiers armés. Elle continuait à offrir aux touristes avides d'émotions un coup d'œil sur la « Chine rouge ». Tous les jours, des trains chinois entraient en grondant dans Hongkong, chargé de porcs vivants, de légumes, de fruits, de poulets, de canards, destinés à nourrir la colonie.

Le trafic des certificats d'origine marchait très fort. Des usines locales les fabriquaient, aussi authentiques à l'œil que ceux qu'exigeaient les douanes américaines des touristes ayant fait des achats à Hongkong.

La guerre du Vietnam avait accru la prospérité de Hongkong. Depuis 1964, la colonie britannique servait de base de repos et de distractions aux G.I.'s du Vietnam. Leur nombre augmentait sans cesse. En 1968, ils seraient un demi-million. Les bars, les bordels et la drogue étaient en pleine expansion, tout comme une nouvelle forme de blennoragie, qui se révélait résistante à la pénicilline.

Mais ce n'était pas du boom économique de Hongkong qu'Eddy Keng parlait avec Stéphanie dans son bureau à air conditionné, au dix-septième étage de l'immeuble Keng-Laï, dont les larges baies vitrées offraient une vue magnifique du port fourmillant d'activité.

« Ma Tante, les choses ne sont pas très bonnes en Chine. Même mes amis, les communistes de Hongkong et les hommes d'affaires de la chambre de commerce chinoise, ils ne comprennent pas très bien ce qui se passe... »

Les communistes de Hongkong étaient gens d'expérience et subtils. Lien et poste d'écoute pour la République populaire dans un Hongkong bourré d'agents de toutes sortes et de tous pays, ils opéraient avec tact, délicatesse et discrétion sous les conseils de l'exubérant et cultivé M. Wei, directeur d'un prestigieux journal de gauche. La capacité prodigieuse de M. Wei à sauter par-dessus tous les obstacles politiques, dans le plus pur style chinois, forçait le respect, l'admiration et l'envie de tous les diplomates en poste dans les nombreux consulats installés à Hongkong. Alors, si même M. Wei était perplexe, il était grand temps de s'inquiéter.

« Personne ne peut dire ce qui va se passer », répéta Eddy Keng.

Tout avait commencé comme un opéra comique, en janvier 1966. Par un grand débat, plein d'arguments longs et tortureux, sur les mérites et démérites d'une pièce de théâtre. Débat qui s'était soudain transformé en un affrontement politique majeur à l'intérieur du Parti, avec une accusation spectaculaire de « révisionnisme » contre certains dirigeants. Le mot révisionnisme servait en Chine à dénoncer l'Union soviétique, ses dirigeants et sa politique.

Avait suivi une avalanche incroyable d'articles de journaux hérissés de mots et de slogans hargneux, débordants d'accusations et d'insultes et dénonçant « les gens au pouvoir DANS LE PARTI qui suivent la route capitaliste » et « les dégénérés et les monstres qui occupent des postes dirigeants dans la culture, dans l'éducation... ».

« Une nouvelle campagne politique, dit Stéphanie, déjà au bord de la nausée au souvenir d'angoisses passées.

— Non, ma Tante. Mon père, il écrit : Cela pas simple agitation... c'est véritable révolution. » Quand il était vraiment bouleversé, Eddy Keng retombait dans le mélange haché d'anglais et de chinois.

Il y avait, lui expliqua-t-il, deux grandes tendances dans le Parti. L'histoire de la révolution chinoise était aussi celle d'un conflit entre deux groupes, dont les protagonistes, les idées et la ligne politique changeaient, mais qui se battaient pour le pouvoir. Le sort même de la révolution avait souvent dépendu de l'issue de cette lutte et de qui l'avait emporté.

Ainsi, en 1935, après une longue période d'âpres rivalités internes, c'était Mao, sa tendance, sa politique qui avaient triomphé, pendant et après la Longue Marche, sur le groupe de dirigeants fidèles de Staline et connus comme les « Vingt-huit bolcheviks », ceux qui manifestaient une obédience totale à Moscou. Mao avait donc mené une lutte acharnée contre Staline pendant toutes ces années-là pour assurer l'indépendance de la Chine vis-à-vis de l'U.R.S.S. Et maintenant, semblait-il, une nouvelle bataille se livrait à l'intérieur du Parti à propos de la ligne à suivre. Mais ce combat était si confus, si inextricablement mêlé à la politique intérieure, à l'orientation économique du pays, au choix du rythme auquel le pays pouvait ou devait avancer... « Personne ne sait réellement ce qui se passe », conclut Eddy.

Et cette fois-ci, tout le monde serait concerné, tout le monde serait affecté par ce nouveau séisme qui ébranlait la Chine.

Tandis qu'elle écoutait, Stéphanie sentait en elle les soubresauts de l'anxiété renaissante. Ce spasme qui étreignait sa gorge, altérait sa voix, l'enfonçait dans une inertie épaisse. Le ver insatiable de l'inquiétude, toujours en éveil, rongeait son être.

Yong. Yong avait de l'expérience. Il avait été réhabilité. Yong savait manœuvrer. Mais Trésor d'Hiver. Il aurait juste dix-huit ans en décembre. L'âge vulnérable, où la jeunesse est la plus impétueuse, la plus intolérante, la plus insouciante, où elle se donne toute et s'illusionne le plus facilement.

« Qu'allons-nous faire, Eddy ?

— Rien. Rester tranquille. Tenir. Attendre et observer. A trop agir, on provoque les ennuis. »

La guerre du Vietnam était un facteur qui compliquait les choses et masquait les véritables enjeux. A cause de cette guerre, la Chine allait-elle s'associer à la Russie, à présent ? Où était-ce la vision de Mao, d'une Amérique et d'une Chine réunies dans la paix et l'amitié, qui l'emporterait ? « Certains dirigeants haut placés du parti communiste chinois veulent l'unité d'action avec la Russie, pour aider le Vietnam, dit Eddy Keng. Mais Mao, le vieux bonhomme, il devient très en colère. Il dit non. Il dit jamais faire confiance aux Russes, jamais. Il dit Chine aide Vietnam, Russie aide Vietnam, mais pas ensemble. »

Et Stéphanie comprit. Ses années passées en Chine lui avaient donné une vision plus claire des choses. Au-delà du temporaire, il y a le permanent. Le permanent, c'était le désir de Moscou de provoquer un affrontement entre l'Amérique et la Chine. Grâce à l' « unité d'action », Moscou amènerait peut-être la Chine à se battre une nouvelle fois contre les Américains, comme en Corée, naguère, et maintiendrait les deux pays embourbés au Vietnam.

« C'est un nouveau typhon, cette Révolution culturelle, Chère Tante. Un très grand typhon, dit Eddy avec un petit rire aigu, signe d'une grande émotion. Mon père dit : “ N'écris pas. Lettres venant de dehors dangereuses. N'écris pas tant que typhon pas calmé ! ” »

Keng Dawei pensait que la correspondance était dangereuse. Trésor d'Hiver ne le croyait pas.

Pendant les quatre dernières années, Trésor d'Hiver s'était chargé de la responsabilité d'écrire à Stéphanie au nom de la Famille, y compris de son père. Deux fois par mois, ses lettres arrivaient, ponctuelles. Pleines de détails, dans un style courtois, rassurantes. Maintenant, il écrivait deux fois par semaine, comme s'il avait été pressé et n'avait pas pu attendre plus longtemps.

« Le président Mao a fait appel à nous, les jeunes, pour critiquer les bureaucrates du Parti qui abusent de leur pouvoir. Jusqu'à présent, ils étaient intouchables, inamovibles. Aussi féroces que des tigres dont on ne peut toucher un poil de la queue ! Maman, nous sommes fiers et heureux de nous voir confier cette grande tâche : renouveler l'esprit de la révolution !...

» Certains de ces dirigeants sont corrompus, leurs enfants ont de nombreux privilèges, ils possèdent des voitures et des postes de télévision importés de l'étranger, alors qu'une personne ordinaire se voit condamnée à la rééducation si elle a un disque de jazz.

» A travers toute la Chine, nous nous dressons contre ceux qui, dans le Parti, suivent la route révisionniste et capitaliste... »

Stéphanie fut bouleversée. Son fils ne pouvait pas ignorer qu'il venait d'une famille capitaliste. Avait-il répudié les Jen ? Sa lettre ne le suggérait pas. Peut-être faisait-il la différence entre des capitalistes patriotes, comme Oncle Keng et les Jen, et la nouvelle race de « capitalistes », dont le capital était leur appartenance au Parti, leur rang, leur pouvoir...

Stéphanie avait appris à lire entre les lignes. Elle resta deux semaines à Hongkong, bien qu'il lui fût intolérable d'être si près de la Chine, de voir les trains partir pour Lowu, la frontière, en un voyage de quarante minutes à peine, et de ne pas pouvoir les prendre. Elle marchait inlassablement dans les rues et écoutait la radio, écoutait les mille suppositions sur la « Révolution culturelle », sur le nouveau bouleversement de la Chine. Quand la tension devenait trop forte en elle, elle explorait les boutiques de bijoux et de jade et achetait sans compter, en utilisant l'argent comme une catharsis. Un jour, elle trouva deux larges bracelets d'un jade vert pomme parfait, qu'elle décida d'acheter pour Mère car ils ressemblaient exactement à ceux qu'elle portait jadis. Elle choisit pour Isabelle un somptueux collier de perles à trois rangs, digne d'une reine.

« Nous défilons avec des drapeaux et des portraits du président Mao... le Parti a envoyé des groupes d'action, des équipes d'enquêteurs, dans les universités, pour démasquer les dégénérés et les monstres... des professeurs, des écrivains ont été accusés, humiliés... je ne pense pas que c'est bien... on dirait que quelqu'un, dans le Parti, essaie de protéger les hauts dirigeants en nous dressant contre des enseignants inoffensifs... », écrivait Trésor d'Hiver.

A la fin juillet, Mao dénonça les groupes d'action, il les accusa d'avoir « fait régner pendant cinquante jours une terreur blanche » inspirée par les « imitateurs de Khrouchtchev » au sein du parti communiste chinois.

Il devint clair que Mao se battait pour un type de communisme pur, primitif, populaire, semblable au christianisme des premiers jours, où tout était mis en commun, et que sa propre structure, cette hiérarchie du parti communiste chinois, était devenue à ses yeux une bureaucratie qui reproduisait la tyrannie des mandarins dans l'ancienne Chine.

En août apparurent les gardes rouges. Des millions de gardes rouges. Tous vêtus d'impeccables uniformes kaki, avec des brassards rouges. Ils n'auraient pas pu être créés et organisés en si peu de temps s'il n'y avait eu le ministre de la Défense, Lin Piao, devenu le bras droit de Mao. Lin Piao avait été un chef militaire prestigieux pendant la Longue Marche et tout le monde voyait en lui l'héritier de Mao.

Bientôt, ils furent des millions de gardes rouges, issus de chaque école secondaire, de chaque université. Ils étaient appuyés par des unités militaires de Lin Piao et transportés par des camions de l'armée.

« Tous ceux qui ont une bonne origine de classe entrent dans les gardes rouges, écrivait Trésor d'Hiver. Certains ne sont pas très jeunes ; ils ont plus de trente ans... » L'âge limite était censé être vingt-six ans.

On assistait à un renversement de la situation. Ceux qui avaient terrorisé les autres se voyaient à leur tour terrorisés. De hauts responsables du Parti étaient injuriés, traînés devant des assemblées de lutte de classe, coiffés de bonnets d'âne. Le chef de la Sécurité publique. Plusieurs ministres. De nombreux cadres dans les établissements culturels et éducatifs, tout comme certains écrivains qui jouissaient de la faveur officielle, furent ainsi insultés et humiliés. Quelques-uns se suicidèrent.

« Les Quatre Libertés de la Révolution culturelle ont été proclamées, écrivait le fils de Stéphanie. La liberté d'écrire nos affiches murales ; de débattre de tout ; de se réunir ; et de se déplacer... Nous les jeunes, devons abolir la superstition, les comportements féodaux, et toutes les anciennes façons de penser et d'agir qui sont nuisibles... mais personne ne sait très bien ce que veut dire " abolir ". Pour certains jeunes, cela signifie que tout ce qui est vieux est mauvais. Des gardes rouges molestent des personnes âgées, battent de vieux écrivains, détruisent des monuments anciens... le président Mao a dit que la Révolution culturelle devait s'accomplir sans violence. Mais la violence devient une mauvaise habitude... »

Stéphanie priait : « Oh ! mon Dieu, je vous en prie, faites qu'il n'arrive rien à Trésor d'Hiver. » Comme la drogue, la violence pouvait devenir une dépendance. Elle s'emparait d'un jeune et ensuite il n'y avait pas d'autre issue qu'une violence encore plus grande.

Lionel Shaggin envoyait à Stéphanie de courtes missives affectueuses. « Ce bouleversement est destiné à empêcher la Chine de prendre le même chemin que l'Union soviétique... Il donne au peuple le droit de critiquer les responsables, de renvoyer des cadres corrompus... mais les gens se laissent aisément berner et ils se mettent vite à obéir à de nouveaux tyrans qui semblent, un temps, incarner de nouvelles libertés... »

La défiance de Lionel était évidente. Elle faisait pendant aux prudentes restrictions de Trésor d'Hiver devant la montée de la violence. « Certains gardes rouges se conduisent très mal, les gens n'aiment pas ça... mais notre Famille n'a pas été indûment inquiétée... »

« Que signifie " pas indûment ", Eddy ?

— Il veut dire, un petit peu d'ennuis. Tout le monde encore en vie. Vie importante. »

C'était vrai. La ligne de partage des eaux passait entre la vie et la mort. Les morts ne parlent pas.

En octobre, on signala des cas de violence et de vandalisme dans toutes les grandes villes. Il y avait à présent des centaines de groupes de gardes rouges et ils commençaient à se disputer entre eux.

« Le pire c'est quand un groupe a déjà fouillé dans toute une rue, remué les maisons de fond en comble à la recherche de " matériel noir ", des livres douteux, de l'or, des fusils, et qu'un autre groupe arrive et recommence le même processus, écrivait Trésor d'Hiver. Je ne pense pas que c'est ce que le président Mao entendait quand il parlait de Révolution culturelle... »

« Mon fils Guerrier de Chine est un garde rouge ; il me tient au courant... nous menons une vie paisible... la situation est très complexe et il est impossible pour le moment d'en tracer une image claire... », écrivait Lionel Shaggin.

La plupart des gardes rouges venaient des écoles secondaires. Ils avaient seize, dix-sept ans. Un grand nombre d'entre eux n'avaient jamais vu une Vénus de Milo ou un Cupidon et pour eux, ces reproductions étaient des signes évidents de pornographie et donc de « révisionnisme » et de « capitalisme ». D'autres devenaient simplement des maraudeurs et des pilleurs qui profitaient de l'étiquette garde rouge mais se conduisaient comme des gangs de malfaiteurs.

« Toute-Ronde, la fille de Yee Meiling, est devenue garde rouge à Pékin, écrivait Trésor d'Hiver. Et moi aussi. Mes amis affirment que ce n'est pas l'origine de classe mais la bonne conduite qui devrait décider si quelqu'un devient garde rouge. Notre organisation se consacre à éviter la violence, à protéger les gens, à montrer une honnêteté totale... nous perquisitionnons mais nous sommes heureux de pouvoir peindre sur les portes : " Cette maison a déjà été fouillée et ne doit pas l'être à nouveau. " Cela aide parfois — on persécute beaucoup de gens innocents. »

Stéphanie passa les vacances de Noël et du Nouvel An à Dallas avec sa fille Marylee. Marylee avait neuf ans. C'était une jolie petite fille, à l'ossature menue ; elle avait un esprit curieux de tout et une grande ténacité de caractère. Quand elle s'emparait d'un sujet, elle ne le lâchait pas tant qu'elle n'était pas assurée de l'avoir épuisé. Et elle n'éprouvait aucune peur devant la souffrance, tant physique que morale. Parfois, elle semblait presque en vouloir à sa mère. « Pourquoi as-tu abandonné mon père ? » lui demandait-elle d'un ton de reproche. Elle regardait les photos et la questionnait inlassablement sur Trésor d'Hiver. « Je veux connaître mon frère, disait-elle. Et mon père.

— Un jour, ma chérie, je te le promets... mais en ce moment c'est trop difficile.

— A cause de la guerre, je sais », répondait Hirondelle. La guerre. Celle des Américains au Vietnam. A l'école très sélect qu'elle fréquentait, à Dallas, Hirondelle devait essayer de concilier ses deux univers radicalement opposés et elle ne pouvait y parvenir que grâce à cette dureté tranchante qu'elle montrait envers elle-même et envers les autres. « Ça ne fait pas mal », avait-elle dit un jour où, en sautant une haie, elle s'était fait une entaille profonde à la jambe sur une pointe de fer rouillée. Elle avait noué un mouchoir autour de sa blessure et était revenue en boitillant à la maison. Ce refus d'être blessée, d'être dorlotée et chouchoutée, de se dérober devant les choses désagréables, avait une dimension si farouche, si essentielle, que Stéphanie contemplait sa fille avec étonnement et se demandait ce qu'elle deviendrait plus tard.

A l'école, Marylee était respectée à cause de sa force de caractère et de sa franchise. On lui apprenait combien la Chine rouge était méchante et les communistes affreux, qu'ils tuaient tout le monde, qu'il n'y avait pas de liberté. Elle rentrait à la maison et interrogeait sa mère. « Ça ne peut pas être si mauvais puisque mon père y est », disait-elle en fronçant les sourcils. Comme beaucoup d'enfants de cet âge, elle vénérait le parent absent et avait placé une grande photo de Yong dans sa chambre. « La plupart des gens ne pensent pas assez en détail, déclarait-elle. Ils prennent plaisir à tout étouffer sous des généralités. » Elle passait des heures dans le jardin à construire une rocaille et un bassin. De Chinatown, le quartier chinois de New York, Stéphanie avait fait venir pour sa fille des poissons rouges : la variété aux yeux de chrysanthèmes et ceux qui sont translucides, noir et or, avec une queue deux fois plus longue que leur corps.

A l'école de Marylee, on soutenait avec ferveur la guerre du Vietnam ; on y voyait une grande croisade contre les forces du mal. Les Américains donnaient leur vie pour la démocratie, la liberté et le christianisme. « Dans ma classe, il y a une fille dont le père est au Vietnam, il a envoyé à sa maman l'oreille d'un Vietcong, dit-elle un jour. Conservée dans un liquide. Sa maman est si bouleversée qu'elle veut demander le divorce. Est-ce que mon père ferait des choses comme ça, maman ?

— Ton père est médecin, Hirondelle. Il ne tue pas, il guérit. Mais le père de cette fille, la guerre l'a peut-être rendu fou... »

Stéphanie avait redouté le jour où elle devrait expliquer à Hirondelle que le monde était fondamentalement incohérent, féroce, illogique, et qu'il fallait vivre avec cette folie fondamentale. Mais Marylee semblait savoir depuis sa naissance que le monde n'était pas juste. Peut-être parce qu'elle possédait une rage de vivre si intense. Et il avait été facile pour Stéphanie de parler avec elle de paradoxe et d'incohérence. « Nous agissons dans un but et le résultat se révèle être le contraire. »

Hirondelle hochait la tête d'un air entendu. « Je sais », disait-elle.

Stéphanie trouva ainsi un soutien moral chez sa fille, qui semblait presque biologiquement capable d'accepter un univers dépourvu de toute sécurité — gouverné par les seuls dieux du hasard et de la nécessité — et qui n'avait pas besoin du postulat d'une conviction absolue.

En janvier 1967, le gouvernement chinois fit appel à l'armée pour rétablir l'ordre dans le pays. Le désordre créé en excitant la colère populaire contre le Parti (et qui était l'œuvre de Mao) s'était étendu aux usines, et même aux communes. « Chou Enlai s'efforce d'éviter l'effondrement du pays et de maintenir l'unité de la Chine, écrivait Trésor d'Hiver. Mais il est combattu par les nouveaux accapareurs de pouvoir.

« Les multiples groupes de gardes rouges luttent entre eux... Pour se procurer des armes, ils ont pillé des arsenaux et même attaqué des trains à destination du Vietnam. »

Les lettres arrivaient avec régularité, relayées par Eddy Keng à Hongkong.

Le printemps fit place à l'été. La Révolution culturelle en Chine et la guerre du Vietnam connurent toutes deux une escalade ; dans l'esprit de Stéphanie, elles commençaient à avoir, par leur caractère paranoïaque, une similitude, une ressemblance, qui en faisaient des cataclysmes jumeaux, des doubles dans un miroir.

Au Vietnam, la tuerie, le décompte des morts, les raids aériens, la défoliation, les brûlures causées par le napalm, par le phosphore, les ruines, les cadavres alignés, l'usage reconnu de la torture pour les prisonniers, constituaient un leitmotiv quotidien d'horreur et de folie qui dissimulait le fait que l'Amérique n'arrivait pas à *gagner* la guerre. Des généraux sud-vietnamiens surgissaient de l'obscurité, étaient acclamés comme des sauveurs de la démocratie, comme les hommes du moment, et disparaissaient au bout de quelques mois. Les bombes à fragmentation firent leur apparition. Des G.I.'s frustrés lancèrent des grenades explosives dans les tentes de leurs officiers. A la réalité de la guerre s'ajoutait une dimension de cauchemar et les belles paroles pieuses de ceux qui la défendaient devenaient peu à peu un jargon incompréhensible et irréel.

On annonçait à grands cris des victoires sans lendemain, dans des lieux inconnus, qui se révélaient être de simples rizières ; les numéros incessants d'autopersuasion à la télévision, la vertueuse hypocrisie des savants experts qui assuraient au public américain — de plus en plus réticent — qu'on apercevait la lumière au bout du tunnel, rien de tout cela ne pouvait plus dissimuler la réalité. Des jeunes gens dont les corps, les idéaux, se décomposaient dans la pourriture de la jungle asiatique.

En Chine, aussi, l'été de 1967 vit le triomphe du désordre. Personne ne savait plus qui combattait qui, quel groupe incarnait la « gauche révolutionnaire » et quel groupe n'en était pas. Tous affirmaient suivre Mao et s'entre-déchiraient. L'armée, à qui l'on avait dit de soutenir la « gauche » dut changer si souvent de camp qu'elle se montra aussi déboussolée que le reste de la population. Un groupe surgissait, s' « emparait du pouvoir », se proclamait le seul vrai réformateur, puis sombrait dans une guerre intestine avec d'autres groupes, et ainsi de suite.

« C'est presque une guerre civile », déclara Mao Tsetung.

Dans certaines régions, des jeunes gens naïfs, pris d'une noble fureur, ouvrirent les prisons et libérèrent les détenus, ceux-ci ne pouvant être qu'innocents puisqu'ils avaient été enfermés par les « suiveurs de la route capitaliste » dans le Parti. Les criminels libérés formèrent alors leurs propres groupes, se procurèrent des armes et entreprirent leurs propres pillages et massacres au hasard de leur errance.

La montée des troubles s'accompagna de xénophobie. Tout ce qui était étranger devenait suspect. Les Chinois d'outremer étaient harcelés sans cesse puisqu'ils avaient des « contacts avec l'étranger » et y avaient vécu. Arthur et Millie Chee furent perquisitionnés dix-sept fois. Ils durent expliquer et traduire chaque livre, chaque lettre en leur possession.

« Ma Tante, dit Eddy Keng d'une voix tremblante, pendant une conversation téléphonique avec Stéphanie, j'espère que mon père ne garde pas de lettre d'aucun étranger, même pas les miennes, puisque je vis à Hongkong. »

J'espère que Yong et Trésor d'Hiver se sont débarrassés des miennes, pensa Stéphanie.

John Moore écrivait un livre sur le Vietnam. Il y était allé trois fois au cours de l'année et était revenu de chaque voyage plus pessimiste quant à l'issue de la guerre. Il écrivit une série d'articles qui lui valurent l'inimitié du président Johnson et de son entourage. Walter Lippmann avait, lui aussi, provoqué la colère du président. « Lippman avait espéré que l'administration Kennedy accomplirait le nécessaire réexamen de notre rôle dans le monde, dit John. Mais les brillants esprits qui l'entouraient se sont révélés plus obtus que le plus endurci des Républicains, et plus dangereux, car ils ont continué à projeter une image " libérale " tout en engageant l'Amérique dans cette guerre désastreuse. Johnson a été obligé de se montrer à la hauteur du mythe Kennedy. Ce n'est pas sa faute. »

En 1967 et 1968 les universités américaines furent le théâtre de manifestations contre la guerre. Le problème du Vietnam touchait, concernait chaque foyer. Personne n'était épargné. Des amis qui se connaissaient depuis des décennies ne s'adressaient plus la parole. Des couples en désaccord sur la question du Vietnam envisageaient le divorce comme seule issue.

« Peut-être est-ce notre tragédie, et ce l'est aussi en ce moment pour la Chine, de ne pas avoir su nous accommoder de notre propre réalité », écrivait John Moore.

A travers toute l'Amérique se tenaient des conférences sur le Vietnam. Qui débouchaient inévitablement sur une nouvelle analyse de la politique étrangère américaine à l'égard de la Chine. « Les Chinois accepteront la neutralité de l'Asie du Sud-Est, écrivait John Moore. Chou Enlai l'a dit clairement. Les Chinois considèrent l'U.R.S.S. comme le danger principal ; à leurs yeux, la guerre du Vietnam aide l'U.R.S.S. à s'installer dans cette région du monde, et ça, ils n'en veulent pas... »

« Nous n'avons aucune politique crédible pour gagner cette guerre ou y mettre fin », affirmait Walter Lippmann dans une déclaration citée par John Moore.

En août 1967, un groupe de gardes rouges incendia l'ambassade britannique à Pékin.

Il était clair, à présent, que l'armée chinoise réprouvait les actes de ces jeunes. Les chefs militaires leur faisaient une chasse impitoyable ; ils les faisaient arrêter et envoyer par fournées dans des camps de rééducation. A l'intérieur même de l'armée, nombreux étaient les officiers qui souhaitaient la fin de la Révolution culturelle et Mao s'entretint avec eux pendant ce même mois d'août. Chou Enlai maintenait la cohésion de la nation par la seule force de la raison et de sa propre personnalité. Il avait essayé de contenir le mouvement à l'intérieur des écoles et des universités, et d'en faire un débat approfondi et non violent. Mais les forces populaires libérées par Mao ébranlaient le système tout entier et affaiblissaient le Parti.

Des grèves se produisirent à Hongkong. Des « gardes rouges » locaux apparurent. Trois bombes furent lancées, qui firent sauter une voiture et tuèrent cinq personnes. Les riches prirent peur et certains s'enfuirent. Des banques et des hommes d'affaires avisés achetèrent des biens immobiliers à des prix ridiculement bas. Kengstone tint bon et sir Henry Keng déclara au cours d'une conférence de presse à Londres : « Hongkong ne sera pas prise ». Il continua calmement à acheter ce que les autres abandonnaient.

Joan Wu sortit de Chine et, via Hongkong, se rendit au Canada. Sa mère était opérée d'un cancer du sein à Toronto car Joan ne souhaitait pas mettre le pied aux Etats-Unis, son pays natal, de peur qu'on lui retirât son passeport.

Stéphanie prit l'avion pour Toronto afin de parler à Joan. Cette dernière était aussi placide et sereine que par le passé et ne chercha pas à dissimuler son mépris pour Stéphanie, qui « s'était enfuie ». « Mon Dieu, vous avez vraiment l'air prospère », dit-elle en regardant avec insistance le coûteux tailleur de Stéphanie.

« Joan, avez-vous vu Yong ? Votre mari doit l'avoir rencontré... pouvez-vous me dire comment il va ? »

Joan pinça les lèvres. « Le docteur Jen Yong ? Je ne l'ai pas vu ; nous avons été si occupés à faire la révolution que nous n'avions pas de temps pour les mondanités. J'ai cru comprendre qu'il avait été réhabilité. Il semble avoir accompli du bon travail en chirurgie. Cela a fait beaucoup de bien à tous ces intellectuels bourgeois d'être rééduqués par la classe ouvrière.

— Il y a eu des meurtres et certaines personnes se sont suicidées...

— Toujours ce goût du sensationnel. Vous ne devriez pas croire toutes ces exagérations... »

Stéphanie se montra patiente. « Je sais qu'il y en a toujours, Joan.. et je ne me sens pas particulièrement fière à propos du Vietnam, j'ai honte. Vous devez savoir que j'ai protesté, j'ai refusé des contrats militaires... »

Joan se cabra. « Comment pouvez-vous comparer les atrocités du Vietnam à la grande Révolution culturelle prolétarienne ? s'écria-t-elle.

— Je ne compare pas. Je dis seulement que c'est étrange, non, que ces deux événements se déroulent en même temps... commencent presque en même temps... j'essaie de dire que toute cette tuerie est absurde.

— Je ne suis pas d'accord. » Elle prit un ton doctoral. « Dans une révolution aussi importante, il y a des erreurs et des fautes ; mais il doit aussi y avoir un encadrement très ferme de ceux qui voudraient que la

Chine revienne en arrière... A présent, les gens sont vraiment motivés, et c'est ça qui est important. Pour la première fois, nous avons un système de médecins aux pieds nus, de personnel paramédical dans chaque village... l'éducation va être réformée pour ne plus être réservée à une élite dans les universités. Nous voulons que les enfants d'ouvriers et de paysans aussi aient leur chance, et ne soient pas éliminés dès la deuxième année, comme c'était trop souvent le cas, parce que les professeurs sont de mèche avec les hauts responsables... »

Adoucie par sa propre éloquence, elle raconta à Stéphanie comment Herbert Luger, elle et d'autres experts étrangers de Pékin avaient constitué leur propre groupe de gardes rouges et avaient attaqué et critiqué d'autres étrangers vivant en Chine qui n'atteignaient pas leur propre degré de « ferveur révolutionnaire ». Ils s'étaient mis dans le camp des « suiveurs de la route capitaliste », nous leur avons « réglé leur compte », dit Joan d'un air très satisfait. Herbert Luger avait lui-même fouillé dans la bibliothèque d'un de leurs collègues experts et en avait extirpé les ouvrages détestables.

« Comme Cohn et Schine, les sbires de McCarthy, murmura Stéphanie.

— Comment pouvez-vous comparer l'attitude révolutionnaire de Herbert avec le mccarthysme », cria Joan d'une voix furieuse.

Une réplique cinglante monta aux lèvres de Stéphanie mais elle se retint. Elle n'avait pas l'intention de provoquer l'hostilité de Joan. Elle dit d'une voix conciliante : « Joan, je vous en prie, dites à Yong que j'ai reçu toutes les lettres de mon fils. Je comprends que je ne dois pas écrire mais je pense à eux tous les jours. »

Joan hocha la tête avec réticence puis dit : « Quand la révolution arrivera, votre monde sera balayé. »

A la mi-septembre, Mao Tsetung revint d'une tournée à travers la Chine au cours de laquelle il avait rencontré les chefs militaires qu'inquiétait l'imminence d'un chaos pour le pays. Il confia à Chou Enlai la liquidation des gardes rouges. Il était clair que Mao lui-même avait été déçu par le comportement de cette jeunesse à laquelle il avait fait confiance.

Chou Enlai ordonna à toutes les organisations de jeunesse de déposer leurs armes et de retourner dans leurs écoles et universités pour y « mener la révolution à l'intérieur des institutions » et non dehors.

« La Révolution culturelle est liquidée... l'ordre est restauré... », écrivaient les journaux de Hongkong.

Eddy Keng reprit courage lui aussi. « Peut-être bientôt tout sera terminé », cria-t-il à Stéphanie au téléphone.

« Tant d'entre nous sont découragés, abattus. Nous avions des espoirs si grands. Nous avons maintenant le sentiment d'avoir été manipulés dans une lutte pour le pouvoir entre deux factions... », écrivait Trésor d'Hiver.

Ce fut la dernière lettre que Stéphanie reçut de son fils.

Au début de 1968, l'armée commença à rétablir l'ordre en arrêtant un grand nombre de chefs des gardes rouges. La plupart des jeunes étaient écœurés par le désordre. Ils voulaient retourner à leurs études. Mais une minorité non négligeable avait pris goût à l'errance, à la violence gratuite ; les luttes entre groupuscules rivaux et contre les soldats envoyés pour restaurer l'ordre allaient se poursuivre encore pendant deux ans.

Un énorme problème, concernant la jeunesse, se profilait à l'horizon. Chaque année apportait des millions de naissances et l'économie ne pouvait pas les absorber. Dans le passé, la mortalité infantile avait été de deux cent cinquante pour mille. Elle était à présent autour de trente-cinq pour mille et il fallait trouver des emplois pour tous ces jeunes qui atteignaient l'âge de travailler. Pendant des années, le gouvernement avait résolu le problème en leur assignant des emplois, même si cela signifiait que quatre ou cinq ouvriers allaient exécuter ce qui pouvait être fait par une seule personne.

Mais à présent, ils étaient des millions d'adolescents qui ne pourraient pas reprendre leurs études. Il faudrait attendre deux ans avant que les universités et les écoles ouvrent à nouveau. Et à ce moment-là, une autre génération d'élèves et d'étudiants y entrerait.

La seule solution pour ces jeunes en trop était de les employer à la campagne, de les répartir dans les villages, dans les communes. Le slogan était : « Ils doivent être rééduqués par les ouvriers, les paysans et les soldats de Chine. »

La migration de millions de jeunes vers les fermes d'Etat, les domaines agricoles gérés par l'armée, et les communes populaires commença en 1968.

Stéphanie se demanda si Trésor d'Hiver avait lui aussi été envoyé de Shanghai dans une commune, pour faire un travail manuel. C'est pendant cette période-là qu'elle ajouta une aile à l'hôpital pour les anciens combattants invalides du Vietnam. En voyant tous ces jeunes gens, mutilés dans une guerre qu'ils n'avaient pas voulue, chacun le Trésor d'Hiver d'une mère, elle mesura à nouveau la tragédie commune à ces deux pays — car si l'Amérique avait aidé la Chine, tout au début, quand la décision était capitale, il n'y aurait pas eu de guerre de Corée, ni de guerre du Vietnam, ni de Révolution culturelle.

Chacun de ces événements avait eu lieu parce que la fabrication des mythes, et non la réalité, avait décidé d'une certaine ligne de conduite.

L'aveuglement, qui obligeait aussi à tromper les autres, l'avait emporté. Et avait engendré ses propres catastrophes.

Subitement, certains experts étrangers furent arrêtés.

Parmi ceux qui furent emprisonnés, il y avait Herbert Luger et sa femme, Alicia.

Les émissions de radio de Herbert avaient été des panégyriques sans faille de la Révolution culturelle. On le disait très lié à la constellation montante du pouvoir. Pourquoi, alors, avait-il été emprisonné ?

« Une épidémie d'espionnite, peut-être, avait suggéré Michael Anstruther quand Stéphanie lui avait téléphoné à Londres. Le type de notre agence à Pékin est aussi assigné à résidence, ainsi qu'un couple d'ingénieurs d'Allemagne de l'Ouest, venus à la demande du gouvernement participer à la construction d'une aciérie. »

Stéphanie se mit à prier. Elle priait tous les jours à présent, pour Yong, pour Trésor d'Hiver. Elle priait Dieu, sans se soucier si c'était celui des catholiques, des méthodistes ou des presbytériens. La prière jaillissait d'elle spontanément.

« Oh, mon Dieu, j'aurais dû rester avec Yong... j'aurais dû rester... je l'ai abandonné, je les ai tous les deux abandonnés, je vous en supplie, veillez sur eux. »

Ne pas avoir de nouvelles, pas le plus petit mot, était une torture.

« Maman », disait Hirondelle. Elle prononçait ce mot avec un léger accent français. Effet de vacances en Provence chez sa grand-mère.

« Oui, ma chérie.

— Est-ce que tu pries pour mon papa et mon frère ? Comme grand-mère qui prie tous les jours pour nous ?

— Oui ma chérie, je fais ce que grand-mère fait depuis des années.

— Mais est-ce *utile ?* demanda Marylee. Je ne crois pas que Dieu est quelqu'un de bon, maman. Sinon il ne permettrait pas que des mauvaises choses arrivent. Je ne suis pas sûre du tout que Dieu est intelligent, de les laisser se produire et *puis* d'obliger les gens à le supplier pour qu'il les arrête.

— Dieu laisse toujours aux hommes l'usage de leur libre arbitre, pour faire des bonnes ou des mauvaises choses... »

Marylee secoua la tête du même mouvement que sa mère, jadis. « Aujourd'hui j'ai frappé une fille qui avait dit que mon papa devait être un homme méchant. Je frapperai tous ceux qui diront ça...

— Oh ma chérie, ma chérie, dit Stéphanie. Viens, viens. »

Elle sentait le petit corps pressé contre le sien, qui tremblait, tremblait de colère, mais aussi de souffrance. « Oh ! mon Dieu, pria Stéphanie, je vous en supplie, faites que tout se termine bien. »

Ils se tenaient debout dans le camion qui descendait lentement l'avenue principale. Leurs têtes baissées rencontraient les visages levés des gens qui les regardaient passer. Mais il n'y avait pas de colère, pas d'insultes, rien que le silence, un intérêt passager, qui se diluait à mesure que la foule indifférente s'éloignait.

Chacun d'eux avait un écriteau autour du cou : « Notable bourgeois ». Yong avait, en plus, sur sa pancarte, « Droitiste impénitent ».

Shanghai était à présent aux mains des révolutionnaires de « gauche ». Il y avait déjà eu de nombreuses scènes semblables et l'effet de nouveauté était émoussé.

A côté de Yong se tenait le docteur Hsieh. Le docteur Fan était un peu plus loin, vers l'arrière du camion. De l'autre côté de Yong se trouvait un collègue qui s'était montré particulièrement sévère pour les droitistes, en 1957 — plus de dix ans auparavant. Il vivait très mal sa propre déchéance. « Un gentleman préfère la mort à l'insulte », marmonnait-il. Yong remarqua qu'il devenait chauve.

« Ne soyez pas ridicule, lui dit Hsieh. Mourir n'arrange rien.

— Est-ce bientôt fini ? » demanda le docteur Fan. C'était la première fois qu'on le faisait défiler ainsi. Hsieh et Yong avaient déjà été exhibés trois fois. Ils étaient habitués à la routine.

« Encore une heure ou deux, dit quelqu'un. Ils s'arrêtent toujours au bord du fleuve, crient quelques slogans et nous ramènent à l'hôpital.

— Notables bourgeois, gardez vos têtes baissées et taisez-vous », cria le garde rouge qui tenait le porte-voix.

L'hôpital avait été « saisi » par un nouveau comité révolutionnaire. C'était la troisième fois de l'année qu'un « comité révolutionnaire » pur et dur prenait la direction de l'hôpital. Heureusement, les changements s'étaient effectués sans saccage de matériel ni trop d'ingérences dans le travail médical.

Dans le camion de tête se trouvait l'avant-dernier comité révolutionnaire, dont les membres déchus avaient aussi des écriteaux autour du cou. Comme leurs propres prédécesseurs.

Yong bâilla. Il y avait tellement de travail à faire. Il avait à nouveau été étiqueté « droitiste ». Sa réhabilitation était le fait de « membres du Parti au pouvoir suiveurs de la route capitaliste », lui avait-on expliqué. Elle n'était donc pas valable. « Mais c'étaient ces mêmes personnes qui m'avaient d'abord condamné », protesta Yong.

La parade s'acheva et Yong s'empressa de retourner dans les salles achever son travail interrompu. Le docteur Hsieh rentra chez lui ainsi que le médecin chauve qui continuait de marmonner : « C'est intolérable... un gentleman ne peut pas perdre la face... » Certains médecins procédaient à des ablutions de leur visage et de leurs mains après la parade, comme si le fait de se laver leur rendait leur dignité.

Le docteur Fan chuchota à Yong une histoire drôle. Maintenant qu'ils portaient tous une étiquette et subissaient les mêmes brimades, personne ne se souciait que Yong fût un droitiste et tout le monde lui parlait. « Savez-vous ce qui est arrivé quand " ils " sont allés arrêter..., il cita le nom d'un comédien célèbre. Il les attendait avec un grand bonnet d'âne qu'il avait lui-même confectionné. " J'ai voulu vous éviter ce souci ", a-t-il dit et il l'a mis sur sa tête. » Yong éclata de rire. Le docteur Liu, qui n'avait pas été exhibé cette fois-ci, entra d'un pas vif en chantonnant.

« J'aimerais bien être emprisonné en ce moment, dit Liu sur le ton de la conversation. Il paraît qu'on rencontre les gens les plus distingués en prison. Tous ceux qui sont quelqu'un dans le Parti s'y trouvent. Et quand le Ciel et la Terre changeront une nouvelle fois de place, ça sera bien utile d'avoir connu tous ces gens importants. » Tous les médecins pouffèrent.

Yong acheva sa visite des salles et ragagna son petit appartement dans le bâtiment où logeaient les médecins. L'hôpital était une ancienne mission fortifiée datant des années 20. Avec de bons planchers et de grandes fenêtres. Des appartements comprenant une, deux ou trois chambres. Celui de Yong était au rez-de-chaussée et possédait un petit balcon sur lequel il se reposait le soir venu. « Le docteur Jen réfléchit, il regarde les étoiles », chuchotaient ses voisins. Ils recommandaient à leurs enfants de ne pas faire de bruit et s'interdisaient de lui parler car ils savaient qu'un homme a besoin de rester avec ses pensées et ses rêves, surtout quand il contemple le firmament.

Qu'aurait pu faire d'autre Jen Yong ? se disait le docteur Hsieh, qui habitait de l'autre côté du jardin. Tandis que, dans la cuisine, sa femme belge préparait, imperturbable, un ragoût de bœuf au vin rouge qu'il détestait mais mangeait tout de même, Hsieh regardait la silhouette blanche, solitaire sur son balcon. Que peut faire d'autre un homme quand il est confronté à sa solitude ?

Hsieh restait à la fenêtre jusqu'à ce que la nuit s'installât. Il se tournait alors vers sa femme, sa femme qui n'avait aucune idée de ce qui se passait, dont le seul contact avec les événements avait été le jour où, dans la rue, un jeune garçon lui avait lancé un trognon de chou. « Je le lui ai aussitôt renvoyé », avait-elle dit. Quelqu'un d'autre aurait peut-être été arrêté comme contre-révolutionnaire mais pas elle : la foule avait ri, ravie de sa réaction. Les enfants Hsieh avaient été systématiquement et totalement tenus à l'écart. « Vous êtes des étrangers », leur avait-on dit. Ils restaient à la maison, lisaient, s'ennuyaient et ne savaient rien de ce qui se passait. Hsieh sourit et jeta un dernier regard au balcon, vide à présent. Après avoir été promené sur le camion il était rentré chez lui et l'avait raconté à sa femme. Elle s'était contentée de dire : « J'espère que tu n'as pas pris froid. » Attraper un rhume était, pour elle, la plus grande calamité.

La nuit tomba, avec cette soudaine obscurité de l'automne, qui dépose son velours sombre dans tous les recoins de son domaine. Yong rentra dans sa chambre et n'alluma pas la lumière. Il se dirigea vers le mur qui faisait face à son lit et posa la main dessus, en une touche légère. « Stéphanie, chuchota-t-il. Stéphanie. »

Elle était là, derrière la papier gris.

Quand les gardes rouges étaient venus, l'année précédente, à la recherche de matériel « noir », ils avaient aussi examiné les murs. Certaines personnes y cachaient des gravures anciennes, des rouleaux, des livres généalogiques, en les fixant derrière le plâtre.

Les gardes rouges avaient gratté tous les murs et arraché consciencieusement le papier peint. Yong les avait regardés faire. Stéphanie avait été punaisée entre deux feuilles de bois sous le fond d'un tiroir Trésor d'Hiver et lui avaient fendu le bois et inséré la photo. Après le départ des gardes rouges, Yong avait retapissé les deux pièces de son appartement, ouvertement, sans se cacher. Il avait enlevé Stéphanie du tiroir et l'avait installée sur le mur derrière le papier. Les meubles, et en particulier les bureaux, étaient réquisitionnés par le nouveau comité révolutionnaire. Si on lui enlevait son bureau, il perdrait Stéphanie...

« Tu seras en sécurité, avait-il chuchoté à la photo, avec la chevelure de Stéphanie soulevée par le vent, avec son rire qu'il entendait dans le silence. Je ne vois pas ton visage, ma bien-aimée, mais je sais que tu es là et peut-être connaîtrons-nous la paix à présent, toi et moi... »

Ça lui était d'un grand réconfort. Chaque soir, il effleurait le papier, à peine, du bout des doigts. « Stéphanie, je vais te raconter ce qui s'est passé aujourd'hui, ainsi que je l'ai fait tous les jours depuis que tu es partie. Je vais l'écrire. Tu ne recevras jamais la lettre mais cela ne fait rien. Chacun de mes mots aura vécu, même si ce n'est qu'une heure brève. »

Il s'assit à son bureau et écrivit, dans l'obscurité. Il avait pris l'habitude de tout faire dans le noir. Au toucher.

« Stéphanie, te dirai-je une nouvelle fois combien je t'aime, et que je continue à vivre parce que je t'aime ; je dois consacrer toutes les heures que je peux à l'espoir, l'espoir que peut-être, un jour, je te reverrai dans cette vie. »

Quand il eut fini, il rassembla avec soin les minces feuilles de papier et les déchira en morceaux très petits, minuscules. Puis il les mit dans le poêle de la cuisine, parmi les cendres. Le matin, il allumait le poêle pour faire bouillir de l'eau pour le thé et pour réchauffer un bol de gruau de riz. Il prenait ses autres repas à la cantine. La lettre brûlerait.

Les nuits devenaient fraîches à présent et il étendait sur son lit le léger édredon piqué en patchwork que Stéphanie et lui avaient acheté à New York, dans une boutique de Madison Avenue qui vendait des objets artisanaux américains. Il chérissait cet édredon. C'était, comme la photo de Stéphanie, une chose qu'il pouvait garder. Qui lui rendait sa solitude supportable.

Il avait dû se dépouiller de tout le reste.

Jen Lin, Trésor d'Hiver, se sentait adulte. Il avait presque vingt ans en cet automne de 1968 ; il avait bien grandi car, à douze ans, son père l'avait initié à l'âge d'homme en plaçant sur ses épaules le fardeau de sa propre vie. Douze ans, le moment pour les enfants d'aborder le passage à l'âge adulte et de se dépouiller de leur puérilité.

Les enfants maîtrisent bien le chagrin et la peur. Le recul craintif devant la souffrance, le chagrin, l'horreur, cette sensibilité aiguë des nerfs et du cerveau, vient avec l'âge, comme les rhumatismes. Les contes de fées pour enfants sont terrifiants et leur enseignent à dominer leurs propres peurs. Trésor d'Hiver n'avait pas eu besoin de contes de fées pour connaître la peur, pour savoir comment vivre avec elle et comment s'y soustraire.

Trésor d'Hiver avait compris que *Tietie* ne pouvait pas écrire à Maman. *Tietie* craignait d'intervenir dans une chose nébuleuse pour son fils et qu'il appelait la liberté personnelle de Maman. Il avait accepté le fait que Maman était bonne, que ce qu'elle avait fait ne devait pas être commenté, ou jugé, par son fils. *Tietie* craignait de troubler Maman en lui écrivant et c'était donc à Jen Lin, son fils, de le faire à sa place. De même, Grand-Père et Grand-Mère le chargeaient de transmettre à Maman leurs pensées affectueuses. Ils n'écrivaient pas directement à leur belle-fille, ne voulant pas la forcer à se rappeler leur existence. Jen Lin, homme avant d'avoir fini d'être un enfant, écrivait à Maman au nom de toute la Famille.

Ce n'est qu'en 1967, quand la poste passa aux mains d'un comité révolutionnaire de l'extrême gauche, qu'il cessa d'écrire.

« Contacts illicites avec l'extérieur », s'indignaient les journaux à grands cris. On ouvrait à présent les lettres à destination de Hongkong, on décollait les timbres pour s'assurer qu'il n'y avait pas de message inscrit au dos.

Bien qu'à l'automne, la mise au pas des gardes rouges eût commencé, Trésor d'Hiver ne reprit pas sa correspondance.

Sur les quelque trente millions de gardes rouges éparpillés en centaines de groupes, la grande majorité, écœurée par le chaos, se soumit aux ordres. Certains, dont le groupe auquel appartenait Trésor d'Hiver, avaient toujours scrupuleusement respecté les consignes de non-violence.

Le groupe de Trésor d'Hiver était dissous. Ils avaient patrouillé la nuit, étaient intervenus quand ils avaient vu d'autres groupes traîner des gens hors de leurs maisons pour les battre, ou pour les tuer. Certains membres du groupe avaient été gravement blessés au cours de ces affrontements car ces gangs se servaient de gourdins, d'épieux et de couteaux. Pour dix pour cent environ des trente millions de gardes rouges, la violence était devenue un mode de vie.

Trésor d'Hiver avait vu beaucoup de ses amis envoyés dans des fermes d'Etat, dans des communes tout au nord de la Mandchourie. D'autres, comme lui, étaient restés dans la ville. Le gouvernement ne faisait pas partir les « enfants uniques ». On ne devait pas enlever aux personnes âgées, qui étaient invalides et dont l'état nécessitait des soins, les jeunes qui pouvaient s'occuper d'eux. Grand-Père et Grand-Mère avaient besoin de lui car il n'y avait aucun adulte en bonne santé auprès d'eux.

Deux fois par semaine, le soir, Jen Lin escaladait le mur d'enceinte de l'hôpital. Il venait gratter à la fenêtre de la chambre de son père. Ils parlaient, à voix basse, très basse.

Une fois par mois, il rendait visite à Oncle Keng. Celui-ci étant un vieil ami de la Famille, ce contact ne pouvait pas être considéré illicite.

Oncle Keng était à nouveau une « personne protégée », tout comme le général Yee. C'était là l'œuvre de Chou Enlai. Il s'efforçait de protéger le plus de gens de valeur possible. Des savants, des experts nucléaires, des intellectuels ayant accompli de grandes choses. Et pour cela, les nouveaux détenteurs du pouvoir le haïssaient.

Oncle Keng avait dit à Trésor d'Hiver : « Sois prudent à propos de ta mère. Ne parle pas de nos ennuis à des étrangers. Le chagrin familial ne doit pas être divulgué à l'extérieur. Ne l'oublie pas. »

La famille Jen avait traversé l'épreuve des siècles, elle survivrait à ce typhon.

Grand-Père et Grand-Mère, *Tietie* et lui s'étaient réunis et avaient décidé de se débarrasser de tout matériel « noir », objets anciens féodaux, preuves de contacts illicites, qui auraient pu provoquer la colère de ces jeunes incultes.

Ils avaient donné au musée, « lieu protégé », la porcelaine très ancienne, les livres, les rouleaux, les calligraphies. Les caves voûtées du musée abritaient ainsi de nombreux trésors de famille.

Les Jen enterrèrent quelques vases moins précieux dans le jardin, à une bonne profondeur.

Ils creusèrent beaucoup plus loin pour les tablettes des ancêtres et les archives de la Famille.

Ils firent apposer les scellés sur le pavillon de Yong par la Sécurité publique.

Puis ils attendirent les coups à la porte et les cris : « Ouvrez, ouvrez, nous perquisitionnons pour trouver du matériel " noir ". »

Ils furent perquisitionnés.

Certains groupes de gardes rouges se montrèrent courtois, s'excusèrent de ces intrusions et se retirèrent poliment après une visite superficielle.

Mais il y eut aussi des bandes de jeunes provinciaux ; pour eux, tout n'était qu'abomination à Shanghai. Même les robinets d'eau courante et les cabinets étaient « étrangers » et devaient donc être détruits. Tout comme les pianos, jusqu'à ce que la propre femme de Mao fût intervenue pour les protéger.

Une telle bande se présenta à la maison du Jardin du Bassin au Saule, sortit Grand-Père et Grand-Mère de leur sommeil et les obligea à rester pendant dix-sept heures en tenue de nuit sur la véranda de leur propre pavillon ; ils fouillèrent, soulevèrent des meubles, les jetèrent dehors, arrachèrent les tiroirs, sondèrent les murs, à la recherche d'or, de papiers cachés... de n'importe quoi.

Ils découvrirent le pavillon où avaient habité Yong et Stéphanie et qui, à présent, abritait leurs meubles, leurs livres et les vêtements de Stéphanie. Mais il y avait de grandes bandes de papier collées en travers de la porte avec l'inscription : « Protégé par la Sécurité publique », et ils n'osèrent pas briser les scellés à l'aspect impressionnant.

Ils creusèrent le jardin à fond.

Et exhumèrent triomphalement un vase ; confrontée à l'objet, Grand-Mère s'exclama : « Il doit être très ancien. Il faut informer les services d'archéologie de la ville... nous ne savions pas que notre jardin pouvait recéler de tels trésors. »

Les gardes rouges durent aller trouver les archéologues qui déclarèrent d'un ton grave qu'ils étudieraient l'âge du vase.

En les regardant creuser, Grand-Mère avait dit d'une voix attristée : « Pauvres enfants, si ignorants, c'est honteux de leur mentir et de les tromper ainsi... »

La bande de jeunes garçons et filles, seize en tout, était restée une semaine chez la Famille Jen. La maison était agréable et possédait une salle de bains confortable. Ils en firent amplement usage. Les bains rendent les gens amicaux.

Ils fouillèrent le pavillon des ancêtres, qui était vide. Les filles s'y installèrent. Ils obligèrent le vieux couple et Trésor d'Hiver à se loger dans une chambre de domestique et invitèrent cinq familles d'ouvriers à venir habiter les pavillons.

Pendant dix-huit mois, ils allaient vivre tous les trois dans cette petite pièce. « Nous n'avons pas été indûment inquiétés... », écrivait Trésor d'Hiver à sa mère.

La situation était totalement imprévisible. La fille de M. Tam, le millionnaire d'Indonésie, qui avait épousé un Américain, ne reçut jamais la moindre visite des gardes rouges. Mais son fils, qui enseignait dans une province à l'intérieur du pays, fut arrêté et battu plusieurs fois pour lui faire avouer qu'il était un espion de la C.I.A.

Trésor d'Hiver veilla au confort de ses grands-parents. Il dormait sur une paillasse à même le parquet. Il charriait de l'eau, du charbon, allait au marché, préparait les repas sur un petit poêle installé sous un auvent. La nuit, il retrouvait ceux de ses amis qui n'étaient pas partis.

Il poursuivait ses études. On se passait les manuels, les cours. Tout un réseau clandestin d'études avait été mis sur pied et fonctionnait.

Toute-Ronde était élève dans une école secondaire quand la Révolution culturelle avait commencé ; elle devint garde rouge, en tant que fille d'un cadre haut placé du Parti. C'était une adolescente jolie, impétueuse, grisée par la perspective de changer le monde et enthousiasmée, comme des millions de gens en Chine, alors, par la promesse des Quatre Grandes Libertés, et la suppression d'une bureaucratie étouffante.

L'amour de Toute-Ronde pour Trésor d'Hiver n'avait pas diminué. Elle lui écrivait, souvent. Elle l'aimait depuis qu'elle avait quatre ans. Bien que son père lui affirmât que Trésor d'Hiver était un sang-mêlé et que les sang-mêlé étaient néfastes au sang pur des Chinois.

Son père disait aussi que sa mère avait une mauvaise origine de classe.

Pendant l'hiver de 1966, le père de Toute-Ronde partit pour Shanghai. Sa mère resta à Pékin et se rendit, quelque temps après, avec une délégation du ministère de la Santé, en visite amicale en Albanie, pays qui soutenait la Révolution culturelle.

Pendant l'absence de Meiling, son mari demanda le divorce, en invoquant la mauvaise origine de classe de Meiling et parce qu'il la soupçonnait de conspirer avec « ceux qui suivaient la route capitaliste à l'intérieur du Parti ».

« Il faut louer le camarade Sung qui a eu le courage de dénoncer Yee Meiling comme suiveuse de la route capitaliste ayant une mauvaise origine de classe. Il a coupé tous ses liens avec Yee Meiling. » Sung obtint son divorce en quarante-huit heures.

Pendant ce temps, le père de Meiling, le général Yee, quittait la grande maison où ils avaient tous vécu ensemble et allait s'installer chez un chef militaire de ses amis, dans le Sud. Il ne se sentait probablement pas en sécurité à Pékin. Mais sa résidence fut épargnée Sur ordre de Chou Enlai.

Le groupe de Toute-Ronde devint de plus en plus violent. Ils se mirent à battre les gens, en choisissant leurs victimes au hasard. Toute-Ronde suivait et commença, elle aussi, à battre les gens.

Le ministère de la Santé tomba à son tour sous le contrôle de la

« gauche ». On fit défiler les anciens cadres du Parti qui l'administraient et leurs maisons furent fouillées.

Toute-Ronde semblait vivre dans un état second, comme si elle avait été droguée. La nuit, elle vomissait et hurlait, « Tu dois te maîtriser, lui déclara le chef du groupe. C'est la révolution. »

Meiling, sa mère, revint d'Albanie. Elle débarqua de l'avion en ignorant tout de son divorce.

Elle fut arrêtée à l'aéroport qu'occupaient plusieurs des soixante-dix-neuf groupes de gardes rouges existant alors à Pékin, sous les ordres de chefs venus de Shanghai.

On la conduisit à leur quartier général. « Mais j'habite chez mon père, le général Yee », protesta-t-elle. Le général Yee n'est pas là, lui répondit-on. « Laissez-moi envoyer un message à mon mari, demanda-t-elle.

— Votre mari est à Shanghai et a obtenu le divorce, lui dirent-ils, et ils lui montrèrent la coupure de presse.

— Ma fille Toute-Ronde est garde rouge, cria-t-elle.

— Votre fille sera informée de votre retour. Si elle est digne d'être garde rouge, elle vous répudiera.

— Je ne le crois pas. Je refuse de le croire. »

On la garda trois jours et trois nuits dans une cave, et les gardes rouges se relayèrent par équipes de quatre pour l'interroger sans interruption et lui faire avouer qu'elle était allée à l'étranger pour conspirer contre la Révolution culturelle.

« Mais j'étais en Albanie, l'Albanie est un pays ami. »

Ah, mais elle avait été envoyée en Albanie par l'ancienne direction du Parti du ministère de la Santé, à présent renversée et contrainte de confesser ses crimes. Parmi ceux-ci figurait l'envoi à l'étranger d'une mission afin de conspirer contre la Chine.

« Je veux ma fille, Toute-Ronde... »

Une réunion d'accusation contre elle et les anciens cadres du Parti du ministère de la Santé fut organisée.

Meiling regarda autour d'elle. Rien que des visages familiers, des membres du Parti comme elle, honnêtes, scrupuleux, certains d'anciens maquisards qui avaient participé à la Longue Marche, et à présent alignés pour être critiqués.

Devant elle, des centaines de gens : les employés et les cadres moyens du ministère de la Santé. De nombreux postes de direction allaient se trouver libres pour tous ces gens.

Il y avait aussi les gardes rouges. Parmi eux, dans une rangée, se trouvait Toute-Ronde.

« Toute-Ronde, ma fille », appela Meiling, joyeuse. Enfin. Mais Toute-Ronde ne la regarda pas. Elle gardait la tête baissée et les yeux fixés sur le sol.

« Toute-Ronde, regarde, c'est ta mère... », cria-t-elle mais tout le monde criait, hurlait des slogans et peut-être Toute-Ronde n'avait-elle pas entendu.

A présent, on les accusait de divers crimes mais Meiling ne perçut pas un mot de ce qui se disait. Elle avait les yeux fixés sur Toute-Ronde qui restait assise, immobile, la tête baissée.

Soudain, elle se leva, sans regarder sa mère, et s'enfuit, descendit en courant le long de l'allée et disparut.

« Toute-Ronde. »

Meiling se sentit mieux. Au moins Toute-Ronde ne s'était pas levée pour accuser sa mère ; elle était partie ; et Meiling redouta soudain que ses camarades ne l'accablent de leurs sarcasmes et de leur mépris, pour avoir montré une telle solidarité avec une contre-révolutionnaire.

L'ancienne direction du ministère devrait dorénavant faire le ménage des locaux et exécuter les tâches serviles qu'elle avait imposées à d'autres.

Ils furent logés dans les sous-sols du ministère. On leur donna des lits de camp. De la nourriture, de l'eau. Des couvertures militaires.

L'un de ses anciens collègues dit à Meiling : « On vous a traitée ainsi parce que votre mari vous a accusée, sinon vous y auriez échappé..

— Mais mon père...

— Votre père est dans le Sud. On dit qu'il fait partie d'une fraction de l'armée qui est contre la " gauche " et qu'il n'a donc pas d'influence.

— Je veux parler à ma fille, dit-elle aux gardes rouges le lendemain.

— Votre fille ne veut pas vous voir. Elle est allée à Shanghai, auprès de son père », lui fut-il répondu.

Meiling nettoya, lava, frotta. Elle exécuta consciencieusement toutes les tâches qui lui était assignées, comme elle l'avait toujours fait. Le troisième jour, à midi, pendant que les autres « criminels » mangeaient et que les nouveaux dirigeants prenaient aussi leur déjeuner à la cantine, elle monta, monta tout en haut des escaliers jusqu'au dernier étage du bâtiment.

De là, on avait une belle vue de la ville, avec les tuiles dorées des palais impériaux et les masses vertes des arbres dans le parc.

Elle sauta.

Elle tomba mal et atterrit sur la véranda de marbre qui entourait le premier étage, sous les yeux de tous les gens attablés dans la cantine.

Beaucoup crièrent en voyant s'écraser le corps.

Il fallut un certain temps pour amener un brancard. Pour envoyer chercher un médecin. Le suicide était un aveu de culpabilité. « Yee Meiling n'a pas pu supporter le juste verdict des masses », dit quelqu'un.

Elle mit une heure à mourir.

« Madame Jen, déclara le sénateur, croyez-moi, c'est un grand plaisir de vous rencontrer. »

Dans l'atmosphère sereine de cette salle aux boiseries de chêne, aux beaux meubles anciens, aux profondes fenêtres ouvertes sur le vert somptueux d'un jardin que barraient d'un mince trait de lumière, là-bas, les eaux du Potomac, se trouvaient réunis des hommes très connus, des hommes de valeur — et qui n'avaient pas toujours les mêmes opinions.

Le temps était venu de la réappréciation. Moment douloureux et déchirant. Il faudrait prendre des décisions capitales.

En avril 1968, la télévision avait soudain annoncé que le président Johnson ne se représenterait pas aux élections présidentielles.

« Cela peut signifier la fin de la guerre du Vietnam, dit John Moore tout animé à Stéphanie.

— Et certainement une réflexion nouvelle sur la Chine. »

Washington était ébranlé par les conséquences de la décision de Johnson. Le rêve d'une grande société idéale s'était anéanti devant cet aveu de faiblesse.

Dans les mois qui suivirent, on demanda à John Moore, à Stéphanie, et à d'autres Américains possédant une certaine connaissance de la Chine mais considérés jusqu'alors comme « pas objectifs », de participer à des débats et des réunions à côté de sénateurs et de membres du congrès, tous désireux d'apprendre.

Stéphanie s'exprima avec simplicité. « A mon avis, les Chinois ont toujours été avant tout chinois. Ce qui ne signifie pas qu'ils renonceront facilement à ce qui a été pour eux, un instrument de succès. Mais ils " siniseront " le communisme et l'adapteront à leurs propres besoins. Ce qu'ils cherchent, c'est l'indépendance nationale et la prospérité.

— Mais que faites-vous de ces terribles campagnes politiques, de la Révolution culturelle et de ces horribles actes extrémistes ? demanda un sénateur.

— Mon mari et moi-même avons souffert de ces excès, monsieur. Tout ce que je peux dire, c'est que *si,* en 1945, mon pays avait choisi de faire un acte de foi, de contribuer à la démocratisation de la Chine aux côtés de Mao Tsetung, ces choses-là ne se seraient peut-être pas produites...

— La Chine est un très vieux pays avec une longue tradition de tyrannie. Il lui faut *apprendre* la démocratie. Nous avons choisi de refuser de la lui enseigner à un moment décisif de l'histoire. »

Mais les sénateurs étaient encore embrouillés dans un écheveau de stéréotypes et de postulats. « Votre mari est-il communiste ? Sinon, pourquoi est-il resté en Chine quand elle l'est devenue ? Viendrait-il aux Etats-Unis si nous l'invitions ? »

Stéphanie revit le visage de Yong, ce jeune visage qui rayonnait d'un amour ardent pour son pays. Elle assura sa voix et répondit :

« Mon mari descend d'une très vieille famille, monsieur. Ses membres ont traditionnellement servi leur pays, à travers des régimes différents depuis douze cents ans.

» Ils sont des millions comme lui en Chine. Des intellectuels non communistes. Qui ont choisi de rester en Chine communiste. Parce que la Chine sera toujours la Chine. Impérissable, immortelle. Et non pas à cause du communisme.

» Pour eux, s'enfuir, aller chercher ailleurs une vie plus sûre et meilleure pour eux-mêmes, n'est rien d'autre qu'une trahison. Ils refusent d'abandonner leur pays et leur peuple, de priver la Chine de leur savoir, de leur intelligence, de leur contribution possible à son progrès.

» Ils ont vu le gouvernement communiste à l'œuvre. Si odieux, autoritaire, et stupidement bureaucratique qu'il soit, il a aussi apporté un bien énorme aux gens ordinaires. Car quatre-vingt-quinze pour cent d'entre eux vivaient dans une misère épouvantable.

» La Chine a déjà commencé à adapter la doctrine communiste, à la transformer selon ses propres traditions. Comme elle a adapté et digéré tant de choses pendant les cinq mille ans de son histoire.

» La rupture avec l'Union soviétique a précisément eu lieu parce que Mao exigeait le droit pour la Chine de suivre sa propre voie, d'interpréter le communisme en fonction de ses propres besoins. Bien avant Tito, dès 1937, Mao Tsetung a été un autre Tito, en refusant les diktats du Komintern.

» Mon mari est chinois. Il aime son pays et son peuple. C'est un patriote, comme tant d'autres. Ne devrions-nous pas comprendre, et respecter ce patriotisme ? »

Les sénateurs restèrent silencieux. L'un d'eux, enfin, prit la parole.

« Madame Jen, diriez-vous que notre vision de la Chine a souffert d'un certain manque de réalisme ?

— Oui, monsieur, dit Stéphanie d'une voix grave. Je le dirais certainement. »

Il y a un espoir, il y a un espoir, chantait le cœur de Stéphanie.

Partout dans les Etats-Unis, le monde des affaires bougeait.

Au cours d'une réunion du conseil d'administration de BEST, qui se tint à New York, Dick Steiner définit ce qu'une « ouverture » de la Chine pourrait signifier pour l'économie américaine. « La Chine aura des besoins énormes dans le domaine des ordinateurs et des microprocesseurs.

» Nous avons une équipe chargée d'étudier ses besoins en matière de transports et de télécommunications. En fait, elle ne peut résoudre quelques-uns de ses problèmes essentiels, tels que l'éducation par exemple, la communication, l'imprimerie de livres, etc. qu'en utilisant les techniques les plus modernes. » BEST avait donc là l'occasion de se lancer dans un vaste projet, en se servant de la variété de ses compétences intellectuelles pour aider la Chine à résoudre ces problèmes.

« Yong avait raison, dit Stéphanie à John Moore. Il me taquinait toujours en disant qu'un jour, mon père viendrait à Pékin serrer la main de Mao et vendre les avions Ryder à l'Armée rouge... et maintenant, il semble bien que c'est devenu possible. »

Ils n'étaient plus amants à présent, mais des amis unis par une solide affection faite de confiance et de respect mutuel.

John ne s'était jamais satisfait de son rôle de substitut d'un amour inaccessible. Mais, parce qu'il aimait Stéphanie avec une intensité qui empêchait tout autre attachement, et parce qu'elle avait tellement besoin de lui, il avait accepté la situation.

Hirondelle, en grandissant, avait aussi affecté leurs rapports. Elle en voulait à John. Et le montrait. Elle manifestait une passion jalouse pour son père absent. Et, inconsciemment, Stéphanie avait changé d'attitude.

John Moore regardait Stéphanie. Elle rayonnait, illuminée par l'espoir que tout irait bien désormais, comme dans les contes de fées. Car ce n'était pas de lui que venait la source de lumière qui, tour à tour, la rendait radieuse ou l'assombrissait ; elle ne s'était jamais dégagée de l'emprise du premier amour. Les années n'avaient ni calmé ni détruit cette passion qui s'était emparée d'elle pour toujours.

A présent, John devait se contenter de ce qui avait été. Du long automne de son amour. Peut-être avait-il eu sa part, et même plus. C'était mieux que rien, mieux que ce que la plupart des gens auraient jamais.

26

Il l'avait toujours su.

Cela se produirait forcément la nuit. Le grattement de souris au carreau de sa chambre. Le chuchotement deviné, ni vent ni rêve. Une ombre plus légère que l'obscurité.

« Qui est-ce ?

— Des amis. Des amis de votre fils Jen Lin. »

Jen Yong n'alluma pas. Silencieux dans ses pantoufles, il alla à la porte de la cuisine, l'ouvrit, longea le mur de briques, jusqu'à l'angle du bâtiment, et vit le jeune homme, debout près de la fenêtre de sa chambre.

C'était le chemin qu'empruntait Trésor d'Hiver. L'endroit où il se tenait.

« Docteur, nous vous avons amené un homme malade...

— Pourquoi à moi ? Pourquoi pas à l'hôpital ?

— Attendez de voir qui c'est... »

Le silence baignait le sentier bordé de plants de pois. On entendait seulement le crissement léger des insectes. Ils se tenaient près du carré des gourdes, cinq silhouettes vêtues de sombre, entourant le corps allongé sur le sol.

Yong avait déjà reconnu les bruits : la respiration stertoreuse, le soupir prolongé, puis un silence, et à nouveau cette aspiration laborieuse qu'il connaissait si bien et avait si souvent entendue.

« ... battu, laissé pour mort... nous l'avons sauvé et vous l'avons amené... »

Yong était furieux. Une colère rouge, brûlante, aveugle. « Des ennuis pour moi. Encore des ennuis. Pourquoi être venu à moi ? Pour me créer des ennuis ? Est-ce que mon fils est au courant ? Cet homme est-il un contre-révolutionnaire ?

— C'était un membre important du Parti, docteur... vous connaissez probablement son visage... votre fils fait partie de notre groupe mais n'était pas avec nous. »

Le jeune homme alluma un crayon lumineux et dirigea le mince faisceau sur le visage de l'homme. Les yeux tressaillirent quand la lumière les toucha.

Yong le connaissait. Ses photos avaient paru dans les journaux. C'était un homme bon. Un homme important. Il avait encouru la colère des nouveaux maîtres au pouvoir par sa droiture. Et quelqu'un haut placé avait engagé une équipe de tueurs pour se débarrasser de lui. De telles choses se produisaient encore, ce genre de bandes existaient toujours, bien qu'elles fussent traquées par la police.

« Ils l'ont laissé pour mort, nous sommes arrivés, nous les avons attaqués et ils se sont enfuis. »

Yong eut un sourire sarcastique. « C'est vraiment un cadeau du ciel », dit-il d'une voix mordante.

Mais, en même temps, il savait que ces jeunes étaient courageux et désintéressés. Une vague de bonheur l'envahit de voir qu'il existait tant de bravoure et d'héroïsme parmi la jeunesse et chez son propre fils.

Ils placèrent l'homme sur le lit de Yong. Quatre d'entre eux le portaient car c'était un homme du Nord, massif, trapu.

Yong l'examina dans l'obscurité, à l'aide de la mince lampe de poche. Il ne fallait pas que le moindre rai de lumière filtrât à travers ses rideaux, minces et usés.

La tension artérielle était basse, trop basse. La peau froide et moite. Le pouls irrégulier, rapide. Etat de choc. Hémorragie interne. Il percuta l'abdomen. Le bruit était sourd. Du sang dans la cavité ; les coups avaient dû faire éclater un rein, le foie ou la rate... Cela arrivait souvent.

Tandis que ses doigts palpaient l'homme, il se retrouva soudain à Chunking, en train d'examiner Mère Liang, et Stéphanie fut là, à ses côtés, lumineuse, belle, ses cheveux bruns enroulés sur sa tête...

Le crâne semblait intact. Les pupilles réagissaient normalement. On pouvait le sauver. Une transfusion sanguine, une laparatomie sans tarder pour déceler la source du saignement, enlever la rate, peut-être recoudre le foie...

Mais cela signifiait opérer un « contre-révolutionnaire ». Un chef militaire important atteint d'un cancer n'avait pas été opéré parce qu'il s'était opposé à Lin Piao, le dauphin de Mao. Les médecins avaient eu trop peur... S'ils l'avaient sauvé, ils auraient été envoyés dans les communes, et condamnés au travail manuel...

Il aurait été si facile pour Yong de secouer la tête, de murmurer : « On ne peut plus rien faire, il est trop tard. » L'homme était encore en partie conscient. Il saignerait un peu plus, puis sombrerait dans le coma. Ce ne serait pas une mort douloureuse.

Refuser les ennuis, des ennuis qui pourraient atteindre son fils, sa famille.

A son grand étonnement, il s'entendit dire : « Il a une hémorragie interne mais on peut encore le sauver. »

Cela signifiait qu'ils devaient soulever à nouveau le drap noir dans lequel ils l'avaient transporté, se rendre à l'hôpital à cinq minutes de chez lui et entrer dans la salle des urgences. « Deux d'entre vous seulement. Dites que vous l'avez trouvé dans la rue, que c'est un accident de circulation... un camion. »

Mais cela ne résolvait pas le problème principal. Pourquoi étaient-ils venus le trouver ? Pourquoi n'étaient-ils pas allés directement à l'hôpital ?

« Quand vous serez dans la salle des urgences, ne parlez pas de moi. J'arriverai. Je me promène souvent la nuit, quand je n'arrive pas à dormir. C'est une habitude. » Il ne leur dit pas qu'il ne pouvait pas toujours faire confiance aux infirmières ; certaines n'avaient presque pas de formation. Il venait donc vérifier l'état des malades. S'assurer que les soins avaient été donnés correctement. « J'arriverai quelques minutes plus tard. L'infirmière des urgences sera obligée de me consulter... »

Il leur dit d'inscrire l'homme sous un faux nom. De donner de faux noms et de fausses adresses pour eux-mêmes. « Seul l'un de nous a sa carte de résident, dit le jeune homme qui avait gratté à la fenêtre

— Alors il faut que les autres se cachent, et vous aussi », répondit Yong. Mais il savait son conseil superflu.

Dans les trois ou quatre jours suivants, ils devraient trouver quelqu'un qui prétendrait être un parent de l'homme et viendrait le chercher avant que la bande qui avait essayé de le tuer ne revînt l'achever.

« Il vous faudra le faire emporter très vite », dit Yong. Il pensait : Ils connaissent plus de combines que moi. Ils trouveront une solution.

« Nous vous le promettons. »

A trois heures du matin ce fut terminé.

Les infirmières semblèrent croire la version des jeunes gens. Yong opéra. La rate, engorgée par un ancien paludisme, avait éclaté Le groupe sanguin de l'homme n'avait pas posé de difficultés. Depuis la Révolution culturelle, beaucoup de gens donnaient volontiers leur sang ; les gardes rouges aussi, et les paysans dans les villages.

Yong se chargea seul de l'opération. Afin de n'impliquer aucun autre médecin, si le pire se produisait. Les infirmières pourraient toujours plaider l'ignorance. Mais le visage de l'homme était trop connu pour qu'un médecin ne l'eût pas vu au moins une fois dans les journaux.

Yong retourna se coucher. A sept heures, il recommencerait à opérer. Il se sentait en paix avec lui-même. Enroulé dans l'édredon, il laissa vagabonder son esprit. *Stéphanie, j'espère qu'ils trouveront quelqu'un pour l'emmener rapidement de l'hôpital... plus il y reste, plus les risques sont grands que quelqu'un vienne fourrer son nez dans cette histoire et parle...*

Au bout de quarante-huit heures, l'homme donna des signes de guérison. Il était costaud. Il était aussi prudent et habile. Il ne manifestait aucun sentiment quand il regardait Yong. Il ne parlait pas et se contentait de grogner comme s'il avait été un grossier paysan.

Mais quelqu'un allait deviner. C'était inévitable. L'homme avait des contusions et des bleus sur le dos, sur tout le corps. « Le camion a dû le heurter très fort », dit Yong sur le ton de la conversation à l'infirmière de salle. Elle ne répondit pas. Peut-être ne parlerait-elle pas...

Trésor d'Hiver vint le voir la seconde nuit et Yong lui dit : « Tu ne dois pas être mêlé à ça, tu dois rester totalement en dehors de cette histoire. C'est une affaire politique... ces jeunes doivent venir le chercher.

— Ne t'inquiète pas, *Tietie*. Je vais arranger ça. » Trésor d'Hiver possédait une telle assurance tranquille, comme s'il se mouvait à l'aise dans le danger permanent au milieu duquel il vivait. Il dit à son père : « Toute-Ronde est venue à Shanghai. Elle habite chez nous parce que son père ne veut pas d'elle. Il va se remarier. »

La femme du professeur Chang Shou avait été critiquée. Un de ses brefs et élégants poèmes disait :

La tristesse entre, furtive,
malgré la splendeur
des pivoines épanouies.

On y vit une insulte à la Révolution culturelle. Comme elle avait subi une colectomie, certains jeunes voulaient la faire défiler, pour montrer ce phénomène. « Mais nous nous sommes débrouillés pour la faire hospitaliser et personne ne peut venir l'arracher de là. »

Trésor d'Hiver partit, de son pas léger et précis qui ne dérangeait pas l'herbe sous ses pieds, ni l'air qui l'entourait, ni l'obscurité qui l'enveloppait. Et Yong pensa : Mon fils. Qui a acquis une telle sagesse, une telle maturité, avant d'en avoir l'âge...

Le cinquième matin, alors que Yong devenait blême d'angoisse, il trouva le lit de l'homme vide. L'infirmière de salle lui dit : « Son fils et sa fille sont venus le chercher. Ils sont dans l'armée. »

Yong se sentit léger, léger. Il éprouva un tel soulagement qu'il nota l'épisode pour Stéphanie. « Je suis heureux qu'il y ait tant de jeunes si généreux, et que notre fils soit l'un d'eux... peut-être réussiront-ils à maîtriser les furies qui déchirent en ce moment notre pays. »

L'hiver s'éloigna cahin-caha et la famille Jen récupéra ses pavillons.

Les familles d'ouvriers partirent. Des peintres et des charpentiers commencèrent à réparer ce qui avait été endommagé.

Mais les universités restaient le théâtre de luttes féroces entre bandes rivales. Trésor d'Hiver partit travailler dans une commune car ses cousins étaient revenus et il y avait donc d'autres membres de la famille pour s'occuper de ses grands-parents.

Il emmena ses livres avec lui.

Yong les vit avant qu'ils l'aient aperçu.

Ils étaient cinq, le visage caché par un masque de tissu kaki avec des fentes pour les yeux ouvertes aux ciseaux, et ils portaient des piques et des bâtons.

Il les vit se diriger vers le bâtiment des médecins, ils passèrent sous la lanterne suspendue entre deux poteaux au-dessus du sentier.

C'était pour lui qu'ils venaient.

Oh Stéphanie, Stéphanie, j'ai peur.

Il pensa au cadre du Parti qu'il avait sauvé. Il y avait plus de six mois ; ça ne pouvait pas être à cause de lui...

Ils étaient derrière sa porte et discutaient à voix basse. Peut-être décidaient-ils de ce qu'ils allaient faire. S'il refusait d'ouvrir, il leur faudrait enfoncer la porte. Ses collègues interviendraient alors... peut-être. Le docteur Hsieh, en face, de l'autre côté du jardin... d'autres médecins... mais peut-être feraient-ils semblant de dormir ou bien leurs femmes les retiendraient. « Cela ne te concerne pas... pourquoi aller au-devant d'ennuis ? Songe aux enfants. »

Qu'allaient-ils lui faire ?

Ils frappèrent. D'une manière banale.

« Qui est-ce ?

— Nous représentons le comité révolutionnaire de sécurité du quartier. Nous sommes venus perquisitionner votre appartement. » La voix était aiguë et juvénile ; celle d'un garçon de quatorze ou quinze ans.

C'est un mensonge, pensa-t-il. Les membres de la sécurité ne portent pas de masques.

Stéphanie, j'ai peur qu'ils me tuent. Stéphanie, tu as toujours pensé que j'étais un lâche et c'est vrai, j'ai peur.

Il ne bougea pas. Il contempla le mur, il lui sembla presque voir Stéphanie ; elle était là, devant lui, et il les oublia, et la regarda. Il posa la main contre le mur, la toucha et commença à rêver. Il y avait si longtemps, à présent, cela faisait tant d'années ; il rêvait de plus en plus souvent qu'elle était de retour, qu'elle était là.

« Ouvrez, ouvrez. »

Ils n'ont pas peur, ils doivent avoir un protecteur puissant, l'informa la partie de son esprit qui s'occupait de la réalité présente. Mais l'autre partie flottait, partait à la dérive, loin, et entraînait son corps vers le lit ; il s'y assit, enfouit ses mains dans l'édredon et parla à Stéphanie.

Stéphanie, oh Stéphanie, je me souviens du Texas, de la griserie de ses espaces.

C'était tout ce qui lui restait d'elle, tout ce qu'il avait conservé. L'édredon. La photo. Et c'était assez pour le garder en vie par la perpétuation de l'amour. Mais, à présent, il savait qu'il allait peut-être mourir. Et il était si fatigué, si las.

Stéphanie, j'ai peur que nous ne puissions plus nous revoir. Je suis désolé, ma chérie ; d'une certaine façon, j'ai échoué. Je pensais qu'il y aurait un miracle et qu'un jour, tu réapparaîtrais, si belle, avec ton rire, et que je te verrais avec mes yeux de chair...

Mais cela ne devait pas être. Il le savait. Il devait mourir.

Ils n'enfoncèrent pas la porte. Ils l'ouvrirent. Le concierge leur avait probablement remis la clef. Ou peut-être se l'étaient-ils procurée à son insu. Yong revit le concierge, petit, vieux, décrocher d'une main tremblante le trousseau suspendu au-dessus de son lit et leur tendre celle qui portait l'étiquette : docteur Jen Yong.

Et il n'y avait pas de verrou intérieur. On les avait tous enlevés au début de la Révolution culturelle. Pour permettre aux équipes d'enquêteurs d'entrer. Mais aussi pour pouvoir pénétrer rapidement en cas de suicide.

Ils s'avancèrent dans la pièce et virent l'homme maigre, si maigre, si décharné, à la chevelure grisonnante ; il enleva ses lunettes et les posa soigneusement sur la table de chevet.

Ils avaient un boulot à exécuter et certains n'aimaient pas beaucoup ça mais leur chef avait dit que c'était pour la révolution et ils obéissaient à leur chef.

Ils allaient d'abord faire semblant de l'interroger, semblant, et lui demanderaient : « Chien contre-révolutionnaire, Jen Yong, confesse tes crimes... où est le matériel que tu as envoyé à cette espionne américaine, ta prétendue aimée ? Montre-le-nous sinon... »

Yong se mit à rire. D'abord doucement et puis ce fut trop. Il riait, riait vraiment, ivre de gaieté. *Stéphanie, les as-tu entendus ? As-tu entendu cette stupidité ? Ils sont comme des moucherons autour de la lampe du soir, qui volent en tout sens, interminablement, sans savoir pourquoi...*

Ils l'enveloppèrent dans l'édredon en patchwork. Ils le bâillonnèrent avec sa serviette de toilette. Puis ils commencèrent à le frapper.

De la routine. Il pensa : ce doit être une de ces bandes que l'armée pourchasse. Nos enfants, qui ont mal tourné. Mon fils aurait pu être comme eux.

A présent, il savait pourquoi ils l'avaient roulé dans l'édredon que Stéphanie et lui avaient acheté à New York. Afin que les coups ne laissent pas de traces. Pas de peau abîmée. On s'empresserait de conclure à un suicide.

Bientôt, son corps envahi par la douleur ne fut plus que douleur, une douleur si vaste qu'elle ne laissait pas de place aux mots ou à toute autre chose, rien que cette souffrance atroce. Il entendait les coups sourds sur son corps et s'étonna que leur bruit lui parvînt ; la couverture retardait le moment où il pourrait perdre conscience. Mais il savait à présent qu'ils le frappaient sur le ventre, sur les reins, pour le tuer lentement, et ça continua, coup après coup. C'était aussi une technique. Maintenant, ils lui brisaient les côtes. C'était atroce... atroce... Ils le frappèrent à nouveau et il ne réagit pas.

« Mort, dit la voix aiguë.

— Pas encore, mais il va mourir, dit le chef. Enlevez l'édredon et la serviette. »

Ils le laissèrent allongé sur le sol. Pas de désordre. Pas de sang. Le chef regarda l'édredon. Il le plia et l'emporta. Il ne manquerait à personne à présent.

Ils sortirent l'un après l'autre et refermèrent la porte à clef.

« Yong... Yong.

— Oh ma bien-aimée, je suis si heureux que tu sois revenue... »

C'était sa voix mais il ne pouvait pas la voir.

Il devait aller la rejoindre.

Elle était quelque part, tout près.

Mais il ne pouvait ni marcher ni se lever. Ils lui avaient brisé les jambes.

Il rampa, se traîna à l'aide d'un de ses bras. L'autre pendait, inerte. Vers le mur, où Stéphanie l'attendait.

Tu vois, mon amour. J'ai gardé ta photo. Je l'ai collée à l'intérieur du mur. Je savais que tu étais là, et le savoir me suffisait.

Sa respiration était douloureuse. Une souffrance énorme. Un liquide emplit sa bouche. Du sang, pensa-t-il avec détachement. Du sang et de l'écume. Bien sûr.

Il atteignit le mur et le griffa de ses ongles, avec sa main valide, pour arracher le papier et toucher la photo.

Mais, à présent, une grande obscurité descendait sur lui, bien plus sombre que la nuit. Le vent chuintait dans ses oreilles, le vent de Yenan, et avec lui cette obscurité immense qui allait l'emporter.

Mais Stéphanie était là. Derrière l'obscurité. Elle était venue, il devinait son sourire, bientôt il la verrait, il la verrait, il verrait le soleil dans ses cheveux.

Hsu Nuage Elevé, équipé d'argent, d'un édredon et de quelques vêtements, arriva à Canton où il devait rencontrer un « frère » de la

Triade. Encore quelques jours et on le ferait passer clandestinement à Hongkong.

Quand il pensait à sa chance, à son énorme chance, son cœur battait plus vite. Il tremblait d'émerveillement devant son destin. Vraiment un tel destin indiquait qu'il avait un grand avenir devant lui !

Les gardes rouges étaient entrés dans le camp de travail où il peinait à casser des pierres pour les nouvelles routes.

Ils l'avaient libéré ainsi qu'un millier d'autres hommes. Ils avaient crié : « Vive le président Mao ! Vive le vice-président Lin Piao ! »

Les jeunes avaient cru leurs histoires. Hsu savait parler. Il était un bon membre du Parti et avait été injustement accusé par les « suiveurs de la route capitaliste à l'intérieur du Parti », leur dit-il, parce qu'il avait dévoilé une espionne américaine.

Hsu mit un brassard rouge et entra dans les gardes rouges. Bientôt il devint le chef d'une petite bande de jeunes ; l'un d'eux avait à peine quinze ans.

Ils avaient connu quelques mois agréables. Ils avaient opéré dans les petites villes plutôt que dans les grandes. Ils criaient des slogans, juraient d'extirper de la région tout le mal, toute la pourriture du capitalisme, ses dégénérés et ses monstres. Les perquisitions rapportaient gros. Au bout de quelque temps, ils se mirent aussi à violer.

Mais soudain, les temps leur furent moins favorables. Le Parti se réformait. C'était Chou Enlai qui donnait les ordres à présent ; l'armée faisait systématiquement la chasse aux bandes de criminels pour en débarrasser les villes.

Mais il était encore possible de se cacher. Dans le dédale de ruelles de Shanghai. Surtout si l'on avait un protecteur. Et un tel homme était apparu.

Un membre d'une société secrète, de la même Triade que Hsu. Le camrade Ah Kao avait traversé tous les filets tendus contre lui, s'était sorti de toutes les enquêtes, et s'employait à présent à liquider en douceur les hommes du Parti qui auraient pu lui causer des ennuis. Pour cela, il avait besoin d'une petite bande de tueurs ; et qui aurait mieux convenu que Hsu et sa troupe de jeunes idéalistes, convaincus que ce qu'ils faisaient était pour le bien de la Révolution ?

Hsu Nuage Elevé avait ainsi réglé quelques problèmes pour Ah Kao. Celui-ci, en échange, lui avait promis de l'aider à gagner Hongkong où se trouvaient de nombreux « frères », qui l'aideraient aussi.

Mais, un jour, Hsu entendit dire qu'un de ces « problèmes » avait non seulement survécu mais s'était échappé. Il ne l'apprit en détail que quelques mois plus tard.

Jen Yong. Cet œuf de tortue a une nouvelle fois traversé mon chemin !

Le camarade Ah Kao était à présent vice-chef du comité révolutionnaire municipal de Shanghai. Il avait procuré à Hsu les permis nécessaires et l'argent pour rejoindre Canton, et, de là, s'enfuir à Hongkong.

Je me vengerai, se dit Hsu. Avant de partir, il tuerait Jen Yong. Pour se faire plaisir. Ensuite, il lâcherait les derniers membres de sa bande de jeunes ; il veillerait éventuellement à ce qu'ils fussent arrêtés pour le meurtre, pendant que lui serait hors de Chine, peut-être en Amérique !

Tous ses rêves se réaliseraient. Il monterait dans un avion et le grand oiseau argenté l'emporterait vers l'Amérique... où il retrouverait son ancien patron Tsing.

Hsu arriva à Canton et rencontra l'homme de la Triade. Tout avait été organisé. Dans quelques heures il serait à Hongkong.

Les trois hommes l'attendaient dans le léger sampan. La nuit était très noire et, le long de la côte avec ses milliers de baies et de criques, une telle embarcation progresserait sans risque. Joyeux, Hsu jeta son ballot de vêtements et l'édredon dans le bateau puis se hissa à bord. Les hommes se mirent à ramer, ils plongèrent dans l'eau leurs rames silencieuses enveloppées de chiffons et firent glisser le sampan vers le large.

Quand ils se furent suffisamment éloignés, ils s'approchèrent de Hsu. Ils le bâillonnèrent avec une serviette, lui attachèrent les mains derrière le dos, lièrent les pieds, entourèrent sa taille d'un filet lesté de grosses pierres et le jetèrent par-dessus bord.

Les Triades ne pardonnent jamais à un traître. Et Hsu avait donné plusieurs frères de rang inférieur...

Les hommes retournèrent avec les vêtements, l'argent, l'édredon piqué et les chaussures de Hsu. Ils emportaient toujours les chaussures afin que le fantôme du mort ne puisse pas les poursuivre.

27

Ils avaient franchi à pied le petit pont de bois qui enjambait le ruisseau représentant la frontière entre la gare de Lowu, du côté de Hongkong, et Shumchun, du côté chinois.

Les soldats de l'armée chinoise qui se tenaient sur le pont avaient regardé leurs passeports puis souri et dit « Bienvenue », en anglais et en chinois.

En attendant le train pour Canton, ils déjeunèrent à la gare de Shumchun. Les serveuses étaient des paysannes plantureuses, aux cheveux nattés, qui regardèrent Hirondelle avec curiosité ; elles s'enquirent de son âge et s'exclamèrent devant sa taille. Elles lui donnèrent un cadeau : un badge avec le portrait du président Mao, à accrocher à son chemisier.

Le train traversait les champs vert jade, qui montaient sans heurt jusqu'aux collines bercées par les arbres. Par la fenêtre, ils regardèrent les femmes Hakka, vêtues de noir, coiffées de leurs grands chapeaux ronds à large bord, debout dans l'eau peu profonde des rizières, le corps sculpté par la brise, offertes aurait-on dit à l'appareil photo du touriste — sauf qu'il n'y avait pas encore de touristes.

Stéphanie se renversa sur le siège confortable et capitonné et serra les bras contre sa poitrine comme pour contenir la nostalgie douce-amère qui l'habitait depuis qu'elle avait traversé le pont de bois. Elle désirait et redoutait à la fois cette confrontation avec elle-même, cette réunion de deux entités distinctes mais toutes les deux Stéphanie : celle qu'elle avait été et celle qu'elle était à présent.

Le bonheur d'Hirondelle était sérieux, grave. Elle avait dit à sa mère ce matin-là : « C'est quelque chose qui sera avec moi toute ma vie, n'est-ce pas, maman ? » A treize ans, elle exigeait de prendre elle-même les décisions la concernant ; peut-être était-ce aussi lié à l'adoration qu'elle portait à son père absent et inconnu, surtout depuis trois ans. Grand-mère y avait contribué. Isabelle, qui était retournée chercher ses racines en Provence et qui emmenait sa petite-fille dans des restaurants chinois, au musée Guimet.

« Mon enfant, tu ne seras jamais totalement toi-même tant que tu n'auras pas découvert ton côté chinois », avait-elle dit.

Le but d'Isabelle était de contrarier, de réduire la part américaine chez Marylee. Comme tant de Français, elle vivait dans la rancœur d'avoir été dépossédée. Car la France, à présent, était un petit pays, qui régnait sur les produits de beauté, les vins, la mode, mais plus sur le monde.

« Maman, serons-nous vraiment à Shanghai demain ? » demanda Hirondelle.

Sir Henry Keng, Eddy Keng, Stéphanie et sa fille allaient ensemble à Shanghai rendre visite à leurs familles.

Par un renversement spectaculaire de la situation, les visas étaient devenus accessibles. L'interdiction de parler ou d'avoir tout contact avec des Américains avait été levée aussi soudainement qu'elle avait été décrétée. Ce qui, naguère, était impossible, inimaginable, était devenu normal. « Mais, bien sûr, vous souhaitez aller voir votre famille », s'était exclamé le directeur de l'agence chinoise de voyages, comme si c'était devenu la chose du monde la plus facile à faire. Partout des mains serviables, des visages souriants.

On était en 1971. Henry Kissinger, cupidon corpulent et grand expert en navigation politique, était venu à Pékin d'un coup d'aile pour rencontrer Mao Tsetung et Chou Enlai. Le président Nixon devait s'y rendre en visite officielle dans quelques mois. Pour serrer la main des dirigeants chinois et s'entretenir avec eux. Le stupéfiant, l'incroyable était devenu fait banal et tout le monde oubliait pour quelles raisons il n'avait jamais été possible d'accomplir ces gestes simples auparavant.

Pendant ce temps, la guerre du Vietnam s'enfonçait toujours plus vers l'échec. Elle s'était même aggravée par une extension désespérée et inutile du massacre au Cambodge. L'impossible victoire militaire poursuivie par le Pentagone devenait de plus en plus chimérique.

En Chine, la Révolution culturelle n'était pas terminée ; un autre séisme s'était produit, un autre retournement spectaculaire. Le dauphin, Lin Piao, chef de la clique de « gauche », avait essayé de s'enfuir en Union soviétique et avait trouvé la mort dans la chute de son avion quelque part dans les terres désertiques de Mongolie.

La nouvelle ne serait pas officiellement annoncée avant de longs mois mais déjà Eddy Keng disait : « Chère Tante, espérons tous que le premier ministre Chou Enlai vivra très, très longtemps, afin que tout soit remis d'aplomb en Chine. »

Par déférence pour le style de la Révolution culturelle chinoise, qui avait aussi envahi Hongkong, sir Henry Keng avait acheté plusieurs exemplaires du Petit Livre rouge des citations de Mao à la librairie chinoise de la colonie et en avait donné un à chacun de ses compagnons de voyage. Il gardait le Petit Livre rouge à la main et l'agitait dès qu'il rencontrait quelqu'un. Jusqu'au moment où il s'aperçut très étonné, que cela ne se faisait plus.

A Canton, fuyant leur hôtel confortable mais étouffant, car il était de conception soviétique et prévu pour un climat arctique, ils allèrent se promener dans la chaleur lourde du soir. Ils flânèrent le long de la rivière Perle, la bien-nommée, dont les eaux diaphanes s'embrasaient tandis que le soleil couchant se mêlait tendrement à la mer, sillonnée par les sampans.

Sir Henry rencontra de vieux amis. Sir Henry avait des amis partout : où qu'il allât, ils surgissaient comme l'herbe sous les pieds sur une pelouse anglaise. Ces amis les emmenèrent dîner dans un restaurant de poissons sur un bateau ancré devant la petite île de Shameen, et la conversation fut aussi légère que de la crème fouettée, sans une allusion aux difficultés et aux tensions.

Pendant le festin, sir Henry fut abordé par un personnage très important de la province, qui lui proposa l'ouverture de discussions pour une éventuelle extension du commerce entre la Chine et Hongkong.

« Bonne chose pour nous, ma Tante, dit Eddy Keng à Stéphanie. Faire des chaussures de tennis très, très légères. Comme des espadrilles. En faire des millions. En Chine. Main-d'œuvre pas chère. Appliquer les techniques aérospatiales pour des chaussures de sport légères. Enlever poids ; les gens sautent plus haut, courent plus vite. Les Chinois peuvent faire des millions de chaussures pour nous, aussi pour eux... » Il rêvait déjà d'une société de chaussures spatiales, filiale en Chine de la Keng-Laï.

Le lendemain matin, dans l'avion qui les conduisait à Shanghai, une jeune femme assise à côté d'Hirondelle lui adressa la parole. Elle sortit bientôt un petit carnet et commença une leçon en anglais. « Avion. Mère. Ami... »

La jeune fille riait beaucoup et complimenta Stéphanie pour son chinois. « Je n'ai pas eu beaucoup le temps d'étudier ; j'ai travaillé dans une commune pendant trois ans... » Elle retournait voir ses parents à Shanghai. Elle leur montra ses mains, menues, agiles. « J'ai planté le riz. Je veux étudier l'agriculture moderne. »

L'avion atterrit et ils descendirent les uns derrière les autres ; il y eut un nouveau contrôle des passeports et des visas puis le policier leur dit « Bienvenue » et les conduisit vers une porte fermée.

Derrière cette porte, les gens attendaient les passagers. Derrière cette porte se trouvait le passé de Stéphanie, et aussi son avenir ; elle se sentit défaillir, ses genoux fléchirent. Elle étreignit la main d'Hirondelle, fort, trop fort. « Aïe, maman », dit Hirondelle puis elle serra à son tour la main de Stéphanie et sourit.

Ses cheveux noirs aux reflets bleutés flottant librement sur ses épaules. Ses sourcils arqués, le petit nez droit. La fille de Yong... Chaque pas qui les rapprochait de la porte le rendait plus évident. *Oh ! Hirondelle, que se passera-t-il quand tu rencontreras ton père, ton frère ?*

Puis ils eurent franchi la porte et elle le vit, vêtu d'une chemisette blanche à manches courtes, de celles qu'il portait en été, avec ces bras dont elle se souvenait, ces mains, cette peau au grain serré, sans lignes, sans pores.

« Yong, cria-t-elle, Yong... » Elle oublia tout et se précipita ; Hirondelle, les années n'existaient plus, chaque pas effaçait un peu plus le temps et la souffrance, elle avait vingt et un ans, elle était à nouveau à Yenan quand Yong était apparu à la porte matelassée de la salle de bal et qu'elle s'était précipitée vers lui, comme maintenant, qu'elle s'était jetée dans ses bras et n'avait peut-être pas imaginé alors que ce serait pour toujours. Pour toujours.

Elle fut devant lui et il dit : « Mère, vous êtes revenue. » Son fils. Grand, plus grand qu'elle d'une demi-tête. De longues jambes, un corps mince, plus grand que son père.

« Maman, nous vous attendons depuis si longtemps. »

Elle le serra dans ses bras, le serra contre elle, elle le sentit et se souvint de son odeur de petit garçon et toutes les années sans Yong furent là, entre eux, et elle savait déjà mais espérait encore, encore...

« Ton père... il est... est-il...

— Maman, vous ne devez pas avoir du chagrin. *Tietie* n'est plus. Nous ne vous l'avons pas dit parce que vous étiez loin et nous ne voulions pas que vous soyez seule avec votre chagrin. »

Stéphanie faillit s'irriter, et dire : Mais pourquoi ne me l'avez-vous pas fait savoir ? Puis elle comprit que c'était idiot, bien sûr, de dire ça. Qu'aurait-elle pu faire en effet ? C'était par sollicitude, parce qu'ils pensaient qu'il valait mieux attendre son retour parmi eux ; quand elle n'aurait pas à porter seule son chagrin ; qu'elle ne se retrouverait pas seule avec le spectre ; qu'elle aurait le réconfort, le soutien de toute la Famille pleurant avec elle, l'entourant de leur propre affliction si ample, car ils étaient si nombreux.

« Grand-Père et Grand-Mère et beaucoup d'autres parents vous attendent à la maison, Maman, dit Trésor d'Hiver. Il n'y avait pas assez de véhicules pour tout le monde... »

Elle sentit alors une petite pression sur sa jupe et le remords l'envahit car elle avait oublié Hirondelle, complètement. « Oh, voici ton frère, Hirondelle, Marylee, c'est Trésor d'Hiver...

— Hello, dit Hirondelle, très américaine.

— Petite sœur », dit son frère, plus cérémonieux, en lui souriant ;

alors elle se jeta dans ses bras en rejetant en arrière sa crinière de cheveux noirs si semblable à la sienne.

« Beaucoup de gens sont venus vous saluer, Mère. »

Ce n'était ni le lieu ni le temps du chagrin ; Stéphanie, encore bouleversée et tremblante d'émotion, les vit s'avancer, tous ceux qui avaient pu se rendre à l'aéroport pour l'accueillir. Place aux bienséances, au rituel de politesse.

Keng Dawei était venu accueillir son frère sir Henry qu'il n'avait pas vu depuis 1949. Eddy Keng braillait « *Tietie, Tietie* », d'une voix enfantine et s'inclinait devant son père. Car lui aussi avait passé presque deux décennies hors de Chine. Et pendant tout ce temps-là, il avait obéi, obéi à ce père sage et clairvoyant. A présent, il sanglotait comme un enfant, parce qu'il était de retour chez lui, là où le cœur peut se mettre à nu. Et son père tapotait la tête de ce fils si respectueux et prospère, tapotait la main de Stéphanie, les cheveux d'Hirondelle, paisiblement installé dans la gloire sereine de son grand âge.

Lionel Shaggin et Loumei étaient là, aussi, avec leur grand fils Guerrier de Chine, qui était contremaître dans une usine. Eux non plus ne paraissaient pas changés, Loumei était un peu plus forte et Lionel disait avec la même chaleur que jadis « Bienvenue, Texas ».

Il y avait aussi Joan Wu, qui s'avança d'un pas énergique, serra Stéphanie dans ses bras et dit : « A présent, nous attendons beaucoup de vous, et que vous œuvriez puissamment pour l'amitié entre la Chine et l'Amérique... »

Derrière eux se tenait un jeune homme qui boitait un peu, avec de hautes pommettes saillantes, qui dit : « Vous ne me reconnaîtrez pas.. » Il avait un fort accent et Stéphanie sut immédiatement.

« De Chungking...

— Liang. Petit Etang. Vous avez sauvé ma mère Mère Liang, il y a vingt-sept ans.

— Le camarade Liang est venu de son usine à Tsinan où il est ingénieur en chef pour vous remercier et aussi pour pleurer mon père, dit Trésor d'Hiver.

— Nous nous souviendrons de vous, et de *Taifu*, de génération en génération », dit Petit Etang.

A ce moment-là, deux femmes, l'air très dignes, qui la firent penser au professeur Soo, vêtues de tailleurs sobres presque identiques s'avancèrent vers elle. « Madame Ryder, vous ne vous rappelez pas mais nous si. Nous étions dans l'autocar qui menait à Fourche de la Rivière, en septembre 1944. Nous avons appris votre venue par les journaux et nous sommes heureuses de vous souhaiter la bienvenue. » Elles lui dirent enfin leur nom, lui serrèrent très fort la main, puis reculèrent et disparurent.

Et *Amah* Mu était là aussi, toute ratatinée, venue accueillir Jeune

Maîtresse ; elle caressa la main d'Hirondelle et dit : « *Aiyah,* j'aurais bien voulu élever celle-là aussi ! »

Chardon et Corail, entourées de quelques-uns de leurs enfants, se précipitèrent à leur tour ; avec elles se trouvait une jeune fille au visage rond et aux grands yeux.

« Maman, voici Toute-Ronde, la fille de Yee Meiling », dit Trésor d'Hiver.

Stéphanie allait demander, Meiling, comment va-t-elle ? Mais quelque chose la retint soudain. Meiling n'était pas là et le visage de Toute-Ronde avait une expression choquée, tragique, flottante ; trop mobile, ce visage... Elle l'apprendrait plus tard. Par son fils. Ce n'était pas le lieu pour poser des questions.

La ruelle des Huit Bijoux était goudronnée à présent et bon nombre de ses habitations étaient de hauts bâtiments de brique neufs. Il n'y avait pas de portier à l'entrée fraîchement repeinte mais Père et Mère se tenaient sur les marches de pierre entourés par les différents membres de la Famille rangés en bon ordre, les grands et les petits, les gros et les maigres, les vieux et les jeunes, selon le degré de parenté et la génération.

Stéphanie descendit de la voiture et s'avança vers eux. Mère ouvrit les bras et dit : « Fille, oh ! Fille, vous êtes revenue. » Sa voix était légèrement essoufflée, l'âge l'avait assourdie. Mais elle était restée Mère, toujours belle, sa présence une grâce fluide et infrangible comme l'eau.

Et Père, vieilli lui, appuyé sur une canne mais heureux, heureux...

Tout était arrangé, orchestré, ordonné par des siècles de rituel approprié et de comportement adapté. Il y avait une manière, un temps, un lieu pour exprimer son émotion.

Et donc, quand Hirondelle se fut inclinée devant les plus âgés, puis devant la génération qui la précédait, qu'elle eut dit Grand-Père, Grand-Mère et eut appelé les différents oncles et tantes par leur place dans la hiérarchie familiale, la petite procession s'engagea dans le jardin, un jardin sauvage à présent, négligé, bien que quelqu'un eût balayé ses allées et que des ouvriers fussent occupés à réparer la galerie qui le traversait. Ils se rendirent au pavillon où avaient vécu Jen Yong et Laï Neige de Printemps en un temps qui n'était plus mais demeurait à jamais.

La pierre à laquelle s'accrochait la mousse était toujours là, dressée au milieu du bassin à sec, ce qui n'avait pas empêché la mousse de croître. Les scellés avaient été enlevés et les portes du pavillon étaient ouvertes. Dans la salle de séjour, au mobilier intact, était accroché un portrait de Yong.

Il n'était pas très ressemblant car c'était l'œuvre d'un photographe entreprenant, qui avait essayé d'adoucir et d'arrondir les traits, de les enrober de chair molle. Le portrait d'un ancêtre doit présenter la dignité sans rides d'une urbanité bienséante.

Alors vint le temps de l'affliction. Père se tint devant le portrait de son fils, et son corps chancela un peu quand il dit : « Fils, oh ! Fils... »

Le temps de l'affliction était venu. Une clameur de lamentations monta de tous ceux qui étaient rassemblés là, douleur ailée qui allait s'élever dans l'univers pour trouver le fantôme errant qui avait attendu, qui attendait cette heure depuis si longtemps et avec une telle constance...

Chacun appela le mort, par son nom approprié. Père et Mère lui dirent Fils, et Trésor d'Hiver dit *Tietie,* et pleura ; les autres l'appelèrent Cousin, ou Oncle ; et Liang Petit Etang cria le plus fort en l'appelant *Taifu, Taifu.*

Mère prit la main d'Hirondelle et dit au portrait : « Fils, ta fille Hirondelle est venue. » Hirondelle et Trésor d'Hiver se tinrent côte à côte, ils allumèrent des bâtonnets d'encens et les placèrent dans une petite cassolette puis ils s'inclinèrent ensemble et dirent : « *Tietie, Tietie.* »

Et ce fut fini.

Ils revinrent tous au pavillon des parents. Mère dit à Stéphanie sur le ton de la conversation : « Pendant un certain temps, au cours des premiers mois de la Révolution culturelle, nous avons vécu tous les trois dans une petite pièce, mais, à présent, on nous a rendu la Maison et le gouvernement la fait réparer à ses frais. » Veuve s'était portée volontaire pour travailler dans une commune ; elle s'était mariée. Enfin. « Elle a épousé un vieux cadre du Parti qui avait été condamné à aller faire du travail manuel... elle semble très heureuse », ajouta Mère.

Le mobilier du salon était bien fatigué et la soie qui recouvrait les sièges avait dû être raccommodée mais c'était toujours une belle pièce, la porcelaine était revenue sur les étagères, les rouleaux et les tableaux avaient retrouvé leur place sur les murs.

« Asseyez-vous, chère Fille, dit Mère, asseyez-vous. » Pendant ce temps, Trésor d'Hiver et Hirondelle étaient allés à la cuisine ; ils revinrent avec les tasses et la théière, pour servir le thé à leurs aînés.

« *Yeh yeh, Nai nai,* je vous en prie, buvez un peu de thé », dit Hirondelle timidement en se servant des mots chinois pour Grand-Père et Grand-Mère.

Sa grand-mère la regarda avec des yeux heureux et dit : « Oh, comme mon cœur rajeunit quand il contemple une telle jeunesse. »

Stéphanie se leva pour prendre les tasses des mains de sa fille et les plaça devant les anciens en disant : « Mère, Père, faire ceci pour vous me fait redevenir jeune... »

Ils burent et parlèrent avec une courtoisie souriante et sans contraintes, à présent que tous les liens avaient été dûment reconnus devant les morts puissants qui les avaient créés et que Laï Neige de Printemps avait retrouvé sa place au sein de la Famille.

Ils racontèrent à Stéphanie (et Trésor d'Hiver traduisait pour sa sœur Hirondelle) les circonstances de la mort de Yong et comment on avait arrêté la bande qui l'avait assassiné.

« Il y a encore des gens mauvais, dit Père. Il continuera à y avoir des troubles mais... » son visage s'éclaira, « j'ai bon espoir, fille. La Chine est la Chine. Et le sera toujours. Elle a traversé tant de tumultes, tant de siècles agités. Elle survit à tout. Nous survivrons. »

Jen Lin, Trésor d'Hiver, était assis, respectueux et discret, totalement maître de lui. Il émanait de lui une assurance compétente, il était l'héritier, le pourvoyeur, le continuateur, celui qui veillait sur les vieux et les plus jeunes et il assumait jusqu'au bout cette responsabilité mais discrètement, en silence. Il attendit que sa mère l'interrogeât pour expliquer d'une voix respectueuse, qu'il avait étudié l'électronique et l'anglais, par lui-même, et aussi les mathématiques et qu'à présent, deux instituts de recherche chinois lui faisaient des propositions.

« Je me suis efforcé de ne pas gaspiller de temps, Maman », dit-il.

Tous ces jeunes esprits, pensa Stéphanie. Ces merveilleux jeunes esprits. Elle pouvait les aider à présent, leur offrir des facilités, de l'argent... « Trésor d'Hiver, il faut que tu viennes étudier aux Etats-Unis, dit-elle à son fils.

— Certainement, Maman, mais je reviendrai ici ; la Chine a besoin de tant de choses, elle a encore un si grand retard... » répondit-il, et elle comprit que c'était un avertissement. Pour elle. Il le dit exactement comme Yong l'avait dit, vingt-sept ans plus tôt : « Notre pays est si en retard ; nous avons besoin de tant de choses... »

Il ne s'inclinerait pas devant le facile, l'évident. Déjà il se chargeait d'Hirondelle...

Stéphanie se sentit à la fois triste et fière, et se demanda ce que l'avenir réservait à son fils, ce fils qui la regardait avec des yeux attentifs et graves et qui était déjà responsable. Responsable de la Famille.

Une grande sérénité émanait de Père et de Mère. Les mots coulaient d'eux sans heurts, tandis qu'ils lui racontaient, lui racontaient. Sa Fei et son mari étaient encore mal vus mais ils avaient été transférés dans une petite ville... Rosamond Chen s'était mariée, elle avait épousé un ouvrier, un veuf avec trois enfants. Elle semblait heureuse. « Elle écrit qu'elle a grossi et qu'elle viendra vous voir dès qu'elle obtiendra un congé. »

Trésor d'Hiver se pencha vers son grand-père et lui chuchota quelque chose ; ce dernier inclina la tête avec vivacité, frappa des mains et dit : « Et maintenant, nous devons prendre quelques photos. »

Alors tous s'installèrent, en rang selon la hiérarchie des générations, et le photographe qui attendait dans la pièce voisine entra avec son appareil photo qui n'était plus une boîte encombrante drapée de tissu noir mais la copie chinoise d'un Rolleiflex.

Debout. Assis. Sérieux. Souriants. Clic, clic, l'appareil fonctionnait. Tout le monde devisait à voix basse. Murmures gais, heureux. Comme si personne n'avait eu le moindre souci.

Alors une grande clarté monta en Stéphanie, irrésistible, évidente. Comme si le soleil du matin s'était levé, dissipant toute obscurité. Un matin qui s'étendait partout, et apportait au monde entier une nouvelle naissance.

Tout un monde nouveau à créer. Et elle pouvait y contribuer. Elle n'allait pas se faner, le cœur momifié, l'esprit déployant une vaine énergie à amasser de l'argent.

Il y avait tant, tant à faire. Elle se sentait concernée, engagée, comme jamais auparavant. Non seulement à cause du souvenir des morts mais plus encore par les vivants.

Trésor d'Hiver, Hirondelle. Ses enfants. Les enfants de Yong. Elle ne faillirait pas à son devoir envers eux. L'amour avait retrouvé le chemin de son cœur.